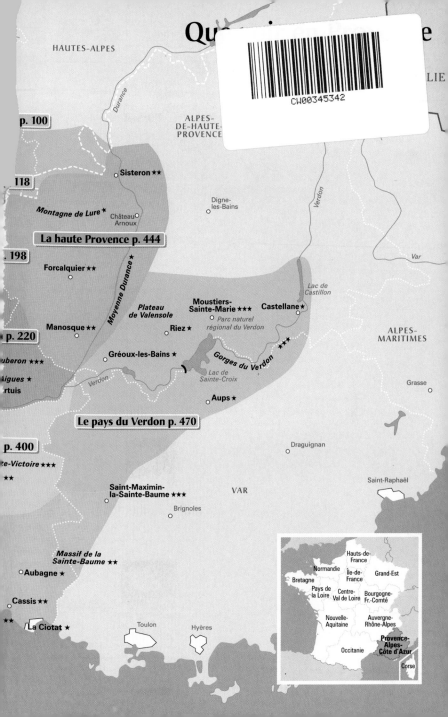

Qu... ...e

HAUTES-ALPES

ITA... LIE

p. 100

Durance

ALPES-
DE-HAUTE-
PROVENCE

Verdon

118

Sisteron ★★

Digne-
les-Bains

Montagne de Lure ★

Château
Arnoux

La haute Provence p. 444

Var

198

Forcalquier ★★

Moyenne Durance

Lac de
Castillon

*Plateau
de Valensole*

**Moustiers-
Sainte-Marie ★★★**

Castellane ★

Manosque ★★

Riez ★

○ *Parc naturel
régional du Verdon*

ALPES-
MARITIMES

p. 220

Gréoux-les-Bains ★

Gorges du Verdon ★★★

*Lac de
Sainte-Croix*

...uberon ★★★

Grasse

...aigues ★
...rtuis

Verdon

Aups ★

Le pays du Verdon p. 470

Draguignan

p. 400

...e-Victoire ★★★

★★

**Saint-Maximin-
la-Sainte-Baume ★★★**

VAR

Saint-Raphaël

Brignoles

*Massif de la
Sainte-Baume ★★*

Aubagne ★

Cassis ★★

Toulon

Hyères

★★ **La Ciotat ★**

Hauts-de-
France

Normandie

Île-de-
France

Grand-Est

Bretagne

Pays de
la Loire

Centre-
Val de Loire

Bourgogne-
Fr.-Comté

Nouvelle-
Aquitaine

Auvergne-
Rhône-Alpes

**Provence-
Alpes-
Côte d'Azur**

Occitanie

Corse

PROVENCE

hachette

Ce guide a été établi par **Isabelle Bruno, Sandrine Favre, Virginie Inguenaud, Pierre Liron** et **Marie-Pascale Rauzier**. La présente édition a été actualisée par **Emma Shindo**.

Direction : Nathalie Bloch-Pujo
Direction éditoriale : Cécile Petiau
Responsable de collection : Béatrice Hemsen-Vigouroux
Lecture-correction : Michel Mazoyer et Marie-Pia Verguin
Cartographie : Frédéric Clémençon et Aurélie Huot
Maquette intérieure : Dominique Grosmangin
Couverture : Elsa Antoine
Illustrations : Emmanuel Guillon
Fabrication : Rémy Chauvière
Informatique éditoriale : Lionel Barth

© **Hachette Livre (Hachette Tourisme), 2018**
58, rue Jean-Bleuzen, CS 70007, 92178 Vanves Cedex • www.guideshachette.com

Retrouvez les Guides Bleus sur YouTube et sur Facebook : www.facebook.com/GuidesBleus

Pour nous écrire : bleus@hachette-livre.fr

Sommaire

En savoir plus

Thémas

Cartes et plans

CLASSIFICATION DES SITES, VILLES, MONUMENTS, MUSÉES...

★★★   **Exceptionnel**
★★   **Très intéressant**
★   **Intéressant**

AUTRES SYMBOLES

🛏   **Hôtels**
✕   **Restaurants**
🛍   **Boutiques**
◉   **Lieux d'exposition et de spectacle**
◎   **Lieux de loisirs**

Informations pratiques

S'informer

Les adresses des offices de tourisme de chaque ville figurent dans le guide aux pages correspondantes.

Telle qu'elle est présentée dans ce guide, la Provence comprend l'intégralité des départements du Vaucluse et des Bouches-du-Rhône, le N.-O. du Var, la moitié S.-O. des Alpes-de-Haute-Provence, le S. de la Drôme (région Rhône-Alpes), le canton d'Orpierre dans les Hautes-Alpes et quelques localités du Gard (région Languedoc-Roussillon) comme Villeneuve-lez-Avignon, Beaucaire, Saint-Gilles...

➤ Comités régionaux du tourisme

● **CRT de Provence-Alpes-Côte-d'Azur** : 62-64, La Canebière, 13231 Marseille Cedex 01 ☎ 04 91 56 47 00 ; http://tourismepaca.fr

● **CRT de Rhône-Alpes** : 8, rue Paul-Montrocher, 69002 Lyon ☎ 04 26 73 31 59 ; http://fr.auvergnerhonealpes-tourisme.com

➤ Agences de développement touristique, Comités départementaux du tourisme

● **ADT des Alpes-de-Haute-Provence** : Maison des Alpes-de-Haute-Provence, immeuble François-Mitterrand, BP 80170, 04005 Digne-les-Bains Cedex ☎ 04 92 31 57 29 ; www.alpes-haute-provence.com

● **CDT des Bouches-du-Rhône** : 13, rue Roux-de-Brignoles, 13006 Marseille ☎ 04 91 13 84 13 ; www.myprovence.fr

● **ADT de la Drôme** : 8, rue Baudin, BP 531, 26005 Valence Cedex ☎ 04 75 82 19 26 ; www.ladrometourisme.com

● **ADT du Var** : 1, bd de Strasbourg, BP 5147, 83093 Toulon Cedex ☎ 04 94 18 59 60 ; www.visitvar.fr

● **CDT du Vaucluse** : 12, rue du Collège-de-la-Croix, 84000 Avignon ☎ 04 90 80 47 00 ; www.provenceguide.com

➤ Presse régionale

● Les principaux titres de la **presse quotidienne régionale** sont : *La Provence*, *La Marseillaise*, *Vaucluse matin* et *Var matin*. Marseille dispose de l'édition spécifique du gratuit *20 minutes*.

● Pour les **hebdomadaires**, citons : *Vaucluse hebdo-Le Comtadin* (Avignon). Gratuits ou payants, de petits hebdomadaires ou bimensuels locaux rassemblent les informations culturelles et les programmes des spectacles : *Ventilo* à Marseille, *Top'Annonces-PlusHebdo* à Avignon. Des magazines comme le mensuel *Provence-Magazine* informent aussi sur le tourisme et la vie culturelle.

Comment s'y rendre ?

➤ Par la route

● Depuis Paris ou Lyon, la Provence est accessible par l'« autoroute du Soleil » (A7), qui longe la vallée du Rhône. Sur cet axe majeur s'embranchent les autres grandes voies : la A 54, à hauteur de Salon-de-Provence, part vers Arles ; la A 8, après Salon, s'oriente vers Nice en passant par Aix-en-Provence et Saint-Maximin-la-Sainte-Baume ; la A 55, après Vitrolles, rejoint Martigues, tandis que, au même endroit, la A 51 remonte au N.-E. jusqu'à la vallée de la Durance via Aix et suit la rivière en passant par Manosque et Sisteron. Enfin, à Marseille commence la A 50, qui suit la côte vers l'E. en traversant La Ciotat et Toulon, puis remonte vers la A 8.

● Une séduisante manière d'aborder la haute Provence depuis le N. (Grenoble) est de le faire par les Alpes, via la N 85, la « route Napoléon », que prolonge, vers le S., la A 51 ; un itinéraire moins rapide mais magnifique.

● Les grands axes O.-E. sont constitués par la D 900 (Avignon-Apt-Sisteron), la D 973 (Avignon-Pertuis-vallée de la Durance), la A 7 et la A 8 (Avignon-Aix-Saint-Maximin). Entre Marseille et Toulon, la D 559 longe le littoral.

➤ Par le train

Voyages-sncf.com : www.voyages-sncf.com

● La région est desservie par les lignes du TGV Méditerranée : Marseille est à 3 h 15 de Paris, 4 h 50 de Lille, 1 h 50 de Lyon. La ligne compte deux autres gares, Avignon et Aix-en-Provence.

• En dehors des lignes de TGV, le réseau ferré dessert : la vallée du Rhône, Orange, Avignon, Arles, Miramas ; la vallée de la Durance depuis Avignon ; Aix-en-Provence et Marseille, bien sûr, ainsi que le littoral à l'E. de Marseille.

➤ **En avion**

Air France : ☎ 36 54 ; www.airfrance.fr

• L'aéroport de Marseille-Provence est un carrefour aérien important. En France, il propose des vols pour la Corse (Ajaccio, Bastia, Calvi, Figari), Bordeaux, Toulouse, Lyon, Brest, Clermont-Ferrand, Lille, Lyon, Metz-Nancy, Mulhouse, Strasbourg, Rennes, Nantes, la Réunion. Il est bien sûr relié à Paris (Orly et Roissy-Charles-de-Gaulle, durée du vol : 1 h 15), avec laquelle il propose des liaisons Air France quasiment toutes les heures. En Europe, des liaisons existent avec Genève, Francfort, Munich, Prague, Bruxelles, Londres, Madrid, Barcelone, Rome, Milan, Lisbonne, Dublin…

• L'aéroport d'Avignon propose des liaisons régulières avec le Royaume-Uni (Southampton, Birmingham, Londres-City) et des vols vacances vers la Corse (Figari).

• À noter que 6 compagnies low-costs ont des accords sur l'aéroport de Marseille-Provence pour desservir 36 destinations en Europe et au Maroc.

Quand s'y rendre ?

Quelle que soit la saison, les températures sont la plupart du temps clémentes et les pluies rares.

• L'**hiver** peut être froid dès que les reliefs s'accentuent : les Alpes-de-Haute-Provence sont alors plus « Alpes » que « Provence », mais toujours sous le soleil ! Sur le littoral, l'ensoleillement reste abondant et, lors de journées sans vent, les températures peuvent dépasser les 15 °C en plein mois de janvier.

• Au **printemps**, le renouveau de la végétation embellit tout le pays : au risque de quelques pluies, toujours brèves, on découvre alors la Provence « des cartes postales ». Néanmoins, pendant cette période, de mars à mai, le mistral est le plus fréquent et parfois violent ; mais c'est lui aussi qui chasse les nuages…

• En plein **été**, campagnes et rivages sont sous un soleil brûlant : on comprend l'intérêt des ombrages de platanes et l'étroitesse des ruelles villageoises qui gardent la fraîcheur. Les températures peuvent dépasser les 30 °C et des

orages viennent rafraîchir l'atmosphère en fin de journée ; des nuits à 20 °C semblent alors bien douces…

• L'**automne**, enfin, peut être parfois orageux et venté, mais il reste toujours doux et réserve encore de très belles journées.

Bonnes adresses

Des adresses d'hôtels, de chambre d'hôtes, de restaurants et de boutiques sont indiquées tout au long de ce guide.

• Les CDT et les offices de tourisme proposent des documents recensant toutes les formes d'**hébergement**, depuis toutes les catégories de camping jusqu'aux hôtels classiques et luxueux en passant par les gîtes et les chambres d'hôtes. Pour réserver dans ces deux derniers types d'établissement : www.gites-de-france.com

Localement : www.gdf13.com ; www.gites-de-france-vaucluse.com ; www.gites-de-france-04.fr ; www.gites-de-france-drome.com

• De nombreuses chambres d'hôtes et maisons en location sont regroupées au sein du réseau-label Clévacances : www.clevacances.com

• Pour des séjours à la ferme : www.agrivacances.com ; www.bienvenue-a-la-ferme.com/paca

• De nombreux établissement bénéficient de l'enseigne des Logis, et des garanties de confort et d'accueil qui s'y attachent : www.logishotel.com

• Les chaînes de châteaux-hôtels sont également représentées en Provence : www.chateauxhotels.com ; www.relaischateaux.com ; www.chateauxdemeures.com

• On trouve également dans la région quelques établissements adhérant à la chaîne des relais du silence : www.relaisdusilence.com

Sur place

➤ **Les parcs naturels**

On trouve en Provence quatre parcs naturels régionaux et un parc national.

• **PNR de Camargue** : Maison du Parc de Camargue : Mas du Pont de Rousty, 13200 Arles ☎ 04 90 97 10 82 ; www.parc-camargue.fr

• **PNR des Alpilles** : 2, bd Marceau, 13210 Saint-Rémy-de-Provence ☎ 04 90 90 44 00 ; www.parc-alpilles.fr

La Provence à la carte

➤ Paysages remarquables

Entre Marseille et Cassis, les **calanques*** (p. 379), aux eaux vertes surplombées par un chaos minéral d'une blancheur éblouissante, se découvrent au fil des criques, si possible hors saison. La **route des Crêtes*** (p. 385), qui borde les falaises de Soubeyran, est jalonnée de belvédères vertigineux. Vous apercevrez à maintes reprises dans votre périple les deux montagnes emblématiques de la Provence, la **Sainte-Victoire*** (p. 440), si chère à Cézanne, et le **mont Ventoux*** (p. 133), un géant mythique. Les **dentelles de Montmirail*** (p. 127), au relief tourmenté, étirent leurs crêtes calcaires au-dessus de charmants villages. Dans le **massif des Baronnies**** (p. 111), ne manquez pas la vue du **col de Perty**** (p. 114) sur les sommets alpins. Parcourez le sentier des ocres dans le **Colorado provençal*** (p. 238), dont les cheminées de fées ont été modelées par la main de l'homme et le vent. Entre terre et mer, la **Camargue*** (p. 321), aux airs de bout du monde, se livre en prenant les chemins de traverse, entre manades et rizières. Pour les panoramas époustouflants, rendez-vous sur les corniches routières vertigineuses des **gorges du Verdon*** (p. 484), que vous pourrez aussi parcourir à pied par le **sentier Blanc-Martel**** (p. 487). Au pays de Sault, les **gorges de la Nesque**** (p. 218) alternent virages en épingle à cheveux, tunnels et belvédères.

➤ Villages de caractère

Ils sont l'âme de la Provence. La montagne du Luberon est un écrin pour les villages perchés de **Bonnieux**** (p. 239), à la silhouette altière, **Lacoste**** (p. 241), aux ruelles pavées de galets, **Ménerbes*** (p. 242), véritable vaisseau de pierre, **Oppède-le-Vieux**** (p. 243), émouvant hameau fantôme, ou **Lourmarin**** (p. 250), qu'affectionnent les stars et les artistes. **Roussillon**** (p. 234) est unique pour la couleur ocre-rouge de ses façades.

À **Gordes**** (p. 205), les maisons de pierres sèches, accrochées à la pente, s'enroulent autour de son château. Bâti sur un site extraordinaire, **Les Baux-de-Provence*** (p. 279) est un village-musée chargé d'histoire. Aux portes du mont Ventoux, **Séguret**** (p. 127) et **Crestet**** (p. 132) sont deux petits bijoux provençaux. En haute Provence, vous monterez à **Simiane-la-Rotonde*** (p. 453), couronné par un impressionnant donjon circulaire, ou à **Banon*** (p. 452), ceinturé de maisons formant un puissant rempart. Dans les Baronnies attardez-vous à **Brantes**** (p. 116), perché face au Ventoux, et à **Montbrun-les-Bains**** (p. 117), dont les hautes maisons se serrent contre la falaise. Au-dessus du **lac de Sainte-Croix*** (p. 482), **Moustiers-Sainte-Marie*** (p. 479), blotti au creux d'une faille, est veillé par une bonne étoile.

▼ *Lacoste, ou le charme des villages du Luberon.*

La Provence antique

Forte de quatre siècles d'occupation romaine, la Provence a hérité d'édifices impressionnants : à Arles, l'**amphithéâtre*** (p. 313) et le **théâtre antique*** (p. 304) ; à Orange, un autre **théâtre*** (p. 92) à l'étonnant mur de scène, et un **arc de triomphe*** (p. 94) ; à Vaison-la-Romaine, les ruines des **quartiers de Puymin*** (p. 122) **et de la Villasse*** (p. 123) ; à Saint-Rémy-de-Provence, la grande cité antique de **Glanum*** (p. 278). Au **musée d'Histoire de Marseille*** (p. 353), vous découvrirez l'histoire de la ville à travers une maquette de l'époque romaine. Au **musée Arles antique*** (p. 315), ne manquez pas les mosaïques romaines et les sarcophages paléochrétiens.

Les villes provençales

Marseille* (p. 334), la cité phocéenne aux multiples facettes, est devenue la deuxième ville de France. Le **Vieux-Port*** (p. 340) et **Notre-Dame-de-la-Garde*** (p. 366) en sont les emblèmes. À **Aix-en-Provence*** (p. 404), vous déambulerez de fontaines en hôtels particuliers, sur les traces de Cézanne. **Avignon*** (p. 143) garde jalousement derrière ses remparts son passé fabuleux de cité des Papes, animé tous les ans par le foisonnement créatif de son festival de théâtre. Capitale de la Camargue, **Arles*** (p. 302) abrite un patrimoine exceptionnel et le souvenir de Van Gogh. Vous aimerez flâner dans les jolies ruelles de la ville haute de **Vaison-la-Romaine*** (p. 121), faire votre marché dans le centre piétonnier de **Carpentras*** (p. 179), ou passer une soirée aux Chorégies d'**Orange*** (p. 90). **Manosque*** (p. 447) est la ville de Jean Giono, **Aubagne*** (p. 388) celle de Marcel Pagnol, **Fontvieille** (p. 286) entretient le souvenir de Daudet. L'élégance de **Saint-Rémy-de-Provence*** (p. 274) se lit sur les façades de ses hôtels particuliers et dans les toiles de Van Gogh. En haute-Provence, **Forcalquier*** (p. 455) et **Sisteron*** (p. 466) préservent leur qualité de vie.

En famille

Flamands roses, hérons et avocettes élégantes vous attendent au **parc ornithologique de Pont-de-Gau*** (p. 323). Roselières, sansouires et étangs de Camargue sont à découvrir

▲ *Dans la crèche d'Aubagne, un santon inspiré d'un personnage bien connu des cinéphiles.*

sur les sentiers Nature des **domaines de la Capelière*** (p. 327) **et de la Palissade*** (p. 328). Les amateurs d'insectes ont rendez-vous au **Naturoptère*** (p. 95) de Sérignan-du-Comtat ; les fans de crocodiliens et de tortues géantes, à la **Ferme aux Crocodiles** (p. 77). Dans les **Carrières de Lumières*** (p. 286), vous serez happés par le spectacle de ces photos mouvantes projetées sur les parois, au son de musiques grandioses. Au pays des santons, visitez la **petite Provence du Paradou*** (p. 287) et sa très belle reconstitution d'un village provençal, ou le **musée des Santons Carbonel** (p. 366) à Marseille. Amis des chevaux, ne manquez pas le spectacle équestre offert en week-end par le **parc Alexis-Gruss** (p. 95). À Quinson, le **musée de Préhistoire des gorges du Verdon*** (p. 475) vous transportera un million d'années en arrière. Dans le dédale des grottes du théâtre d'Orange, assistez au spectacle multimédia « Les fantômes du théâtre » (p. 92). Les amateurs de douceurs sucrées ne résisteront pas aux berlingots de la **Confiserie du mont Ventoux** (p. 183) à Carpentras, aux fruits confits de la **confiserie Aptunion** (p. 231) d'Apt, aux **calissons** (p. 417) d'Aix-en-Provence et au **nougat** (p. 216) de Sault.

➤ Forteresses et châteaux

Le fort Saint-Jean** (p. 342) surveillait la passe du Vieux-Port à Marseille, le **château d'If*** (p. 375), immortalisé par Alexandre Dumas, protégeait la ville des invasions. À Villeneuve-lès-Avignon, le **fort Saint-André** (p. 177) a conservé ses deux importantes tours jumelles. Le **château des Baux-de-Provence*** (p. 284) reflète le passé tumultueux des seigneurs de la cité. La **citadelle de Sisteron** (p. 466), perchée au-dessus de la Durance, protège la ville depuis longtemps. À la fois forteresse et résidence somptueuse, le **palais des Papes*** (p. 160) d'Avignon, où se sont succédé sept papes en l'espace d'un siècle, est sans conteste l'un des édifices les plus envoûtants de Provence. Le long de la vallée du Rhône s'élèvent le **château de Suze-la-Rousse*** (p. 88), résidence des princes d'Orange, et le **château du roi René** (p. 265) à Tarascon. Le **château de Grignan*** (p. 78), où plane encore le souvenir de Mme de Sévigné, est le plus vaste édifice Renaissance de Provence. Autres somptueuses demeures de plaisance, le **château de Lourmarin** (p. 250), le **château de la Tour-d'Aigues*** (p. 254) ou le **château d'Ansouis** (p. 256). Les cinq tours défensives du **château de La Barben** (p. 294) contrastent avec l'ornementation des façades.

➤ Édifices religieux

La **cathédrale Saint-Trophime** (p. 307) d'Arles, son **portail*** (p. 306) et les chapiteaux historiés de son **cloître** (p. 306) sont des chefs-d'œuvre de l'art roman provençal, tout comme l'**abbatiale de Montmajour*** (p. 318). Deux autres joyaux, l'**abbaye de Sénanque** (p. 211) et l'**abbaye de Silvacane** (p. 438) illustrent le développement de l'ordre cistercien en Provence. Quant à l'**abbaye Saint-Victor*** (p. 364) à Marseille, elle doit son rayonnement spirituel aux Bénédictins. À voir aussi la **chartreuse du Val-de-Bénédiction*** (p. 176) à Villeneuve-lès-Avignon, deux fois plus vaste que le palais des Papes, et la **basilique de Saint-Maximin-la-Sainte-Baume*** (p. 393), deux beaux exemples du gothique en Provence. L'architecture religieuse se fait flamboyante sur la façade de l'**église Saint-Pierre** (p. 170) d'Avignon, ou sur celle de la **cathédrale Saint-Sauveur** (p. 411) à Aix-en-Provence. Marseille s'est offert deux édifices de style romano-byzantin : la **cathédrale de la Mayor*** (p. 344) et la **basilique Notre-Dame-de-la-Garde*** (p. 366) qui, du haut de son promontoire, offre une vue unique sur la ville et la rade.

➤ Beaux-arts

À Avignon, vous visiterez le **musée Calvet** (p. 157), qui rassemble des collections de peinture, des sculptures et des tapisseries médiévales ; le **musée du Petit-Palais** (p. 164) et ses remarquables « primitifs italiens » ; l'**hôtel de Caumont** (p. 151), qui abrite une très belle collection d'art contemporain. Le **musée Cantini** (p. 361) à Marseille retrace tous les grands mouvements de l'art moderne. Le **musée Granet** (p. 426) d'Aix-en-Provence détient une belle collection de peintres français, italiens, et flamands, et veille sur ses « Cézanne ». Toujours à Aix, la **fondation Varasely** (p. 427) expose des œuvres du maître de l'art cinétique. Les amateurs d'art primitifs ne manqueront pas le **musée d'Arts africains, océaniens et amérindiens*** (p. 350) à Marseille. Pour partir sur les traces de Cézanne, visitez son **atelier** (p. 427) et le **Jas de Bouffan** (p. 424) à Aix-en-Provence ; pour retrouver Van Gogh, rendez-vous à Saint-Rémy-de-Provence (p. 274), ou à Arles, sur le **circuit Van-Gogh** (p. 310).

➤ Arts et traditions

Deux visites incontournables à Marseille : le **MuCEM*** (p. 443) pour ses collections de bijoux, de mobilier et de costumes, et le **musée des Arts décoratifs** au château Borély (p. 372). Le **musée de la Camargue*** (p. 323) s'impose pour mieux comprendre le pays des gardians, du riz et de la viticulture. À Taulignan, l'**atelier-musée de la Soie** (p. 81) vous dévoilera le monde de la sériciculture. Le **musée de l'Aventure industrielle du pays d'Apt** (p. 231) retrace l'activité industrielle de la région, des fruits confits aux faïences. Près de Roussillon, le **conservatoire des Ocres et de la Couleur** (p. 235) relate l'histoire et la fabrication de l'ocre. À Salon-de-Provence, deux **savonneries** (p. 293) de renom fabriquent encore le fameux savon de Marseille.

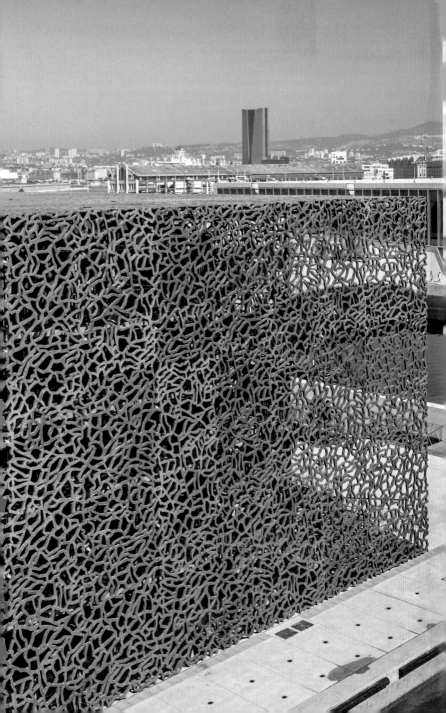

DES INTRODUCTIONS SUR LES PAYSAGES, L'HISTOIRE, L'ART

◀ *Le MuCEM et la villa Méditerranée à Marseille.*

L'eau, clé des paysages

Voir également
les thémas «Le Rhône»
(p. 87), «Les Baronnies,
une région de caractère»
(p. 112-113) et «Un PNR
pour le Luberon»
(p. 244-245).

Bien sûr, il y a sur les places ombragées les si charmantes fontaines… Mais on n'associe guère spontanément le cadre provençal et le rôle que joue l'eau dans cette région. De fait, le climat méditerranéen règne sur des terres arides où l'homme a dû se battre pour conquérir ou dompter la précieuse ressource. Mais c'est bien elle qui, depuis des millénaires, a modelé les paysages, déterminant la présence et les occupations humaines.

▲ *La Sorgues à Fontaine-de-Vaucluse.*

■ Le flot puissant du Rhône

Sous des dentelles calcaires fermant l'horizon, le Rhône règne en majesté à l'O. de la Provence. Il offre au mistral un couloir où souffler, avant que le vent emblématique du pays ne mette le cap à l'E. Ample et puissant, le fleuve a été maîtrisé pour y faciliter la navigation, mais aussi, surtout, pour dompter son énergie : depuis Lyon se succèdent les installations hydroélectriques. Ses eaux sont également utilisées pour le refroidissement de centrales nucléaires. Axe de tous les passages, la vallée rhodanienne est devenue, grâce à son climat, le domaine privilégié des cultures maraîchères et fruitières qui s'étendent jusqu'aux portes des villes ; depuis l'Antiquité, celles-ci sont des marchés : Orange, Avignon, Tarascon. Sur les pentes les plus douces, les vignes sont serrées : des côtes-du-rhône aux côtes-de-provence, les crus sont réputés.

Mais voici que, au cœur du pays que l'on considère souvent comme le «conservatoire» de l'authentique Provence, le petit chaînon des Alpilles, orienté E.-O., vient jouer les frontières : au-delà, la plaine de la Crau se présente avec une relative rudesse, plus sèche, plus austère; le mistral y atteint parfois 250 km/h... Si l'irrigation a permis de développer quelques cultures, le pays demeure pourtant sauvage et peu peuplé.

Aux abords d'Arles, tout semble changer. Le fleuve décide encore, faisant de la Camargue, entre les deux bras de son delta, un espace hors du commun. En ces lieux où se mêlent les eaux douces et salées, la faune et la flore sont uniques. Si l'on observe un vol de flamants roses, le pas pesant des taureaux, le galop éclaboussant des chevaux, on comprend bien l'intérêt d'une protection attentive du milieu naturel.

■ Chaînons et vallées

Du N. de la Provence jusqu'à la mer se succèdent des chaînons calcaires séparés par des vallées. Souvent en forme de longs plateaux, ces reliefs peuvent avoir été déchiquetés par l'érosion jusqu'à prendre des formes fantastiques, par exemple aux dentelles de Montmirail ou aux abords des Baux. Ils portent aussi de séduisants villages perchés, aux maisons resserrées bordant des ruelles fraîches et d'où émergent les campaniles de ferronnerie. Dans les plaines agricoles, au contraire, l'habitat dispersé est l'héritier des villas gallo-romaines liées à l'exploitation d'un domaine. Entre les deux, les vignes alternent avec des cultures souvent en terrasses, les «restanques».

Au S.-E. de Nyons, la région des Baronnies constitue la partie provençale de la Drôme : montagnes et rochers veillent sur la vallée de

La quête de l'eau

En Provence, puits, citernes et autres fontaines sont autant de témoignages de la recherche permanente de l'eau. Ainsi, dans le Luberon ou dans les monts de Vaucluse, rencontre-t-on les «aiguiers» qui servaient autrefois à abreuver le bétail. Il s'agit de bassins creusés dans la roche et recouverts le plus souvent de pierres sèches (ce qui leur confère des allures de bories); ils sont alimentés en eau de pluie par un réseau de rigoles également taillées à même la pierre.

Quant aux fontaines, nombre d'entre elles furent construites aux XVIIIe et XIXe s., notamment lors des grands travaux d'adduction d'eau menés de 1870 à 1914. Symboles de la République, elles sont souvent associées aux nouveaux édifices publics comme les hôtels de ville. Outre leur fonction première – offrir à chacun de l'eau –, elles sont aussi des lieux de rencontre et de sociabilité. Elles permettent également d'augmenter le degré hygrométrique de l'air, rendant ainsi l'atmosphère moins étouffante en été. Elles servent enfin de repères urbains vers lesquels convergent les rues ou les chemins.

l'Ouvèze, les oliviers, les plantes aromatiques, la vigne et la lavande. Au midi, orgueilleusement isolé, le mont Ventoux, fort de ses 1 912 m d'alt., est le point de repère de toute la région : abruptes au N., ses pentes en grandes parties boisées y ont des traits alpins; plus douces vers le S., elles sont alors nettement méditerranéennes et s'apaisent au-dessus de la vallée de Carpentras, du riche Comtat Venaissin et des reliefs de Vaucluse. Là, des gorges et des sources manifestent particulièrement la présence de l'eau, tandis que des rangées de peupliers ou de cyprès s'efforcent de protéger du vent les cultures. Les exploitations agricoles parsèment la campagne, et les camions chargés de fruits et de légumes sont nombreux sur les routes.

Plus au S. encore, le Luberon culmine à plus de 1 100 m. La renommée de ses paysages et de ses villages de charme riches en résidences estivales n'est plus à faire. À son pied, la Durance coule d'E. en O.; entre sa vallée et la mer, la chaîne de la Trévaresse, la montagne Sainte-Victoire puis, au-delà du pays aixois, les massifs de l'Étoile ou de la Sainte-Baume sont représentatifs des petites chaînes calcaires provençales de même orientation qui structurent les paysages.

■ Verdon et Durance

À l'E. de la Provence, ces deux rivières descendues des Alpes-de-Haute-Provence apparaissent comme des forces vives que l'homme a su maîtriser à son profit, tant pour capter l'énergie hydroélectrique que pour développer l'irrigation.

La région de Castellane, encore alpine, révèle déjà des traits provençaux par ses reliefs calcaires, telle la haute falaise dominant la ville, et par sa végétation. En amont de la cité, le barrage de Castillon retient le Verdon pour former un lac de 500 ha. En aval, les fabuleuses gorges du Grand Canyon offrent des paysages parmi les plus impressionnants de France. Dans un contraste saisissant, la rivière s'en échappe non loin de Moustiers-Sainte-Marie pour former le lac de Sainte-Croix, la plus grande retenue artificielle de l'Hexagone, magnifiquement cernée par les monts de haute Provence. Après de nouvelles gorges puis le lac de barrage d'Esparron, la rivière se fait utile : les canaux du Verdon et de Provence amorcent un immense réseau d'irrigation qui va jusqu'au pays aixois et presque aux portes de Toulon.

La Durance, elle, est aménagée depuis Sisteron et doublée par un canal sur une bonne partie de son cours provençal. La vallée, important axe de communication entre les Alpes et la Méditerranée, est un milieu spécifique où la gestion des eaux détermine la vie économique à dominante agricole.

▲ *La montagne Sainte-Victoire.*

Un front de mer varié

L a côte provençale reste très marquée par l'activité maritime et portuaire de la métropole phocéenne. Néanmoins, il demeure encore des portions de rivage qui ont conservé intact leur pouvoir de séduction, telles la Camargue et les calanques de Marseille.

■ La Camargue, tout un monde

Avec les platitudes un peu mystérieuses des grands deltas, la Camargue rejoint la mer par d'amples espaces alluviaux qui n'ont cessé de redessiner le tracé de la côte. Ses très longues plages ne sont souvent que de minces cordons de sable qui semblent vouloir protéger de vastes étangs et des marais striés de canaux de drainage. Sur la rive g. du Grand Rhône, les bassins des Salins du Midi annoncent d'immenses territoires industriels, mais partout ailleurs la Camargue est restée sauvage.

■ Un étang, une rade

Au centre du littoral provençal, l'ensemble industriel et portuaire de Fos, Istres, Salon-de-Provence, Berre et Marignane entoure l'étang de Berre, et ce n'est que très ponctuellement que l'on peut retrouver quelques-uns des attraits de la Provence. La nature reprend ses droits sur la chaîne de l'Estaque, de part et d'autre de Carry-le-Rouet, pays de Fernandel. La chaîne, qui sépare l'étang de Berre et la mer, donne

▲ *La calanque de Port-Pin.*

son nom au quartier le plus occidental de l'agglomération marseillaise, ancien quartier de pêcheurs qui a conservé encore son pittoresque populaire. Il occupe tout le fond d'une rade à l'entrée de laquelle veillent les îles du Frioul.

■ Falaises et calanques

Passé le cap Croisette, la côte voit se succéder les magnifiques falaises calcaires des calanques, entailles profondes souvent percées de grottes, protégées des accès routiers, demeurées relativement sauvages et qualifiées avec raison de «conservatoire écologique». Un vrai charme émane du port de Cassis, décor de la trilogie de Pagnol, mais aussi des vieux quartiers de La Ciotat. Entre les deux localités, les falaises du cap Canaille plongent dans la mer d'une hauteur de près de 400 m. En arrière s'étendent des vignobles parmi les plus réputés des côtes de Provence : les séductions de la région sont bien là.

Une mosaïque de végétation

Voir également
les thémas «Le tilleul»
(p. 109) et «La lavande»
(p. 477).

Chaque été, la menace des feux de forêts revient peser sur la Provence comme si elle était la conséquence obligée d'un couvert végétal adapté à un climat particulièrement sec. C'est dire aussi l'importance des surfaces boisées et des garrigues, grands espaces sauvages trop souvent laissés sans soins ou «mités» par des constructions ignorant les contraintes de la végétation méditerranéenne. Reste que la Provence ne se réduit pas à cela : cultures, vignobles, zones humides de la Camargue ou étendues pierreuse des hauteurs lui apportent la diversité d'écosystèmes fort différents mais unis par un même ciel, le plus souvent d'un bleu intense.

▼ *Un bosquet au pied de la Sainte-Victoire.*

■ Les parfums de la garrigue

Des chênes kermès émergent romarin, argeiras, thym et lavande aspic, genévriers, ajoncs : voici la garrigue, l'un des milieux les plus caractéristiques de la Provence, parfaitement adapté au climat sec. Dans sa forme la plus aride, elle n'est constituée parfois que de plaques de végétation sur un fond de rocaille; dans son aspect le plus dense, elle prend la forme de forêts claires où subsistent chênes verts et chênes blancs, pins maritimes et pins sylvestres. Cette végétation s'accroche sur des collines calcaires. Les défrichements, l'exploitation pastorale ovine et les incendies sont à l'origine de la disparition relative du chêne vert et de la prolifération des espèces buissonnantes. Brûlée de soleil en été, la garrigue doit à ses plantes des parfums plus nombreux encore que ceux des seules plantes aromatiques; et l'on ne saurait l'imaginer sans le chant envoûtant des cigales.

■ La forêt, malgré tout

Malgré la déforestation pratiquée depuis longtemps ou la tragique imprudence incendiaire, la forêt est importante en Provence. Réparties selon l'exposition (soleil ou ombre, adret ou ubac) et l'altitude, la chênaie pubescente (chênes blancs) et la «yeuseraie» (chênes verts) sont très présentes en Vaucluse; des cèdres ont été introduits au XIXᵉ s. sur les pentes du Ventoux et du Luberon. Au-dessus de 900 m d'alt., on trouve des hêtres dans le Ventoux et les Baronnies; peu nombreux, les résineux poussent encore plus haut. Providence des botanistes, une «forêt relique» s'étend au pied du versant ombragé du massif de la Sainte-Baume : sur quelques centaines d'hectares, on trouve des hêtres centenaires, des ifs, des sycomores, des frênes. En revanche, le pin d'Alep, qui croît et s'étend rapidement, est une espèce récente, qui apparaît spontanément ou par reboisement volontaire sur les zones brûlées.

▲ *Les paysages contrastés du mont Ventoux : la forêt et la garrigue laissent rapidement place à des crêtes rocailleuses et désertiques.*

■ Les terres cultivées...

Sur les hauts plateaux entaillés par la Durance et le Verdon, les rangées de pieds de lavande imposent au paysage leurs rayures régulières. Tout près, de vieux murs de pierres sèches découpent en parcelles les maigres pâturages destinés aux moutons, aux brebis ou aux chèvres. Après que la route a tracé quelques lacets bordés de plantations d'oliviers et d'amandiers, peupliers et cyprès signalent la vallée : les cultures apparaissent. Plus loin, les rangs soignés des vignes strient les pentes des collines, tandis que, dans la plaine, s'étendent les vergers et les cultures de légumes, sous serres ou à découvert. Aux abords de Cavaillon, ce sont les fameux melons…

■ ... et les contrées sauvages

Alors que la Provence voit ses campagnes de plus en plus envahies par un habitat pavillonnaire très dispersé, que les périphéries des villes s'étendent sans cesse, et que l'agriculture occupe ailleurs une grande partie des sols, la région conserve paradoxalement des zones presque désertiques : les plus hauts reliefs, où le vieux socle calcaire apparaît, érodé, raviné, et où s'accroche une végétation de rocaille, quelques buis, quelques chardons, quelques plantes de garrigue. Ainsi en est-il au sommet du Ventoux, sur les crêtes des massifs ou dans certains secteurs de la Crau. Très spécifique, la végétation de la Camargue est liée à la salinité plus ou moins grande des sols. Là où ne s'étendent ni salines ni rizières prospèrent plus de 1 000 espèces de plantes à fleurs, dont certaines très rares. Dans les zones marécageuses salées, on trouve en abondance des salicornes, des «saladelles» d'un bleu tendre, des iris sauvages, des genêts, des myosotis, des asphodèles. Les roseaux que l'on retrouve en couverture des maisons traditionnelles peuplent les berges des étangs et des canaux. La Camargue abrite aussi des peupliers, des tamaris, des genévriers et quelques chênes.

Espaces protégés

Voir également
les thémas «De toutes
les couleurs» (p. 236-
237), sur les carrières
d'ocre du Luberon,
et «Un PNR pour
le Luberon» (p. 244-245).

Le développement économique, démographique et touristique de la Provence, qui ne se dément pas depuis des décennies, peut être une menace pour les milieux naturels les plus fragiles. Par bonheur, le souci de protection de la nature est ancien dans la région, et les zones protégées sont nombreuses. Ainsi la Provence ne compte-t-elle pas moins de quatre parcs naturels régionaux.

■ Le parc du Verdon

À cheval sur les départements des Alpes-de-Haute-Provence et du Var, le parc naturel régional du Verdon s'étend sur 180 000 ha et assure la protection de l'exceptionnel patrimoine naturel associé au Verdon, depuis les paysages préalpins des environs de Castellane, où les sommets frisent les 1 900 m d'alt., jusqu'aux friches redevenues sauvages qui couvrent les plateaux entaillés par le Verdon et l'Artuby. Parmi les chênes tortueux poussent la végétation du maquis et de la garrigue. Mais le fleuron du parc, c'est bien sûr le Grand Canyon, ces gorges qui atteignent parfois 700 m de profondeur. Depuis 1974, il faut y ajouter le lac couleur émeraude formé par le barrage de Sainte-Croix, superbe contrepoint du plateau de Valensole et de ses champs de lavandin.

■ Le parc du Luberon

Couvrant 185 000 ha environ sur le Vaucluse et les Alpes-de-Haute-Provence, le parc du Luberon offre un charme plus paisible avec des pentes boisées de part et d'autre de la montagne du Luberon, qui culmine à 1 125 m, au Mourre Nègre. Les reliefs calcaires parfois très découpés – falaises, canyons, grottes, éboulis sont fréquents – de cette contrée, à l'histoire géologique complexe, portent des forêts de chênes blancs ou, plus souvent, de chênes verts. Les versants S. offrent des paysages de garrigues, les versants N. sont le domaine de prédilection du chêne blanc. Ces traits généraux laissent souvent place à des particularités locales : par exemple les ocres des environs d'Apt, la Chaussée des géants de Roussillon ou les bories parsemant les pâtures près de Gordes.

■ La Camargue

Occupant 101 000 ha de terre et 34 300 ha de mer entre les deux bras principaux du Rhône, le parc naturel de Camargue est formé d'une zone fluvio-lacustre au N., zone d'eaux douces constituée de roselières, de pelouses humides et de quelques cultures, et d'une zone principale laguno-marine aux eaux salées et aux terres où affleure le sel en période de sécheresse : c'est le domaine des «sansouires» où poussent salicornes, «crucianelles» et autres «saladelles». Mais la frontière entre ces deux zones est incertaine, tout comme le tracé du littoral sableux, tous les milieux s'interpénétrant au gré des mouvements des eaux. Si les salines, les rizières (18 000 ha), les cultures et les vignes donnant les «vins de sable» couvrent une partie des sols, de

▲ *La Chaussée des géants à Roussillon, l'un des endroits les plus étonnants du Luberon.*

vastes étendues demeurent sauvages : on y rencontre des taureaux, élevés pour la viande plus que pour les courses, des chevaux, des flamants roses et des tortues d'eau douce… Autrefois importante, la forêt a presque disparu ; des peupliers et des arbustes bordent les bras du Rhône. Au cœur même du delta, l'étang de Vaccarès et l'espace le séparant de la mer constituent la réserve nationale de Camargue (13 000 ha), zone de stricte protection zoologique et botanique.

■ Pour protéger les Alpilles

Ce massif calcaire couvert de garrigues, pays d'Alphonse Daudet, est le 5e parc naturel régional de la région PACA (on en compte 48 en France). Avec, comme il est d'usage, des objectifs de protection du milieu naturel, de maîtrise du foncier, de mise en valeur économique et touristique, il couvre, en tout ou partie, 16 communes des Bouches-du-Rhône, de Tarascon jusqu'à Sénas et la Durance ; il intègre notamment les sites très touristiques de Saint-Rémy et des Baux-de-Provence. Les principales activités sont cependant agricoles, avec des productions déjà valorisées par des appellations d'origine.

■ Et encore…

Le parc marin de la Côte Bleue couvre une zone s'étendant jusqu'à 3 miles au large du cap Couronne et de Carry-le-Rouet. Ses objectifs sont de protéger le patrimoine naturel marin et de participer à une meilleure gestion des ressources de pêche. Deux zones sont constituées en réserves, où toutes activités de surface comme sous-marine sont interdites. Les fonds abritent des herbiers de posidonies, herbes aux grandes tiges vertes, des zones sableuses, des algues calcifiées, des zones rocheuses. Le mérou, le corb, la grande cigale de mer, l'oursin diadème figurent parmi les espèces protégées.

Bien d'autres espaces naturels sont protégés localement en Provence, notamment le mont Ventoux (réserve de la biosphère), la Crau (réserve ornithologique), les montagnes de la Sainte-Victoire et de la Sainte-Baume. Au S. de la rade de Marseille, l'archipel du Riou a été acquis par le Conservatoire du littoral, qui veille notamment à la conservation d'une flore adaptée à la sécheresse et aux vents violents (lentisque, romarin, passerine tartonraire…).

Mythes et réalités

Voir également le théma « Vivre en Camargue » (p. 325).

La Provence est l'une des régions françaises dont l'identité est la plus forte, tant aux yeux des Provençaux eux-mêmes que pour ceux, si nombreux, qu'ils accueillent. Il n'est pourtant pas toujours facile de dégager la réalité derrière les mythes qui ont depuis longtemps forgé un imaginaire provençal.

▲ *Gravure inspirée des* Lettres de mon moulin *d'Alphonse Daudet. Il est l'un des auteurs qui a le plus contribué à populariser le folklore provençal.*

■ Un climat, une lumière

Aux yeux de tous, la Provence, c'est d'abord un climat, celui de la Méditerranée, et une lumière, celle du Midi. La contrée que les Romains appelaient « la » Province (*Provincia*) est, en effet, la plus ample et la plus caractéristique des régions méditerranéennes de France : températures douces ou chaudes, pluviométrie faible, ensoleillement abondant ; dans un ciel où le mistral et la tramontane chassent les nuages, c'est aussi l'assurance d'une lumière incomparable, dessinant les reliefs, la flore, les villages perchés ou les murets de pierres sèches avec une pureté de trait exceptionnelle.

■ Des couleurs et des sons

La Provence, c'est ensuite une double palette, de couleurs et de sons. Les couleurs du ciel, si souvent d'un bleu inimitable, mais aussi celles des peintres, Cézanne, Van Gogh, et de tous ceux qui ont été justement séduits par la lumière et les couleurs de la région. Car avec un ciel bleu, une terre rouge et quelques taches de végétation, la palette est déjà là, et le plus souvent d'une densité chromatique étonnante. Quant à sonoriser les images, la tâche est facile : les oiseaux ne sont jamais loin, et sitôt les beaux jours revenus, le chant des cigales devient presque obsédant. En ville, le charme opère avec le bruit des fontaines, les cris qui montent des marchés et les interpellations dans les rues et sur les places.

■ Nonchalance, vraiment ?

L'apéritif prolongé devant le verre de pastis, la sacro-sainte sieste ? Versons-les au registre des mythes, sauf à y voir des moments d'exception témoignant d'une aptitude au bien vivre, plus que d'une coupable nonchalance… Mais qui peut nier la cordialité, le sens de l'accueil, la bonne humeur souvent plus visibles qu'ailleurs ? Il y a du vrai chez les héros de Pagnol, au-delà de la caricature, comme dans les portraits-charges de Daudet. Mais il y a de la vérité aussi dans les drames et les chagrins de Mireille, héroïne du roman éponyme de Mistral, ou, là-bas, dans la montagne, dans les tragédies à la Giono.

Les fêtes et les manifestations

Terre au riche folklore et aux traditions vivaces, la Provence est une région de fêtes et de festivals. Elle a été la première à proposer des manifestations culturelles d'été, dont certaines ont une renommée internationale bien établie. Le développement touristique aidant, il est quasiment toujours possible, du printemps à l'automne, de trouver des spectacles, modestes ou prestigieux, grâce auxquels on apprécie encore mieux la douceur des soirées provençales.

Voir également les thémas «Festival " In ", festival " Off " » (p. 155), consacré au Festival de théâtre d'Avignon, et «Arles et la photographie» (p. 311), consacré aux Rencontres internationales de la photographie.

▲ *Une abrivado, tradition festive fréquente dans les Alpilles et en Camargue.*

■ Des fêtes de tradition…

La Provence célèbre toujours de nombreuses fêtes d'origine religieuse, à commencer par les **fêtes patronales**, où l'on rend hommage au saint patron local. La fête foraine y côtoie la grand-messe, les danses folkloriques, le bal populaire et «l'aïoli monstre». Les pèlerinages demeurent particulièrement vivaces : celui de la Sainte-Victoire (fin avr.); celui de Sainte-Madeleine, dans le massif de la Sainte-Baume (en juil.); ou encore celui des Gitans, impressionnant, aux Saintes-Maries-de-la-Mer (en mai, → *p. 324*).
Certaines manifestations s'enracinent dans la légende, comme la curieuse fête de la Tarasque à Tarascon, en juin *(→ p. 266)*, où l'effigie du monstre est conduite par les rues. D'autres reflètent l'identité provençale, comme la

fête mistralienne d'Aix, en sept. En août, à Châteauneuf-du-Pape, c'est tout le Moyen Âge qui revit lors de la fête de la Véraison. Si quelques localités (Aix, par exemple) fêtent encore carnaval, Apt lui préfère sa cavalcade de la Pentecôte.

■ … et des traditions festives

En Provence, l'un des «greniers» de France, nombre de festivités trouvent leur origine dans la vie agricole : fêtes des Moissons (Saint-Maximin, en juil.), du Vin (Cassis, en sept.) ou de la Transhumance (Saint-Rémy, lundi de Pentecôte). D'autres manifestations sont liées à un produit du terroir : l'huile nouvelle (Mouriès, en déc.), la truffe (Carpentras, Saint-Paul-Trois-Châteaux, Richerenches, Aups, en janv.-fév.), la cerise (Venasque, en mai), le miel (Goult, en juil.), l'épeautre (Monieux, en sept.) et, bien sûr, le melon à Cavaillon (en juil.)…

Toutes les **fêtes folkloriques** sont l'occasion de ressortir les costumes traditionnels, comme celui de l'Arlésienne. Les fêtes se déroulent au son des

galoubets (petite flûte au son aigrelet, en bois ou en os) et des **tambourins** (cylindre de 70 cm de haut fermé par une peau de veau d'un côté, de chevrette de l'autre). Les deux instruments sont joués en même temps par un seul musicien, le «tambourinaire», animateur indispensable des danses, dont la **farandole** est la plus célèbre : se tenant par la main ou par un foulard, toute la population y participait autrefois à travers les rues du village, passant et repassant sous les «ponts» formés par les premiers danseurs avec leurs bras.

▲ *Costumes provençaux.*

■ Des jeux ancestraux

Qui n'a pas dans l'oreille les dialogues de la «partie de cartes» de Pagnol ? La belote et la pétanque *(→ p. 387)*, jeu de boules qui se joue *a ped tanco* (à pieds fixes), sont les deux jeux indissociables de la région. Quant aux sports nautiques, certains ports du littoral (Martigues, Marseille) perpétuent les joutes déjà pratiquées dans l'Antiquité, où, depuis une plateforme établie à la poupe d'une grosse barque, l'équipier doit renverser son adversaire à l'aide d'une longue perche.

■ Foires et marchés

Mettons de côté les foires commerciales «modernes» des grandes villes, notamment celle de Marseille qui jouit d'une audience internationale. Pour le touriste, la mythologie régionale est surtout associée aux marchés pittoresques qui animent les places des villages : couleurs, senteurs, saveurs et sons leur apportent une irrésistible séduction ! Alimentaires pour la vie de tous les jours – mais les fleurs aussi font ici partie du quotidien –, ils peuvent également être voués à l'artisanat ou aux spécialités locales. De plus en plus s'y ajoutent des brocantes, non moins pittoresques, comme à L'Isle-sur-la-Sorgue.

■ Les festivités de Noël

En Provence, la période de Noël dure de la Sainte-Barbe (4 déc.) à la Chandeleur (2 fév.). Il faut bien tout ce temps pour que les nombreux personnages de la fameuse pastorale (récit «provençalisé» de la Nativité) remplissent leur rôle respectif ! Ces personnages sont généralement des santons (comme sur les foires d'Apt, Salon, Carpentras ou Marseille en déc.), mais ils peuvent être mis en scène dans des représentations théâtrales données jusqu'à fin janv. (Saint-Rémy, Martigues, Arles, Marseille, Cassis). Les crèches provençales sont souvent remarquables, et bien des villages en organisent une vivante le soir de Noël. À Aix, on accueille les Rois mages à la cathédrale début janv., après qu'ils ont parcouru la ville à la tête d'un cortège en costumes traditionnels.

■ Une profusion de festivals

Concernant le **théâtre** et la **musique**, le Festival d'Avignon *(→ p. 155)* ou celui d'Aix-en-Provence *(→ p. 410)* ont donné le ton, mais ils ne sauraient faire oublier les spectacles et les concerts qui ont lieu un peu partout.

Les **musiques du monde** sont en vogue en Provence : l'été surtout, avec le Festival des Alpilles, celui du folklore international à Martigues et à Cavaillon, ou encore le Country Roque festival, à La Roque-d'Anthéron. Le **jazz** est aussi très présent : en pays d'Apt et dans le Luberon (en mai), à Lauris (en juil.) ou à la Fiesta des Suds à Marseille (en oct.).

Si l'**opéra** triomphe à Aix et aux Chorégies d'Orange *(→ p. 92)*, la **danse** est présente aux Nuits de la citadelle à Sisteron, à Aix ou à Vaison-la-Romaine avec le festival Vaison Danses, tout comme le chant avec les Choralies, le plus important rassemblement de chorales de France qui a lieu tous les trois ans à Vaison (2013, 2016…). Le **piano** est à l'honneur aux Nuits pianistiques d'Aix et son pays (d'oct. à déc.) et au brillant festival de La Roque-d'Anthéron (en juil. et août). Les mélomanes apprécieront la **musique baroque** à Ansouis (en juil.) ou aux Fêtes d'Orphée d'Aix (d'avr. à juin), le Festival du quatuor à cordes dans le Luberon, le Festival international d'orgue de Roquevaire…

Restent les festivals thématiques : Cavaillon en consacre un au rire (fin mai), Arles organise, en juil., les Rencontres internationales de la photographie *(→ p. 311)*. Le cinéma est célébré à Gardanne (en oct.), le documentaire (en juil.) et la danse à Marseille lors du festival de Marseille (juin-juil.). À Marseille, tous amateurs de musique ont leur festival : électro avec Marsatac (sept.), musique sacrée (mai), musiques du monde avec la Fiesta des Suds (oct.) ou Babel Med Music (mars), etc.

Feria et taureaux

Très liée au monde si particulier de la Camargue, la feria de Pâques d'Arles mérite une mention particulière. Une vraie folie festive s'empare de la ville durant trois jours et trois nuits, tandis que sont organisées des corridas où les grands noms de la tauromachie sont à l'affiche. Les taureaux y sont conduits lors d'une abrivado où les gardians à cheval les enserrent étroitement. On organise de plus en plus souvent des encierros, où les taureaux, dont les cornes sont protégées par des boules, sont lâchés dans les rues. Mais plus que les corridas, les courses camarguaises *(→ p. 326)*, combats sans mise à mort, sont surtout à l'honneur en Camargue.

Un accent, une langue, une littérature

Voir également
les thémas « L'épopée
félibrige » (p. 273),
« Marcel Pagnol, prophète
du Midi » (p. 388)
et « Jean Giono, l'homme
du Contadour » (p. 451).

L'imaginaire collectif associe bien souvent la Provence à un langage sonore et fleuri, chantant, ensoleillé… Ce trait important de la personnalité du pays n'est que la marque « audible » d'une source plus lointaine et plus profonde : l'*occitan*, la langue d'oc. Toute la Provence relève, en effet, de ce grand domaine linguistique de la France méditerranéenne ; le provençal en est la forme locale, et l'accent rien d'autre que sa trace.

▲ *Frédéric Mistral.*

▲ *Alphonse Daudet.*

■ Un ferment identitaire

Langue romane issue de l'évolution du bas latin, la langue d'oc se confond un temps avec le catalan ; mais, de l'Auvergne au pays niçois, du Languedoc aux Alpes de Provence, elle ne tarde pas à se diversifier. Le provençal, l'une de ses variantes, devient très tôt le véhicule d'un fort sentiment identitaire qui apparaît dès l'emprise de la monarchie française sur la région (fin XVe s.).

Ce sentiment sera renouvelé dans le cadre du mouvement régionaliste du XIXe s., initié par les membres du félibrige *(→ p. 273)*. Le provençal prend alors une dimension nouvelle, avec le développement d'une littérature propre qui culmine lorsque Mistral reçoit le prix Nobel en 1904 pour son œuvre en provençal. Les revendications du félibrige ont aujourd'hui trouvé un certain enracinement grâce à de nombreuses associations qui soutiennent la pratique de cette langue.

■ Une authentique littérature

On peut assurément faire remonter la littérature provençale aux troubadours, dont beaucoup étaient originaires de la région. Autour d'Aix et de Marseille, des poètes écrivent en provençal au XVIe s., tandis que le théâtre et les contes de Noël (notamment ceux de Nicolas Saboly) maintiennent l'usage de la langue aux siècles suivants. Les quelques œuvres du XVIIIe s. sont éclipsées par l'essor que Roumanille, Aubanel et Mistral donnent au provençal au XIXe s. Le mouvement littéraire félibrige perdure de nos jours avec les poètes Max-Philippe Delavouët ou Serge Bec, René Jouveau, Marcel Bonnet, les prosateurs Charles Galtier, Jean-Pierre Tennevin, André Ariès, Louis Bayle, Bernard Giély, Michel Courty, ou encore Philippe Blanchet.

> ## Mireille
>
> Œuvre la plus connue de Frédéric Mistral, Mireille (Miréio en provençal) est écrite sous forme de plusieurs « chants » et devient rapidement l'ouvrage phare de la littérature provençale. L'histoire contée est celle d'un amour impossible : à l'encontre des valeurs sociales de son époque, Vincent, un vannier pauvre, tombe éperdument amoureux de la belle Mireille, fille d'un riche fermier de la Crau et courtisée par le mauvais gardian Ourias. Dans une course folle, Mireille fuit la maison familiale pour aller prier les saintes Maries tout au bout de la Camargue, où une insolation l'emporte alors qu'elle connaît une extase quasi mystique ! Le succès de l'œuvre, immense dès sa publication en 1859, se confirma avec sa traduction en français ; Charles Gounod y contribuera en s'en inspirant pour son opéra du même nom en 1864. Depuis ce temps, la belle Mireille est considérée comme l'archétype de la femme provençale, et son costume d'Arlésienne continue d'être porté dans nombre de manifestations folkloriques.

■ Des auteurs aux facettes multiples

Mais nombre d'auteurs provençaux s'expriment aussi en français, et plusieurs d'entre eux ont connu une juste célébrité. Ainsi Alphonse Daudet (1840-1897, *→ p. 287)*, qui a popularisé l'univers folklorique des Alpilles dans *Les Lettres de mon moulin, Le Petit Chose, Tartarin de Tarascon (→ p. 267)*… Citons également son ami Paul Arène (1843-1896), de Sisteron ; Henri Bosco (1888-1976, *→ p. 252)*, avignonnais, poète et romancier profondément attaché à la terre, à ses forces, à ses mystères (*L'Âne Culotte, Le Mas Théotime*…) ; Jean Giono (1895-1970, *→ p. 451)*, poète et romancier lui aussi, chantre de la haute Provence, profondément marqué par la Première Guerre mondiale (*Un de Baumugnes, Les Âmes fortes, Regain, Le Hussard sur le toit)* ; Marcel Pagnol (1895-1974, *→ p. 390)*, bien sûr, qui porta nombre de ses œuvres au théâtre et au cinéma (*La Gloire de mon père, Le Château de ma mère*, la fameuse trilogie *Marius, Fanny, César)* ; ou encore l'immense poète René Char (1907-1988, *→ p. 195)*, de L'Isle-sur-la-Sorgue. Mais tant d'autres seraient aussi à citer, depuis Marie Mauron (1896-1986) des Baux-de-Provence, jusqu'au contemporain « policier et provençal » Pierre Magnan, sans oublier Jean-Claude Izzo, auteur de la trilogie noire marseillaise *Total Khéops, Chourmo* et *Solea*…

La table provençale

Voir également les thémas «L'olivier, emblème de la Provence» (p. 290), «Les fruits confits» (p. 233) et «La bouillabaisse» (p. 371).

Héritière de la société paysanne du XIXᵉ s., la cuisine provençale reste indissociable de l'huile d'olive, signature méditerranéenne omniprésente. Elle ne doit toutefois pas faire oublier les autres ressources locales, dont certaines ont vu leur célébrité dépasser largement les frontières de la région. Fruits et légumes gorgés de soleil, poissons frais pêchés, douceurs innombrables : on ne saurait tout citer, du tian de courgettes ou des artichauts à la barigoule, de la ratatouille aux aubergines frites, du loup au fenouil à la bourride provençale, des fougasses aux savoureuses figues…

■ **Olives, ail et herbes de Provence**

Les variétés d'**olives** (→ *p. 290*) sont nombreuses en Provence, cultivées pour l'huile ou pour accompagner les repas, parfois sous forme de tapenade (écrasées dans de l'huile). Les plus renommées des olives sont la *salonenque* et la *grossane* des Alpilles (la plus grosse production française), ou encore la *tanche* de Vaucluse et des Baronnies (→ *p. 106*). Les olives vertes sont cueillies entre sept. et oct., deux mois avant leur maturité où elles sont alors noires, brunes ou violacées : 100 kg d'olives donnent 15 kg d'huile environ en 1ʳᵉ pression.

▲ *Bol de picholines, l'une des variétés d'olives les plus courantes en Provence.*

Contrairement à une idée reçue, les Provençaux ne mettent pas de l'**ail** partout, même s'il relève de nombreux plats et est indispensable à une bonne ratatouille (tomates, aubergines, courgettes et poivrons). Il est particulièrement à l'honneur dans le célèbre **aïoli**, à l'origine une mayonnaise sans moutarde où les œufs sont montés à l'huile d'olive avec de l'ail pilé cru. Par extension, le nom désigne aujourd'hui le plat servi le plus souvent accompagné d'aïoli, composé de poissons, de légumes cuits à l'eau, d'escargots, de poulpe, de moules cuites… On le retrouve aussi dans la bourride, où il participe à la liaison de cette soupe de poissons blancs.

Quant aux fameuses **herbes de Provence**, surtout cultivées dans les Baronnies et en haute Provence, ce sont le thym, le romarin, le basilic, la marjolaine, la sarriette, le serpolet, la sauge… On peut y ajouter le laurier et les plantes aromatiques de la garrigue. Mention spéciale doit être faite du **pistou**, mélange d'ail et de feuilles de basilic écrasés dans l'huile d'olive, et dont le goût se révèle magnifiquement dans la célèbre soupe au pistou.

■ Deux grands plats

La **daube** et la **bouillabaisse** sont grandes par leur réputation et par leur richesse. La daube est un mélange de différents morceaux de bœuf (de mouton si elle est avignonnaise) longuement cuits à l'étouffée dans du vin rouge enrichi d'herbes et d'aromates (oignon piqué de clous de girofle, bouquet garni, laurier, thym, persil, écorce d'orange, ail). La bouillabaisse, associée à la mythologie marseillaise, est une soupe de poissons qui doit réunir au moins quatre espèces *(→ p. 371)*.

Pour Raymond Dumay, auteur gastronomique, «s'il n'y a pas de vraie recette, il y a une vérité de la bouillabaisse. Beaucoup plus qu'un plat, elle est un traité de paix signé par l'homme avec les trois éléments qui longtemps dominèrent sa vie : la mer, la terre, le vent.»

■ Des pays, des produits

La multiplicité des pays et la présence de la mer diversifient les ressources de Provence : fruits et légumes – partout la tomate est reine, mais n'oublions pas le melon, la figue, la cerise, le raisin… – ; viandes, gibiers et poissons ; miel ou amandes pour les confiseries. On trouvera des préparations d'anguille à Martigues et en Camargue, des tians de légumes autour d'Avignon et de Carpentras, des sardines à Marseille, de la crème d'oursin sur le littoral…

Parmi beaucoup d'autres – berlingots de Carpentras, navettes de Marseille, macarons… –, trois douceurs ont fait la notoriété de la Provence : les **fruits confits** d'Apt *(→ p. 233)*, les **nougats** et les fameux **calissons** d'Aix *(→ p. 417)*, faits de sucre, d'amandes et de miel…

N'oublions pas enfin que, sur les racines des chênes blancs ou des noisetiers, pousse, en Provence, un diamant noir : la truffe *(→ p. 85)*. On la récolte dans le Tricastin, le Comtat Venaissin, le haut Var et le Luberon ; on la retrouve ensuite sur des marchés spécialisés à Apt, Carpentras, Richerenches, Valréas et Aups.

▲ *Le marché de Carpentras, un vrai concentré de Provence.*

■ Un calendrier gastronomique

La Provence égrène les fêtes, prétextes à des repas familiaux d'exception. En janv., on tire les Rois en savourant des brioches en forme de couronne parfumées à la fleur d'oranger, saupoudrées de sucre et de fruits confits. La Chandeleur est la période des navettes *(→ p. 365)*, notamment à Marseille. L'agneau de Pâques est de tradition, et de nombreux bourgs ont un plat traditionnel pour le lundi de Pâques. Au printemps et en été, les fêtes votives offrent l'occasion de «l'aïoli monstre», qui rassemble toute la population du village… Mais c'est pour Noël que les plus grands efforts sont déployés : «gros souper» maigre fait de légumes et poissons, suivi des fameux 13 desserts : fruits secs (amandes, noisettes, figues, raisins), raisin, melons d'hiver, fougasse (la «pompe à huile»), calissons, nougats blanc et noir, dattes, oranges, pommes ; mais les variantes sont possibles…

Un terroir viticole

Voir également les thémas «Les côtes-du-rhône» (p. 97), et «Un vin à la robe d'or» (p. 131), consacré au muscat de Beaumes-de-Venise.

De la vallée du Rhône au littoral, la vigne est partout chez elle en Provence : les Grecs l'y implantèrent six siècles av. J.-C., et René d'Anjou sera dit «Roi vigneron». L'ensoleillement, le climat et la nature des sols y sont bien sûr des plus favorables, et les viticulteurs privilégient la qualité. Les cépages sont nombreux et variés : l'AOC «côte-de-provence» en admet jusqu'à 13 ! Producteurs indépendants et coopératives – très nombreuses – tendent de plus en plus à pratiquer des ventes directes, entraînant le développement du tourisme viticole.

▲ *Une bouteille de gigondas.*

■ La vallée du Rhône

Au N. d'Avignon, la partie méridionale du vignoble des côtes du Rhône (→ *p. 97*) prend des airs de Provence. Sur des sols secs à galets, les grenache, mourvèdre, cinsault, syrah ou carignan donnent d'excellents vins. L'un des plus appréciés est le châteauneuf-du-pape (→ *p. 99*). Perpétuant par son nom la villégiature des pontifes avignonnais, issu d'un terroir exceptionnellement ensoleillé, c'est un vin très aromatique, dont les rouges (95 % de la production) sont très tanniques et aptes à un long vieillissement. Les gigondas (→ *p. 128*), produits au pied des dentelles de Montmirail, sont alcoolisés (au minimum 12,5 %) et puissants, excellents sur du gibier. Ce sont également de grands vins de garde, tout comme les vacqueyras (→ *p. 129*), qui bénéficient de coteaux et de terrasses cailouteuses exposés O.-N.O., évitant ainsi à la fois les trop fortes chaleurs et les gelées. Le grenache, pour sa part, donne peut-être le meilleur de lui-même sur les sols de galets et d'argile sableuse du vignoble de Rasteau (→ *p. 96*), où l'on produit aussi un remarquable blanc doux naturel. De ce type également, le muscat de Beaumes-de-Venise (→ *p. 131*), produit sur 500 ha, était déjà apprécié par les papes d'Avignon.

■ Côtes du Ventoux et côtes du Luberon

Rouges, blancs secs ou rosés, les vins du Ventoux sont légers et fruités. Le vignoble, de 7 500 ha environ, s'étage entre Vaison-la-Romaine et Apt, au bas des pentes méridionales du mont Ventoux. Les côtes-du-luberon, qui couvrent 3 700 ha, sont produits sur les pentes N. du massif. Les rouges sont surtout issus de grenache et syrah ; un quart de la production donne des blancs très recherchés.

■ Les coteaux d'Aix-en-Provence

Le vignoble des coteaux d'Aix s'étend au S. de la Durance, entre les Alpilles et la montagne Sainte-Victoire. Il couvre 3 500 ha de sols argilo-calcaires. Les meilleurs cépages sont désormais utilisés : cabernet-sauvignon, mourvèdre et syrah complètent cinsault et grenache. Si les blancs restent rares, on y découvre en revanche des rouges bien charpentés et au riche bouquet, ainsi que des rosés tanniques et vigoureux, qui accompagnent idéalement les plats aillés. Plusieurs domaines portent des noms de châteaux : Lacoste, Beaulieu, Fonscolombe ou Calissane. Ce sont en fait des bastides d'époque classique autour desquelles se sont développés les vignobles. Le vin des Baux-de-Provence est le plus occidental des coteaux-d'aix, produit sur 325 ha des deux versant des Alpilles.

Parmi tous ces vignobles se distingue celui de Palette (42 ha seulement), aux portes d'Aix : c'est l'ancien clos du roi René, dont l'orientation autorise les vendanges tardives. Produits par trois domaines, les châteaux Simone et Crémade et le Domaine du Grand Côté, les vins blancs (cépage clairette), de grande classe, sont très fins, avec un bouquet de miel et de tilleul original. Les rosés sont tout aussi fins et élégants, et les rouges, de longue garde.

■ Les vins de Cassis

Ancien vignoble des chanoines de Marseille, les 180 ha du vignoble de Cassis, sur le cap Canaille, donnent surtout des blancs réputés, issus du cépage muscatel. Ils sont secs et frais, très fruités, merveilleux avec une bouillabaisse ou des poissons grillés. On produit aussi un peu de rosés et de rouges.

■ Les côtes de Provence

Si la production (1 000 000 hl par an environ) est en majeure partie issue du Var, on la rencontre aussi entre Marseille et Aix, à l'E. d'Aix (appellation côtes-de-provence-sainte-victoire) et dans l'arrière-pays de La Ciotat. Les rosés, qui ont fait la renommée du vignoble, accompagnent bien la cuisine provençale d'été ; ils sont de plus en plus commercialisés dans des bouteilles « bordelaises », gage de « sérieux », plutôt que dans les bouteilles joufflues qui n'ont pas toujours contenu des vins de qualité. Tendres sur le littoral, plus secs au N., les blancs, fruités, vont très bien sur les produits de la mer ; les rouges, légers, se boivent frais.

▲ *Grappe de grenache.*

■ Les coteaux de Pierrevert

AOC depuis 1998, ce petit vignoble couvre 400 ha et s'étend sur un terroir sec et venté entre Manosque et Saint-Laurent-du-Verdon. On y produit 60 % de rouges rustiques, 30 % de rosés et 10 % de blancs. Les principaux cépages sont le grenache, le carignan et l'ugni blanc.

La population

L a Provence constitue la partie occidentale de la région administrative Provence-Alpes-Côte-d'Azur (Paca), 3e région de France par sa richesse et son dynamisme économique, forte de 5 millions d'habitants et d'un taux de croissance plus élevé que la moyenne nationale. Les forces vives de la Provence restent néanmoins très inégalement réparties.

▲ *Comme nombre de petites villes provençales, Istres s'est considérablement développée durant le XXe s. grâce à un fort phénomène de «rurbanisation».*

■ Un déséquilibre géographique

Les deux départements qui constituent l'essentiel de la Provence, Vaucluse et Bouches-du-Rhône, accueillent près de 50% des habitants et des actifs de la région Paca sur moins de 30% du territoire régional. Les trois quarts de cette population se concentrent à l'O. d'une ligne Valréas-La Ciotat, avec des zones urbaines très denses le long de la vallée du Rhône et dans le vaste ensemble formé par l'étang de Berre, Marseille et Aix; à l'E. de cette ligne, en revanche, sur les chaînons des moyennes montagnes et les plateaux, de vastes zones sont laissées à la garrigue et aux forêts. Le tourisme, qui concerne toute la région, ne suffit pas à compenser ce déséquilibre.

■ Une attractivité ancienne

Région d'immigration dès l'Antiquité, la Provence demeure particulièrement attirante. Dès le XVIIIe s., les populations montagnardes des Alpes du Sud ou de l'E. du Massif central venaient y chercher fortune. Plus récemment, la vallée du Rhône et la région marseillaise n'ont cessé de recevoir des vagues successives de populations venues du N. de l'Hexagone ou des pays d'immigration du Bassin méditerranéen. Une attirance qui vaut encore aujourd'hui, tant pour l'accueil des Français (actifs ou retraités) et des populations immigrées, que pour les 8 millions de touristes annuels des Bouches-du-Rhône ou les 4 millions du Vaucluse (sur un total de 42 millions pour la région Paca).

■ Un dynamisme qui sait rebondir

Depuis le milieu du XIXe s., les Provençaux ont su adapter leurs savoir-faire et leur esprit d'entreprise aux conjonctures successives, passant d'une économie rurale agraire aux activités marchandes souvent liées à l'économie portuaire de Marseille. Plus récemment se sont développées la grande industrie et les technologies nouvelles, qui bénéficient aujourd'hui de l'une des plus fortes concentrations de ressources d'Europe.

■ Une région très urbanisée

Le dynamisme de la Provence est aujourd'hui lié aux villes, moteurs d'une urbanisation galopante et d'une «rurbanisation» des villages alentour, ce qui constitue aussi le moyen de les maintenir en vie : on réside à la campagne, mais on travaille, on fait ses courses, on se distrait en ville. D'où la prolifération – souvent anarchique – des lotissements et des zones pavillonnaires; la région urbaine de l'étang de Berre, avec Martigues, Istres et Vitrolles, ou l'ensemble urbain Marseille-Aix, avec Gardanne entre les deux, en offrent les plus flagrants exemples. Dans le Comtat Venaissin s'exerce l'attraction d'Avignon, mais celle aussi des centres intermédiaires tels qu'Orange, Carpentras ou Cavaillon, eux-mêmes relayés par de gros bourgs devenus des pôles tertiaires comme Saint-Rémy, Sorgues, Bollène… Là où n'existent pas de lotissements, les zones industrielles et d'activité tendent rapidement à effacer les espaces interurbains.

■ Le retour en ville

Après une vague importante de dépeuplement des centres urbains, cette tendance s'est ralentie, sinon inversée, ces dernières années. Ce renouveau est essentiellement le résultat d'une rénovation des quartiers historiques, liée de la mise en valeur du patrimoine datant le plus souvent des XVIIIe et XIXe s. : Avignon, Orange, Cavaillon, Salon, Marseille… Reste que le problème de la disparition des commerces de proximité, due au développement des grandes surfaces périphériques, demeure sans solution et rend parfois artificielle la vie des quartiers rénovés.

■ Les grosses entités urbaines

La métropole Aix-Marseille Provence, créée en 2016 s'étend de Salon-de-Provence à Aix et d'Istres à La Ciotat. C'est une zone d'influence forte de 1,8 million d'habitants. Outre Marseille, les deux grandes villes provençales sont Aix-en-Provence (142 000 habitants, 414 000 pour l'agglomération) et Avignon (94 000 habitants, 190 000 pour l'agglomération), qui ont, toutes deux, connu une très forte croissance dans la 2e moitié du XXe s., bénéficiant depuis plus de quinze ans de la desserte par TGV (Avignon est à 2 h 40 de Paris, Aix à 3 h et Marseille à 3 h 15). Leur attraction commerciale et leur offre de services, notamment pour les loisirs, arrivent à limiter l'attirance pour Marseille, chacune des trois grandes cités y gagnant en autonomie. Le temps est bien révolu où l'on considérait Aix comme le contrepoint bourgeois, intellectuel et culturel de Marseille, populeuse, portuaire et industrielle…

▲ Le quartier Sextius-Mirabeau d'Aix-en-Provence, achevé en 2007, relie le centre ancien aux quartiers modernes. Il associe immeubles d'habitation, commerces et lieux culturels, tel le Grand Théâtre de Provence.

Les activités

M algré son dynamisme, la Provence présente un paradoxe : une forte capacité à créer des emplois, mais l'un des plus forts taux de chômage de France. Aujourd'hui, malgré des espaces d'agriculture intensive, les activités y sont essentiellement tertiaires : commerce, tourisme, transports et logistique, mais aussi activités technologiques modernes, telles que télécommunications, microélectronique, sciences du vivant, technologies de la mer et multimédia. Plus proches des industries traditionnelles, l'agroalimentaire, la pétrochimie et l'aéronautique y tiennent encore une place importante.

▼ *La Provence est l'une des principales régions productrices de fruits et légumes en France. Les cerisiers sont particulièrement présents au N. du Luberon.*

■ L'agriculture

Si l'on tient compte du fait que, malgré l'essor démographique et le développement de l'urbanisation, les plaines du bas Rhône et de la basse Durance, ainsi que le littoral, conservent de grandes exploitations agricoles, on comprend que la Provence puisse être surnommée le « Nouveau Jardin de la France », « l'ancien » étant le Val de Loire. On a pourtant de plus en plus de mal à discerner les traces de l'agriculture des siècles passés, qui forgea en grande partie les paysages de la région. Sans doute se perçoivent-elles encore dans les marchés de l'arrière-pays, les villages laissés à l'écart de l'agriculture extensive d'aujourd'hui, largement dépendante de l'irrigation. Le réseau du canal de Provence, issu du Verdon et de la Durance, et, dans une moindre mesure, les ressources du Rhône (plaine de la Crau) et le drainage de la Camargue offrent près de 120 000 ha aux cultures maraîchères intensives (dont celles des primeurs sous serres) ou à l'arboriculture fruitière. Rapatriés d'Algérie, « melonniers » du Comtat, agriculteurs chassés par l'expansion urbaine, ont ainsi donné un nouveau visage à la Petite Crau irriguée (→ p. 271). Aujourd'hui, les trois quarts des superficies et les quatre cinquièmes des revenus agricoles sont localisés dans la plaine du Comtat, dans la Petite Crau de Tarascon à Châteaurenard, et sur le pourtour de l'étang de Berre.

■ Quelques productions emblématiques

Pour la plupart, les exploitations agricoles des vallées (Rhône, Durance) se consacrent aux fruits, aux légumes et au maïs. En Camargue, la production de riz (→ p. 329) s'est développée après la Seconde Guerre mondiale, grâce au plan Marshall. Après un apogée dans les années 1960, elle est aujourd'hui limitée, les conditions climatiques locales n'étant guère favorables aux variétés désormais appréciées, comme le riz long.

La bonne santé de l'agriculture intensive justifie, surtout dans la vallée du Rhône, la présence de nombreuses entreprises d'emballage (en particulier le cartonnage) et de transport.

Une mention particulière doit être faite pour la **viticulture**, présente sur une bonne partie du territoire provençal (→ p. 30).

La Provence est déficitaire dans le domaine de l'**élevage**; on pense bien sûr aux taureaux et aux chevaux de Camargue, mais les grandes manades se font rares à présent. En Camargue, toujours, se pratique un élevage de moutons (avec transhumance par camions dans les Alpes du Sud). L'activité reste relativement importante dans les Alpes-de-Haute-Provence, où l'élevage caprin est aussi de qualité. Les agneaux du pays d'Apt, de Sault (Vaucluse) et des Alpilles sont justement réputés.

Les Salins du Midi

Longtemps artisanale, la production de sel en Camargue est devenue industrielle à la fin du XIXe s. : 20 000 ha ont été aménagés petit à petit, soit 15 % de la superficie du delta. Aujourd'hui, le groupe Salins est implanté sur le salin de Giraud (11 000 ha), près de l'embouchure du Grand Rhône, et à l'O. du Petit Rhône, au salin d'Aigues-Mortes (10 000 ha). L'entreprise extrait, par décantation de l'eau de mer, du chlorure de sodium (800 000 t/an), mais aussi divers sels destinés à l'industrie chimique; le salin d'Aigues-Mortes, quant à lui, fournit essentiellement du sel alimentaire (450 000 t/an). Le groupe, à capitaux majoritairement français, mais dont le siège est à Bruxelles, est implanté en Espagne, en France, en Italie et en Tunisie pour ses activités de production; en Europe, en Afrique et en Amérique du Nord pour ses activités commerciales.

■ Services, commerce et artisanat

En Provence, 8 personnes actives sur 10 exercent un métier du secteur tertiaire. Une tendance certes nationale, mais qui se manifeste ici par un pourcentage plus fort qu'ailleurs, notamment dans les transports, les commerces, les loisirs, les professions de santé et les professions libérales.

Un phénomène dû, pour ce qui concerne les dernières professions citées, à l'importance du tourisme, à l'expansion démographique et à la présence de nombreux retraités.

L'artisanat s'exprime surtout dans des PME liées au bâtiment, qui profitent de l'expansion régionale et, dans les zones moins actives, de la densité des résidences secondaires. L'artisanat « traditionnel » relève essentiellement du tourisme et des « souvenirs de vacances », mais il est vrai que l'on fabrique depuis bien longtemps en Provence des cotonnades, des santons, des objets en bois d'olivier, des faïences ou des poteries – même si certains produits risquent de plus en plus d'être *made in China*… La bonne santé de l'artisanat est étroitement liée à la vitalité du marché des loisirs et du tourisme en Provence : la région est, après Paris, celle qui accueille le plus grand nombre de touristes, et les résidences secondaires y sont particulièrement nombreuses. Le tourisme induit aujourd'hui 7 % de l'emploi salarié de la région, et, contrecoup bénéfique de son expansion, il incite aussi à la protection et à la mise en valeur de la nature et des sites.

■ L'industrie

Dès le XVIIIe s., le négoce et le développement des ports, ainsi que les emplois liés aux chantiers navals ou aux industries alimentaires, ont suscité une forte immigration. Au siècle suivant s'y sont ajoutées les industries métallurgiques, chimiques, et celles qui se développaient à partir du commerce colonial (savonneries, huileries, sucreries, minoteries, agroalimentaire), des ressources locales du sous-sol (argile, charbon, bauxite), puis, à partir de 1936, du pétrole. Le port de Marseille a joué alors un rôle essentiel.

Au XXe s., le déséquilibre économique entre la Provence rhodanienne et littorale et celle au N. de la Durance est accentué par une politique volontariste d'équipement industriel de l'étang de Berre et de la région marseillaise.

■ Aéronautique et pétrochimie

Les Bouches-du-Rhône concentrent la moitié des emplois industriels de la région Provence-Alpes-Côte d'Azur. Les industries lourdes y côtoient les industries de haute technologie. Les secteurs industriels sont organisés autour de trois pôles : la sidérurgie, l'aéronautique et la pétrochimie, sur le pourtour de l'étang de Berre ; la microélectronique, l'industrie des minéraux et l'énergie dans le bassin d'Aix-en-Provence ; les industries agroalimentaires, les biotechnologies et les industries diversifiées dans l'agglomération marseillaise.

▲ *La plate-forme logistique portuaire Fos Distriport, située entre Fos-sur-Mer et Port-Saint-Louis-du-Rhône, est dédiée à l'implantation d'entrepôts de stockage, relais à la distribution de marchandises vers le S. de l'Europe.*

Parmi les principaux secteurs, la pétrochimie est le pilier de l'économie provençale. 40 millions de tonnes d'hydrocarbures transitent par l'ensemble portuaire de Marseille-Fos. Les raffineries de Fos et Lavéra représentent un peu plus de 30 % de la capacité nationale de raffinage, et forment la première plateforme pétrochimique du S. de l'Europe. Les donneurs d'ordre du secteur sont Esso, Total et Petroinéos.

L'aéronautique tient aussi une place importante grâce à Eurocopter, filiale du groupe EADS, 1er fabricant mondial d'hélicoptères civils. Environ 10 000 salariés travaillent à Marignane, principal site de production en France.

La Provence représente le 1er pôle sud-européen de microélectronique, grâce à La Ciotat, au Rousset et Gémenos, où est implanté Gemalto, leader mondial des cartes à puce, qui emploie plus de 1 500 personnes. Ce secteur inclut aussi des lieux de formation de haut niveau, des laboratoires, des centres de recherche – le secteur de la recherche médicale est important – et d'expérimentation.

▲ *L'Occitane en Provence, une success-story née à Manosque.*

Une activité originale s'est développée à Marseille : le génie océanique (recherches et travaux sous-marins) avec l'Ifremer. À Istres est implanté Dassault-Aviation. La tradition aéronautique est ancienne en Provence, avec l'école de l'Air de Salon et le Centre d'essai en vol d'Istres. Le département des Bouches-du-Rhône est le 2e pôle de recherche fondamentale en France, avec 10 000 chercheurs.

■ L'agroalimentaire et le Vaucluse

Grâce à la situation géographique privilégiée du Vaucluse, la production agricole a toujours été abondante. Le Vaucluse est leader français pour la production de raisins de table, de cerises et de pommes golden. Dominé par un ensemble de PME, l'agroalimentaire est la première filière industrielle du Vaucluse. Elle emploie 9 000 salariés, soit 23 % des emplois du département. La transformation des fruits et légumes domine l'activité. Ses emblèmes : la cerise confite de Provence, la tomate, la salade en sachet, les plantes aromatiques. Une dizaine de conserveries sont présentes dans le département, dont Conserves de Provence-Le Cabanon, Les Conserveries de l'Enclave, Provence Tomates. Parmi les géants de l'épicerie : McCormick France (Ducros) et Campbell France (Royco, Liebig). En Vaucluse, la construction est également très présente avec Lafarge plâtre à Avignon, de même que l'hébergement et la restauration ainsi que les activités spécialisées, scientifiques et techniques.

■ Les Alpes-de-Haute-Provence : la chimie et les cosmétiques

Le secteur de la chimie s'appuie sur une industrie implantée dans la vallée de la Durance. Les trois sites les plus importants sont L'Occitane en Provence à Manosque (cosmétiques), Sanofi à Sisteron (chimie pharma-ceutique), Arkema à Saint-Auban (produits dérivés de la chimie du chlore : polymères de PVC, trichloréthane, acide chlorhydrique). La filière agroalimentaire profite des produits renommés que sont l'agneau de Sisteron (IGP), le fromage de Banon (AOC), l'huile d'olive de Haute-Provence (AOP). Ils bénéficient tous trois de labels protégeant leur origine.

Iter, bientôt

Le combat fut long et difficile : l'État, toutes les instances publiques et tous les élus s'y sont engagés avec ténacité et ont fini par gagner face au Canada et au Japon : depuis 2007, Iter est installé sur le site de Cadarache, près de Manosque. Iter (International Thermonuclear Experimental Reactor) est un réacteur expérimental de fusion contrôlée, né d'une collaboration internationale entre l'Europe, l'Inde, le Japon, les États-Unis, la Chine, la Corée du Sud et la Russie. Il vise à démontrer la possibilité scientifique et technologique de la production d'énergie par la fusion des atomes (le nucléaire actuel repose sur la fission). La mise en service du réacteur n'est pas prévue avant 2025. Même si le projet a pris du retard, occasionnant de nombreux frais supplémentaires, la majorité des Provençaux se félicitent de cette opération, qui renforcera l'image internationale de la Provence comme région «de pointe».

■ L'énergie

Les activités industrielles de Provence bénéficient d'importantes ressources énergétiques locales, majoritairement hydroélectriques et nucléaires. Les premières sont déjà anciennes, avec l'aménagement du Rhône – le barrage du canal de Donzère-Mondragon créa l'événement dans les années 1950-1960 –, puis, plus récemment, les aménagements liés aux grands programmes d'irrigation à partir de la Durance (amorcés en amont du barrage de Serre-Ponçon) et du Verdon (barrage de Sainte-Croix, parmi d'autres). Dans le domaine du nucléaire, production et recherche sont très liées, avec les implantations du complexe du Tricastin (à Saint-Paul-Trois-Châteaux), de Marcoule (dans le Gard, à l'O. d'Orange) ou encore de Cadarache (au S. de Manosque).

▼ *Les quatre réacteurs du centre nucléaire de production d'électricité du Tricastin d'EDF, dans la Drôme.*

Marseille, la métropole

Marseille, 1er port de France, est plus qu'une ville : c'est une métropole et un mythe, enraciné dans une histoire prestigieuse et dans les fantasmes que suscitent tous les ports. C'est aussi – et d'abord – une grande ville européenne particulièrement active : en témoigne le vaste projet Euroméditerranée *(→ p. 342)*, opération d'intérêt national qui devrait renforcer l'attractivité économique de la cité.

Ouverte sur le monde

Aujourd'hui, Marseille demeure le 1er port de France et le 6e d'Europe : environ 80 millions de t de marchandises y transitent chaque année. C'est aussi le 1er port de croisière français, grâce à ses liaisons avec la Corse et l'Afrique du Nord. Son aéroport, le 3e de France pour le fret, dessert 28 pays. On y trouve en outre les consulats de 75 pays.

■ Une population cosmopolite

Forte de près de 1,8 million d'habitants, la métropole Aix-Marseille Provence reste ouverte sur la Méditerranée, mais est confrontée aux difficultés nées de son caractère cosmopolite. Marseille, à elle seule, compte aujourd'hui environ 860 000 habitants, après une importante poussée démographique entre 1950 et 1980, liée aux arrivées successives des Italiens, Espagnols et Portugais, puis des ressortissants du Maghreb, de l'Afrique noire, des Comores, du Sud-Est asiatique… Des immigrés qui se sont peu à peu installés en périphérie, la ville même de Marseille

▲ *Le port de Marseille.*

ayant perdu de sa population dans les dernières années du XXe s., contrecoup de la désindustrialisation et de l'exode périurbain.

■ Industries portuaires et nouvelles technologies

Le commerce colonial fait de Marseille, dans la 2e moitié du XIXe s., une ville industrielle : industries alimentaires des huiles, pâtes, sucre, savon ; métallurgie, chaudronnerie, constructions navales ; chimie, engrais et peintures. Les implantations de l'étang de Berre et le complexe de Fos en ont fait un temps une grande cité industrielle. Aujourd'hui, Marseille est le 2e pôle scientifique de France pour la recherche et les télécommunications, et, même si commerce et services restent prépondérants, les activités liées aux nouvelles technologies s'y déploient largement.

Chronologie

■ La Préhistoire

En creusant le sous-sol provençal, l'archéologie a révélé que les premiers habitants de la région se sont regroupés dans des oppidums (villages implantés en hauteur). Ils attendront plusieurs millénaires avant d'apprivoiser les plaines.

Vers 6000 av. J.-C. Les plaines étant marécageuses, les populations occupent les éminences : le Luberon, le plateau de Vaucluse, les gorges de la Nesque et les collines autour du mont Ventoux. Cette zone de la Provence semble être la plus peuplée du S.-E. de la France à cette époque.

Vers 3000 av. J.-C. Début du néolithique. Les habitants du Verdon se sédentarisent, pratiquant l'agriculture et l'élevage.

Vers 1800 av. J.-C. Début de l'âge des métaux. Peuplement des vallées et de la plaine du Comtat.

De 900 à 600 av. J.-C. Occupation du territoire par les Ligures, descendants probables des populations néolithiques autochtones. Ils se mêlent peu à peu aux Celtes pour donner naissance à une civilisation originale, les Celto-Ligures, dont on distingue plusieurs grands groupements : les *Tricastini*, autour de Saint-Paul-Trois-Châteaux ; les *Voconces*, autour de Vaison-la-Romaine et jusqu'à Sisteron, Die et Gap ; les *Memini*, au S. du mont Ventoux et autour de Carpentras ; les *Cavares*, dans les vallées du Rhône et de la Durance autour d'Orange, Avignon et Cavaillon ; les *Vulgientes*, autour d'Apt ; les *Dexivates*, dans la vallée de la Durance autour de Cadenet et de Pertuis ; les *Salyens*, autour d'Entremont (au N. de la future Aix-en-Provence).

Le commerce du vin

Grands amateurs de vins, les Gaulois n'ont pas inventé la viticulture puisque ce sont les Phocéens qui introduisirent la culture de la vigne en Gaule. Au cours de l'âge du fer, la future Marseille développa un commerce intensif avec les populations celto-ligures de l'arrière-pays, en échangeant des amphores contre des denrées agricoles et des matières premières. Les Marseillais importaient également du vin d'Italie qu'ils revendaient aux Gaulois. À partir des années 120 av. J.-C., Rome s'implanta dans la Gaule méridionale qui allait devenir la Narbonnaise et les importations de vin prirent un caractère massif.

■ L'Antiquité

Lorsque les Grecs abordent les rivages provençaux, ils entrent en contact avec les Celto-Ligures, déjà fort actifs dans le domaine du commerce. L'arrivée des Romains favorisera l'établissement de nouvelles liaisons entre les villes, qui verront leurs structures se transformer.

Vers 600 av. J.-C. Fondation de Marseille par des Grecs de Phocée. Ils créent des comptoirs commerciaux et introduisent les cultures de la vigne et de l'olivier.

IIe s. av. J.-C. Les Celto-Ligures inquiètent les Phocéens qui demandent l'appui de Rome : c'est le début du processus qui va faire du S. de la Gaule une nouvelle province romaine, la Narbonnaise.

IIe-Ier s. av. J.-C. Affirmation de la présence romaine. Les anciennes villes celto-ligures

▲ *Bas-relief au musée départemental Arles antique.*

sont transformées (*Glanum*, Avignon, Carpentras, Apt, Cavaillon, Vaison…) et on aménage un important réseau routier, avec, principalement, la via Domitia (axe E.-O. reliant l'Italie à l'Espagne par Apt, Cavaillon et Arles) et la via Agrippa (axe S.-N. remontant la vallée du Rhône par Avignon et Orange).

122 av. J.-C. Fondation d'Aix-en-Provence par Sextius Calvinus.

105 av. J.-C. Invasions des Cimbres et des Teutons qui battent l'armée romaine à Orange, mais qui sont finalement anéantis près d'Aix en 102 av. J.-C.

49 av. J.-C. César assiège Marseille, qui a pris le parti de Pompée. Arles, qui a soutenu César, devient colonie romaine.

IIIᵉ s. apr. J.-C. Début de l'implantation du christianisme, principalement autour d'Arles et de Marseille.

297 Sous le règne de Dioclétien, l'ancienne Narbonnaise est divisée en deux provinces : la Narbonnaise à l'O. du Rhône, la Viennoise à l'E.

IVᵉ s. Capitale de province, Arles atteint le sommet de son prestige. Avec le développement du christianisme, un évêque y avait été installé en 254. Grâce à l'appui de Rome, il prend la tête de l'épiscopat provençal au détriment de Vienne et de Marseille.

Vers 450 Le pape Léon le Grand partage l'autorité ecclésiastique entre les provinces de Vienne et d'Arles.

476 Chute de l'Empire romain. Les contrées au N. de la Durance sont occupées par les

Un legs territorial

Comme pour l'ensemble de la Gaule, les Romains divisèrent le Sud en «provinces» et chaque province en «cités» (une ville et ses environs). Ces dernières formaient un territoire qui exprimait une réalité historique, géographique, administrative et surtout économique. Ces délimitations ont survécu aux transformations politiques, et c'est à partir de ce cadre administratif romain que l'Église de Gaule composa le sien : concordances des limites territoriales entre cités et diocèses, mais aussi entre provinces romaines et provinces ecclésiastiques. Ce cadre se perpétua presque sans changement jusqu'à la Révolution.

Burgondes, celles du S. par les Wisigoths. Repoussant les Burgondes au N. de l'Isère, les Ostrogoths occupent vers 500 Avignon, Cavaillon, Carpentras et Orange.

■ **L'avènement des comtes de Provence**

Éclatement de l'Empire romain, émergence de royaumes barbares, partages territoriaux après la mort de Charlemagne : il faudra cinq siècles et l'avènement de Guillaume «le Libérateur» pour que la Provence retrouve paix et unité. Ce calme, propice à l'économie, favorise l'émergence d'un pouvoir communal fort et la création de grands établissements religieux, en dépit de rivalités entre les maisons de Toulouse et de Barcelone.

536 Fin de la domination des Ostrogoths. Les Francs s'installent en Provence après avoir annexé la Burgondie (qui comprenait le futur Dauphiné et les Baronnies).

736-739 Charles Martel intervient contre des incursions sarrasines et réprime les rébellions à Avignon, Arles et Marseille. La région est intégrée à l'Empire carolingien.

843 Le traité de Verdun partage l'Empire de Charlemagne. La Provence est attribuée à Lothaire.

855 Nouveau partage entre les fils de Lothaire : Charles hérite d'un royaume de Provence-Viennois regroupant l'essentiel du bassin rhodanien depuis la Méditerranée jusqu'à Lyon. Ce vaste territoire échoit par la suite au roi de France Charles le Chauve, puis au comte Boson, qui se fait proclamer roi de Provence en 879.

943 Ce nouveau royaume est intégré à la Bourgogne et devient le royaume de Bourgogne-Provence (ou royaume d'Arles).

Fin IXᵉ-Xᵉ s. Le royaume est affaibli par les incursions des Hongrois, des sarrasins et des Normands.

▲ *Tympan du portail de la cathédrale Saint-Trophime d'Arles.*

973 Les sarrasins sont battus par Guillaume Ier, dit « le Libérateur ». Il donne naissance à la Ire dynastie des comtes provençaux, dont l'avènement coïncide avec le renouveau économique.

Fin X^e-XIe s. Arles est la capitale du royaume de Provence, et Montmajour *(→ p. 318)* devient sépulture des princes.

1029 À la suite d'un don de l'archevêque de Vienne à Guigues Ier, seigneur de Vion, le noyau du futur Dauphiné se constitue (le nom ne sera employé qu'au XIIIe s.).

1032 Rodolphe III lègue ses États de Provence au Saint Empire romain germanique, dont la suzeraineté restera purement nominale.

1125 Un traité partage la Provence entre les maisons de Toulouse et de Barcelone : Raymond Bérenger III, comte de Barcelone, reçoit les territoires à l'E. du Rhône et au S. de la Durance *(→ p. 48)*.

1156 Un traité met fin aux guerres « Baussenques » pendant lesquelles la puissante famille des Baux s'est affrontée avec l'autorité des comtes de Barcelone.

1178 L'empereur Frédéric Barberousse vient en Arles se faire couronner roi. Mais cette tutelle demeure lointaine et théorique.

▲ *Statue de Charles Ier.*

1186 Aix-en-Provence devient la capitale de la Provence des comtes.

1193 Gersende de Sabran, comtesse de Forcalquier, épouse Alphonse II d'Aragon, comte de Provence : les deux comtés sont réunis sous le règne de leur fils Raymond Bérenger V.

1245 Fin de la lignée des comtes de Barcelone, car Raymond Bérenger V meurt sans héritier mâle. Sa fille, Béatrice de Provence, épouse, un an plus tard, Charles d'Anjou, fils de Blanche de Castille et frère de Saint Louis. Il prend le titre de Charles Ier et règne sur la Provence.

1266 Bataille de Bénévent, qui ouvre le royaume de Naples à Charles Ier.

La période papale

Par le jeu de traités et d'héritages, les papes deviennent les maîtres du Comtat Venaissin à la fin du XIIIe s. S'ils n'y résideront que peu – Avignon ne sera la capitale du monde chrétien que pendant soixante-dix ans –, ils s'y maintiendront cependant politiquement jusqu'à la Révolution.

1274 Philippe III le Hardi, roi de France, cède le Comtat Venaissin au Saint-Siège. Ce territoire avait été remis aux papes une 1re fois par Raymond VI à l'issue du traité de 1229, mais il fut ensuite repris par Raymond VII. La dynastie se retrouvant sans héritier en 1271, le pape fait de nouveau valoir ses droits *(→ p. 50)*.

1302-1317 Les Baronnies, possession de la maison des Mévouillon et des Montauban, sont réunies au Dauphiné.

1306 Philippe IV le Bel chasse les Juifs du royaume de France. Charles II d'Anjou les accepte en Provence, mais ils en sont expulsés en 1394, sous Charles VI.

1309 À partir de Clément V, les papes viennent s'installer à Avignon, possession du comte de Provence, et séjournent aussi à Carpentras, Châteauneuf-du-Pape et Notre-Dame-du-Groseau (près de Malaucène).

1317 Pendant la 1re année de son pontificat, Jean XXII inaugure toute une série d'achats de terres dans la région, dont l'«enclave» de Valréas (→ p. 83).

1320 Carpentras devient la capitale du Comtat Venaissin aux dépens de Pernes-les-Fontaines.

1348 La papauté achète Avignon à Jeanne d'Anjou, comtesse de Provence et reine de Naples (→ p. 51). À cette époque, le territoire provençal est partagé en trois grands domaines : les États pontificaux, la Provence des comtes d'Anjou et le Dauphiné des dauphins.

1349 Humbert II, ruiné au retour de Terre sainte, vend le Dauphiné au royaume de France.

1360 La reine Jeanne adopte Louis d'Anjou, frère du roi de France Charles V. C'est le début de la 2e maison d'Anjou.

1378 Début du Grand Schisme : réinstallation de la papauté à Rome, mais maintien, pendant trente ans, de celle d'Avignon. Le Comtat Venaissin, Avignon et l'enclave de Valréas resteront des territoires pontificaux jusqu'à la Révolution (→ p. 51).

Fin XIVe s. Plusieurs épidémies de peste noire déferlent sur toute la région.

■ Les guerres de Religion

Avec les vaudois d'abord, puis sous l'influence de Calvin, l'heure est à la contestation religieuse. En dépit de tentatives de règlements politiques, les conflits ne seront soldés qu'au terme d'affrontements qui ensanglanteront la Provence.

1471 Le roi René, qui a peu résidé en Provence jusque-là, s'installe à Aix-en-Provence.

1475 Création par le pape Sixte IV de l'archevêché d'Avignon, au détriment de celui d'Arles. Le nouvel archevêché est compris dans le Comtat Venaissin, possession du Saint-Siège.

1481 Le neveu et héritier du roi René, Charles III, sans postérité, lègue le comté de Provence au roi de France Louis XI. La Provence devient définitivement française, à l'exception du Comtat Venaissin et de la principauté d'Orange (et, plus à l'E., du comté de Nice et de la Savoie).

1487 Les États de Provence ratifient le rattachement à la France.

1494 Chassés de Provence, les Juifs trouvent refuge dans les États pontificaux (→ p. 186).

1501 Installation du Parlement à Aix. La ville devient la capitale administrative et politique de la Provence.

1530 René de Nassau hérite de la principauté d'Orange. La puissante maison protestante des Nassau, aux multiples possessions en Allemagne et aux Pays-Bas, régnera sur la principauté jusqu'en 1702.

1539 L'ordonnance de Villers-Cotterêts impose le français pour les actes officiels, ce qui entraîne le recul du latin et du provençal.

▲ *Montbrun-les-Bains, l'un des principaux fiefs des Baronnies, fut dirigé au XVIᵉ s.
par le calviniste Charles Dupuy de Montbrun, lieutenant du baron des Adrets.
De sanglants combats l'opposèrent aux catholiques pendant les guerres de Religion.*

1545 Mise à feu et à sang par Jean Maynier, baron d'Oppède et 1ᵉʳ président au Parlement d'Aix, de nombreux villages du Luberon. Ces derniers avaient adopté les idées du réformateur Pierre Valdo, d'où le nom «vaudois» (→ p. 259).

Milieu du XVIᵉ s. Le Dauphiné et la haute Provence sont touchés par les idées de la Réforme et du calvinisme.

1561 Assassinat d'Antoine de Richieu, seigneur de Mauvans (un village proche de Castellane) et adepte de la Réforme. L'événement marque le début des guerres de Religion qui se déclarent dans les Alpes du S. à partir de 1562, malgré un édit de tolérance promulgué par Catherine de Médicis.

1562 Toute la région s'embrase. On retiendra surtout, en représailles de la prise d'Orange par les catholiques, les exactions du baron des Adrets en Vaucluse. L'édit de Saint-Germain-en-Laye accorde la liberté de culte aux protestants de Forcalquier et de Mérindol.

1564 Pendant l'automne, voyage en Provence du S. du roi Charles IX et de sa mère Catherine de Médicis, pour tenter d'apaiser les tensions.

1598 L'édit de Nantes reconnaît aux protestants des Alpes du S. le droit de célébrer leur culte à Nyons, Orpière et Montbrun.

1623 Les Juifs sont contraints à ne résider que dans les villes d'Avignon, Carpentras, Cavaillon et L'Isle-sur-la-Sorgue (→ p. 186). En 1646, ils sont confinés dans des ghettos, appelés «carrières».

La répartition de la population

En basse Provence, sous l'Ancien Régime, la plus grande partie de la population vivait dans de gros villages de plusieurs centaines d'habitants ou en ville; seule une petite minorité résidait en habitat dispersé, généralement sur de grandes exploitations isolées appelées «mas» ou «bastides». À l'inverse, la haute Provence, où l'activité micro-industrielle était presque totalement absente à l'exception de Moustiers avec ses faïenceries, demeurait essentiellement rurale. La population était regroupée dans quelques grands bourgs (Sisteron, Moustiers, Sault…), mais surtout en villages ou en hameaux. Cette disparité sociologique entre haute et basse Provence persiste encore de nos jours.

■ La Provence de Louis XIV à Napoléon

**Aux fastes de Versailles sous le règne de Louis XIV s'opposent les reven-
dications des provinces, bien souvent écrasées sous le poids d'une trop
forte fiscalité. La contestation qui débouchera sur la Révolution française
est déjà en germe, en dépit du règne apparemment paisible de Louis XV.**

Milieu du XVIIᵉ s. La Provence, soucieuse de son autonomie, se révolte à
plusieurs reprises contre l'autorité royale. Les villes s'opposent aux mesures
fiscales du gouvernement de Richelieu, puis de Mazarin. Nés à Aix-en-
Provence, les troubles gagnent l'E.

1660 Louis XIV met un terme à ces rébellions en soumettant Marseille.

Début du XVIIIᵉ s. Nouveaux débats religieux autour du jansénisme.

1709 Grande rigueur de l'hiver qui provoque une grave disette sur tout le
territoire. Le Rhône gèle, ainsi que le Vieux-Port à Marseille.

1713 Par le traité d'Utrecht, la principauté d'Orange est rattachée au royaume
de France.

1720 La peste s'introduit
à Marseille après l'arrivée
du *Grand Saint Antoine*,
un navire venu d'Orient.
L'épidémie se répand dans
toute la région. Les Comta-
dins construisent un mur
de pierres sèches à travers
les monts de Vaucluse pour
s'isoler (→ p. 208).

1731 Conséquence tardive
de la guerre entre Louis XIV
et Guillaume d'Orange, la
principauté d'Orange est
intégrée au Dauphiné sous
Louis XV.

▲ *Gravure représentant une scène de rue pendant la peste
à Marseille en 1720.*

1771 Suppression du Parle-
ment d'Aix, remplacé par l'ancienne cour des comptes.

1789 Dernière session des États généraux de Provence ; Mirabeau est l'un des
élus du tiers-état. L'agitation qui va gagner la région part des villes les plus
riches de la basse Provence : Aix, Marseille, Toulon.

1792 Les fédérés envoyés par Marseille à Paris popularisent *La Marseillaise*.

1793 Marseille prend la tête d'un soulèvement fédéraliste contre la
Convention. En punition, elle est rebaptisée deux mois durant la « ville
sans nom ».

Fin XVIIIᵉ s. La création des départements entraîne l'éclatement de la
Provence qui se trouve partagée entre les Bouches-du-Rhône, le Var et les
Basses-Alpes (devenues depuis les Alpes-de-Haute-Provence). Les États
pontificaux, la principauté d'Orange et le comté de Sault forment le département de Vaucluse. Les Baronnies sont réparties entre les Basses-Alpes et la
Drôme. Lors de la mise en place des préfectures, Aix perd son rôle de capitale
régionale aux dépens de Marseille.

1815 En mars, à son retour de l'île d'Elbe, Napoléon traverse la Provence par
Digne, Sisteron et Gap pour se diriger vers le Dauphiné.

■ La Provence aujourd'hui

Dopées par l'arrivée du chemin de fer, Aix, Marseille et Avignon renforcent leur attractivité en connaissant une prospérité économique et démographique dont profitent les communes les plus proches. Cet essor se fait au détriment des villes des Alpes du Sud qui, laissées à l'écart des échanges, perdent une bonne partie de leurs habitants.

XIXe-XXe s. Développement de l'industrie le long de la vallée du Rhône et dans la région de Marseille. Les mines de Gardanne prennent leur essor.

1839 Construction de la voie ferrée Marseille-Sète.

1849 Ouverture de la ligne de chemin de fer Paris-Lyon-Marseille.

1851 Dans les Basses-Alpes, Vaucluse et le Var, résistance républicaine armée au coup d'État du 2 décembre de Louis Napoléon Bonaparte (→ p. 465).

1854 Fondation du félibrige (→ p. 273), mouvement régionaliste culturel. Il périclita au début du XXe siècle.

1868 Crise du phylloxéra dans les vignes provençales.

Début XXe s. Extension des activités maritimes et industrielles autour de l'étang de Berre. Premières raffineries de pétrole.

1904 Frédéric Mistral reçoit le prix Nobel de Littérature.

1923 Ouverture de l'aéroport de Marseille-Marignane.

1942 Les troupes allemandes entrent en Provence.

1943 Les Allemands détruisent le quartier du Panier à Marseille.

1944 Débarquement allié le 15 août 1944 sur le littoral varois. Libération de la Provence.

1947 Création du Festival d'Avignon (→ p. 155) puis, un an plus tard, du Festival d'art lyrique d'Aix-en-Provence.

1956 Création de la région-programme Provence-Alpes-Côte-d'Azur-et-Corse, dont les limites débordent du cadre historique de la Provence.

1962 Construction de barrages hydroélectriques sur la Durance. Retour en France des Français d'Algérie (→ p. 54).

1970 La Corse devient une région à part entière. Les Basses-Alpes sont rebaptisées Alpes-de-Haute-Provence dans la nouvelle région Provence-Alpes-Côte-d'Azur.

1970 Création du parc naturel régional de Camargue. Trois autres suivront : Luberon (1977), Verdon (1997) et Alpilles (2007).

1992 Crue de l'Ouvèze entraînant de graves inondations à Vaison-la-Romaine.

2001 Arrivée du TGV à Marseille.

2003 Canicule exceptionnelle qui accentue les dégâts causés par les incendies.

2006 Centenaire de la mort de Cézanne. Exposition internationale à Aix-en-Provence.

2007 Création du parc naturel régional des Alpilles.

2012 Création du parc national des Calanques.

2013 Marseille est Capitale européenne de la culture. Ouverture du MuCEM.

2016 Graves incendies dans les Bouches-du-Rhône, avec près de 4 800 ha brûlés.

2017 Vif succès du Front national au second tour des élections présidentielles dans les Bouches-du-Rhône (42,15 %) et dans le Vaucluse (46,55 %).

La Provence des comtes

D e la fin du Xe s. à la fin du XVe s., le destin de la Provence fut lié à celui de ses seigneurs. Sous la coupe des dynasties catalane, toulousaine, puis angevine, la région voit s'alterner des périodes fastes et des crises économiques. Le roi René sera le dernier vrai souverain de Provence : son successeur, Charles III, ne régnera qu'un an et léguera les terres au roi de France Louis XI.

▲ *Le roi René (1409-1480), et sa femme Jeanne de Laval, par Nicolas Froment.*

■ Les débuts d'une dynastie

Aux IXe-Xe s., le royaume de Bourgogne-Provence, ou royaume d'Arles, fut affaibli par les incursions des Hongrois, des sarrasins et des Normands. Parmi ces envahisseurs, les sarrasins (populations musulmanes d'Italie du S. et de Sicile) étaient considérés comme les plus redoutables, effectuant raids (sur les cités et les établissements religieux de l'arrière-pays) et enlèvements. Ils connurent cependant suffisamment de défaites en 973 face au comte d'Arles Guillaume pour que ce dernier soit surnommé « le Libérateur ». Cette victoire éclatante lui permit d'imposer son autorité sur la Provence du S., entre Rhône, Durance et Méditerranée.

■ Les comtes catalans

Pourvue d'une descendance, mais sans héritier mâle, la famille de Guillaume fut contrainte de s'unir à des partis étrangers en mariant ses filles. En 1125, après une période trouble, un traité partagea la Provence entre Alphonse Jourdain, comte de Toulouse, qui reçut l'O. du Rhône et le N. de la Durance, et Raymond Bérenger III, comte de Barcelone, à qui échurent les territoires à l'E. du Rhône et au S. de la Durance. Ainsi, la majorité du territoire provençal passait-il sous la domination de la dynastie catalane. Aix-en-Provence devint le lieu d'exercice du pouvoir au détriment de la région rhodanienne et d'Arles. Les comtes la choisiront pour capitale en 1186.

Le calme revenu, les villes renouèrent avec la prospérité tout au long du XIIᵉ s. La réforme grégorienne permit aux abbayes de Montmajour et de Saint-Victor de Marseille d'asseoir leur puissance. De plus, l'essor démographique stimula l'activité commerçante des villes, dont la puissance économique suscita des velléités d'indépendance face aux seigneurs locaux. Arles, Avignon, Marseille ou encore Tarascon créèrent des consulats dans lesquels les bourgeois détenaient un pouvoir fort. Les comtes de Provence surent néanmoins conserver leurs prérogatives tout en tempérant l'influence des seigneurs locaux.

■ La maison d'Anjou

Le dernier comte catalan, Raymond Bérenger V, décédé sans héritier mâle en 1245, ne laissa qu'une fille, Béatrice, pour lui succéder. Le mariage, en 1246, de celle-ci avec Charles, fils de Blanche de Castille et frère du roi Louis IX (futur Saint Louis), fit passer la Provence aux mains de la famille d'Anjou. Charles Iᵉʳ et ses successeurs tentèrent de donner naissance à un royaume italien en partant à la conquête de Naples et de la Sicile et menèrent pour cela une politique expansionniste au détriment du développement économique de la Provence. Ces guerres maritimes, entravant le trafic marchand, eurent de fâcheuses conséquences sur le commerce, dont le port de Marseille fit les frais. Le pape Clément VI profita des difficultés que la reine Jeanne dut affronter au début de son règne pour lui acheter Avignon en 1348 ; dans le même temps se répandait une épidémie de peste qui allait aggraver une situation déjà délicate.

■ Fin de siècle et fin de règne

Avec René d'Anjou, «le bon roi René», qui régna de 1436 à 1480, la Provence renoua avec la croissance économique et démographique. Sa cour fut brillante, et cette époque fait encore figure d'âge d'or dans l'imaginaire des Provençaux. Comme bien souvent, la réalité est plus nuancée. Le roi profita en fait de l'aisance économique du comté pour taxer fortement ses sujets, afin de financer ses ambitions italiennes. Mauvais tacticien et piètre diplomate, il perdit cependant définitivement le royaume de Naples et passa les dix dernières années de sa vie à Aix, dans l'insouciance d'une vie de cour fastueuse, abandonnant la politique pour se consacrer à la création artistique (l'histoire lui prête des talents d'enlumineur) et au mécénat. Son neveu et héritier Charles III céda le comté de Provence au roi de France. En 1481, c'en était fini de la Provence indépendante : elle était devenue une province française.

▲ *Le château de Tarascon, lieu de séjour du roi René.*

La Provence des papes

Les conflits qui déchirèrent l'Italie au début du XIVᵉ s. conduisirent les papes à abandonner Rome pour s'installer à Avignon. Sept pontifes français se succéderont sur le trône de saint Pierre entre 1309 et 1378, début du Grand Schisme. Jusqu'à la Révolution française et la formation des départements, la papauté restera propriétaire des domaines acquis en Provence aux XIIIᵉ et XIVᵉ s.

▲ Grégoire XI.

▲ Urbain V.

■ Un territoire revendiqué

Au début du XIIIᵉ s., le comte de Toulouse Raymond VI prit le parti des cathares lors du conflit qui les opposa au royaume de France et à la papauté. Cette croisade s'acheva en 1229 par le traité de Paris (ou traité de Meaux), au bénéfice de Rome. Pour réparer son engagement en faveur des hérétiques, Raymond VI fut contraint d'offrir ses terres du Comtat Venaissin à la papauté. Cette cession fut rapidement annulée, puisque Raymond VII reprit ce territoire dont il aurait normalement dû hériter, lequel passa ensuite à sa fille qui, mariée à Alphonse de Poitiers, décéda en 1271 sans postérité. Le pape Grégoire X fit alors valoir ses droits, et le roi de France Philippe III le Hardi remit à nouveau le Comtat Venaissin au Saint-Siège en 1274.

■ **Avignon remplace Rome**

Grâce à sa proximité avec Vienne, où devait se réunir un concile en 1310 pour débattre de l'affaire des Templiers, Avignon, possession du comte de Provence, fut choisie par Clément V en 1309 comme résidence de passage. En effet, les divisions de la noblesse romaine et les revendications du parti populaire n'incitaient pas les souverains pontifes à résider longtemps dans la ville italienne. Avignon offrait alors de nombreux avantages : elle se trouvait à égale distance de l'Italie et de l'Espagne, aux portes du royaume de France, et constituait surtout une enclave dans le Comtat Venaissin, l'un des États de la papauté. Sous la protection du comte de Provence, roi de Naples et de Sicile, et à ce titre vassal du Saint-Siège, Clément V se trouvait ainsi proche de ses propres terres en toute sécurité.

Jean XXII, successeur de Clément V, inaugura, dès le début de son pontificat en 1317, toute une série d'achats en Provence, soit auprès du Dauphin, soit auprès des ordres dont les Hospitaliers de Saint-Jean-de-Jérusalem. Il acquit d'abord Valréas, puis Visan, Richerenches et Grillon, ainsi que Rousset et Saint-Pantaléon. Un vaste territoire papal, inclus dans le Dauphiné et la Provence puis dans les terres royales, se constitua ainsi, mais sans être rattaché géographiquement au Comtat Venaissin. En rachetant Avignon à la reine Jeanne en 1348, le pape fut désormais officiellement chez lui.

■ **Le Grand Schisme**

En dépit de la situation géographique et politique d'Avignon, Urbain V, élu en 1362, prit la décision de rétablir le siège de la papauté à Rome, où la sécurité lui était garantie. Parti en 1367, il dut cependant revenir trois ans plus tard. Grégoire XI, son successeur, quitta à son tour Avignon en 1376 malgré la pression des cardinaux français et du roi de France. Rome redevint alors la capitale de la chrétienté, et la paix sembla acquise lorsque le conclave élit un prélat italien, Urbain VI, en 1378.

Les cardinaux français, aigris par l'attitude méprisante de celui-ci à leur égard, mais surtout inquiets pour leurs prérogatives et poussés par le roi Charles V, dénoncèrent comme nulle l'élection d'Urbain VI et placèrent Robert de Genève sur le trône de saint Pierre. Sous le nom de Clément VII, ce dernier revint s'installer à Avignon. Ainsi commença le Grand Schisme d'Occident, durant lequel chaque royaume chrétien prit le parti de l'une ou l'autre papauté. Le décès de Clément VII en 1398 n'apaisa pas les tensions quand lui succéda un nouveau pape d'origine espagnole, Benoît XIII.

■ **Le dernier pape d'Avignon**

Les royaumes de France, de Sicile, de Navarre et de Castille s'étant, à la fin du XIVᵉ s., retirés de l'obédience papale avignonnaise, Benoît XIII fut contraint de s'enfermer dans son palais pour échapper aux révoltes des populations du Comtat. Il s'en évada en 1403 pour se réfugier dans le comté de Provence. Il ne reviendra plus jamais à Avignon et, refusant d'abdiquer, il sera déposé par les conciles de Pise (1409) et de Constance (1417). À partir de ce moment, Martin V, pape de Rome, sera l'unique pape de la chrétienté, ainsi que tous ses successeurs.

Après le retour des papes à Rome à la fin du XIVᵉ s., la monarchie française chercha à plusieurs reprises à récupérer le domaine. Le Parlement de Provence le saisit en 1663 avant de le restituer l'année suivante. En 1688, Louis XIV le réunit de nouveau à la France, mais dut lui aussi le rendre. Le Parlement d'Aix le fit encore occuper en 1768. Lors de la division de la France en départements, le Comtat Venaissin (et l'enclave de Valréas), État étranger, n'était pas concerné. Cependant, une partie des habitants demandèrent leur rattachement à la France, et il fut intégré en 1791. Ce qu'entérinera le Vatican en 1797.

Entre royauté et République

C'est en basse Provence que l'on rencontre les plus forts pourcentages de prêtres «jureurs» (qui prêtent serment à la Constitution) lors de la Constitution civile du clergé en 1790 : 50% dans les Bouches-du-Rhône ; 96% dans le Var ; 84% dans les Basses-Alpes.

1789 : la Provence est révolutionnaire. Au début du XIXᵉ s., elle est gagnée à la cause des Bourbons (Louis XVIII et Charles X, frères de Louis XVI). Après Louis-Philippe de 1830 à 1848, les rênes de l'État tombent entre les mains du prince président, Louis Napoléon. Un instant menacé, ce dernier se maintient au pouvoir grâce à un coup d'État qui débouchera sur l'instauration du Second Empire. La Provence saura faire preuve à cette occasion d'un état d'esprit très original.

▲ *Partition et paroles de la Marseillaise.*

■ Un malaise prérévolutionnaire

En 1771, la suppression du Parlement d'Aix laisse un sentiment d'amertume dans le milieu des juristes aixois. Nostalgique de l'ancienne Constitution qui garantissait à la Provence une grande autonomie, le magistrat aixois Pascalis devient le porte-parole des revendications formulées contre les systèmes d'imposition en vigueur, réclamant une égale contribution des trois ordres, au grand dam d'une noblesse foncièrement attachée à ses privilèges. Dans le sillage de Pascalis, la Provence qui s'agite en 1789 est d'abord celle des villes : le malaise urbain se focalise autour de la vie chère et se polarise sur les taxes concernant les denrées alimentaires, entraînant émeutes de subsistance et soulèvements antifiscaux. Cette révolte d'une basse Provence riche s'étend à partir d'une ligne tirée du pays aixois jusqu'à la région varoise, avec Draguignan pour pointe extrême, laissant la haute Provence et les zones orientales à l'écart des troubles. Puis, en 1792, la révolte devint celle des municipalités qui partent en guerre contre la royauté que Marseille déclare «contraire aux principes de l'égalité et de la souveraineté nationale».

■ La Provence à contre-courant

Paradoxalement, alors que la République s'installe dans le pays à la fin du XVIIIe s., l'administration provençale (directoires et conseils généraux) demeure conservatrice, voire monarchiste. En 1795, la Terreur «blanche», conjuguée à une poussée de brigandage, transforme l'O. de la région en une véritable Vendée provençale. L'avènement de Napoléon donne aux Provençaux l'impression que la période révolutionnaire est déjà terminée : les préfets reprennent en main l'ordre public; les émigrés rentrent en masse; la cour d'appel d'Aix retrouve une part, certes âgée, du personnel de l'ancien Parlement; un aristocrate devient maire de Marseille en 1813; et, dans certains villages, le maire élu est l'ancien seigneur d'avant 1789…

À tous les niveaux de l'échelle sociale, la monarchie, restaurée en 1815, bénéficie de l'assentiment de la basse Provence occidentale, contrairement à la plupart des autres régions françaises, effaçant de la scène politique les libéraux et les anciens jacobins, et faisant sienne la devise : «Toujours en France les Bourbons et la Foi.»

■ Une région de gauche?

Cet esprit promonarchiste durera moins de quinze ans, puisque, sous la révolution de 1830, les libéraux sont de retour aux postes officiels, rejetant dans l'opposition la majorité traditionaliste et catholique. L'industrialisation est balbutiante, et aucune concentration ouvrière n'existe pour faire écho aux premiers appels du socialisme. Cependant, avec l'introduction de la machine à vapeur, l'arsenal de Toulon sera conduit à recruter de nouveaux ouvriers pour former mécaniciens et métallurgistes, et ceux-ci propageront rapidement dans la région des valeurs de gauche.

▲ *Tract présentant Napoléon III et son discours d'intronisation devant le Sénat en 1852.*

En 1848, la Provence marque son originalité lors des élections présidentielles : alors que la France entière est favorable à 75 % au candidat Bonaparte, celui-ci est largement devancé en Provence par Cavaignac et Ledru-Rollin. Les partisans de Ledru-Rollin, les «rouges», obtiennent aux élections générales de mai 1849 quatre élus sur sept dans le Var, deux élus sur trois dans les Basses-Alpes, et des minorités significatives ailleurs. C'est dans cet esprit contestataire que la Provence devient naturellement le principal foyer des insurrections populaires qui tentent de s'opposer au coup d'État du 2 décembre 1851 (→ p. 465). La répression entraînera la paralysie de la gauche provençale pour dix ans, mais elle s'est profondément enracinée sur ce territoire.

Une région en mutation

L a Provence du touriste moderne est restée celle, maintenant lointaine, de Frédéric Mistral : une zone avec Arles pour capitale et la Camargue pour terre emblématique, au sein d'un triangle délimité par Orange, Aix-en-Provence et Aigues-Mortes (Gard). Mais cette Provence «rhodanienne» n'est qu'une petite partie d'un vaste ensemble dont la physionomie, tant humaine qu'administrative, s'est profondément modifiée à partir des années 1950.

▲ *Des rapatriés d'Algérie sur le quai de Marseille en juin 1962.*

■ Les rapatriés d'Afrique du Nord, des migrants contraints

L'indépendance du Maroc d'abord, puis celle de l'Algérie en 1962, entraînent le retour des Français d'outre-Méditerranée. Leur nombre important modifiera non seulement la démographie de la région, mais aussi sa physionomie économique et politique. Car, de toutes les régions de France, la Provence reçoit la plus forte proportion de rapatriés, et c'est la seule où l'on bâtira pour eux, notamment, entre 1959 et 1965, la cité nouvelle de Carnoux (entre Aubagne et Cassis).

La situation économique, à leur arrivée, n'est pourtant guère favorable, malgré un semblant de croissance dans les années 1950 : en partant, les Allemands ont détruit le port de Marseille et le reste de la flotte marchande. Le redémarrage est très difficile, d'autant plus que l'on sait l'importance des échanges internationaux pour la région depuis l'Antiquité. D'autre part, la crise du canal de Suez en 1956 et l'essor de Paris ont précipité les déplacements de nombreuses entreprises et sièges sociaux. Les années 1960 sont donc une période de marasme.

■ Les touristes, des migrants volontaires

L'autre changement frappant concerne le tourisme, devenu massif grâce aux lois de 1936. Avec la relative prospérité des années 1950 et profitant d'un des meilleurs climats de France, il submerge l'industrie hôtelière régionale et entraîne le développement des diverses formes de camping, avec, pour contrecoup, un surpeuplement problématique du littoral. La Provence intérieure profitera également des déplacements estivaux, mais plus tardivement. Du massif des Maures au mont Ventoux en passant – surtout – par le Luberon, les vieux villages sont «redécouverts» par les promeneurs et les touristes chics, pour former, parfois de façon caricaturale, des nids de résidences secondaires.

Le dernier quart du XXᵉ s. a incontestablement confirmé la Provence dans son rôle de terre de loisirs. Loisirs qui, d'ailleurs, n'ont pas cessé de se diversifier : visites de nouveaux sites archéologiques (ruines de Saint-Blaise, Entremont, *Glanum*), et surtout vogue des festivals, pour certains d'une création ancienne et d'une qualité incontestable : Aix et Orange pour la musique lyrique; Avignon pour le théâtre (même si, de «populaire» à l'origine, il tend de plus en plus à s'adresser à un public averti); La Roque-d'Anthéron pour le piano…

■ Vers une nouvelle identité régionale?

Cette récente «invasion» du pays rural est utilisée par la propagande occitaniste apparue en Provence. Elle y rencontre cependant moins d'écho qu'en Languedoc, en raison de la baisse d'influence du félibrige *(→ p. 273)* dès le début du XXᵉ s. Terre d'accueil et d'immigration, la Provence ne comprend plus aujourd'hui qu'une part assez faible d'habitants pour qui la revendication du passé et de la langue compte toujours, contrairement au Languedoc, au Pays basque ou à la Bretagne. Ces données modernes sont venues modifier la physionomie politique provençale héritée du XIXᵉ s.

La suprématie de la gauche, éclatante à l'époque du Front populaire, était encore bien nette sous la IVᵉ République. Mais en 1958, la droite

Les armoiries modernes de Provence-Alpes-Côte-d'Azur combinent celles des diverses provinces à partir desquelles fut constituée la région : l'ancienne Provence, à g. (représentée par l'emblème de la Catalogne, terre d'origine de certains comtes); le Dauphiné en haut à dr. (le dauphin), le comté de Nice en bas à g. (l'aigle couronné).

▲ *Drapeau provençal.*

devient un peu partout majoritaire en raison des mutations économiques : la vieille gauche rurale demeurait enracinée dans une paysannerie vigneronne tendant à se réduire, tandis que le communisme trouvait ses bases dans un monde industriel en perdition (la fermeture des chantiers navals de La Ciotat est à cet égard emblématique). Déstabilisée par ces évolutions et par la perte de son électorat, la gauche est cependant parvenue à reprendre pied dans la région lors des élections régionales de 1998 et de 2004. Cette période correspond également à une poussée de l'extrême droite, poussée qui s'est confirmée lors des dernières élections de 2017. La Provence, région de chômage et d'immigration, est en effet un terreau favorable à l'idéologie xénophobe du Front national. Elle doit aujourd'hui affronter l'avenir dans un paysage politique plus que jamais fracturé.

Un art antique
à la croisée des chemins

Venus défendre Marseille, leur alliée grecque, les Romains fondèrent en 122 av. J.-C. leur première ville en Provence, *Aquae Sextiae*, future Aix. Un siècle plus tard, ils avaient conquis toute la région, le plus souvent pacifiquement. Celle-ci prospéra sous leur protection jusqu'au Ve s. apr. J.C., l'agriculture se développa et des villes s'élevèrent : Arles, Fréjus, Orange, Vaison-la-Romaine… Beaucoup ont conservé des vestiges de cette époque sauf, paradoxalement, Aix.

■ Les oppidums de l'âge du fer

La civilisation celto-ligure, dont de nombreux groupes peuplaient la Provence, avait édifié de véritables villes fortifiées, implantées sur des éminences pour des raisons stratégiques. Trois sites, autrefois occupés par les Salyens, sont restés particulièrement célèbres par la richesse des vestiges livrés aux archéologues : Saint-Blaise (près de Fos-sur-Mer), dont les habitants entretenaient des relations commerciales avec les Étrusques et les Grecs, Entremont et Roquepertuse (dans le pays d'Aix).

■ Les Grecs en Provence

Lors de leur arrivée en Provence vers 600 av. J.-C., les Phocéens fondèrent plusieurs colonies sur le littoral méditerranéen. Il s'agissait en fait de comptoirs commerciaux visant à dynamiser le commerce de l'étain, métal nécessaire à la fabrication du bronze, qui empruntait jusqu'alors une route passant par les vallées du Rhône et de la Garonne. Les Grecs apprirent aussi aux Celto-Ligures à tailler la vigne et à planter l'olivier. Une économie d'échange entre les mondes méditerranéen et celte se développa ainsi très rapidement, comme en témoignent les amphores et les poteries découvertes à Marseille. De même, un art mixte, influencé par la civilisation grecque et la civilisation celte, s'épanouit. Une fois finalisée une conquête pacifique par les Romains, il n'en perdra pas pour autant son âme.

■ Romains sous influence

Dans le cadre de l'art romain « provincial », la Narbonnaise (S. de la Gaule) occupa une place à part car ce territoire était pénétré, depuis des siècles, par le rayonnement de la culture grecque, diffusé par l'ancien comptoir commercial de Marseille. Le site de *Glanum* (→ p. 278), daté de 40 av. J.-C., a livré bon nombre d'éléments architecturaux et/ou sculptés qui témoignent bien de ces réalisations à la croisée des chemins. Plusieurs chapiteaux, à têtes humaines disposées entre deux volutes au-dessus de feuillage, présentent un type apparu en Grande Grèce (S. de la péninsule italienne et Sicile).

▲ *Un bas-relief du musée départemental Arles antique.*

Cependant, certaines de ces têtes portent des torques, épais colliers typiquement gaulois, et leur manière assez dure révèle, effectivement, la main d'artistes locaux. Quant au mausolée des Julii, il est orné de reliefs dont la composition a été déterminée par un sillon correspondant à un dessin préliminaire du contour des figures. On retrouve cette technique de mise en place dans d'autres œuvres de la Narbonnaise, notamment sur les arcs de Carpentras et d'Orange, dont la forme est bien sûr redevable à Rome. Mais l'arc d'Orange, généralement daté des années 30 av. J.-C., présente un attique (dernier niveau) offrant une singulière disposition : les reliefs s'affirment clairement sur un fond sans être contraints par un cadre. Cette façon de faire pour l'attique ne trouve pas d'équivalent, ni dans le monde romain, ni auparavant dans le monde grec.

Parmi les productions les plus marquées par l'influence grecque, la sculpture funéraire occupe une bonne place. Dans un autre domaine, la statue de Médée s'apprêtant à tuer ses enfants (Ier s., musée d'Arles) présente une iconographie assez rare pour une ronde-bosse de l'époque, mais son style dynamique, au service de l'expression d'une certaine violence, est encore grec.

■ En composant avec les particularités celtes

La sculpture celte conservée est généralement tardive et date des premiers siècles de la conquête romaine. Les seules œuvres antérieures – de peu – sont celles d'Entremont (IIe s. av. J.-C.), capitale des Salyens : elles traduisent dans la pierre (entre autres choses) la pratique d'exposer les têtes coupées des ennemis vaincus (musée Granet à Aix). Ces têtes, de conception celte, montrent cependant l'influence hellénistique de la Narbonnaise. On retrouve également ce goût pour la représentation de la férocité dans les monstres anthropophages tels la Tarasque de Noves (musée lapidaire d'Avignon). Ces créatures préfigurent directement celles des portails et des chapiteaux des édifices médiévaux. Plus généralement, l'art de la Narbonnaise a navigué entre des représentations gréco-romaines et des expressions propres au substrat indigène pour donner naissance à des motifs neufs qui auront une postérité tardive à l'époque médiévale.

Architecture et sculpture romanes

Née tardivement, l'école de Provence à proprement parler évolue sur un territoire restreint car elle rencontre l'école du Languedoc à Saint-Gilles (Gard) et l'école lombarde à Hyères (Var), Digne et Sisteron (Alpes-de-Haute-Provence) : ses centres originaux se situent autour d'Arles et dans le Comtat Venaissin. Bâtisseurs et artistes découvrirent dans le patrimoine antique les sources d'une inspiration nouvelle. Le roman provençal se caractérise par cette influence profonde des chefs-d'œuvre du passé.

▼ *Avec ses lignes pures, la chapelle Saint-Gabriel, dans les Alpilles, est un bel exemple de roman provençal.*

■ Un roman discret

La rareté des témoignages architecturaux pour les hautes époques peut s'expliquer en partie par les incursions, aux IXe et Xe s., des Normands et des sarrasins dans la vallée du Rhône. Ces derniers tenaient aussi les cols des Alpes :

l'interruption, à ce moment-là, des listes épiscopales témoigne bien d'une situation perturbée et de la désorganisation des diocèses. Une fois la paix retrouvée, au début du XIe s., les régions méridionales furent marquées par un intense mouvement de réorganisation des églises. Des communautés bénédictines prirent une grande importance, comme celles de Saint-Victor à Marseille ou de Montmajour près d'Arles. Cependant, ces abbatiales durent être reconstruites dans le courant des XIIe et XIIIe s. et, des constructions primitives, seule subsiste la chapelle Saint-Pierre de Montmajour qui possède un appareil très simple et un décor hérité de l'époque carolingienne (un pilastre couvert d'entrelacs, des chapiteaux à décor floral) dont on retrouve l'esprit au baptistère de Venasque dans le Comtat, reconstruit sans doute à la même époque sur un plan quadrilobé irrégulier. Les cathédrales elles-mêmes n'échappèrent pas à cet archaïsme. Si les vestiges conservés de la nef préromane d'Aix témoignent d'une ambition architecturale certaine, l'ensemble était charpenté, comme à Vaison. Ainsi l'art roman faisait-il ici une apparition fort discrète comparée à des régions comme la Catalogne, le Languedoc, la Bourgogne ou la Normandie à la même époque.

■ La pierre pour orner

Jusqu'à une époque avancée, les édifices provençaux restèrent en fait fidèles à une inspiration antiquisante favorisée par l'abondance des vestiges romains conservés, tant pour l'architecture (appareillage soigné, volumes simples) que pour le décor sculpté (souvenirs des arcs de triomphe, frontons, pilastres…). Mais lorsque des programmes plus complexes furent élaborés à la fin du XIIᵉ s., par exemple pour les portails de l'abbatiale de Saint-Gilles du Gard ou de la cathédrale Saint-Trophime d'Arles, l'influence de la statuaire antique se trouva mêlée à des traditions nordiques déjà teintées d'esprit gothique. La sculpture put également s'épanouir dans les cloîtres qui, à Saint-Trophime d'Arles, à Montmajour ou à Saint-Paul de Mausole, conservent encore de belles séries de chapiteaux. Les formes devinrent plus fines dans le cloître d'Aix, où le maintien d'une couverture charpentée autorisait la légèreté des supports.

▲ *Piédroit dans le cloître Saint-Trophime.*

■ Persistance du vocabulaire roman

Tardivement épanoui, ce style, dont l'aire de diffusion est à la fois restreinte dans l'espace et dans le temps, est en fait celui de la renaissance antiquisante provençale, avec une maîtrise égale de la construction et l'adoption d'une grammaire décorative puisée à la même source. Les conceptions romanes, fortement implantées en Provence dans le bas Rhône et dans les Alpes, correspondaient aux traditions régionales de l'art de bâtir (et d'orner) et purent s'y maintenir longtemps pour cette raison. Les cathédrales romanes d'Orange, de Senez, de Cavaillon, ne furent consacrées respectivement qu'en 1208, 1246, 1251, dates auxquelles l'architecture gothique brillait de tous ses feux dans d'autres contrées depuis déjà plusieurs décennies. Au XIVᵉ s., l'église comtadine de Caromb sera encore voûtée par un berceau brisé de pure tradition romane, alors que les églises avignonnaises Saint-Didier et Saint-Pierre, construites à la même époque, sont résolument gothiques.

■ La survie des styles

C'est encore le style roman parfois mêlé de byzantin qui sera choisi au XIXᵉ s. pour Notre-Dame-de-la-Garde à Marseille, en 1864, la chapelle Notre-Dame-de-Provence à Forcalquier, en 1869 ou la nouvelle Major de Marseille, à partir de 1852. Longue sera également la survie du gothique. En Provence, où il n'y a pas d'églises de la Renaissance, l'une des plus belles façades de la région est la façade «flamboyante» de Saint-Pierre d'Avignon qui date du début du XVIᵉ s. Et c'est encore en style gothique que l'on édifie, dans le courant du même siècle, Saint-Nicolas à Pertuis et la collégiale Saint-Sauveur à Grignan.

Un gothique sous influence

▼ *La basilique Sainte-Marie-Madeleine de Saint-Maximin-la-Sainte-Baume est le plus grand vaisseau gothique de toute la Provence.*

Si l'architecture gothique met du temps à s'affirmer en Provence, son développement sera favorisé par l'installation des papes à Avignon au XIVe s. Cependant, le gothique provençal est celui de la France du Sud en général : les églises y adoptent un plan à une seule nef avec un chœur sans déambulatoire, entre les contreforts de laquelle on ménage parfois des chapelles.

■ De l'Île-de-France aux marges du royaume

L'architecture gothique naît au N. de Paris au milieu du XIIe s. et ne tarde pas à gagner la Picardie et la Champagne. En relation directe avec l'extension du pouvoir des Capétiens, des milieux de plus en plus éloignés sont touchés à leur tour par ce style architectural. Ainsi, pour la Provence, qui ne sera véritablement française qu'en 1481, les églises Saint-Didier d'Avignon (XIVe s.) ou la cathédrale de Carpentras (XVe s.) constituent deux beaux exemples de l'aboutissement de ce mouvement.

■ Sous l'impulsion de la papauté d'Avignon et de l'Italie

L'installation de la papauté à Avignon en 1309 entraîne dans son sillage celle d'un nombre certain de hauts dignitaires qui se comporteront en mécènes fastueux. Ainsi, les grandes entreprises architecturales relèveront-elles essentiellement du domaine civil. Ce qui était vrai au Moyen Âge

l'est encore de nos jours : on remarque tout particulièrement les «livrées» des cardinaux, celles de Ceccano (devenue la médiathèque) ou de Via (devenue musée du Petit-Palais) et le palais des Papes à Avignon pour le XIVe s., ou encore le château du roi René à Tarascon, pour le milieu du XVe s.

■ Vers un gothique presque baroque

C'est dans le domaine de l'architecture religieuse que le gothique, à son ultime développement dit «flamboyant», trouva le mieux à s'exprimer jusqu'au début du XVIe s. : le foisonnement décoratif des portails gagna les voûtes qui possédaient elles-mêmes un réseau de nervures dont la complexité allait grandissant. Si les façades de Saint-Pierre d'Avignon ou de la cathédrale d'Aix témoignent bien de cette relative exubérance, de rares édifices provençaux présentent en eux toutes les caractéristiques citées plus haut (voir la chapelle Saint-Claude de l'église Saint-Michel de Caderousse).

De l'Italie aux Flandres

L e style gothique marqua nombre de créations provençales et du Comtat Venaissin où l'action des papes français suscita une grande activité constructrice dès le début du XIVe s. Mais c'est dans le domaine de la peinture, murale d'abord, sur panneau ensuite, que l'art gothique provençal trouva sa plus belle expression.

▼ *Les fresques de la chambre du Cerf du palais des Papes d'Avignon.*

■ Quand la peinture était sur les murs

La peinture murale n'a guère laissé de témoignages dans l'architecture civile bien qu'elle soit souvent mentionnée dans les comptes de l'époque. À la tour Ferrande du château de Pernes (vers 1270), le décor montre déjà un certain réalisme qu'il s'agisse des scènes de la vie quotidienne (combat équestre) ou des scènes historiques (l'investiture de Charles d'Anjou). Mais c'est Avignon qui présente le plus important et le plus bel ensemble de peintures. Benoît XII puis Clément VI firent appel, au milieu du XIVe s., à des artistes italiens. Si seules les «sinopies» (dessins préparatoires exécutés sur le mur) du portail de Notre-Dame-des-Doms témoignent encore du passage du Siennois Simone Martini (vers 1284-1344), on peut toujours admirer le résultat du chantier confié à Matteo Giovanetti (actif dès 1322-1367) au palais des Papes, particulièrement dans la chambre du Cerf, la chambre du Pape, la chapelle Saint-Jean, la chapelle Saint-Martial et la Grande Audience. Surnommé le «Peintre des papes», Giovanetti travailla également pour Innocent VI à la chartreuse de Villeneuve-lez-Avignon.

■ De la péninsule Italienne à la Provence

Avignon devint ainsi une sorte de relais pour la transmission de l'art italien vers le N. en même temps qu'un centre de création originale. Les quelques vestiges qui ont subsisté de la peinture sur panneau témoignent de l'adaptation par les peintres locaux d'une inspiration siennoise (retable de Thouzon, musée du Louvre, par un artiste anonyme; œuvres du musée Calvet en dépôt au musée du Petit-Palais à Avignon). Cependant, ce n'est qu'au milieu du XVe s. que l'«école d'Avignon» connaîtra son plein épanouissement.

■ Un art original entre Midi et Septentrion

Après une période de calme artistique provoqué par le Grand Schisme d'Occident en 1378 et le départ des papes, des artistes originaires du N. redonnèrent vie à l'«école d'Avignon» : le maître de l'Annonciation d'Aix (identifié à Barthélemy d'Eyck) ou Enguerrand Quarton (originaire de Laon), créèrent des œuvres fortes dont les figures, au rendu puissant, qui se déploient sur un fond d'or, sont baignées d'une lumière vive. On retiendra l'attention que l'un porte à la lumière et au rendu soigné des draperies, et le style sculptural de l'autre, habile à dégager rapidement l'essentiel du volume et d'une forme. En 1471, l'installation du roi René à Aix-en-Provence favorisa un regain d'influence flamande : les réalisations de Nicolas Froment, Josse Lieferinxe et Nicolas d'Ypres montrent la persistance de l'influence de Quarton, mais dans un style plus adouci. L'œuvre d'Antoine Ronzen, natif de Venise mais d'origine flamande, témoignera encore de cette manière jusque dans les années 1520 (grand retable de la Passion à Saint-Maximin).

À admirer particulièrement de Barthélemy d'Eyck :
- *L'Annonciation* (église de la Madeleine, Aix-en-Provence).
D'Enguerrand Quarton :
- *La Vierge à l'Enfant entre saint Jacques et un saint évêque*, dit «retable Requin» (musée du Petit-Palais, Avignon);
- *Le Couronnement de la Vierge* (musée de Villeneuve-lès-Avignon).
De Nicolas Froment :
- *La Vierge au buisson ardent* (cathédrale Saint-Sauveur, Aix-en-Provence);
- *Saint Siffrein* (musée du Petit-Palais, Avignon).
De Josse Lieferinxe :
- *L'Annonciation et la Circoncision* (musée du Petit-Palais, Avignon).
De Nicolas d'Ypres :
- *Le Songe de Jacob* et *La Toison de Gédéon* (musée du Petit-Palais, Avignon).

■ La décoration des manuscrits

Les talents d'Eyck et de Quarton s'exercèrent également dans le domaine de la miniature et eurent des répercussions sur le métier des enlumineurs provençaux par leur conception des bordures et des encadrements décoratifs mettant en scène de nombreux petits personnages et des créatures hybrides. Si ce répertoire iconographique était traditionnel, sa mise en œuvre, pleine de verve et d'humour, distinguait les réalisations provençales des motifs plus sages et stéréotypés des productions parisiennes contemporaines.

Enguerrand Quarton

Originaire du diocèse de Laon, Enguerrand Quarton n'est connu que par son long séjour en Provence, attesté de 1444 à 1466. Sa personnalité artistique a été définie à partir de deux tableaux, La Vierge de miséricorde (musée Condé, Chantilly) et Le Couronnement de la Vierge (musée de Villeneuve-lès-Avignon). En effet, leur genèse est bien connue grâce à deux contrats de commande passés respectivement en 1452 et 1453 entre le peintre et son client. Par comparaison avec ces deux œuvres, on a pu attribuer à Enguerrand Quarton d'autres panneaux peints et des enluminures. Quelle que soit leur taille, toutes ses compositions ont en commun une ordonnance précise et un effet monumental témoignant d'un style très personnel.

Une architecture entre France et Italie

L e classicisme qui régna dans le sud de la France procède d'une double influence : d'une part, la persistance des traditions antiques encore manifeste sous Louis XIII et Louis XIV ; d'autre part, l'imitation de formes importées d'Italie par les prélats qui se succédèrent à Aix et qui étaient par ailleurs fort nombreux dans les États pontificaux du Comtat Venaissin. Cette influence italianisante disparut cependant à la fin du XVIIᵉ s. sous l'action du renforcement du pouvoir royal. Le sud de la France présente ainsi des types d'architecture où se mêlent le souci du classicisme et le goût de l'effet.

▼ *L'église des Jésuites à Arles.*

■ Des goûts et des couleurs

Le baroque provençal semble plus précoce en architecture et en sculpture qu'en peinture. On associe bien souvent ce terme à la fougue et au sens plastique typique d'une contrée méditerranéenne qui aurait assimilé en priorité les leçons de l'art italien, ce que le Marseillais Pierre Puget (→ p. 349) a su si bien traduire par ses sculptures très expressives. Si cette tendance est clairement affirmée dans certains bâtiments (par exemple, la façade du palais épiscopal de Carpentras élevée par François Royers de la Valfenière en 1646, ou celles de certains hôtels d'Avignon), la majorité des édifices affiche un style moins tranché et plus nuancé. Le baroque provençal est divers dans son expression car il procède de sources variées, puisées à la fois dans la Péninsule voisine, dans les traditions locales et dans les formes parisiennes.

En dépit de son talent, Puget s'était compromis aux yeux du milieu versaillais en raison de ses relations avec Fouquet. Mais, surtout, il affichait une suffisance qui devait le rendre insupportable. Sûr de ses talents de sculpteur, n'avait-il pas écrit dans une lettre adressée à Louvois en octobre 1663 : « Je me suis nourri aux grands ouvrages, je nage quand j'y travaille et le marbre tremble devant moi pour grosse que soit la pièce » ?

Les réalisations aixoises témoignent bien de la coexistence de ces tendances : de l'Italie, viennent les atlantes ; de l'arsenal des galères de Marseille, une tendance au décor exubérant mais circonscrit à un endroit précis ; de Paris, les façades des hôtels de Lionne et de Mortemar qui inspirent l'hôtel Boyer d'Éguilles.

■ Pied-à-terre en ville et maison de campagne

Au XVII⁰ s., on parle également d'un âge d'or dans le domaine de l'urbanisme, surtout à Aix-en-Provence, où les parlementaires firent construire de belles demeures ou investirent dans les récents quartiers Villeneuve et surtout Mazarin. Non seulement dans le décor, mais aussi dans la composition d'ensemble : leurs hôtels adoptaient une disposition à l'italienne (façade principale côté rue) ou un plan à la parisienne (logis entre cour et jardin). En contrepartie, les bastides jouaient, à la campagne, le rôle de maisons de plaisance (→ p. 435).

■ Quand l'histoire force l'architecture

À côté des survivances du gothique que l'on retrouve en plein XVII⁰ s. dans les édifices religieux, le grand mouvement architectural de l'époque baroque se déploya avec ampleur et couvrit une bonne partie du Sud-Est d'églises neuves. Celle du noviciat des Jésuites à Avignon, édifice de plan central bâti au tout début du XVII⁰ s., fut l'une des premières manifestations. Si les anciens ordres durent parfois reconstruire leurs monastères et leurs églises, comme les Chartreux à Marseille, les Bénédictins à Montmajour ou les Dominicains à Aix, c'est, en revanche, tout un programme d'ensemble qui s'offrit aux nouveaux ordres ou aux ordres réformés issus de la Contre-Réforme. Presque toutes les grandes villes ont conservé le souvenir de leur activité.

■ La diversité des réalisations

À Aix, Arles, Avignon et Carpentras, les églises construites par les Jésuites pour leurs collèges, souvent d'après les plans du frère Martellange, sont toutes parvenues jusqu'à nous. Tandis que, dans ces mêmes villes, les confréries de pénitents rivalisaient de zèle pour construire de nouvelles chapelles et les faire décorer. La diversité des plans (basilical, central, à nef unique, avec ou sans tribune), la personnalité d'architectes d'envergure (comme François Royers de la Valfenière ou la famille Franque), le sentiment différent de l'espace et du décor, la présence fréquente de voûtes plates à la savante stéréotomie, valurent à ces sanctuaires d'échapper à l'uniformité.

Une discrète Renaissance

Surtout manifeste dans la construction civile, la Renaissance n'a fait que se frayer un chemin dans les réalisations du XVI⁰ s., sans doute gênée par la lente intégration de la Provence au royaume et par les troubles entre protestants et catholiques. La Maison diamantée à Marseille, les châteaux de Lourmarin et de La Tour-d'Aigues se remarquent particulièrement. Parmi les peintres, seul le Champenois Simon de Mailly, dit Simon de Châlons, s'est distingué au point d'avoir été surnommé (abusivement) par certains historiographes « le Raphaël provençal ».

Des peintres provençaux de passage

Comment devenir peintre : d'abord un apprentissage dans son milieu natal, ensuite une formation à Rome dans l'espoir, au retour, de s'attacher une clientèle de bon niveau avant d'être distingué par le milieu parisien... De fait, la grande peinture provençale des XVIIe et XVIIIe s. n'est pas l'œuvre d'artistes locaux mais d'individualités qui s'installèrent provisoirement en Provence dans l'attente d'une opportunité pour gagner la capitale.

▼ Vue du cours de Marseille pendant la peste de 1720 *(détail)* *par Michel Serre.*

■ Mignard, Daret et Levieux

Ainsi Nicolas Mignard (1606-1668) fut-il formé dans sa région natale (Troyes) et voyagea-t-il plusieurs fois en Italie. En Provence, c'est à Avignon qu'il travailla principalement jusqu'en 1660 avant d'être appelé à Paris. Il en est de même pour Jean Daret (1613 ou 1615-1668), natif de Bruxelles où il reçut son apprentissage, et qui se rendit lui aussi en Italie. Installé à Aix à son retour, il fut honoré de nombreuses commandes et son talent s'exerça dans tous les genres, y compris celui du décor

monumental (cage d'escalier de l'hôtel de Châteaurenard). Enfin, originaire de Nîmes où il se forma, Reynaud Levieux (1613-1699) fit également le voyage à Rome. Lorsqu'il regagna le sud de la France, il se trouva en concurrence avec Nicolas Mignard. Il partit alors à Montpellier, en pleine reconstruction catholique, puis revint à Avignon où il parvint à asseoir sa réputation. Profitant du départ pour Paris de Mignard et de Daret, il entama une brillante carrière à Aix.

■ Un Catalan à Marseille

L'arrivée vers 1675 à Marseille du Catalan Michel Serre (1658-1733) coïncida avec le renouveau dont bénéficia la ville sous Louis XIV. Chance ou opportunisme conjugués à un réel talent ? Toujours est-il que Serre devint rapidement le maître d'œuvre pictural des grands chantiers de la ville et de ses environs. Il sut s'adapter avec une étonnante facilité aux nombreuses commandes publiques ou privées dont il fut honoré, réalisant aussi bien des tableaux religieux que des décors d'opéra en passant par les portraits, enseignant même le dessin aux officiers des galères. L'artiste est aujourd'hui considéré comme le grand représentant de la peinture baroque en Provence.

Sous le soleil, la peinture de paysage

C'est l'attention nouvelle portée à la nature au XVIIIe s. qui se trouve à l'origine de la naissance du paysage comme sujet principal d'une œuvre. Étape obligée sur la route de l'Italie, devenue terre de villégiature à la fin du XIXe s., la Provence et sa lumière ont attiré les plus grands artistes, devenant le creuset qui a permis l'éclosion de talents et la rencontre de génies créateurs.

▼ Envol de flamants roses *par Félix Ziem (date indéterminée, milieu du XIXe s.).*

■ Dans une lumière renouvelée (1750-1830)

Les grands talents de la peinture de cette époque s'exprimèrent dans le paysage arcadien, paysage d'inspiration fantastique mais idéalisé, donnant d'une façon générale une vision « italienne » de la Provence, baignant nature et objets dans une lumière dorée. Jean-Joseph-Xavier Bidault, Jean-Antoine Constantin, Hubert Robert et Joseph Vernet trouvèrent leur inspiration dans une nature provençale à la fois sereine et mélancolique, mais aussi sauvage, dont les curiosités naturelles offraient un large répertoire de motifs. Ils retenaient aussi bien l'aspect spectaculaire que l'aspect pittoresque des sites d'une région auréolée, dès la fin du XVIIIe s., d'un fort pouvoir de séduction. Entre Rhône et Var, entre mer et montagne, sur la route de l'Italie, l'ancien Comté fit partie du Grand Tour. Quelques années plus tard, la peinture « troubadour » s'empara à son tour de la Provence (voir *François Ier à la fontaine de Vaucluse*, par Bidault) et plusieurs artistes abordèrent la région avec un regard romantique ou historiciste. Avignon, située sur le chemin de l'Italie, retint leur attention. Mais déjà en ce début du XIXe s., la montagne Sainte-Victoire, massif provençal rendu célèbre quelques décennies plus tard par Cézanne, fut l'argument d'un superbe paysage de François Granet.

■ La naissance de l'école de Marseille (1830-1880)

Chez ces artistes, natifs de la région, un sens plus réaliste du paysage apparut. La lumière devenue plus cristalline découpait alors les formes au lieu de les adoucir et le paysage élégiaque disparut. L'intérêt des peintres se portait plutôt vers le quotidien et le social, leurs réalisations témoignant des mutations industrielles du paysage. Point de scènes idylliques : pour ces artistes,

Le Grand Tour

La pratique du Grand Tour se généralisa dès la fin du XVIᵉ s. Il s'agissait d'envoyer les enfants des classes dirigeantes européennes se confronter à des civilisations différentes de la leur. Le XVIIᵉ s. vit s'épanouir la vogue du voyage en Italie, mais le XVIIIᵉ s. fut celui du triomphe du Grand Tour qui culmina au XIXᵉ s. avec le voyage en Orient. Il faut aussi rappeler que les découvertes faites en 1740 et 1750 des sites archéologiques d'Herculanum et de Pompéi résonnèrent d'un phénoménal pouvoir d'attraction. Jeunes Anglais, Français, Allemands accouraient en Italie, marquant ainsi son indéfectible attrait sur l'imaginaire culturel européen.

la Provence n'était pas un lieu de villégiature, mais un univers où l'on vivait et travaillait, parfois en luttant contre les éléments naturels. Une autre des contributions de l'école de Marseille à la peinture fut le recours au format panoramique par certains, en particulier Émile Loubon. C'est d'ailleurs autour de lui que s'est formée cette école dont le paysage était le sujet de prédilection, avec, entre autres artistes, Adolphe Monticelli, Prosper Grésy, Paul Guigou, Marius Engalières et Auguste Aiguier. Proche pour les Provençaux (Marseille devint «la Porte de l'Orient» avec l'ouverture du canal de Suez), l'Orient exerça un attrait certain sur nombre d'artistes parmi lesquels François Barry, Fabius Brest, Maurice Bompart et Jules Laurens.

■ Postimpressionnistes et fauves (1880-1920)

Dès la fin du XIXᵉ s., les peintres de toute la France affluèrent en Provence, (re)découvrant la Méditerranée dont ils célébraient à nouveau le rivage, en s'enchantant de cette lumière franche qui révélait l'intensité des couleurs et permettait d'explorer d'autres voies que celles offertes par l'impressionnisme. Ainsi furent inspirés Monet, Renoir, Signac, Van Gogh, Cézanne, Braque, Derain et Dufy. Cependant, désireux de saisir les effets de la lumière sur la nature, déjà attirés par le soleil de la Provence, Renoir et Monet avaient commencé à peindre ensemble, à Antibes, à la fin des années 1860. C'est à Martigues que s'installa le Bourguignon Félix Ziem, séduit par la toute proche Camargue. Et c'est encore à Arles que Van Gogh vécut la période la plus féconde et la plus éclatante de sa courte carrière, produisant près de 200 tableaux ainsi que des dessins. Cézanne, profondément attaché à sa Provence natale, fit naître une nouvelle vision des formes dont l'influence engagea sur des voies nouvelles toute une génération de peintres. Les fauves s'orientèrent vers une stylisation de la forme, trouvant dans le pittoresque et la réalité industrielle des motifs autorisant de multiples interprétations qui conduisirent au cubisme. Des artistes locaux tels que Charles Camoin, Alfred Lombard, Pierre Girieud, Auguste Chabaud, participèrent pleinement à cette aventure.

▲ L'Estaque – vue du golfe de Marseille, *par Paul Cézanne (vers 1878-1879).*

Habiter la campagne et la montagne

Mas, bastide, *oustau*, bien des noms sont donnés aux maisons provençales. Mais, en réalité, chacune de ces appellations désigne un genre particulier de construction : grosse ferme, maison de plaisance, habitation paysanne. Toutes, cependant, utilisent – avec plus ou moins d'ampleur – les mêmes matériaux et observent les mêmes principes architecturaux.

► *Armoire provençale.*

▲ *Un mas, habitation typique de la campagne provençale.*

■ Comment construire ?

La maçonnerie des murs est rarement apparente, mais revêtue d'une épaisse couche de mortier grossièrement lissé ou, au contraire, étalé soigneusement. La pente du toit est très faible, afin de ne pas laisser de prise aux vents dont le plus redoutable est le mistral. Quant à la couverture, elle se compose de tuiles creuses dites « romaines » qui sont posées au mortier sur la charpente recouverte au préalable d'une couche de briques très plate. Avec de tels toits, les lucarnes sont impossibles et on ne trouve presque jamais de greniers au-dessus du dernier niveau d'habitation. Pour éviter la chaleur, il y a peu d'ouvertures et celles qui existent sont de taille restreinte. Les façades sont donc très simples et n'ont d'autres saillies que celles occasionnées par des escaliers extérieurs ou des perrons. Parfois, des génoises viennent animer l'ensemble en soulignant le haut des murs : il s'agit de tuiles « romaines » noyées presque complètement dans le mortier, mais qui se superposent en saillie légère, formant comme une corniche, fort utile pour le rejet des eaux pluviales. Lorsque cette corniche orne un mur pignon, elle délimite visuellement un triangle avec la pente du toit, formant ainsi un fronton, motif cher à l'art antique.

■ La maison de plaisance

Les bastides, constructions soignées et élégantes, sont généralement de plan carré ou rectangulaire, et l'on peut distinguer trois dispositions typiques de façades : un pavillon carré central, affirmé par sa toiture à quatre versants, flanqué de deux corps plus bas ; un pavillon rectangulaire recouvert d'un toit à deux pentes, des murs pignons soulignés par des génoises ; un bâtiment à plusieurs niveaux dont le dernier étage est en retrait. Avec leurs tours d'angles, les bastides les plus anciennes ont parfois l'air de maisons fortes, même en l'absence de toitures pointues au-dessus des tours. Bon nombre de bastides se distinguent encore par la disposition typique de leurs portails : ces derniers se composent généralement de deux piliers moulurés accolés de murs en forme d'ailerons, avec deux cyprès placés de chaque côté.

■ La maison rurale

Dans les zones de plaine, entre bas Dauphiné et Provence, les habitations rurales se regroupent en deux grandes familles : les maisons des terrasses où les murs sont constitués de cailloux roulés et de limon, les maisons des collines dont les murs sont en pierre calcaire, en grès ou en tuf. Le type le plus élémentaire est une maison basse à un seul niveau. Son plan rectangulaire comprend deux parties presque égales, une chambre-cuisine et une écurie au-dessus de laquelle se trouve le grenier à foin. Mais les exigences de l'exploitation ont bien souvent augmenté ce noyau initial par l'ajout de petits bâtiments articulés à angle droit dont la partie réservée au logis, dessinant ainsi une sorte de cour. Dans les exploitations les plus importantes, un mur de clôture joint les bâtiments. Lorsque l'on se rapproche des Préalpes, le rez-de-chaussée est en fait une cave ou une étable, solidement voûtée, qui supporte toute la maison. Un escalier extérieur et un balcon, couverts ou non, donnent accès au 1er étage. Le balcon occupe parfois toute la largeur de la façade en formant une terrasse. Mais bien souvent, il n'est plus qu'un simple palier, appelé *pounti* dans les Baronnies, couvert d'un auvent rustique.

■ Un mobilier très décoré

Les jeux de lumière sont plus affinés qu'ailleurs au moyen de moulures fines et nettes, et les influences italiennes se manifestent par un certain maniérisme où l'ornementation abondante à base de motifs floraux se développe autour de courbes et de contre-courbes. Ici, les bois utilisés sont le noyer clair et les fruitiers tels le citronnier, l'olivier, le poirier, le buis. La couleur blonde parfois rehaussée de cire est donc naturellement à l'honneur dans le mobilier provençal où le tournage aux formes savantes témoigne de la grande habileté des menuisiers qui confine parfois à la virtuosité. Les pièces les plus simples se rencontrent dans le Var et dans les Préalpes tandis que les pays de plaine, tel Aix, Arles, Avignon, Beaucaire, ont produit les plus beaux meubles.

Visiter

LA PROVENCE EN DOUZE RÉGIONS

◄ *L'église de Saignon.*

La vallée du Rhône et le Tricastin

Par ses paysages, sa culture et ses traditions, le Tricastin, petite contrée du bas Dauphiné intégrée à la Drôme, exhale un fort parfum provençal. L'implantation le long du Rhône de centrales nucléaires et d'industries ne doit pas faire oublier qu'il est surtout l'un des plus vieux et des plus riches terroirs viticoles de la vallée du Rhône, déjà apprécié des Romains qui exploitaient les vignes autour de leur colonie d'Orange. Ce terroir a retrouvé de nos jours une belle importance grâce à une agriculture diversifiée et à des produits AOC.

Les gourmets retiendront que, grâce à un sol calcaire favorable, à la présence de chênes verts ou de noisetiers et à un climat méditerranéen qui n'ignore pas les pluies, *Tuber melanosporum*, communément appelée «truffe noire», prospère. Ajoutons à cela de vieux villages perchés et de charmants châteaux, des bois, des vignes et des vergers en terrasses évoquant la Toscane, et on en oublierait presque le mistral qui s'engouffre avec force dans la vallée du Rhône, comme dans un couloir…

◀ *Le vignoble de Châteauneuf-du-Pape s'épanouit sur un sol de galets qui retient la chaleur.*

Que voir dans la vallée du Rhône et le Tricastin

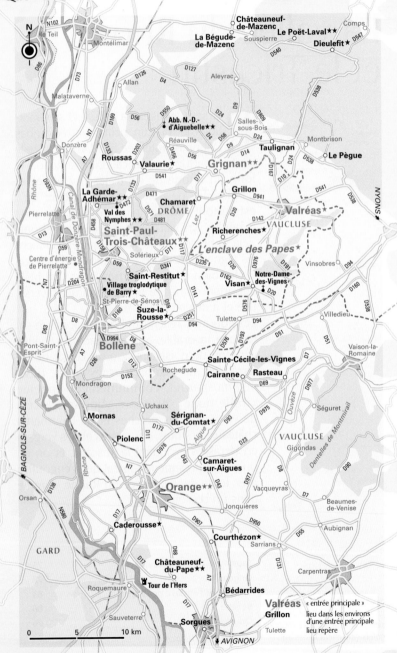

N

N102

le Teil

Montélimar

Allan

Malataverne

N7

Donzère

Roussas

Valaurie ★

La Garde-Adhémar ★★

Val des Nymphes ★★

Saint-Paul-Trois-Châteaux ★★

Pierrelatte

Centre d'énergie de Pierrelatte

Saint-Restitut ★

Village troglodytique de Barry ★

St-Pierre-de-Sénos

Suze-la-Rousse ★

Pont-Saint-Esprit

Bollène

Mondragon

Mornas

Piolenc

Rhône

Orsan

Caderousse ★

GARD

Roquemaure

Sauveterre

Sorgues

★ AVIGNON

Châteauneuf-de-Mazenc

La Bégude-de-Mazenc

Souspierre

Le Poët-Laval ★★

Comps

Dieulefit ★

Aleyrac

Abb. N.-D.-d'Aiguebelle ★★

Réauville

Salles-sous-Bois

Montbrison

Taulignan

Grignan ★★

Le Pègue

Chamaret

DRÔME

Grillon

Richerenches ★

Valréas ★

VAUCLUSE

L'enclave des Papes ★

Vinsobres

Solérieux

Visan ★

Notre-Dame-des-Vignes ★

Tulette

Villedieu

Vaison-la-Romaine

Sainte-Cécile-les-Vignes ★

Rochegude

Cairanne ★

Rasteau ★

Uchaux

Séguret

Sérignan-du-Comtat ★

VAUCLUSE

Gigondas

Dentelles de Montmirail

Camaret-sur-Aigues

Vacqueyras

Orange ★★

Jonquières

Beaumes-de-Venise

Courthézon ★

Sarrians

Aubignan

Châteauneuf-du-Pape ★★

Tour de l'Hers

Bédarrides

Carpentras

Valréas   « entrée principale »

Grillon   lieu dans les environs d'une entrée principale

Tulette   lieu repère

0   5   10 km

BAGNOLS-SUR-CÈZE

NYONS

Pierrelatte

Canal de Donzère-Mondragon

Saint-Paul-Trois-Châteaux★★

S aint-Paul est doté par l'art roman et la Renaissance provençale de monuments civils et religieux remarquables. La pierre tricastine, appelée pierre blanche, servira à l'édification des remparts romains, de la cathédrale et des hôtels particuliers. Ce calcaire clair et fin confère aussi leur unité aux villages perchés environnants, tandis qu'à leurs pieds se déploie un tapis coloré de bois, vignobles, truffières et champs de lavande. Toute la France semble se fournir ici en énergie. L'impact visuel de la centrale nucléaire de Pierrelatte et des rangées d'éoliennes est prégnant, comme sont incisives les grandes voies de circulation. La vitalité économique de la région en dépend.

Voir carte régionale p. 74

À 29 km S. de Montélimar par la N 7 jusqu'à Donzère, puis à g. par la D 541 et la D 458; à 63 km N. d'Avignon via Orange par l'A 7 jusqu'à Bollène, puis par la D 26 et la D 458.

ⓘ pl. Chausy, près du grand boulevard appelé « Le Courreau », au S. du centre historique ☎ 04 75 96 59 60; www.office-tourisme-tricastin.com

Se garer pl. Chausy (parking gratuit), où se trouve l'office de tourisme, et entrer dans le village par la Tour neuve • le centre historique est agréablement pourvu de placettes, platanes, fontaines et beaux hôtels Renaissance (pl. de l'Esplan, rue Montant-au-Château, pl. Castellane), qui confèrent à la capitale du Tricastin un délicieux charme provençal • visite en 2 h.

■ Le musée d'Archéologie tricastine

En face de la mairie (XVIIIᵉ s.), salle de l'Archidiacre, pl. Castellane ☎ *04 75 04 74 19 • ouv. du mar. au sam. 14h30-18h et le 1ᵉʳ dim. du mois • visite guidée gratuite le 16 h le dim. • www.musat.fr*
Il abrite des témoignages du Iᵉʳ s., époque où Saint-Paul est élevée au rang de colonie latine de la Narbonnaise: verrerie, vaisselle, objets usuels. La pièce majeure est une **mosaïque★★** composée de tesselles fines à décor géométrique noir et blanc qui devait orner la salle à manger d'une villa. Le musée détient une **arche sainte hébraïque★** du XVᵉ s., seule survivante en Europe de ce type de tabernacle juif.

■ La cathédrale Notre-Dame-et-Saint-Paul★★

Pl. de l'Hôpital • ouv. t.l.j. 9 h-18 h.
Bien qu'inachevée, l'ancienne cathédrale (XIIᵉ s.-XIIIᵉ s.) compte parmi les édifices les plus aboutis de l'art roman provençal. La netteté des lignes, que l'appareillage en pierre tricastine affine encore, donne de l'élan à une large et haute nef cintrée de deux bas-côtés, et à un transept saillant dans lequel est enchâssé le clocher. Selon la distribution classique, la façade O. est monumentale et porte fièrement ses attributs. La

Manifestations

• Marché: mar. matin.
• Marché aux truffes: tous les dim. matin de mi-déc. à mi-mars, pl. de l'Esplan.
• Le 2ᵉ week-end de fév., fête de la Truffe.
• En juil., Saint-Paul Soul Jazz ; Les Musicales en Tricastin : concerts classiques.
• En oct., Festival du film.

▶ *La façade de l'église Notre-Dame-et-Saint-Paul.*

Ne cherchez pas les trois châteaux de Saint-Paul. Le nom de la ville vient d'une déformation de «Tricastin», appellation qui trouve son origine dans celle de la première population celto-ligure de la Drôme provençale, les *Tricastini*.

Dans la maison de la Truffe se trouve le caveau des vins du Tricastin. On y découvre une centaine de références (dégustation et vente) aux mêmes tarifs que dans les domaines.

façade S.★★ est embellie par un porche couvert du XVe s. Peu d'éléments sculptés ont résisté aux guerres de Religion et à la Révolution, mais certains **ornements** (pilastres, colonnes, corniches) sont toujours en place.

• À l'intérieur, la nef paraît encore plus élancée avec sa voûte en berceau de 19 m. Une rénovation du XIXe s. a, une fois n'est pas coutume, restitué au monument toute sa rigueur romane : une **coupole sur trompes★** surmonte le transept et l'abside centrale a retrouvé ses nervures plates. La 2nde travée porte un magnifique **décor sculpté★★** inachevé. Des peintures murales édifiantes (XIIIe s. et XVe s.) animent les murs de la nef et les piliers, tandis que le chœur de l'église porte un large parement de **mosaïque romane★** représentant Jérusalem.

■ **La maison de la Truffe et du Tricastin**

Rue de la République, à côté de la cathédrale ☎ *04 75 96 61 29 • ouv. du mar. au sam. 9 h 30-12 h 30 et 14 h-18 h ; dim. seulement l'été et de déc. à fév. 10 h-12 h et 14 h-18 h ; f. lun. et les jours fériés • www.maisondelatruffe.com*

La truffe noire du Tricastin (*Tuber melanosporum Vittadini*) fait le bonheur des amateurs dans cette région charnière entre Provence et Dauphiné, 1re zone trufficole française (→ p. 85). Une exposition retrace l'histoire naturelle et culturelle de ce champignon hors du commun.

Environs de Saint-Paul-Trois-Châteaux

■ **Saint-Restitut★**

À 4 km S.-E. de Saint-Paul-Trois-Châteaux par la D 59 et la D 859 ❶ Mairie, pl. du Colonel-Bertrand ☎ 04 75 49 81 80.

Amarré à un éperon, le village aux maisons modestes mais parfaitement alignées a bénéficié de l'activité des carriers. Les façades ont conservé quantité de motifs sculptés et quelquefois un balcon encorbellé. On remarquera la **maison de la Tour** *(rue de la Tour)*, hôtel Renaissance portant une tourelle-escalier en saillie.

• L'**église Saint-Restitut★** *(sur une petite place, au sommet du village • ouv. t.l.j. 9 h-18 h 30)*, du XIIᵉ s., s'ouvre par une porte en plein cintre, au fronton antiquisant abondamment sculpté. Contre la façade O., une tour funéraire du XIᵉ s. est ornée d'une superbe **frise★★** en pierre, où personnages, animaux, monstres et symboles évangéliques dévident un récit qu'il est difficile aujourd'hui d'interpréter. À l'intérieur, dans une nef sobre et lumineuse, l'abside de plan polygonal présente un **décor** à l'antique raffiné.

• En sortant des remparts par la porte Rose, un chemin mène à la **chapelle du Saint-Sépulcre** (XVIᵉ s.), placée sur un **escarpement★** dominant la plaine.

■ La Garde-Adhémar★★

À 5,5 km N. de Saint-Paul-Trois-Châteaux par la D 158 **ⓘ ☎** *04 75 04 40 10 ; www.la-garde-adhemar-ot.org*
Avec ses vieilles et superbes ruelles tortueuses, ses bâtisses parfaitement restaurées et ses places proprettes, La Garde-Adhémar porte avec une certaine assurance son label de « Plus beau village de France ». Elle doit aux prodigalités d'Antoine Escalin, ambassadeur de François Iᵉʳ, le beau château Renaissance dont ne subsistent que des vestiges regroupés sur l'éperon rocheux, autour de l'église Saint-Michel.

• L'**église Saint-Michel★★** *(ouv. t.l.j. 8 h-19 h, l'hiver 10 h-17 h)*, élevée au XIIᵉ s. par les moines de l'abbaye Saint-Philibert-de-Tournus (Bourgogne), suit un plan original issu de la tradition carolingienne : la nef est prolongée à l'E. et à l'O. par une abside en petit appareil. Le pignon et l'ouverture de la façade occidentale montrent un registre décoratif d'inspiration antiquisante, propre à l'art roman provençal. Lui fait face une belle **chapelle** du XIIᵉ s., aux lignes épurées. Du parvis, une **vue★★★** s'étend sur toute la vallée du Rhône, les monts du Vivarais et les Cévennes. En contrebas, un jardin en terrasse d'herbes aromatiques et médicinales labellisé « jardin remarquable ».

• Le **val des Nymphes★★** *(à 2 km E. de La Garde-Adhémar par la D 472 • accès libre)* occupe un bassin étroit d'où jaillit une source. S'y élevait un couvent du XIIᵉ s. dont il ne reste que la chapelle. La **façade occidentale★** fait écho au portail S. de l'église Notre-Dame-de-Nazareth de Vaison-la-Romaine *(→ p. 124)* : sur un socle en petit appareil se dresse un étage en moyen appareil doté d'un riche décor, évocation d'un temple antique. L'abside porte, comme les portiques des amphithéâtres romains, deux niveaux d'arcatures superposant des colonnes corinthiennes à de massifs piliers carrés.

La **Ferme aux crocodiles**, à Pierrelatte (8 km N.-O. de Saint-Paul-Trois-Châteaux), abrite sous une immense serre plus de 400 crocodiles, des tortues géantes, des oiseaux tropicaux et des espèces botaniques rares. Ouv. t.l.j. 10 h-18 h ; en juil.-août 9 h 30-19 h ; de nov. à fév. 10 h-17 h ☎ 04 75 04 33 73 ; www.lafermeauxcrocodiles.com

Bonne adresse

🍷 *Caves cathédrales du Mas Théo*, 2620 route du Belvédère, Saint-Restitut **☎** 04 75 46 04 59 ; www.mas-theo.fr Visites et dégustations gratuites le lun. 14 h-18 h ; du mar. au sam. 10 h-12 h et 14 h-19 h ; dim. en été 14 h 30-18 h 30. Un lieu surprenant ! Ces anciennes carrières de pierre, qui ont cessé de fonctionner en 1950, ont été transformées en caves en 1980. Laurent Clapier, vigneron indépendant, s'y est installé en 2012. Dans des conditions idéales d'hygrométrie et de fraîcheur (12°), il vinifie, élève, et stocke ses vins bio d'appellation Grignan-les-Adhémar. Une exposition retrace les modes de cultures, le terroir, les cépages, le métier de vigneron et dévoile les secrets de la biodynamie. Exposition de matériel agricole.

La **galerie Éric Linard** occupe une ancienne filature de soie du val des Nymphes. Cette galerie rassemble de nombreux artistes contemporains et ateliers d'édition d'estampes **☎** 04 75 04 44 68 (f. lun. et dim. sf en juil.-août).

Grignan★★

Voir carte régionale p. 74

St-Paul-Trois-Châteaux • **Grignan**
• Valréas
Bollène •
• Orange

Cavaillon • Apt
Tarascon •

À 18 km N.-E. de Saint-Paul-Trois-Châteaux par la D 59, puis, à g., par la D 71.

❶ du pays de Grignan, espace Ducros, pl. du Jeu-de-Ballon ☎ 04 75 46 56 75; www.tourisme-paysdegrignan.com

À ne pas manquer

◉ Manifestations

• En mai, Rencontre du 2e titre (auteurs publiant un 2e roman), à la librairie Colophon.
• La 1re semaine de juil., Festival de la correspondance; www.grignan-festivalcorrespondance.com
• Les ven. suivant le 14 juil. et vers le 15 août, marchés nocturnes en costumes du XVIIe s.
• De nov. à mars, marché aux truffes le mar.
• Toute l'année, le château de Grignan accueille fêtes nocturnes, rencontres littéraires et concerts.

Construite en colimaçon autour de son château Renaissance, Grignan ne se départ jamais de son petit air coquet et bien rangé qui imprègne également les villages de la campagne environnante. Plus âpres sont les atmosphères de Taulignan et de Dieulefit, dont l'histoire industrielle du XIXe s. a déterminé l'urbanisme. Sur quelques kilomètres se dévoilent donc deux visages drômois, dont on retrouve un résumé saisissant au Poët-Laval, village médiéval perché, isolé de l'activité qui s'étend à ses pieds.

Se garer pl. du Mail ou pl. de Castellane, puis longer les remparts jusqu'à la pl. Sévigné • visite en 3 h.

■ La vieille ville

La **statue de Mme de Sévigné**, du sculpteur Louis Rochet, signale l'entrée du vieux Grignan, où l'on pénètre par une porte de l'ancienne muraille (XIIe-XVIe s.). Les ruelles en colimaçon grimpent à l'assaut du château. Contournant la collégiale, la rue Saint-Sauveur *(au S.)* est bordée d'hôtels particuliers. Passé l'allée cavalière du château, le tracé des rues de l'ancien quartier commerçant se fait plus tourmenté; de nombreuses boutiques et galeries font la part belle à l'écrit (calligraphie, lithographie et papeterie). Unique référence à l'architecture contemporaine, l'**espace Ducros★** (☎ 06 80 53 40 58 • *ouv. du mer. au dim. 14 h-18 h 30*), réalisé par l'architecte Wilmotte, accueille l'office de tourisme, des expositions d'art contemporain régional et le caveau de dégustation des vins de coteaux du Tricastin.

■ Le château★★★

☎ 04 75 91 83 50 • *ouv. t.l.j. 10 h-12 h 30 et 14 h-18 h ; en juil.-août 10 h-18 h ; f. mar. de nov. à mars, les 25 déc., 1er janv. et 11 nov. • visites guidées thématiques ou visites libres du 1er étage seulement • www.chateaux-ladrome.fr*

Le plus grand château Renaissance de Provence a gagné la postérité grâce à Mme de Sévigné. Élevé au XIe s., il passe dans le giron de la famille des Adhémar de Monteil au XIIIe s. Il est peu à peu transformé en château de plaisance avant d'être mis au goût italien au XVIe s. À la fin du XVIIe s., François de Castellane-Adhémar fait à son tour modifier son agencement, ajoute une aile à

**Le circuit des Roses anciennes
de Grignan** montre 150 variétés
de rosiers botaniques
et hybrides, regroupés par
familles. Floraison : mai et juin.
Rens. à l'office de tourisme.

l'E., mais, ruiné, contraint sa fille à vendre. Au XIXe s.,
Léopold Faure tente de réunir les pièces du mobilier
éparpillées, mais laisse un bâtiment délabré. Le château
est sauvé au début du XXe s. par Marie Fontaine, veuve
d'un commissaire de marine.

• La **façade S.**★★ est une somptueuse reconstitution
(1913) des aménagements du XVIe s. et du XVIIe s.

• La **cour du puits**★★★ présente un plan
trapézoïdal. Elle est longée à g. par la grande
galerie gothique des Adhémar★★, dont la
tour d'angle du Veilleur, au porche torsadé et
accoladé, marque la jonction avec la **façade
centrale**. Cette dernière affiche plusieurs
styles : le 1er niveau demeure médiéval, tandis
qu'au 2e niveau, les fenêtres à meneaux
signalent les modifications du XVIe s. À dr.
se dresse l'hexagonale tour Saint-Gilles, plus
militaire que gracieuse. Sur toutes les façades
sont accolés des éléments des XIXe-XXe s., dont
des **gargouilles**★ évoquant les sept péchés
capitaux.

• La **terrasse S.** a été aménagée au-dessus de la
collégiale selon la technique des toits-terrasses
de Chambord. Beau **panorama**★★ sur le mont
Ventoux, les dentelles de Montmirail, la plaine
comtadine et les Alpilles.

• À l'**intérieur** du château, dans le hall, on
remarque les **tapisseries**★ d'Aubusson et les
belles **ferronneries**★ de l'escalier. Les appartements de Mme de Sévigné, de sa fille et du
comte de Grignan sont imprégnés de leurs personna-
lités : portrait de son aïeule Jeanne de Chantal pour la
marquise ; lit à baldaquin monumental pour le comte.
Du mobilier des salles d'apparat se distinguent le
cabinet★★ de la chambre de Mme de Sévigné, le **coffret** de
mariage peint en sépia relatant des scènes mythologiques
de la chambre d'hiver et les magnifiques **boiseries**★★★ de
la galerie des Adhémar.

Une Parisienne en Provence

En 1669, François de Castellane-Adhémar,
comte de Grignan, épouse « la plus jolie
fille de France », Françoise-Marguerite,
fille de la marquise de Sévigné. La jeune
femme rejoint le comte en 1671 après la
naissance d'un 1er enfant et laisse Mme de
Sévigné désespérée par cette séparation. Habituée des salons et cultivée, la
mère décrit à sa fille la vie parisienne
dans une correspondance passionnée
qui durera vingt-cinq ans, avec plus de
1 000 lettres. La marquise séjourne elle-
même à Grignan en 1694 et y décède en
1696. Les premières éditions de la *Correspondance* (1726) connurent immédiatement un immense succès. Curieusement,
il n'existe aucune lettre de sa fille.

Bonnes adresses

Magasin de l'usine Durance, route de Montélimar, Grignan ☎ 08 10 26 16 00; www.durance.fr Ouv. t.l.j. (f. dim. de mi-sept. à mars). Visite des ateliers de fabrication en juil. et août du lun. au jeu. à 10 h et 13 h 30 ou sur r.-v. au: ☎ 04 75 04 87 53. Gamme de produits réalisés sur place: savons, bougies, cosmétiques, parfums… aux senteurs provençales.

Le Clair de la Plume, pl. du Mail ☎ 04 75 91 81 30; www.clairplume.com Un adorable hôtel dans une ancienne demeure de chanoines. Il faut profiter du salon de thé du jardin aux beaux jours.

La Rabassière, route de Taulignan ☎ 04 75 46 50 13; www.la-rabassiere.com Ce gîte à la ferme propose aussi une visite des truffières avec démonstration de cavage, une balade au marché aux truffes et des dégustations. Sur réserv.

Manifestations

À Chamaret
• Marché aux truffes (→ 85): lun. matin de nov. à mars.
• Le week-end suivant le 24 août, fête des Haricots: elle célèbre le souvenir de la 1re récolte révolutionnaire (1792).
• En juil. et août, concerts, expositions et spectacles à la tour.

■ La collégiale Saint-Sauveur

Ouv. t.l.j. 10 h-19 h.

Imbriquée dans la muraille du château, son toit lui servant de terrasse, la collégiale du XVIe s. est soutenue par deux tours carrées d'angle qui durcissent la façade, à peine allégée par une immense rosace de style gothique flamboyant. Elle surmonte un porche imitant un temple antique et un beau **portail★** du XVIIe s. À l'intérieur, on peut voir le retable de *La Transfiguration* du peintre hollandais Guillaume-Ernest Grève. La sépulture profanée de Mme de Sévigné a été remplacée par une dalle commémorative.

■ Colophon – atelier-musée du Livre et de la Typographie

Maison du Bailli, 3, pl. Saint-Louis ☎ 04 75 46 57 16 • ouv. en juil. et août t.l.j. 10 h 30-14 h 30 et 16 h-19 h; de sept. à juin du mar. au sam. 10 h-12 h 30 et 14 h-18 h 30; dim. 11 h-18 h • http://colophon-grignan.fr

L'ancienne maison du Bailli (XVe s.) a été investie par cet atelier-musée animé par Philippe Devoghel, éditeur et imprimeur. Sur deux étages sont réunis nombre de machines d'imprimerie des XIXe et XXe s., dont une presse à bras Stanhope de 1810. À voir aussi, l'atelier du typographe. Stages, atelier et librairie complètent cet univers tout entier dédié aux mots et à leur «façonnage».

Environs de Grignan

■ Chamaret

À 5 km S.-O. de Grignan par la D 541 et la D 71.

Il ne reste presque rien de l'ancien château des Adhémar qui siégeait sur la butte, hormis la **tour★** et le fortin des XIIe s. et XIVe s. (☎ 04 75 46 55 85 • ouv. d'avr. à sept. mer. et ven. 14 h 30-18 h 30, week-end et jours fériés 14 h 30-19 h • www.latourdechamaret.com). Le site, d'où l'on a une **vue★** remarquable à 360° sur la Drôme provençale, a été restauré grâce à l'obstination d'une poignée de bénévoles qui animent les lieux en été.

■ Valaurie★

À 9 km O. de Grignan par la D 541.

Village médiéval perché, sauvé de la ruine en 1960. L'église du XIe s. a reçu au XVe s. un clocher-porche. Deux **masques monstrueux★** ornent les retombées de l'arc de façade. Des «calades» mènent à la **maison du Puits★**, propriété d'un sculpteur contemporain qui a orné la façade d'animaux fantastiques.

• En suivant le sentier du Potier *(au sommet du village)*, on aura une belle vue sur **Roussas** *(1,5 km N.-O. de Valaurie par la D 553)*, accroché à son piton, et sur la belle campagne environnante.

■ L'abbaye Notre-Dame-d'Aiguebelle★★

À 5 km N. de Valaurie par la D 553 et la D 203 ☎ *04 75 98 64 70*
• ouv. du lun. au sam. 10 h-12 h et 14 h 30-17 h; dim. et jours fériés
14 h 30-17 h • http://abbaye-aiguebelle.cef.fr

L'abbaye (XIIᵉ s.) prospéra surtout au XIIIᵉ s. sous la protection de Charles d'Anjou. Au XIXᵉ s., elle fut acquise par les
moines trappistes qui construisirent deux hôtelleries, un
beffroi à carillon (1863) et un bâtiment industriel pour
la fabrication de la liqueur d'Aiguebelle.

• L'**abbatiale**★★ offre un modèle d'équilibre architectural
dont on pourra apprécier toute la dimension une fois à
l'intérieur *(monter sur la tribune à g. de l'entrée)*. Son décor
sculpté, fidèle à l'esprit bénédictin, se résume à un grand
jeu d'orgues, de sombres stalles et des lutrins.

> Fondée en 1137 par les moines
> de l'abbaye de Morimond
> (Champagne), 4ᵉ fille de
> Cîteaux, l'abbaye d'Aiguebelle
> est l'une des nombreuses
> créations de l'ordre cistercien.
> Elle est établie au confluent
> de rivières aux belles eaux
> claires qui donnèrent son nom
> à l'édifice.

■ Taulignan

À 7 km N.-E. de Grignan par la D 14.

Au XIXᵉ s., la ville s'est considérablement
agrandie grâce à l'essor de la sériciculture. De
ce siècle dynamique datent les grands boulevards et l'imposant ensemble abritant la mairie,
l'école et la poste *(pl. du 11-Novembre)*. Taulignan
a conservé son rempart (XIIIᵉ s.) défendu par
11 tours, ses «calades» et ses façades Renaissance. L'église Saint-Vincent (XIᵉ s.), plusieurs
fois remaniée, abrite un **musée d'Art sacré**
(☎ 04 75 53 64 23 • en réfection).

• L'**atelier-musée de la Soie**★★ *(☎ 04 75 53*
12 96 • ouv. en juil. et août t.l.j. 10 h-18 h; de sept.
à juin t.l.j. sf mar. 10 h-12 h 30 et 14 h-18 h; f. de janv.
à mi-fév. • l'été, visite guidée le jeu. • www.musee-soie.
com*)* évoque l'époque des magnaneries industrielles : présentation d'outils, maquettes et
machines. Les moulins, au 1ᵉʳ étage, produisent
des fils de voile, d'organsin, de crêpe ou de
grenadine. Voir le grand **moulin de Jacques**
Vaucanson★ (XVIIIᵉ s.) et le métier Jacquard.

La sériciculture, une industrie régionale

L'élevage de vers à soie a existé dans
le Tricastin du XVIIIᵉ s. jusque dans les
années 1970. Les producteurs entrent
dans l'ère industrielle avec les premières
machines à vapeur dévidant le fil du
cocon ; dès 1840, le moulinage, qui
consiste à tordre le fil sur lui-même pour
en augmenter la résistance, achève d'in-
dustrialiser l'activité. Néanmoins, si les
capacités de production sont décuplées,
la concurrence étrangère, puis la maladie
des vers à soie, la pébrine, ruinent les
producteurs. En 1892, un peu plus de
20 000 personnes vivaient de ce négoce ;
elles n'étaient plus que 2 700 en 1930.

■ La Bégude-de-Mazenc

À 17 km N.-O. de Taulignan par la D 24, puis à dr. par la D 9
🛈 *145A, av. Émile-Loubet* ☎ *04 75 46 24 42.*

Construit à flanc de colline, le hameau féodal de
Châteauneuf-de-Mazenc domine le village plus récent de
La Bégude-de-Mazenc (XIXᵉ s.). Au cœur de Châteauneuf,
l'église Saint-Pierre *(ouv. en juil. et août t.l.j.)* du XIᵉ s. abrite
un retable aux colonnes torses et une belle **peinture**★ du
XVIIᵉ s. Un sentier *(15 mn)* mène du village à la **chapelle**
du Mont-Carmel★, d'où la vue couvre la vallée du
Rhône, l'Ardèche et les contreforts des Cévennes.

> Le nouveau village du XIXᵉ s.
> fut bâti entre le Jabron et
> le château de Mazenc, qui
> deviendra, en 1905,
> la résidence d'Émile Loubet,
> président de la République
> de 1899 à 1906 (parc et lac ouv.
> t.l.j.). La Bégude était alors
> un arrêt de diligence dont le
> nom signifiait «l'endroit
> où l'on boit».

Randonnée

100 km de sentiers balisés font le tour du pays de Dieulefit. Tronçons possibles au départ de plusieurs villages. Le descriptif est disponible à l'office de tourisme de La Bégude-de-Mazenc ou à celui de Dieulefit.

Manifestations

À Dieulefit
• Le week-end de Pentecôte, biennale du marché des potiers (années impaires).
• Le 2e dim. de juil., fête du Picodon, savoureux fromage de chèvre dont le terroir s'étend autour de Dieulefit ; http://fetedupicodon.com
• Début sept., festival Éclats : chants lyriques, contes, soirées cabaret dans divers lieux du village ; www.eclats.fr

Relancée dans les années 1920 par l'artisan Étienne Noël, la poterie tient toujours un rôle non négligeable dans l'économie de Dieulefit. La ville compte encore aujourd'hui une trentaine de potiers. Des visites sont possibles certains jours, se rens. à l'office de tourisme.

La Résistance des femmes

Dieulefit accueillit près de 1 300 personnes menacées de déportation au cours de la Seconde Guerre mondiale. Les enfants furent scolarisés à l'école de Beauvallon, dirigée par Marguerite Soubeyran, protestante et communiste, Simone Monnier et Catherine Kraft. Ce lieu d'asile cacha des enfants juifs et des intellectuels réfugiés comme Pierre Emmanuel, Andrée Viollis ou Emmanuel Mounier. La secrétaire de mairie Jeanne Barnier produisait les faux papiers nécessaires à leur survie.

■ Le Poët-Laval★★

À 8 km E. de La Bégude-de-Mazenc par la D 540 • commencer la visite au sommet du village par le château, puis suivre les rues Chalanque, Basse-des-Remparts et Tournelle.

Il ne demeure que des pans de murs du **château des Hospitaliers**★★ (☎ 04 75 46 44 12 • *ouv. mi-avr. à mi-oct. t.l.j. sf lun. 11 h-12 h 30 et 14 h 30-19 h ; en mai du jeu. au dim. 13 h-19 h*), édifié au XIIe s. puis remanié aux XIIIe-XVe s. En contrebas du **pigeonnier**★ (XVIe s.), seule l'abside de la **chapelle Saint-Jean-des-Commandeurs**★ (XIIe s.) est encore debout : corniche, chapiteaux et consoles sont ornés de motifs géométriques peints ou sculptés et de masques humains.

• Le **Centre d'art international Raymond-du-Puy** (☎ 04 75 46 49 38 • *expositions temporaires de mi-avr. à mi-sept. t.l.j. en période scolaire 11 h-12 h 30 et 15 h-18 h 30 ; hors période scolaire f. du lun. au mer.*), du nom du 1er grand maître de l'ordre de Malte en 1120, occupe un bâtiment construit avec les pierres de maisons ruinées.

• Le **musée du Protestantisme dauphinois**★ (☎ 04 75 46 46 33 • *ouv. d'avr. à oct. t.l.j. 15 h-18 h 30 ; en juil. et août 10 h-12 h et 15 h-18 h 30 ; f. lun. et dim. matin • www.musee duprotestantismedauphinois.com*) siège dans l'un des deux temples français survivants du XVIIe s.

■ Dieulefit★

À 4 km E. du Poët-Laval par la D 540 ❶ *pl. Abbé-Magnet* ☎ *04 75 46 42 49 ; www.paysdedieulefit.eu • se garer pl. de la Gare ou pl. Brun-Larochette • visite guidée du village avec l'office de tourisme en juil. et août le jeu. à 17 h.*

Les hospitaliers du Poët-Laval font construire au XIIIe s. le **château** et l'**église**★. Au XIXe s., la poterie prend une importance considérable (90 potiers) grâce à l'exploitation des carrières de kaolinite.

• Dans la vieille ville, quelques ornements Renaissance égaient un ensemble escarpé de maisons de guinguois. La **rue du Château** descend jusqu'aux rives du Jabron et leurs extensions urbaines des XVIIe-XVIIIe s.

■ Le Musée archéologique du Pègue

Le Pègue est à 21 km S. de Dieulefit par la D 538 ☎ *04 75 53 68 21 • ouv. de mai à sept. t.l.j. sf lun. 14 h-18 h ; en avr. et oct. dim. 14 h-18 h ; de nov. à mars sur r.-v. • www.museedupegue.org*

Il retrace 6 000 ans d'histoire locale à travers une collection de céramiques et de vaisselle de luxe d'inspiration à la fois celtique et méditerranéenne. L'âge du fer est la période la mieux représentée : stèles, chenets votifs, parures, fibules…

Valréas★
et l'enclave des Papes★

L e canton de Valréas, encore surnommé
«l'enclave des Papes», présente la particularité historique et administrative unique en
France d'être une portion de département (le
Vaucluse) enchâssée dans un autre (la Drôme).
Si le cartonnage a assuré au XIXᵉ s. la fortune
de Valréas, capitale de l'Enclave, ce petit canton
est aujourd'hui tourné vers la viticulture et la
production de truffes, pour le plus grand régal
des gourmets.

Jeux de terrains
En 1317, après la dissolution de l'ordre des Templiers,
la papauté récupéra une partie de leurs biens, dont la
commanderie de Richerenches, et engagea des négo-
ciations avec les seigneurs du Dauphiné pour acheter
Valréas. Afin de rattacher ces possessions au Comtat
Venaissin, les papes s'approprièrent Visan en 1344, puis
Grillon en 1451, mais il subsista toujours une étroite
bande de terre qu'ils ne purent jamais acquérir. Lors de
la formation des départements, le petit canton resta une
enclave en terre drômoise, non plus papale,
mais vauclusienne.

Visite de la ville en 1/2 journée.

■ L'église Notre-Dame-de-Nazareth★
Pl. Pie • ouv. t.l.j. 9 h-18 h.
L'église primitive du XIIᵉ s. a connu d'importants remaniements du XIIIᵉ s. au XVIIIᵉ s. : la
façade O. fut remplacée par une vaste avant-
nef, puis des chapelles sont venues s'encastrer
entre les contreforts. Le côté S. a conservé son
portail du XIIᵉ s. et une partie de son ornementation. En dépit des ajouts, les parties les plus
anciennes restent un très bel exemple d'architecture romane provençale. Cette église est aussi
connue pour son orgue du début du XVIIᵉ s.,
remanié plusieurs fois ensuite.

• La **chapelle des Pénitents-Blancs** (*en face de
Notre-Dame-de-Nazareth • ouv. aléatoire, se renseigner
à l'office de tourisme*), construite en 1585, se

Voir carte régionale p. 74

À 23 km E. de Saint-Paul-Trois-
Châteaux par la D 59, la D 341
et la D 142.

ⓘ av. du Maréchal-Leclerc
☎ 04 90 35 04 71;
www.ot-valreas.fr

▼ *Notre-Dame-de-Nazareth*

• Dans la nuit du 23 au 24 juin, Nuit du Petit-Saint-Jean (célébrée depuis 1504): cortège et animations réunissant 400 personnes en costume.
• Fin juil., Les Nuits théâtrales et musicales de l'Enclave, à Valréas, Grillon, Richerenches et Visan: festival mêlant théâtre, musique et arts plastiques ; www.nuits-enclave.com
• 1er week-end d'août, corso de la lavande et fête des Vins.
• Dernier week-end d'août, la Valse des as: festival de théâtre de rue.
• Marché: mer. matin.

Bonne adresse

✗ *Au délice de Provence*, 6, la Placette ☎ 04 90 28 16 91 ; www.audelicede provence.com Cuisine traditionnelle et régionale proposée dans différents menus.

distingue par un **portail★** en fer forgé et par son riche **décor★** : les voûtes d'ogives de la nef ont été remplacées, au XVIIe s., par un plafond en bois à caissons et, au-dessus des lambris, des peintures murales en trompe-l'œil simulent des arcades fermées par des balustrades.

• La **tour de l'Horloge** ou tour Ripert *(derrière la chapelle des Pénitents-Blancs • accès en saison par le portail d'entrée de la chapelle, pl. Pie, ouv. aux mêmes heures)* demeure l'unique vestige de l'ancien château des Ripert (fin XIIe s.-début XIIIe s.). Sa terrasse offre une très belle vue sur les toits de la ville et les zones agricoles environnantes.

■ Le château de Simiane★★

Actuel hôtel de ville, pl. Aristide-Briand ☎ 04 90 35 04 71 • ouv. de mi-juin à juil. et de mi-août à mi-sept. du mer. au dim. 10 h-12 h et 14 h-18 h ; de juil. à mi-août t.l.j. 10 h-18 h.

Cet hôtel aux origines médiévales *(voir l'arrière, rue de l'Hôtel-de-Ville)* fut entièrement transformé en 1639-1640 pour Louis de Simiane. L'aile S., qui donne sa symétrie à l'ensemble, ne fut construite qu'en 1780.

• Au **1er étage**, la grande salle possède un important **décor peint★★** du XVIIe s. : les armoiries, les initiales et les scènes figurées sur les poutres, ainsi que la frise en haut des murs renvoient explicitement au mariage de Louis de Simiane. Les embrasures des fenêtres sont ornées de bouquets de fleurs et de personnages allégoriques.

• Au **2e étage**, la charpente est portée par des **arcs diaphragmes en bois★**.

■ Le musée du Cartonnage et de l'Imprimerie★

3, av. du Maréchal-Foch ☎ 04 90 35 58 75 • ouv. d'avr. à oct. t.l.j. sf mar. 13 h-18 h.

Un musée agréablement instructif qui explique l'évolution des techniques du cartonnage et de l'imprimerie, avec des reconstitutions d'ateliers. Le fonds riche en machines, outillage et pierres lithographiques, évoque l'histoire locale par le biais de l'économie.

Quand Valréas cartonnait

Au milieu du XIXe s., l'industrie du ver à soie dans le Tricastin fut confrontée au problème du renouvellement des «graines» (les œufs): ces dernières éprouvaient des difficultés à voyager sans encombre entre les pays du Levant et l'Europe. Pour pallier ce problème, Ferdinand Revoul inventa une boîte en carton fort, percée de trous pour assurer la ventilation de l'intérieur. Il créa sa propre affaire à Valréas en 1840, donnant ainsi naissance à l'industrie du cartonnage, laquelle ne tarda pas à trouver d'autres débouchés: conditionnement des médicaments, des produits alimentaires… Si cette industrie déclina dans les années 1920, elle a retrouvé de nos jours un second souffle avec la fabrication de boîtes décorées pour la parfumerie et la pharmacie.

Environs de Valréas

■ Grillon

À 5 km O. de Valréas par la D 941.

À l'abri sur un plateau escarpé, sa partie médiévale, le **Vialle★**, est encore protégée par sa ceinture de **remparts** du XIIIe s.; elle a longtemps conservé une seule porte d'entrée, à l'E., laquelle a été surmontée d'une **tour d'horloge** au XVIe s. Ce n'est qu'en 1758 que fut ouverte une nouvelle porte sur le bord opposé du plateau. Déserté au début du XXe s., le Vialle bénéficie d'une importante campagne de réhabilitation depuis une trentaine d'années.

■ Richerenches★

À 5 km S. de Grillon par la D 20 **❶** *pl. Hugues-de-Bourbouton*
☎ *04 90 28 05 34; www.richerenches.fr*

Richerenches se distingue comme le centre truffier le plus important du S. de la France. Entouré de remparts flanqués de quatre tours d'angle au XVIe s., le vieux village affiche une allure de forteresse. Il abrite les vestiges de la 1re **commanderie de Templiers★** fondée en Provence (1136): la porte occidentale, surélevée en 1747; l'abside de la chapelle (actuel chevet à l'église); et une vaste salle appelée « le temple », qui servait autrefois de grenier. Exposition permanente sur la truffe et le vin.

■ Visan★

À 6 km S.-E. de Richerenches par la D 20 **❶** *pl. de la Coconnière*
☎ *04 90 41 97 25; www.visan-tourisme.com*

Outre de belles maisons, Visan a conservé les ruines du **château médiéval** bâti par les Dauphins, ainsi que quelques vestiges de l'enceinte du XIVe s.

• La **chapelle Notre-Dame-des-Vignes★** *(par la D 20 direction Buisson, puis par une petite route* **☎** *04 90 65 07 78 • ouv. de mai à mi-oct. du mar. au sam. 10 h-11 h 30 et 15 h 30-18 h 30, dim. 15 h 30-18 h ; hors saison, se rens.),* d'origine médiévale, fut très restaurée au XVIIe s. Son chœur (1508) est réputé pour son **décor★★** peint, doré et sculpté, du XVIIe s. (lambris et retable du maître-autel) et du XVIIIe s. (maître-autel, peintures de la voûte et clôture en fer forgé).

Manifestations

À Grillon
• 2e quinzaine de juil., les Musicales de Grillon: chœurs, chants lyriques, concerts; www.lesmusicalesdegrillon.com

À Richerenches
• De mi-nov. à mi-mars: marché aux truffes sam. matin, le plus important de la région.
• Le 3e dim. de janv., « messe aux truffes »: les offrandes sont des truffes vendues aux enchères au profit de la paroisse à la sortie de l'église.

Bonnes adresses

🛏 **Le Château vert**, à Visan **☎** 04 90 41 91 21 ; www.hebergement-chateau-vert.com Des chambres d'hôtes joliment meublées dans une ferme templière du XVIIIe s., au milieu des lavandes et des vignes. Piscine dans le parc. En saison, week-end « découverte de la truffe » avec repas.

✕ **L'Escapade**, 247, av. de la Rabasse, Richerenches **☎** 04 90 28 01 46. Cuisine du marché. Spécialités de gibier et de truffe.

✕ **Les Troubadours**, pl. Humbert-II, Visan **☎** 04 90 41 98 60 ; www.lestroubadours.fr Dans les caves de l'ancien château, une bonne cuisine régionale à base de produits frais. Service en terrasse en saison.

Le diamant noir des gastronomes

La zone comprise entre le N. du Vaucluse et le S. de la Drôme génère 70% de la production annuelle française de *Tuber melanosporum*, communément appelée « truffe noire ». Aussi discret que riche en goût, ce petit champignon prospère à l'état sauvage, à 10 ou 15 cm sous terre, particulièrement au pied des chênes et des noisetiers. C'est pour mieux le débusquer que l'homme a recours au flair d'un chien dressé qui a remplacé, de nos jours, le cochon, trop dévastateur. La récolte se déroule entre novembre et février, la variété la plus recherchée est la « rabasse », couverte de gros grains arrondis. Quelle que soit son espèce, la truffe se négocie à plusieurs centaines d'euros le kilo.

Bollène

Voir carte régionale p. 74

St-Paul-Trois-Châteaux • Grignan • Valréas
Bollène • Orange
Cavaillon • Apt
Tarascon •

À 10 km S. de Saint-Paul-Trois-Châteaux par la D 71, puis, à g., la D 458 et la D 26; à 25 km N.-O. d'Orange par l'A 7.

ℹ 32, av. Pasteur
☎ 04 65 79 00 09; www.provencecoterhone-tourisme.fr

À ne pas manquer

Manifestations

• Marché : lun. matin.
• En juil., les Polymusicales de Bollène : festival de musiques de styles très divers, marqué par un souci de création et de découverte de jeunes talents. Rens. au ☎ 04 90 40 51 77.
• En juil., Musique dans les vignes (→ 96).
• Vers le 11 nov., Foire de la Saint-Martin.

▶ *La collégiale Saint-Martin-du-Puy.*

Le Rhône est longtemps demeuré un élément redoutable, et les villages alentour ont gardé la trace de ses crues. Progressivement domestiqué grâce à la réalisation du canal de Donzère-Mondragon et à la construction de barrages, le fleuve constitue désormais une source de développement majeure. Des usines électriques qui utilisent l'eau comme force motrice pour leurs turbines ou leurs systèmes de refroidissement ont attiré une importante population autour de Bollène. La ville est séparée en deux parties : le vieux quartier du Puy, sur une colline au sud, et la ville basse, plus récente. Malgré son développement, le petit centre a conservé quelques édifices religieux et des rues tranquilles.

Visite de la ville en 30 mn.

■ L'ancienne collégiale Saint-Martin-du-Puy*

Quartier du Puy • ouv. mer., sam. et dim. 15 h-18 h.
Église paroissiale de Bollène jusqu'aux années 1830, elle fut remplacée par la nouvelle église Saint-Martin, dans la ville basse. Rénovée après son incendie en 1562, elle ne dispose plus que d'une seule nef couverte d'une charpente apparente portée par trois arcs diaphragmes. L'abside et les deux absidioles du chevet datent certainement du début du XIIe s. ▶▶▶

▲ *Le Rhône à Avignon.*

Le Rhône

Le fleuve qui marque la frontière ouest de la Provence historique influence, depuis des temps immémoriaux, ses paysages, sa culture et son économie. Axe majeur de circulation jusqu'au XIXe s., il constitue, depuis les années 1960, la première ressource en énergie hydraulique de France.

Probablement investies dès le néolithique, les rives du Rhône forment une route naturelle entre Méditerranée et Europe du Nord, que les marchands massaliotes seront les premiers à exploiter. Du haut Moyen Âge au XVIIIe s., haleurs et mariniers assurent un trafic dense de marchandises : sel blanc de Méditerranée, bois, produits agricoles et métaux transitent par la vallée, où s'égrènent les ports et les chantiers navals, notamment Arles, Tarascon, Beaucaire et Avignon. Il faut dire que la vallée du Rhône favorise par nature le commerce : grâce à un sol alluvionnaire, elle est une productrice maraîchère et fruitière de 1er plan, et accueille le 2e vignoble français d'AOC (côtes-du-rhône) du point de vue de la superficie et de la production.

Concurrencé par le chemin de fer, puis par la route, le Rhône est délaissé au XIXe s. Il faudra attendre le milieu du XXe s. et la création de canaux réservés à la navigation pour relancer, timidement, ce mode de transport. En 2000, le trafic fluvial rhodanien a tout de même représenté 3,7 millions de t de marchandises.

La véritable métamorphose de la vallée débute en 1933, avec la création de la Compagnie nationale du Rhône, qui équipera le fleuve de 19 centrales hydroélectriques, 19 barrages et 14 écluses. L'entreprise est aujourd'hui le 2e producteur français d'électricité. De plus, les canaux de dérivation ont permis l'installation de centrales nucléaires qui utilisent l'eau du fleuve comme eau de refroidissement. Trois d'entre elles se trouvent entre Lyon et Avignon : le site du Tricastin (1980) réunit notamment la plus grande concentration d'entreprises de l'industrie nucléaire.

Bonnes adresses

⌂ ✕ *Hôtel de Chabrières*, 7, bd Gambetta, Bollène ☎ 04 90 40 08 08. Dans une ambiance de pension de famille, des chambres confortables aménagées dans une demeure cossue du XIXe s., et des menus à base de produits frais.

⌂ *À la maison*, 277, chemin du Mas, La Baume de Transit ☎ 04 75 90 62 36 ; www. alamaisondhotes.fr Un mas provençal à quelques kilomètres de Suze-la-Rousse.

⌂ ✕ *Le Manoir*, 16, av. Jean-Moulin, N 7, Mornas ☎ 04 90 37 00 79 ; http:// hotel-le-manoir.com Côté hôtel, des chambres à la décoration soignée. Côté restaurant, une cuisine de qualité à base de produits de saison.

Le château de Suze-la-Rousse est le siège de l'Université du vin, créée en 1978 sous l'impulsion de professionnels de la filière viti-vinicole. Établissement privé d'enseignement supérieur et centre de formation continue, elle organise également des stages à l'attention des amateurs le week-end ☎ 04 75 97 21 30; www.universite-du-vin.com

• La **chapelle des Trois-Croix** (*au S.-O. du quartier du Puy*), d'origine romane, est entourée d'un petit jardin où se dresse un **monument à la mémoire de Louis Pasteur**, rappelant que le savant découvrit, à Bollène, le vaccin contre le rouget du porc en 1882. Depuis le terre-plein, large **vue**★ sur la centrale de Pierrelatte et l'usine hydro-électrique André-Blondel.

Environs de Bollène

■ Le village troglodytique de Barry★

À 4 km N. de Bollène par la D 26 jusqu'à l'église de Saint-Pierre-de-Sénos, puis accès fléché • visible de l'extérieur, accès interdit à cause des risques d'éboulement.

Sur la colline de Barry, ce curieux village est l'un des ensembles troglodytiques les plus beaux de France. Il était encore habité à la fin du XIXe s., avant que la fragilité de la pierre ne rende son occupation dangereuse.

• Depuis l'extérieur, la quarantaine de maisons n'offrent à la vue qu'une façade plaquée contre la falaise. Les pièces ont été directement creusées dans la roche, et la molasse gréseuse a permis d'y tailler divers éléments domestiques : éviers, pigeonniers, fours, cuves… L'éperon rocheux qui domine l'ensemble était autrefois occupé par un **château** dont il ne reste plus que les ruines de l'enceinte, un rostre et une barbacane.

■ Suze-la-Rousse★

À 8 km E. de Bollène par la D 994 ❶ *445, av. des Côtes-du-Rhône* ☎ *04 75 04 81 41 ; www.ot-suze-la-rousse.fr*

Au milieu des vignes, toujours cernée par quelques tronçons de son rempart médiéval, la petite ville rassemble ses maisons, hôtels particuliers et édifices Renaissance au pied du **château**★★★ (☎ *04 75 04 81 44 • ouv. t.l.j. 10 h-12 h 30 et 14 h-18 h ; f. mar. de nov. à mars*), qui commande tout le paysage environnant. Bâti sur un site défensif, l'impressionnante forteresse médiévale fut transformée au XVIe s. par Guillaume de la Baume en demeure de plaisance.

• Le **donjon** est l'élément le plus ancien (XIIe s.), partiellement englobé aujourd'hui dans des constructions postérieures.

• Au centre du château, la **cour d'honneur**, agrémentée d'une galerie à arcades voûtées, de fenêtres à meneaux, de piliers et de pilastres est un remarquable exemple d'architecture Renaissance française.

• À l'intérieur, le **grand escalier** déploie ses larges volées de pierre scandées de vases Médicis, tandis que les murs sont animés de niches à statues. Le **petit salon**, aménagé au XVIIe s. dans une des tours, expose

◄ *Le château de Suze-la-Rousse, dont l'aspect austère rappelle l'ancien rôle défensif.*

un beau décor exubérant avec des acanthes modelées dans le stuc qui s'enroulent au plafond, et une guirlande de feuillage, de fleurs et de fruits. Les murs de la **salle à manger** furent recouverts, au XVIIIᵉ s., d'un décor de gypserie « rocaille », typique de la tradition méridionale. Sur un des côtés, encadrée de deux fontaines de marbre ornées de dauphins, une vaste niche abrite le buffet à gradins destiné à recevoir les mets ou à exposer les plus belles pièces de porcelaine ou d'orfèvrerie.Un nouveau parcours de visite propose d'allier l'histoire du château au patrimoine vitivinicole. Sont ainsi traités : l'usage du vin à travers les siècles, l'origine de la vigne, le transport du vin dans la Drôme, les activités vitivinicoles, etc.

■ Mornas

À 13 km S. de Bollène par la D 26 et la N 7.

À la fois au bord du Rhône et au pied d'une impressionnante falaise haute de plus de 130 m, Mornas fut contrainte de se développer tout en longueur. Les deux portes de ses remparts médiévaux servent toujours d'accès. Depuis la porte S., dite « Saint-Nicolas », une petite rue très pentue conduit au château en passant devant la chapelle **Notre-Dame-du-Val-Romiguier**★, édifice roman des XIᵉ-XIIᵉ s. construit dans une faille de la falaise.

Mornas fut un haut lieu des guerres de Religion. La forteresse où la population catholique s'était réfugiée fut assiégée en 1562 par les troupes protestantes du baron des Adrets, qui massacrèrent les habitants en les jetant de la falaise, en dépit d'une promesse de vie sauve.
En 1568, la place fut reprise par les catholiques qui se vengèrent à leur tour des réformés.

• Le **château** (☎ 04 90 37 01 26 • *visites libres en fév.-mars et oct.-nov. t.l.j. 13 h 30-16 h, le week-end 13 h 30-17 h, d'avr. à juin et en sept. t.l.j. 11 h-17 h ; visites animées d'avr. à sept. sam. et dim. à 11 h puis toutes les heures 14 h-17 h, en juil.-août t.l.j. mêmes horaires 11 h-17 h • www.forteresse-de-mornas.com*) fut édifié au XIIᵉ s. par les comtes de Toulouse, pour contrôler la plaine du Comtat Venaissin et la vallée du Rhône. On peut voir les **vestiges**★ du donjon et de la chapelle. Ces ruines sont ceinturées d'une muraille de 2 km, flanquée de tours, d'où l'on a une très belle **vue**★ sur les environs.

Orange★★

Voir carte régionale p. 74

À 30 km N. d'Avignon ou à
27 km S.-E. de Bollène par l'A 7;
à 24 km N.-O. de Carpentras
par la D 950 et la N 7.

ℹ 5, cours Aristide-Briand A2
☎ 04 90 34 70 88;
www.orange-tourisme.fr
Plan découverte de la
ville (« parcours romain »
et « parcours des princes
Nassau ») disponible à l'office
ou en ligne. Visites guidées
sur réservation.

À ne pas manquer

Manifestations

• Marché : jeu. matin.
• Fin juin, Orange se met au
jazz ☎ 04 90 51 57 57.
• De mi-juin à début août,
Chorégies d'Orange : dans
le théâtre antique (→ 92)
☎ 04 90 34 24 24;
www.choregies.fr

Pour nombre de mélomanes, Orange se résume aux célèbres Chorégies, l'une des plus grandes manifestations estivales d'art lyrique, et à son théâtre antique exceptionnel qui offre à ce festival une scène grandiose. Quelle que soit l'attente de ses visiteurs, la ville sait néanmoins se rendre agréable toute l'année, vivant hors saison au rythme de ses terrasses de café et des tables des petits restaurants, où le vin tient une place d'honneur. On n'oubliera pas, en effet, qu'aux environs d'Orange, dominés par de pittoresques châteaux perchés et d'attachantes chapelles, les vignobles abritent certains des plus prestigieux côtes-du-rhône.

La colonie romaine

Située à la fois sur le couloir rhodanien, au cœur d'une plaine fertile et au débouché des vallées de l'Aigues et de l'Ouvèze, Orange fut très tôt un important lieu de passage. Dominant la ville, la colline Saint-Eutrope procure aux premières populations un site à l'abri des crues de l'Aigues, rivière dont le nom celte (*Araus*) servira à baptiser la ville (*Arausio*). Après la conquête de la Gaule par César au Ier s. av. J.-C., Rome installe une colonie de vétérans à Orange, qui connaît alors une grande prospérité attestée par de nombreux monuments, dont le théâtre et l'arc de triomphe, heureusement conservés.

Entre France et Comtat Venaissin

À la fin du XIIe s., Bertrand des Baux se fait donner le titre de prince d'Orange et la cité devient le centre d'une petite principauté enclavée dans le Comtat Venaissin. Celle-ci passe aux mains des Nassau au XVIe s. et devient un important bastion protestant, en lutte incessante contre la papauté. Si les catholiques finissent par s'emparer de la ville par la violence en 1562, les deux cultes restent pratiqués dans le calme au XVIIe s. En 1672, la guerre finit par éclater entre Guillaume III d'Orange-Nassau, gouverneur des Pays-Bas, et Louis XIV, qui fait occuper la ville et démolir le château de la colline Saint-Eutrope. Seul le mur du théâtre antique trouva grâce à ses yeux. La principauté d'Orange est définitivement rattachée à la France par le traité d'Utrecht en 1713. Après avoir été un temps intégrée au département de la Drôme, elle est finalement réunie au département de Vaucluse en 1793.

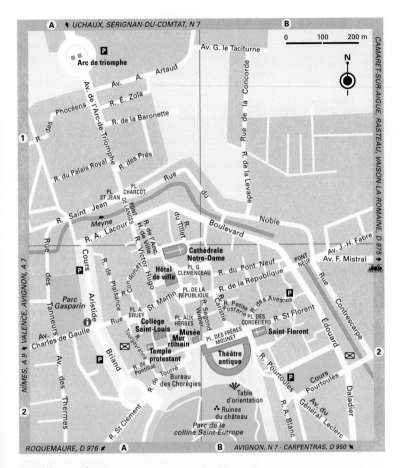

La ville moderne

Avec 30 200 habitants aujourd'hui, la ville est un carrefour commercial important. Dans la plaine environnante se développent le maraîchage, l'arboriculture et la vigne, qui fournissent leurs matières premières à de nombreuses entreprises agroalimentaires. Orange s'est lancé depuis quelques années dans une politique de rénovation du centre-ville : l'Arc de triomphe a été nettoyé, consolidé, ses abords dégagés ; le mur de scène du théâtre antique a été couvert d'un toit pour assurer sa protection, les habitations de la rue de la République ont été restaurées.

Visite de la ville en 1 journée • se garer sur le parking du cours Pourtoules, puis gagner par l'escalier E. la colline Saint-Eutrope, afin d'embrasser du regard le théâtre et la ville.

Plusieurs membres de la dynastie des Orange-Nassau, fondée par Guillaume « le Taciturne », furent gouverneurs des anciens Pays-Bas ; leurs descendants règnent encore aujourd'hui sur les Pays-Bas modernes. De leur possession d'Orange, la famille a conservé, par homonymie, la couleur nationale aux Pays-Bas, toujours très présente dans les fêtes du pays ou sur le maillot de l'équipe nationale hollandaise de football...

Les Chorégies, le plus ancien festival de France

Si la 1ʳᵉ représentation eut lieu en 1869 avec un opéra de Mehul, *Joseph*, la vocation du théâtre antique consista ensuite à promouvoir les auteurs dramatiques français de l'époque et à retourner aux sources des grandes tragédies gréco-romaines. Sa vocation lyrique et musicale ne deviendra prépondérante qu'en 1971. Tous les grands noms de l'art lyrique s'y sont produits depuis, conférant à ce lieu scénique un prestige international qui n'a cessé de se confirmer au fil des ans. Le répertoire de prédilection reste l'opéra italien du XIXᵉ s. en général, et les œuvres de Verdi en particulier.

Dans les grottes situées derrière les gradins se déroule un spectacle multimédia permanent, «Les fantômes du théâtre». Grâce à d'étonnantes animations audiovisuelles, on assiste à une saynète jouée à l'époque romaine, une pièce de théâtre de la Belle Époque, et on écoute les grandes stars du rock en 1975 et les chanteurs lyriques des Chorégies…

▶ *Le mur de scène du théâtre antique est aujourd'hui protégé par un toit en verre et tissu de métal hightech.*

■ **La colline Saint-Eutrope AB2**

Derrière le théâtre antique • accès libre • beaux points de vue sur la ville et ses environs depuis les tables d'orientation.

Ancien oppidum celte aménagé en parc public, cette colline porte le nom d'un évêque qui y fut inhumé au Vᵉ s. C'est ici que se dressait une citadelle renforcée vers 1620 par Maurice de Nassau et que Louis XIV fit démanteler plus tard. Elle comprenait 11 bastions ceinturés de fossés profonds taillés dans la roche. Quelques vestiges permettent d'avoir une idée de l'ampleur de cette construction à son origine.

■ **Le théâtre antique★★★ B2**

Rue Madeleine-Roch ☎ 04 90 51 17 60 • ouv. t.l.j., de nov. à fév. 9 h 30-16 h 30 ; en mars et oct. 9 h 30-17 h 30 ; d'avr. à mai en sept. 9 h-18 h ; de juin à août 9 h-19 h • billet combiné avec le musée, audioguide gratuit • www.theatre-antique.com

Construit au Iᵉʳ s. apr. J.-C., il est, avec celui d'Aspendos en Turquie, le théâtre le mieux conservé du monde romain, caractéristique qui lui a valu, comme pour l'arc de triomphe, son classement au Patrimoine mondial de l'humanité par l'Unesco. Le théâtre pouvait accueillir entre 7 000 et 9 000 personnes sur ses gradins (*cavea*), appuyés contre les pentes de la colline Saint-Eutrope. À l'époque, ils étaient divisés en trois séries que les spectateurs occupaient en fonction de leur origine sociale, les classes aisées en bas, les plus défavorisées en haut. Ceux que l'on voit aujourd'hui sont en fait une restitution moderne.

• L'imposant **mur de scène★★★** (*frons scenae*) continue d'émerveiller les visiteurs. La façade extérieure, longue de 103 m et haute de 37 m, est percée de portes qui ouvraient sur des réserves et les loges des artistes. Les

spectateurs avaient leurs accès réservés sur les côtés. Devant le mur, à l'intérieur du théâtre, la vaste **scène**, longue de 61 m et profonde de 13 m, est dominée par une niche qui abrite la statue d'Auguste, retrouvée en fragments lors des fouilles de 1931. Trois portes permettaient l'entrée des artistes selon l'importance du rôle tenu.

■ Le musée* B1

Rue Madeleine-Roch, en face du théâtre antique ☎ *04 90 51 17 60 • mêmes horaires que le théâtre antique et achat des billets au guichet du théâtre antique.*

• Au **rez-de-chaussée** de cet hôtel particulier du XVIIe s. les collections archéologiques se partagent l'espace avec des expositions temporaires. Parmi les pièces majeures, les **plans cadastraux***** de la colonie romaine d'Orange, gravés dans le marbre, et un ensemble de **frises**** animées de centaures, d'amazones et de victoires provenant du théâtre antique. D'autres objets (tableaux, sculptures…) évoquent la vie politique et l'histoire de la principauté.

• Au **1er étage**, une belle série de documents graphiques du XIXe s. évoque la restauration du théâtre antique et de l'arc de triomphe. Sont également exposées les **grandes peintures** réalisées en 1764 pour le salon de la famille Wetter, qui avait développé une grande manufacture d'indiennes *(→ p. 267)* à Orange, unique sujet de cet important décor. Un petit atelier expliquant le travail d'impression de ces cotonnades a été reconstitué. La famille Gasparin, qui donna des hommes politiques à Orange et à la France aux XVIIIe et XIXe s., est représentée par des portraits, des meubles et des effets personnels.

• Au **2e étage**, des œuvres d'Albert de Belleroche et de Frank Brangwyn, d'origine anglaise.

• De l'autre côté de la pl., l'**église Saint-Florent** s'annonce par une façade austère. C'est l'église de l'ancien couvent des Cordeliers, d'origine gothique, mais réhabilitée après les guerres de Religion.

■ Le temple protestant A2

À l'angle de la rue Tourgayranne et de la rue Pontillac.

Cette église fut élevée à la fin du XVIe s. pour les dominicains, établis dans la ville depuis 1269. La municipalité l'a rachetée en 1810 pour l'affecter au culte protestant. On remarquera à côté *(rue Pontillac)* les pans d'un beau **mur orné d'arcatures**, sans doute un vestige de l'enceinte du forum romain.

• Le **collège Saint-Louis** *(près du mur romain, entre la rue de l'Ancien-Collège et l'impasse de la Cloche)* fut édifié en 1719 à l'emplacement du grand temple des Nassau, détruit en 1685. La chapelle a conservé à l'arrière *(côté impasse de la Cloche)* le portail de l'ancien temple de 1650.

Jusqu'au XIXe s., le théâtre d'Orange était en partie enseveli sous des remblais et abritait une sorte de petit village qui, en 1825, regroupait une cinquantaine de masures, deux rues et deux impasses. Installées dans l'édifice ou appuyées contre ses murs extérieurs, ces constructions, furent éliminées, à l'initiative de Prosper Mérimée, entre 1835 et 1856. En revanche, les gradins ne furent dégagés et restitués qu'entre 1882 et 1909 (voir les gravures conservées au musée).

Bonnes adresses

🏠 *L'Herbier d'Orange*, 8, pl. aux Herbes A2 ☎ 04 90 34 09 23 ; www.lherbierdorange. com Proche du théâtre antique, l'hôtel propose des chambres lumineuses. Terrasse et jardin en été. Accueil agréable.

🏠 *Hôtel Arène*, pl. de Langes A2 ☎ 04 90 11 40 40 ; www. hotel-arene.fr Au calme, entre l'hôtel de ville et la cathédrale ; certaines chambres possèdent une petite terrasse.

✗ *Le Parvis*, 55, cours Pourtoulès B2 ☎ 04 90 34 82 00 ; http://restaurant-le-parvis-orange.com Sous les platanes de la terrasse ou dans la salle cosy, ce restaurant propose des spécialités provençales traditionnelles rehaussées d'épices savamment dosées.

✗ *Au petit Patio*, 58, cours Aristide Briand A2 ☎ 04 90 29 69 27. Une petite cour intérieure au calme, bercée par le chant des cigales. Cuisine du marché soignée, desserts maisons succulents.

On trouvera la plupart des cafés et restaurants sur la pl. des Frères-Mounet et sur la pl. Georges-Clemenceau, ainsi qu'à l'O., sur le cours Aristide-Briand.

Voir plan p. 91

■ L'hôtel de ville A2

Pl. Georges-Clemenceau.

L'hôtel de Lubières fut acheté par municipalité après le rattachement de la principauté à la France (1713), pour servir d'hôtel de ville. Un beffroi vint s'ajouter peu après. L'ensemble, dont la façade date de 1880, a été très remanié.

■ La cathédrale Notre-Dame-de-Nazareth A2

Rue Notre-Dame • ouv. toute l'année.

Enserrée dans les habitations, la cathédrale romane du XIIᵉ s. fut ruinée en 1567 pendant les guerres de Religion et amplement restaurée par la suite. L'entrée principale de l'église a cependant conservé quelques éléments de son **décor roman★**.

■ L'arc de triomphe★★★ A1

Av. de l'Arc-de-Triomphe, au N. du centre ancien • accès libre.

L'arc de triomphe d'Orange, au même titre que le théâtre antique, est inscrit sur la liste du Patrimoine mondial de l'humanité de l'Unesco.

Édifié autour de l'an 20, il célèbre les exploits de la 2ᵉ légion gallique, dont les vétérans fondèrent la colonie d'Orange. Il est ouvert par trois baies en plein cintre, hautes de 8 m pour la centrale et de 6,40 m pour les latérales, au-dessus desquelles on remarque la présence de trous ayant servi au scellement d'une inscription en bronze. L'ensemble est coiffé de deux attiques (deux petits étages séparés par une corniche, au lieu d'un seul) qui confèrent au monument une silhouette inhabituelle. Son originalité vient également des reliefs prononcés qui animent chacune de ses faces, tournées vers les points cardinaux: au N., la partie la mieux conservée montre des scènes guerrières (cavaliers romains contre fantassins gaulois), des trophées d'armes et des attributs marins – ce dernier thème étant plus rare –; à l'E., on retrouve des trophées d'armes ainsi que des scènes de combats entre Romains et Barbares; au S., l'ornementation est semblable à celle du N. L'ensemble a été restauré en 2009.

► *L'arc de triomphe d'Orange commémore les hauts faits des fondateurs de la ville.*

Environs d'Orange

■ Piolenc

À 8 km N.-O. d'Orange par la N 7.
On y découvre deux institutions locales étonnantes.

• Le **parc Alexis-Gruss** (*sur la N 7 avant d'arriver à Piolenc* ☎ *04 90 29 49 49* • *ouv. de mai à sept. 9 h 30-17 h et 18 h 30-23 h; f. mer. en juin, du 1er au 10 juil., sam. et dim. en juil.-août; spectacle dans l'après-midi* • *http://alexis-gruss.com*) propose des activités pour découvrir la vie des animaux de la ménagerie et s'initier aux disciplines de la piste.

• Le **musée Mémoire de la N 7** (*sortie Piolenc Sud, ancien établissements Bonjean* • *ouv. en juil.-août t.l.j. 10 h-12 h et 14 h-18 h; de sept. à déc. et de mars à juin du mer. au dim. 14 h-18 h; en janv.-fév. dim. 14-18 h* ☎ *04 90 40 32 70*) est un hommage à cette route mythique du sud de la France, passée à la postérité avec Charles Trenet.

■ Sérignan-du-Comtat★

À 10 km N.-E. d'Orange par la N 7 et, à dr., par la D 976
ℹ *au Naturoptère.*
Le charme de Sérignan vient de la teinte ocre rouge de la pierre utilisée pour sa construction. Au centre du village, l'**église Saint-Étienne★**, reconstruite au milieu du XVIIIe s., présente une inhabituelle façade curviligne, surmontée d'une grande statue du saint patron des lieux. Son clocher est bâti sur une tour des anciens remparts.

• Sérignan doit aussi sa réputation à Jean-Henri Fabre, qui vécut près de trente ans dans son domaine de **L'Harmas★★** (*route d'Orange, à l'entrée du village* ☎ *04 90 30 57 62* • *ouv. de nov. à mars t.l.j. sf sam. et dim. 10 h-17 h; d'avr. à août du lun. au ven. 10 h-18 h, le week-end 14 h 30-18 h; en sept.-oct. du lun. au ven. 10 h-17 h, le week-end 14 h 30-18 h*). Propriété du Muséum national d'histoire naturelle de Paris, la demeure abrite un musée dédié au naturaliste. Le rez-de-chaussée présente une collection d'aquarelles de champignons (fac-similés), autre passion du célèbre entomologiste, ainsi que les volumes de ses *Souvenirs entomologiques*. Dans le cabinet de travail à l'étage, on verra ses boîtes à insectes et autres collections de fossiles, coquillages et minéraux. Riche de centaines d'espèces, le jardin botanique est un véritable bonheur.

• Le **Naturoptère★★** (*à côté de L'Harmas, chemin du Grès* ☎ *04 90 30 33 20* • *ouv. lun., mar., jeu., ven. 9 h-12 h 30 et 13 h 30-17 h, mer., sam. et dim. 13 h 30-18 h; en été du lun. au ven. 10 h-18 h 30, sam.-dim. 13 h 30-18 h 30* • *billet*

Randonnées

Plusieurs sentiers botaniques partent à la découverte des espèces végétales de cette petite région.
• Depuis Sérignan-du-Comtat: partir de la route de Lagarde-Paréol (D 65), à g. dans le virage, à la hauteur de la ferme Ratonneau. Balisage vert. Durée: 1 h 30 aller-retour.
• Depuis Uchaux (4 km N.-O. de Sérignan): partir du parking du cimetière, puis prendre au N. le chemin dit «voie Romaine» et suivre le sentier. Durée: 1 h.
• Le centre départemental d'animation rurale de Rasteau propose plusieurs excursions dans les célèbres vignes de la région ☎ 04 90 46 15 48.

Manifestation

À Sérignan-du-Comtat
En avr., fête des Plantes rares: plusieurs dizaines d'exposants, des conférences, des animations et des sorties botaniques.
Rens. à l'association Plantes rares et jardin naturel
☎ 06 30 24 45 31;
www.plantes-rares.com

L'Homère des insectes

Jean-Henri Fabre (1823-1915) fut très jeune fasciné par le monde des insectes. Sa passion d'enfance devint sa raison de vivre à l'âge adulte et son statut d'enseignant lui permit d'exercer pleinement ses talents de naturaliste en toute quiétude. Après avoir occupé divers postes, il acheta en 1879 une propriété à Sérignan qu'il appela «L'Harmas» («terrain en friche», en provençal), où il poursuivit ses recherches et ses expériences jusqu'à sa mort. Ses travaux patients et ses nombreuses publications lui ont valu le surnom taquin mais affectueux de «Homère des insectes» par Victor Hugo.

▲ *Le campanile en fer forgé du «Ravelin» de Camaret.*

Manifestation

En juil. et août, Musique dans les vignes à Sainte-Cécile-les-Vignes, Cairanne, Camaret, Vaison-la-Romaine, Séguret et Mondragon : concerts, récitals et dégustation des vins du village.

Bonne adresse

✗ *Coteaux & Fourchettes*, croisement de la Courançonne, Cairanne ☎ 04 90 66 35 99 ; www.coteauxetfourchettes. com Cyril Glémot est un chef enthousiaste qui puise dans les meilleurs produits de la région (ou d'ailleurs) pour proposer une cuisine impeccable et joyeuse. Très belle carte des vins à prix raisonnables. Cadre contemporain, belle terrasse en été.

couplé pour les deux sites • www.naturoptere.fr) est un modèle d'éco-construction (structure en bois, murs en béton et chanvre, climatisation naturelle, toiture végétale…). Dédié à la culture scientifique abordée de façon ludique, il abrite une exposition permanente sur Jean-Henri Fabre (avant son arrivée à Sérignan) et des expositions temporaires sur le thème des insectes et de la nature. À l'extérieur, jardin potager, jardin rocaille…

• **Camaret-sur-Aigues** *(4 km S.-E. de Sérignan-du-Comtat par la D 43)* ne conserve de son enceinte médiévale que la porte appelée «le Ravelin», surmontée au XVIIIe s. d'un **campanile★★** en fer forgé très ouvragé.

■ Sainte-Cécile-les-Vignes

À 8 km N.-E. de Sérignan-du-Comtat par la D 976.
Sainte-Cécile vit aujourd'hui de son vin AOC «côtes-du-rhône». De son passé médiéval, on peut encore voir quelques vestiges des remparts édifiés en 1370, dont la **porte de l'Horloge** surmontée d'un campanile ; une église romane remaniée au XVIIIe s. ; et, dans le «jardin de la chapelle», une petite église d'origine romane.

■ Rasteau et Cairanne

Rasteau est à 21 km N.-E. d'Orange par la D 975 • Point info à Rasteau, 4, rue des Écoles ☎ 04 90 46 18 73.
Rasteau est surtout connu pour son vin doux naturel, élaboré exclusivement à partir de grenache (cépage noir à gros grains) et qui bénéficie d'une AOC. Les ruines de l'**ancien château★** (XIIe s.) des évêques de Vaison-la-Romaine dominent le village, lequel a également conservé une partie de son enceinte médiévale (dont la porte appelée «le Portalet») contre laquelle s'appuie l'**église Saint-Didier★** (XIIe s.).

• Le **musée du Vigneron** *(route de Roaix ☎ 04 90 46 11 75 • ouv. t.l.j. sf mar. et dim., d'avr. à sept. 14 h-18 h ; en juil. et août 10 h-18 h • www.beaurenard.fr)* présente des outils anciens ainsi que des panneaux pédagogiques sur divers sujets concernant le vin : géologie des sols, confréries, météorologie ou encore œnologie.

• **Cairanne** *(à 5 km O. de Rasteau par la D 69)*, établie sur un promontoire dominant les vallées de l'Aigues et de l'Ouvèze, est une ancienne seigneurie des Templiers qui a conservé ses **remparts** comprenant deux portes et un donjon surmonté d'un campanile. La vue s'étend sur le Ventoux, les dentelles de Montmirail et la plaine du Comtat. La **Maison Camille Cayran** *(cave de Cairanne, route de Bollène ☎ 04 90 30 82 05 • ouv. du lun. au sam. 9 h-12 h 30 et 14 h-18 h, dim. 9 h-18 h, de mai à août jusqu'à 19 h, en juil.-août 9 h-19 h)* propose une initiation aux cépages, aux vins et à l'histoire de son terroir à travers un parcours sensoriel ludique. ▶▶▶

▲ *Le vignoble de Rasteau.*

Les côtes-du-rhône

Avec près de 73 000 hectares de superficie et 3,5 millions d'hecto-litres par an, le vignoble de la vallée du Rhône est plus important que ceux de la Bourgogne, des côtes de Provence et du Beaujolais réunis. Il se partage entre trois grandes productions bien distinctes : les crus ou «grandes appellations locales», l'AOC «côtes-du-rhône régionale» et l'AOC «côtes-du-rhône villages».

De Vienne à Avignon et des Cévennes aux Préalpes, le vaste bassin sédimentaire du Rhône possède des caractères géologiques variés à l'origine d'une mosaïque de terroirs viticoles. Sous un climat méditerranéen s'épanouissent plusieurs cépages : le cinsault, la clairette et le bourboulenc, nés en Provence ; le grenache, le carignan et le mourvèdre, venus d'Espagne au XVIIIe s. ; la syrah, la roussanne, la marsanne et le viognier, issus à priori du Dauphiné.

Courant sur les deux rives du Rhône, les vignobles de l'**AOC côtes-du-rhône régionale** (53 % des surfaces cultivées) sont les premiers producteurs de vin rouge AOC des régions PACA et Languedoc-Roussillon. L'**AOC côtes-du-rhône villages** (10 % des vignobles) s'étend sur la Drôme, le Vaucluse, le Gard et l'Ardèche. Depuis 2005, des noms géographiques, réservés à un vignoble singulier par son histoire, son encépagement ou l'assemblage de ses vins, peuvent compléter cette dernière appellation : séguret, cairanne, visan... Quant aux 13 crus des côtes du Rhône – châteauneuf-du-pape, gigondas, vacqueyras... –, leur réputation n'est plus à faire.

L'avenir est peut-être aujourd'hui aux vins de pays. En 2001, quatre vignobles d'appella-tion – costières de Nîmes, côtes du Ventoux, coteaux du Tricastin et côtes du Luberon – se sont regroupés pour former la Nouvelle école de la vallée du Rhône, cherchant à travailler en marge des contraintes formatées de l'AOC. De nombreux viticulteurs produisent également des vins de pays au caractère affirmé, mais leur production reste très confidentielle...

Manifestations

À Bédarrides
• Marché : lun. matin.

À Châteauneuf-du-Pape
• 1er week-end d'août, fête médiévale de la Véraison : banquets, défilés costumés et spectacles.

À Caderousse
• 1er week-end de juil., fête du Melon.

L'appellation « châteauneuf-du-pape », créée dans les années 1930 par le baron Le Roy, s'applique à la production d'une aire de 3 200 ha composée de la commune de Châteauneuf et d'une partie de Sorgues, Bédarrides, Courthézon et Orange. Les vins blancs et rouges sont issus de 13 cépages autorisés et leur production est limitée à 35 hl/ha. Une centaine de domaines ouvrent leurs portes au public. Liste disponible à l'office de tourisme.

Bonne adresse

🍫 *Chocolat et Cie*, route de Sorgues-Avignon, Châteauneuf-du-Pape ☎ 04 90 83 54 71 ; www. chocolat-castelain.fr La chocolaterie artisanale Castelain propose des visites commentées, des ateliers thématiques.

■ Courthézon★

À 8 km S.-E. d'Orange par la N 7 ❶ *24-26, bd de la République* ☎ *04 90 70 26 21.*

Fait rare, ce bourg a conservé une grande partie de ses **remparts médiévaux★**, dont trois des quatre **portes** : la porte d'Aurouze (dérivé d'*auro*, « le vent du nord ») ; la porte de la Grande-Fontaine, appelée aussi « porte Belle-Croix », qui a conservé sa couronne de mâchicoulis ; et la porte du Prince (allusion à la famille des Nassau).

• Le **château**, en ruine, occupe le sommet de la colline. Habité par la famille des Baux jusqu'à la fin du XIIIe s., il fut démantelé en 1768 et ses pierres serviront à la construction d'une digue sur l'Ouvèze.

• L'**église Saint-Denis** serait, selon la légende, l'une des sept églises fondées par Charlemagne à la fin du VIIIe s. pour célébrer ses victoires sur les infidèles. Toutefois, les parties les plus anciennes de l'édifice ne remontent pas avant le XIIe s.

• Le **château Val-Seille** (*actuel hôtel de ville • accès libre au jardin t.l.j. de nov. à mars 7 h-18 h 30 ; d'avr. à oct. 7 h-21 h*), fantaisie architecturale de style éclectique, fut construit en 1868 pour Élie Dussaud, entrepreneur dont le nom est resté associé à de grands chantiers maritimes, tel le canal de Suez. En 1872, Gustave Mouriès ajouta à l'arrière une galerie de tableaux qu'il relia au château par un jardin d'hiver.

■ Bédarrides

À 6 km S. de Courthézon par la N 7.

Implanté au confluent de l'Ouvèze, de l'Auzon et de la Seille, Bédarrides a depuis longtemps remplacé ses remparts arasés par d'agréables boulevards ombragés de platanes. Seules deux portes du XVe s. ont été conservées.

• Le **pont** à trois arches en plein cintre a été édifié en 1647 sur un ouvrage romain dont il subsiste une pile. Depuis son tablier en dos d'âne, belle **vue★** sur l'Ouvèze et ses quais.

• L'**église Saint-Laurent** a été reconstruite en 1684. C'est dans ses murs qu'eut lieu, le 18 août 1791, la signature du traité de rattachement du Comtat Venaissin à la France.

• Le **domaine de Brantes★** (*à Sorgues, 5 km S.-O. de Bédarrides par la N 7* ☎ *04 90 39 11 73 • jardin ouv. de Pâques à la Toussaint sur r.-v.*) appartenait au XVIIe s. à une famille d'origine florentine. Vers 1810, le 1er château fut agrandi et un parc boisé ajouté. En 1959, le paysagiste danois Mogens Tvede rajouta, au S., un petit jardin présentant trois bassins alimentés par la Sorgue, des pelouses bordées de buis et de cyprès, un potager et un verger.

Depuis Sorgues, la N 7 se poursuit jusqu'à Avignon (7 km S.).

■ Châteauneuf-du-Pape★★

À 11 km S. d'Orange par la D 68 ❶ *3, rue de la République* ☎ *04 90 83 71 08; www.chateauneuf-du-pape-tourisme.fr*

C'est la qualité de ses **vins** (→ *p. 97*) qui fait la réputation de Châteauneuf. Sur un plateau dominant le Rhône, son vignoble bénéficie de conditions idéales: ensoleillement et mistral, sol sablonneux et caillouteux dont les galets conservent la chaleur. C'est le pape Jean XXII qui le développa au début du XIVe s. On verra dans le village de petites rues pavées et de jolies maisons restaurées.

• Le **château★** *(accès libre)* fut construit de 1317 à 1333 par le pape Jean XXII, qui établit là sa résidence d'été. Incendié au XVIe s. pendant les guerres de Religion, l'édifice fut mutilé en 1944 par les Allemands, qui firent sauter le donjon dont seuls subsistent les imposants murs O. et S.

• La **chapelle romane Saint-Théodoric★** *(dans le bas du village •* *expositions en été)* est le plus ancien monument. Avec sa courte nef couverte d'un berceau en plein cintre et son abside en cul-de-four, elle remonterait au XIe s et conserve des restes de peintures murales (XIIe s.) représentant les apôtres.

• Le **musée du Vin** *(cave Brotte-Père Anselme, sur la D 17* ☎ *04 90 83 59 44 • ouv. t.l.j. 9 h-12 h et 14 h-18 h; de mi-avr. à mi-oct. 9 h-13 h et 14 h-19 h • entrée libre • www.brotte.com)* présente une collection d'outils de vigneron et explique la formation du terroir de Châteauneuf.

Randonnée

Le circuit des vignerons offre une escapade au cœur du vignoble : boucle de 4,8 km (2 h), jalonnée de panneaux d'informations sur le terroir, les cépages, l'AOC. Départ de Châteauneuf-du-Pape.

▼ *Châteauneuf-du-Pape, dominé par le donjon du château des Papes.*

■ Caderousse★

À 7 km S.-O. d'Orange par la D 17.

Caderousse a souvent subi les crues du Rhône. C'est à la suite de l'inondation catastrophique de 1856 que fut édifiée la **digue★** qui entoure le village, lui donnant un air de place forte. Une partie des remparts du XIVe s. est toujours visible depuis les vastes cours ombragés de platanes qui longent la digue *(cours Jean-Moulin)*. Sur la façade de la mairie (1752), des marques indiquent les niveaux atteints par les crues de 1827, 1840 et 1856.

• L'**église Saint-Michel**, construction romane du XIIe s., a été remaniée au début du XVIe s. par l'addition, à dr. du chœur, de la **chapelle Saint-Claude★**, un des rares exemples de gothique flamboyant de la région.

La traversée d'Hannibal

En 218 av. J.-C., lors de la 2e guerre punique contre les Romains, le général carthaginois Hannibal décida de prendre Rome à revers en passant, non pas par la Méditerranée, mais par les Alpes et l'Italie du Nord. Passant par l'Espagne, ses 50 000 soldats et ses célèbres éléphants auraient vraisemblablement franchi le Rhône à Caderousse. D'autres hypothèses situent ce passage vers Roquemaure: la tour de l'Hers, qui daterait du XIIe s., marquerait, selon la légende, l'endroit où se fit la traversée.

Les Baronnies

Le massif des Baronnies est formé de plateaux calcaires travaillés par l'érosion et cisaillés par les rivières, qui viennent par vagues s'adosser au mont Ventoux au sud, à la vallée de l'Eygues au nord, pour s'éteindre dans la plaine du Tricastin à l'ouest. Il appartient d'un point de vue géologique aux Préalpes du Sud, et plus on avance vers l'est, plus ce caractère alpin s'affirme. C'est dire s'il y a peu de ressemblances entre les coteaux de Nyons, fleuris de mimosas, et les alpages arasés des vallées du Derbous et du Toulourenc.

Ce n'est pourtant pas à la nature seule que ce pays authentique doit sa diversité de paysages, mais au travail millénaire des hommes, qui ont su exploiter toutes les ressources du climat et des sols : vergers d'abricots et de pêchers au pied des versants sud, surmontés des sillons nets des vignes et des oliveraies éparpillées sur le plus petit arpent ; tilleuls dans les combes et à l'ubac ; lavandes et plantes aromatiques sur les plateaux secs en altitude. La tentation de Nyons, qui a valorisé à l'excès ses attraits touristiques, n'a pas encore touché les vallées plus secrètes du Toulourenc ou de l'Ouvèze. Toutefois, à l'image du Luberon, il sera sans doute difficile de résister longtemps à l'abandon de l'agriculture au profit du tourisme.

◀ *Nyons et son pont roman franchissant l'Eygues.*

Que voir dans les Baronnies

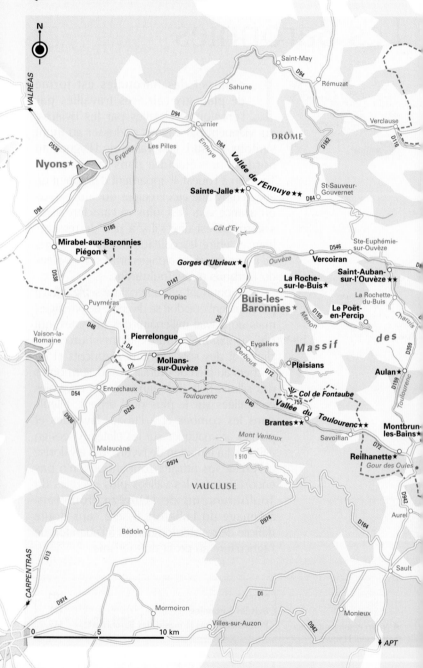

N

VALRÉAS

Saint-May

Sahune

Rémuzat

Curnier

D94

DRÔME

Verclause

Les Pilles

Eygues

D538

Nyons ★

Ennuye

Vallée de l'Ennuye ★★

St-Sauveur-Gouvernet

Sainte-Jalle ★★

D64

Col d'Ey

Mirabel-aux-Baronnies
Piégon ★

Ste-Euphémie-sur-Ouvèze

D546

Gorges d'Ubrieux ★

Ouvèze

Vercoiran

Saint-Auban-sur-l'Ouvèze ★★

La Roche-sur-le-Buis ★

La Rochette-du-Buis

D147

Propiac

Buis-les-Baronnies ★

D159

Le Poët-en-Percip

Puyméras

D48

D5

Menon

Charuis

des

D359

Pierrelongue

Eygaliers

Massif

Vaison-la-Romaine

Derbous

Plaisians

Aulan ★

Mollans-sur-Ouvèze

D72

D54

Entrechaux

Toulourenc

D40

Col de Fontaube
755

Vallée du Toulourenc ★★

Montbrun-les-Bains ★

Malaucène

Brantes ★★

Savoillan

Reilhanette ★

Mont Ventoux

Gour des Oules

D974

1 910

VAUCLUSE

D942

Aurel

Bédoin

D974

D164

Sault

CARPENTRAS

D13

D974

Mormoiron

Monieux

Villes-sur-Auzon

D1

D942

APT

0   5   10 km

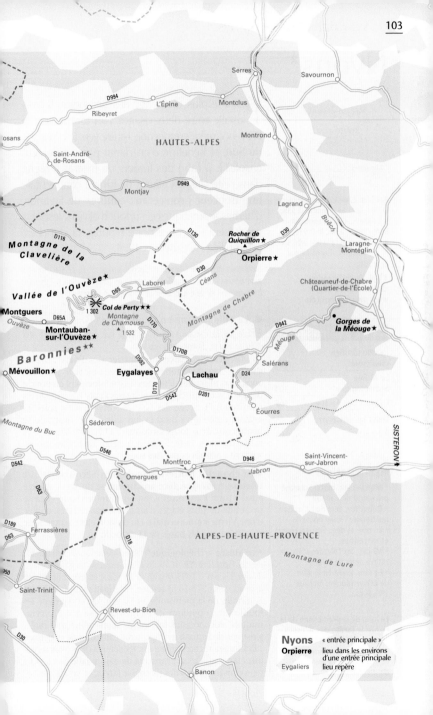

Nyons★

Voir carte régionale p. 102

À 15 km E. de Valréas par la
D 941, la D 541, puis la D 538 ;
à 44 km N.-E. d'Orange par
la N 7, puis, à dr., la D 976,
la D 576, puis la D 94 ; à 18 km
N. de Vaison-la-Romaine par
la D 538.

🛈 pl. de la Libération
☎ 04 75 26 10 35 ;
www.paysdenyons.com

À ne pas manquer

Manifestations

• Marché : jeu. matin ; marché
provençal dim. matin.
• Début fév., fête de l'Alicoque,
qui honore l'huile nouvelle.
• En nov. et déc., Festival contes
et rencontres.
• Mi-juil., les Olivades : fête de
l'Olive noire de Nyons.
• Le sam. avant Noël, fête
de l'Olive piquée : fête des
1ʳᵉˢ olives.

Le long de la promenade de la
Digue, le **jardin des Arômes**
regroupe 200 espèces de
plantes à parfum, aromatiques
et médicinales (à voir surtout
de mai à sept.).

Point le plus occidental des Baronnies, Nyons
oscille entre deux visages, l'un tourné vers la
Provence méditerranéenne, l'autre vers les Préalpes
du Sud, et bénéficie d'un climat particulièrement
ensoleillé, à l'abri des fureurs du mistral. Il règne
dans cette cité aux allures de Riviera continentale
une douceur propice aux cultures de lavande,
d'herbes aromatiques et surtout d'oliviers, lesquels
produisent une olive noire réputée, la «tanche»,
estampillée AOC depuis 1994.

*Stationner pl. de la Libération. Laisser sur la dr. la pl. des Arcades
pour pénétrer dans la vieille ville par la pl. Jospeh-Buffaven ; prendre
à dr. les rues de la Chapelle et de l'Escalier • visite en 3 h.*

■ La ville fortifiée médiévale★

*Boucle par la rue des Petits-Forts et la rue des Grands-Forts qui
ramène à la pl. Joseph-Buffaven.*
La vocation défensive du **quartier des Forts★**, dressé
sur le rocher de Maupas, reste prégnante et le tracé des
anciennes murailles détermine le cheminement en boucle
des deux rues principales. La rue des Petits-Forts longe les
remparts à l'E., celle des Grands-Forts serpente sous les
arcades aménagées dans la muraille à l'O., avant de se
heurter aux deux tours sarrasines du Château Vieux *(f. au
public)* du VIIIᵉ s. Entre les deux, un lacis de ruelles sobres,
souvent enjambées par des soustets.

• La **chapelle Notre-Dame-de-Bon-Secours★** *(pl. du
Chanoine-Francou)*, édifice anachronique du XIXᵉ s. appelé
aussi «**tour Randonne**», est surmontée d'une cocasse
pyramide de trois étages d'arcades à quatre faces, coiffée
d'une Vierge monumentale. Du donjon élevé au XIIIᵉ s. ne
subsistent que les bases de la chapelle.

• Le **Musée archéologique★** *(8, rue Pierre-Toesca, parallèle à la
rue des Petits-Forts ☎ 04 75 26 17 73 • ouv. de mi-juin à mi-sept.
du mar. au sam. 15h30-18h30 ; de fin mai à mi-juin et de mi-sept.
à mi-oct. sam. 15 h-18 h)* retrace l'occupation humaine des
Baronnies de la préhistoire au Moyen Âge et regroupe les
fouilles de l'oppidum de Sainte-Luce *(→ p. 111)* : **céra-
miques★** voconces aux fins motifs, d'une teinte grise caractéristique de l'artisanat ; importante collection de «pegaux»,
vases funéraires accompagnant les défunts dans leurs sépul-
tures (XIᵉ s. au XIVᵉ s.) ; **carreaux de Sainte-Jalle** *(→ p. 110)*
reproduisant des scènes de chasse (XIVᵉ s. et XVᵉ s.).

■ La place des Arcades*

Elle s'ouvre à l'E. de la pl. de la Libération.

Ce quadrilatère marque la césure entre le quartier des Forts et l'extension du bourg vers l'E. à partir du XIVe s. Les Dauphins, à l'origine de ce quartier, souhaitaient favoriser le commerce en autorisant l'installation de marchands florentins et lombards dans les échoppes qui entouraient la place. Au n° 32, l'**ancienne maison delphinale**, future maison du roi après l'annexion du Dauphiné à la France, a conservé une belle porte du XIIe s.

■ L'église Saint-Vincent*

Par la rue de la Résistance dans le prolongement de la pl. des Arcades • ouv. t.l.j. 9 h-18 h 30.

Dernier vestige de l'édifice originel, le clocher du XIVe s. est nanti d'un élégant campanile (XVIIIe s.). La nef (1614) est bordée de 10 chapelles latérales. Voir à l'intérieur *L'Adoration des bergers* et *Saint Bonaventure* de Guy François (1578-1650), ainsi que le mausolée de Philis de la Charce, héroïne dauphinoise des guerres de Religion.

■ Le pont roman

Par la rue des Déportés, derrière l'église Saint-Vincent.

Sa construction, amorcée en 1341, demandera soixante-dix ans d'efforts. Depuis une arche unique de type ogival en pierre de taille (portée de 43 m et 18 m de hauteur) franchit l'Eygues, torrent aux fureurs légendaires.

• **Les vieux moulins à huile d'olive*** *(4, promenade de la Digue, à l'entrée du pont roman ☎ 04 75 26 11 00 • visites libres en été t.l.j. 10 h-19 h, en hiver t.l.j. 10 h-12 h et 14 h 30-17 h 30 ; f. en nov. ou déc.),* des XVIIIe-XIXe s., sont dits «à lanterne» ou «à sang» : la lanterne désignait la petite roue dentée, mue par la force du torrent, qui entraînait la grande ; la roue pouvait aussi être mise en action par traction humaine ou animale. La **savonnerie*** du XIXe s. serait actuellement la plus ancienne de France.

Revenir pl. de la Libération.

■ Le musée de l'Olivier

Dans l'enceinte de la coopérative Vignolis, pl. Olivier-de-Serres, que l'on atteint en suivant vers l'O. l'av. Paul-Laurens ☎ 04 75 26 95 00 • ouv. du lun. au sam. 9 h-12 h 30 et 14 h-19 h, dim. 10 h-12 h 30 et 14 h 30-18 h • www.vignolis.fr

Ce musée se présente comme un cabinet de curiosités. Il rassemble quantité d'objets, d'outils et de documents en relation avec la culture de l'olivier (→ p. 290).

▲ *La tour Randonne, surmontée d'une étrange pyramide, domine Nyons.*

La **distillerie** *Bleu Provence*, propose visites guidées et ateliers de fabrication d'un parfum ou d'un savon (58, chemin de la Digue ☎ 04 75 26 10 42 ; www. distillerie-bleu-provence.com).

Randonnées

Outre des randonnées dans le massif des Baronnies – plus d'une quarantaine –, l'office de tourisme de Nyons propose :
• des chemins thématiques autour de la montagne de l'Essaillon, dans le vignoble nyonsais ou les oliveraies ; balisage avec panneaux ;
• un sentier plus urbain revient sur les traces de l'écrivain de science-fiction René Barjavel (1911-1985), natif de Nyons et auteur, entre autres romans, de *Ravage* (1943) et *La Nuit des temps* (1968). Parcours fléché. Durée 1 h 30, sans difficulté (5 km).

Le scourtin (du provençal escourtin, « cabas »), sorte de large béret en fibre d'alfa – aujourd'hui en nylon –, est utilisé comme filtre pour l'extraction de l'huile d'olive. Le scourtin en fibre de coco, très solide, est une invention due à Ferdinand Fert, tisserand nyonsais de la fin du XIXᵉ s. Ses petits-enfants, qui ont repris l'atelier, fabriquent aujourd'hui des scourtins colorés comme objets de décor et d'ameublement.
La Scourtinerie, 36, rue de la Maladrerie ☎ 04 75 26 33 52. Ouv. du lun. au sam. 9 h 30-12 h et 14 h-18 h, 19 h l'été.

Bonnes adresses

⌂ ✗ *Une autre maison*, 45, av. Henri-Rochier ☎ 04 75 26 43 09 ; www.uneautremaison.com Dix chambres haut de gamme avec un jardin et une piscine. Fine cuisine régionale, réservation obligatoire.

✗ *La Charrette Bleue*, à Condorcet, sur la route de Gap (D 94) ☎ 04 75 27 72 33 ; www.lacharrettebleue.net F. mer. Une belle bâtisse de pierre à l'extérieur de la ville, devenue le rendez-vous gourmand le plus prisé des environs. Excellente cuisine régionale créative, très bonne cave.

Environs de Nyons

■ Mirabel-aux-Baronnies

À 7 km S.-O. de Nyons par la D 538.

Le village médiéval s'élève sur l'une des collines du pays de Beaulieu, fief apprécié des Dauphins au XIIIᵉ s. L'**enceinte** est toujours visible en suivant vers l'E. le chemin des Barrys. Elle protégeait un château de plaisance et un atelier monétaire. L'**église**★ a conservé son abside romane du XIIIᵉ s., agrandie toutefois d'une travée de chœur au XIVᵉ s. L'ensemble, ruiné pendant les guerres de Religion, a été reconstruit grâce au soutien de Louis XVIII, comte de Provence.

• La **chapelle de Beaulieu**★★ *(au S.-O. de Mirabel, dans les collines du même nom)* offre des exemples originaux de sculpture provençale : modillons sculptés de masques humains, animaux et motifs géométriques ornent la façade nantie de deux chapiteaux corinthiens à la manière antique.

Au-delà de Mirabel, la D 538 mène en 11 km à Vaison-la-Romaine (→ p. 121).

■ Piégon★

À 2,5 km S.-E. de Mirabel-aux-Baronnies par la D 516.

La magnifique **chapelle**★★ *(clés disponibles en mairie le jeu. 14 h-18 h ☎ 04 75 27 14 70)* du XIIᵉ s. porte, côté S., des modillons sculptés et de petites ouvertures en plein cintre qui apportent une curieuse légèreté au monument roman. Des chapiteaux sculptés couronnent les piliers de la nef unique voûtée en berceau. Sur les contreforts de la butte, avant de parvenir aux ruines de l'ancien village, une **frise monumentale** taillée dans le roc célèbre la vigne et les vignerons de ce coteau qui produit un côtes-du-rhône réputé.

La tanche, fruit et nectar

L'huile d'olive de Nyons est issue exclusivement de fruits de la variété tanche. Cette olive est récoltée à maturité, à l'entrée de l'hiver. Piquée ou saumurée, elle ne subit aucun traitement, et est exclusivement produite par des moulins locaux. Elle est appréciée pour ses arômes de foin coupé et de pomme verte, sa couleur dorée et son parfum de noisette. Elle obtint, la première, une AOC (1994), aujourd'hui AOP, label européen : 53 communes, soit 228 000 pieds d'oliviers produisent aujourd'hui cette variété. Nyons a ouvert en 1996 l'Institut du monde de l'olivier, centre d'étude et de promotion qui propose expositions et dégustation des huiles d'olive vierges (40, pl. de la Libération ☎ 04 75 26 90 90. Ouv. du lun. au ven. 9 h-12 h et 13 h 30-17 h (16 h ven.); f. les jours fériés; www.huilesetolives.fr

Buis-les-Baronnies★

À l'extérieur des remparts, Buis-les-Baronnies se présente comme une ville moderne et commerçante. Son centre historique a su toutefois conserver quelques rues à l'architecture dépouillée, une place de marché chaleureuse et une jolie promenade en bord de rivière. Située sur la route des princes d'Orange, cette ancienne capitale des Baronnies abrita, deux siècles durant, la plus grande foire occidentale du tilleul.

Se garer sur les boulevards extérieurs ou sur l'allée des Platanes au N.-E. (attention, marché mer. et sam.) • visite de la ville en 2 h.

Voir carte régionale p. 102

Valréas • Nyons
Buis-les-Baronnies
Sisteron
Carpentras

À 32 km S.-E. de Nyons par la D 538, et à g. la D 46, la D 4, puis la D 5 ; à 22 km de Vaison-la-Romaine par la D 938 vers Malaucène, puis à g. la D 54 et la D 5.

🛈 14, bd Michel-Eysséric
☎ 04 75 28 04 59 ;
www.buislesbaronnies.com

■ La vieille ville★

Accès à la pl. du Marché par la porte Sainte-Euphémie en venant de l'allée des Platanes.

Au XVᵉ s., les cavaliers allemands cantonnés à Buis par Louis XI vont édifier la **place du Marché★**, la concevant à l'image de celles de leurs villes : deux rangs d'arcades aux piliers évasés de style gothique allemand soutiennent les élévations côtés N. et S. Le 1ᵉʳ abritait les commerces, le 2ⁿᵈ quelques hôtels particuliers de la noblesse locale.

À ne pas manquer	
La place du Marché★	107
La maison des Plantes aromatiques★	108
Dans les environs	
Sainte-Jalle★★	110

Au S. de la pl., suivre la rue Notre-Dame-la-Brune jusqu'à la pl. aux Herbes et déambuler dans les ruelles qui rejoignent l'église, jadis traversées de canaux (rue des Béals, rue du Puits-Communal).

• L'**église Notre-Dame-de-Nazareth** (*ouv. t.l.j. 8 h-18 h*), du XIIᵉ s., a conservé son dispositif roman de nef en demi-berceau. Incendiée par les huguenots du seigneur de Saint-Auban, elle perd son chœur oriental au XVIIᵉ s., remplacé par la façade actuelle, et sera à nouveau ruinée à la Révolution. Son aspect est dû à une rénovation du XIXᵉ s. L'entrée est alors transposée à l'E. et le clocher pourvu d'une imposante statue de la Vierge. À l'intérieur, les **boiseries★** sont de belle facture. Un tableau de Joseph Layraud représente saint Jacques le Majeur. Le maître-autel provenant du couvent des Dominicains porte un curieux motif central mettant en scène un chien portant dans sa gueule un flambeau.

▼ *La place du Marché de Buis est cernée d'arcades.*

Manifestations

• Marché : mer. matin.
• 3ᵉ dim. de janv., L'Olive et l'Huile en fête.
• 3ᵉ week-end de juil., Tilleul en Baronnies, un grand marché consacré à la fois au tilleul et aux plantes aromatiques, et salon du Livre des plantes.
• Mi-août, Festival de jazz.

La Maison des plantes aromatiques organise toute l'année des randonnées botaniques, des ateliers de distillation et de fabrication de savons. Réservation obligatoire.

Randonnées

• Le sentier de la vallée du Menon : entre Buis et La Roche-sur-le-Buis, une agréable promenade traverse le bois de tilleul nommé « Pan d'Aïs », puis vers les vergers, les oliveraies et les terrasses potagères. Départ de la pl. des Quinconces, à Buis-les-Baronnies, puis franchir le pont de l'Ouvèze. Durée : 3 h 30.
• Du château de La Roche, un sentier pédestre suit les traces de l'ancien peuple des Ligures, qui occupèrent l'endroit jusqu'au col de Saint-Guinet, puis la région de Sainte-Euphémie, Vercoiran et Le Poët-en-Percip.

Joseph-Fortuné Layraud (1833-1913), Grand Prix de Rome, est le plus célèbre natif de La Roche-sur-le-Buis.

■ La maison des Plantes aromatiques★

14, bd Michel-Eysséric, dans l'office de tourisme ☎ *04 75 28 11 44 • ouv. en juil. et août du lun. au sam. 9 h-12h30 et 15 h-19 h ; d'avr. à juin et en sept. du lun. au sam. 9 h-12 h et 14 h 30-18 h ; le reste de l'année du lun. au sam. 9 h-12 h et 14 h-17 h 30 ; ouv. également dim. et jours fériés en avr. et oct. 10 h-12 h 30 et de mai à sept. 10 h-12 h 30 et 14 h 30-17 h ; f. les 25 déc., 1ᵉʳ janv. et tous les dim. de déc. à mars • www.maisondes plantes.com*

On y découvre, dans un esprit conservatoire et ludique, les plantes aromatiques (lavande, tilleul et « herbes de Provence ») dont la culture fait la richesse de la région. Un **orgue à parfums★**, une table à épices, une roue à saveurs sont autant d'instruments pédagogiques faisant appel à la mémoire olfactive. Des expositions temporaires détaillent les caractères propres de chaque production et leur importance économique et culturelle.

Environs de Buis–les–Barronies

■ La Roche-sur-le-Buis★

À 4 km E. de Buis-les-Baronnies par la D 159.

Entre Buis et La Roche, l'une des plus vastes oliveraies des Baronnies se déploie à l'adret. La **forteresse★** de La Roche, du XIᵉ s. et en partie ruinée, s'agglomère à un éperon rocheux d'où la vue s'étend sur le mont Ventoux.

• L'élégante **église** du XIIIᵉ s. abrite *Le Martyre de saint Sébastien* et une Mater dolorosa, deux œuvres de Joseph-Fortuné Layraud.

• La chapelle des Péninents-Blancs (XIIᵉ s.) abrite le **musée J.-F. Layraud** (☎ *04 75 28 01 42 • ouv. en juil.-août dim. 16 h-19 h, le reste de l'année sur r.-v.*), consacré aux outils et objets traditionnels des paysans et artisans des Baronnies. Autour, le cimetière est devenu un **jardin des Plantes symboliques★** qui regroupe 40 espèces de la flore provençale.

• La D 159 s'arrête au **Poët-en-Percip** *(à 9 km E. de La-Roche-sur-le-Buis)*, le plus haut village du canton (1 090 m) qui ne compte plus que 19 habitants, mais reste réputé pour ses lavandes. Relié par des chemins muletiers à la vallée du Charuis, à la montagne de Banne et à la vallée du Toulourenc, le village était une ancienne capitale des Baronnies.

■ Les gorges d'Ubrieux★

À 3 km N. de Buis-les-Baronnies par la D 546.

Ce couloir creusé par l'Ouvèze est le verrou calcaire du massif des Baronnies. Des dalles larges et hautes surplombent ce passage étroit, surveilléjusqu'au XVIᵉ s., par un fortin. Au débouché des gorges, la vallée s'élargit, toujours enclavée entre de hautes falaises. ▶▶▶

▲ *La floraison du tilleul en juin illumine les paysages des Baronnies.*

Le tilleul

Le climat et la diversité des sols des Baronnies ont favorisé l'implantation naturelle du tilleul, l'«arbre à tisane». Sa culture s'est développée à partir du XIXᵉ s., suite au déclin de la sériciculture et à l'abandon de la garance. Si les Baronnies engrangent aujourd'hui 75 % de la production nationale, l'avenir de cette cueillette demeure pourtant incertain.

La cueillette des fleurs de tilleul apporte, depuis plus de deux siècles, un complément bienvenu aux exploitants agricoles. Le tilleul, arbre peu exigeant et prolifique, est implanté sur les parcelles inaccessibles aux machines agricoles et dont les sols sont trop pauvres pour supporter toute autre culture. Le tilleul des Baronnies est le plus souvent de souche «bénivay». Il s'épanouit grâce à un climat idéal : ensoleillement satisfaisant, précipitations faibles et bien réparties sur l'année, gelées de printemps rares.

La récolte des fleurs de tilleul est affaire de patience. Un jeune arbre fleurit seulement six à dix ans après sa mise en terre. Mais à 30 ans, il produira généreusement 50 kg de fleurs fraîches et le double à 60 ans. À l'inverse de ce qui se passe avec les arbres fruitiers, le temps joue en faveur du récoltant. La cueillette a lieu de début juin à début juillet, avant la formation des fruits. Les fleurs sont séchées durant quatre à sept jours, selon les conditions climatiques, étalées en couches épaisses dans les greniers bas et les *galetas*, granges protégées par des toitures de tuiles qui restituent, pendant la nuit, la chaleur emmagasinée le jour. Les fleurs («bractées») étaient vendues dans des *bourras*, grands carrés de toile de jute contenant 20 à 30 kg, lors des foires régionales. Celles-ci ont disparu, remplacées par la Fête du tilleul de Buis-les-Baronnies (3ᵉ week-end de juillet) qui réunit les producteurs de tilleuls locaux et le chapitre de la confrérie des Chevaliers du tilleul.

Les guerres de Religion frappèrent les Baronnies avec une singulière violence. Les chefs huguenots, comme Charles Dupuy de Montbrun ou René de Gouvernet, s'opposèrent au catholique Faulque Thollon de Sainte-Jalle, qui perdit son fief en 1581.

La D 108, à g., rejoint le col d'Ey (718 m), au-delà duquel une succession de reliefs adoucis couverts d'un damier de cultures mène à Sainte-Jalle et à la vallée de l'Ennuye.

■ Sainte-Jalle★★

À 11 km N. des gorges d'Ubrieux par la D 108 et à dr. la D 162.
Dans un paysage de collines verdoyantes, semées à l'adret d'arbres fruitiers et hérissées d'éperons rocheux, le village a conservé son **château** du XIIIe s., avec son donjon carré et massif, agrémenté au XVIIIe s. d'une tour ronde d'esprit Renaissance. Dominant la fertile **vallée de l'Ennuye★★**, le «grenier des Baronnies», le site était réputé pour ses foires *(aujourd'hui 3e semaine d'août)* et son irréductible catholique Faulque Thollon de Sainte-Jalle.

• L'**église Notre-Dame-de-Beauvert★★** *(à l'E. du village; ouv. t.l.j.)* est un ancien prieuré clunisien du XIIe s. Le sanctuaire se compose d'une nef à trois travées. Le transept saillant s'ouvre sur une **abside★** cantonnée de deux absidioles et soutient un clocher-tour plus tardif. Le **portail★** de la façade occidentale mêle un ensemble antiquisant (oves, palmettes, feuilles d'acanthes) à un décor historié de facture locale représentant un monstre à cornes et des personnages.

▲ *Tympan de l'église Notre-Dame-de-Beauvert.*

La région dégage une singulière harmonie qui invite à prolonger la visite par la D 64. Au bout à g., la D 94 mène à Nyons.

Bonne adresse

✗ *L'Auberge de la Clue*, 2, pl. de l'Église, Plaisians, à 10 mn de Buis ☎ 04 75 28 01 17. L'ambiance est familiale, le site exceptionnel dans le jardin face au mont Ventoux. Bon appétit exigé, car la cuisine est copieuse et irrésistible. Des produits maison bien préparés.

Les vins des coteaux des Baronnies sont issus de plusieurs cépages rouges et blancs, assemblés ou non. Parmi eux, la syrah, le grenache, le merlot, le gamay et le chardonnay. Tout près du Vaucluse, une partie de la commune de Mollans-sur-Ouvèze est classée «côtes-du-rhône».

■ Pierrelongue et Mollans-sur Ouvèze

• À **Pierrelongue** *(à 8 km S.-O. de Buis par la D 5)*, la présence d'une **Vierge monumentale★** (1907) sur le parvis de l'**église Notre-Dame-de-la-Consolation** *(☎ 04 75 28 71 93 • ouv. de mi-mai à mi-sept. 10 h 30-12 h et 15 h 30-18 h 30, sur r.-v. le reste de l'année)*, du XIXe s., bâtie sur un étonnant piton rocheux, est spectaculaire : Marie porte à bout de bras l'Enfant Jésus qui bénit la vallée.

• **Mollans-sur-Ouvèze** *(à 3 km S.-O. de Pierrelongue par la D 5)*, postée en sentinelle sur le 1er étranglement de l'Ouvèze, répartit ses quartiers de part et d'autre de la rivière. Rive dr., l'**ancien village★** aux rues étroites parfois couvertes de *soustets* et aux escaliers «caladés» possède un air propret apprécié des résidents secondaires. La ville moderne et active s'étend sur la rive g., ancienne frontière entre Dauphiné et Comtat. La **chapelle Notre-Dame-de-la-Compassion★** s'arrime au flanc du pont, tandis qu'une fontaine surmontée d'un dauphin de pierre et un lavoir à six arcades signalent l'entrée dans le Dauphiné.

La D 5 mène en 10 km à Vaison-la-Romaine (→ p. 121).

Promenade dans le massif des Baronnies**

Très influencées par l'altitude et l'exposition de leurs flancs au soleil ou à l'ombre, les vallées des Baronnies se ressemblent peu et le passage d'un col suffit parfois à changer d'univers. La Provence s'efface alors au profit des Alpes, parfois brièvement, puis les champs de lavande et les arbres fruitiers réapparaissent sur les pentes escarpées des montagnes. Les villages s'agrippent aux parois à la recherche de la lumière, rare dans les gorges de l'Ouvèze et d'Ubrieux, mais éblouissante dans la vallée du Toulourenc.

Voir carte régionale p. 102

À ne pas manquer	
Orpierre*	114
Brantes**	116
Montbrun-les-Bains**	117
Le château** d'Aulan	117

La vallée de l'Ouvèze*

Âpre et sauvage, la vallée de l'Ouvèze s'insinue d'abord d'épais pans de montagne, qui s'élargissent à peine en d'étroites prairies aux terres enrichies de limons. En direction du col de Perty, les villages possèdent un caractère plus alpin que méridional, rapidement démenti par la luxuriante végétation de cyprès, d'oliviers, de lavande et de tilleuls qui évoquent les paysages typiques de la Provence.

Itinéraire de 51 km de Buis-les-Baronnies à Orpierre via les gorges d'Ubrieux, à faire en 1 journée.

■ Vercoiran et Saint-Auban-sur-l'Ouvèze**
À 9 km N.-E. de Buis-les-Baronnies par la D 546.

• Le hameau de **Vercoiran**, à la sortie des gorges d'Ubrieux, s'accroche littéralement au sommet d'une falaise. Il est surtout célèbre pour sa proximité avec l'**oppidum de Sainte-Luce**, site néolithique majeur qui a livré nombre de vestiges, parmi lesquels un autel votif dédié aux déesses protectrices de l'agriculture.

• **Saint-Auban-sur-l'Ouvèze**★★ *(10 km E. de Vercoiran par la D 546)* s'établit sur un ressaut montagneux au confluent de l'Ouvèze et du Charuis. Ruelles « caladées », fontaine col de cygne et château féodal composent un tableau magnifique. Au sommet, la pl. Péquin offre un observatoire privilégié sur les environs : au S.-E., des châtaigniers couvrent une colline de terre siliceuse nommée « serre de Rioms », dont l'origine ▶▶▶

À mi-chemin entre Vercoiran et Saint-Auban, Sainte-Euphémie-sur-Ouvèze devint un des hauts lieux du protestantisme après la conversion massive de sa population en 1578.

▲ *La vallée de l'Ennuye, au N. de Buis-les-Baronnies, est l'une des plus belles des Baronnies.*

Les Baronnies, une région de caractère

Sans vraiment constituer un massif, les Baronnies affirment pourtant l'une des plus fortes identités de la région. L'histoire eut en effet autant d'influence sur leurs frontières que la géologie. Tout au long des siècles, ce territoire oscilla entre Provence et Dauphiné, sans jamais choisir : les villages en témoignent, évoquant tantôt la Provence, tantôt les Préalpes.

Le temps des barons

Associées sur le plan géologique aux Préalpes du Sud, les Baronnies ne doivent leur unité – et leur nom – qu'aux découpages arbitraires des barons de Mévouillon et de Montauban, les deux familles les plus influentes du «massif». Ils dressent leurs premières citadelles entre le Xe s. et le XIIIe s., avant d'être rattachés au Dauphiné, lequel entre lui-même dans le giron français en 1349. Les différends entre les seigneurs se raviment au XVIe s. à la faveur des guerres de Religion. Les sanglants combats entre, d'un côté, les calvinistes Charles Dupuy de Montbrun et Gaspard Pape de Saint-Auban et, de l'autre, le catholique Foulque Thollon de Sainte-Jalle, dépeuplent le pays plus sûrement que les épidémies de peste du siècle précédent. À l'issue de la Révolution, les Baronnies voient leur influence décliner et se retrouvent divisées sur quatre départements : Drôme, Hautes-Alpes, Alpes-de-Haute-Provence et Vaucluse.

Une vocation agricole

Si l'histoire s'est chargée d'assimiler les populations locales, c'est la prédominance de l'agriculture qui unifie aujourd'hui les Baronnies. Les vastes exploitations spécialisées emploient un tiers des actifs. Les vallées de l'Eygues et de l'Ouvèze abritent les

vergers d'abricotiers et de cerisiers; celles de la Méouge et du Céans, les plantations de pommiers et de poiriers; les terres de Nyons et de Buis sont essentiellement dévolues aux oliviers. La culture et la transformation de la lavande (95 % de la production mondiale de fleurs et bouquets secs → *p. 477*) et des herbes aromatiques ne cesse de progresser depuis les années 1950, au détriment de productions moins rémunératrices comme le tilleul (→ *p. 109*) et la vigne.

Un riche patrimoine naturel

Ces moyennes montagnes, dont l'altitude ne dépasse pas 1 600 m, sont percées par de nombreuses gorges, dont l'orientation n'est due qu'aux caprices des torrents. Plaines et vallées peinent à s'imposer dans cet environnement chaotique où affleurent de toutes parts des falaises, des cols et des sommets. C'est dire si l'on semble loin par moment de la Provence. Pas moins de 1 350 espèces composent la flore locale, ajoutant encore à la confusion : méditerranéennes (euphorbe et catamanche) quand elle s'épanouissent à l'adret baigné de soleil, ou alpines (orchidées, chênes verts et pubescents) quand elles s'échinent à survivre sur l'ubac ombragé et froid. Elles s'accommodent aussi d'autres espèces insolites comme le pavot du Groenland.

Un parc naturel pour les Baronnies

La richesse du patrimoine naturel et culturel, le relatif éloignement des Baronnies des grands pôles touristiques, l'alliance entre agriculture et tourisme vert a favorisé l'implantation de structures d'accueil et la vente de résidences secondaires. La population locale, qui compte 39 000 habitants inégalement répartis entre Nyons, Buis et les vallées alpines, doit aujourd'hui composer avec un phénomène de «luberonisation» qui revitalise l'économie, mais accentue les disparités sociales. La concentration des activités de loisir a montré de plus une certaine saturation des sites naturels accessibles à tous, comme les rivières. Pour pallier les inéluctables inconvénients de cette mutation, un parc naturel régional a été créé en 2012.

géologique demeure inconnue ; au S., le rocher de Rang étire ses deux longues aiguilles vers le ciel ; au N., la montagne de la Clavelière fait le dos rond.

■ Montguers

À 5 km E. de Saint-Auban par la D 65.

Deux hameaux postés sur un court plateau en bordure d'Ouvèze constituent l'essentiel du village. Entre les deux, des champs de lavande et une **chapelle** du XVIIe s., dont l'équilibre est gâché par un clocher disproportionné. La déprise agricole a provoqué l'extension rapide de la forêt sur le plateau, défriché seulement depuis quelques années par les derniers éleveurs de la commune.

C'est à Montguers que fut mis au point le 1er alambic « industriel » pour la distillation de la lavande. L'un des descendants de l'inventeur, resté dans cette filière, emploie aujourd'hui 400 personnes.

■ Montauban-sur-l'Ouvèze*

À 4 km S.-E. de Montguers par la D 65.

La montagne de Chamouse (1 532 m) domine une constellation de cinq petits hameaux, seuls survivants de l'ancien fief de Randonne de Montauban, à qui Nyons doit les bases de sa chapelle Notre-Dame-de-Bon-Secours *(→ p. 104).*

• La sinueuse montée vers le **col de Perty★★** *(par la D 65)* ménage des vues remarquables sur le long sillon tracé par l'Ouvèze au cœur des Baronnies. Une table d'orientation à 10 mn à pied par un chemin escarpé offre une superbe **vue★★** qui s'étend, à l'O., jusqu'au mont Ventoux et, à l'E., jusqu'aux Alpes. Cette route millénaire reliant Avignon à l'Italie fut baptisée « route des Princes d'Orange » lorsque la baronnie d'Orpierre devint, du XIIIe s. au XVIIIe s., possession de la principauté d'Orange-Nassau *(→ p. 90).*

■ Orpierre*

À 30 km N.-E. de Montauban par la D 65, puis, à Laborel, par la D 30.

Village médiéval des Hautes-Alpes, traversé par le Céans, Orpierre a conservé drailles, passages couverts et rues « caladées ». Son architecture est un curieux mélange de bâti rural (four, lavoir, oratoire) et d'ouvrages au raffinement urbain, telle la maison des Chalon-Arlay du XVe s. *(Grand-Rue).* Les linteaux des portes s'ornent quelquefois de pierres gravées de signes protestants. À l'intérieur de l'église, un bénitier de pierre sculptée présente un visage sommaire, d'inspiration celte, le nez et le front formant un bandeau unique.

La région d'Orpierre est occupée depuis plus de 3 000 ans, ainsi que le démontre la collection de bracelets en bronze exposés au musée de Gap.

• Barrant l'horizon d'Orpierre au N., les falaises du synclinal de Saint-Cyrice font, avec le promontoire titanesque du **rocher de Quiquillon★**, le bonheur des grimpeurs. Au S., la **montagne de Chabre★** (1 393 m), frontière entre les vallées de l'Ouvèze et de la Méouge, est fréquentée par les amateurs de parapente et de vol libre du monde entier.

Il est possible de revenir à Buis-les-Baronnies en remontant la vallée de la Méouge après avoir fait le tour de la montagne de Chabre par l'E.

Vers les gorges de la Méouge★

Les historiens désignent Mévouillon comme le cœur historique des Baronnies. Lavande et tilleuls qui poussent sur ce court plateau laissent place plus loin aux terres grasses de Lachau, dévolues aux pâturages. La Méouge prend sa source dans cette vallée et, devenue torrent, part creuser à l'est un sillon profond sur les contreforts de la montagne de Chabre.

Itinéraire de 39 km de Saint-Auban-sur-l'Ouvèze aux gorges de la Méouge, à faire en 1 journée.

L'itinéraire vers les gorges de la Méouge peut aussi se faire en sens inverse, au retour de la promenade dans la vallée de l'Ouvèze : depuis Orpierre, poursuivre la D 30 jusqu'à Lagrand et descendre la vallée du Buech. Un peu plus loin à dr., la D 942 remonte la Méouge.

■ Mévouillon★

À 9 km S.-E. de Saint-Auban-sur-l'Ouvèze par la D 546.

Plus secrète que sa voisine de l'Ouvèze, la vallée du Charuis est jonchée de gigantesques blocs rocheux détachés des flancs de la montagne de la Rochette-du-Buis lors de deux tremblements de terre (XIVᵉ s. et XVIIIᵉ s.). Puis le plateau s'élargit et le rocher parallélépipédique de Mévouillon apparaît, colossal. Sur celui-ci se dressait le **château** de la famille propriétaire des Baronnies, dont il ne reste presque plus aucun vestige.

Vous pouvez rejoindre Pelleret, l'un des hameaux de Mévouillon, en voiture (par la D 234, 5 km) pour voir le rocher de Mévouillon et le mont Ventoux.

■ Eygalayes et Lachau

Lachau est à 17 km E. de Mévouillon par la D 542

En continuant vers l'E., les champs de lavande et les moutons laissent place à peu place aux prairies d'herbages et aux bovins, typiques des paysages alpins. Les pentes adret et ubac offrent de forts contrastes de végétation : au soleil, thym et garrigue ; à l'ombre, feuillus (hêtres).

• **Eygalayes** (*à 13 km E. de Mévouillon par la D 542, puis un court détour par la D 170 à g.*) constitue la frontière entre le Dauphiné et la Provence. Tout près, une **nécropole** rend hommage aux 35 maquisards assassinés en 1942 par les troupes allemandes.

Eygalayes doit sa popularité à une initiative originale du maire qui, entre 2000 et 2003, baptisa chaque année la pl. des Femmes du nom d'une inconnue tirée au sort. Depuis 2005, la place est dédiée à Ingrid Betancourt, otage des rebelles colombiens, libérée en 2008.

• **Lachau** mérite un arrêt pour sa splendide **église romane Notre-Dame-de-Calma**★★ (XIIᵉ-XIIIᵉ s.), d'une architecture parfaitement régulière et harmonieuse, édifiée au sein d'un monastère bénédictin aujourd'hui disparu.

■ Les gorges de la Méouge★

À 16 km N.-E. de Lachau par la D 942 qui descend les gorges.

Classées réserve biologique, elles sont traversées par un pont médiéval à trois arches. La Méouge a creusé son lit en serpentant sur 4 km au pied de la montagne de Chabre, ménageant des plages de galets polis. En remontant à pied la rivière, il est possible de rejoindre l'impressionnant rocher de l'Aigle (1/4 h), un gigantesque empilement de roches plates.

La vallée du Tourlourenc★★

Après Eygaliers (à 6,5 km S. de Buis par la D 5 puis à g. la D 72), un pont franchit la rivière et la route s'insinue sous la «clue» (ou cluse) monumentale de Plaisians. Passé les deux blocs de pierre qui ferment la clue, des hameaux s'éparpillent sur de douces collines. La vue sur le Ventoux y est magique.

La route franchit d'abord la haute vallée du Derbous, affluent de l'Ouvèze, qui présente des pentes dépouillées de végétation, où de toutes parts affleure la pierre. Après une sinueuse échappée par le col de Fontaube (755 m), frontière entre Drôme et Vaucluse, les montagnes se font plus lointaines et le ciel s'ouvre largement. La remontée de la lumineuse vallée du Tourlourenc fait étape dans deux des principales places fortes des Baronnies : Montbrun-les-Bains et Aulan.

Itinéraire de 35 km de Buis-les-Baronnies à Aulan à faire en 1 journée.

■ Brantes★★

À 17 km S.-E. de Buis-les-Baronnies par la D 5 puis, à g., la D 72.

▲ *Brantes, un site spectaculaire au pied du mont Ventoux.*

Sur le versant N. de la vallée du Tourlourenc, le **village**★★ médiéval, fortifié, affronte la masse spectaculaire du mont Ventoux. Rues «caladées» et toits entrelacés s'étagent sur une butte autour d'une église du XVIIᵉ s. et des vestiges d'un château féodal. C'est le point de départ de nombreuses randonnées, dont le GR 9.

• Au départ de la mairie, un **sentier botanique** *(2,5 km, 1 h 15)* traverse les «calades» jusqu'à l'église Sainte-Sidoine, puis, face au mont Ventoux, vers le Tourlourenc. Traverser le Pont neuf direction «Vieux Pont» à gauche. Remonter par la courbe du cimetière. De petits panneaux sur la flore jalonnent le parcours.

■ Reilhanette★

À 9 km S.-E. de Brantes par la D 72.

De Reilhanette, un sentier rejoint l'une des plates-formes militaires du plateau d'Albion (→ p. 216), d'où l'on a une belle vue sur la vallée du Tourlourenc.

Un destin similaire à celui de Montbrun : le village médiéval est dominé par les vestiges de son **château** du XIIᵉ s., ruiné pendant les guerres de Religion. L'**église**★ *(demander les clés à la mairie en semaine)* possède un remarquable clocher en bel appareil rythmé par des trous de boulins. Le porche roman du sanctuaire fait office de narthex. La nef, en partie troglodytique, s'achève par un chœur roman.

La D 72 se poursuit au S. par la D 942, qui grimpe jusqu'à Aurel (→ p. 216) et au plateau d'Albion.

■ Montbrun-les-Bains★★

À 3 km N.-E. de Reilhanette par la D 5 et la D 72 ou par la D 159a
🛈 *L'Autin* ☎ *04 75 28 82 49 ; www.montbrunlesbainsoffice dutourisme.fr*

Le village, labelisé «Plus beaux villages de France», déroule ses terrasses sur les pentes de la colline, face à la plaine. Une succession de façades rigoureuses, étroites, aux ouvertures régulières, s'appuie sur des contreforts à arcades aveugles et sur les anciens remparts.

• À l'entrée de Montbrun, une montée cavalière rejoint la massive **tour de l'Horloge★**, l'une des quatre portes fortifiées du XIVe s. : elle porte les traces de plusieurs combats et ses attributs militaires intacts, mâchicoulis et créneaux qui contrastent avec l'élégant campanile qui la surmonte.

• Le **château des Dupuy-Montbrun★★** *(privé ; f. au public)*, au sommet du village, fut construit par Charles Dupuy-Montbrun au XVIe s. Trois de ses quatre tours sont encore debout. Le porche d'honneur, d'inspiration Renaissance, est orné, sur la colonne de g., d'un aigle, sur celle de dr., d'un lion.

• L'**église★** *(rue Basse, que l'on rejoint par la «calade» de l'Église et la porte de Clastre ; clé à disposition à la boutique du beffroi)* abrite un **retable★** baroque du XVIIe s. du sculpteur comtadin Jacques Bernus, flanqué des statues de saint Benoît et saint Laurent. Un tableau de Parrocel, dont la présence ici est sans doute liée à l'existence d'une confrérie de Pénitents blancs, représente *La Vierge protectrice du pauvre et du soldat★*.

Après Montbrun, la D 542, la D 546 et la D 946 mènent à la vallée du Jabron et à Sisteron (54 km E. → p. 466).

■ Aulan★

À 7,5 km N. de Montbrun par la D 159.

Entre falaises et champs de lavande, la route se taille un passage dans les **gorges du Toulourenc★**, dominées par le village et surtout par la silhouette de son château.

• Le **château d'Aulan★★** (☎ *04 75 28 80 00 • visites guidées seulement, en juil.-août t.l.j. sf dim. matin 10 h-12 h et 14 h-18 h 30 ; d'avr. à juin et de sept. à oct. t.l.j. à 15 h ; f. de nov. à mars)*, édifié par les Montbrun au XIIe s., doit sa survie à la famille Suarez, qui a veillé à sa conservation depuis le XIVe s. Le donjon sur lequel s'appuie une tour est surmonté de mâchicoulis. Le corps de logis contient toute l'histoire de la dynastie. Parmi les œuvres remarquables : une **Adoration des Mages★** du Flamand Léonard Bramer (XVIIe s.), et une **pietà★** de bois sculpté du XIVe s. importée d'Espagne.

Après Aulan, la route rejoint en quelques kilomètres la vallée de la Méouge (→ p. 115).

Manifestations

À Montbrun-les-Brun
• Marché aux fromages :
1er dim. d'avr.
• 1er dim. de sept., Journée bien-être au naturel sous le signe des plantes et des éco-produits.
www.bienetreaunaturel.fr

Le sentier des fontaines (3,3 km, 1 h 30) est un parcours découverte à travers Montbrun, sur le thème de l'eau (fontaines, moulins, thermes, lavoir). Descriptif disponible à l'office de tourisme.

Visites guidées de Monbrun d'avr. à nov. à 15 h. Rens. à l'office de tourisme.

La ville thermale s'étend au pied du village médiéval de Montbrun. Elle puise une eau sulfurée, calcique et magnésique, reconnue depuis le milieu du XIXe s. L'établissement thermal est de nouveau en activité (Centre de remise en forme Valvital, ouv. de mars à nov. tous les après-midi et dim. matin : hammam, piscine thermale, sauna, jacuzzi, massages ☎ 04 75 28 80 75 ; www.valvital.eu).

Randonnée

Depuis Aulan, le circuit vers le col de la Bohémienne suit les crêtes à 1 000 m et offre une belle vue sur le mont Ventoux (départ derrière le château ; difficulté moyenne ; sentier balisé ; durée 4 h 30 pour 14 km).

Autour du mont Ventoux

E ntité géographique bien indivi-
dualisée, recouvert en hiver d'une
calotte blanche tel le Fuji-Yama, le
mont Ventoux signale sa présence de
très loin. Sur ses pentes s'accrochent
de beaux villages en pierre, tandis qu'à
l'ouest, à deux pas de Vaison-la-Romaine,
étape incontournable de tout voyage en
Vaucluse, les arêtes et aiguilles calcaires
du massif des dentelles de Montmirail se découpent dans le bleu du ciel.
La région ralliera donc tous les suffrages,
aussi bien ceux des amoureux d'espaces
verts que ceux des passionnés d'antiquités
romaines. Avec Séguret, Crestet, Crillon-
le-Brave et d'autres encore, les amateurs
de balades dans de vieux villages parfaitement préservés seront, eux aussi, comblés.
Quant aux œnologues en herbe, ils trouveront sur ce territoire de quoi assouvir leur
passion en savourant sur une terrasse, à
l'ombre d'une tonnelle, un délicat muscat
de Beaumes-de-Venise ou bien un puissant
et merveilleux gigondas.

◀ *Le sommet du mont
Ventoux, point culminant
de la Provence, à 1 909 m
pour les uns, 1 912 m
pour les autres.*

Que voir autour du mont Ventoux

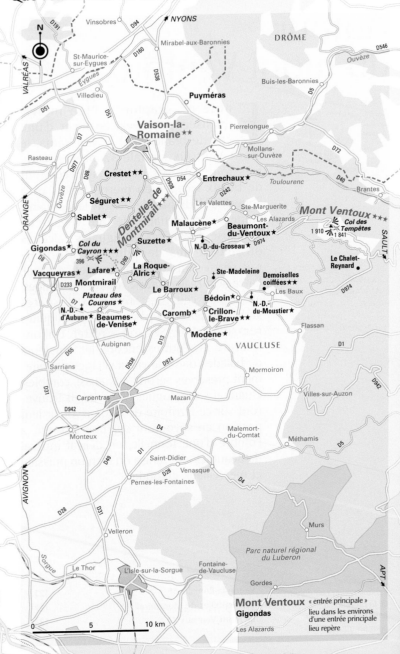

N

DRÔME

Vinsobres · D94 · ↗ *NYONS*

D191

Mirabel-aux-Baronnies

Ouvèze · D546

St-Maurice-sur-Eygues · D160

Eygues

D538 · Buis-les-Baronnies · D5

VALRÉAS

Villedieu

Puyméras

D51

D51

Pierrelongue

Vaison-la-Romaine ★★

D7

Mollans-sur-Ouvèze · D72

Rasteau

D977

Ouvèze

D88

Crestet ★★ · D538 · D54 · **Entrechaux** ★ · *Toulourenc* · D40 · Brantes

Séguret ★★

D142 · Les Valettes · Ste-Marguerite

Mont Ventoux ★★★

ORANGE

Sablet ★

Les Alazards · ⚡ Col des Tempêtes

1 910 · ▲ 1 841

Dentelles de Montmirail ★★★

Malaucène ★ · **Beaumont-du-Ventoux** ★

SAULT

Gigondas ★

Col du Cayron ★★★

396

D8

Suzette ★ · N.-D.-du-Groseau ★ · D974

Le Chalet-Reynard

D98

Vacqueyras ★ · **Lafare** ★

La Roque-Alric ★

Montmirail

D233

Ste-Madeleine · **Demoiselles coiffées** ★★

Le Barroux ★ · Les Baux · D974

Plateau des Courens ★

D7

N.-D.-d'Aubune ★ · **Beaumes-de-Venise** ★

Caromb ★ · **Bédoin** ★ · **Crillon-le-Brave** ★★ · N.-D.-du-Moustier ★

Flassan

Modène ★

VAUCLUSE

Aubignan · D13

D1

D55

Sarrians · D538 · D974 · Mormoiron · Villes-sur-Auzon · D942

D31

Carpentras · Mazan

D942

Monteux · D4 · Malemort-du-Comtat · Méthamis · D5

D1

D49

Saint-Didier

D28 · Venasque

AVIGNON

Pernes-les-Fontaines · D4

D28

D31

Velleron · Murs

Sorgue

Parc naturel régional du Luberon

APT

Le Thor · L'Isle-sur-la-Sorgue · Fontaine-de-Vaucluse

Gordes

Mont Ventoux   « entrée principale »

Gigondas   lieu dans les environs d'une entrée principale
lieu repère

Les Alazards

0 ___ 5 ___ 10 km

Vaison-la-Romaine★★

À la charnière entre les monts des Baronnies, les dentelles de Montmirail et la plaine du Comtat, quatre agglomérations se sont succédé sur le site de Vaison, de part et d'autre de l'Ouvèze : la ville médiévale a repris l'emplacement supposé de l'ancien oppidum celte, tandis que la ville du XIXᵉ s. a recouvert la cité romaine. Ce passé a permis à Vaison de devenir l'un des hauts lieux du tourisme culturel en Vaucluse : elle se place aujourd'hui en deuxième position en terme de fréquentation.

Voir carte régionale p. 120

Vaison-la-Romaine
Sisteron
Avignon Carpentras
Apt
Arles

À 27 km N.-E. d'Orange par la D 975.

🛈 pl. du Chanoine-Sautel
☎ 04 90 36 02 11 ; www.vaison-ventoux-tourisme.com

À ne pas manquer

Des Voconces aux Romains

Avant la conquête romaine, Vaison était la capitale des Voconces, peuple celte qui occupait un vaste territoire s'étendant de la vallée du Rhône aux pré-Alpes. Leur importance menaçait la colonie grecque de Marseille, qui demanda le renfort des Romains en 125 av. J.-C. Ces derniers ne tardèrent pas à conquérir l'ensemble de la région, puis le Languedoc peu après, créant ainsi une nouvelle province qui s'appela d'abord « Gaule transalpine », puis « narbonnaise », à partir du règne d'Auguste en 27 av. J.-C. Vaison était devenue le chef-lieu d'une « cité », *Vasio Vocontiorum*, et avait reçu de Rome un statut privilégié lui garantissant une certaine autonomie. Les habitants avaient déserté le vieux village perché au bénéfice de la vallée de l'Ouvèze, d'accès plus aisé. L'ancien territoire des Voconces fut divisé en quatre vers 300 apr. J.-C. : Vaison conserva la tête d'une partie, mais trois autres cités furent créées : Die, Gap et Sisteron.

Des Romains aux chrétiens

C'est à cette époque que se développa le christianisme : aux quatre nouvelles cités correspondirent quatre diocèses qui vécurent jusqu'à la fin du XVIIIᵉ s. Après la chute de l'Empire romain, les évêques furent les véritables maîtres du territoire et dirigèrent la ville pendant plusieurs siècles, avant d'entrer en conflit avec les comtes de Toulouse. Ces derniers, pour affirmer leur autorité laïque, construisirent un château sur la colline située de l'autre côté de l'Ouvèze : dominant la ville épiscopale établie sur la cité antique, c'est là que vinrent se réfugier les populations qui désertèrent le vieux site romain à partir du XIIᵉ s. Comme tout le Comtat Venaissin, Vaison passa sous l'autorité du

▲ *Statue de patricien au Musée archéologique.*

• Marché : mar. matin.
• Marché bio : mar. et sam. matin (et jeu. en juil. et août).
• Fin avr.-début mai, festival Brassens.
• En juil., Vaisons Danses : dans le cadre du théâtre antique, spectacles de danse contemporaine. www.vaison-danses.com
• Tous les trois ans, fin juil.-début août, les Choralies rassemblent des chorales du monde entier. Prochaines éditions en 2019 et 2022.
• En juil. et août, Musique dans les vignes (→ p. 96).
• Fin juil.-début août, Festival des chœurs lauréats.
• Juil.-août, festival Au fil des voix, concerts de musiques du monde.
• Fin oct., Rencontres gourmandes et salon des arts de la table.
• En nov., festival d'automne Après les vendanges : lectures, spectacles musicaux et théâtre.
• En nov. festival des Soupes. Concours de soupes dans une dizaine de villages.

Le film d'animation *La Maison au Dauphin*, projeté au musée archéologique, reconstitue en images de synthèse une riche demeure gallo-romaine, que l'on visite virtuellement.

Saint-Siège en 1229 et en 1274, jusqu'à son rattachement à la France en 1791 et son intégration au département de Vaucluse en 1793.

La ville basse

C'est ici que bat le cœur de la ville actuelle. Par un raccourci dont seule l'histoire a le secret, nos contemporains ne s'y sont pas trompés, se réinstallant sur un vaste site qui avait déjà eu les faveurs des Romains. On y résidait, on y travaillait, on s'y divertissait. Bref, on y vivait. Ainsi en est-il à nouveau de nos jours : la Vaison d'en bas, au rythme d'une agréable animation, nargue aimablement la Vaison d'en haut devenue résidentielle.

Départ depuis l'office de tourisme • compter 4 h au moins.

■ **Le quartier de Puymin★★**
À côté de l'office de tourisme ☎ 04 90 36 50 48 • ouv. t.l.j., d'oct. à mars 10 h-12 h et 14 h-17 h ; d'avr. à sept. 9 h 30-18 h ; f. en janv. • visite avec audioguide • visites guidées pendant les vacances scolaires sur réservation.

Ce sont les pentes de cette colline que l'abbé Sautel a explorées en premier en 1907. À l'entrée du site, la **maison de l'Apollon Lauré★★** (ou maison des Messii) couvre une vaste surface, mais son extension vers le S. est recouverte par la Vaison moderne. Dans la partie visible, on reconnaît, entre autres, les caractéristiques des demeures de qualité : un péristyle entourant un jardin avec bassin, et distribuant notamment une grande salle d'apparat au sol recouvert de marbres polychromes (très dégradés). Se distinguent également les emplacements du triclinium (salle à manger), de la cuisine et des bains.

• Le **portique de Pompée★★**, juste à côté, était peut-être un vaste espace public ou un grand jardin à colonnades appartenant à une maison privée s'étendant sous la ville moderne.

De la Vaison des Voconces à la Vaison des Romains

On estime à un peu plus de 70 ha la superficie atteinte par la ville aux Ier et IIe s. apr. J.-C. Ce sont les nécropoles qui ont permis cette évaluation car, à la différence de Nîmes, d'Arles ou de Fréjus, Vaison n'était pas délimitée par un rempart. D'anciens domaines agricoles voconces et les contraintes du relief ont imposé aux rues et aux égouts une orientation vers la rivière, le plan d'ensemble montrant des dispositions très irrégulières imputables à une croissance assez libre qu'on ne chercha à régulariser que plus tard. Si le cœur de la ville antique a été recouvert par l'agglomération moderne, les fouilles menées au début du XXe s. à l'initiative de l'abbé Sautel (1880-1955) ont permis de dégager 15 ha de vestiges qui ont apporté de précieuses informations sur les quartiers résidentiels et commerciaux, ainsi que sur le théâtre.

• Les **maisons de rapport***, accessibles par un escalier au fond du portique, forment un ensemble d'habitations plus modestes. Dans l'une d'elles, un *dolium* de grande taille (jarre en terre cuite pour le stockage de denrées) suggère un usage collectif.

• La structure appelée «**nymphée***» pourrait être un château d'eau. Il n'y a, en effet, pas assez d'éléments conservés pour être sûr de sa destination. Juste à côté, la **villa du Paon** paraît bien modeste. C'est pourtant là que fut trouvée la belle mosaïque qui lui a donné son nom (visible au musée).

• La **maison à la Tonnelle***, à l'O. du musée (→ *ci-après*), occupait 3 000 m². Elle s'était constituée à partir d'un habitat modeste au cœur d'un domaine agricole. Si son organisation sur plusieurs niveaux la rend très complexe, on distingue la partie privée de celle réservée aux activités domestiques.

• Le **théâtre**, du Ier s. de notre ère, pouvait accueillir 7 000 spectateurs. Il n'en restait que quelques éboulis informes lorsqu'il fut restauré, pour ne pas dire reconstruit, dans les années 1930. Il ne faut donc pas chercher de vérité archéologique dans ce bâtiment.

▲ *Les vestiges du quartier de Puymin.*

■ Le Musée archéologique**

Au milieu du quartier de Puymin • mêmes horaires que celui-ci.

Il rassemble les plus belles pièces trouvées au XXe s. (celles découvertes auparavant sont dispersées entre des collections privées et des musées français ou étrangers) et du petit mobilier témoignant de la vie quotidienne. Se distinguent particulièrement les **statues impériales**** provenant du théâtre, la **tête d'Apollon Lauré**** et le **buste en argent**** qui ont donné leurs noms à deux maisons, ainsi que les **mosaïques**** mises au jour dans la villa du Paon.

■ Le quartier de la Villasse*

En face du quartier de Puymin ☎ 04 90 36 50 48 • ouv. t.l.j., d'oct. à mars 10 h-12 h et 14 h-17 h ; d'avr. à sept. 9 h 30-18 h ; f. en janv. • visite avec audioguide.

Il doit son nom à une demeure du XVIIIe s. qui commandait une exploitation agricole sur laquelle l'abbé Sautel engagea des fouilles en 1924. Face à l'entrée, la **rue des Boutiques****, constituée de dalles calcaires destinées à faciliter le passage de chariots, est dotée d'un important égout sous le trottoir. Les commerces du rez-de-chaussée sont identifiables par leur disposition.

Le service du Patrimoine organise des visites guidées payantes de la ville, de Pâques à la Toussaint. Sont concernés les sites gallo-romains de Puymin et de la Villasse, la cathédrale et son cloître, la ville haute et le château. D'autres visites sont thématiques et traitent par exemple de la gastronomie romaine. Rens. au ☎ 04 90 36 50 48 ; www.vaison-la-romaine.com

Bonnes adresses

🍰 **Peyrerol**, 7, cours Henri-Fabre, ville basse ☎ 04 90 36 04 91. Un regard à la vitrine de ce pâtisser-chocolatier-glacier suffira à faire rugir le gourmand qui est en vous.

🏠 ✕ **Hostellerie du Beffroi**, 2, rue de l'Évêché, dans la ville haute ☎ 04 90 36 04 71 ; www.le-beffroi.com Installé dans deux maisons des XVIᵉ et XVIIᵉ s., un établissement alliant le charme de l'ancien au confort moderne. Chambres à la décoration soignée. Jardin et piscine privée. Côté restaurant, menus servis en saison dans le jardin.

🏠 **L'Évêché**, 14, rue de l'Évêché, dans la ville haute ☎ 06 03 03 21 42 ; http://eveche.free.fr 5 chambres d'hôtes de charme dont 2 suites, au cœur de la ville haute.

🏠 ✕ **Le Moulin à Huile**, 1, quai du Maréchal-Foch, à l'E. de la ville haute ☎ 04 28 31 70 63 ; www.lemoulinahuile84.fr Robert Bardot, Meilleur ouvrier de France, et sa femme Sabine, savent marier les saveurs ; le moulin à huile du XIIᵉ s. abrite aussi 3 charmantes chambres d'hôtes très chics.

• **L'ensemble thermal★** et sa palestre (terrain d'exercice avec piscine et latrines) ont sans doute très tôt perdu leur caractère public pour être intégrés à la maison du Buste en argent. Les installations comprenaient plusieurs salles.

• **La maison du Buste en argent★**, la plus vaste qui ait été dégagée et fouillée à Vaison (5 000 m²), possédait, entre autres choses, deux jardins (le plus vaste est l'ancienne palestre des thermes) entourés d'un péristyle et agrémentés d'un bassin.

• **La maison au Dauphin★** est une ancienne ferme devenue une belle et grande demeure (2 700 m²) lorsque l'urbanisation de Vaison l'a rattrapée. La partie privée (avec le triclinium ou salle à manger) s'organise très classiquement autour d'un jardin à péristyle auquel on accède par un atrium (cour).

■ **La cathédrale Notre-Dame-de-Nazareth★**

Pl. de la Cathédrale, face au pont moderne • ouv. t.l.j., en mars et oct. 10 h-12 h 30 et 14 h-17 h 30 ; en avr.-mai 9 h-18 h ; de juin à sept. 9 h 30-18 h 30 ; de nov. à fév. 10 h-12 h et 14 h-17 h ; f. en janv.

La construction de la 1ʳᵉ cathédrale de Vaison à cet emplacement n'est pas antérieure au XIᵉ s., mais on sait que l'édifice chrétien s'est implanté au-dessus des ruines d'un bâtiment gallo-romain. Le chevet de cet édifice préroman comprenait abside et absidioles en cul-de-four. Ce sont ces éléments qui furent conservés par la suite. Car, au XIIᵉ s., la nef reçut une voûte en berceau et une coupole sur trompes (ornées des symboles des évangélistes) sur la dernière travée. La cathédrale de la ville basse fut délaissée à la fin du XVᵉ s. au bénéfice de la cathédrale de la ville haute. Elle ne fut remise en état qu'au milieu du XIXᵉ s., ce qui favorisa la reprise du culte dans ses murs à la fin du XIXᵉ s. et l'abandon de sa consœur de la ville haute.

■ **Le cloître**

Contourner le chevet de la cathédrale pour y parvenir ; son accès est indépendant • mêmes horaires que ceux de la cathédrale • entrée payante.

Contemporain de la cathédrale, il a été très restauré, mais conserve de beaux **chapiteaux★**. Des éléments gallo-romains et paléochrétiens trouvés lors de fouilles autour de la cathédrale ont été déposés dans les galeries.

■ **La chapelle Saint-Quenin★**

Av. de Saint-Quenin. À 300 m N. de la cathédrale par le chemin du Bon-Ange, puis l'av. Joseph-Mazen. Accessible seulement lors des visites organisées par le service Patrimoine de la ville.

Il existait, au début du XVIIᵉ s., une ancienne chapelle romane ruinée. Après une épidémie de peste en 1629-1630, on décida de la restaurer plutôt que d'en édifier une neuve. Les travaux furent achevés en 1636 (reconstruction de la nef et de la façade avec clocher à arcade) sous l'épiscopat de Joseph-Marie de Suarès qui fit graver ses armoiries en divers endroits.

• Le **chevet** roman, datable de la 2e moitié du XIIe s., montre plusieurs particularités : un appareillage très soigné (caractéristique partagée par d'autres édifices), et surtout un plan triangulaire très rare. Les angles sont marqués extérieurement par une colonne, tandis que les pans sont scandés de courts pilastres.

Depuis la cathédrale, rejoindre le centre-ville.

La ville haute★★

On accède à la cité médiévale perchée sur son rocher et entourée d'une enceinte du XIVe s. par le pont romain, puis en franchissant une porte fortifiée que domine la tour du beffroi, surmontée d'un campanile en fer forgé de 1786. Parcourant alors les ruelles pavées de galets de l'Ouvèze, on peut se promener sans itinéraire précis dans cette ville haute totalement déserte au début du XXe s. ; elle a retrouvé une certaine animation et nombre de maisons ont été restaurées par leurs nouveaux propriétaires, souvent des artistes ou des artisans d'art.

Compter 1 h environ.

■ Le pont romain★★

Son arche unique de près de 20 m de portée franchit l'Ouvèze en son point le plus resserré et le plus encaissé. Il a été bâti en grand appareil, c'est-à-dire avec de gros blocs de pierre taillés.

■ La cathédrale
Notre-Dame de la Haute-Ville

Ouv. t.l.j.

En 1464, après l'abandon de la ville basse par les habitants, qui étaient venus s'installer autour de la forteresse médiévale, fut décidée la construction d'une nouvelle cathédrale. Gothique, à l'unique nef épaulée de chapelles latérales au XVIIe s., elle fut munie d'une nouvelle façade en 1776. Au XIXe s., la ville se développa à nouveau dans la plaine au point qu'elle fut abandonnée en 1897 au profit de l'ancienne cathédrale de la ville basse.

▼ *En dépit de son âge, le pont romain fut le seul à résister aux crues de l'Ouvèze tout au long de l'histoire.*

On se souviendra des débordements de l'Ouvèze en sept. 1992. Des pluies diluviennes furent la cause d'une crue dévastatrice qui fit sortir la rivière bien au-delà de son lit, emportant 37 vies et détruisant 150 maisons. Seul le vieux pont romain résista.

▲ *La ville haute de Vaison-la-Romaine, aujourd'hui essentiellement résidentielle.*

■ Le château

Au sommet de la colline. Accès piéton depuis le chemin qui longe l'église, au milieu des ruines d'anciennes maisons • le château est fermé, mais le site est en libre accès.

Offrant un très beau **point de vue★★** sur la ville et le massif du Ventoux, ce château fort qui surplombe la falaise a été bâti à la fin du XIIe s. par les comtes de Toulouse. Il fut renforcé au XVe s. ; seuls quelques éléments fortifiés subsistent aujourd'hui.

Environs de Vaison

■ Puyméras

À 5 km N.-E. de Vaison par la D 938 et la D 71.
En face de la colline où se dressent les ruines du château détruit sous la Révolution, le village est perché sur une butte que domine un petit beffroi carré. Avec son platane, sa fontaine aux « canons » de bronze agrémentés de masques de lions et son lavoir, la petite place principale possède un charme discret incontestable.

• L'**église paroissiale Saint-Michel-Saint-Barthélemy** *(en haut du village)*, édifiée au XIIe s., a subi de nombreux dommages au XVIe s. pendant les guerres de Religion. Réhabilitée aux XVIIe et XVIIIe s., elle fut munie d'un clocher-mur à trois cloches en 1743.

■ Entrechaux★

À 6 km S.-E. de Vaison par la D 938 et la D 54.
Aménagé contre un piton rocheux sur lequel s'appuient les maisons, le village est dominé par les ruines d'un **château** féodal qui appartenait aux évêques de Vaison-la-Romaine. Des restes de l'église Saint-Laurent du XIIe s. sont visibles à ses pieds *(accès à la plate-forme par la montée du Château ; le château ne se visite pas, mais on peut le contourner pour voir la petite église).*

• La **chapelle Notre-Dame-de-Nazareth** *(au N.-E. du village, accès par la D 13 direction Mollans, puis rapidement à dr. par un chemin fléché)*, modeste édifice roman du XIIe s. implanté au sommet d'une petite colline, présente une nef unique d'une seule travée voûtée en plein cintre se terminant par une abside en cul-de-four. L'archivolte de son portail, abrité par un porche, s'appuie sur deux colonnes aux chapiteaux corinthiens inspirés de l'art antique. À noter sur le linteau une tête de bovidé dont le sens reste à éclaircir.

Bonne adresse

🏠 ✕ ***Domaine Le Puy du Maupas***, route de Nyons, Puyméras ☎ 04 90 46 47 43 ; www.puy-du-maupas.com Au cœur du domaine viticole, 5 chambres confortables vous attendent, avec un grand jardin et la belle piscine. Dégustation de vins t.l.j. en semaine au cours des visites, d'avr. à mi-oct., le jeu. à 18 h ou sur réservation

Les dentelles de Montmirail★★★

Culminant au mont Saint-Amand (734 m), ce massif au relief tourmenté s'étire sur environ 12 km de long pour 9 km de large et présente des crêtes calcaires ciselées par l'érosion, les fameuses «dentelles», formidable terrain de jeu pour les amateurs d'escalade. Les randonneurs ne seront pas en reste avec les nombreux sentiers parcourant le massif. D'autres préféreront découvrir les charmants villages alentour qui veillent sur des vignobles fameux, des oliveraies et des vergers de cerisiers et d'abricotiers.

Circuit de 60 km environ au départ de Vaison-la-Romaine • compter 1 journée entière.

Voir carte régionale p. 120

Les dentelles de Montmirail s'étendent à l'E. d'Orange et au S. de Vaison-la-Romaine.

À ne pas manquer

■ Séguret★★

À 9 km S.-O. de Vaison par la D 977 et la D 88 ❶ dans la Maison du Terroir (agence postale) ☎ 04 90 67 32 64 ; ouv. de mi-mai à mi-oct. 9 h-12 h et 14 h 30-17 h 30.

Le village, l'un des plus beaux de Provence, doit son nom (qui signifie «lieu sûr») à sa situation. Il s'adosse en gradins contre les pentes d'une colline qui fait face à la plaine du Comtat Venaissin. Son cadre naturel, ses rues «caladées», le charme discret de ses maisons donnent à Séguret des allures de crèche provençale. Sensibles à la beauté des lieux, les artistes en ont fait «leur» village. Le donjon et les ruines du château continuent de rappeler la présence des comtes de Toulouse au Moyen Âge.

• On entre dans le village au N. par la **porte Reynier**, du XIIᵉ s., au sommet de laquelle passait autrefois le chemin de ronde des remparts. Une rue «caladée» mène à la **place des Mascarons** qui tire son nom d'une belle fontaine du XVIIᵉ s. et du lavoir couvert qu'elle alimente. À côté se dresse le beffroi du XIVᵉ s. coiffé d'un campanile.

• Depuis cette place, la rue principale se partage en deux. La branche dr. conduit au portail médiéval qui constituait l'autre entrée du village. La branche g. grimpe jusqu'à l'**église Saint-Denis**, romane à l'origine, mais aujourd'hui d'une complexité architecturale certaine après les modifications successives. Elle occupe le point le plus haut du village et, de son terre-plein, on bénéficie d'un beau **panorama★★** sur les vignobles de la vallée du Rhône.

◎ Manifestations

À Séguret
• En août, fête d'Hûe Vin : balades en calèche dans les vignes, dégustations, spectacles équestres, ban des vendanges.
• En juil. et en août, Musique dans les vignes (→ p. 96).
• Pour Noël : crèche grandeur nature avec des personnages vivants. S'ensuit une messe de minuit dite en provençal.

Ce sont les comtes de Toulouse qui ont développé le vignoble de Séguret à partir du XIIᵉ s. Ses vins rouges, rosés et blancs sont aujourd'hui classés en appellation «côtes-du-rhône-villages»; comme ceux du village voisin de Sablet. Dans la boutique Point info, dégustation et vente aux mêmes prix que dans les domaines.

Manifestations

À Sablet
• Juil., Journées du livre :
une centaine d'écrivains y
participent.

À Gigondas
• 1re quinzaine d'août, festival
des Soirées lyriques.

D'une superficie de 1 250 ha,
le terroir de Gigondas produit
essentiellement des vins rouges
puissants et charpentés. Depuis
1971, ces vins sont passés de
l'appellation « côtes-du-rhône-
villages » à l'appellation locale
« gigondas », atteignant ainsi
le sommet de la hiérarchie des
classifications.

Bonne adresse

🏠 ✕ **La Bastide Bleue**,
route de Sablet, à 500 m de
l'entrée dans Séguret ☎ 04 90
46 83 43. Dans une grande
maison entourée d'un jardin
au milieu des vignes, chambres
à la décoration soignée. Cuisine
du terroir servie en salle ou en
terrasse en saison.

■ Sablet★

À 2 km S.-O. de Séguret par la D 23 ❶ *rue du Levant*
☎ *04 90 46 82 46.*

Entourant le vieux village, installé sur une éminence,
quelques vestiges des remparts médiévaux, construits
en galets de l'Ouvèze, sont encore visibles. Sablet
développe ses rues concentriques autour de son église
paroissiale des XIIe et XIVe s.

■ Gigondas★

À 4 km S. de Sablet par la D 7 ❶ *pl. du Portail* ☎ *04 90 65
85 46 ; www.gigondas-dm.fr*

Gigondas relevait autrefois de la principauté d'Orange
et constituait une sorte d'enclave à l'intérieur du Comtat
Venaissin. Ce joli bourg est connu pour ses vins. Le nom
romain traduisait-il les effets d'une consommation exces-
sive du breuvage ? Car « Gigondas » vient de *jocunditas*, qui
signifie « joie et allégresse »…

• Après avoir servi d'hospice au XVIIIe s., puis d'école au
XIXe s., les **vestiges des remparts** et les salles de l'**ancien
château** du XIIIe s. exposent, depuis 1994, des sculptures
contemporaines renouvelées chaque année *(à l'extérieur,
le cheminement des sculptures est en accès libre toute l'année •
salles ouv. durant les expositions • entrée libre • rens. à la mairie
☎ 04 90 65 86 90).*

• L'**église Sainte-Catherine**★, rebâtie au début du XVIIIe s.
à l'emplacement d'un édifice médiéval ruiné au XVIe s.,
présente une curieuse toiture faite d'un ensemble de
pans triangulaires. Sa façade, surmontée d'un clocher-
mur, est encadrée de deux piliers dont l'un arbore un
cadran solaire et l'autre, tourné vers le village, une
horloge. Depuis le terre-plein, la **vue** porte jusqu'aux
Cévennes.

• De Gigondas, la D 229 rejoint **les Florets**. De là part
une piste qui atteint le **col du Cayron**★★★ (à 400 m
d'alt.), au cœur du massif des Dentelles, d'où la vue
est superbe.

De la vigne à la table

En Provence et dans la basse vallée du Rhône, une fois le raisin cueilli et foulé, la vinification
s'opérait dans les *dolia*, grandes cuves en terre cuite enterrées aux deux tiers, d'une capacité de
plusieurs centaines de litres. Si, pendant longtemps, amphores, outres et tonneaux furent utilisés
de manière complémentaire pour le transport du vin, l'amphore disparut presque totalement
en Gaule pendant le IVe s. apr. J.-C. Pour la consommation, les habitudes antiques différaient
totalement de nos habitudes modernes : l'eau était mélangée au vin dans la proportion de
deux ou trois mesures d'eau pour une de vin, l'ensemble se buvant chaud ou froid. On pouvait
d'ailleurs se procurer du vin et de l'eau chaude au *thermopilium*, ancêtre de notre bistrot, dont
les comptoirs étaient munis de cuves chauffantes.

■ Vacqueyras*

À 4 km S. de Gigondas par la D 7 ❶ *85, route de Carpentras* ☎ *04 90 62 87 30 ; www. vacqueyras.tm.fr*

Au XIVᵉ s., des remparts entouraient ce charmant petit bourg aux rues concentriques comme à Sablet, installé sur une éminence dominant un autre vignoble réputé. Deux **portes fortifiées médiévales** y donnent encore accès : l'une d'elles a été transformée en tour d'horloge dont le sommet est coiffé d'un campanile en fer forgé. Comme Gigondas, Vacqueyas produit aujourd'hui l'un des plus grands vins issus du vaste terroir des côtes-du-rhône.

• L'**église Saint-Barthélemy**★, lorsqu'elle fut construite au XIIᵉ s., se composait aussi d'une tour qui supportait le clocher. À la fin du XVIIᵉ s., le seigneur donna à la paroisse la chapelle des Pénitents. Une nef parallèle aux remparts fut bâtie pour relier les deux édifices qui étaient très proches l'un de l'autre, créant ainsi un nouveau bâtiment : on intégra la vieille église romane dans l'entrée (son abside est encore bien visible à dr. et son clocher à g.), tandis que la chapelle des Pénitents devenait le chœur. Deux bas-côtés vinrent s'ajouter dans les années 1830-1840.

• À côté de l'église, le **portail Neuf**, ou portail de l'église, résulte de l'agrandissement, en 1761, d'une ouverture ancienne que l'on avait jugée trop étroite.

• Le **château** d'origine médiévale a été considérablement remanié au XVIᵉ s. d'abord, puis au XVIIIᵉ s. (un peu) et au XIXᵉ s. (beaucoup) car la Révolution l'avait dévasté. Il demeura pendant cinq siècles entre les mains de la même famille (les Vassadel-Lauris Castellane) qui s'en sépara en 1838.

■ Notre-Dame-d'Aubune*

À 3 km S.-E. de Vacqueyras par la D 7.

Édifiée à flanc de coteau, au pied d'une falaise, cette chapelle constitue un très bel exemple d'architecture romane. Elle a été construite au XIIᵉ s. en deux temps : d'abord la nef, le transept, l'abside et ses deux absidioles, puis le clocher. Ce dernier est orné sur chaque face de pilastres cannelés au décor antiquisant et des quatre baies dont les ouvertures retombent sur de petits chapiteaux et des colonnettes, elles aussi cannelées.

• Sur le **plateau des Courens**★, au-dessus de la chapelle, près de l'emplacement d'un ancien oppidum celte

▲ *Vignobles en contrebas des dentelles de Montmirail.*

Issu d'un vignoble occupant un peu plus de 1 300 ha, le vacqueyras se décline en rouge, rosé ou blanc. Au départ du village, les vignerons de Vacqueyras proposent un joli parcours (3 h) dans les vignobles.

Bonnes adresses

■ *La Farigoule*, à Violès, 5,5 km E. de Gigondas ☎ 04 90 70 91 78 ; www.masdelasoie. com Quatre chambres d'hôtes confortables dans une jolie maison cachée par la verdure.

Caveau du Gigondas, pl. Gabrielle-Andéol, Gigondas ☎ 04 90 65 82 29. Géré par le syndicat des vignerons de Gigondas, il présente à la dégustation et à la vente deux ou trois vins de chaque producteur, en AOC «gigondas» uniquement.

◎ **Manifestations**

À Beaumes-de-Venise
• 1er dim. d'avr., foire aux Fleurs.
• 2e sam. d'août, bodega
du Muscat.
• 1er week-end de déc., marché
des producteurs de vin.

La Cave des vignerons, *Balma
Venitia*, à Beaumes-de-Venise
(dir. Vacqueyras, fléché)
organise des randonnées
pédestres dans les vignobles,
en 4 x 4 ou en quad, toute
l'année, ainsi que des
manifestations. Rens. au
☎ 04 90 12 41 15;
http://vbv.rhonea.fr

Les eaux de Montmirail

À l'E. de Vacqueyras (accès par la D 233)
se trouve l'ancienne station thermale de
Montmirail, fondée en 1875, qui connut
ses heures de gloire à la fin du XIXe s.
C'était la plus importante de Provence.
On s'y rendait pour profiter de ses eaux
sulfureuses exploitées dès le XVIIIe s. et des
eaux «vertes» (eaux salines purgatives).
Les quelque 1 000 curistes qui venaient
là chaque année ont compté parmi eux
des célébrités, tels Stendhal, Frédéric
Mistral ou Sarah Bernhardt. Autour de
l'établissement de bains furent ouverts un
hôtel et un casino. L'ensemble fonctionna
jusqu'en 1939. Seul subsiste l'hôtel qui
n'est ouvert qu'en saison.

Bonne adresse

⚒ *Moulin à huile La
Balméenne*, av. Jules-Ferry,
Beaumes-de-Venise ☎ 04 90
62 93 77; www.labalmeenne.fr
Ouv. du lun. au sam. ; dim. de
Pâques à sept. Exposition sur
l'olivier et vidéo sur la fabrication de l'huile. À la boutique,
vente d'huiles d'olive de qualité
et de produits du terroir.

abandonné à l'époque gallo-romaine, mais occupé
à nouveau pour des raisons de sécurité, on édifia la
chapelle Saint-Hilaire. Reconstruite au XIIe s., elle est
aujourd'hui en ruine.

■ Beaumes-de-Venise★

*À 4 km S.-E. de Vacqueyras par la D 7 et la D 81 (à 1 km E. de
Notre-Dame-d'Aubune)* ➊ *maison des Dentelles, 122, pl. du Marché*
☎ *04 90 62 94 39; www.ot-beaumesdevenise.com*

Le nom du bourg vient des «baumes», ces grottes creusées dans un grès tendre et sablonneux, occupées par des
habitations troglodytes, et d'un diminutif de «venaissin»
dont l'homonymie avec la célèbre ville italienne n'est
qu'un hasard. Le village s'est implanté sur un contrefort
dominant la plaine du Comtat où l'on peut encore voir
les restes du château féodal dit «des Barons» et des
remparts du XIIIe s. Le vignoble en terrasses développé
alentour produit un célèbre muscat *(→ page suivante)*.

• L'**église Saint-Nazaire** *(ouv. en journée)*, imposante
construction bâtie hors les murs mais contre le rempart,
conserve une chasuble et une étole, ainsi
qu'un voile de calice, offerts par la reine
Anne d'Autriche, mère de Louis XIV.
L'**ensemble**★ *(exposé derrière une vitrine)* est
brodé de fils d'or et de couleur sur un tissu
de soie blanche.

■ Lafare★

À 4 km N.-E. de Beaumes-de-Venise par la D 90.

Le village actuel s'est constitué sur une
pente légère près du ruisseau de la Salette,
après l'abandon du site de Saint-Christophe
qui a conservé sa chapelle romane.

• La direction «Dentelles de Montmirail»
permet d'accéder à la chapelle *(emprunter
un sentier ensuite)*. Cette route goudronnée
se termine au domaine de Cassan. De là
comptez 1 h à pied pour atteindre le **col
du Cayron**★★★ *(à 400 m d'alt.)*, au cœur
du massif des Dentelles, d'où la vue est
superbe.

■ La Roque-Alric★

À 3 km E. de Lafare par la D 90 A.

Les maisons du village sont adossées aux flancs d'un
éperon rocheux★ dont la partie supérieure semble les
menacer. L'église elle-même prend appui contre le rocher
qui lui sert de mur sur un côté. Depuis son terre-plein,
très belle **vue**★ sur les environs.

À 4 km E. de La Roque-Alric se trouve le beau village du Barroux
(→ p. 139). ▶▶▶

▲ *Tonneaux de muscat dans la cave des vignerons de Beaumes-de-Venise.*

Un vin à la robe d'or

Les amateurs de vins doux naturels «craquent» pour le très célèbre muscat de Beaumes-de-Venise. Le Beaumes-de-Venise rouge fait l'objet depuis quelques années d'un véritable engouement. Tous deux sont issus du terroir des dentelles de Montmirail, «site remarquable du goût» pour son Muscat.

Le vignoble possède trois appellations d'origine : l'AOC Vin doux naturel Muscat de Beaumes-de-Venise, l'AOC Beaumes-de-Venise rouge et l'AOC Côte du Rhône. Le vignoble du Muscat, classé AOC depuis 1943, s'étend sur environ 500 ha ; son terroir est exceptionnel. C'est un vin blanc doux naturel qui provient exclusivement de la fermentation partielle de muscat à petits grains blancs et noirs. La fermentation est menée lentement, à basse température, afin de préserver les arômes ; quand la teneur en sucre s'est abaissée (un minimum de 110 g/l), on procède à l'addition d'alcool neutre (5 à 10 % du volume) qui bloque la fermentation en tuant les levures. Ainsi ces vins titrent-ils entre 15° et 18° d'alcool acquis et au minimum 21,5° d'alcool total. Les vignes dont ils sont issus doivent afficher plus de quatre ans d'âge et être taillées «court». Il se déguste en apéritif ou en accompagnement d'un foie gras ou d'un dessert.

Les rouges de Beaumes-de-Venise ont rejoint, en 2005, la grande famille des Crus des Côtes du Rhône avec la création de l'AOC Beaumes-de-Venise. Depuis, la réputation des rouges n'a fait que s'accroître. Issu du grenache noir à 50 % et d'autres cépages complémentaires, le vignoble s'étend sur 600 ha pour un rendement autorisé de 38 hl/ha. Ces vins fruités accompagnent à merveille les plats en sauce, les viandes grillées.

Le vignoble de l'AOC Côtes-du-Rhône, obtenue en 1956, occupe à peine 150 ha, mais son terroir est très productif. Il se décline en rouge, blanc et rosé. Le Côte du Rhône rouge s'associe parfaitement à la charcuterie ; le rosé, à la cuisine épicée ; le blanc à la tapenade et aux fruits de mer.

Randonnées

Le GR du pays de Montmirail permet d'effectuer le tour des Dentelles via Vaison-la-Romaine, Séguret, Gigondas, Beaumes-de-Venise, Le Barroux et Crestet. L'office de tourisme de Beaumes-de-Venise (→ p. 130) propose à la vente un guide présentant 13 circuits pédestres et des fiches VTT pour partir à la découverte des dentelles de Montmirail.

Bonne adresse

Nougat Tolleron, chemin des Condamines, Crestet ☎ 04 90 35 14 10. Ouv. du lun. au sam. Yves Tolleron fabrique de délicieux nougats aux parfums originaux, vendus à la coupe, des chocolats, des pâtes de fruits et des glaces maison.

■ Suzette⋆

À 3,5 km N. de Lafare par la D 90.
Édifié sur une butte bordée de vignobles et de vergers, le bourg est réputé pour sa production d'abricots. Un **panorama⋆⋆** à 360° permet de bénéficier par temps clair d'une large vue sur le Ventoux, les Baronnies, les Alpilles et les Cévennes (au-delà de la vallée du Rhône), mais surtout sur les dentelles de Montmirail dont on remarque particulièrement bien ici le profil acéré.

• Le village a conservé sa vieille **église paroissiale,** petite construction romane se terminant par une abside et deux absidioles en cul-de-four. Une chapelle au N. est venue l'agrandir plus tard.

■ Malaucène⋆→ *p. 134.*

■ Crestet⋆⋆

À 18 km N. de Suzette via Malaucène par la D 90 et la D 938.
Appuyé sur les contreforts du massif des Dentelles, ce beau village domine l'Ouvèze, face au Ventoux. Il était autrefois entouré de remparts, comme le rappellent la porte Notre-Dame (près de l'église) et la porte de Salles (en haut). De son passé médiéval, il a gardé la configuration, tant en plan qu'en volume.

• Son **château⋆** *(f. au public)* servit de refuge aux évêques de Vaison-la-Romaine lors du conflit qui les opposa aux comtes de Toulouse aux XIIᵉ et XIIIᵉ s. Son esplanade offre une large **vue⋆** sur les Baronnies et le Ventoux.

• L'**église Saint-Sauveur⋆** *(ouv. en journée mais, au-delà de l'entrée, l'accès à la nef est protégé par une grille),* en partie aménagée dans le rocher, offre un mélange de roman et de gothique avec une pointe de XIXᵉ s. Sa nef unique voûtée d'ogives se termine par un chevet plat.

Vaison-la-Romaine (→ p. 121) se trouve à 4 km N. de Crestet par la D 938.

▶ *Crestet, appuyé à sa colline, est l'un des plus charmants villages des Dentelles.*

Le mont Ventoux★★★

e «géant de Provence» culmine à 1 912 m
d'altitude et se couvre souvent en hiver d'un
épais manteau de neige qui, bien qu'irrégulier,
a permis l'aménagement de deux – petites –
stations de sports d'hiver en pleine Provence.
Mais là n'est pas son seul attrait. La diversité du
climat sur le mont Ventoux a entraîné le développement d'une flore d'une variété exceptionnelle, ce qui lui a valu d'être classé par l'Unesco
«réserve de la biosphère». On pourra découvrir
ces paysages lors de belles balades à pied ou par
une route bien connue des cyclistes. Elle conduit
jusqu'au sommet où la vue s'étend, quand le
temps s'y prête, jusqu'à Marseille.

Voir carte régionale p. 120

Vaison- *Mont Ventoux*
la-Romaine Sisteron
Avignon Carpentras
Apt
Arles

Le mont Ventoux se trouve
au S.-E. de Vaison-la-Romaine.

À ne pas manquer

Le sommet du mont
Ventoux★★★   135
Les «demoiselles coiffées»★★
près de Bédoin   136

Fleurs du Groenland en Vaucluse

La diversité de la végétation est l'un des charmes du
Ventoux. La flore méditerranéenne au pied du massif,
plus présente sur le versant S., est remplacée, à partir
de 650 m, par le chêne, le hêtre, le cèdre, le
pin sylvestre, le pin noir, le pin à crochets,
le mélèze. Au-delà de 1 600 m commence
l'univers de la pierre, qui forme une calotte
dénudée recélant également une flore très
riche. Outre les genévriers, des milliers de
plantes y fleurissent en été, dont certaines
variétés extrêmement rares en montagne. On
rencontre ainsi le panicaut ou chardon bleu,
le lys martagon aux fleurs rouges étagées et
le pavot des Alpes ou du Groenland, sorte
de coquelicot jaune. Parmi la flore d'éboulis,
on peut citer la linaire alpine aux fleurs
bleu et orange en grappes, la campanule
alpestre à fleur bleue en calice, la violette du
mont Cenis ou encore la saxifrage à feuilles
opposées, qui présente des pétales violacés.
Sur les versants, on observe la crépine naine
à fleur jaune et violacée, la gentiane jaune
aux racines à la saveur amère, et l'ononis du
mont Cenis, plante rampante à fleur rose.

▼ *Le lys martagon apprécie
les pentes caillouteuses
du mont Ventoux.*

*Itinéraire de 60 km environ de Malaucène au Barroux •
compter 1 journée.*

Manifestation

À Malaucène
Marché: mer. matin.

Bonnes adresses

🏠 *Le Domaine des Tilleuls*, route du Mont-Ventoux, Malaucène ☎ 04 90 65 22 31; www.hotel-domaine destilleuls.com Cet hôtel agréable, avec parc arboré, piscine et parking privé, offre des chambres confortables. Une boutique y propose des objets de décoration ainsi que des petits meubles.

✗ *L'Avenir*, 37, cours des Isnards, Malaucène ☎ 04 90 65 11 37. Pour profiter d'une honnête cuisine de terroir. Tables en terrasse en saison.

✗ *La Chevalerie*, pl. de l'Église, Malaucène ☎ 04 90 65 11 19; f. lun., jeu. midi et dim. soir. Des plats inventifs à base de produits régionaux du marché. Service dans le jardin en saison.

Randonnées

• Les deux grands axes de randonnée que sont les GR 4 et GR 91 (avec ses variantes 91a et 91b) sillonnent les pentes du mont Ventoux. Pour effectuer le tour complet du massif, compter 4 à 6 jours. Il existe cependant bien d'autres circuits et chemins, plus modestes en distance, pour découvrir le massif.
• L'office de tourisme de Malaucène organise les vendredi soir en été des ascensions nocturnes du mont Ventoux pour bons marcheurs: 24 km par le GR 4 au départ du Plan, bivouac à la belle étoile, lever du soleil sur le mont Ventoux. Réservation impérative.

■ Malaucène*

Malaucène est à 17,5 km N.-E. de Carpentras par la D 938 et à 9,5 km S.-E. de Vaison-la-Romaine par la D 938 ❶ *3, pl. de la Mairie* ☎ *04 90 65 22 59.*

Cette petite ville tire son nom de la molasse marine, une pierre gris jaune, sur laquelle elle est bâtie. L'abondante source du Groseau alimentait ses fontaines et ses lavoirs, mais aussi des moulins à papier, préludant ainsi au développement de l'industrie papetière du XIXe s. Avec son cours ombragé de platanes et les ruelles sinueuses de son centre ancien, Malaucène est propice à une agréable promenade dans une atmosphère bien provençale. Le bourg est aussi réputé pour ses cerises des variétés burlat, blanche, ou cœur-de-pigeon.

• La construction de l'**église Saint-Michel**★★ a souvent été attribuée au pape Clément V (pape de 1305 à 1314). Quoi qu'il en soit, c'est effectivement de la 1re moitié du XIVe s. que datent le clocher, la façade O. et les quatre travées adjacentes, dans un style encore très redevable au roman. Le chœur et sa travée la plus proche sont l'œuvre de l'architecte avignonnais Pierre Mignard, fils du peintre Nicolas. Ces travaux, qui s'étalèrent de 1703 à 1714, affectèrent également les chapelles. L'aspect de forteresse qu'offre l'église vue de l'extérieur vient de ce qu'elle faisait partie autrefois du système de défense de la ville.

• La **porte Soubeyran** (qui signifie «supérieure» en occitan), près de l'église, s'ouvrait vers Carpentras, capitale de Comtat. Elle fut refaite en 1725.

• Le **beffroi**, aménagé en 1539, fut utilisé comme poste de guet pendant les guerres de Religion. Il a été rehaussé et surmonté d'un campanile en 1761.

• Au-dessus du lavoir, en suivant le panneau marqué «Site panoramique», on accède par une rue «caladée» ponctuée de beaux cyprès à la **butte du Calvaire**, qui occupe l'emplacement de l'ancien château rasé au XIXe s. Les trois croix (sans statues) rappellent celles du Christ et des deux larrons. Belle **vue**★★ sur les Baronnies et le massif du Ventoux.

■ Beaumont-du-Ventoux*

À 4 km E. de Malaucène par la D 153.

Le village n'a pas d'habitat groupé: huit hameaux se répartissent le long de la D 153 dans une petite vallée fermée longue d'une dizaine de kilomètres. Certains ont conservé leur **chapelle** d'origine romane mais remaniée par la suite. Voir la chapelle du Saint-Sépulcre *(accès par un escalier depuis la route)*, à la sortie du hameau des Valettes; la chapelle Sainte-Marguerite *(bien visible)*, dans le hameau du même nom; la chapelle Saint-Sidoine, au-dessus du hameau des Alazards, dans un très beau **site**★★ *(suivre* *le GR 4 à l'extrémité du hameau • compter au moins 1 h 30 aller-retour pour un parcours de 3 km au total • attention à la pente du sentier, très raide par endroits).*

De retour à Malaucène, prendre la D 974 en direction du sommet du mont Ventoux.

■ Notre-Dame-du-Groseau★

À 1 km S.-E. de Malaucène par la D 974 • visites avec la Communauté d'agglomération Ventoux-Comtat Venaissin (COVE) ☎ 04 90 67 10 13 ; www.lacove.fr

Un évêque de Vaison-la-Romaine est à l'origine de la fondation du monastère du Groseau à la fin du VIIe s. Ruiné lors des invasions sarrasines du VIIIe s., l'établissement fut relevé au XIe s. et donné à l'abbaye Saint-Victor de Marseille. Le pape Clément V y séjourna souvent. Après le passage sous le régime de la commende (→ p. 212) au XVIe s., il périclita et fut récupéré en 1598 par le chapitre de la cathédrale Notre-Dame-des-Doms d'Avignon. L'ensemble fut arasé sous la Révolution. Il n'en reste que les deux chapelles : la **chapelle Saint-Jean-Baptiste** (la plus petite à dr.), des XIe-XIIe s., et la **chapelle Notre-Dame**, qui semble plus tardive (XIIe-XIIIe s.). Le clocheton qui surmonte l'ensemble est curieusement décentré.

• On gagne la **source du Groseau** en continuant un court instant sur la D 974. Résurgence du type de celle de Fontaine-de-Vaucluse (→ p. 202), ses eaux, dont la température reste constamment à 10 °C, sont recueillies dans un vaste bassin. La D 974 gravit ensuite le versant N. de la montagne jusqu'au mont **Serein** (1 428 m), sur lequel a été aménagée une station de ski.

■ Le sommet du mont Ventoux★★★

À 19 km E. de Notre-Dame-du-Groseau par la D 974.

Le sommet du Ventoux connaît des conditions climatiques extrêmes : enveloppé 100 jours par an dans la brume, il peut être balayé en hiver par des vents atteignant plus de 200 km/h. La température peut alors descendre à – 27 °C. Par temps clair, la vue est magnifique. C'est au lever ou au coucher du soleil qu'elle est la plus étendue, allant parfois du mont Blanc au Canigou, plus souvent de l'Oisans à la Méditerranée. La nuit, on perçoit particulièrement bien l'éclat des phares de Marseille jusqu'à Sète. Un observatoire, créé en 1882, regroupant aujourd'hui une station météorologique, une station radar de l'armée de l'air et un relais hertzien, occupe désormais le sommet, non loin de la chapelle Sainte-Croix.

• La route descend ensuite vers le **col des Tempêtes**, qui offre une superbe vue sur la vallée du Toulourenc (→ p. 116).

Randonnées

Au départ de la bergerie de l'Avocat, à Beaumont-du-Ventoux, ou depuis le parking du mont Serein, deux sentiers de découverte en boucle de 1 h et de 2 h 30 suivent les traces de Jean-Henri Fabre (→ p. 95), le célèbre entomologiste qui s'était passionné pour ce milieu naturel si riche. Les parcours sont balisés par des panneaux didactiques sur la faune et la flore du Ventoux.

À la station de ski du mont Serein, on trouve un hôtel, des restaurants, un gîte d'étape et des skis en location ☎ 04 90 63 42 02 ; www. stationdumontserein.com

▼ *Le sommet du mont Ventoux, avec l'aiguille du relais hertzien, domine la majeure partie de la Provence. Par temps clair, la vue peut porter des Alpes jusqu'aux Pyrénées.*

À l'assaut du Ventoux

Le Ventoux occupe une place de choix dans le cœur et les jambes des cyclistes. Si la 1re compétition officielle eut lieu, en 1908, à l'initiative de deux habitants de Carpentras, ce n'est qu'en 1951 que les organisateurs du Tour de France inscrivirent pour la 1re fois la montagne au programme de la Grande Boucle. Par sa configuration, le Ventoux constitue un défi redoutable pour les coureurs. Aux pentes très raides (plus de 15 %) souvent balayées par les vents s'ajoutent les 21 km goudronnés de l'ascension qui se terminent par un parcours de plus de 6 km au milieu de la pierraille blanche, que le soleil de juillet transforme en véritables braises...

Quant à la 1re course automobile sur le mont, elle eut lieu en 1902 et fut gagnée par une Panhard-Levassor qui atteignit le sommet en 27 mn, à la moyenne de 45 km/h.

Au sommet du Ventoux, un vaste panorama force l'admiration : « Voici les Alpes elles-mêmes [...], sur la droite les monts du Lyonnais ; sur la gauche, Marseille, Aigues-Mortes [...] ; sous les yeux, le Rhône. » Ainsi Pétrarque parla-t-il du mont Ventoux après l'ascension qu'il réalisa avec son frère en avril 1336, au départ de Malaucène.

■ Le chalet Reynard

À 6,5 km S.-E. du mont Ventoux par la D 974.

En 1926 fut construit le chalet Reynard à partir duquel s'est développée la (très) petite station de ski familiale existant aujourd'hui, à 1 419 m d'alt. Le ski avait vu le jour sur les pentes du Ventoux en 1923, sous l'impulsion du président du syndicat d'initiative de Carpentras, malgré le scepticisme local.

Du chalet Reynard, la D 164 rejoint au S.-E. Sault (→ p. 215). On peut sinon poursuivre au S. sur la D 974 qui traverse la région des jas, bergeries en pierres sèches et toits de lauzes, puis la forêt de Bédoin.

• Les **« demoiselles coiffées »**** *(accès depuis la D 974 entre le hameau des Baux et Bédoin)*, encore appelées « cheminées de fées », affectent la forme d'une colonne protégée de l'érosion par un bloc imperméable situé à son sommet et qui semble posé là en équilibre.

• La **chapelle Notre-Dame-du-Moustier*** *(juste avant Bédoin)*, fondation probable, du début du XIe s., due aux bénédictins de Montmajour, semble avoir été agrandie au milieu du XIIe s. Selon la tradition, l'épidémie de choléra qui décimait la Provence en 1837 cessa après que les habitants de Bedoin se furent réfugiés dans la chapelle.

■ Bédoin*

À 15,5 km S.-O. du chalet Reynard par la D 974 ❶ *1, route de Malaucène, pl. du Marché* ☎ *04 90 65 63 95 ; www.bedoin.org*

Le bourg est bâti contre une butte au pied du versant S. du Ventoux. C'est une étape de choix pour les cyclistes qui désirent partir à l'assaut du « géant de Provence ».

• L'**église*** paroissiale, édifiée entre 1708 et 1736, ne fut consacrée qu'en 1760. Un incendie volontaire la ravagea en 1794, puis la voûte de la nef s'effondra. Seuls subsistèrent le chœur et la façade. Au début du XIXe s., la voûte fut refaite en briques et plâtre. Sa façade reprend la formule prisée aux XVIIe et XVIIIe s. pour les édifices

Bonne adresse

🏠 ✕ *L'Escapade*, 83, rue du Marché-aux-Raisins, Bédoin ☎ 04 90 65 60 21 ; www. lescapade.eu ; f. de mi-nov. à mi-mars. Chambres confortables à la décoration soignée. Cuisine du terroir traditionnelle à base de produits frais.

religieux: séparés par une corniche, les deux niveaux sont reliés par des volutes, l'élan vertical étant conféré par des pilastres sur les côtés et des frontons au centre.

• La **chapelle Sainte-Madeleine** (*à 3 km O. de Bédoin par la D 19 en direction de Malaucène • propriété privée*) est une petite mais puissante construction romane qui se signale par ses absides et absidioles couvertes de lauzes et par son clocher.

Depuis Bédoin, poursuivre sur la D 138 vers Crillon-le-Brave.

■ Crillon-le-Brave**

À 4 km O. de Bédoin par la D 138.
Connu pour ses carrières, ce beau village aujourd'hui réhabilité s'étire sur une crête qui regarde à la fois vers la plaine de Comtat Venaissin et vers le mont Ventoux. Au XVIᵉ s., son seigneur était Louis de Balbe-Berton, seigneur de Crillon qui s'illustra par son courage au combat et dont Henri IV disait qu'il était «le plus grand capitaine du monde». Né à Murs en 1541, il décéda à Avignon en 1615.

• La haute **statue** de bronze du «brave Crillon» domine la place de la mairie. À l'origine, elle fut inaugurée en 1858 pl. de l'Horloge, à Avignon, puis transférée devant le palais des Papes en 1891. Après avoir été entreposée dans la cour du Petit-Palais, elle a été cédée par Avignon au village de Crillon en 1980.

• L'**église Saint-Romain** est implantée au sommet du village. D'origine romane, modifiée au XVᵉ s., elle fut en grande partie refaite et agrandie en 1844. Sa nef est couverte d'un berceau, tandis que les chapelles latérales possèdent des voûtes d'arêtes. Beaux **points de vue**** sur Caromb et la plaine du Comtat depuis le terre-plein devant l'église, ainsi que sur le Ventoux et ses contreforts depuis son chevet.

Randonnées
Comme à Malaucène, l'office de tourisme de Bédoin organise des ascensions nocturnes du mont Ventoux, mais sur le versant sud (le mercredi ou le vendredi soir, 24 km A/R, bivouac, lever du soleil au sommet). Réservation impérative.

Bonne adresse
Hôtel Crillon-le-Brave, pl. de l'Église, Crillon-le-Brave ☎ 04 90 65 61 61 ; www.crillonlebrave.com Superbe «Relais et châteaux», l'un des plus beaux hôtels de la région. Chambres luxueuses à la décoration provençale contemporaine. Restaurant installé dans des salles voûtées du XVIᵉ s.

◄ *Le village perché de Crillon-le-Brave.*

Bonnes adresses

🏠 *La Ferme des Bélugues*, 200, chemin de Choudeirolles (route du Paty), Le Barroux ☎ 06 50 51 95 65. Repos et détente assurés dans cette authentique ferme du XVIIIe s. restaurée à l'ancienne, au pied des dentelles de Montmirail : 5 chambres, 1 studio et une piscine pour les beaux jours.

✗ *L'Entre'potes*, 201, cours Louise-Raymond, Le Barroux ☎ 04 90 65 57 43. Des tables conviviales installées dans une ancienne grange où le chef officie presque devant vous. Cuisine provençale savoureuse au gré du marché et carte des vins généreuse.

🏠 ✗ *Les Géraniums*, Le Barroux ☎ 04 90 62 41 08 ; www.hotel-lesgeraniums.com 20 chambres confortables aux tons chaleureux, avec jolie vue sur la vallée et les bois. Cuisine inventive et service soigné.

Manifestations

À Caromb
• Marché : mar. matin.
• En juil., fête de la Figue noire.

• Le **château**★ *(f. au public)* n'occupe pas, comme à l'habitude, le point le plus haut du village, mais se situe à flanc de coteau. Sa construction a probablement été entreprise par la famille Astoaud qui posséda le village au XIVe s. La famille Balbe-Berton, seigneur des lieux à partir du milieu du XVIe s., en resta propriétaire jusqu'à la fin du XIXe s.

• La **chapelle Notre-Dame**, au pied du château, est son ancienne chapelle aménagée au XVIIIe s. En 1821, le duc de Crillon la mit à disposition de la commune pour y établir la mairie. De cette affectation, la chapelle a conservé le balcon.

• Le village fut entouré de **remparts** jusqu'au XIXe s. Avant leur démantèlement, il ne possédait que deux entrées : celle « d'en bas » (le passage voûté du château) et celle « d'en haut » (la porte Gérin, refaite au XVIIe s.).

■ Modène★

À 3,5 km S.-O. de Crillon-le-Brave par la D 138 et la D 55.
Ce petit village s'organisait autrefois, comme bien d'autres, à l'intérieur de ses remparts, dont il a conservé certains éléments.

• La belle **fontaine**★, construite hors les murs en 1784 près d'un lavoir installé là en 1750, présente, dans ses mascarons sculptés d'où l'eau jaillit des « canons », une allégorie des quatre saisons symbolisées par quatre visages. Les armes de la commune figurent sur l'obélisque au-dessus.

• La **porte**★ du village était autrefois la seule entrée. Déjà agrandie en 1674 car jugée trop basse et trop étroite pour le passage des chariots, elle fut reconstruite en 1749 (son campanile en fer forgé est plus tardif).

• L'**église** paroissiale, consacrée en 1643 à Notre-Dame-de-Liesse et Saint-Genès, a été édifiée en 1640 contre les remparts dont elle épouse la forme. Dépourvue de façade, elle s'ouvre sous la porte du village.

■ Caromb★

À 2 km N.-O. de Modène par la D 55 ❶ *44, pl. du Château* ☎ *04 90 62 36 21 ; www.officedetourisme-caromb.fr*
C'est l'essor agricole du XIXe s. qui a permis à ce bourg de maintenir son dynamisme démographique et économique : de nos jours, Caromb continue de s'illustrer dans le domaine agro-alimentaire. Mais le centre ancien a conservé une organisation héritée du Moyen Âge car, jusqu'au XVIIIe s., la ville resta contenue dans la ceinture de remparts mise en place au XIVe s. De nombreux « **soustets** »★ (passages couverts) en ponctuent encore le parcours.

• L'**église Notre-Dame-des-Grâces****, bâtie au XIVᵉ s. hors les murs, est l'une des plus grandes du Vaucluse. Sa construction fut achevée en 1333, mais elle ne fut consacrée qu'en 1420. De style roman tardif provençal, elle se compose d'une vaste nef couverte d'un berceau brisé renforcé par des doubleaux et se termine par une abside pentagonale voûtée d'ogives. Son beau clocher octogonal présente un aspect défensif certain. La coupole qui le supporte est masquée, à l'intérieur, par une voûte plus récente.

• Le **château** (*pl. du Cabaret*) fut édifié par Étienne de Vesc, conseiller puis grand chambellan des rois Louis XI, Charles VIII et Louis XII, qui devint seigneur de Caromb en 1484. Ses descendants habitèrent les lieux jusqu'en 1789, date à laquelle la dernière héritière le vendit par lots à des particuliers. Aujourd'hui, il n'en reste plus qu'une partie dont la façade a conservé quelques fenêtres à meneaux.

• Le **beffroi*** occupe la tour qui surmonte l'ancienne maison commune (elle comprenait autrefois deux corps de bâtiment). C'est en 1562 qu'on transféra ici les autorités communales. Par la suite, les habitants se plaignirent de ne pas entendre assez bien la cloche car elle se trouvait enfermée dans la tour. C'est ainsi qu'on la surmonta, en 1787, d'un très beau campanile en fer forgé destiné à porter la cloche.

▲ *Le beffroi de Caromb supporte un campanile en fer forgé très ouvragé.*

■ Le Barroux*

À 3,5 km N. de Modène par la D 13.

Implanté stratégiquement sur un piton rocheux entre la plaine de Malaucène et celle du Comtat Venaissin, Le Barroux a conservé sa configuration médiévale, dominé par un château qui appartenait aux seigneurs des Baux.

• Le **château*** (☎ 04 90 62 35 21 • *ouv. t.l.j., d'avr. à mai et en oct. 14 h-18 h ; de juin à sept. 10 h-19 h*), édifié au XVIᵉ s. à partir d'un donjon des XIIᵉ-XIIIᵉ s., se présente sous un aspect singulier qui mêle des souvenirs de forteresse (remparts, tours d'angle, chemin de ronde) à une demeure d'agrément (larges fenêtres à meneaux).

Du Barroux part la D 90 A qui mène à La Roque-Alric et Lafare (4 et 7 km O. → p. 130). On pourra aussi rejoindre rapidement Vaison-la-Romaine (16 km N. → p. 121) ou Carpentras (12 km S.-O. → p. 179).

La ferme expérimentale d'élevage de lamas ouvre ses portes pour des visites guidées sur r.-v. On peut voir une trentaine de ces camélidés des Andes, parfaitement adaptés à leur environnement, et visiter un atelier artisanal de tissages réalisés à la ferme. Route du lac du Paty, Le Barroux ☎ 04 90 65 25 46; www. leslamasdubarroux.com

Avignon
et la plaine du Comtat

Par son climat et son sol, le Comtat était destiné à l'agriculture maraîchère et fruitière. Muscat, chasselas, pommes, fraises, asperges, tomates, melons, etc., c'est ici que naissent la plupart des fruits et légumes qui colorent les étals des marchés. Ils plongent leurs racines dans une argile grasse irriguée par les multiples bras de la Sorgue et par de nombreux canaux, et se gorgent de soleil au pied de rideaux d'arbres. Car, si le mistral assèche la boue pour assainir le sol et pousse les nuages vers la mer en dégageant le ciel, il est cependant nécessaire de lutter contre ce vent du nord-ouest et d'en protéger les cultures, grâce à des plantations de cyprès et de peupliers qui donnent au paysage son aspect bocager et marqueté. La plaine du Comtat, qui fut propriété pontificale jusqu'à la Révolution, mérite mieux que jamais son surnom de «Jardin de la France». Un jardin qui sert d'écrin à une étincelante cité dont les remparts, les tours, le palais auraient été dessinés par quelque architecte amateur d'*heroic fantasy* ou de tapisserie médiévale.

◀ *La façade monumentale du palais des Papes d'Avignon.*

Que voir dans la plaine du Comtat

N

VAISON-LA-ROMAINE

BOLLÈNE

Uchaux
Sérignan-du-Comtat
D11
D976
D43
D23
Camaret-sur-Aigues
Orange
Jonquières
D907
Caderousse
D68
D17
Châteauneuf-du-Pape
Roquemaure
D17
Sorgues
GARD
D980
N580
Ouvèze
Rhône

D54
Entrechaux
Séguret
D977
Gigondas
Dentelles de Montmirail
Suzette
D90
Lafare
Vacqueyras
Le Barroux
D7
Beaumes-de-Venise
Aubignan
Sarrians
D55
Courthézon
VAUCLUSE
D538
D974
D163
D224
Bédoin
Malaucène

Carpentras★
D131
D942
Monteux
D31
D49
D1
Mazan
Mormoiron★
Azon
D4
Malemort-du-Comtat
Blauvac
Saint-Didier
D28
Venasque
D4
Entraigues-sur-la-Sorgue
Nesque
D28
D31
Pernes-les-Fontaines★★
Le Beaucet
Saint-Gens

Villeneuve-lez-Avignon★★
Ouvèze
Sorgue
Velleron
D57
Thouzon
D16
Sorgue
Le Thor★
L'Isle-sur-la-Sorgue★★
Fontaine-de-Vaucluse
D901

Avignon★★★
Montfavet
N7
Durance
D901
Châteauneuf-de-Gadagne★
D25
Chartreuse de Bonpas★
D538
D24
D900
Cavaillon

TARASCON
D570
Châteaurenard
D28
A7
D973
D31

ARLES
Graveson
D5
D571
BOUCHES-DU-RHÔNE
Saint-Rémy-de-Provence
D99
Orgon
D973
Parc naturel régional du Luberon

Alpilles
Eygalières
Les Baux-de-Provence
Maussane-les-Alpilles

0   5   10 km

Avignon « entrée principale »
Le Thor lieu dans les environs d'une entrée principale
Venasque lieu repère

Avignon★★★

U n pont et une célèbre ritournelle, un vaste
palais et d'illustres occupants, d'imposantes
murailles sur un long périmètre, la mémoire
d'un homme de théâtre et un festival mondialement reconnu, autant de clichés qui pourraient
conférer à la ville une image convenue et figée
de cité idéale pour visiteurs en quête d'émotions
culturelles et patrimoniales. Bien sûr, Avignon
se retrouve dans cela, le centre ancien étant
inscrit au Patrimoine mondial de l'humanité par
l'Unesco depuis 1995. Mais l'arbre ne doit pas
cacher la forêt : la ville appartient aussi à ses
habitants qui ont su la faire évoluer tout au long
de son histoire. Ainsi réserve-t-elle d'agréables
découvertes, tant pour l'ambiance que pour
le cadre bâti, à qui sait s'écarter des chemin
(re)battus des parcours touristiques traditionnels.

ℹ 41, cours Jean-Jaurès,
contre l'ancienne église
Saint-Martial B3 ouv.
d'avr. à oct. du lun. au sam.
9 h-18 h (19 h en juil.), dim. et
jours fériés 10h-17h; de nov.
à mars du lun. au ven. 9 h-18 h,
sam. 9 h-17 h, dim. 10 h-12 h;
f. les 1er janv. et 25 déc.
☎ 04 32 74 32 74 ;
www.avignon-tourisme.com

Autres informations pratiques :
→ p. 147.

À ne pas manquer

À l'origine, les Volques

Le rocher des Doms, contre lequel est venu s'appuyer le
palais des Papes, constituait déjà pendant l'Antiquité une
véritable place forte utilisée par les Ligures et les Celtes,
particulièrement les Volques. Les Romains agrandirent cet
embryon de ville devenue colonie latine en 43 av. J.-C. et
l'ornèrent de monuments dont les pierres furent souvent
récupérées pour d'autres constructions au Moyen Âge. Le
nom latin *Avenio* dériverait de deux noms celtes, *aouen*
(fleuve) et *ion* (seigneur), et signifierait «maître du fleuve»
ou «ville qui commande le fleuve». Les origines chrétiennes d'Avignon n'apparaissent que dans les légendes
de la Provence : venue d'Orient avec Trophime, Lazare
et Marie-Madeleine, sainte Marthe se serait consacrée à
l'évangélisation de Tarascon et d'Avignon. La fondation
d'un siège épiscopal sans doute au IVe s., avec saint Ruf
pour évêque, témoignait cependant de l'importance prise
par la communauté chrétienne.

Les débuts du christianisme

Pendant les invasions et le haut Moyen Âge, l'importance
religieuse d'Avignon n'était en rien comparable à celle des
autres grandes métropoles de la région du Rhône qu'étaient
Vienne, Arles et Aix. Il lui fallut attendre le début du XIIe s.

Voir plan p. 148

Clemens Quintus.

▲ *Gravure représentant Bertrand de Got, qui deviendra Clément V, le premier pape d'Avignon.*

pour jouer un rôle vraiment indépendant. La commune se constitua et Avignon devint une petite république consulaire, fière de ses prérogatives. À cette époque, la ville possédait déjà deux sanctuaires : la nouvelle cathédrale Notre-Dame et l'église Saint-Agricol.

L'arrivée des papes

Le XIIIᵉ s. fut une période troublée pour la ville car elle était vassale du comte de Toulouse, favorable aux cathares. Mise à l'amende par le roi de France, la petite république déclina et passa ensuite sous la tutelle de Charles d'Anjou, comte de Provence et roi de Naples. Ces péripéties politiques ralentirent l'essor de la cité, qui ne retrouva son ancienne prospérité qu'au début du XIVᵉ s. Si le pape Boniface VIII y fonda une université, Avignon ne semblait pas appelée à jouer un grand rôle lorsqu'un événement changea la donne. En 1309, Clément V (un pape français, l'ancien archevêque de Bordeaux Bertrand de Got) décida de venir s'y installer, la ville étant possession du comte de Toulouse qui, en tant que roi de Naples, était son vassal. De plus, sa situation géographique lui offrait, entre autres avantages, d'être située à la limite du Comtat Venaissin, terre pontificale depuis le XIIIᵉ s.

L'essor du XIVᵉ s.

Le séjour des papes à Avignon dura en fait soixante-dix ans. Au début, ils ne furent que des hôtes dans la ville. Benoît XII et Clément VI d'abord, puis Innocent VI ensuite, devaient lui donner une nouvelle physionomie (en faisant agrandir le palais, pour former un ensemble tenant à la fois de la forteresse et du palais princier, et en enfermant la ville dans une nouvelle ceinture de remparts). En outre, la ville fut achetée à la reine Jeanne en 1348. Quoique n'ayant jamais versé les 80 000 florins requis, les papes étaient néanmoins chez eux. Avignon était devenue le siège d'une cour brillante qui accueillit de nombreux artistes et mena grand train, au point d'attirer les foudres de Pétrarque, qui considérait ce niveau de vie comme scandaleux. Grégoire XI réussit pourtant à ramener la papauté à Rome. Cependant, la ville, comme le Comtat Venaissin et l'enclave de Valréas, resta propriété de la papauté jusqu'à la Révolution. Elle fut gouvernée pendant ce temps par des légats ou vice-légats du Saint-Siège dont la plupart furent de grands mécènes. ▶▶▶

Les confréries de pénitents

Véritables associations avant la lettre, créées par des laïcs, les confréries de pénitents, nées au Moyen Âge pour expier en commun les péchés commis individuellement, connurent leur apogée au XVIIᵉ s. Elles s'illustrèrent surtout dans le domaine caritatif, assurant, entre autres actions, de dignes funérailles à leurs membres défunts dont les familles étaient dans le besoin, soutenant de leurs prières les prisonniers ou accompagnant spirituellement les condamnés à mort. Très présentes dans les villes aussi bien que dans les villages, elles possédaient leurs propres chapelles et se distinguaient les unes des autres lors des processions par la couleur des tenues de leurs membres. Afin de préserver leur anonymat, ils portaient tous une sorte de cagoule pointue.

▲ *Les remparts d'Avignon revus par Viollet-le-Duc.*

Sous les remparts d'Avignon

L'actuelle ceinture de remparts a été édifiée entre 1359 et 1371. Elle remplace les anciennes fortifications des XIIᵉ et XIIIᵉ s. dont on peut encore suivre le tracé avec les rues Paul-Saïn, Philonarde, des Lices et Joseph-Vernet. Élevée sous les pontificats d'Innocent VI et d'Urbain V, elle marque l'extraordinaire développement de la cité à ce moment-là.

Devant chacune des 12 portes, des petits ponts permettaient de franchir les fossés comblés au XIXᵉ s. Dans chaque porte se tenaient des corps de garde mais, au débouché du pont Saint-Bénezet, la défense était renforcée par un châtelet. L'ouvrage a été ensuite remanié suivant les progrès de l'art militaire et les changements de goûts architecturaux : réfection générale au XVᵉ s., reconstructions des portes de la Ligne, du Rhône et de l'Oulle au XVIIIᵉ s. Les remparts avaient conservé au XIXᵉ s. un charme qui séduisait les voyageurs. Avant les rapports de Prosper Mérimée et les travaux de Viollet-le-Duc, Stendhal pouvait encore écrire : « Ces jolis murs sont bâtis de pierres carrées admirablement jointes ; les mâchicoulis sont supportés par un rang de petites consoles d'un charmant profil ; les créneaux sont d'une régularité parfaite… »
Les remparts furent également édifiés pour protéger la ville d'ennemis naturels : les crues du Rhône, fleuve imprévisible. Cependant, les eaux atteignirent plus de 8 m en novembre 1840, envahissant une bonne partie de la cité, et provoquèrent une brèche dans les murs en 1856. À partir de 1860, on confia à Viollet-le-Duc le soin de restaurer et de renforcer l'ensemble. De nombreuses masures adossées aux murs furent rasées, des pans entiers de murailles et les portes Saint-Michel et Saint-Roch furent complètement reconstruites. Puis, au début du XXᵉ s., les portes Limbert et de l'Oulle furent démolies et des brèches ouvertes pour faciliter la circulation. Mais les crues de 1910 et de 1935 ont pourtant rappelé aux Avignonnais l'impérieuse nécessité de se prémunir contre les débordements du grand fleuve.

Avignon quitte le giron de Rome

Sous la Révolution, en dépit de la présence très prégnante des religieux dans le paysage urbain, tant humain qu'architectural (un légat du Saint-Siège, huit chapitres, trente-cinq couvents, sept confréries de pénitents, trois séminaires), Avignon était l'une des villes les plus libres d'Europe, terre d'asile et de refuge pour les hérétiques et les Juifs, lieu de rendez-vous des marchands, mais aussi des aventuriers et noceurs en tout genre… Elle fut réunie à la France en 1791 par décret de l'Assemblée constituante et devint le chef-lieu du nouveau département de Vaucluse en 1793. Ici comme ailleurs, de nombreux monuments disparurent dans la tourmente révolutionnaire, notamment le cloître roman de la cathédrale, les couvents des Dominicains et des Cordeliers.

Un pôle agroalimentaire

C'est en 1849 que fut ouverte la ligne de chemin de fer entre Paris et Marseille. La ville se développa plus particulièrement au S. après la Seconde Guerre mondiale, zone dans laquelle se concentra l'habitat collectif. Toutefois, les alentours d'Avignon demeurent encore fortement marqués par l'activité agricole. La ville constitue un pôle agroalimentaire d'excellence grâce à de nombreux établissements : marché d'intérêt national (MIN), Institut supérieur d'enseignement au management agro-alimentaire (Isema), Institut national de la recherche agronomique (Inra), lycée agricole François-Pétrarque. Ce pôle, appelé « Agroparc »,

▲ *La gare TGV d'Avignon reçoit 60 trains par jour et accueille 3 millions de voyageurs par an, en liaison avec Paris principalement. En juillet, pendant le festival, ce sont près de 15 000 personnes qui arpentent ses quais chaque jour.*

est associé aux marchés de Carpentras, Cavaillon et Châteaurenard. La ligne ferroviaire LGV Méditerranée place dorénavant le chef-lieu du Vaucluse à 2 h 40 de Paris seulement.

Un foyer culturel

Dynamisée par son festival, Avignon se nourrit toute l'année d'événements culturels, grâce au répertoire de son Opéra et à sa dizaine de théâtres permanents. Par ailleurs, la ville s'anime de créations contemporaines, LORS les Hivernales de la danse en février, ou le festival Résonnances en juillet. Un nouveau lieu de répétitions et de résidence du Festival d'Avignon a ouvert ses portes en 2013, la FabricA, pour accueillir des artistes toute l'année. Enfin, Avignon met la gastronomie à l'honneur. Les grands chefs n'hésitent pas à sortir de leur restaurant pour donner un cours de cuisine aux Halles ou participer au banquet de la fête de la gastronomie en septembre.

Avignon pratique

Voir plan p. 148

Informations touristiques

- **Visites guidées** au départ de l'office de tourisme, sur réservation : « Avignon au temps des papes » le sam. à 15 h d'avr. à sept. sf juil.-août ; « Les Coulisses du palais », parcours insolite du palais des Papes le sam. en avr.-mai à 14 h 30, en sept.-oct. à 10 h 30. Rens. ☎ 04 32 74 32 74 et www.avignon-tourisme.com

- **Passeport Avignon Passion** : délivré gratuitement dans tous les musées et monuments lors de la 1re visite à plein tarif, il offre des réductions dès le 2e lieu visité. Il est valable 15 jours.

Transports

- **Aéroport d'Avignon-Caumont** : RN 7, à Montfavet, 8 km S.-E. du centre-ville, sur la route de Marseille ☎ 04 90 81 51 51 ; www.avignon. aeroport.fr

- **Gare SNCF du centre-ville** : bd Saint-Roch, en face de la porte de la République B3.

- **Gare TGV** : zone de la Courtine, à 4 km S.-O. du centre-ville hors plan par A3. Rens. ☎ 36 35 ou www.sncf.fr Une navette (payante) relie régulièrement les deux gares en 10 mn environ lorsque la circulation est fluide.

- **Gare routière** : 5, av. Monclar, à proximité de la gare ferroviaire B3. Rens. ☎ 04 90 82 07 35 ; www.permavignon.fr

- **À vélo** : Vélopop, service de location de 200 vélos en libre service, accessibles 7j/7 et 24 h/24. Rens. ☎ 0 810 456 456 ; www.velopop.fr

- **Navettes fluviales** : gratuites en saison (t.l.j. d'avr. à sept., mer. et w.e. le reste de l'année) entre Avignon et l'île de la Barthelasse au départ de l'embarcadère implanté à côté du célèbre pont B1.

- **La Baladine** : véhicule électrique de 7 places qui circule du lun. au sam. en centre-ville. Arrêt sur un signe de la main.

- **Parkings** : une douzaine de parkings aux abords des remparts, mais en période de festival, privilégier les 2 parkings extra-muros (parking de l'Île Piot A1 et parking des Italiens D1) gratuits et surveillés, reliés au centre-ville par des navettes gratuites.

Fêtes, festivals et manifestations culturelles

- **En janv.** : Cheval Passion, festival équestre ; www.cheval-passion.com
- **En fév.** : Les Hivernales d'Avignon, festival de danse contemporaine avec ateliers, stages, spectacles, rencontres... www.hivernales-avignon.com • le 2e dim. de fév. : fête de la Truffe, de l'Olive et du Vin aux Halles.
- **En mai** : Alterarosa, grande exposition, animations, conférences et ateliers autour de la rose au Palais des Papes ; www.alterarosa.com
- **En juil.** : Festival d'Avignon (l'officiel). Rens. au Bureau du Festival, 20, rue du Portail-Boquier B3 ☎ 04 90 14 14 14 ; www.festival-avignon.com Programme disponible en mai • En parallèle du « In », le « Off ». Rens. Avignon Festival et Compagnies, 5, rue Ninon-Vallin CD3 ☎ 04 90 85 13 08 ; www.avignonleoff.com • Festival Résonance, musique électronique sur des sites exceptionnels. Rens. www.festival-resonance.fr
- **En août** : Avignon Jazz Festival ; www.tremplinjazzavignon.fr
- **En sept.** : 1er sam., Le ban des vendanges, on y célèbre le côtes-du-Rhône, www.foudevin.com • Fête de la gastronomie, autour d'un banquet préparé par un chef.
- **En oct.** : Parcours de l'art, une trentaine de lieux d'exposition présentent des artistes contemporains ☎ 04 90 89 89 88 ; www.parcoursdelart.com

MARCHÉS

- **Marché principal** avec produits régionaux aux Halles, pl. Pie C2 ouv. tous les matins sf lun. ; « La petite cuisine des Halles » se déroule tous les samedis à 11 h, sf en août : un chef avignonnais réalise une recette ou un menu avec les produits des Halles ; www. avignon-leshalles.com

- **Petit marché aux Fleurs** sam. matin, pl. des Carmes.

- **Puces** dim. matin, pl. des Carmes.

PROMENADES FLUVIALES

- Possibilité de combiner la visite du pont Saint-Bénezet et une promenade en bateau sur le Rhône de 45 mn. Rens. office de tourisme.

- Autres promenades de durées variées au départ de l'embarcadère des allées de l'Oulle A2. Certaines ont lieu toute l'année, d'autres seulement en saison. Rens. Les Croisières Mireio ☎ 04 90 85 62 25 ; www.mireio.net

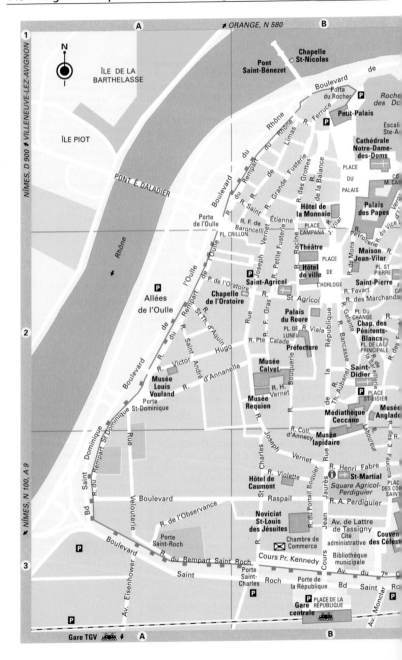

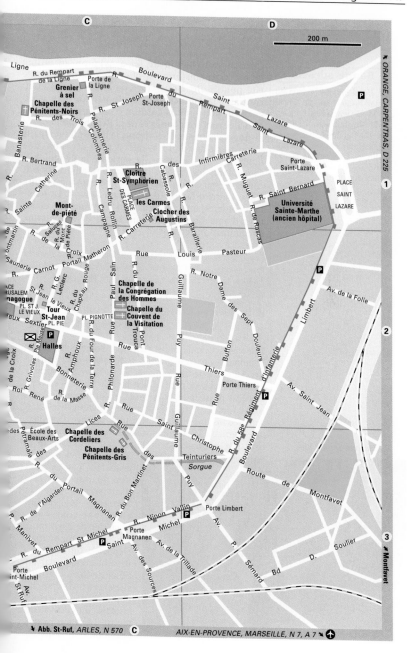

De la gare
à la place de l'Horloge★★

L'arrivée du chemin de fer à Avignon au milieu du XIXe s. a transformé la physionomie de la vieille cité pontificale. L'ouverture de la gare a, en effet, contraint la municipalité à adopter un plan d'alignement prévoyant la création d'une large artère (les actuelles rues Jean-Jaurès et de la République) bordée de nouveaux immeubles, depuis la gare et les remparts jusqu'à la place de l'Horloge. À cette occasion, une nouvelle porte fut créée : la porte de la République. Cependant, les rues et les quartiers adjacents ont conservé leur allure ancienne, l'«haussmannisation» n'ayant atteint la ville que ponctuellement. La tradition commerçante des lieux, qui continue à se maintenir, draine toujours une foule nombreuse et entraîne une animation certaine.

Depuis la porte de la République **B3**, *emprunter le cours Jean-Jaurès, puis tourner à g. dans la rue du Portail-Boquier • compter environ 1 h 30 ou une grande après-midi avec la visite des musées.*

■ Le noviciat Saint-Louis des Jésuites★★ **B3**

18-20, rue du Portail-Boquier • parties communes (porche, cour, cloître) en libre accès.

La construction de ce bel ensemble, sobre mais soigné, commença en 1601 grâce à la donation d'un particulier. La chapelle fut consacrée en 1611 sous le vocable «Saint-Louis». Ce petit édifice, bâti sur un plan en croix grecque, possède la 1re coupole construite au-delà des Alpes. C'est la 1re manifestation du nouveau style «classique» dans une ville encore tout imprégnée d'architecture gothique. Les bâtiments, répartis autour d'une vaste cour, ont été élevés dès 1623 par François Royers de la Valfenière (→ *p. 177*), mais leur construction s'est poursuivie sur près d'un siècle. Après la Révolution, les lieux ont abrité une annexe des Invalides de Paris, puis un hospice municipal. Depuis la fin du XXe s., ils sont occupés par un hôtel de luxe, l'Institut supérieur des techniques du spectacle et les bureaux du Festival de théâtre d'Avignon (administration et billetterie).

Voir plan p. 148

▼ *L'Hospice Saint-Louis.*

■ L'hôtel de Caumont★★
et la collection Lambert★★ B3

5, rue Violette ☎ *04 90 16 56 20 • ouv. t.l.j. sf lun. 11 h-18 h*
(t.l.j. jusqu'à 19 h en juil.-août) ; f. le lun. • www.collection
lambert.fr

L'hôtel de Caumont, édifié dans les années 1720 par
Jean-Baptiste Franque (→ p. 177), est le seul hôtel
avignonnais construit à la parisienne, entre cour et jardin
(les autres hôtels développent le corps de logis principal
le long de la rue). S'il présente encore ses belles façades,
ses aménagements intérieurs ont été détruits du fait des
utilisations successives.

• Depuis 2000, il renferme la très riche **collection d'art
contemporain d'Yvon Lambert★★**, qui reflète les grands
courants de l'art du temps : l'art minimal, l'art conceptuel, le land art, la peinture des années 1980 à nos jours
avec un développement pour la vidéo et la photographie des années 1990. Les plus grands artistes y sont
représentés : Andres Serrano, Jean-Michel Basquiat, Sol
LeWitt, Douglas Gordon, Donald Judd, Jenny Holzer,
Anselm Kiefer, Robert Ryman, Cy Twombly… Chaque
année, deux grandes expositions associent des œuvres
du musée à des prêts de musées français et étrangers ou
de collectionneurs privés.

• L'**hôtel de Galéans-Gadagne★** *(à côté de l'hôtel de
Caumont)*, plus modeste, est également dû à Jean-Baptiste
Franque qui l'a élevé en 1751. La façade qui s'ouvre côté
jardin possède deux belles portes rejetées près des angles.
L'hôtel est aujourd'hui occupé par l'école d'art de la ville.

Revenir sur ses pas pour retrouver le bd Raspail. De l'autre côté du
cours Jean-Jaurès, emprunter la rue Agricol-Perdiguier qui débouche
pl. des Corps-Saints.

■ Le couvent des Célestins★ B3
Pl. des Corps-Saints.

L'établissement fut fondé en 1394 pour abriter la sépulture du cardinal Pierre de Luxembourg, décédé en 1387
et sur l'ancienne tombe duquel s'étaient produits des
miracles. Le maître d'œuvre lyonnais Pierre Morel réalisa
l'abside et une partie du chœur de l'**église**. Les travaux
reprirent peu après 1420, mais, pour des raisons finan-
cières, la nef resta inachevée et fut fermée par un mur.
Perpendiculairement à l'église, on érigea une chapelle
monumentale sur l'ancienne tombe du cardinal.

• Cet ensemble a souffert de la Révolution et de ses
diverses affectations aux XIXe et XXe s. (il fut en autres
une prison militaire, une caserne, une cité administrative). Il en subsiste cependant de très imposants
vestiges bien visibles depuis la place des Corps-Saints
ou depuis la rue Saint-Michel.

À noter que l'accès aux hôtels
de Caumont et de Galéans-
Gadagne se fait par la rue
Violette, mais que les façades
principales de ces deux édifices
sont orientées côté jardin vers
le bd Raspail.

La place des Corps-Saints est
un lieu convivial où l'on se
retrouve à toute heure aux
nombreuses terrasses des cafés
qui se disputent la place
à l'ombre des platanes.

Bonne adresse

✘ *L'Atelier des thés*, 17,
pl. des Corps-Saints **B3**
☎ 04 90 82 69 53. Dans ce
salon de thé-restaurant, on
déguste une salade fraîcheur
ou un cheese-cake au saumon.
Très bon chocolat chaud et
vaste choix de thés. Le café
est servi dans de délicieuses
tasses rétro et accompagné
de tuiles maison. Service en
terrasse l'été.

■ **Le temple Saint-Martial* B3**
À l'angle du cours Jean-Jaurès et de la rue Henri-Fabre.
À cet emplacement, la reine Jeanne possédait un palais dans lequel avait été signée, en 1348, la vente d'Avignon à Clément VI. Il fut offert en 1363 par Urbain V aux Bénédictins de Cluny, puis le cardinal Pierre de Cros y fonda, en 1373, un prieuré-collège sous le vocable « Saint-Martial ». L'église fut édifiée entre 1383 et 1388. En 1700, Pierre II Mignard reconstruisit le grand portail et les bâtiments conventuels. Ravagé sous la Révolution puis mutilé par le percement du cours Jean-Jaurès, l'établissement accueillit au XIXe s. le premier musée de la ville. Depuis 1881, l'église est affectée comme temple pour l'Église réformée de France.

■ **Le Musée lapidaire* B3**
27, rue de la République ☎ 04 90 85 75 38 • ouv. 10 h-13 h et 14 h-18 h ; f. lun. et les 1er janv., 1er mai et 25 déc. • www.musee-lapidaire.org
Dès 1564, les Jésuites établirent un collège à Avignon qu'ils aménagèrent dans l'ancienne livrée du cardinal Ceccano (→ *p. suiv.*). Les religieux furent contraints d'agrandir les locaux au début du siècle suivant et de construire une église beaucoup plus vaste que leur chapelle d'origine. Le nouvel édifice, l'un des plus majestueux construits par les Jésuites français, fut commencé vers 1620 suivant les plans du frère Martellange ; les travaux, poursuivis par l'architecte avignonnais François Royers de la Valfenière (→ *p. 177*), s'achevèrent par la riche façade en 1661.

• L'église abrite les **collections archéologiques** du musée Calvet (→ *p. 157*). Sont exposées des œuvres provenant de Grèce, de Rome et d'Étrurie, de la Gaule romaine et paléochrétienne, ainsi que des monuments médiévaux d'Avignon : bas-reliefs, sculptures en ronde bosse, stèles et inscriptions, mais aussi des objets de la vie quotidienne (terres cuites, verrerie, bronzes) et une série de vases corinthiens et italiotes.

■ **Le musée Angladon** B2**
5, rue Laboureur ☎ 04 90 82 29 03 • ouv. d'avr. à sept. du mar. au dim. 13 h-18 h, d'oct. à mars du mar. au sam. 13 h-18 h • http://angladon.com
Installé dans l'**hôtel Massilian**, il présente les œuvres de Jean et Paulette Angladon-Dubrujeaud, héritiers du couturier et collectionneur Jacques Doucet (1853-1929). Au rez-de-chaussée sont exposés des tableaux de Cézanne, Daumier, Degas, Derain, Van Gogh, Manet, Modigliani, Picasso… Selon la volonté des donateurs, le lieu a conservé le charme d'un intérieur d'amateurs d'art (1er étage) où se mêlent meubles, tableaux et objets de la Renaissance, des XVIIe et XVIIIe s., ainsi qu'un cabinet d'Extrême-Orient.

▲ *Cybèle trônant dans un naïskos (petit temple) au Musée lapidaire.*

■ La médiathèque Ceccano★ B2-3

Voir plan p. 148

2, rue Laboureur ☎ *04 90 85 15 59 • les décors peints de la salle de prêt de la section adulte au 1ᵉʳ étage et de la salle d'étude au 2ᵉ sont visibles aux heures d'ouverture de la bibliothèque : lun., mar., jeu. et ven. 12 h 30-18 h, mer. et sam. 10 h-18 h.*

Construite en 1340, l'ancienne livrée du cardinal Ceccano fut acquise par la ville vers 1560 pour y installer le collège des Jésuites qui développa de nouveaux bâtiments au cours du xviiᵉ s. (voir l'église côté rue de la République, → p. 152). La Compagnie en fut expulsée comme ailleurs en 1763, mais l'établissement fut tenu ensuite par d'autres religieux et se maintint jusqu'en 1791.

• La livrée présente toujours un impressionnant aspect de maison forte et l'intérieur possède les restes d'un **décor peint ornemental médiéval**★★ : au niveau des fenêtres (faux claveaux noirs et blancs) et en haut des murs (fleurettes rouges, motifs géométriques divers, armoiries du cardinal…). Les locaux abritent la **bibliothèque municipale**.

Par « livrée », on entendait la luxueuse résidence d'un cardinal. Cette appellation dériverait du latin *librata*, qui désignait les maisons rendues libres et cédées aux membres de la curie. Par extension, elle désigna toutes les habitations des cardinaux, tant en Avignon qu'à Villeneuve. Après le retour de la papauté à Rome, elles furent morcelées et altérées, des hôtels particuliers les occupant en partie ou en totalité aux xviiᵉ et xviiiᵉ s.

■ L'église Saint-Didier★★ B2

Pl. Saint-Didier • ouv. t.l.j. 8 h-17 h.

Cette église édifiée en 1358-1359 est un bel exemple de gothique provençal car, depuis sa construction, elle n'a jamais été modifiée. Elle ne comprend qu'un seul vaisseau couvert de voûtes d'ogives épaulées par des contreforts entre lesquels s'ouvrent des chapelles latérales.

• La chapelle g. de la nef en entrant fut entièrement peinte à la fin du xivᵉ s. par des artistes vraisemblablement d'origine italienne (Vierge de l'Annonciation, Descente de Croix, figures de prophètes, de docteurs de l'Église et de saints). Dans la chapelle dr., la **Descente de Croix**, provenant de l'église des Célestins, sculptée en 1478 par Francisco Laurana pour le roi René, est l'une des premières œuvres témoignant, en France, de la Renaissance italienne. On remarquera également dans le chœur un rare ensemble de **peintures murales** du début du xviiᵉ s. représentant quatre scènes de la vie du Christ, avec saint Didier et saint Elzéar.

■ La rue Galante B2

Elle possède de belles maisons. La plus intéressante d'entre elles, la **maison Palasse**★ (n° 5), développe sa façade – refaite entre 1679 et 1682 par Jean Rochas – sur quatre niveaux. Très ornée, avec un buste de femme légèrement saillant en médaillon (portail), ses masques évoquant les quatre saisons (fenêtres du 1ᵉʳ étage) et ses rinceaux, elle montre, en plein xviiᵉ s., un style de décor hérité de la Renaissance devenu complètement archaïque pour l'époque. Mais cela n'ôte rien à son intérêt et à sa beauté.

Bonne adresse

🏠 *Hôtel de Garlande*, 20, rue Galante **B2** ☎ 04 90 80 08 85 ; www.hoteldegarlande. com Près de l'église Saint-Didier, bénéficiant du calme d'une rue piétonne, chambres tout confort d'un bon rapport qualité-prix, à la décoration personnalisée, dans l'esprit « chambres d'hôtes ».

Autour de la place de l'Horloge★★

La partie occidentale de la ville a su profiter de la désaffection des premières fortifications médiévales pour développer un quartier résidentiel, comme en témoignent les nombreux hôtels particuliers édifiés aux XVIIe et XVIIIe s. Devenu très actif, c'est aujourd'hui le quartier des commerces de qualité et des enseignes prestigieuses.

Compter environ 1 h 30 ou une grande après-midi avec la visite des musées.

■ La place de l'Horloge★ B2

Ici s'étendait autrefois le forum antique, devenu, au Moyen Âge, un important lieu de marché (et qui le restera jusqu'au XIXe s.). La place fut agrandie plusieurs fois, mais ce sont le Second Empire et la IIIe République qui lui ont donné son aspect définitif. Elle a su cependant conserver sa vocation conviviale, avec ses terrasses de restaurants ou de cafés qui bénéficient agréablement de l'ombre des platanes en saison. La place sert également de scène naturelle en juillet aux parades des troupes du festival « Off » et aux spectacles donnés par des artistes de théâtre de rue. Mais c'est, tout au long de l'année, un lieu de rendez-vous très prisé.

▲ *La place de l'Horloge.*

• Le **théâtre** a été construit en 1825 à l'emplacement d'un ancien couvent. Ravagé par un incendie en 1846, il fut inauguré une 2e fois en 1847. De part et d'autre de l'entrée, statues de Molière et de Corneille.

• L'**hôtel de ville** de 1851 remplace l'ancien qui avait été installé dans la livrée d'Albane, dont il subsiste la tour du jacquemart.

■ La maison Jean-Vilar★ B2

Montée Paul-Puaux, 8, rue de Mons (à l'E. de la pl. de l'Horloge)
☎ *04 90 86 59 64 • ouv. mar. 13 h 30-17 h, du mer. au ven. 9 h-12 h et 13 h 30-17 h, sam. 10 h-17 h ; f. dim., lun. et en août •*
http://maisonjeanvilar.org

Elle occupe l'**hôtel de Crochans**. En 1671, Louis-Henri de Guyon s'installa dans une ancienne livrée cardinalice dont son fils, seigneur de Crochans, entreprit la reconstruction. Le portail d'entrée fut édifié en 1680 par Pierre II Mignard, fils du peintre Nicolas (→ *p. 65*). Les lieux accueillirent le siège de l'archevêché du début du XIXe s. jusqu'à 1905. Propriété de la ville depuis 1974, cet établissement est animé par l'association Jean-Vilar, en partenariat avec la ville et le département ►►►

Bonnes adresses

✗ *L'Isle Sonnante*, 7, rue Racine **B2** ☎ 04 90 82 56 01. Une toute petite salle, une toute petite carte mais où fraîcheur, créativité et saveur sont au rendez-vous. Terrasse calme et ombragée l'été.

✗ *Le Brigadier du Théâtre*, 17, rue Racine **B2** ☎ 04 90 82 21 19 ; www.lebrigadier.com Cuisine d'inspiration provençale servie dans une salle aux allures de théâtre : délicieux tians de légumes, de viande ou de poisson.

▲ *Scène de rue du festival «Off» d'Avignon.*

Festival « In », festival « Off »

Création, audace, innovation, accessibilité au plus grand nombre, tels sont les principaux ingrédients du festival d'Avignon, fondé par Jean Vilar en 1947. Reconnu comme l'un des plus importants festivals de théâtre au monde, il attire les amoureux du théâtre dans une ambiance stimulante et festive.

Chaque édition du Festival est repensée par ses dirigeants pour respecter l'esprit de Vilar. Classiques revisités ou textes d'aujourd'hui, la plupart des artistes créent leurs œuvres spécialement pour Avignon et son public. Avec comme fil rouge, la création contemporaine. Si la cour d'Honneur du palais des Papes est la scène mythique du Festival, où 2 000 spectateurs se rassemblent chaque soir sur les gradins, celui-ci s'étend également à des lieux plus intimistes ou plus surprenants : cloîtres, chapelles, collèges, carrières. Car c'est toute la ville qui se transforme en théâtre, dans les rues, dans de petites salles, en plein air. Une immense scène, un lieu de croisement d'artistes de tous horizons et de tous univers esthétiques qui s'est ouvert depuis longtemps à d'autres formes de spectacle : musique, danse, chant.

En parallèle du festival officiel, le « Off » est devenu un incroyable rassemblement de compagnies indépendantes du monde entier. La programmation éclectique permet de faire son choix, le jour même, parmi 950 compagnies dans une centaine de lieux. C'est l'occasion pour le public de découvrir de nouveaux talents et pour les programmateurs de salles de spectacle de faire leur sélection. Car Avignon est aussi un forum professionnel, dont les créations seront reprises dans d'autres villes après le Festival. Durant cette grande fête estivale du théâtre, Avignon affiche une effervescence exceptionnelle, un joyeux désordre, où chaque troupe rivalise d'imagination pour attirer le public à son spectacle. Du théâtre musical, de la danse, de la poésie, du conte, du mime, du cirque, de l'improvisation… le grand marché du théâtre attire chaque année plus de 130 000 visiteurs.

des arts du spectacle de la Bibliothèque nationale de France. La Maison rassemble les archives personnelles du fondateur du festival (1947), également directeur du Théâtre national populaire (1951-1963). Les expositions qui s'y tiennent régulièrement et la revue de l'association replacent l'œuvre de Jean Vilar dans une perspective contemporaine.

Voir plan p. 148

■ Le palais du Roure★★ B2

3, rue du Collège-du-Roure ☎ *04 13 60 50 01 • ouv. du mar. au sam. 10h-13h et 14h-18h.*

Connu sous le nom de palais du Roure, il s'agit en fait de l'**hôtel de Baroncelli-Javon**. Il fut édifié en 1469 pour le banquier d'origine florentine Pierre Baroncelli, puis remanié aux XVIIe et XVIIIe s. Son organisation d'origine a néanmoins été préservée ainsi que le décor sculpté qui surmonte l'entrée (des branchages entrelacés). Le passage voûté débouche dans une cour dont les façades ont été « classicisées ».

• L'hôtel abrite un intéressant **musée d'Arts et Traditions populaires★★** *(mêmes horaires • visite libre ou visite guidée du mar. au sam. à 11h ou sur r.-v.)* qui présente principalement un beau mobilier provençal ainsi qu'une bibliothèque régionaliste.

Saint Agricol, moine de l'abbaye de Lérins avant sa nomination comme évêque d'Avignon, portait un nom qui le prédestinait à veiller sur les cultures… Aussi était-il invoqué pour obtenir la pluie en période de sécheresse.
Il aurait également débarrassé son diocèse des serpents qui l'infestaient grâce à des cigognes rendues à sa cause.

Au n° 19 de la rue Saint-Agricol se trouvait la librairie Roumanille. Fondée par le poète lui-même en 1855, elle fut le berceau du félibrige et le siège de l'*Armana prouvençau (Almanach provençal)*. En 1859, Roumanille y édita *Mirèio (Mireille)* de son ami Frédéric Mistral.

■ L'église Saint-Agricol★★ B2

Rue Saint-Agricol • ouv. du lun. au ven. 8h30-19h30, sam. 14h30-19h30, dim. 9h-13h.

Ce lieu de culte porte le nom d'un évêque du VIIe s. devenu, en 1647, le « patron » de la ville. Considérée comme l'église de la 1re paroisse d'Avignon, elle fit l'objet, à la fin du XVe s., d'importants remaniements et présente, depuis ce temps, une nef flanquée de bas-côtés (parti peu fréquent pour le gothique méridional) ainsi qu'une façade avec gâble en accolade dont les portes en bois sont d'origine. Elle renferme un grand nombre d'œuvres d'art dont le **retable des Doni** (1525), représentant les mystères de l'Annonciation, par Imbert Boachon, et des tableaux du XVIIe s.

■ La chapelle de l'Oratoire★ B2

32, rue Joseph-Vernet • f. au public.

Ce qui fait l'originalité de cet édifice, construit et décoré dans les décennies 1730-1740, c'est son plan ovale relativement rare. À l'intérieur, la nef est couverte d'une coupole très aplatie. Après des usages divers, les lieux ont retrouvé une fonction religieuse (actuelle chapelle de l'aumônerie du lycée Frédéric-Mistral).

Face à la chapelle, prendre à dr. la rue Joseph-Vernet (→ ci-dessous), puis à g. la rue Folco-de-Baroncelli.

Bonne adresse

✕ ❢ *Simple Simon*, 26, rue de la Petite-Fusterie **B2** ☎ 04 90 86 62 70. Restaurant-salon de thé. Un petit bout d'Angleterre à la décoration telle qu'on l'imagine outre-Manche, aussi cosy pour les yeux que pour le palais. Portions généreuses. Excellentes pâtisseries maison.

■ La place Crillon★★ AB1

Autrefois appelée «place de la Comédie», elle s'ouvre sur le Rhône par un accès ménagé en 1900 à l'emplacement de l'ancienne porte de l'Oulle que Jean-Pierre Franque (→ *p. 177*) avait reconstruite en 1785. Bien que reliant les voies longeant le fleuve et la ville intra-muros, la circulation ne l'a pas envahie et elle a su conserver de nos jours un charme discret et tranquille.

Selon une formule née dans la Péninsule au XVIIᵉ s., la salle d'un théâtre dit «à l'italienne» adopte la forme d'un fer à cheval. Trois côtés sont occupés par les sièges des spectateurs, répartis sur plusieurs étages. Le 4ᵉ côté (la partie dr.) ouvre sur la scène.

• De l'**ancienne Comédie**, édifiée au XVIIIᵉ s. par Thomas Lainé (à l'emplacement d'un jeu de mail fréquenté par Louis XIV lors de sa venue en 1660), seule subsiste la façade. À l'origine, elle était sans fenêtre, seulement animée par de grands reliefs très plats (trophées musicaux et accessoires divers); 1ʳᵉ salle «à l'italienne» d'Avignon, la Comédie fut utilisée jusqu'à la construction d'un nouveau théâtre pl. de l'Horloge en 1825.

Poursuivre par la rue du Rempart-de-l'Oulle.

■ Le musée Louis-Vouland★★ A2

17, rue Victor-Hugo ☎ *04 90 86 03 79* • *ouv. du mar. au dim. 14 h-18 h, de juin à sept. jusqu'à 19 h; f. en janv. et fév., les 1ᵉʳ mai et 25 déc.* • *www.vouland.com*
Installé dans l'**hôtel de Villeneuve-Esclapon**★ (1885), il permet d'admirer la prestigieuse **collection d'arts décoratifs**, principalement des XVIIᵉ et XVIIIᵉ s., de l'industriel Louis Vouland. Un riche mobilier estampillé d'ébénistes contemporains des règnes de Louis XV et Louis XVI côtoie une collection de céramiques illustrant l'évolution de la faïence en Europe et dans les grands centres du Midi (Moustiers, Marseille…). Objets d'orfèvrerie, tapisseries et tableaux complètent l'ensemble. Le musée expose également des œuvres des peintres régionaux du XIXᵉ au début du XXᵉ s. À voir, la **chambre chinoise**★★ et la façade de l'hôtel côté jardin.

La Révolution et les années qui suivirent eurent raison du vaste couvent des Dominicains qui occupait tout le quartier sur lequel on a ouvert la rue Victor-Hugo. À partir de 1840, sur les terrains dégagés et lotis, furent édifiés de beaux hôtels pour la riche bourgeoisie ou la noblesse.

■ Le musée Calvet★★ B2

65, rue Joseph-Vernet ☎ *04 90 86 33 84* • *ouv. 10 h-13 h et 14 h-18 h; f. mar. et les 1ᵉʳ janv., 1ᵉʳ mai et 25 déc.* • *www.musee-calvet.org*
La **rue Joseph-Vernet**, des XVIIᵉ et XVIIIᵉ s., épouse le tracé des premières fortifications médiévales. Elle est bordée d'un très grand nombre d'hôtels particuliers, notamment l'**hôtel de Villeneuve-Martignan**★★ (n° 65). C'est en 1741 que Joseph-Ignace de Villeneuve-Martignan confia à Jean-Baptiste Franque (→ *p. 177*) et à son fils François le soin de rebâtir la demeure familiale pour en faire le plus bel ensemble d'Avignon. La (re)construction, rapidement achevée, tint son pari. Le résultat fut grandiose : une vaste cour d'entrée, une galerie, puis un jardin sur lequel se développe la somptueuse façade du bâtiment principal.

Les remparts menacés par le train

« Les Avignonnais se disposent à imiter les Carpentrassiens. On a fait un plan de chemin de fer qui détruirait tous les remparts qui longent le Rhône. Ce plan est fort goûté du préfet, M. Pascal, que j'ai fort scandalisé par mon indignation. Vous savez qu'Avignon forme à peu près un ovale dont la moitié est bordée par le Rhône. De ce côté passe la grande route de Marseille. On veut encore y faire passer le chemin de fer, en sorte qu'il y aurait, dans un espace très resserré, bateaux à vapeur, wagons et diligences. Pour le chemin de fer, il n'y a de place que sur l'emplacement des remparts. Le pont Saint-Bénezet serait coupé bien entendu dans cette hypothèse. Les gens d'esprit demandent que le chemin passe le long des remparts de l'autre côté ».

Prosper Mérimée,
lettre à Ludovic Vitet, 6 sept. 1845,
éd. par M. Parturier, Paris,
CTHS, 1998.

Le musée Calvet s'est agrandi de trois salles consacrées à l'Égypte antique ; on ne manquera pas l'émouvante momie d'enfant et les tuniques d'époque byzantine.

• Le **musée Calvet**** conserve les collections de beaux-arts de la ville d'Avignon (peintures, sculptures et objets d'art du XVe s. au XXe s.). Ses origines remontent au 1er musée municipal, créé au XIXe s. grâce au legs du médecin avignonnais Esprit Calvet. Le musée s'est enrichi par la suite grâce à des achats, des dépôts et des dons, principalement celui de Marcel Puech à la fin du XXe s.

Principaux artistes et écoles représentés (pour la peinture, sauf mention contraire) :
- la Renaissance, avec Simon de Châlons ;
- les XVIIe et XVIIIe s. italiens avec Pietro Ricchi, Pietro Negri, Pietro Della Vecchia ;
- le XVIIe s. en Flandres et en Hollande ;
- le XVIIe s. français avec Nicolas et Pierre Mignard, Reynaud Levieux, Sébastien Bourdon ;
- la dynastie des Parrocel aux XVIIe et XVIIIe s., famille dont plus de 10 membres furent peintres et/ou graveurs ;
- le XVIIIe s. français avec Largillierre, Louis II Boulogne, Joseph Vernet et le Montpelliérain Jean Raoux ;
- le mouvement néoclassique et le romantisme avec Élisabeth Vigée-Lebrun, David, Girodet, Géricault, Chassériau ;
- l'éclectisme et le réalisme du XIXe s. avec Caminade, Daguerre, Bigand, Caruelle d'Aligny, Guigou, Daubigny pour la peinture, les frères Brian, David d'Angers, Mercié et Carriès pour la sculpture.
- La salle d'art moderne Victor Martin abrite des œuvres de la fin du XIXe et du XXe s. signées Soutine, Vlaminck, Manet, Sisley, Ambrugiani, Gleizes ou Laure Garcin, ainsi que des sculptures de Camille Claudel.

Il faut encore citer des sculptures et tapisseries médiévales, ainsi qu'un bel ensemble d'orfèvrerie civile française et hispanique des XVIIIe et XIXe s.

▶ *Une galerie du musée Calvet.*

Simon de Châlons

En dépit de ses origines champenoises, Simon de Mailly, dit « Simon de Châlons », actif à Avignon de 1532 à 1562, peut être considéré comme le seul représentant de la peinture de la Renaissance en Provence. Ses grandes compositions religieuses témoignent autant d'influences flamandes que de leçons italiennes. L'artiste reste proche des Flandres lorsqu'il utilise des tons froids pour les paysages d'arrière-plan et peint minutieusement les feuillages, mais montre qu'il connaît l'Italie quand il emploie certains motifs architecturaux ou dessine des personnages d'un certain type physique (les Vierges par exemple), le tout servi par une palette aux coloris à la fois chauds et acidulés. À défaut d'un séjour attesté dans la Péninsule, l'artiste a plus vraisemblablement été en contact avec l'art italien par l'intermédiaire de la gravure dont il a su se servir d'une façon originale pour composer une œuvre personnelle.

■ Le musée Requien* B2

Voir plan p. 148

67, rue Joseph-Vernet ☎ *04 90 82 43 51 • ouv. 10 h-13 h et 14 h-18 h ; f. dim., lun. et les 1ᵉʳ janv., 1ᵉʳ mai et 25 déc. • entrée libre • www.museum-requien.org*
Installé dans l'**hôtel Raphaëlis de Soissans★**, du XVIIIᵉ s., c'est le musée d'histoire naturelle d'Avignon. Il doit son nom à son créateur, Esprit Requien (1788-1851), botaniste avignonnais qui légua ses collections et sa bibliothèque au musée Calvet en 1840. Depuis, le fonds s'est régulièrement enrichi. Aux galeries permanentes présentant la géologie, l'évolution de la vie et la faune du département, s'ajoutent fréquemment des expositions temporaires à thèmes.

■ Le plan de Lunel** B2

Cette petite place tranquille pleine de charme est bordée de sobres mais belles constructions. Parmi celles-ci se distinguent l'**hôtel de Laurens★** (n° 1), dont la modernisation de la façade et l'important escalier furent réalisés à la fin du XVIIᵉ s., et l'**hôtel d'Ancezune★** (n° 4), famille dont l'un des membres est à l'origine de la fondation du noviciat des Jésuites en 1601 *(→ p. 150).*

■ La rue Viala (pl. de la Préfecture)* B2

Les deux plus beaux hôtels de la rue font partie de la grande famille des bâtiments élevés par les Franque *(→ p. 177)*, architectes avignonnais. L'**hôtel Desmarets de Montdevergues★** (actuel hôtel du Département), élevé en 1710 par François I et Jean-Baptiste Franque, montre une façade refaite en 1755 par François II. Le décor de l'important fronton triangulaire présente des oiseaux, armes parlantes de la famille Desmarets, propriétaire des lieux à la fin du XVIIIᵉ s.

• En face, l'**hôtel Forbin de Sainte-Croix★**, édifié à partir de 1718, abrite la préfecture. Il occupe l'emplacement d'une ancienne livrée où le cardinal Della Rovere (le futur pape Jules II) avait fondé un collège à la fin du XVᵉ s.

Voir plan p. 148

La place du Palais★★★

Voir plan p. 148

VISITES DU PALAIS DES PAPES

• L'audioguide est indispensable pour parcourir les 24 salles ouvertes au public. La visite multimédia permet de suivre les fastes de la cour pontificale et les vidéos sont synchronisées avec l'audioguide.

• En août, le palais est ouvert la nuit pour des soirées musicales – concerts de musique classique, baroque, romantique, avec entracte-dégustation –, en alternance avec des balades du Couchant : visite insolite du palais et dîner raffiné. Réservations ☎ 04 32 74 32 74.

Au pied du rocher des Doms qui domine Avignon et le Rhône, la place du Palais s'impose comme l'ensemble architectural le plus remarquable de la ville. Sur cette vaste esplanade piétonne s'élèvent, en effet, d'insignes monuments : le palais des Papes, la cathédrale Notre-Dame-des-Doms, le Petit-Palais. Non loin, le pont Saint-Bénezet, le fameux «pont d'Avignon», a lui aussi largement contribué à la notoriété de la cité.

Compter une grande après-midi avec la visite du palais des Papes et du musée du Petit-Palais.

■ Le palais des Papes★★★ B1-2

☎ 04 32 74 32 74 • *ouv. t.l.j., en mars 9 h-18 h 30 ; d'avr. à juin et en sept. 9 h-19 h ; en juil. 9 h-20 h ; en août 9 h-20 h 30 ; de nov. à fév. 9 h 30-17 h 45 ; dernière entrée 1 h avant la fermeture • plusieurs visites guidées à thème sur réservation → p. 147 • audio-guide • possibilité de billet combiné avec le pont Saint-Bénezet • www.palais-des-papes.com*

C'est l'un des plus beaux et des plus importants édifices bâtis au XIVe s. Deux souverains pontifes sont principalement responsables de sa construction : Benoît XII pour la partie N.-E. (le «palais Vieux») dans la décennie 1330, Clément VI pour la partie S.-O. (le «palais Neuf») dans les années 1340. À la fois imposante forteresse et résidence somptueuse, ce palais était le symbole de la puissance de la chrétienté et du pouvoir spirituel et temporel qu'exerçait la papauté à cette époque : il fallut moins de 20 ans pour l'édifier.

• Le **musée de l'Œuvre** reconstitue l'histoire de l'édifice et de ses décors peints grâce à des maquettes interactives, des pièces archéologiques ou des fac-similés.

▲ *Impressionnants par leur ampleur, la place du Palais et le palais des Papes servent de cadre à de nombreux spectacles de rue pendant la période du festival.*

▶ *Plan du palais des Papes.*

Le palais des origines

Lorsque Jean XXII vint se fixer à Avignon en 1316, il s'installa dans le palais épiscopal qu'il avait occupé en qualité d'évêque de la ville. Cette demeure, qu'il considérait comme une maison forte, s'élevait au S. de la cathédrale. Elle comprenait alors quatre bâtiments disposés autour d'un cloître, dominés par la tour de la Campagne. Le côté N. de ce quadrilatère était constitué, entre autres monuments, par l'église Saint-Étienne, parallèle à la cathédrale, que Jean XXII annexa à son palais pour en

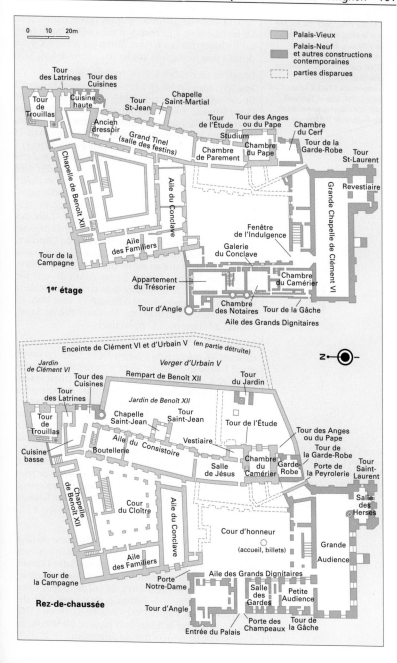

0   10   20m

Palais-Vieux

Palais-Neuf
et autres constructions
contemporaines

parties disparues

1er étage

Tour des Latrines
Tour des Cuisines
Cuisine haute
Tour St-Jean
Chapelle Saint-Martial
Tour de Trouillas
Ancien dressoir
Grand Tinel (salle des festins)
Tour de l'Étude
Tour des Anges ou du Pape
Studium
Chambre de Parement
Chambre du Pape
Chambre du Cerf
Tour de la Garde-Robe
Tour St-Laurent
Revestiaire
Chapelle de Benoît XII
Aile du Conclave
Grande Chapelle de Clément VI
Aile des Familiers
Fenêtre de l'Indulgence
Galerie du Conclave
Tour de la Campagne
Appartement du Trésorier
Chambre du Camérier
Tour d'Angle
Chambre des Notaires
Tour de la Gâche
Aile des Grands Dignitaires

Rez-de-chaussée

Enceinte de Clément VI et d'Urbain V (en partie détruite)
Jardin de Clément VI
Verger d'Urbain V
Tour du Jardin
Tour des Cuisines
Rempart de Benoît XII
Tour des Latrines
Jardin de Benoît XII
Tour Saint-Jean
Tour de l'Étude
Tour de Trouillas
Chapelle Saint-Jean
Tour des Anges ou du Pape
Cuisine basse
Aile du Consistoire
Vestiaire
Tour de la Garde-Robe
Boutellerie
Chambre du Camérier
Garde-Robe
Porte de la Peyrolerie
Tour Saint-Laurent
Chapelle de Benoît XII
Salle de Jésus
Salle des Herses
Cour du Cloître
Aile du Conclave
Cour d'honneur (accueil, billets)
Grande Audience
Aile des Familiers
Tour de la Campagne
Porte Notre-Dame
Aile des Grands Dignitaires
Salle des Gardes
Petite Audience
Tour d'Angle
Porte des Champeaux
Tour de la Gâche
Entrée du Palais

N→

La cour d'honneur est formée par la réunion des deux palais : le «Vieux», au N. et à l'E., et le «Neuf», au S. et à l'O. C'est dans ce cadre grandiose, que Jean Vilar jugeait «impossible» tant il lui semblait intimidant, que se tiennent certaines des représentations du festival de théâtre «In».

faire sa chapelle particulière, après l'avoir transformée. De cet ensemble, il ne reste plus aujourd'hui que le plan, car les bâtiments eux-mêmes furent très remaniés, voire démolis puis reconstruits, par les successeurs de Jean XXII.

Le palais de Benoît XII, dit «palais Vieux»

Jean XXII étant décédé en 1334, son successeur Benoît XII fit construire, à partir de 1335, sous la direction de Pierre Poisson, à l'extérieur du palais au S., la **tour des Anges** qu'il flanqua d'appartements privés et protégea d'un rempart, en même temps qu'il agrandissait la chapelle Saint-Étienne en doublant son étendue vers l'O. Mais les travaux ne s'arrêtèrent pas là. Au cours d'une 2e campagne (1338-1342), Benoît XII fit démolir puis rebâtir le palais de son prédécesseur autour d'un cloître dont un des côtés était délimité par la chapelle Saint-Étienne. Trois nouveaux ensemble furent donc construits, toujours sous la direction de Pierre Poisson : l'**aile des Familiers** à l'O. (cette dernière abrite les archives départementales de Vaucluse) ; l'**aile des Hôtes ou du Conclave**, au S. ; et l'**aile du Consistoire**, à l'E., pour la vie courante officielle (**consistoire** au rez-de-chaussée, **grand «tinel»** ou salle des festins à l'étage). La protection de cette aile fut renforcée par la **tour Saint-Jean** dans laquelle deux chapelles superposées furent aménagées : Saint-Jean, au rez-de-chaussée, s'ouvrant sur le consistoire, et Saint-Martial, à l'étage, pour le grand tinel.

Le palais de Clément VI, dit «palais Neuf»

Clément VI, qui succéda à Benoît XII en 1342, fut l'autre grand bâtisseur du palais, dont il fit doubler l'emprise au sol au S. et à l'O., en même temps qu'il faisait renouveler les décors muraux de l'ensemble. Il commença par développer la surface des ses appartements privés en construisant la **tour de la Garde-Robe** contre la tour des Anges de Benoît XII. Puis vint la **Grande Chapelle** qui allait occuper tout l'étage de l'**aile S.** du nouveau palais. Superposée à la **Grande Audience** (1344-1345), elle fut commencée en 1346, mais achevée seulement en 1352. Ce beau vaisseau est l'œuvre maîtresse de Jean de Louvres, originaire d'Île-de-France, qui fut également responsable de la construction de l'**aile des Grands Dignitaires**, à l'O., et de la tour de la Garde-Robe, à l'E.

Durant la saison estivale, la Grande Chapelle est dévolue à des expositions d'art, tandis que les principales représentations du Festival d'Avignon se déroulent dans la cour d'honneur.

Les travaux des successeurs

À la mort de Clément VI en 1352, le palais présente déjà la physionomie qu'on lui connaît encore, ses successeurs ne faisant que conforter l'ensemble : **tours Saint-Laurent** (contre l'aile S. de Clément VI) et **de la Gâche** (contre l'aile des Grands Dignitaires du même pape) sous Innocent VI, création de jardins et de vergers à l'E. du palais par Urbain V après 1362. Grégoire XI, élu en 1370, plus préoccupé par le retour de la papauté à Rome, ne fit effectuer que de simples travaux d'entretien.

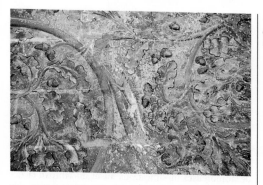

◄ *Décor mural de la chambre du Pape dans le palais des Papes.*

Les décors peints

Chapelles et appartements privés ont conservé d'importantes peintures murales qui ont grandement contribué à la renommée du palais et qui témoignent de l'importance que les papes ont joué dans la vie artistique locale au XIVe s. *(→ p. 61)*. Les beaux décors *(visibles derrière une vitre)* des **chapelles Saint-Jean et Saint-Martial** (tour Saint-Jean du palais de Benoît XII) ont été réalisés par Matteo Giovanetti sous le pontificat de Clément VI. Ils illustrent naturellement les vies des deux saints Jean (le Baptiste et l'Évangéliste) et de saint Martial. La **chambre du Pape** (dans la tour des Anges de Benoît XII) et la **chambre du Cerf** (en fait, son bureau, dans la tour de la Garde-Robe de Clément VI) ont reçu un décor profane qui ne déparerait pas dans les appartements d'un riche seigneur : rinceaux de chêne ou de vigne peuplés d'écureuils et d'oiseaux, scènes de chasse et de pêche dont la manière courtoise montre bien qu'il s'agissait là d'un loisir.

À propos des peintures de la chapelle Saint-Jean

« Au reste, ce n'est pas le temps qui a le plus endommagé ces belles fresques. Depuis la Restauration, le palais des Papes sert de caserne […]. Une industrie s'établit dans le corps. Elle consistait à détacher adroitement la couche mince de mortier sur laquelle la fresque est appliquée, de manière à obtenir de petits tableaux qu'on vendait aux amateurs. De cette manière un assez grand nombre de têtes ont disparu. »
Prosper Mérimée, *Notes d'un voyage dans le Midi de la France*, 1835.

■ L'hôtel de la Monnaie** B1

En face du palais des Papes • f. au public.

C'est le 1er monument civil d'Avignon à ne plus adopter le style gothique ou ses dérivés. L'inscription en façade apprend aux passants qu'il a été élevé en 1619 par le vice-légat Jean-François de Bagni et qu'il est dédié au pape régnant Paul V. Le rez-de-chaussée en bossage s'ouvre par une porte centrale et quatre fenêtres, mais le restant de la façade est complètement aveugle. Elle est cependant animée d'un important **décor sculpté** : l'inscription de dédicace et les armoiries du pape Paul V (membre de la famille Borghèse), dont les « meubles », l'aigle et le dragon, sont également déclinés dans les lourdes

Bonnes adresses

✘ *Le 46*, 46, rue de la Balance **B1** ☎ 04 90 85 24 83 ; www.le46avignon.com Une belle salle aux lignes contemporaines et, dans l'assiette, des saveurs provençales revisitées avec bonheur et présentées avec soin. Bar à vins et soirées musicales le ven. soir.

✘ *Le Moutardier du Pape*, 15, pl. du Palais **B1** ☎ 04 90 85 34 76. Une carte inventive et raffinée qui fait la part belle aux produits de la région. Excellents desserts. En prime, l'été, le cadre exceptionnel de la terrasse avec vue imprenable sur le palais des Papes.

▼ Vierge à l'Enfant
de Botticelli au Petit-Palais.

guirlandes ou au niveau de la balustrade. L'hôtel tire son nom actuel du temps où il abritait la Monnaie, administration d'Ancien Régime où l'on frappait les pièces.

• **L'hôtel Calvet de la Palun** s'élève au S. de la place. Construit en 1789 par Jean-Pierre Franque (→ p. 177), il est l'un des derniers hôtels édifiés dans Avignon propriété pontificale.

■ La cathédrale Notre-Dame-des-Doms★★ B1

Ouv. en juil.-août du lun. au sam. 7 h-18 h 30, dim. 14 h-18 h 30 ; de sept. à juin du lun. au sam. 7 h-12 h 30 et 14 h-18 h 30, dim. 14 h-18 h 30 • www.cathedrale-avignon.fr
Élevé vers le milieu du XIIᵉ s., cet édifice roman a subi de nombreuses modifications au fil du temps : la nef fut augmentée de chapelles aux XIVᵉ, XVᵉ et XVIIᵉ s., des tribunes « classiques » furent aménagées par François Delbène en 1670-1672 (puis sculptées par Pierre Péru pour le décor), tandis que François Royers de la Valfenière « fils » (→ p. 177) reconstruisait peu après l'abside avec des volumes plus importants. Enfin, en 1859, on plaça au sommet du clocher une Vierge en plomb doré.

• Le **porche** est inspiré de l'Antiquité : fronton triangulaire, colonnes cannelées à chapiteaux corinthiens. Il portait une décoration peinte au XIVᵉ s. par le Siennois Simone Martini, dont les vestiges ont été déposés au palais des Papes. La cathédrale possède d'autres **décors muraux** : du XVᵉ s., à g. en entrant (un Baptême du Christ avec la représentation du donateur, Charles Spifami, accompagné de sa femme et de ses enfants), et du XIXᵉ s., dans la chapelle du Saint-Sacrement, par Eugène Devéria (1805-1865). Parmi les tableaux ornant la cathédrale figure la Montée au Calvaire du Champenois Simon de Châlons (→ p. 159), dans la 1ʳᵉ chapelle à g. en entrant.

■ Le Petit-Palais★★★ B1

Pl. du Palais ☎ 04 90 86 44 58 • ouv. 10 h-13 h et 14 h-18 h; f. mar. et les 1ᵉʳ janv., 1ᵉʳ mai et 25 déc. • www.petit-palais.org
Il s'agit de l'ancienne livrée du cardinal Arnaud de Via, datant du début du XIVᵉ s. L'ensemble a été en partie reconstruit à la fin du XVᵉ s. par l'archevêque et cardinal Della Rovere, futur pape Jules II. De cette époque datent les créneaux de la façade et les fenêtres à meneaux du bâtiment dont les quatre ailes délimitent à l'intérieur une belle cour à galerie.

• Le **musée★★★** du Petit-Palais abrite de beaux **tableaux du Moyen Âge et de la Renaissance italienne**, avec entre autre des œuvres de Botticelli (*La Vierge à l'Enfant*), Vittore Carpaccio (*La Sainte Conversation*) ou Simone Martini. Il regroupe une partie de la collection Campana, le fonds du musée Calvet relatif à l'école d'Avignon, ainsi que des sculptures des XIIᵉ-XVIᵉ s. de provenance locale.

• Parmi le fonds de **sculptures**, on remarquera particulièrement les fins chapiteaux romans de l'ancien cloître de Notre-Dame-des-Doms, la série d'apôtres provenant de la chartreuse de Bonpas et les éléments des tombeaux de cardinaux et de papes autrefois en place dans les églises d'Avignon. On admirera le tombeau du cardinal Jean de la Grange (XIVᵉ s.).

• L'**école d'Avignon** (→ p. 62) est représentée aussi bien par des peintures murales que par des peintures sur panneau. L'un de ses principaux maîtres, Enguerrand Quarton, est l'auteur de l'imposant **retable Requin** (XVᵉ s.) figurant la Vierge et l'enfant entre deux saints et deux donateurs. On y retrouve le réalisme des Flamands et la stylisation abstraite des Italiens. Le **décor** des années 1360-1370 provenant d'une maison de Pont-de-Sorgues (aujourd'hui Sorgues, à 10 km N.-E. d'Avignon) et maintenant déposé au musée illustre des thèmes profanes : scènes courtoises, scènes de chasse, éléments décoratifs. Il compose un témoignage précieux d'un type de décor qui semblait en vogue au XIVᵉ s. et devait être fréquent dans les livrées (→ p. 152) sur le modèle des peintures de la chambre du Cerf au palais des Papes.

La visite du pont Saint-Bénezet s'est enrichie d'une exposition intitulée « d'une rive à l'autre ». Le pont et son environnement au XIVᵉ s. y sont reconstitués en 3D. Un film et des vidéos présentent l'aventure humaine et technologique des 4 laboratoires du CNRS qui ont réalisé cette reconstitution.

Contrairement à la célèbre comptine, dont l'air ne date en fait que du milieu du XIXᵉ s. (il apparaît en 1853 dans *L'Auberge pleine*, opérette d'Adolphe Adam), on ne dansait pas sur le pont, car il était trop étroit pour accueillir des noceurs en tout genre, mais sous le pont, c'est-à-dire sur les rives du Rhône, où de nombreuses guinguettes avaient été aménagées.

■ Le pont Saint-Bénezet** B1

☎ 04 32 74 32 74 • *ouv. t.l.j., en mars 9 h-18 h 30 ; d'avr. à juin et de sept. à nov. 9 h-19 h ; en juil. 9 h-20 h ; en août 9 h-20 h 30 ; de nov. à fév. 9 h 30-17 h 45 ; dernière entrée 1 h avant la fermeture • audioguides • possibilité de billet combiné avec le palais des Papes • www.avignon-pont.com*

▼ *Le pont Saint-Bénezet, avec Notre-Dame-des-Doms en arrière-plan.*

Élevé à la fin du XIIᵉ s. sur des bases romaines, long de presque 1 km, il constituait l'unique passage sur le Rhône, frontière naturelle entre la France (côté Villeneuve) et le Saint Empire romain germanique (côté Avignon) dont la tutelle ne fut que théorique au Moyen Âge. Mais c'était surtout le seul pont sur le fleuve entre Lyon et la Méditerranée. Détruit en 1226 par le roi de France Louis VIII lors de la croisade menée contre

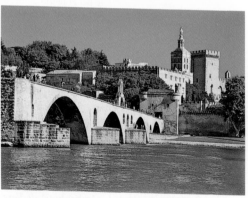

les cathares, il fut reconstruit à la fin du XIIIᵉ s. Mais, mis à mal par les nombreuses crues du Rhône, il fut définitivement abandonné au cours du XVIIᵉ s. Il n'en reste plus aujourd'hui que quatre arches (sur 22 d'origine).

• La **chapelle Saint-Nicolas*** , placée sous le vocable du patron de la navigation marine et fluviale, subsiste également-

Possibilité de promenade en bateau sur le Rhône (45 mn). Rens. auprès de l'office de tourisme d'Avignon ☎ 04 32 74 32 74.

Un saint pour un pont

Selon la légende, le célèbre pont d'Avignon aurait été construit par saint Bénézet, pâtre originaire du Vivarais, né en 1165. Un ange déguisé en pèlerin lui aurait ordonné de bâtir un pont sur le Rhône et l'aurait guidé jusqu'à Avignon. Mais quand Bénézet s'en vint présenter l'affaire à l'évêque du lieu, ce dernier le prit pour un doux illuminé. Bénézet réussit cependant à le convaincre en soulevant tout seul un très lourd bloc de pierre que 30 hommes n'avaient pu déplacer, puis en le portant jusqu'aux rives du fleuve en s'écriant : «Voilà pour les fondations.» Mort en 1184, Bénézet fut canonisé en 1244. Ses reliques, autrefois conservées dans la chapelle Saint-Nicolas, furent transférées au couvent des Célestins à la fin du XVIIᵉ s., puis déposées, au milieu du XIXᵉ s., dans l'église Saint-Didier où elles se trouvent encore.

Voir plan p. 148

Bonne adresse

⌂ ✕ ♟ *La Mirande*, 4 pl. de l'Amirande **B2** ☎ 04 90 14 20 20 ; www.la-mirande.fr Installé dans le superbe hôtel de Vervins, cet établissement de luxe dispose d'une belle table de gastronomie provençale. Plus accessible, la formule goûter permet de profiter du cadre exceptionnel en se régalant de pâtisseries maison accompagnées d'une boisson chaude. L'hôtel organise des cours de cuisine et de pâtisserie (pour adultes ou enfants) dans les cuisines du XIXᵉ s. de l'ancien hôtel particulier.

ment sur la 2ᵉ pile du pont aujourd'hui en ruine. Romane d'origine, mais en partie détruite pendant le siège de 1226, elle fut reconstruite dans les années 1230 et remaniée par la suite. Elle se compose de deux niveaux qui montrent bien la succession des styles (étage inférieur avec abside romane et courte nef gothique, étage supérieur gothique avec additions du XVIᵉ s.).

■ **Le rocher des Doms**★★ **B1**
Préservé de l'urbanisation, le rocher, devenu pacage communal, sera laissé au bétail pendant plusieurs siècles. Sur cette éminence aride et balayée par les vents, seuls étaient implantés quelques moulins. Cependant, au XVIIIᵉ s., sous l'influence des idées en vogue à l'époque (on [re]découvrait la nature et les bienfaits d'un air pur pour la santé), le rocher devint un lieu de promenade très fréquenté, apprécié aussi bien pour son bon air vif que pour son beau panorama. Des travaux de terrassement en 1830 et l'aménagement d'un jardin et de rocailles sous le Second Empire ont donné au rocher son aspect actuel.

• Depuis les terrasses panoramiques côté Rhône, très belle **vue**★★★ sur Villeneuve-lez-Avignon avec la tour Philippe le Bel et le fort Saint-André, sur Châteauneuf-du-Pape et sur le mont Ventoux.

Redescendre du rocher des Doms par les escaliers Sainte-Anne. On contourne le palais des Papes par l'E. pour traverser le verger d'Urbain V. Emprunter ensuite la rue du Vice-Légat qui conduit rue de la Peyrollerie.

■ **La place de l'Amirande (rue de la Peyrollerie)**★★ **B2**
Au sommet d'un piton rocheux se dresse l'**ancien palais de la commune**★ des XIIᵉ et XIIIᵉ s. Cette construction massive, dont les murs puissants ne sont animés que de quelques fenêtres, a été réaménagée au XIVᵉ s. Transformée depuis en logements, elle continue d'attirer l'attention dans le paysage urbain d'aujourd'hui.

• Le bel **hôtel de Vervins**★★ a été commandé en 1687 à Pierre Mignard. Les angles du bâtiment présentent d'importantes «chaînes» (pierres ayant reçu un traitement et un décor particulier pour marquer les angles d'un bâtiment ou les encadrements des baies) et la travée au centre de la façade (qui comprend le portail) forme, par une légère avancée, un avant-corps. Pour l'ornementation, les fenêtres du 1ᵉʳ étage possèdent des médaillons animés de têtes de profil, d'un relief très plat, et entourés de palmes. La corniche de la baie du milieu montre une tête d'Apollon sur fond de soleil rayonnant. Faut-il voir dans cette figure un hommage non déguisé à Louis XIV, qui avait choisi ce motif pour emblème personnel en 1661 ?

Autour des halles*

C'est la destruction de la maison d'un notable protestant, en 1562, qui se trouve à l'origine de l'aménagement de la place Pie (du nom du pape régnant à l'époque) et du renforcement du rôle commerçant du quartier par la construction d'une halle dans l'espace ainsi libéré. Baptisé place d'Armes sous la Révolution, l'endroit continua d'abriter, au XIXᵉ s., un marché de fruits et légumes jusqu'à détrôner dans ce rôle la place de l'Horloge. Le percement de la rue Thiers, sous le Second Empire, ouvrit largement les lieux. En 1972, les anciennes halles métalliques de 1899 furent remplacées par un très discutable édifice surmonté d'un parking. Le quartier a donc évolué, mais il conserve encore de nos jours un caractère populaire et commerçant bien marqué, dont on goûtera principalement l'animation en semaine, et particulièrement le matin.

Départ pl. Pie ou pl. Saint-Jean-le-Vieux **C2** • *compter 2 h.*

■ La tour Saint-Jean* C2

C'est le seul témoignage subsistant de l'ancienne commanderie des Hospitaliers de Saint-Jean-de-Jérusalem, transformée en livrée au XIVᵉ s. quand ces derniers désertèrent les lieux pour s'installer chez les Templiers dont les biens venaient de leur être dévolus. Après plusieurs affectations (établissement d'enseignement, caserne…), ce vaste ensemble gothique fut démoli à la fin du XIXᵉ s.

Par la rue Saint-Jean-le-Vieux et ses cafés, rejoindre la pl. Pignotte qui débouche rue Paul-Saïn.

■ La rue Paul-Saïn C2

On y voit la **chapelle du couvent de la Visitation*** (n° 35), construite dans les années 1630 grâce au vice-légat de l'époque, le cardinal Mario Philonardi. Ce beau morceau d'architecture, qui adopte un plan en croix latine, est dû à François Royers de la Valfenière (→ *p. 177*). Sa façade, à deux niveaux séparés par une corniche, reprend la disposition de ce que l'on a surnommé le « style jésuite », car c'est à Rome, à l'église jésuite du Gésu, que cette formule a été employée pour la 1ʳᵉ fois à la fin du XVIᵉ s.

La façade nord des Halles porte un mur végétal créé par le botaniste Patrick Blanc (auteur du mur du musée du quai Branly à Paris).

▲ *La tour Saint-Jean.*

Les rues Paul-Saïn, Philonarde et des Lices ont été aménagées à l'emplacement de la 1ʳᵉ ceinture médiévale de remparts.

▲ *Une ancienne roue à aubes dans la rue des Teinturiers.*

La Dévote et Royale compagnie des Pénitents gris forment la confrérie la plus ancienne d'Avignon (elle fut fondée en 1226 pour lutter contre les hérétiques albigeois) et la seule qui soit encore en activité. Les confrères vouent toujours un culte particulier à l'eucharistie. En effet, depuis 1433, date d'une inondation qui épargna les hosties consacrées conservées dans la chapelle, ils organisent tous les ans une fête anniversaire du «miracle», le dim. le plus proche du 30 novembre.

■ La rue des Teinturiers** CD3

Ombragée par des platanes, bordée de maisons d'un côté et d'un muret de pierre de l'autre, le long de la rivière, elle est, de nos jours, la rue la plus pittoresque de la ville. Son tracé suit le cours d'un bras de la Sorgue provenant de Fontaine-de-Vaucluse, qui alimentait autrefois les douves des premiers remparts médiévaux. L'eau de la rivière fut utilisée au XVIIIe s. pour les besoins des fabriques de tissus, les indiennes, particulièrement prospères à cette époque. Réactivée au XIXe s., cette fabrication laissa ensuite la place à d'autres ateliers qui utilisaient la force motrice de la Sorgue au moyen de grandes **roues à aubes** : il en reste trois aujourd'hui. Maintenant calme et paisible, vivant au rythme tranquille de ses habitants pendant l'année, la petite rue, bordée de cafés et restaurants, est particulièrement animée l'été car de nombreuses compagnies du festival «Off» viennent donner des parades dans la rue et aux terrasses des établissements riverains. Mais c'est sans doute le matin (ou le soir hors saison) que l'on goûtera au mieux au charme intemporel de l'endroit.

• Restes de l'**ancien couvent des Cordeliers** (une chapelle absidiale et le clocher) à l'entrée de la rue. Au n° 8, **chapelle des Pénitents-Gris**. Située au bord de la Sorgue, leur chapelle fut reconstruite au XVIe s. en style gothique.

• Au n° 36, belle **maison gothique** crénelée, flanquée de deux petites échauguettes. Elle est appelée «**maison du Quatre de chiffre**»** en raison d'un décor gravé sur sa façade (une sorte de monogramme inscrit dans un écusson). Une inscription aujourd'hui disparue indiquait la date de construction de l'édifice : 1493. Propriété du conseil général, l'immeuble sert aujourd'hui de maison des associations.

■ La rue des Lices BC3

On y verra les importants bâtiments de l'**Aumône générale**. Cette institution fut créée en 1592 pour recueillir et assister les pauvres. Plusieurs campagnes de travaux de 1669 à 1778 (les dernières par Jean-Baptiste et Jean-Pierre Franque) ont permis d'édifier un vaste ensemble de bâtiments en U dotés de quatre niveaux de galeries. Les lieux ont été réhabilités et accueillent des logements.

■ La rue du Roi-René BC2

Cette étroite rue est bordée d'hôtels particuliers d'un grand intérêt dont l'**hôtel de Crillon** (n° 7), édifié en 1648 par l'Italien Domenico Borboni sur l'emplacement de la livrée de Pampelune. La décoration très abondante utilise de façon archaïque un vocabulaire ornemental maniériste à base de motifs floraux divers et de mascarons. Comme son vis-à-vis, ses belles proportions évoquent les demeures romaines.

• L'**hôtel de Fortia-Montreal**★★ (n° 8-10), élevé en 1637 par François Royers de la Valfenière *(→ p. 177)*, est, avec l'hôtel de la Monnaie *(→ p. 163)*, un des premiers bâtiments privés «modernes» d'Avignon. Son imposante façade aux puissants frontons alternativement arrondis et triangulaires rappelle aussi les palais italiens.

• L'**hôtel d'Honorati de Jonquerettes**★★ (n° 12-12bis), du XVIIIe s., présente comme son voisin des fenêtres surmontées d'un linteau droit ou de frontons triangulaires et semi-circulaires alternés.

■ **La chapelle des Pénitents-Blancs**★ **B2**
Pl. de la Principale.
Salle de spectacle affectée au Festival d'Avignon, l'église fut reconstruite aux XIVe et XVe s. La confrérie des Pénitents blancs, fondée en 1527, s'y installa au XIXe s. et refit la façade à ce moment-là. Les Pénitents blancs étaient la confrérie la plus aristocratique de la ville et comptèrent parmi leurs membres Charles IX et Henri III.

Après avoir traversé la pl. de la Principale, prendre en face la rue du Vieux-Sextier, qui coupe la rue des Fourbisseurs. Poursuivre rue du Vieux-Sextier et emprunter à g. un passage qui conduit pl. de Jérusalem. Ce passage constituait, au XVIIIe s., l'une des trois portes de la «carrière».

■ **L'ancienne «carrière» et la synagogue**★ **C2**
Pl. de Jérusalem.
Le quartier juif était situé au N.-O. de la pl. du Palais. Il fut transféré en 1221 près de la paroisse Saint-Pierre, autour de l'actuelle pl. de Jérusalem. Cette «carrière» *(→ p. 186)*, autrefois fermée par trois portes dont seul reste le portalet de la Calandre, a été largement détruite par les travaux d'urbanisme du XIXe s.

• La **synagogue**★ *(ouv. du lun. au ven. 9 h-11 h hors fêtes)* actuelle date du milieu du XIXe s. Elle remplace celle reconstruite dans les années 1760 par Jean-Baptiste Franque *(→ p. 177)*, détruite par un incendie en 1845.

Autour du quartier des Carmes★★

Proche de la route de Lyon et des berges du Rhône où était autrefois aménagé le port, le quartier a conservé de son implantation stratégique et de son passé industriel un charme populaire.

*Départ à côté de l'église Saint-Pierre **B2** • compter 2 h.*

En haut de la rue des Fourbisseurs (artisans autrefois spécialisés dans le polissage des objets en métal), à l'angle avec la rue des Marchands, s'élève une importante maison du début du XVIe s. sur plusieurs niveaux en encorbellement, dont les pans de bois aux étages sont masqués par des enduits. Très fréquent autrefois, ce type de construction fut finalement interdit au XVIIe s., en raison de risques d'incendies encourus.

Voir plan p. 148

▲ *Les vantaux sculptés de la porte de l'église Saint-Pierre (ici, L'Annonciation).*

Seul le N. de l'actuelle rue Banasterie s'appelait ainsi autrefois, là où se dressaient les modestes maisons des fabricants de corbeilles en osier appelées «banastes», près de l'endroit où un petit bras de la Sorgue venait se jeter dans le Rhône. Les saules qui abondaient sur leurs rives fournissaient la matière première à la petite industrie qui s'exerçait naturellement dans le voisinage.

Bonnes adresses

🏠 *Hôtel Médiéval*, 15, rue Petite-Saunerie **BC2** ☎ 04 90 86 11 06; www.hotelmedieval. com Agréable hôtel dans une demeure du XVIIᵉ s., au calme près de l'église Saint-Pierre. Chambres à la décoration soignée.

✗ *L'Épicerie*, 10, pl. Saint-Pierre **B2** ☎ 04 90 82 74 22. Situé à côté de l'église Saint-Pierre, sur une petite place tranquille. Bonne cuisine française à consonance provençale.

■ L'église Saint-Pierre** B2

Pl. Saint-Pierre • ouv. t.l.j. 8 h-18 h.

Un cardinal, Pierre des Prés, est à l'origine de la reconstruction, à partir du milieu du XIVᵉ s., de l'église qui allait désormais porter son nom. Les travaux se poursuivirent jusqu'au début du XVIᵉ s., mais l'ensemble reste d'une grande unité, car le plan dressé au départ fut respecté jusqu'à son achèvement. La partie la plus célèbre de l'église est son imposante façade élevée dans les années 1510 par Perrin de Beauvur, originaire de Saint-Quentin, et Nicolas Gasc, d'Avignon. La porte conserve encore ses vantaux richement sculptés, commandés en 1551 à Antoine Volard, originaire du Dauphiné : d'un côté, saint Jérôme et saint Michel, de l'autre, l'Annonciation.

Contourner l'église par l'agréable petite pl. des Châtaignes, aménagée à l'emplacement de l'ancien cloître, et emprunter la rue Banasterie.

■ La rue Banasterie* B2-C1

Cette rue paisible est bordée de belles demeures. Au n° 13, l'**hôtel de Madon-de-Châteaublanc★★** a été édifié par Pierre Mignard en 1687 selon un plan en U, fermé côté rue par une aile plus basse. Au milieu de cette dernière s'ouvre un portail surmonté d'un fronton triangulaire, présentant, de part et d'autre, des fenêtres à mascarons (rez-de-chaussée) et guirlandes (1ᵉʳ étage). L'ensemble possède des proportions très harmonieuses.

■ La chapelle des Pénitents-Noirs** C1

En haut de la rue Banasterie, au débouché de la rue des Trois-Colombes • ouv. le sam. (d'avr. à sept. le ven.) 14 h-17 h.

Pendant les décennies 1730-1740, les architectes Thomas Lainé d'abord et Jean-Baptiste Franque ensuite s'occupèrent de la réfection et de l'ornementation de la vieille chapelle des Pénitents-Noirs, confrérie fondée en 1586. La façade très soignée, composée de deux niveaux, est ornée à la partie supérieure d'une grande «gloire» dont la tête de saint Jean-Baptiste portée sur un bassin par deux anges constitue le motif principal. L'intérieur vaut plus pour sa décoration, raffinée, théâtrale et presque mondaine, que pour son architecture : les plafonds sont peints, tandis que des tableaux d'artistes différents ornent tous les murs, encadrés dans de riches lambris.

■ La porte et le quai de la Ligne* C1

Voir plan p. 148

Le nom de cette porte, et du quai sur lequel elle ouvre, vient du provençal *legno* qui signifie «bois». C'est ici, en effet, qu'était déchargé le bois à brûler. La porte actuelle date des remaniements effectués sur les remparts au milieu du XVIII\ :math:`^e` s. par Jean-Baptiste et Jean-Pierre Franque.

■ Le grenier à sel* C1

Établi près du port du Rhône, il a été construit par Jean-Ange Brun au milieu du XVIII\ :math:`^e` s. Il présente une façade monumentale au milieu de laquelle s'ouvre une porte inscrite dans un avant-corps. Le bâtiment a été réaménagé par Jean-Michel Wilmotte en 1989. C'est aujourd'hui un lieu de congrès, de séminaires et d'expositions.

■ L'ancienne église des Carmes* C1

Pl. des Carmes • ouv. t.l.j. 8 h-18 h sf pendant les offices.

Construite au XIV\ :math:`^e` s. grâce aux libéralités des papes Jean XXII et Clément VI, elle est devenue, au XIX\ :math:`^e` s., l'**église Saint-Symphorien**. Elle possède toujours sa structure d'origine mais englobée dans des réfections ultérieures : une grande façade très plate avec une rose et un gâble flamboyants du XV\ :math:`^e` s., une large nef unique bordée de chapelles, en partie remaniée au XVII\ :math:`^e` s. après un effondrement partiel, une voûte en berceau, mise en place en 1835. L'église conserve de nombreux tableaux, principalement du XVII\ :math:`^e` s. Le cloître est devenu l'un des lieux permanents du Festival d'Avignon.

■ Le clocher des Augustins C1

Rue Careterie, au niveau de la pl. des Carmes.

C'est le seul élément visible de l'ancien couvent des Augustins. Construit dans les années 1370, il s'apparente bien au gothique avignonnais de l'époque. Il présente néanmoins deux particularités : il a reçu une horloge publique dès 1497 (les habitants du quartier, qui se plaignaient de ne pas entendre sonner les heures au jacquemart de l'hôtel de ville, s'étaient cotisés pour en installer une ici), puis un campanile, à la fin du XVI\ :math:`^e` s.

▼ *Le clocher des Augustins : plusieurs siècles d'histoire architecturale pour autant d'usages.*

• En suivant la rue Careterie à g. puis en prenant à dr. les rues du Muguet et de Rascas, on pourrait découvrir l'étonnante façade de 175 m de long de l'ancien **hôpital Sainte-Marthe** D1-2**, fondé au milieu du XIV\ :math:`^e` s., qui abrite aujourd'hui l'université. Une quinzaine de chantiers étalés de la fin du XVII\ :math:`^e` s. au XIX\ :math:`^e` s., dirigés principalement par Jean Peru puis par Jean-Baptiste et François Franque

La rue Careterie tire son nom des corroyeurs qui s'y étaient autrefois établis en grand nombre. Ces artisans étaient spécialisés dans le traitement et le commerce des cuirs. Il ne faut pas les confondre avec les tanneurs, chargés de préparer les peaux à partir des dépouilles d'animaux.

($\rightarrow$ p. 177), ont donné aux lieux l'aspect impressionnant qu'ils ont conservé.

Du clocher des Augustins, prendre la rue Carreterie à dr. puis la rue du Portail-Matheron. Par la rue de la Croix et la rue du Mont-de-Pieté, rejoindre la rue Saluces.

■ Le mont-de-piété et la Condition des soies* C1

6, rue Saluces ☎ *04 90 86 53 12 • ouv. lun. 10 h-12 h et 13h30-17 h; du mar. au ven. 8h30-12 h et 13h30-17 h • entrée libre.*

Cet important ensemble de bâtiments s'est constitué en plusieurs phases : nouvelle salle couverte de voûte d'arêtes en 1640-1648, puis doublée en hauteur en 1670-1675; aménagement d'un grand escalier en 1681; prolongement du tout vers la rue de la Croix à l'extrême fin du XVIIe s.; reconstruction de la chapelle dans les années 1730; extensions au XIXe s.

• Un petit **musée** installé dans les lieux mêmes retrace l'histoire du mont-de-piété et de la Condition des soies par une originale collection d'objets et la présentation de pièces d'archives. Fondée en 1577, la congrégation Notre-Dame-de-Lorette s'était donné pour but d'aider les pauvres. Érigée en mont-de-piété en 1610, elle devint apte à effectuer des prêts sur gages et fut ainsi le 1er établissement du genre dont le succès continue à perdurer (c'est aujourd'hui le Crédit municipal). Quant à la Condition des soies, elle fut installée ici en 1801 et fonctionna jusqu'en 1928. Elle était chargée de déterminer la qualité des soies, objets d'un important négoce, donc d'éventuelles fraudes.

Par la rue de la Croix et la rue Armand-de-Pontmartin, on rejoint l'église Saint-Pierre.

À voir encore en dehors du centre

■ L'île de la Barthelasse* A1

À l'O. et au N. d'Avignon. Accès en voiture depuis le pont Daladier A1 ou par une navette fluviale gratuite en saison qui part au pied du rocher des Doms, à côté du pont Saint-Bénezet B1.

Le pont Saint-Bénezet reliait Avignon à Villeneuve en traversant l'île de la Barthelasse. Cette dernière, avec ses 700 ha, constitue la plus grande île fluviale de France. Les espaces verts et ses chemins de halage attirent aujourd'hui de nombreux promeneurs et cyclistes. C'est d'ici, au coucher du soleil, que la **vue**★★ sur la cité des Papes est la plus belle.

Comme la soie est une matière qui se charge très facilement d'humidité (jusqu'à 30 % de son poids), il est rapidement devenu indispensable de déterminer son poids réel par l'analyse d'échantillons prélevés dans les écheveaux. Car, outre l'hygrométrie naturelle, contre laquelle l'homme est impuissant, certains marchands peu scrupuleux n'hésitaient pas à arroser les fils pour les alourdir...

Loisirs

L'île de la Barthelasse est un lieu idéal pour se reposer des chaleurs estivales.
◉ **Balade en Canoë**, allée Antoine-Pinay, île de la Barthelasse A1 ☎ 06 11 52 16 73 ; www.canoe-vaucluse.fr ; en juil. et août. Balade de 30 mn à 1 h 30, descentes du Rhône.

◄ *L'île de la Barthelasse, en majorité occupée par des vergers, offre une agréable promenade en bord de Rhône et une vue d'ensemble d'Avignon et du pont Saint-Bénezet.*

■ L'abbaye Saint-Ruf Hors plan par C3

Au S. du centre-ville, à l'angle de l'av. du Moulin-Notre-Dame et du bd Roux-Renard. Près de la gare SNCF du centre-ville, emprunter l'av. Saint-Ruf C3 en direction de Tarascon. Au bout de 1 km environ, prendre à g. l'av. du Moulin-Notre-Dame. Après 500 m à peine, elle croise le bd Roux-Renard.

Sur la route de Tarascon, cette abbaye, fondée au début du XIᵉ s., fut fortifiée au temps des papes d'Avignon. Mais elle n'échappa pas à la décadence des XVIIᵉ et XVIIIᵉ s. et les moines eux-mêmes commencèrent à la démolir. Son **église**, dont il subsiste seulement le chevet, le clocher et le transept, reste cependant un bel édifice roman du XIIᵉ s.

■ Montfavet Hors plan par D3

À 7 km E. des remparts d'Avignon par la N 7 en direction de Marseille.

Ce quartier d'Avignon s'est constitué autour d'un prieuré édifié dans les années 1340 à l'initiative du cardinal Bertrand de Montfavet. Son **église** fortifiée★★, aujourd'hui église paroissiale Notre-Dame-de-Bon-Repos, est un beau morceau d'architecture gothique à la mode méridionale : une vaste nef unique (entre les contreforts de laquelle des chapelles ont été ménagées) terminée par une abside plus basse.

■ Epicurium Hors plan par D3

Cité de l'alimentation, rue Pierre-Bayle, Montfavet ☎ 04 32 40 37 71 • ouv. d'avr. à oct. t.l.j. 14 h-18 h 30 ; en juil.-août du lun. au ven. 10 h-18 h 30, le week-end 14 h-18 h 30 ; f. de nov. à mars • www.epicurium.fr

Le premier musée vivant des fruits et légumes en Europe. On y découvre un immense verger, un potager avec parcelles thématiques, ainsi qu'un parcours sensoriel sur l'usage des fruits et légumes dans l'agriculture, l'industrie, l'alimentation. Ateliers de cuisine et de jardinage.

Bonne adresse

✗ **Le Bercail**, 162, chemin des Canotiers, île de la Barthelasse hors plan par A1 ☎ 04 90 82 20 22. Situé au bord du fleuve, le restaurant bénéficie de la plus belle vue sur Avignon, le palais des Papes et le pont Saint-Bénezet. Cuisine provençale, pizzas, grillades.

Pour accéder au centre-ville de Villeneuve-lez-Avignon depuis Avignon, emprunter la ligne de bus TCRA n° 5 à l'arrêt Porte de l'Oulle (plan Avignon A1) ☎ 04 32 74 18 32 ou www.tcra.fr

🛈 pl. Charles-David A1 ☎ 04 90 25 61 33; www.ot-villeneuvelezavignon.fr

En juil. et août, visite guidée de la ville les mar. et ven. Informations à l'office de tourisme.

À ne pas manquer

Manifestations

• Marché : jeu. matin, pl. Charles-David. Brocante le sam. matin au même endroit.
• Trois semaines en juil., Festival Villeneuve en scène : théâtre, contes.
• Rencontres d'été de la Chartreuse (spectacles, concerts, conférences); http://chartreuse.org

Villeneuve-lez-Avignon★★

Séparée d'Avignon la pontificale par le Rhône, Villeneuve la royale s'étend sur les pentes d'un rocher et des collines voisines. Mais Villeneuve n'est pas une banlieue de l'ancienne capitale de la chrétienté; elle bénéficie, au contraire, de sa proximité. La qualité de vie que recherchaient les cardinaux du XIVe s. s'y est perpétuée. Et, si la localité s'accroît, elle a su conserver son aspect résidentiel et sa douceur de vivre.

Déjà provençale

Le puy Andaon, rocher qui arrêtait les eaux du Rhône, offrait de nombreuses grottes où Casarie, fille d'un roi wisigoth, s'installa en ermite pour y mourir en 586. Sa tombe fit l'objet d'un culte et fut gardée, au Xe s., par les Bénédictins qui érigèrent l'abbaye Saint-André, un des plus puissants monastères du S. de la France. Au XIIe s., la commune d'Avignon étendit sa domination sur le rocher. Cependant, lorsque le roi de France Louis VIII assiégea Avignon en 1226, l'abbé de Saint-André se rallia

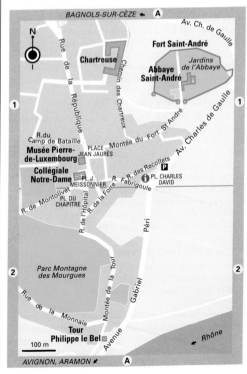

à lui, concluant un traité par lequel le souverain devenait coseigneur des lieux. Philippe le Bel confirma cet acte en 1292. Grâce à d'importants privilèges, il établit la «ville neuve» au débouché du pont Saint-Bénezet qu'il fit fortifier. La cité prit une extension exceptionnelle avec l'établissement de la papauté à Avignon, car les papes et les cardinaux vinrent y établir leurs palais, appelés «livrées». La chapelle de l'une d'elles deviendra la collégiale, l'autre sera transformée en chartreuse. Le XIVe s. apparaît alors comme une période d'apogée pendant laquelle les arts furent particulièrement florissants. Mais les fonctions militaires et commerciales ont maintenu une importante activité et les XVIIe et XVIIIe s. furent des siècles de prospérité. Cependant, Villeneuve-lez-Avignon sortit ruinée de la Révolution et vécut longtemps dans l'ombre de la grande ville d'en face.

■ La tour Philippe-le-Bel* A2

Rue Montée-de-la-Tour ☎ *04 32 70 08 57 • ouv. de fév. à avr. t.l.j. sf lun. 14 h-17 h, mer. 10 h-12 h et 14 h-17 h; de mai à oct. t.l.j. sf lun. 10 h 30-12 h 30 et 14 h-18 h; f. en nov., déc., janv. et le 1er mai.*

Destinée à surveiller l'entrée du pont Saint-Bénezet, elle a été édifiée entre 1293 et 1307, puis surélevée vers 1360. Elle se compose de trois niveaux voûtés d'ogives. De sa terrasse, on jouit d'une très belle **vue★★** sur les environs.

• Au n° 14, **rue de l'Hôpital A2**, l'hospice occupe la livrée (→ p. 153) de Raymond de Canillac.

■ La collégiale Notre-Dame et son cloître* A1

Pl. Meissonnier ☎ *04 90 27 49 23 • ouv. t.l.j. sf lun., de mai à oct. 10 h-12 h 30 et 14 h-18 h; de nov. à avr. 14 h-17 h; f. en janv., les 1er mai, 1er et 11 nov., 25 déc. • entrée libre.*

La chapelle de la livrée du cardinal Arnaud de Via, neveu du pape Jean XXII, fut commencée en 1320, doublée en longueur vers 1330, puis érigée en collégiale en 1333. La nef unique est flanquée de chapelles latérales logées entre les puissants contreforts et réunies par un même mur de ceinture. L'intérieur conserve un mobilier des XVIIe et XVIIIe s. Le cloître, construit à l'emplacement de la livrée, est de peu postérieur à l'église, car les baies ont été obstruées pour placer les voûtes.

■ Le musée Pierre-de-Luxembourg★★ A1

3, rue de la République ☎ *04 90 27 49 66 • ouv. t.l.j. sf lun., de mai à oct. 10 h-12 h 30 et 14 h-18 h; de nov. à avr. 14 h-17 h; f. en janv., les 1er mai, 1er et 11 nov., 25 déc. • www.musee-gard.fr*

L'hôtel qui abrite le musée occupe une partie de la livrée du cardinal Pierre de Montirac – neveu du pape Innocent VI –, où mourut le cardinal Pierre de Luxembourg en 1382. Les collections, dont le chef-d'œuvre d'Enguerrand Quarton, *Le Couronnement de la Vierge★★★*,

▶ *Le* Couronnement
de la Vierge, *par Quarton*
au musée Pierre-
de-Luxembourg.

peint en 1453 pour la chartreuse, présentent un beau
panorama de la peinture provençale du XVIe au XVIIIe s.,
avec des réalisations de Simon de Châlons (→ p. 159),
Nicolas Mignard (→ p. 65), Reynaud Levieux (→ p. 65)
et Philippe de Champaigne.

■ **Les palais cardinalices***

On peut voir plusieurs des demeures que les cardinaux
se firent construire.

• La **rue de la République** **A1**, qui permet de rejoindre
la chartreuse, est bordée de plusieurs palais : au n° 41,
hôtel Calvet de Montolivet ; au n° 53, palais de Pierre
de la Thurry, dite «de la Thurroye», aménagé à partir
de celui de Guy de la Tour d'Auvergne. C'est le mieux
conservé de tous. L'aile O. a laissé la place,
au XVIIe s., à la chapelle des Pénitents-Gris,
reconstruite en 1758 par l'architecte avignonnais Franque.

• **Rue Montée-du-Fort** **A1**, qui s'ouvre presque
en face du musée, voir aux nos 5-11, le palais de
Bertrand du Pouget, qui a gardé sa haute tour,
aménagé à partir de celle de Léonard Rossi.

■ **La chartreuse***** **A1**

58, rue de la République ☎ *04 90 15 24 24 • ouv.*
d'avr. à sept. t.l.j. 9 h 30-18 h 30 ; d'oct. à mars du
lun. au ven. 9 h 30-17 h, sam.-dim. 10 h-17 h ; f. les
1er janv., 1er mai, 1er et 11 nov., 25 déc. • http://
chartreuse.org

La chartreuse doit son origine à la volonté
d'Étienne Aubert, cardinal devenu pape en
1352 sous le nom d'Innocent VI. Celui-
ci, après son élection, fit don à l'ordre des
Chartreux des terres et du palais qu'il possédait

Les palais cardinalices

Au début du XIVe s., les cardinaux de la
cour pontificale, séduits par les grands
espaces et l'air réputé sain de Villeneuve,
s'y firent bâtir de somptueux palais
privés. Ces résidences de campagne abri-
taient aussi bien la famille du cardinal
que son camérier, son médecin, ses
secrétaires, ses notaires et ses écuyers.
Composées de vastes salles superposées,
les demeures étaient conçues pour recevoir de prestigieux invités. Au retour
de la papauté à Rome, elles furent laissées à l'abandon, morcelées et parfois
détruites. Sur les 12 palais cardina-
lices édifiés à Villeneuve, 6 sont encore
visibles (circuit de découverte disponible
à l'office de tourisme).

à Villeneuve. Il fit mener rondement les travaux de la 1re fondation, prévue à l'origine pour 12 religieux, et conféra de nombreux privilèges à l'établissement. Très attaché à la chartreuse, il y fut inhumé à sa demande en 1362. L'œuvre fut poursuivie par son neveu Pierre de Montirac : le Val-de-Bénédiction était alors devenu le plus grand monastère de Chartreux de France après celui de Grenoble. Malmenés après leur vente comme biens nationaux, les bâtiments ont été progressivement réhabilités. Ils abritent depuis 1991 le Centre national des écritures du spectacle.

> Dans l'enceinte de la Chartreuse, un espace 3D permet de découvrir virtuellement le décor du XVIIIe s. de l'église, ainsi qu'une restitution du pont d'Avignon réalisée par des scientifiques.

• La **porte fortifiée médiévale** donne accès à une 1re cour desservant les bâtiments utilitaires auxquels les laïcs avaient accès. Au fond s'ouvre la **porte de la clôture**, construite par François Royers de la Valfenière au XVIIe s. : elle marque l'entrée du très vaste espace réservé aux religieux.

• L'**église conventuelle** a été bâtie en quatre temps, ces accroissements reflétant l'augmentation très rapide du nombre de religieux, passé de 12 à 24.

> Le terme « tinel » est employé en Italie et dans le sud de la France pour désigner les salles à manger ou les réfectoires. *Tinellum* vient du bas latin *tina*, qui signifie « tonneau ». Dont on imagine sans peine le contenu…

• Le **petit cloître** dessert, entre autres, la salle du chapitre et une partie de l'ancien tinel devenu réfectoire.

• Le **grand cloître** s'articule sur le petit. Ses galeries communiquent avec les **cellules** des moines, conçues comme autant de petites habitations individuelles, avec jardins à l'arrière. Il conduit également à la **chapelle particulière d'Innocent VI**, ornée de peintures murales attribuées à Matteo Giovanetti racontant la vie de saint Jean-Baptiste.

• Le **cloître Saint-Jean** dessert les autres cellules des moines. Son jardin est orné d'un réservoir d'eau depuis le milieu du XVIIe s., œuvre de François Royers de la Valfenière. Elle fut protégée au XVIIIe s. par un édicule de l'Avignonnais Jean-Baptiste Franque, d'où son surnom de « château d'eau ».

■ Le fort Saint-André** A1

☎ 04 90 25 45 35 • *ouv. de janv. à mai et en oct.-déc. t.l.j. 10 h-13 h et 14 h-17 h ; de juin à sept. t.l.j. 10 h-18 h ; f. les 1er janv., 1er mai, 1er et 11 nov., 25 déc. • visites libres ou guidées • www. fort-saint-andre.fr*
Couronnant le puy Andaon, le fort Saint-André témoigne encore du rôle qui lui fut assigné par les rois de France. Quand, en 1291, Philippe le Bel reprit l'idée de son aïeul Louis VIII de fortifier le mont, le Rhône traçait une frontière naturelle entre le Saint Empire

Tels pères, tels fils

Si plusieurs membres des Royers de la Valfenière, famille originaire du Piémont installée à Avignon depuis le XVIe s., furent architectes, c'est surtout François (1575-1667) dont la postérité a retenu les travaux, répartis le long du sillon rhodanien depuis Lyon jusqu'à la Méditerranée. La relève fut ensuite prise par les Franque, autre famille d'architectes avignonnais qui commença à s'illustrer au XVIIe s., dont Jean-Baptiste (1683-1758), fils de François I, est le représentant le plus connu. Ses fils, François II (1710-1786) et Jean-Pierre (1718-1810), furent bien souvent associés à ses chantiers, également répartis en majorité près du Rhône. Les constructions de Jean-Baptiste Franque, et particulièrement les voûtes réalisées sous sa direction, témoignent d'un art consommé de la taille et de l'agencement des pierres, dont les joints dessinent de savants motifs et ondulations.

▶ *Deux tours gardent l'entrée du fort Saint-André.*

romain germanique et le royaume de France qui venait de réunir le Languedoc à la couronne. Lors de l'installation des papes en Avignon en 1316, le fort avait acquis une importance encore plus grande. Mais la Provence devint française à partir du XVᵉ s. Enclavés dorénavant dans le royaume, Avignon et le Comtat Venaissin, qui resteront possession papale jusqu'en 1791, ne représentaient plus une réelle menace. Le fort perdit alors de son intérêt, mais les militaires ne l'abandonneront qu'en 1792.

• Les puissantes **tours jumelles** implantées vers le Rhône flanquent l'entrée. Leurs terrasses servaient d'observatoire et forment le point de jonction au chemin de ronde qui court sur l'ensemble du mur d'enceinte. De ces plateformes, on appréciera la très large **vue**★★ depuis Avignon et le palais des Papes jusqu'aux Préalpes.

• Le **mur d'enceinte** du fort protégeait un vaste domaine qui abritait une garnison et aussi l'abbaye Saint-André, ainsi que le bourg qui s'était formé autour. Le tracé des rues et les ruines des maisons continuent de rappeler qu'une population nombreuse résidait sur le mont que les derniers habitants ont quitté en 1920.

■ L'abbaye Saint-André★ B1

☎ 04 90 25 55 95 • *jardins ouv. d'avr. à sept. t.l.j. sf lun. 10 h-18 h; en mars et oct. t.l.j. sf lun. 10 h-13 h et 14 h-17 h • visite libre des jardins; visite guidée sur r.-v. pour les bâtiments.*
La fondation de l'abbaye bénédictine Saint-André fut approuvée au Xᵉ s. par la papauté. Elle devint abbaye royale au XIIIᵉ s., connaissant l'apogée de sa prospérité au XIVᵉ s. Les Mauristes, devenus maîtres des lieux au XVIIᵉ s. après la réforme bénédictine, firent rénover et transformer l'abbaye pendant plus d'un siècle. Les beaux **jardins**★★ à l'italienne furent créés au début du XXᵉ s. Très belle **vue**★★ sur le Rhône et sur Avignon.

Carpentras★

Ancienne capitale du Comtat Venaissin, Carpentras garde l'accès d'un vaste amphithéâtre qui se déploie au pied du Ventoux. Sa situation entre plaine et montagne, en un point convergent de routes, en a très tôt fait un lieu de rencontre et d'échanges, et le grand marché du vendredi continue d'en témoigner. Il s'étend dans de nombreuses rues du centre ancien qui ont souvent conservé leur tracé tortueux de l'époque médiévale. Le promeneur, forcément piéton, aura compris que pittoresque et charme sont au rendez-vous.

À 26 km N.-E. d'Avignon par la D 942.

ℹ Maison de Pays, 97, pl. du 25-Août-1944 B2 ☎ 04 90 63 00 78; www.carpentras-ventoux.com
Visites guidées de la ville d'avr. à sept. La découverte peut également se faire de manière autonome, grâce aux panneaux qui apportent des informations historiques et architecturales sur les principaux monuments et sites. Un circuit-découverte balisé par un petit berlingot débute sur la pl. du 25-Août-1944.

Des origines celtes

Ville d'origine gauloise, capitale des Memini et cité florissante de la Narbonnaise dans les premiers siècles de l'Empire romain, Carpentras fut très tôt christianisée. On sait qu'au milieu du Ve s. elle était le siège d'un évêché qui dépendait d'Arles. Dans les siècles qui suivirent, la ville souffrit des invasions qui se succédèrent le long de la vallée du Rhône, et le siège de l'évêché fut parfois déplacé à Venasque, plus en sécurité sur les hauteurs. Après avoir appartenu ensuite au royaume d'Arles, aux comtes de Provence et aux comtes de Toulouse, la ville fut cédée au Saint-Siège avec le Comtat Venaissin par le traité de Paris en 1229. La cité médiévale était protégée par une ceinture de remparts dont il ne subsiste plus que le tracé emprunté par les rues Vigne, des Halles, Raspail, du Collège et Moricelly.

La capitale du Comtat Venaissin

Sous l'influence du pape Clément V au début du XIVᵉ s., la curie romaine y établit sa résidence. L'évêque, seigneur de la cité, dut céder sa juridiction temporelle au Saint-Siège sous Jean XXII et Carpentras devint dès lors la résidence habituelle des légats pontificaux qui administraient le Comtat. Elle conserva jusqu'à la Révolution son rôle de capitale, puis elle fut intégrée au nouveau département de Vaucluse en 1793. La guerre de Cent Ans avait conduit le pape Innocent VI à faire construire, à la fin du XIVᵉ s., une 2ᵉ enceinte, détruite au XIXᵉ s., qui a conféré par hasard sa forme de cœur à la ville ancienne. On pénétrait à l'intérieur par quatre portes (seule celle dite « d'Orange » est encore debout).

Manifestations

- Marché provençal : le ven. matin dans tout le centre ancien. Classé marché d'exception.
- Marché des producteurs : mar. 17 h-19 h d'avr. à sept. square Chamville.
- Marché aux truffes : le ven. matin de mi-nov. à fin mars pl. Aristide-Briand A2.
- Le 1er week-end de fév., fête de la Truffe et du Vin : marché aux truffes et aux plants, démonstration de «cavage» (recherche) par des chiens et des cochons, concours de cuisine, etc.
- En juil. et août, Les Trans'Art. Une succession de festivals animent les rues, les places et les scènes de la ville : musique classique, variété française, électro, reggae, humour, théâtre…
- Début août, Festival des musiques juives : concerts de musiques originaires de la Méditerranée (Espagne, Italie, Grèce, Afrique du Nord) ; www.festival-musiques-juives-carpentras.com
- Autour du 27 nov., foire Saint-Siffrein : grande foire agricole et commerciale rassemblant pendant 4 jours plus de 1 000 producteurs et exposants.

Les berlingots

Pour le plus grand régal des gourmands, rien ne se perd, et surtout pas le sirop des fruits confits (→ p. 233). C'est de ce dernier que sont nés, au milieu du XIXe s., grâce à l'imagination du confiseur Gustave Eysséric, les fameux berlingots de Carpentras. Un mince filet de sucre vient strier de blanc ces petites douceurs à l'amusante forme triangulaire.

Vers la modernité

Devenue sous-préfecture du Vaucluse, l'ancienne capitale du Comtat perdit son rôle politique et religieux au profit d'Avignon, tandis que ses principales activités économiques héritées des siècles passés connaissaient de graves difficultés : vers à soie atteints de maladie, garance (plante tinctoriale) concurrencée par l'apparition des pigments de synthèse et phylloxéra ravageant les vignobles contribuèrent au déclin de la ville.

Cependant, de grands progrès réalisés dans le domaine de l'irrigation et l'amélioration des voies de communication (le chemin de fer arrive à partir de 1842) permirent à Carpentras de développer à nouveau son agriculture à la fin du XIXe s. et de distribuer ses productions à travers toute la France. Quelques rues et immeubles du début du XXe s. témoignent encore de cette prospérité retrouvée. Carpentras est aujourd'hui une importante ville de marché de gros et aussi de détail, pour le plus grand plaisir des consommateurs et des promeneurs.

Départ de l'hôtel-Dieu, sur la pl. Aristide-Briand • compter une petite journée pour voir l'essentiel de la ville, mais on peut scinder la visite en deux et faire une pause-déjeuner près de la cathédrale ou de l'hôtel de ville • la visite de Carpentras se fait à pied (laisser son véhicule aux parkings aménagés près de l'hôtel-Dieu et allées des Platanes).

■ L'hôtel-Dieu* B2

Pl. Aristide-Briand ☎ 04 90 63 00 78 • en rénovation, se renseigner auprès de l'office de tourisme.

Ce vaste édifice fut fondé hors les murs, au S. de la vieille ville, à l'initiative de l'évêque Mgr d'Inguimbert (→ p. 182) et édifié entre 1750 et 1761 par l'architecte Antoine Allemand, qui l'a conçu à l'image d'un véritable palais : la façade principale à deux niveaux s'organise symétriquement de part et d'autre d'un avant-corps central.

Ce dernier est marqué par des colonnes superposées et un fronton triangulaire sommé de pots à feu exubérants, tandis qu'une balustrade permet de dissimuler le toit en terrasse.

- La chapelle abrite la sépulture de Mgr d'Inguimbert († 1774) et d'Isidore Moricelly, bienfaiteur de la ville au XIXe s. Ne surtout pas manquer la visite de l'apothicairerie du XVIIIe s., où l'on peut admirer des pots en faïence de Provence et divers ustensiles.

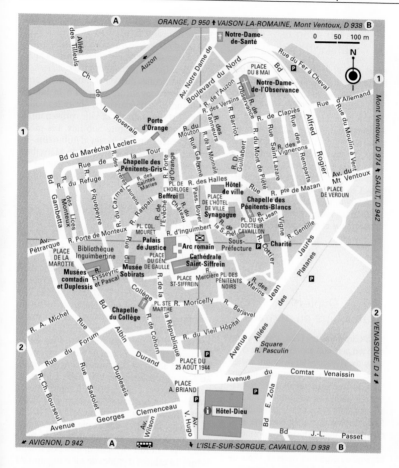

■ La chapelle du Collège* A2

21, rue du Collège. Sert aujourd'hui de salle d'exposition.

L'autorisation d'établir un collège de Jésuites à Carpentras fut donnée en 1607 malgré la proximité de celui d'Avignon (→ p. 150). La 1re pierre de l'établissement fut posée en 1628 mais, faute d'argent, les travaux s'éternisèrent et la façade de la chapelle resta inachevée. Cependant, la construction réalisée a été très soigneusement appareillée, tant à l'extérieur qu'à l'intérieur. La nef et le chœur sont voûtés en berceau (le chevet est plat), tandis qu'une coupole sur pendentifs couvre la croisée, une puissante corniche ceinturant l'ensemble. Des chapelles latérales avec berceaux transversaux en assurent le contrebutement.

Pendant de longs siècles, l'agriculture du Comtat s'était limitée à la classique trilogie du blé, de la vigne et de l'olivier. Au XVe s., ce fut la tour de la sériciculture qui nécessitait la plantation de mûriers dont les vers à soie étaient friands. Puis la tomate, l'artichaut et le melon apparurent. En 1763, Jean Althen lança la culture de la garance, plante dont les racines permettaient de produire un colorant rouge.

Un évêque philanthrope

Après une brillante carrière à la cour pontificale, monseigneur d'Inguimbert est nommé évêque de Carpentras en 1735. Dans ses bagages, il rapporte d'Italie objets, livres, manuscrits et tableaux qu'il met à la disposition du grand public dans un hôtel proche du palais épiscopal. Ses collections sont à l'origine du musée Duplessis et de la bibliothèque dite depuis «Inguimbertine». Cette dernière conserve également le riche fonds de Nicolas Fabri de Peiresc (1580-1637), célèbre érudit aixois féru de numismatique et d'astronomie.

Duplessis, un maître du portrait

Né à Carpentras en 1725, c'est d'abord avec son père puis auprès d'un frère chartreux de Villeneuve-lez-Avignon, ancien élève de Charles Le Brun, que Joseph-Siffrède Duplessis reçut sa 1re formation de peintre. Il la compléta à Rome à partir de 1744, sous la direction de Pierre Subleyras, qui lui enseigna aussi bien la peinture d'histoire, considérée alors comme le «grand genre», que le paysage ou le portrait. Après un séjour de quatre ans dans la Péninsule, il commença sa carrière française à Carpentras, où il fut rapidement honoré de nombreuses commandes émanant du clergé et de la noblesse du Comtat. Mais c'est Paris qu'il choisit, à partir des années 1750, pour faire du portrait sa grande spécialité. Sa présence remarquée au Salon de 1769 lui vaudra ensuite de travailler pour la cour. Si sa clientèle aristocratique disparut avec la Révolution, Duplessis n'en continua pas moins à être actif dans le domaine des beaux-arts jusqu'à sa mort à Versailles, en 1802.

■ Le musée Sobirats★ A2

112, rue du Collège ☎ 04 90 63 04 92 • ouv. d'avr. à sept. t.l.j. sf mar. et jours fériés 10 h-12 h et 14 h-18 h ; d'oct. à mars sur r.-v. • billet combiné avec les Musées comtadin et Duplessis ; gratuit le 1er dim. du mois.

L'hôtel particulier du XVIIIe s., aux salons ornés de gypseries, ayant appartenu à la famille d'Armand de Châteauvieux, abrite les collections d'art décoratif de la ville, provenant en partie du legs du comte Sobirats. Les pièces sont décorées de tapisseries d'Aubusson. De belles faïences de Moustiers et de Marseille y voisinent avec des tableaux et des meubles des XVIIe et XVIIIe s. ou encore de l'époque Empire.

■ Les Musées comtadin et Duplessis★ A2

234, bd Albin-Durand ☎ 04 90 63 04 92 • mêmes horaires que le musée Sobirats.

Les collections municipales de peinture (du XVe au début du XXe s.) trouvent leur origine dans les collections de Mgr d'Inguimbert, évêque de Carpentras de 1735 à 1757. Les dons et legs qui se sont succédé permettent de présenter un bel ensemble d'œuvres d'artistes du Comtat Venaissin : Jean-Joseph-Xavier Bidauld (1758-1846), célèbre pour ses paysages, Évariste de Valernes (1816-1896), ami de Degas, ou encore les frères Laurens. Le musée doit son nom au Carpentrassien Joseph-Siffrède Duplessis, peintre à la cour de Louis XVI, représenté ici par de beaux **portraits★★**. À distinguer également : *Rencontre à la porte dorée★★* de Nicolas Dipre (fin XVe s.) et une copie du *Portrait de l'abbé de Rancé* par Yves Rigaud, portraitiste de Louis XIV, entouré de deux marines de Joseph Vernet. Le cabinet d'études de Mgr d'Inguimbert a été reconstitué avec une présentation des bibliothèques en trompe-l'œil.

• Le **Musée comtadin**, au rez-de-chaussée du musée Duplessis, évoque la culture de la région grâce à des monnaies anciennes, des coiffes, des santons, une série de sonnailles et d'appeaux, et surtout les nombreux ex-voto dédiés à Notre-Dame-de-Santé ou «donatifs» du mont-de-piété.

■ La chapelle des Pénitents-Gris A1

Rue des Saintes-Maries, à l'angle avec la rue des Frères-Laurens • f. au public.

Si les Visitandines se sont installées à Carpentras en 1674, leur chapelle ne fut consacrée qu'en 1717. Sa nef unique est épaulée par des contreforts entre lesquels s'ouvrent des chapelles latérales. L'intérieur a reçu un riche décor peint de faux marbre, mais rehaussé de gypseries. Vendue comme bien national, la chapelle fut rachetée en 1817 par la confrérie des Pénitents gris.

■ La porte d'Orange* A1

Au N. de la ville ancienne • visites guidées organisées par l'office de tourisme en été.

L'enceinte édifiée à la fin du XIVe s. fut démantelée au XIXe s. pour des raisons d'urbanisme. Elle comprenait à l'origine 32 tours et 4 portes fortifiées. Aujourd'hui, seule subsiste la porte d'Orange, haute de près de 30 m. Son dispositif de crénelage sur mâchicoulis en encorbellement lui confère une silhouette impressionnante bien que, côté ville, elle soit « ouverte à la gorge ».

• La **chapelle Notre-Dame-de-Santé** *(au bout de l'av. Notre-Dame-de-Santé qui débouche près de la porte d'Orange • ouv. t.l.j. 8 h 30-17 h)*, qui n'était au départ qu'un simple oratoire, fut reconstruite et agrandie entre 1735 et 1748. Elle évoque le souvenir des pestes qui touchèrent la région.

• La **chapelle Notre-Dame-de-l'Observance** *(rue de l'Observance • f. au public)* a été construite en 1882 sur les vestiges du couvent des Franciscains de la stricte observance (XIVe s.). Sur une partie de la nef primitive furent greffés un important transept et une abside néogothique.

De la porte d'Orange, emprunter la rue du même nom, puis la rue de l'Évêché.

■ Le palais de justice* A2

Pl. du Général-de-Gaulle, à g. de la cathédrale.

Le palais de justice s'est installé dans les murs de l'**ancien palais épiscopal** en 1801. Ce dernier avait été reconstruit en 1646 dans le goût romain (balcon saillant, pilastres à bossages, corniche importante) par François Royers de la Valfenière *(→ p. 177)* pour Mgr Alexandre Bichi.

■ L'arc romain* A2

Entre le palais de justice et la cathédrale.

Cet arc de la période augustéenne a perdu son couronnement et se présente donc avec des proportions réduites. S'ouvrant par une seule arche, il montre sur les côtés un décor sculpté resté lisible : deux prisonniers enchaînés à un trophée. On ne connaît pas sa fonction exacte, mais son iconographie laisse penser qu'il était destiné à témoigner de la puissance de l'Empire.

Bonnes adresses

≜ *Hôtel du Fiacre*, 153, rue Vigne B1-2 ☎ 04 90 63 03 15 ; www.hotel-du-fiacre. com Au cœur du centre-ville, des chambres spacieuses et propres, dans un ancien hôtel particulier (18 chambres).

≜ *Le Mas des Songes*, 1631, impasse Perrussier, Monteux (à l'O. de Carpentras, entre Sarrians et Monteux par la D 31) ☎ 04 90 65 49 20 ; www.masdessonges.com Les propriétaires ont fait de ce vieux mas un lieu au design contemporain, où blanc et beige dominent. Les chambres ouvrent sur une vaste propriété avec une superbe piscine. Table d'hôtes sur réservation.

✗ *Le Galusha*, 30 place de l'Horloge A1 ☎ 04 90 60 75 00 ; www.legalusha.fr Cuisine savoureuse servie l'été sur une terrasse ombragée au pied du beffroi.

✗ *Chez Serge*, 90, rue Cottier B2 ☎ 04 90 63 21 24 ; www. chez-serge.fr Bistrot au décor raffiné et pourvu d'une cour ornée d'une fontaine, proposant un choix de plats fins à tonalité provençale. Ambiance chaleureuse.

▦ *Confiserie du Mont-Ventoux*, 1184, av. Dwight-Eisenhower hors plan par A2 ☎ 04 90 63 05 25 ; www. berlingots.net C'est l'une des dernières fabriques artisanales de berlingots. Comptoir de vente. Visites gratuites de la fabrique sur r.-v.

▲ *La façade occidentale de la cathédrale Saint-Siffrein.*

Voir plan p. 181

Le mors de cheval, qui figure sur les armes de la ville, aurait été, selon la légende, forgé par sainte Hélène pour son fils l'empereur Constantin (274-337), avec un clou de la Crucifixion trouvé à Jérusalem. Conservé au trésor de la cathédrale de Carpentras où sa présence est attestée depuis 1226, le saint mors serait l'une des reliques confisquées lors de la prise de Constantinople en 1203.

■ La cathédrale Saint-Siffrein** A2

Pl. du Général-de-Gaulle • ouv. du mar. au sam. 7 h 30-12 h et 14 h-17 h ; pas de visite pendant les offices.

Succédant à deux édifices antérieurs, la nef de la cathédrale édifiée par Geoffroy de Garosse à la fin du XIIᵉ s. s'effondra en 1399-1400. Il n'en subsiste qu'une travée couverte d'une coupole sur trompes (à g. du chœur actuel, elle abrite aujourd'hui la salle du trésor). Aussi, Pierre de Luna, l'évêque de Carpentras qui allait devenir antipape sous le nom de Benoît XIII, décida-t-il, en 1404, de reconstruire la cathédrale selon le plan caractéristique du gothique méridional (une nef sans bas-côté, mais épaulée par des contreforts entre lesquels s'ouvrent des chapelles latérales). Les travaux s'étalèrent sur plus d'un siècle et la nouvelle cathédrale ne fut consacrée qu'en 1520 par l'évêque du moment, Jacques Sadolet. Ses successeurs contribuèrent à l'embellissement des lieux : l'entrée principale reçut un nouveau portail de style classique avec colonnes et fronton en 1615, le maître-autel et le chœur furent ornés de lambris et de sculptures dans les années 1690 et, durant les décennies qui suivirent, une grille en fer forgé fut mise en place à l'entrée du chœur au milieu du XVIIIᵉ s. par Mᵍʳ d'Inguimbert, évêque de Carpentras. Les vastes proportions de la nef gothique et de ses chapelles peuvent s'expliquer par le statut de la ville, capitale du Comtat Venaissin, d'une part, et par les pèlerinages au **saint mors** d'autre part.

• L'ensemble abrite de beaux éléments de **décor**, mobilier et tableaux essentiellement des XVIIᵉ et XVIIIᵉ s. avec, cependant, deux exceptions de taille : des panneaux de **vitraux** du XVᵉ s. dans les fenêtres du chœur, cas rare pour les régions méridionales qui n'en possèdent presque plus de cette époque, et surtout le **triptyque*** du *Couronnement de la Vierge entre saint Siffrein et saint Michel,* œuvre d'Enguerrand Quarton (→ *p. 62*) ou de son atelier des années 1480 (dans le chœur, à g.).

• Un élément qui semble anecdotique retiendra particulièrement l'attention à l'extérieur. Il s'agit du **portail S.** (côté pl. Saint-Siffrein) par où entraient, selon la légende, les Juifs convertis au christianisme. Réalisé par le Genevois Blaise Lécuyer au cours de la 2ᵉ moitié du XVᵉ s., ce portail est couronné d'un gâble orné d'extravagants choux frisés et surtout d'une curieuse «boule aux rats» dans laquelle on s'accorde à voir un symbole du monde dévoré par l'hérésie.

■ Le beffroi **A1**

Entre la pl. de l'Horloge et la rue du Château.

Au centre de la ville, à l'emplacement d'une partie de la 1re ceinture de remparts, fut construit un 1er hôtel de ville en 1475. Incendié en 1713, il n'en est resté que le beffroi. Ce dernier, doté d'une horloge, fut surmonté d'un beau campanile en fer forgé en 1572.

• Le **passage Boyer** *(entre la rue des Halles et la rue d'Inguimbert)* fut aménagé pendant la 2e moitié du XIXe s. dans le goût des passages parisiens sur une petite rue déjà existante dont les maisons furent alignées pour l'occasion. Il abrite toujours aujourd'hui une galerie marchande.

■ L'hôtel de ville* **B1**

C'est en 1738 que les consuls de Carpentras achetèrent l'hôtel de La Roque. Construit au XVIIe s., il en a conservé le balcon son appui en fer forgé, il a été remanié en 1740 : la façade fut agrémentée de fontaines et les armes de la ville y furent naturellement sculptées. Au siècle suivant, on créa, à l'arrière, la pl. de l'Hôtel-de-Ville à l'emplacement d'une partie de l'ancien ghetto juif : l'espace ainsi libéré permit de construire un nouveau bâtiment venant doubler l'hôtel de La Roque et entraînant le remplacement de l'ancien vestibule par un hall à colonnes. Ces travaux purent être entrepris par la commune en 1891 grâce à des fonds légués par Isidore Moricelly, un boulanger carpentrassien devenu riche minotier marseillais, qui légua tous ses biens à sa ville natale. Comme des rues latérales avaient été également ouvertes, l'édifice était dégagé sur ses quatre côtés. On remarquera que la façade de la fin du XIXe s. respecte le parti architectural de l'édifice du XVIIIe s.

■ La synagogue** **B1**

Pl. Maurice-Charretier ☎ 04 90 63 39 97 • *ouv. de la porte toutes les 30 mn du lun. au ven. 10 h-12 h et 14 h-17 h (16 h le ven.) ; f. le week-end et lors des fêtes religieuses.*

D'abord organisé dans une maison depuis le début du XIVe s., le culte fut transféré en 1367 dans un bâtiment voisin, probablement à l'emplacement de l'édifice actuel. Si ses parties basses se composent d'éléments disparates imbriqués les uns dans les autres, la salle haute est cependant bien renseignée : on sait que sa reconstruction fut décidée en juin 1741 et qu'un emprunt fut lancé. Commencés dès lors sous la direction de l'architecte Antoine Allemand, les travaux ne furent terminés qu'en 1776. L'ensemble du mobilier fut déposé et vendu en 1794, mais une partie a pu être récupérée et remontée au début du XIXe s. La synagogue de Carpentras est la plus ancienne synagogue de France encore en activité. ▶▶▶

▲ *Le trône du prophète Élie dans la synagogue.*

▲ *La synagogue d'Avignon.*

Les synagogues du Comtat Venaissin

Témoins ultimes de la pérennité du judaïsme dans l'ancien Comtat Venaissin, les synagogues d'Avignon, de Carpentras et de Cavaillon figurent aujourd'hui parmi les éléments les plus originaux du patrimoine vauclusien. Des quatre édifices cultuels existants sous l'Ancien Régime, un seul, celui de L'Isle-sur-la-Sorgue, a disparu.

Les Juifs, le pape, le roi

En 1306, les Juifs furent chassés du royaume de France par Philippe le Bel. Moyennant une redevance, Charles II d'Anjou les accepta en Provence. Mais la région fut intégrée en 1481 à la France et les Juifs en furent rapidement expulsés. Ils trouvèrent alors refuge dans le Comtat Venaissin, à Avignon. La communauté s'agrandissant, ils se dispersèrent à Carpentras, Cavaillon, Monteux, Bédarrides et Pernes. Cependant, étant de moins en moins acceptés, ils furent contraints, en 1623, de résider dans les seules villes d'Avignon, de Carpentras, de Cavaillon et de L'Isle-sur-la-Sorgue, puis cantonnés dans des ghettos. Au XVIIIe s., les Juifs obtinrent l'autorisation de s'établir en dehors des ghettos, qui furent désertés à partir de l'édit de Tolérance de 1787.

Les «carrières»

La création des «carrières» (c'est ainsi que l'on désignait localement les ghettos) remonte au XVe s. et traduit la volonté, maintes fois affirmée par l'administration pontificale, d'isoler les Juifs du reste de la population et de les protéger contre les violences populaires, alors fréquentes. Limitées par la suite au nombre de quatre (→ *ci-dessus*) et rigoureusement closes, les carrières comtadines connurent jusqu'à leur suppression, en 1790-1791, de graves problèmes d'hygiène et de promiscuité. Ces carrières étaient

▲ *La synagogue de Carpentras.*

bordées de hautes maisons, aveugles du côté de la ville chrétienne, prenant seulement le jour sur la ruelle centrale. À Carpentras, ces constructions atteignaient parfois huit étages et la ruelle ne faisait, par endroits, qu'un peu plus de 2 m de large. Au cœur de la carrière se trouvait la synagogue.

Les lieux de culte

Les plus anciennes synagogues comtadines aujourd'hui visibles, celles de Carpentras et de Cavaillon, datent, pour l'essentiel de leur architecture et de leur mobilier, de la 2ᵉ moitié du XVIIIᵉ s. La fortune amassée à cette époque par les commerçants juifs permit, en effet, la reconstruction des lieux de culte antérieurs, dont on ne voit plus que d'infimes vestiges remployés dans les édifices actuels. Lors de la reconstruction, les Juifs s'efforcèrent d'augmenter la capacité d'accueil des synagogues pour répondre à l'essor démographique des carrières. Faute d'espace, ils multiplièrent les tribunes. Le développement en hauteur n'était d'ailleurs pas une nouveauté : dès le XVᵉ s., les synagogues de la région comprenaient deux salles de prière superposées, celle du bas réservée aux hommes, celle du haut aux femmes. La seule communication entre les deux consistait en une petite baie grillagée, ouverte devant le tabernacle, par laquelle les femmes pouvaient apercevoir les livres sacrés.

Des spécificités judéo-comtadines

Les synagogues conservent d'autres aménagements particuliers au rite judéo-comtadin. L'un des plus spectaculaires concerne la tribune du rabbin, desservie par un double escalier et faisant face au tabernacle renfermant les rouleaux de la Torah. Ces dispositions caractéristiques (double salle, tribune) ont cependant disparu de la synagogue d'Avignon, reconstruite ensuite, au milieu du XIXᵉ s., à une époque où l'immigration juive en provenance des pays de l'Est introduisit la pratique d'autres rites. Enfin, la nature a parfois aidé l'aménagement des lieux. Ainsi, le rite hébraïque faisant obligation aux femmes de prendre un bain chaque mois, à Pernes ou à L'Isle-sur-la-Sorgue, la présence, à faible profondeur, d'une nappe phréatique abondante a permis la construction de bains privés. Dans les autres carrières, c'est la communauté qui a pris en charge l'aménagement de piscines collectives, comme celles qui subsistent à Carpentras et à Cavaillon.

■ **La chapelle des Pénitents-Blancs B1**

Pl. du Docteur-Cavaillon (derrière la synagogue) • f. au public • ouv. uniquement lors des conférences.

C'est la chapelle d'une confrérie fondée en 1586. Consacrée en 1661, remaniée au XVIII e s., elle a depuis perdu son chœur. Elle présente une façade très sobre dont le rinceau végétal du linteau et le fronton au-dessus de la porte composent la seule animation.

■ **La Charité B1**

Rue Cottier.

Cette 1re institution, fondée dans les années 1670, était plus destinée à l'enfermement des populations défavorisées qu'aux soins à leur prodiguer. Quoi qu'il en soit, les bâtiments s'articulent autour de deux cours dont l'une possède une galerie avec arcades en pierre. Ils abritent aujourd'hui le centre culturel de Carpentras.

La plaine du Comtat

Sagement irriguée par de nombreux petits cours d'eau, la plaine du Comtat présente un paysage agricole tranquille. Son paisible relief s'anime cependant lorsque l'on aborde les piémonts du Ventoux, où les villages se perchent et se replient dans leurs anciennes fortifications.

Circuit de 40 km environ au départ de Carpentras • compter une bonne après-midi.

Manifestations

À Pernes-les-Fontaines
• Marché : sam. matin.
• 14 juillet, fête du Melon sur les quais de la Nesque : repas, produits du terroir, marché.
• Fin juil., les Folklories réunissant des groupes de tous les pays. Rens. à l'office de tourisme.
• Le 1er week-end d'août, Font'Arts : festival gratuit de spectacles de rue (théâtre, marionnettes, musique, arts du cirque…).
• Fin oct., Salon des métiers d'art. Rens. à l'office de tourisme.

■ **Pernes-les-Fontaines★★**

À 6,5 km S. de Carpentras par la D 938 ✪ *Pl. Gabriel-Moutte* ☎ *04 90 61 31 04 ; www.tourisme-pernes.fr*

Au cœur d'une plaine fertile arrosée par la Nesque, Pernes a réellement pris de l'importance au XIIe s. lorsque les comtes de Toulouse, maîtres de la Provence, y installèrent leurs sénéchaux (représentants). Elle devint ainsi la 1re capitale du Comtat Venaissin. Elle le restera jusqu'en 1320, date à laquelle elle perdit cette fonction au bénéfice de Carpentras. Entre-temps, en 1274, le Comtat Venaissin était devenu terre pontificale. La période allant du XVe au XVIIIe s. ne fut guère prospère. Il fallut attendre le XIXe s. pour que la petite ville se développe grâce à l'amélioration du système d'irrigation qui suivit l'aménagement du canal de Carpentras. Il fait bon flâner parmi les rues tranquilles agrémentées par la fraîcheur de 40 fontaines. Un circuit est disponible à l'office de tourisme.

• La **collégiale Notre-Dame-de-Nazareth★** fut certainement construite et décorée à la fin du XIIe s. Cependant, à la suite d'un écroulement partiel, elle fut très remaniée

◄ *Porte Notre-Dame de Pernes-les-Fontaines.*

au XIVe s. À l'extérieur côté S., le **porche** de la fin du XIIe s. est couvert d'un petit berceau parfaitement lié aux contre-forts voisins. Sa décoration peut se comparer à celle des porches de Saint-Restitut (Drôme), ou des cathédrales Notre-Dame-des-Doms, à Avignon, et Saint-Sauveur, à Aix-en-Provence (vocabulaire hérité de l'antique : demi-colonnes cannelées, type de chapiteaux, motifs de denticules et d'oves, etc.).

• Les **remparts** qui entouraient la ville depuis le XIVe s. furent abattus au XIXe s. Trois de ses quatre **portes★** sont encore debout : la porte Notre-Dame, la porte Saint-Gilles et la porte Villeneuve (il ne reste de la porte Neuve que son ouverture). À côté de chacune d'elles, quatre **chapelles** furent érigées un peu plus tard pour assurer la protection divine de la ville. Seules deux ont subsisté : la chapelle Notre-Dame-des-Abcès, de 1580 (à la porte Villeneuve), et la chapelle Notre-Dame-de-la-Rose, de 1661 (près de la porte Neuve disparue).

• L'**hôtel de Vichet** *(71, rue de la République)* affiche encore des éléments du XVIIe s. (son balcon et son appui en fer forgé), mais la façade a été en partie refaite au XVIIIe s. (les baies aux linteaux en arc segmentaire).

• L'**hôtel des ducs de Berton** *(226, rue de la République)*, qui furent seigneurs de Crillon (→ *p. 137*) jusqu'en 1725, est une construction du XVIIe s. qui se signale par son portail à bossages. Il a ensuite servi d'hôpital : aujourd'hui reconverti en maison de retraite, son hall *(libre accès en journée)* expose de nombreux «donatifs» (mentions des bienfaiteurs de l'établissement) du XIXe s.

• La **tour Ferrande** *(pl. Guillaumin • visite guidée en saison le mer. à 11 h ou sur réservation auprès de l'office de tourisme* ☎ *04 90 61 31 04 • entrée payante)*, édifice massif du XIIe s., aurait appartenu à l'ordre des Hospitaliers de Saint-Jean-de-Jérusalem (les futurs chevaliers de Malte) ou à la famille des Baux. Quoi qu'il en soit, la tour tire sa réputation des **peintures murales★★★**

Bonnes adresses

🛏 *Mas de la Bonoty*, 355 chemin de la Bonoty (2 km de Pernes par la D 1 en direction de Mazan) ☎ 04 90 61 61 09 ; www.bonoty.com Dans une ancienne ferme du XVIIe s., un lieu raffiné où s'exprime le doux charme de la vie en Provence. Belle piscine. Restaurant mêlant traditions proven-çales et gastronomie contemporaine, dans une belle salle aux poutres apparentes.

✗ *Au Fil du Temps*, 51, pl. Louis-Giraud ☎ 04 90 30 09 48. Pour quelques tables seulement, le chef fait en toute discrétion la cuisine dont on rêve : festive, aérienne et savoureuse. Un moment de grâce.

✗ *Dame l'Oie*, 56, rue du Troubadour-Durand ☎ 04 90 61 62 43 ; www.dameloie. fr L'oie est à l'honneur dans ce restaurant au coquet décor.

▶ *Le musée du Costume
à Pernes-les-Fontaines.*

de la fin du XIIIe s. qui sont dans un état exceptionnel de conservation et de fraîcheur. Les murs sont encore revêtus de leur faux-appareil imitant des marbres polychromes, avec une frise de rinceaux végétaux stylisés à la naissance du plafond et des draperies feintes en bas des murs. Puis, dans la salle haute, une grande figure de saint Christophe portant l'enfant Jésus accueille les visiteurs au débouché de l'escalier (le saint passait pour garantir contre la « mort subite », c'est-à-dire sans sacrements, et sa représentation ornait fréquemment les lieux de passage ou très fréquentés). Dans cette salle haute se développe un important ensemble de scènes relatant la lutte qui opposa, en 1266, Charles Ier d'Anjou (frère de Saint Louis), soutenu par le pape Clément IV, à Manfred et Conradin, respectivement fils naturel et petit-fils de l'empereur Frédéric II à qui appartenait la Sicile.

• Pernes possède trois musées : le **musée du Costume comtadin** *(ouv. de Pâques à sept., horaires variables, se renseigner auprès du service culturel au ☎ 04 90 61 45 14 ; f. mar.),* qui occupe un ancien magasin de drapier rue de la République, le **musée des Traditions comtadines** *(mêmes horaires que le musée du Costume),* installé dans la maison Fléchier, sur la place du même nom, et le **musée comtadin du Cycle** *(mêmes horaires),* dans les caves de l'hôtel de ville, qui abrite une centaine de vélos.

Manifestation
À Saint-Didier
Marché : lun. matin.

■ **Saint-Didier**

À 4,5 km N.-E. de Pernes par la D 28.

Une belle allée de platanes conduit au cœur du village. Une fois franchie la porte fortifiée qui s'appuie sur des vestiges de l'ancienne enceinte, on découvre le **château de Thézan** *(f. au public),* grande construction de la Renaissance encore redevable au gothique tardif comme l'indiquent ses fenêtres à meneaux. Le porche, refait au XVIIe s., présente aux visiteurs les armoiries de la famille.

• La **porte fortifiée★**, reconstruite en 1756, présente la particularité de répondre à plusieurs usages : porte de ville, beffroi, campanile et clocher pour l'église.

• L'**église paroissiale Saint-Didier** (*ouv. toute la journée*). Sa nef est bordée de chapelles à dr. et d'un bas-côté abritant d'autres chapelles à g. Le chœur, voûté d'arêtes, possède un chevet plat contre le mur duquel s'appuie un beau **maître-autel★** et son **retable★** en bois doré du XVIIe s.

À 6 km S.-E. de Saint-Didier se trouve Venasque, perchée sur les premiers contreforts des monts de Vaucluse (→ p. 213).

■ Malemort-du-Comtat

À 7 km N.-E. de Saint-Didier par la D 28, la D 77 et la D 5.
Construit sur une butte calcaire, dans un paysage de vignobles, d'oliveraies et de vergers (cerises), le bourg était autrefois cerné de remparts dont il ne reste plus que trois portes et une tour. On accède au vieux village par la porte de la République devant laquelle se dressent un lavoir et une belle **fontaine** du XVIIIe s.

• L'**église Notre-Dame-de-l'Assomption★** trouve ses origines dans le XIIIe s., mais sa nef et sa façade ont été entièrement reprises en 1750 (date portée en haut à g. de la façade). L'inscription gravée sur le fronton date de la période révolutionnaire : « Le peuple françois connoit l'être suprême et l'immortalité de son âme. »

■ Blauvac

À 4,5 km N.-E. de Malemort par la D 158 et la D 150.
C'est un très petit village perché sur une terrasse au sommet d'une crête qui regarde vers le Ventoux d'un côté et vers la plaine du Comtat de l'autre. Il réserve de beaux points de vue. Quelques éléments d'un château médiéval à tours d'angle ont subsisté.

■ Mormoiron★

À 5 km N. de Blauvac par la D 150 et la D 184 ❶ *Les Terrasses du Ventoux, 17, pl. du Clos* ☎ *04 90 64 01 21.*
Édifié contre une butte calcaire face au Ventoux, le village médiéval conserve le charme de ses soustets, passages couverts qui se succèdent en enfilade.

• Près d'une ancienne tour de défense, l'**église** du XIIe s., agrandie au XVIIIe s., a gardé son abside d'origine.

• Le **Musée archéologique et paléontologique** (*73, route de la Mairie* ☎ *04 90 61 96 35* • *ouv. de mi-avr. à sept. t.l.j. sf mar. 15 h-19 h, le reste de l'année sur r.-v.*) présente une collection de fossiles et des objets recueillis dans la vallée de l'Auzon.

Manifestation
À Mormoiron
En avr. : fête de l'Asperge avec concours de cuisine et dégustation de vins des côtes du Ventoux.

Manifestation

À Mazan
Marché des producteurs : d'avr. à oct. le sam., pl. du 8-Mai.

Bonnes adresses

🏠 ✕ *La Grange de Jusalem*, route de Malemort, Mazan ☎ 04 90 69 83 48. Dans cette ferme rénovée, les propriétaires vous accueillent en toute amitié. Ça sent bon la Provence, des chambres au salon en passant par l'excellente cuisine concoctée suivant le marché du jour.

🏠 *Le Siècle*, 18, pl. des Terreaux, Mazan ☎ 04 90 69 75 70 ; www.le-siecle.com Installé dans une belle demeure du XVIe s., ce petit hôtel confortable possède l'authenticité et l'intimité qui font habituellement le charme des maisons d'hôtes. Chambres soignées aux tons doux pour nuit douillette.

■ **Mazan**

À 6 km O. de Mormoiron par la D 942 ❶ *83, pl. du 8-Mai* ☎ *04 90 69 74 27 ; www.mazantourisme.com*

À la limite entre la plaine du Comtat et les contreforts du Ventoux, la bourgade s'étend sur une petite colline en bordure de l'Auzon. Elle est connue pour ses carrières de gypse, le gisement le plus important d'Europe.

• L'**église paroissiale Saint-Nazaire-et-Saint-Celse**★ (*ouv. en journée*) offre un plan inhabituel pour la région : son chœur est muni d'un déambulatoire. Cependant, si l'église est d'origine romane tardive (la nef du XIIIe s. subsiste en partie), cette disposition date de la reconstruction du chœur et du transept intervenue en 1861-1864. On sait par ailleurs que l'édifice avait déjà été agrandi et transformé auparavant : une 1re fois à la fin du XIVe s., une autre en 1697, avec l'installation d'une tribune au revers de la façade. La dernière campagne notable de travaux, réfection de la tribune, du porche et des chapelles, s'est achevée au début des années 1880 par la pose de vitraux.

• Le **cimetière**, à la sortie du bourg, est en partie limité, au N., par un ensemble important de **66 sarcophages**★★ monolithiques datant des premiers siècles de l'ère chrétienne et disposés comme les célèbres Alyscamps d'Arles (→ *p. 314*). Ils ont été trouvés lors de fouilles au XIXe s. sur le tracé de la voie antique qui reliait Carpentras à Mormoiron. Au centre du cimetière, la **chapelle Notre-Dame-de-Pareloup** fut érigée au XIIe s. pour protéger la région contre les loups, ces redoutables prédateurs. Elle a par la suite été remaniée (XVe s.).

• Devenu aujourd'hui un hôtel, le **château de Mazan**, du début du XVIIIe s., a vu naître le père et l'oncle du marquis de Sade (→ *p. 214*). Les lieux sont surtout connus pour avoir abrité en 1772, à l'initiative du sulfureux marquis, le premier festival de théâtre en France

Mazan est à 7 km E. de Carpentras par la D 942.

▶ *L'un des sarcophages wisigothiques du cimetière de Mazan.*

L'Isle–sur–la–Sorgue★★

Mirant ses demeures dans les eaux vertes des bras de la Sorgue, la petite « Venise du Comtat », bâtie sur pilotis au XIIᵉ s., a longtemps vécu de cette eau qui l'alimentait en poissons et actionnait les roues à aubes de ses industries. Grenier à céréales du Comtat Venaissin, village de pêcheurs, puis de tisserands, l'Isle-sur-la-Sorgue devint le principal centre lainier du département. Aujourd'hui, la ville, reconvertie dans la brocante, est la capitale des antiquaires, le paradis des chineurs.

Voir carte régionale p. 142

À 27 km E. d'Avignon par la N 7, la D 900 et la D 938.
🛈 pl. de la Liberté
☎ 04 90 38 04 78;
www.oti-delasorgue.fr
Visites guidées de juin à sept. :
balades patrimoine, au fil
de l'eau, balade semi-nocturne.

Une ville grâce à la rivière

L'histoire de L'Isle est intimement liée à la rivière. Avant l'arrivée des Romains, une tribu celto-ligure s'était établie sur l'oppidum de Margoye, sur la route d'Apt. Mais au calme de la période gallo-romaine d'après la conquête succédèrent les temps troublés des invasions, et c'est dans les zones marécageuses que se réfugia la population en quête d'abri. Une fois le danger écarté, les marais furent asséchés, les bras de la Sorgue aménagés, et un village de pêcheurs se développa pour former Saint-Laurent, l'actuel quartier de Villevieille, à l'E. de L'Isle. Au XVᵉ s. 6 000 familles juives commerçaient là, protégées par le Pape. Si la petite ville vécut de la pêche en eau douce jusqu'au XIXᵉ s., les 17 roues à aubes réparties sur les bras de la Sorgue témoignent aussi de l'existence de nombreux moulins à huile ou à grain ainsi que de papeteries, teintureries et filatures qui la firent vivre jusqu'à la veille de la Première Guerre mondiale.

Une reconversion réussie

Depuis quarante ans, quelque 350 antiquaires et brocanteurs ont pignon sur rue à L'Isle, regroupés autour de la gare et le long de l'av. des Quatre-Otages, sans compter les nombreux itinérants qui animent le marché à la brocante dominical et les foires de Pâques et du 15 août. L'Isle est ainsi devenue la 2ᵉ ville de France après Saint-Ouen et 3ᵉ place européenne pour le commerce des antiquités et attire une clientèle internationale.

■ Le centre d'art Campredon★

20, rue du Docteur-Tallet ☎ *04 90 38 17 41 • ouv. du mar. au dim. 10h-13h et 14 h30-18 h30 (horaires élargis en été) • www.campredoncentredart.com*

À ne pas manquer

**La collégiale
Notre-Dame-des-Anges★★ 194**
La villa Datris★ 195

Dans les environs
L'église Notre-Dame-
du-Lac★ au Thor 196
La grotte de Thouzon★★ 196

Manifestations

• Marché: jeu. et dim. matin; marché flottant le 1ᵉʳ dim. matin d'août; foires internationales à la brocante à Pâques et le 15 août.
• En juil., festival de la Sorgue : spectacles et concerts dans 5 villages ; courses de *nego chin* (barques à fond plat utilisées autrefois dans les marais).
• Le dernier week-end de juil., Corso nautique en nocturne avec défilé de chars fleuris sur l'eau et bataille de fleurs. Rens. à l'office de tourisme.

Bonnes adresses

🏠 *Domaine de la Fontaine*, 920, chemin du Bosquet ☎ 04 90 38 01 44; www.domaine delafontaine.com Dans un mas restauré, 5 chambres d'hôtes pleines de charme.

🏠 ✗ *La Prévôté*, 4, rue Jean-Jacques-Rousseau ☎ 04 90 38 57 29; www. la-prevote.fr Un cadre unique pour ce restaurant gastronomique. Les 5 chambres occupent un couvent du XVIIᵉ s.

✗ *La Guinguette*, 1494, av. du Partage-des-Eaux (au bout de l'avenue). ☎ 04 90 38 10 61; www.la-guinguette.com Une bonne cuisine de terroir. Service en terrasse en saison.

✗ *Le Jardin du Quai*, 91, av. Julien-Guigne (à côté de la gare) ☎ 04 90 20 14 98; www.jardin-du-quai.com Cuisine du marché, simple à midi et gastronomique le soir. Service dans le jardin en saison.

🍬 *La Cour aux saveurs*, 4, rue Louis Lopez ☎ 04 90 21 53 91; www.lacourauxsaveurs. fr Artisan chocolatier, Florian Courreau crée de délicieuses spécialités de nougats, de chocolats et de croquants.

▼ *Intérieur de l'église de L'Isle-sur-la-Sorgue.*

Édifié en 1746 par l'architecte l'islois Esprit-Joseph Brun, ce bel hôtel abrite un centre d'art. De grandes expositions dédiées à des artistes de renom (Cartier-Bresson, Hans Silvester, Sarah Moon) y sont organisées trois fois dans l'année. Dans le jardin, la belle fontaine est sculptée d'un dauphin crachant son eau dans des vasques qui remplissent ensuite un bassin par débordement.

■ La collégiale Notre-Dame-des-Anges★★
Ouv. du lun. au ven. 10 h-12 h et 15 h-18 h, horaires variables le week-end.

À l'exception du chœur gothique, l'église actuelle fut élevée à partir de 1647 d'après les plans de François Royers de la Valfenière, auteur notamment de la chapelle du collège des Jésuites d'Avignon. La consécration eut lieu en 1672, mais la décoration se poursuivit pendant tout le XVIIIᵉ s. Sous la Révolution, l'église reçut une partie du mobilier provenant des couvents de la ville.

• L'église se signale à l'extérieur par son ample **façade** d'une noble simplicité. La partie supérieure, dont la largeur correspond à celle de la nef, est reliée à la partie basse par un motif de console renversée. Les contreforts servent de murs de séparation aux chapelles latérales.

• Le bâtiment se compose d'une seule nef de six travées voûtés d'ogives sur laquelle ouvre, de chaque côté, un nombre égal de chapelles, surmontées de tribunes clôturées par une balustrade. Cette dernière se poursuit sur le mur du revers de la façade pour border une petite galerie de circulation qui relie les deux côtés de tribunes.

• La nef présente une abondante **décoration peinte et sculptée**★★. Sur les pilastres se superposent des médaillons où sont représentées des figures de sibylles et de saints, et des cartouches avec inscriptions. Dans les écoinçons des grandes arcades ouvrant sur les chapelles, le sculpteur Jean Péru a placé, à la fin du XVIIᵉ s., de grandes figures de Vertus en bois doré, ainsi qu'une série d'apôtres (il en reste deux) à la base des piliers.

• Dans presque toutes les **chapelles latérales**, des lambris peints ou dorés, des peintures et des sculptures★★ marquent l'évolution du style décoratif de la régence d'Anne d'Autriche jusqu'au règne de Louis XV.

• Tout le mur du chœur est occupé par un **retable**★★ en bois doré du milieu du XVIIᵉ s., tandis que le **maître-**

autel★★ en marbres polychromes surmonté d'un baldaquin et d'angelots témoigne du style «rocaille». De chaque côté de l'entrée du chœur se dressent deux beaux buffets d'orgue, celui de dr. étant purement décoratif et seulement destiné à faire symétrie.

■ La villa Datris★

7, av. des Quatre-Otages ☎ 04 90 95 23 70 • ouv. en mai-juin et sept.-oct. du jeu. au sam. et lun. 11 h-13 h et 14 h-18 h, dim. 11 h-18 h ; en juil.-août t.l.j. sf mar. 11 h-13 h et 14 h-19 h, dim. 11 h-19 h • entrée libre • www.villadatris.com

Cette hôtel du XIXe s. abrite une fondation dédiée à la sculpture contemporaine, créée par Danièle Kapel-Marcovici, PDG du groupe Raja, leader européen de l'emballage. Dans les jardins, on admirera des œuvres de Bernar Venet, Norman Dilworth, Philippe Hiquily… ; dans la cour et dans les étages, celles de Béatrice Arthus-Bertrand, Yann Liébard, François Vigorie… Des expositions temporaires permettent de découvrir des œuvres de grands maîtres mais également celles de jeunes créateurs du monde entier.

■ Les maisons anciennes

Si la ville ceinte par la Sorgue a conservé son réseau de rues hérité du Moyen Âge, quelques maisons présentent encore des éléments typiques d'une époque :

- au 1, rue Pasteur, un **portail** du XVIIe s. dont le fronton triangulaire est porté par des pilastres ;

- au 55, rue Denfert-Rochereau, un **portail** XVIe-XVIIe s. muni de colonnes avec un entablement et un fronton semi-circulaire ;

- au 16, rue Danton, la façade de l'ancien **couvent des Ursulines**, fondé en 1594 ;

- rue Carnot, l'élévation déjà néoclassique de **l'hôtel de ville** du XVIIIe s. ; au 51 de cette rue, une **maison** caractéristique du gothique dit «flamboyant» ;

- au 4, rue Paul-Moniton, la maison de l'ancien **mont-de-piété**, de 1776 ;

- au 4, rue Ledru-Rollin, une **maison** témoignant d'une Renaissance «classique».

■ Le musée du Jouet et de la Poupée ancienne★

26, rue Carnot ☎ 04 90 20 97 31 • ouv. t.l.j. 10 h 30-13 h et 14 h-18 h • www.poupeesdelisle.com

Il présente des pièces fabriquées entre 1880 et 1920 : poupées, jouets et automates anciens. De quoi effectuer un sympathique voyage dans le temps.

▲ *Le marché des antiquaires.*

Bonne adresse

🏛 **Brun de Vian-Tiran**, 2, cours Victor-Hugo ☎ 04 90 38 73 31. Cette entreprise familiale créée en 1808 est la dernière manufacture lainière de la ville. Elle réalise toutes les étapes de transformation : cardage, filature, tissage et apprêt de couvertures, de châles et de plaids ou de couettes.

La Sorgue, classée rivière piscicole de 1re catégorie est le royaume de la truite et de l'ombre. Ses eaux sont interdites à la baignade. Jusqu'en 1960, on pêchait dans la Sorgue plus de 10 000 écrevisses par jour. Elles disparurent en 1884 après une épidémie de peste.

Né à l'Isle-sur-la-Sorgue, le poète René Char (1907-1988) est l'enfant de ce pays où «le printemps te capture et l'hiver t'émancipe». Membre du groupe surréaliste jusqu'en 1935, il ne négligera jamais l'engagement politique, que ce soit pendant la guerre d'Espagne ou durant la Seconde Guerre mondiale. Son inspiration est souvent imprégnée de sa terre natale : la Sorgue, le mont Ventoux…

Manifestation

Au Thor
Marché : sam. matin.

Bonne adresse

⌂ ✕ *La Bastide Rose*, 99,
chemin des Croupières ☎ 04
90 02 14 33 ; www.bastiderose.
com Une maison d'hôte de
charme, au grand confort dans
un superbe jardin, bordé par
un bras de la Sorgue. Déjeuners et dîners sur réservation.
La bastide est également le
siège de la Fondation Poppy et
Pierre Salinger. Un petit musée
y retrace l'œuvre de Pierre
Salinger, ancien sénateur de
Californie et journaliste, qui fut
le porte-parole de J. F. Kennedy.

C'est au XIXe s. que l'on trouve
le plus grand nombre
de moulins sur les bras
de la Sorgue au Thor. Leurs
grandes roues servaient
à moudre les racines
de garance. Ces dernières
contenaient un principe
colorant rouge qui fut utilisé
pour teindre les pantalons
des soldats français jusqu'à
la Première Guerre mondiale.

Environs de L'Isle-sur-la-Sorgue

■ Le Thor★

À 5 km O. de L'Isle par la D 901 ❶ *pl. du 11-Novembre*
☎ *04 90 33 92 31 ; www.oti-delasorgue.fr*
Pris entre deux bras de la Sorgue, Le Thor est situé dans
une plaine fertile qui partage ses productions entre le
maraîchage, l'arboriculture et la vigne.

• La **porte Notre-Dame** témoigne de son passé médiéval.
Vestige des remparts du XIVe s., elle a été transformée en
beffroi à campanile au milieu du XIXe s.

• L'**église Notre-Dame-du-Lac★** *(pl. de l'Église • ouv.
10 h-12 h)*, jalon important de l'art roman provençal,
est qualifiée de « neuve » dans un texte daté de 1202,
ce qui place sa construction vers la fin du XIIe s. Elle
a le mérite d'avoir conservé son plan initial sans
modification. Toutes les parties de l'édifice ont en
commun leur construction et leur décor très soignés.
Si la façade principale est austère, la **porte S.** est plus
imposante : c'est un véritable porche, qui concentre
l'essentiel du décor extérieur, avec les pans de l'abside
ornés de petites arcatures et de pilastres. À l'intérieur,
la nef, aux murs épais, épaulée de puissants contreforts, est couverte de voûtes d'ogives, tandis que la
travée précédant immédiatement le chœur porte une
coupole polygonale (renforcée par des nervures) aux
trompes ornées des symboles des évangélistes. De
hautes arcatures rythment les murs de l'abside dont le
cul-de-four est, comme la coupole, scandé de nervures.
Celles-ci convergent vers une **clé de voûte** unique en
son genre : un Agnus Dei sculpté dans un médaillon
autour duquel se groupent cinq aigles.

■ Thouzon

À 3 km N. du Thor par la D 16.
En haut de la colline de Thouzon, les Bénédictins de
Saint-André de Villeneuve-lez-Avignon fondèrent, au
XIe s., un **monastère fortifié★**, dit le château de Thouzon,
*(à l'entrée du hameau, en venant du Thor, suivre à g. la rue Montée-
du-château qui se termine en voie caillouteuse • site en libre accès •
visite déconseillée aux personnes à mobilité réduite)* autour de
plusieurs sanctuaires offerts par l'évêque de Cavaillon. Les
religieux conservèrent ces biens jusqu'à la fin du XVIIe s.
bien que l'établissement, ravagé pendant les guerres de
Religion, fût pratiquement abandonné depuis le début
du siècle. À l'état de ruines, certains éléments sont restés
identifiables : deux chapelles et des parties de l'enceinte
flanquée de tours rondes. Beau point de vue sur les environs.

• La **grotte de Thouzon★★** (☎ *04 90 33 93 65 • ouv. d'avr.
à juin et en sept.-oct. 10 h 15-12 h 15 et 14 h-18 h ; en juil.-août*

10 h-18 h 45; dernier départ 45 mn avant la fermeture; prévoir un temps de visite de 45 mn • http://grottes-thouzon.com) fut découverte au pied de la colline en 1902. Il s'agit d'une galerie longue de 230 m qui se termine par un aven d'une dizaine de mètres. Les infiltrations ont modelé sur les parois de nombreuses concrétions multicolores : stalactites, stalagmites, draperies… C'est la seule grotte aménagée pour la visite en Provence.

▲ *La grotte de Thouzon : ses concrétions sont le fruit de siècles de ruissellement.*

■ Châteauneuf-de-Gadagne*

À 4 km O. du Thor par la D 901.
Cette agréable petite ville autrefois fortifiée (il subsiste quelques vestiges des éléments défensifs) est accrochée aux flancs d'une colline qui sépare la vallée du Rhône de la plaine du Comtat. Les vignes y laissent peu à peu la place aux vergers de poiriers et de cerisiers. Sur son territoire se trouve le **château de Font-Ségugne** *(f. au public)*, berceau du félibrige *(→ p. 273)*, mouvement de défense de la langue et de la littérature provençales créé en 1854 par Frédéric Mistral et ses compagnons.

• L'**église Saint-Jean-Baptiste** se dresse en haut de Châteauneuf. Elle fut construite au XIIIᵉ s. en style roman à partir de la chapelle castrale. L'ensemble a été très remanié après les guerres de Religion car le baron des Adrets avait incendié église et presbytère. Le clocher a été arasé en 1832 pour l'installation d'un télégraphe Chappe.

■ La Chartreuse de Bonpas*

À 12 km S.-O. de L'Isle par la D 25; accès à partir de la N 7; sur le territoire de la commune de Caumont, en direction d'Avignon ☎ *04 90 23 67 98 • ouv. du lun. au jeu. 10 h-12 h 30 et 14 h-17 h, ven. jusqu'à 16 h ; f. le week-end et les jours fériés • compter 1 h 30 pour la visite et la dégustation de vins de la propriété •* www.chartreusedebonpas.com
Occupant un promontoire au-dessus de la Durance, cet établissement et sa chapelle romane du XIIᵉ s. auraient été édifiés par des religieux qui construisirent, à la même époque, à proximité, le pont sur la rivière. En 1278, Bonpas fut donné par le pape aux Hospitaliers de Saint-Jean-de-Jérusalem (les futurs chevaliers de Malte), puis il passa aux Chartreux en 1318 qui l'habitèrent jusqu'à la Révolution. L'ensemble fut fortifié au XIVᵉ s. et les bâtiments conventuels furent remaniés au XVIIᵉ s., période de prospérité pour la Chartreuse. Ils sont agrémentés d'un beau jardin en terrasses autour duquel s'étend le vignoble de la propriété.

Monts et plateau de Vaucluse

Bien moins connus que le mont Ventoux ou le massif du Luberon entre lesquels ils s'étendent, ces petits reliefs culminent à 1 256 m au signal Saint-Pierre, près de Lagarde-d'Apt. C'est le pays des combes et des grands espaces – le riant plateau de Sault ou l'austère plateau d'Albion –, que le mauve des champs de lavande dispute au vert cendré des garrigues. C'est aussi le pays du vent qui distille une lumière très minérale, mais apporte également une sécheresse prononcée qu'accentue encore la porosité des sols calcaires. Terre de contrastes par la variété de ses paysages où alternent villages perchés, doux vallons, gorges profondes et champs immenses, cette contrée l'est également par sa fréquentation : pendant que certains sites sont engorgés de visiteurs en saison – Gordes, Fontaine-de-Vaucluse ou l'abbaye de Sénanque –, d'autres, peut-être moins grandioses mais tout aussi attachants, restent remarquablement ignorés du grand public, pour la plus grande joie des «curieux», au sens noble du terme.

◀ *Le village des bories près de Gordes.*

Que voir dans les Monts et le plateau de Vaucluse

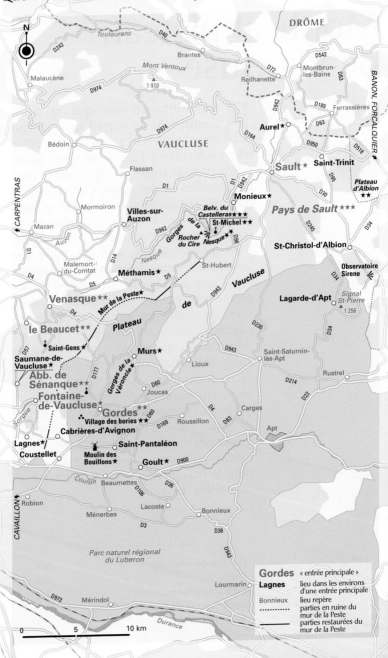

DRÔME

Toulourenc

D242

Malaucène

D40

Brantes

Montbrun-les-Bains

Reilhanette

D542

D63

Ferrassières

Mont Ventoux

1 910

D974

D974

D942

Aurel ★

D189

D63

BANON, FORCALQUIER

Bédoin

VAUCLUSE

Flassan

Sault ★

Saint-Trinit

D164

D950

D518

CARPENTRAS

Mormoiron

D1

Villes-sur-Auzon

D942

Monieux ★

Plateau d'Albion ★★

D95

D30

Mazan

Auzon

D1

Belv. du Castelleras ★★★

St-Michel ★★

Pays de Sault ★★★

D245

D34

Malemort-du-Comtat

D14

Gorges de la Nesque

Rocher du Cire ▲

Nesque ★

D96

St-Christol-d'Albion

Observatoire Sirene ←

D4

D5

Méthamis ★

St-Hubert

D943

Vaucluse

Lagarde-d'Apt

Signal St-Pierre 1 256 ▲

Venasque ★★

Mur de la Peste ★

de

D34

le Beaucet ★★

Plateau

D4

Saint-Gens ★

D57

Murs ★

Gorges de la Véroncle ★

D230

Saint-Saturnin-lès-Apt

Rustrel

Saumane-de-Vaucluse ★

Abb. de Sénanque ★★

D177

D60

Lioux

D943

D214

D22

Fontaine-de-Vaucluse ★

Joucas

Gordes ★★

D60

Sorgue

Village des bories ★★

Roussillon

Cargas

Apt

D4

D83

Lagnes ★ / Coustellet

Cabrières-d'Avignon

Saint-Pantaléon

D169

Moulin des Bouillons ★

Goult ★

D900

Beaumettes

Coulon

D36

CAVAILLON

Robion

Lacoste

D108

Bonnieux

Ménerbes

D3

D36

Parc naturel régional du Luberon

D543

Lourmarin

Mérindol

D973

0   5   10 km

Durance

Gordes	« entrée principale »
Lagnes	lieu dans les environs d'une entrée principale
Bonnieux	lieu repère
....	parties en ruine du mur de la Peste
———	parties restaurées du mur de la Peste

Fontaine-de-Vaucluse★

S'il fallait réduire la petite ville à l'une de ses curiosités, on songerait immédiatement à sa fameuse «fontaine», gouffre mystérieux d'où surgit la Sorgue. Mais loin de se restreindre à cette résurgence étonnante, Fontaine-de-Vaucluse dévoile un visage agréablement varié, où église, château et petits musées composent autant de sympathiques contrepoints à la visite incontournable de la «source». Cité d'élection du poète Pétrarque au XIVe s., le village compte parmi les lieux les plus courus du Vaucluse, et l'on goûtera d'autant mieux à ses charmes en dehors des vacances d'été.

Visite de la ville et du site en 1 journée.

■ L'église Sainte-Marie-et-Saint-Véran★

Au centre du village • ouv. en journée.
Les origines chrétiennes de Fontaine-de-Vaucluse sont liées à saint Véran, évêque de Cavaillon vers le milieu du VIe s. qui, selon la légende, aurait débarrassé la région d'un animal monstrueux, le «coulobre». On lui dédia ce tout petit édifice roman, qui a conservé ses volumes d'origine, animés à l'extérieur par des têtes humaines, animales ou fantastiques sculptées sur les modillons.

• La **nef** unique est couverte d'un berceau brisé et interrompue par un transept muni d'un berceau transversal.

À 30 km E. d'Avignon par la D 901 jusqu'à L'Isle-sur-la-Sorgue, puis par la D 25 sur 7 km.

ⓘ résidence Garcin, près de la pl. de la Colonne
☎ 04 90 20 32 22.
www.oti-delasorgue.fr
Visites guidées en été et deux fois par an, reconstitutions historiques avec défilé.

◄ *Les rives de la Sorgue concentrent toute l'activité de Fontaine-de-Vaucluse.*

Manifestation

En juil., festival de la Sorgue: concerts, spectacles, concours de pétanque sur 6 communes durant un mois.

Bonnes adresses

🏠 *Hôtel du Poète*, au centre du village ☎ 04 90 20 34 05. 3 étoiles ; www.hoteldupoete. com Hôtel de charme entouré par les bras de la Sorgue. Chambres confortables et très bons petits déjeuners servis dans une agréable salle avec terrasse au bord de la rivière en saison.

✗ *Hostellerie Le Château*, quai du Château-Vieux ☎ 04 90 20 31 54. Dans une maison ancienne au bord de la rivière, à côté du pont, avec une véranda.

Loisirs

◎ **Descente en canoë** de la Sorgue sur 8 km, d'avril à octobre. Retour en minibus. Adapté aux familles. *Canoë Evasion* ☎ 04 90 38 26 22 ; www.canoe-evasion. net *Kayak Vert* ☎ 04 90 20 35 44 ; www.canoevaucluse.com

L'entrée de l'abside en cul-de-four est encadrée de deux colonnes cannelées antiques avec leurs chapiteaux.

• À dr. de l'abside se trouve la chapelle Saint-Véran, sorte de caveau contenant le tombeau présumé du saint.

■ Le musée du Santon et des Traditions de Provence

Pl. de la Colonne ☎ 04 90 20 20 83 • ouv. t.l.j. 10 h 30-19 h.
Ce musée présente une collection de plus de 2 000 santons, mis en scène pour évoquer la Provence et ses traditions. À voir, la plus petite crèche de France… à la loupe.

• La **colonne de Pétrarque**, à proximité du musée, fut érigée sur la place en 1829 en souvenir de l'écrivain (→ *page suivante*) qui séjourna souvent au village.

■ La fontaine★★★

Au bout du chemin qui longe la rive dr. de la Sorgue • préférer une visite hors saison pour voir le gouffre plein et éviter les foules compactes ainsi que les petits stands de souvenirs qui encombrent le chemin.
C'est au fond d'un cirque rocheux, au pied d'une falaise de 230 m, que jaillit cette célèbre résurgence qui donne naissance à la Sorgue. Véritable curiosité naturelle, elle résulte de l'émergence d'un vaste réseau hydrographique parcourant le plateau d'Albion (→ *p. 216*). C'est l'une des plus importantes du monde et son débit reste étonnamment régulier, même en période de sécheresse. Elle apparaît sous la forme d'un gouffre d'où émerge un petit lac dont les belles eaux vertes, parfaitement translucides, débordent de la vasque rocheuse naturelle, qui les retient, pour s'apaiser ensuite. Le lit encaissé de la Sorgue, *vallis clausa* (« vallée close »), est à l'origine du mot « Vaucluse », qui est le nom du département actuel mais qui fut aussi celui de la cité jusqu'en 1946. Sur le chemin qui conduit à la fontaine, on pourra visiter à la suite trois petits musées.

Un profond mystère

Ici appelée « fontaine », la célèbre résurgence est la plus importante de France, mais sa célébrité demeure aussi grande que le mystère de ses origines. Quelques curieux téméraires ont plongé toujours plus profond dans le gouffre, afin de trouver la source à proprement parler. En 1878, le Marseillais Ottonelli s'aventure à 23 m sous la surface grâce à un scaphandre lourd, comme Negri en 1938, à 48,5 m. Il faudra ensuite attendre les années 1940-1950 et l'avènement du scaphandre autonome pour voir l'équipe du commandant Cousteau descendre à 46 et 74 m. Mais, pour aller encore plus bas, l'air des bouteilles ne suffit plus : il faut un mélange d'oxygène et d'hélium. C'est ce qu'emploieront deux plongeurs dans les années 1980 pour aller à 153 et 205 m. De petits robots prendront le relais peu après pour se poser à 305 puis à 308 m, des siphons tortueux rendant l'espace impraticable aux humains. A-t-on ici touché le fond ? Peut-être, mais rien n'est sûr…

• Le **musée du Monde souterrain** (☎ 04 90 20 34 13 • *ouv. de fév. à nov. t.l.j. sf mar. 10h30-19 h*) est consacré à la spéléologie.

• Le **moulin à papier de Vallis-Clausa** (☎ 04 90 20 34 14 • *ouv. en juil.-août t.l.j. 9 h-19 h 30 ; en mai-juin et sept. t.l.j. 9 h-12 h 30 et 14 h-19 h ; le reste de l'année t.l.j. 10 h-12 h 30 et 14 h-18 h, jusqu'à 17 h 30 en déc.-janv.*) permet de découvrir les techniques traditionnelles de fabrication du papier.

• Le **musée d'histoire Jean-Garcin**★ (☎ 04 90 20 24 00 • *ouv. d'avr. à oct. t.l.j. sf mar. 13 h-18 h ; le reste de l'année sur réservation*) évoque la vie quotidienne et la Résistance en Vaucluse sous l'Occupation, par le biais d'une muséographie originale mettant en scène 10 000 pièces et documents. Un espace dédié à la «liberté de l'esprit» présente des manuscrits d'auteurs engagés tels que René Char, Max Jacob et François Mauriac, ainsi que des œuvres de Henri Matisse, Joan Miró et Pablo Picasso.

▼ *Le gouffre de Fontaine-de-Vaucluse, d'où sort la résurgence de la Sorgue.*

■ **Le musée-bibliothèque Pétrarque**

Sur la rive g. de la Sorgue ☎ 04 90 20 37 20 • *ouv. d'avr. à oct. t.l.j. sf mar. 13 h-18 h ; le reste de l'année sur réservation.*

Installé à l'emplacement d'une maison que le poète aurait occupée, il présente une collection d'ouvrages et d'estampes du XVIᵉ au XIXᵉ s. traitant des personnages de Pétrarque et de Laure, ainsi que des villes d'Avignon et de Fontaine-de-Vaucluse.

Quelques œuvres modernes d'artistes comme Georges Braque, Alberto Giacometti, Joan Miró ou Pablo Picasso sont exposées avec des poèmes de René Char.

■ **Le château**★

Près de l'entrée du musée-bibliothèque Pétrarque, des escaliers puis un sentier mènent au château en 15 mn • accès libre.

Implanté en partie à flan de falaise, au sommet d'un éperon rocheux contourné par la Sorgue, le château échut aux évêques de Cavaillon au XIIᵉ s., après avoir appartenu aux comtes de Toulouse. Ce qui reste de cette construction en petit appareil date du XIIIᵉ ou XIVᵉ s. En arrivant au point le

François Pétrarque, voyageur et poète

Né à Arezzo (Italie) en 1304, François Pétrarque est conduit par son père à Carpentras avant d'être envoyé à l'université de Montpellier pour y étudier le droit. En 1327, à Avignon, le jeune homme rencontre Laure de Noves, le grand amour de sa vie, qui deviendra l'inspiratrice de sa poésie. Après avoir voyagé dans de nombreuses villes européennes, rentré à Avignon en 1337, mais hostile à la corruption ambiante, Pétrarque se retire à Fontaine-de-Vaucluse où il demeure souvent jusqu'en 1353. Il opte ensuite pour l'Italie et décède à Padoue en 1374. Pétrarque doit sa renommée à son *Canzoniere*, recueil de poèmes en italien célébrant Laure, servi par un langage lyrique raffiné dont le style s'imposa comme modèle en Italie et en Europe jusqu'au XVIᵉ s.

plus haut, on profite d'une belle vue plongeante sur le site de la «fontaine» dont les falaises sont creusées de «baumes» (grottes).

■ L'aqueduc de Galas★

À la sortie du village, en direction de Cavaillon (par la D 24 ou la D 25).
Inauguré en 1857, cet élégant ouvrage du canal de Carpentras, long de 159 m, conduit les eaux de la Durance pour irriguer la plaine du Comtat Venaissin.

▲ *L'église paroissiale Saint-Trophime, accrochée à l'éperon de Saumane-de-Vaucluse.*

Environs de Fontaine-de-Vaucluse

■ Saumane-de-Vaucluse★

À 4 km N.-O. de Fontaine-de-Vaucluse par la D 25 et la D 57.
Au pied des monts de Vaucluse, Saumane est dominé par l'imposante silhouette de son **château médiéval** *(visites guidées hebdomadaires avec l'office de tourisme de Fontaine-de-Vaucluse)*, entre les murs duquel le marquis de Sade *(→ p. 241)* passa une partie de son enfance, élevé par son oncle, l'abbé Jacques de Sade.

• La petite rue traversant le village conduit à l'**église paroissiale Saint-Trophime★**, ancienne chapelle d'un prieuré rattaché à l'abbaye de Sénanque. Construite au XIIe s., mais remaniée plusieurs fois, notamment au XVIe s., elle est littéralement suspendue à la falaise et possède un beau clocher-arcade.

■ Lagnes★

À 4 km S. de Fontaine-de-Vaucluse par la D 100A et la D 99.
Ce charmant village étage ses maisons au pied d'un rocher dont le sommet est occupé par un **château** composé de deux maisons seigneuriales médiévales remaniées aux XVIe et XVIIe s. *(f. au public).*

• L'**église Notre-Dame-des-Anges** est une construction néoclassique de 1844 remplaçant l'édifice précédant dont il n'est resté que le clocher à lanternon. À côté de l'église, une petite rue puis un chemin piétonnier conduisent au **belvédère**, vaste plateau dominant le village et son château, d'où l'on profite d'une très belle **vue★★** sur les environs *(compter 15 à 20 mn aller-retour).*

Gordes★★

Accrochées à un promontoire escarpé dominant de 300 m la vallée du Coulon, les maisons de pierres et de lauzes de Gordes forment une composition pyramidale à la rigueur presque géométrique, couronnée au sommet par l'église et le château. La lumière baignant les ruelles «caladées» du village a inspiré les peintres qui l'ont rendu célèbre : André Lothe dès 1938, puis Marc Chagall et surtout Victor Vasarely, à qui l'on doit la restauration du château. Depuis, Gordes connaît un certain effet de mode qui s'est installé dans la durée – elle a même rejoint le club très sélect des «Plus beaux villages de France» – et l'on ne compte plus les artistes, écrivains ou hommes politiques qui se sont laissé séduire par les lieux : la cité y a gagné en fréquentation en saison, mais elle y a quelque peu laissé son âme.

Parkings à l'extérieur du village • visite en 1 demi-journée.

■ L'église Saint-Firmin★

Au cœur du village • ouv. t.l.j.

L'ancienne église Notre-Dame, devenue trop petite, fut reconstruite au milieu du XVIIIe s. et consacrée sous le vocable «Saint-Firmin» (voir l'inscription en façade au-dessus de l'entrée, datée de 1755). La construction qui sert aujourd'hui de clocher, curieusement muni d'un escalier extérieur, était probablement un beffroi à l'origine. À l'intérieur de l'église, la nef est voûtée en berceau, creusé par les fenêtres hautes, l'abside se termine en cul-de-four, tandis que les chapelles latérales sont logées entre les contreforts : c'est le parti classique des églises édifiées aux XVIIe et XVIIIe s. On remarquera les belles **clôtures★** en fer forgé du chœur et des chapelles, ainsi qu'un intéressant ensemble de **tableaux★** et de **sculptures★**.

■ Le château★

En haut du village • le château abrite l'office de tourisme et accueille des expositions temporaires d'avr. à sept..

Le vaste château actuel, qui remplace un édifice médiéval, a été reconstruit pour Bertrand de Simiane à partir des années 1520. Restauré dans les années 1970

À 15 km E. de Fontaine-de-Vaucluse par la D 100a et la D 100 jusqu'à Cabrières-d'Avignon, puis à g. par la D 110, la D 148 et la D 2.

ℹ Le château ☎ 04 90 72 02 75 ; www.luberon coeurdeprovence.com

À ne pas manquer

Manifestations

• Marché : mar. matin.
• 1re quinzaine d'août, Soirées d'été de Gordes : un festival de musique et de théâtre qui attire chaque année de grands artistes ; http://festival-gordes. com
• 1er dim. d'août, Fête des vins et de l'huile d'olive : animations et dégustations.

▲ *Avec ses maisons qui s'enroulent autour de la colline, Gordes est reconnaissable de loin.*

par le peintre Vasarely (→ *p. 427*), il conserve néanmoins un caractère de forteresse moyenâgeuse avec ses deux tours rondes couronnées de mâchicoulis. La façade où s'ouvre l'entrée apparaît bien austère, à peine animée par son portail et ses fenêtres à meneaux et frontons triangulaires.

• C'est à l'intérieur, avec la superbe **cheminée★★** de la grande salle (datée de 1541), que triomphe l'esthétique nouvelle de la Renaissance, inspirée de l'art antique : pilastres, caissons à rosaces, frontons aux rampants ornés, niches à coquilles, frises de feuilles d'acanthe… Large de 10 m, la composition englobe, outre la cheminée elle-même, les deux portes qui l'encadrent, pour ne former qu'une seule unité architecturale et décorative.

■ **Les caves du palais Saint-Firmin★**

À 30 m en contrebas de l'église, rue du Belvédère ☎ 04 90 72 02 75 • ouv. en avr.-mai et sept.-oct. t.l.j. sf mar. 10 h-13 h et 14 h-18 h ; de juin à août t.l.j. 10 h-18 h • http://caves-saintfirmin.com

Sous la maison Renaissance se cache un immense réseau souterrain aménagé sous forme de caves entre le XIe et le XVIIIe s. Par manque d'espace à l'air libre, les habitants de Gordes ont développé des activités agricoles et artisanales sous terre. Sur les trois niveaux ouverts à la visite, vous verrez un moulin à huile, des silos, des citernes attestant de cette vie souterraine active.

Environs de Gordes

■ **Le village des bories★★**

À 3,5 km O. de Gordes (fléché) ☎ 04 90 72 03 48 • ouv. t.l.j. de 9 h au coucher du soleil • visites guidées en juil.-août mar. et jeu. • entrée payante • http://levillagedesbories.com

Ce village surprenant ne se compose pas de maisons traditionnelles, mais d'une vingtaine de bories (→ *p. 208*), organisées autour d'une cour. La construction de cet habitat traditionnel utilisant la pierre sèche trouvée sur place s'est perpétuée jusqu'au XIXe s. Restauré entre 1969 et 1976, le village des bories se présente tel qu'il était vraisemblablement lorsque ses derniers occupants l'abandonnèrent au début du XXe s.

■ **Murs★**

À 8 km N.-E. de Gordes par la D 15.

Comme Venasque (→ *p. 213*), Murs se développa grâce à sa situation privilégiée, commandant l'unique passage entre Apt et Carpentras à travers les monts de

Vaucluse (*actuelle D 4*). Des ruelles calmes, bordées de jolies petites demeures, en font une halte charmante.

• L'**église paroissiale Saint-Loup**, qui arbore un clocher massif, date du xiie s. mais fut plusieurs fois remaniée au cours des siècles. Sa nef de deux travées, voûtée en plein cintre, se termine par une abside en cul-de-four. À côté se dresse la maison d'origine médiévale qui a vu naître, en 1541, Louis de Balbe-Berton, dit « le brave Crillon », compagnon d'armes du roi Henri IV.

▲ *Murs, un charmant village en plein cœur du plateau de Vaucluse.*

■ **Les gorges de la Véroncle**★

À 3 km E. de Gordes par la D 2 • un panneau signale le parking et le début du parcours piétonnier (boucle) de 15 km • durée : 5 h • parcours sportif : prévoyez des chaussures adaptées et de l'eau.

Le sentier remonte la combe de la Véroncle, empruntée par un torrent provenant du plateau de Murs. Aujourd'hui asséché, ce cours d'eau a creusé dans la garrigue d'impressionnantes gorges, fort étroites par endroits. On parcourt le bord des falaises pour rejoindre l'ancien lit, jalonné de nombreux moulins à farine ruinés des xvie-xviiie s.

■ **Saint-Pantaléon**

À 4 km S.-E. de Gordes par la D 104.

Bâtie sur une dalle rocheuse en haut du village, la petite **église romane Saint-Pantaléon** (*clés disponibles au Bistrot des Roques ou à retirer à la mairie lun., mar. et jeu. 8 h 30-12 h et 13 h 30-17 h, ven. 8 h 30-12 h ☎ 04 90 72 23 03*), à la construction soignée, présente des proportions très harmonieuses, bien qu'elle soit plus large que longue.

• Elle comprend une courte nef voûtée en plein cintre et flanquée de bas-côtés. L'abside et les deux absidioles à toits plats se terminent en cul-de-four : l'une d'elles possède quelques colonnes à chapiteaux d'inspiration carolingienne. À l'extérieur, les éléments bas de l'abside sont en partie taillés dans la roche.

• Il en est de même pour les nombreux sarcophages entourant l'église, et qui constituent la **nécropole**★ la plus curieuse de la région : la plupart d'entre eux, destinés à des enfants, sont de petite taille et ont été creusés sans ordre préétabli. Le nombre important de tombes d'enfants est sans doute à rapprocher de la croyance médiévale selon laquelle saint Pantaléon ressuscitait temporairement les mort-nés pour qu'ils puissent recevoir le baptême et être inhumés conformément aux usages chrétiens. ▶▶▶

Bonnes adresses

🏠 ✕ *Auberge de Carcarille*, route d'Apt (D 2), au S. de Gordes, près du croisement avec la D 104. 3 étoiles ☎ 04 90 72 02 63 ; www.carcarille.com Une cuisine traditionnelle, copieuse et de qualité qui a ses fidèles. Menu truffes en saison. Chambres au confort soigné. Piscine.

🏠 ✕ *La Ferme de la Huppe*, Les Pourquiers, tout près de Gordes en allant à Goult par la D 156 ☎ 04 90 72 12 25 ; www.lafermedelahuppe.com Une ferme du xviiie s. transformée en hôtel-restaurant de charme et confortable. Accueil familial et délicieuse cuisine qui varie suivant le marché. Piscine et terrasse.

🏠 ✕ *Le Crillon*, à Murs ☎ 04 90 72 60 31 ; www.provence-hotel-gordes.com Chambres confortables à la décoration soignée. Excellente cuisine de terroir.

▲ *Le mur de la Peste.*

Les constructions en pierres sèches

En Provence, pays calcaire par excellence, la pierre sèche marque fortement le paysage et se dispute l'espace avec la garrigue lorsque cette dernière a repris ses droits. Les monts et le plateau de Vaucluse sont parsemés de constructions en pierres sèches, sous la forme de «bories» ou de murets, témoins d'une économie agricole et pastorale ancienne.

Un matériau naturel récupéré

Les édifices en pierres sèches, sans mortier, ont pour origine l'épierrement des sols nécessaire à leur mise en culture. La technique de construction des cabanes compte parmi les plus rudimentaires qui soient : les pierres plates récupérées dans les champs sont posées bien à plat les unes sur les autres, mais, en progressant en hauteur, chaque rang est disposé en léger surplomb par rapport au rang inférieur. Ainsi, progressivement, les murs se rapprochent jusqu'au sommet et une dalle plus large suffit à assurer la couverture de l'ensemble : c'est le principe de la fausse voûte en encorbellement.

Des constructions variées

Ces curieuses cabanes appelées «bories» – le terme n'est apparu que dans la 2e moitié du XIXe s. et serait la déformation d'un mot occitan signifiant «ferme en pierre» – composent, en Provence, une expression architecturale originale, dont la taille et la forme demeurent très variables : sauf à Gordes (→ *p. 205*) où elles prennent l'apparence de carènes renversées, les bories reposent sur un plan rond ou quadrangulaire et leur silhouette peut être conique, pyramidale, ovoïde, ou encore en chapeau de gendarme, avec ou sans fenêtre.

▲ *Le village des bories, près de Gordes.*

Si la technique de l'encorbellement est attestée dès l'époque néolithique, les bories provençales, appelées autrefois «cabanes gauloises» en raison de leur silhouette archaïsante, sont bien plus récentes. On estime qu'elles furent bâties entre les XVIIᵉ et XIXᵉ s., les plus petites servant d'abris et d'entrepôts pour les outils agricoles, les plus grandes abritant des bergeries. Isolées dans le paysage, on les rencontre essentiellement dans la moitié S. du département de Vaucluse, avec une importante concentration dans un rayon d'une quinzaine de kilomètres autour d'Apt (→ p. 229).

L'aménagement des terrasses

Lors de l'épierrement des sols, les pierres inutilisables pour les constructions étaient entassées pour servir à des usages plus modestes comme les murets. Sur les versants les mieux exposés, les paysans avaient façonné des terrasses (*restanques* ou *bancaous*) pour retenir les terres arables, apportées parfois d'ailleurs. Soutenues par des murs de pierres sèches, ces terrasses étaient contraintes par la pente du terrain. Elles s'accompagnaient d'un système de drainage et de stockage de l'eau de pluie. Avec un matériau modeste pour base, ces énormes ouvrages de pierre impressionnent pourtant par la qualité de leur facture, comme à Goult (→ p. 210).

Un mur contre la peste

Une réalisation qui marqua le paysage et aussi les esprits est le mur de la Peste. *Le Grand Saint-Antoine*, navire en provenance du Levant, fut responsable de l'introduction de la maladie en Provence, le 25 mai 1720. Partie de Marseille, l'épidémie fit très vite des ravages. Pour protéger le Comtat Venaissin, le vice-légat du pape, rapidement averti et alarmé, ordonna la construction d'un mur de pierres sèches, jalonné de postes de garde. En 1721, cette barrière de 1 m de haut s'étirait sur près de 30 km de Cabrières-d'Avignon (→ p. 210) aux environs de Monieux (→ p. 210). Mille soldats la gardaient, afin d'empêcher quiconque de la franchir. Foires et marchés furent interdits, ainsi que la circulation des marchandises. Cette épidémie de peste, sensiblement ralentie par ces mesures, fut la dernière que la Provence connût.

Depuis 1986, l'association Pierre sèche en Vaucluse a entrepris le relevé du «mur de la Peste» et des aménagements qui l'accompagnent, ainsi que la restitution au domaine public de parties accessibles aux promeneurs.

Bonnes adresses

🏠 *Au Ralenti du Lierre*, Les Beaumettes, au S. du moulin des Bouillons par la D 103 ☎ 04 90 72 39 22 ; http://auralentidulierre.com Chambres d'hôtes agréables dans une demeure de village gaie et décorée d'objets chinés dans la région. Belle piscine. Cartes de crédit non acceptées.

✗ *L'Estellan*, les Imberts, à côté de Cabrières-d'Avignon par la D 2 ☎ 04 90 72 04 90 ; www.restaurant-estellan.com Une belle terrasse où déguster une cuisine raffinée, qui varie suivant les saisons.

✗ *Maison Gouin*, sur la pl. principale de Coustellet, Maubec ☎ 04 90 76 90 18. Cuisine savoureuse à base de produits locaux. Épicerie fine, cave à vins.

Manifestation

Marché paysan à Coustellet : en juil. et août, le mer. en fin de journée ; d'avr. à déc., le dim. matin.

Randonnée

Entre Cabrières-d'Avignon et Lagnes (→ p. 204) par la D 100, depuis le parking où se dresse le monument commémoratif du maquis de 1943, un chemin balisé par des bornes mène à une autre portion du mur de la Peste (→ p. 209). Compter 15 à 20 mn aller-retour.

■ Goult★

À 7 km S.-E. de Gordes par la D 104 via Saint-Pantaléon.
Ce village s'étend autour de son château (*f. au public*), où se trouve le **conservatoire des Cultures en terrasses★★** (*accès par le chemin qui monte à g. après l'église • entrée libre*). Implantées à flanc de colline, les terrasses empêchaient que la terre ne soit entraînée par les pluies. Ce système n'est plus utilisé, mais de belles structures de pierres sèches (→ p. 209) ont été sauvegardées.

■ Le moulin des Bouillons★

Près du carrefour de la D 103 et de la D 148 (fléché), à 3,5 km S. de Gordes ☎ 04 90 72 22 11 • ouv. d'avr. à oct. t.l.j. sf mar. 10 h-12 h et 14 h-18 h.
Abrité dans un très beau mas, le moulin à huile du XVIe s. a conservé intacts le manège avec sa meule et le pressoir monumental. Une exposition y présente l'histoire de l'huile d'olive sur le pourtour méditerranéen.

• Sur le même site, un **musée★** (*même horaires*) est consacré au verre et au vitrail depuis ses origines mésopotamiennes (4 000 av. J.-C.) jusqu'à nos jours. On admirera les superbes **vitraux** contemporains réalisés par la propriétaire des lieux, l'artiste Frédérique Duran. **Collection exceptionnelle★** d'objets autour du verre. Dans le jardin, sculptures géantes en métal conçues par F. Duran.

■ Cabrières-d'Avignon

À 5 km S.-O. de Gordes par la D 2 et la D 110.
Étagé sur une butte, Cabrières abritait une communauté vaudoise et fut mis à sac en 1545 par le baron Maynier d'Oppède (→ p. 259). Une stèle devant le château rappelle l'événement.

• Le **château** (*f. au public*), édifié au XIIe s., a été remanié au XVIe s. dans un style encore redevable au gothique (fenêtres à meneaux du logis). L'ensemble est protégé par une enceinte avec tours d'angle, que l'on peut contourner à l'extérieur.

• Depuis l'église et la ruelle partant à g. du château, des bornes jalonnent un parcours qui conduit au **mur de la Peste★** (*le début peut se faire en voiture, mais le sentier d'accès est uniquement piétonnier • compter 30 mn aller-retour*). Il fut érigé en 1721 pour protéger le Comtat Venaissin de l'épidémie qui sévissait en Provence (→ p. 209).

• Le **musée de la Lavande★** (*à Coustellet, au S. de Cabrières-d'Avignon sur la D 2 ☎ 04 90 76 91 23 • ouv. de fév. à avr. et d'oct. à déc. t.l.j. 9 h-12 h 15 et 14 h-18 h ; de mai à sept. t.l.j. 9 h-19 h ; f. en janv. • audioguides • www.museedelalavande.com*) relate, grâce à une collection d'alambics en cuivre, l'histoire de la distillation de cette plante (→ p. 477) ainsi que de son utilisation en pharmacie et en parfumerie depuis 400 ans.

L'abbaye de Sénanque★★

Un lieu isolé propice à la vie contemplative, un ruisseau pour les besoins matériels en eau : ces deux conditions essentielles à l'implantation d'un établissement cistercien se trouvent parfaitement réunis dans ce vallon. L'abbaye tire son nom du cadre naturel dans lequel elle fut fondée, Sénanque provenant en effet de *sana aqua*, «bonne eau». Les sobres mais beaux bâtiments de l'abbaye s'intègrent idéalement dans le paysage, rehaussé en saison par le bleu profond des champs de lavandes.

À 4 km N. de Gordes par la D 177.

L'abbaye de Sénanque est un lieu de recueillement religieux. Afin d'éviter un trop grand flux de touristes, les modalités de visite ont été restreintes.

Importante librairie religieuse et vente de produits fabriqués par des communautés monastiques.

L'abbaye dans l'histoire

Fondée en 1148 par des moines venus de Mazan (Ardèche), cette prestigieuse abbaye est la plus jeune des trois sœurs provençales de Cîteaux, avec le Thoronet (1130) et Silvacane (1147 → *p. 436*). Elle est isolée au fond d'un vallon qui fut longtemps d'accès difficile. Généreusement dotée par les seigneurs de Simiane et de Venasque, Sénanque prospéra jusqu'au XIVe s., passa sous le régime de la commende au XVIe s., mais ne se releva jamais de l'épisode vaudois des années 1540 (→ *p. 259*).

Au XVIIIe s., quand l'abbé de Béthune fait reconstruire une partie du monastère, c'est un établissement désert qui est vendu comme bien national en 1791. Sous le Second Empire, une nouvelle communauté cistercienne vient s'installer, mais elle rejoint l'abbaye de Saint-Honorat-de-Lérins (Alpes-Maritimes) en 1969. Depuis 1988, des moines occupent à nouveau Sénanque, qui a ainsi retrouvé ses fonctions initiales.

☎ *04 90 72 18 24 • visites libres et visites guidées t.l.j. sf le dim. et les jours de fêtes religieuse ; horaires mis à jour chaque année, se rens. sur le site Internet de l'abbaye • entrée payante • www.senanque.fr*

▼ *L'abbaye de Sénanque au milieu des lavandes : une des images les plus pittoresques de la Provence.*

■ Le dortoir★★★

Cette salle aux impressionnants volumes, longue de 30 m, possède une voûte en berceau brisé dont les arcs-doubleaux délimitent trois parties inégales. Son implantation dans le prolongement du transept de l'église

Pour récompenser un proche (religieux ou laïc), on lui concédait les bénéfices d'une abbaye vacante (sans abbé pour la diriger) : tel était le principe de la «commende». Nommé par le pape ou le roi, l'abbé commendataire, affranchi des règles monastiques, ne résidait que rarement sur place, se contentant de gérer de loin le temporel et d'en retirer des revenus substantiels.

Dans les communautés monastiques, une distinction était faite entre les moines «de chœur», qui participaient à la vie spirituelle de l'abbaye, et les frères «convers», en charge de l'exploitation du domaine. Ces derniers n'étaient pas autorisés à s'exprimer lors des discussions relatives à la vie de la communauté. D'où l'expression «avoir ou non voix au chapitre», toujours en usage.

▼ *Les croisées d'ogives de la salle du chapitre marquent l'arrivée du gothique dans l'abbaye.*

permettait aux moines de passer de l'un à l'autre, que ce soit pour le 1er office à 2 h du matin, ou inversement pour regagner leur couche à l'issue du dernier.

■ L'église***

Construite dans la 2e moitié du XIIe s., l'église est orientée S.-N. et non pas E.-O. : cette disposition exceptionnelle s'explique par l'étroitesse du vallon. Comme au Thoronet et à Silvacane, la taille des pierres est précise et l'ensemble très bien assemblé. Seules deux portes latérales donnent accès à l'église. La **nef centrale** est couverte d'une voûte en berceau brisé d'un seul tenant, qui communique avec ses bas-côtés par de grands arcs animés de ressauts. Puis vient le **transept**, dont les bras, moins élevés que la nef, possèdent chacun deux chapelles. Après la coupole qui surmonte la croisée, le **chœur** possède une abside en cul-de-four éclairée par trois baies, souvent interprétées comme un symbole de la Trinité. À l'extérieur, en contournant le chevet, on remarque que, si le sanctuaire fait saillie en hémicycle, les chapelles du transept sont englobées dans un mur plat. On ne peut donc pas les deviner.

■ Le cloître

Ses quatre galeries sont voûtées en berceau plein cintre dont l'alternance des supports compose un ensemble harmonieux : aux angles, on trouve quatre piliers massifs, puis, sur les côtés, des arcades groupées par trois qui retombent sur des colonnettes doubles. Derrière une apparente uniformité, les chapiteaux à décor strictement végétal sont d'une exécution très fine et d'une ornementation variée.

■ Le chauffoir*

Appelé aussi « salle des moines », situé juste en dessous du dortoir, il est voûté d'arêtes qui s'appuient sur un puissant pilier rond au centre. C'était la seule pièce chauffée de l'abbaye. Des deux cheminées d'origine, une seule est encore en état : sa forme conique aurait permis d'y brûler des troncs placés à la verticale.

■ La salle du chapitre

Elle ouvre sur le cloître et est coiffée par six croisées d'ogives. Les degrés contre les murs servaient de bancs aux religieux. Utilisée comme salle de réunion, cette pièce était la seule où il était permis de parler. Tous les jours, après l'office de prime (au lever du jour), l'abbé y réunissait les moines «de chœur» pour une lecture commentée et pour la distribution des tâches quotidiennes. On y évoquait aussi les manquements à la règle commis par certains.

Venasque★★ et Le Beaucet★★

Entre Pernes-les-Fontaines et le plateau de Vaucluse, le versant ouest des monts du même nom voit son paysage virer au vert et au jaune orangé : le vert pour la couleur des vallons et des collines où alternent pinèdes, chênaies, oliviers, vignes et cerisiers; le jaune orangé pour la pierre, omniprésente, l'une des premières ressources des environs. Sa belle teinte confère une chaleur certaine aux édifices de ces deux beaux villages, auxquels l'aspect minéral donne une allure de décor.

Venasque est à 11,5 km S.-E. de Carpentras par la D 4 et la D 28.

■ Venasque★★

Grand'Rue ☎ 04 90 66 11 66; www.tourisme-venasque.com
S'étirant sur un éperon rocheux barré par trois tours impressionnantes qui dominent la plaine du Comtat et le passage vers Apt, Venasque peut s'enorgueillir d'être l'un des sept «plus beaux villages de France» du département. La cité donna son nom au Comtat Venaissin dont elle fut le siège du 1er évêché, avant son transfert à Carpentras. Le promeneur d'aujourd'hui trouvera prétexte à d'agréables déambulations dans des ruelles curieusement – mais heureusement – délaissées par le tourisme de masse.

• Une **fontaine** a été érigée en 1891, sur la petite place appelée «Planette», pour commémorer le centenaire du rattachement du Comtat Venaissin à la France.

• L'**église Notre-Dame★** (*en bas de la rue principale • ouv. la 2e semaine d'avr. et d'oct. 9 h-18 h 30 ; la 3e semaine d'oct. et la 2e semaine de déc. 9 h 15-17 h*) domine en à-pic la vallée de la Nesque. Elle appartient, pour ses parties les plus anciennes, au début du XIIIe s. : ainsi en va-t-il de la nef couverte en berceau avec doubleaux, du transept et de sa **coupole polygonale**, renforcée de nervures, dont les trompes sont ornées des symboles des évangélistes (l'abside en cul-de-four, légèrement désaxée, serait antérieure à l'église actuelle). Le **clocher** et sa flèche en pierre furent repris au XVIIe s., puis, au XVIIIe s., des chapelles vinrent se loger entre les contreforts (elles ouvrent sur la nef par de grandes arcades percées après coup) et on plaqua un nouveau porche contre l'entrée S. L'église conserve des œuvres intéressantes parmi lesquelles deux retiennent particulièrement l'attention : un panneau peint daté de 1498 représentant la **crucifixion** et une **croix de**

Manifestations

À Venasque
• Fin mai-début juin: Festival de la cerise. La cerise des monts de Venasque est la 1re marque française ; www.cerise-venasque.com
• Juin-sept., marché estival ven. 17 h-20 h.

procession en argent fabriquée par un orfèvre avignonnais également en 1498 *(les deux sont installées dans la chapelle en face de l'entrée, de l'autre côté de la nef : une minuterie les éclaire automatiquement).*

• Le **baptistère**★ *(derrière l'église* ☎ *04 90 66 62 01 • ouv. t.l.j. 9 h 15-13 h et 14 h-17 h, en été jusqu'à 18 h 30 ; f. en déc. et la 1ʳᵉ semaine de janv. • entrée payante),* datant de la fin du VIᵉ s. mais plusieurs fois remanié jusqu'au XIXᵉ s., est considéré comme l'un des édifices chrétiens les plus anciens de France. Il avait, à l'origine, l'aspect d'une croix aux branches inégales, dont les extrémités sont toujours voûtées en cul-de-four. Sa partie centrale, très restaurée, est couverte d'une voûte d'arêtes assez plate, construite au XIIIᵉ s. pour remplacer un toit en charpente.

▼ *La petite place Castel-Loup devant la mairie du Beaucet, à l'entrée du village.*

■ **Le Beaucet**★★

À 6 km S.-O. de Venasque par la D 247.

Accroché à une falaise, ce « village vertical », comme l'appelait René Char, doit son nom au provençal *baus* qui signifie « escarpé ». De l'**enceinte** initiale subsistent deux portes et quelques pans de murs. Son château aussi est ruiné. L'**église paroissiale** *(f. au public),* d'origine romane, a été restaurée en 1826. Depuis son petit parvis, belle **vue**★ sur le village.

À l'entrée du Beaucet en venant de Venasque, la D 39, à dr., mène en 4 km à Saint-Didier (→ p. 190).

■ **L'ermitage Saint-Gens**★

À 3 km S. du Beaucet par la D 39a • chapelle ouv. en journée.

Nichée au fond d'un superbe **vallon**★, la chapelle de l'ermitage a été reconstruite en style roman en 1884, autour des vestiges d'une chapelle du XIIᵉ s. Il n'en subsiste que la coupole polygonale sur trompes – où sont sculptés les symboles des évangélistes –, portée par quatre puissants piliers. À l'intérieur, selon la tradition, se trouve le rocher dans lequel saint Gens, jeune ermite, fut enseveli. Ses reliques ont été déposées dans l'église en 1972 (un mannequin de cire indique sa sépulture).

• À côté de la chapelle se dresse le bâtiment de l'ermitage, édifié en 1633 et habité jusqu'au début du XXᵉ s. Derrière la chapelle, un sentier jalonné de petits oratoires conduit à la fontaine que le saint aurait fait jaillir miraculeusement.

Un saint faiseur de pluie

Gens Bournarel naquit à Monteux en 1104. Un jour, excédé par les pratiques superstitieuses des habitants qui ne priaient que pour faire tomber la pluie, le jeune Gens partit vivre en ermite au Beaucet, après les avoir exhortés à faire pénitence. Une sécheresse dramatique se déclencha bientôt et encouragea les paroissiens de Monteux à solliciter son aide, en envoyant sa mère le chercher. Comme celle-ci arriva assoiffée à l'ermitage du Beaucet, Gens fit jaillir une source pour l'apaiser. Il retourna quelques temps à Monteux, la pluie tomba finalement et les récoltes furent excellentes. Puis Gens reprit le chemin de son ermitage et y mourut le 16 mai 1127. Sa sépulture, source de miracles, devint un lieu de pèlerinage.

Sault★ et son pays★★★

À presque 800 m d'altitude, Sault est un gros village qui s'épanouit au cœur de la plus importante zone de production de lavande d'Europe, dont les champs confèrent au plateau une fascinante lumière bleutée en été. À quelque distance du mont Ventoux qui domine le lointain, le bourg, réputé pour sa gastronomie authentique, constitue un point de départ idéal pour partir à la découverte du pittoresque plateau d'Albion et des tortueuses gorges de la Nesque.

À 41 km N.-E. de Carpentras par la D 942.

ℹ av. de la Promenade
☎ 04 90 64 01 21;
www.ventoux-sud.com

À ne pas manquer

Dans les environs

Manifestations

• Marché: mer. matin.
• En avr., le mer. précédant les Rameaux, foire des Rameaux.
• En juin, festival Sons Dessus de Sault: concerts en salles, dans les rues, fanfares, vidéos.
• Fin juin, foire de la Saint-Jean.
• En juil., Festival de la photographie animalière « les silences du Ventoux ».
• Le 15 août, fête de la Lavande: animations et grand repas champêtre.
• Le 16 août, foire de Notre-Dame.
• Fin nov., foire de la Sainte-Catherine.

▲ *Le marché du mercredi dans le centre de Sault.*

L'ancien comté de Sault

Ancienne dépendance d'Apt dont le nom proviendrait du latin *saltus* désignant un pays boisé entrecoupé de clairières, Sault se développe sous la Paix romaine des Iᵉʳ-IIᵉ s., avec l'implantation sur le plateau de grands domaines ruraux. Le bourg connaît sa période la plus faste au XVIᵉ s.: la famille d'Agoult obtient de Charles IX la création d'un comté en 1561, lequel ne disparaît qu'en 1793, lorsque la Convention le rattache au département de Vaucluse. La ville se distinguera par la suite lors de la Seconde Guerre mondiale comme centre important de la Résistance.

Visite du bourg en 3 h.

■ Le vieux bourg★

Il abrite des **maisons médiévales** à encorbellement ainsi que des **demeures Renaissance** ou des XVIIᵉ et XVIIIᵉ s., notamment l'hôtel Martin de la Broussière. Du château

Bonne adresse

✕ *Le Provençal*, rue Portes-des-Aires ☎ 04 90 64 09 09. Bonne cuisine à base de produits du terroir. Service en saison sur une petite terrasse.

Randonnée

Dans le pays de Sault, capitale de la lavande (→ p. 475), un sentier permet de découvrir les différentes facettes de cette fleur symbolique de la Provence, grâce à des panneaux didactiques le long du parcours. Sortir de Sault par la D 164 en direction du mont Ventoux, puis prendre à 700 m à dr. la direction Les Michouilles. Laisser son véhicule au parking 1,3 km plus loin. Balisage jaune ; longueur 5 km ; durée 1 h 40.

Bonnes adresses

🛒 **Confiserie André Boyer**, pl. de l'Europe ☎ 04 90 64 00 23 ; www.nougat-boyer. fr Une institution dont la renommée est à la hauteur des gourmandises proposées.

🛒 **Distillerie Aroma' plantes**, sur la D 164 direction du mont Ventoux ☎ 04 90 64 14 73. Découverte de la fabrication des huiles essentielles, distillation de la lavande et autres plantes médicinales cultivées bio sur l'exploitation. Visite gratuite et boutique.

Plaisirs du palais

Les habitants du pays de Sault ont su optimiser les ressources d'un sol pourtant ingrat. Ainsi, l'épeautre, l'une des plus anciennes céréales cultivées par l'homme et qui se contente de terrains pauvres, est-il à nouveau à l'honneur en cuisine. À côté de ces champs blond, le regard retiendra aussi les alignements chatoyants des lavandes et les troupeaux de moutons. L'odorat et le palais se réjouiront également des senteurs et arômes des miels parfumés, des nougats et des macarons, sans oublier la viande au fumet incomparable des agneaux élevés sous la mère. Reste enfin la truffe, très présente dans le Vaucluse en général, et ici en particulier…

féodal et des anciens remparts ne subsistent plus que quelques vestiges, dont les plus importants se dressent encore pl. du Château, rues du Club, de la Barbanne et des Gaches. Certaines tours, arasées en 1793, ont été transformées en habitations.

• L'**église Notre-Dame**★ *(ouv. t.l.j.)* était autrefois celle d'un prieuré dépendant de l'abbaye Saint-André de Villeneuve-lès-Avignon. Sa construction remonte aux XIIᵉ et XIIIᵉ s. pour la nef couverte d'une voûte en berceau brisé, ainsi qu'au XIVᵉ s. pour le chœur et ses chapelles. Le clocher (1624) reprend le style roman d'origine.

• Le **Musée municipal** *(rue du Musée ☎ 04 90 64 02 30 • ouv. en juil.-août du lun. au sam. 15 h-18 h ; hors saison, se rens. à la bibliothèque ☎ 04 90 64 12 75)* présente des collections de paléontologie, d'archéologie gallo-romaine et égyptienne, de minéralogie, etc. Dans sa bibliothèque se trouve un original de l'*Encyclopédie* de Diderot.

Sault est un carrefour d'où l'on peut rayonner sur la région : au N., la D 942 rejoint les Baronnies (→ p. 100) ; au N.-O., la D 164 mène au mont Ventoux (→ p. 118) ; la D 942 longe au S.-O. les gorges de la Nesque (→ p. 218) ; la D 950 ou la D 30 conduisent à l'E. sur le plateau d'Albion.

Le plateau d'Albion★★

À l'époque préromaine, toute la région était occupée par la tribu des Albiens (ou Albiques) qui tenaient leur nom de *Alba*, le « pays blanc ». Le plateau devait-il cette appellation à la couleur gris clair de ses pierrailles ou au vert pâle presque blanc de sa végétation ? Quoi qu'il en soit, dans cette région où règnent les grands espaces, d'importantes exploitations agricoles composent un paysage rural d'une grande et austère beauté, que Jean Giono (→ p. 449) a pris pour cadre de plusieurs de ses romans.

Circuit de 45 km environ au départ de Sault • compter 1/2 journée.

■ Aurel★

Aurel est à 5 km N. de Sault par la D 942.

Fondé au XIIᵉ s. par les Hospitaliers de Saint-Jean-de-Jérusalem, le village vit essentiellement de l'exploitation de la lavande. Avec ses maisons blotties à flanc de colline et sa petite église romane c'est l'un des lieux les plus attachants du plateau, qui a séduit nombre de peintres depuis le XIXᵉ s.

En poursuivant la D 942, on rejoint en 7 km Montbrun-les-Bains (→ p. 117).

■ Saint-Trinit

À 5 km S.-E. d'Aurel par la D 95 et la D 950.

Dans une vaste clairière entourée de châtaigniers, ce minuscule village abrite l'**église de la Trinité★★** *(ouv. t.l.j.)*, superbe petit édifice roman aux volumes équilibrés, qui constitue le vestige le plus notable d'un ancien prieuré fondé au XIIe s. par les bénédictins de l'abbaye Saint-André de Villeneuve-lès-Avignon *(→ p. 174)*. l'église se distingue par les pilastres qui scandent son abside polygonale, les colonnettes à chapiteaux feuillagés qui ornent la baie d'axe et la baie au-dessus de l'entrée.

La D 950 se poursuit jusqu'à Banon (21 km E. → p. 452).

■ Saint-Christol-d'Albion

À 10 km S. de Saint-Trinit par la D 95 et la D 30 ❶ *Sault* ☎ *04 90 64 01 21 ; www.ventoux-sud.com*

Comme à Saint-Trinit, un prieuré fut fondé ici par les bénédictins de l'abbaye Saint-André au XIIe s., prieuré dont la chapelle est devenue l'**église Notre-Dame-et-Saint-Christophe.** Elle se compose de deux nefs, l'une romane, l'autre de la fin du XVIIe s. Lors de ses travaux d'agrandissement, l'orientation traditionnelle a été perturbée et l'abside romane est devenue la chapelle des fonts baptismaux. Elle a toutefois conservé son **décor sculpté★** d'origine, fait d'arcatures aveugles dont les colonnettes et chapiteaux sont décorés d'une étonnante variété de motifs.

• L'**observatoire Sirene** *(après Saint-Christol en direction de Lagarde-d'Apt par la D 34, puis par une petite route à g.* ☎ *04 90 75 04 17 • ouv. tous les soirs de l'année sur réservation et pendant les vacances scolaires le jeu. à 14 h • visites payantes • www.obs-sirene. com)* se situe dans une ancienne zone de lancement de missiles nucléaires. Le ciel y est l'un des plus purs d'Europe. L'observatoire propose des soirées et des nuits de découverte astronomique.

■ Lagarde-d'Apt

À 9 km S. de Saint-Christol par la D 34.

Se résumant seulement à son église et à quelques fermes isolées, Lagarde-d'Apt est la plus haute commune de Vaucluse (presque 1 100 m). Son horizon est marqué d'un côté par le mont Ventoux *(→ p. 118)* et de l'autre par la montagne de Lure *(→ p. 460)*, derrière laquelle le regard porte, par beau temps, jusqu'aux cimes enneigées des Alpes du Sud.

Pendant la guerre froide, le plateau d'Albion abrita les missiles sol-sol des «forces nucléaires de dissuasion». Depuis 1999, date du démantèlement, il connaît une reconversion pacifique pour la plus grande joie des randonneurs. Des routes à la largeur incongrue témoignent encore des aménagements réalisés autrefois pour la circulation des engins militaires.

Bonne adresse

🏠 ✕ *Hostellerie du Val de Sault*, route de Saint-Trinit, puis à g. après les pompiers ☎ 04 90 64 01 41 ; www. valdesault.com Un hôtel 4 étoiles dont les chambres, de plain-pied, s'ouvrent sur une pinède. Restaurant avec délicieux produits du terroir.

▼ *L'église romane de la Trinité, à Saint-Trinit.*

Sens dessus dessous

Constitué d'une dalle calcaire de 1 à 1,5 km d'épaisseur, le plateau d'Albion est riche en phénomènes dits «karstiques» (formes curieuses résultant de l'action de l'eau sur la roche). La conséquence? Une grande variété morphologique qui commence en surface (avens, gouffres, ou encore dolines) et se poursuit en sous-sol par d'importantes galeries pour le plus grand bonheur des spéléologues.

Bonnes adresses

🏠 ✕ *Ferme-auberge Les Esfourniaux*, Lagarde-d'Apt ☎ 04 90 75 01 04. Dîners autour de bons plats dans un mas en pleine nature. Quelques chambres au calme.

✕ *Les Lavandes*, pl. Léon-Doux, Monieux ☎ 04 90 64 05 08 ; www.restaurant-les-lavandes.fr Agréable cuisine gastronomique servie en saison en terrasse sous les arbres de la petite place principale.

Manifestation

À Monieux
1er dim. de sept., fête médiévale du Petit Épautre : foire artisanale, campement médiéval, spectacles de chevaliers, etc.

Prenant sa source près d'Aurel, la Nesque, grâce à la perméabilité du sol, rejoint, après Monieux, le réseau hydrographique souterrain et parcourt ainsi les gorges qu'elle a creusées. Elle réapparaît à l'air libre 20 km plus bas, aux environs de Méthamis.

• Le **signal Saint-Pierre** (1 256 m), au S.-E. de Lagarde-d'Apt, est le point culminant des monts de Vaucluse *(compter 2 h de marche aller-retour)*.

Sault est à 12 km N. par la D 34 et la D 245. En prenant la D 34 vers le S., on rejoint la D 22 qui mène à Apt (20 km → p. 229).

Les gorges de la Nesque★★

Contrastant avec les paysages calmes et plats des plateaux environnants, ce spectaculaire défilé, profond de presque 400 m, est l'un des plus beaux canyons du sud-est de la France. Ouverte en 1912, la D 942, aménagée en corniche avec quelques tunnels, permet de découvrir d'en haut ce paysage vertigineux.

Itinéraire de 31 km environ de Sault à Méthamis • compter 1 demi-journée, sans la promenade à la chapelle Saint-Michel d'Anesca.

■ Monieux★

À 6 km S.-O. de Sault par la D 942 ❶ pl. Jean-Gabert (l'office de tourisme renseigne aussi sur les gorges de la Nesque) ☎ 04 90 64 14 14 ; www.ventoux-sud.com
Les restes d'une **tour de guet** médiévale implantée en hauteur rappellent la position stratégique du village, gardien de l'amont des gorges. L'**église romane**★ *(sous la tour de guet • ouv. t.l.j.)*, avec sa nef voûtée en plein cintre, a été agrandie par des chapelles latérales au XVIIe s.

• Au **musée de la Truffe du Ventoux** *(pl. Jean-Gabert ☎ 04 90 64 14 14 • ouv. du lun. au ven. 9 h-12 h et 14 h-18 h, sam.-dim. 9 h 30-17 h 30 • entrée gratuite)*, vous seront contés l'histoire de la truffe et les techniques de cavage (sorties organisées en hiver). Très belle collection de coquetiers du monde entier.

Randonnée

Depuis Monieux, la D 96 puis, à dr., la D 5 mènent à la ferme de Saint-Hubert, d'où partent deux chemins.
• Le **sentier botanique de Saint-Hubert** : il invite à la découverte des espèces typiques de la région. Vous croiserez les ruines de la ferme de Lausemolan (XVIe s.) et un bel aiguier. Distance : 4,5 km. Durée : 1 h 30.
• Le **mur de la Peste** : on découvre un autre morceau de cette longue barrière de pierres sèches *(→ p. 209)*. Accès par le GR 9. Distance : 500 m. Durée : 1/2 h. Balisage blanc-rouge.

■ La chapelle Saint-Michel★★

Depuis Monieux, se rendre au plan d'eau du Bourget. Suivre le PR dir. Saint Hubert le long de la Nesque (balisage jaune). Au croisement de la Peisse, prendre à droite le GR 9 (balisage rouge et blanc) dir. « la chapelle Saint-Michel ». Poursuivre le GR 9 jusqu'à Monieux (boucle de 2 h 30).

Au fond des gorges, en bordure de la rivière, cette chapelle est entièrement engagée sous un important surplomb rocheux. Cette situation pittoresque confère tout son intérêt à ce modeste édifice d'origine romane, restauré au milieu du XVIIe s. Elle conserve à l'intérieur un cippe gallo-romain qui dû servir d'autel au Moyen Âge et demeura un lieu de pèlerinage jusqu'au XIXe s.

■ Le belvédère du Castelleras★★★

À 5 km S.-O. de Monieux par la D 942.

Aménagé pour recevoir une stèle dédiée à Frédéric Mistral, il fait face à l'impressionnant **rocher du Cire** (872 m) et domine un extraordinaire site naturel au fond duquel sine la Nesque. Le rocher du Cire tire son nom des ruchers sauvages qu'il abrite.

■ Villes-sur-Auzon

À 15 km O. du belvédère du Castelleras par la D 942.

La D 942 quitte les gorges dans une succession de tunnels et de corniches pour déboucher à Villes-sur-Auzon qui domine la plaine au pied du mont Ventoux. Le village a conservé de ses remparts démolis au XIXe s. des portions de murs et quelques portes. Des maisons anciennes et de jolies fontaines en font un endroit idéal pour se reposer après la sinueuse route des gorges.

■ Méthamis★

À 5 km au S. de Villes-sur-Auzon par la D 942, puis à g. par la D 14.

Perché sur un promontoire en bordure de la Nesque, l'habitat de Méthamis est groupé autour de l'église paroissiale Saint-Denis-Saint-Blaise, d'origine romane (façade refaite en 1727). Elle est précédée d'une petite terrasse à laquelle on accède par un escalier à doubles volées. Quelques belles maisons et des vestiges de l'enceinte médiévale confèrent au village un grand caractère.

Depuis Méthamis, on peut rejoindre Venasque (→ p. 213) par la D 5 et la D 4. Vers l'E., la D 5 ramène à Sault.

Randonnée

Les aiguiers : afin de capter l'eau pour les troupeaux, des citernes (aiguiers) ont été construites, certaines aménagées à même le rocher. Un sentier permet d'en découvrir quelques-unes. Départ des ruines de Capellery, à 2,5 km N.-E. de Villes-sur-Auzon par la D 1. Balisage blanc-rouge-jaune. Distance : 8,5 km. Durée : 3 h.

▼ *Les gorges de la Nesque depuis le belvédère du Castelleras.*

Le Luberon

L e Luberon s'étend entre Cavaillon et Manosque sur 80 km, formant une barrière difficilement franchissable. Seule la combe de Lourmarin divise la chaîne en deux ensembles distincts. À l'ouest, le Petit Luberon, qui culmine à 700 m, fait penser aux Alpilles avec ses reliefs accidentés. À l'est, le Grand Luberon, à plus de 1 000 m d'altitude, présente des formes plus arrondies. Les flancs du massif offrent un contraste encore plus explicite : le versant septentrional réserve des pentes abruptes qui plongent vers le pays d'Apt ; le versant méridional s'abaisse au contraire vers la Durance en une succession de coteaux. C'est le pays d'Aigues, une terre parcourue par de nombreux ruisseaux et bien ensoleillée. Tout autour du massif, on trouve de splendides villages. Pratiquement à l'abandon au début du XX\e s., ils ont retrouvé une seconde jeunesse dans les années 1950, lorsque peintres, écrivains et autres artistes ont été attirés par ce cadre exceptionnel. Cet engouement ne s'est pas démenti et le Luberon est aujourd'hui très «tendance». Néanmoins, le charme opère encore, que ce soit lors d'une balade dans une ruelle «caladée» bordée de maisons restaurées avec soin, ou lors d'une randonnée dans les vastes espaces protégés de la montagne du Luberon.

◀ *Le village de Lourmarin.*

Que voir dans le Luberon

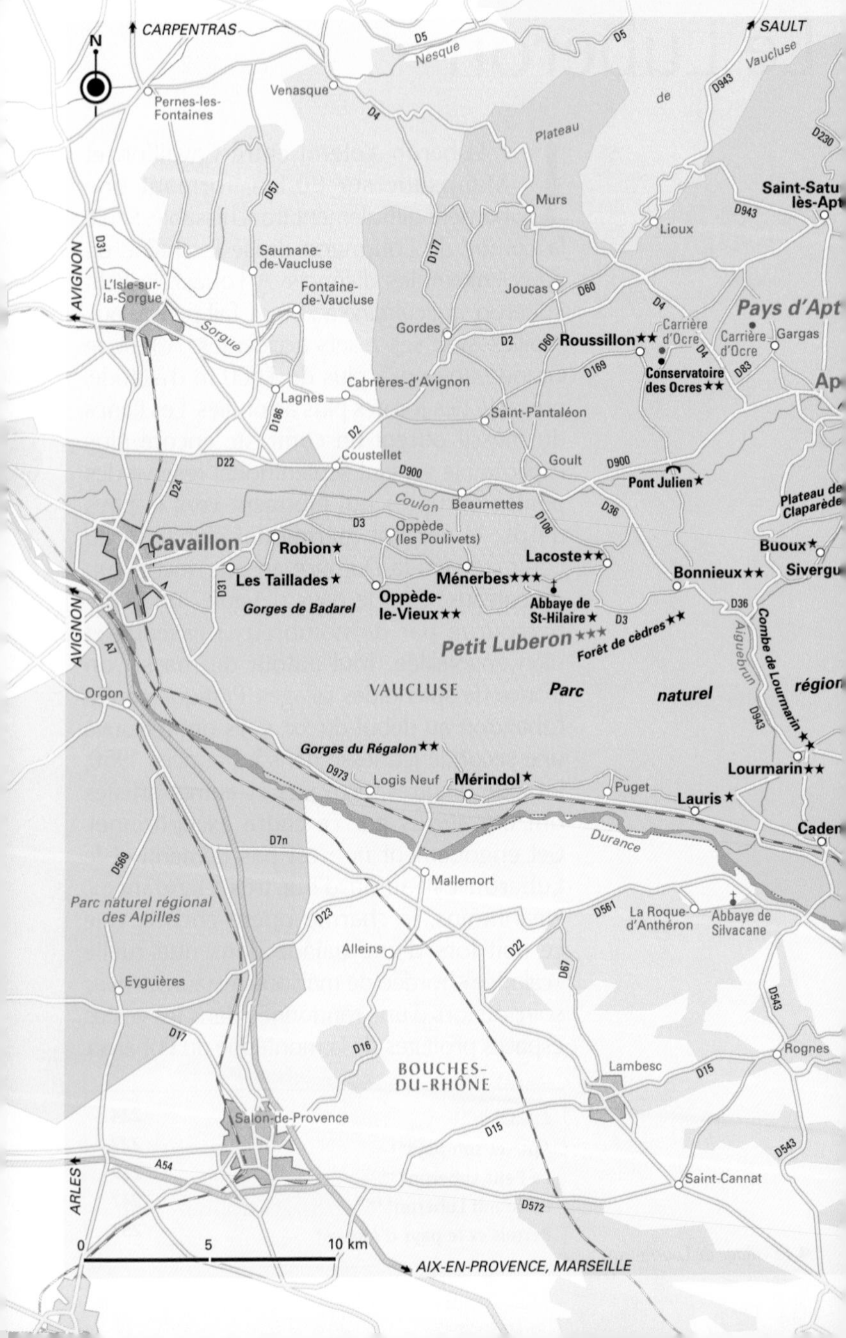

CARPENTRAS

SAULT

N

Nesque
D5
D5
D943
Vaucluse
D230

Pernes-les-Fontaines

Venasque
D4
Plateau
de

Murs
Lioux
Saint-Satu lès-Apt
D943

Saumane-de-Vaucluse

Joucas
D60
D4
Pays d'Apt

Fontaine-de-Vaucluse

Gordes
D2
D60
Roussillon ★★
Carrière d'Ocre
Carrière d'Ocre
Gargas
D83

L'Isle-sur-la-Sorgue
AVIGNON
D31
Sorgue

Lagnes
Cabrières-d'Avignon
D2
Saint-Pantaléon
D169
Conservatoire des Ocres ★★
Ap

Coustellet
D900
D900
Goult
Pont Julien ★
Plateau de Claparède

D22
D24
Coulon
Beaumettes
D106
D36
Buoux ★

Cavaillon
D3
Oppède (les Poulivets)
Lacoste ★★
Bonnieux ★★
Sivergu

Robion ★
Ménerbes ★★★
Combe de Lourmarin

Les Taillades ★
Oppède-le-Vieux ★★
Abbaye de St-Hilaire ★
D3
D36

Gorges de Badarel
Petit Luberon ★★★
Forêt de cèdres ★★
Aiguebrun
région

VAUCLUSE
Parc
naturel
D943

Orgon
A7
Gorges du Régalon ★★
Lourmarin ★★

D973
Logis Neuf
Mérindol ★
Puget
Lauris ★
Cadep

Durance

D568
D7n
Mallemort
D561
La Roque-d'Anthéron
Abbaye de Silvacane

Parc naturel régional des Alpilles
D23
Alleins
D22
D67
D543

Eyguières
D16

D17
BOUCHES-DU-RHÔNE
Lambesc
D15
Rognes

Salon-de-Provence
D15
D543

A54
D572
Saint-Cannat

ARLES

0   5   10 km

AIX-EN-PROVENCE, MARSEILLE

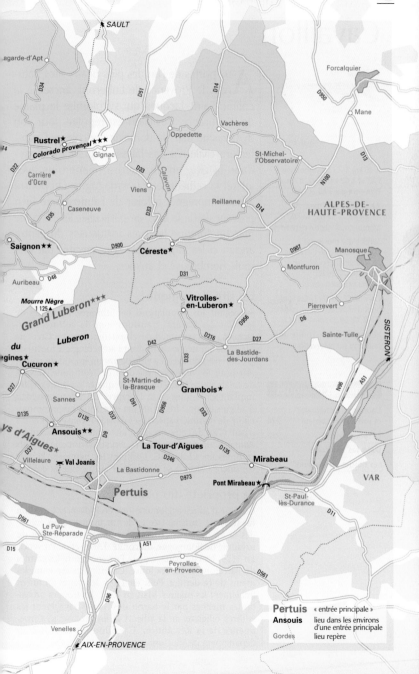

SAULT

Lagarde-d'Apt

Forcalquier

Mane

D34

D51

D14

D950

Vachères

Oppedette

St-Michel-
l'Observatoire

D13

Rustrel ★

Colorado provençal ★★★

Gignac

D22

N100

Carrière
d'Ocre

D33

Calavon

Viens

Reillanne

ALPES-DE-
HAUTE-PROVENCE

D35

Caseneuve

D33

D14

Saignon ★★

D900

Céreste ★

D907

Manosque

Auribeau

D48

D31

Montfuron

Pierrevert

SISTERON ★

Mourre Nègre
1 125 ▲

**Vitrolles-
en-Luberon ★**

Sainte-Tulle

Grand Luberon ★★★

D956

D6

Luberon

D216

D27

D42

La Bastide-
des-Jourdans

du

D33

N96

A51

...gines ★

Cucuron ★

D27

St-Martin-de-
la-Brasque

D91

D956

Grambois ★

Sannes

D135

D37

D253

D135

Ansouis ★★

D9

...ys d'Aigues ★

La Tour-d'Aigues

D135

Mirabeau

Villelaure

✕ Val Joanis

D246

La Bastidonne

D973

Pont Mirabeau ★

VAR

Pertuis

St-Paul-
lès-Durance

D11

D561

Le Puy-
Ste-Réparade

A51

D15

Peyrolles-
en-Provence

D561

D96

Venelles

✦ AIX-EN-PROVENCE

Pertuis   « entrée principale »
Ansouis   lieu dans les environs
              d'une entrée principale
Gordes   lieu repère

Cavaillon

À 30 km S.-E. d'Avignon par l'A7 et à 62 km N.-O. d'Aix-en-Provence par l'A8 et l'A7.

ⓘ pl. François-Tourel A2
☎ 04 90 71 32 01; www.luberoncoeurdeprovence.com

Service des musées et du patrimoine de Cavaillon, 22, rue de la République
☎ 04 90 72 26 86; www.cavaillon.com

Gare SNCF, pl. de la Gare, au bout de l'av. du Maréchal-Foch B1-2 ☎ 36 35; www.sncf.fr

Visite guidée avec l'office de tourisme sur réservation.

Aux portes de l'un des plus beaux sites naturels de Provence (le Luberon), ancrée à la colline Saint-Jacques qui surplombe la plaine de la Durance, Cavaillon est réputée pour son dynamisme dans le domaine agricole. Si l'architecture civile n'a pas laissé de grandes choses dans la cité, on découvrira néanmoins avec intérêt la cathédrale et la synagogue. On pourra aussi s'imprégner à loisir de l'atmosphère bien provençale de la ville, en particulier les jours de marché, lorsque les rues tortueuses du centre ancien et les larges cours sont envahis par une foule nombreuse et animée.

Un site stratégique

Succédant aux populations néolithiques, les Celtes de la tribu des Cavares transformèrent la colline Saint-Jacques en oppidum et développèrent avec les Grecs de Marseille un négoce actif dont l'archéologie a fourni de nombreuses preuves. La ville devint un important comptoir pour le commerce régional de l'Antiquité, servant de relais entre Marseille la Grecque et les autres villes implantées le long de la Durance. Cavaillon possédait d'ailleurs un port fréquenté par une importante communauté de mariniers spécialisés dans la traversée des cours d'eau. C'est de cette situation favorable qu'héritèrent les Romains lorsque Cavaillon (*Cabellio*) devint une de leurs colonies en 42 av. J.-C. Quittant les hauteurs, la ville commença alors à se développer au pied de la colline.

La propriété des papes

Comme d'autres agglomérations de Provence, Cavaillon fut très vite christianisée et devint le siège d'un évêché dès la fin du IVe s. La ville dépendit successivement du royaume de Bourgogne, du comté d'Arles et de Provence. En 1125, lors du partage de la Provence entre les comtes de Barcelone et de Toulouse, Cavaillon passa entre les mains de ce dernier. Puis, en 1274, les papes en furent finalement les maîtres. Mais en 1562, les troupes protestantes menées par le baron des Adrets ravagèrent les édifices religieux de la ville. À la fin du XVIIIe s., conséquence de la Révolution, Cavaillon fut rattachée au département de Vaucluse.

Une vocation agricole ancienne

Pendant tout l'Ancien Régime, Cavaillon tira sa prospérité des cultures maraîchères des environs, établies avec succès dès le Moyen Âge grâce à la mise en place d'un judicieux système d'irrigation. Sans être l'unique culture, le melon est devenu rapidement la production phare de la région, faisant du même coup la gloire de la ville. Le développement des moyens de communication, au XIXe s., puis au XXe s., favorisa l'exportation des productions et fit de Cavaillon l'un des plus importants centres d'expédition de France, rationalisé en 1965 par la création d'un MIN (marché d'intérêt national).

Départ de la pl. François-Tourel, où se trouve l'office de tourisme et où l'on pourra garer son véhicule (sf le jour du marché hebdomadaire) • compter une demi-journée pour la visite de la ville.

▲ *Le melon, la plus célèbre culture de Cavaillon.*

■ L'arc romain★ A1

Pl. du Clos (contiguë à la pl. François-Tourel).
Il fut construit au Ier s. sur un plan carré et se composait, à l'origine, de quatre arceaux dont seuls deux subsistent. L'ornementation fait la part belle aux victoires ailées tenant palmes et couronnes de laurier.

• La **place du Clos**, bordée de maisons de négociants et de magasins d'expéditions, était autrefois très animée lorsque s'y tenait le marché au gros. Le café *Fin de siècle*★, aménagé en 1899, présente un opulent décor de stucs et de miroirs témoignant de la prospérité passée du lieu.

■ L'hôtel de ville A1

Pl. Joseph-Guis.
Édifié en 1753, il possède de beaux ouvrages en fer forgé (appuis des balcons du 1er étage, rampe d'escalier du vestibule). Les ailes en retour à l'arrière ont été construites en 1897 ainsi que la verrière qui couvre la cour.

• L'**hôtel de Perussis** (*37, pl. Philippe-de-Cabassole* • *l'hôtel abrite le tribunal d'instance* • *parties communes en accès libre en journée*), élevé en 1737, possède également de belles ferronneries (appuis des balcons et rampe d'escalier) et une discrète ornementation sculptée « rocaille » (clés des arcs segmentaires des fenêtres), tandis que deux colonnes ioniques, presque déjà « néoclassiques », encadrent l'entrée et supportent le balcon de l'étage.

Le melon, cucurbitacée originaire d'Afrique du Sud, aurait été introduit en France par les papes au Moyen Âge. Réservé aux grandes tables jusqu'au XIXe s., ce fruit (ou ce légume) s'est ensuite démocratisé grâce à l'irrigation qui a permis une production extensive. Le melon de Cavaillon, cantalou ou charentais, est le plus recherché et le plus apprécié des amateurs.

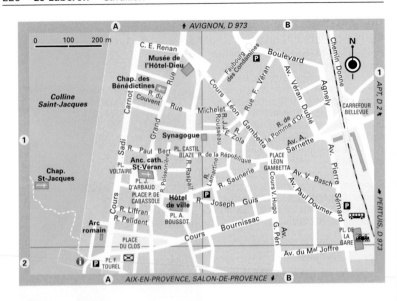

Manifestations

• Marché : lun. matin. dans les rues de la vieille ville et sur les cours qui l'enserrent.
• Le jeu. après-midi de l'Ascension et le sam. soir suivant, corso avec défilé de chars, etc.
• Pendant trois jours en juil., Feria du melon : grand marché et animations diverses.

■ L'ancienne cathédrale Saint-Véran★ A1

Accès par le cloître • ouv. d'oct. à mars du lun. au ven. 14 h-17 h ; d'avr. à sept. du lun. au ven. 14 h-18 h, sam. 14 h-17 h ; f. dim. et les jours fériés.

Elle a été construite au début du XIIe s. sur le même plan que Notre-Dame-des-Doms d'Avignon. Elle resta la cathédrale du diocèse de Cavaillon jusqu'à son rattachement à celui d'Avignon après le concordat de 1802.

• Le **cloître** est contemporain de la cathédrale. Ses galeries s'ouvrent par des arcades en plein cintre soutenues par des colonnettes dont les chapiteaux s'ornent de petites moulures ou de motifs végétaux et figurés.

• La **nef**, couverte d'un berceau brisé, débouche sur le chœur, dont la coupole supporte le lourd clocher, puis sur l'abside en cul-de-four. L'ensemble fut consacré en 1251. On ouvrit ensuite des **chapelles** dans la nef au XIVe s.

• En 1562, les troupes protestantes du baron des Adrets incendièrent les lieux, mais seul le portail s'écroula. Cependant, le **décor intérieur★★★** avait beaucoup souffert ; il fut entièrement renouvelé au XVIIe s. par les meilleurs peintres, sculpteurs et doreurs du moment (Mignard, Parrocel, etc.). De l'extérieur, rien ne laisse préjuger de l'abondance et de la richesse de ce mobilier composé de beaux autels, ainsi que d'imposants retables peuplés de statues et de tableaux.

■ La synagogue★★ B1

Rue Hébraïque ☎ *04 90 72 26 86 • ouv. de mai à sept. t.l.j. sf mar. 9 h 30-12 h 30 et 14 h-18 h ; en oct. t.l.j. sf mar. 10 h-12 h et 14 h-17 h ; de nov. à avr. t.l.j. sf mar. et dim. 10 h-12 h et 14 h-17 h ; f. les jours fériés • visite guidée toutes les heures • entrée gratuite.*

L'établissement d'une synagogue (→ p. 186) à l'endroit occupé aujourd'hui par l'actuel édifice remonte au moins à la fin du XVe s. Au XVIIIe s., la communauté fit constater l'état de vétusté des lieux et, après le lancement d'un emprunt, un nouveau bâtiment fut édifié en 1772-1774 d'après les plans de Lambertin, architecte à Avignon. Contrairement à celle de Carpentras, la synagogue de Cavaillon fut épargnée par la tourmente révolutionnaire.

• Le bâtiment comprend deux parties indépendantes : la synagogue elle-même et les bains rituels, ces derniers occupant l'une des salles du sous-sol dans la cour. Le rez-de-chaussée héberge la boulangerie (en contrebas) et le **Musée juif comtadin**★★ qui présente de belles pièces de mobilier liturgique et des objets du culte. L'étage est occupé par la grande salle de prière qui abrite la spectaculaire **tribune**★★★ du rabbin où se faisaient les lectures. Desservie par un double escalier, elle fait face au tabernacle, qui contient les rouleaux de la Torah, selon une disposition propre au rite comtadin.

• On remarquera le beau travail de ferronnerie des appuis et les lambris dorés par endroits. Avec une ornementation profane dénuée de tout symbolisme, ils trouveraient tout aussi bien leur place dans une demeure de qualité.

■ La chapelle des Bénédictines A1

Grand-Rue.

Dite aussi « chapelle du Grand-Couvent », elle fut construite en 1684 et présente une belle façade dont la porte est ornée d'un médaillon sculpté représentant saint Benoît. La chapelle accueille régulièrement des expositions.

■ Le musée de l'Hôtel-Dieu★ A1

À l'angle de la Grand-Rue et du cours Léon-Gambetta ☎ *04 90 72 26 86 • ouv. de mai à sept. t.l.j. sf mar. et dim. 14 h-18 h; hors saison sur r.-v. uniquement.*

Installé dans la chapelle de l'ancien hôtel-Dieu du milieu du XVIIIe s., il est consacré à la préhistoire, l'Antiquité et le haut Moyen Âge dont il présente surtout des vestiges lapidaires. Il a recueilli aussi quelques souvenirs de l'ancien hôpital, dont des faïences de Moustiers (→ p. 480).

Bonnes adresses

🛏 **Hôtel du Parc**, 183, pl. François-Tourel A2 ☎ 04 90 71 57 78 ; www.hotelduparccavaillon.com Chambres agréables aménagées dans une demeure du XIXe s., tout près du centre ancien.

🍴 **L'Étoile du Délice**, 57, pl. Castil-Blaze ☎ 04 90 78 07 51 A1, et **Maison Jarry**, 49, av. Victor-Basch ☎ 04 90 71 35 85 B1. Deux adresses pour goûter aux spécialités (sucrées) locales à base de melon.

Alexandre Dumas, grand amateur de melon, recevait de la ville de Cavaillon une rente viagère de 12 fruits (ou légumes) par an, pour le remercier d'avoir offert une collection complète de ses œuvres à la bibliothèque municipale.

▲ *L'arc romain, dominé par la colline Saint-Jacques.*

Randonnée

De la colline Saint-Jacques part un sentier balisé qui permet de découvrir la flore locale (forêt de pins d'Alep, garrigue à chênes) et l'histoire des lieux (panneaux). Compter 3 h.

• La **porte d'Avignon** *(à côté du musée)* rappelle l'ancienne ceinture de fortifications qui protégeait autrefois Cavaillon. Reconstruite en 1740 et couronnée d'une figure de la Vierge, elle verrouillait l'entrée N. de la ville. Les armoiries sculptées du pape Benoît XIV rappellent que les souverains pontifes étaient les maîtres de lieux.

À voir encore

■ La colline Saint-Jacques A1

Accès en voiture par le cours Sadi-Carnot, puis la route d'Avignon, ou à pied en 10-15 mn par un sentier de découverte avec escaliers taillés dans la roche, qui part de la pl. François-Tourel.

Dominant Cavaillon et la Durance, la colline Saint-Jacques (180 m d'alt.) où les Cavares s'étaient installés offre un **vaste panorama★★** sur la ville et surtout sur la chaîne des Alpilles, le Luberon et le mont Ventoux.

• Non loin de la table d'orientation, la **chapelle Saint-Jacques★** *(f. au public)*, édifiée au XIIᵉ s. Sa nef fut prolongée de deux travées au XVIᵉ s., puis d'un porche au XVIIᵉ s. Autrefois isolée, la chapelle est aujourd'hui rattrapée par l'urbanisation discrète de la colline.

Environs de Cavaillon

■ Les gorges du Régalon★★

Accès depuis Le Logis-Neuf, situé à 15 km S.-E. de Cavaillon par la D 973. 500 m après ce hameau, prendre à g. pour gagner le parking (payant). Suivre ensuite un sentier balisé menant à l'entrée des gorges • compter 1 h 30 aller-retour • attention : ne vous risquez pas dans les gorges par temps de pluie • site surfréquenté en été, préférer l'arrière-saison.

Au fond d'un cirque planté d'oliviers commence le défilé rocheux des gorges du Régalon, à l'étroitesse et à la profondeur spectaculaires.

Le lit du Régalon, souvent à sec en été, se faufile entre des parois calcaires si proches qu'elles forment comme un couloir pouvant atteindre moins de 1 m de largeur pour 30 m de hauteur.

Au terme de ce défilé où règne une agréable fraîcheur, on fera demi-tour. Les plus courageux pourront poursuivre pour une randonnée en boucle *(5 h)*.

Apt★ et son pays★★

Apt offre l'image traditionnelle des petites cités provençales : ceinture de boulevards bordés de platanes, vieilles tours médiévales, rues pavées et placettes tranquilles où chante parfois une fontaine. Capitale mondiale du fruit confit, son marché du samedi matin est l'un des plus vivants de Provence.

Apt est au centre d'un petit pays s'étendant le long de la vallée du Calavon, entre la montagne du Luberon au sud et les monts de Vaucluse au nord. Ce territoire où dominent la vigne et les arbres fruitiers est connu pour ses carrières d'ocre et leurs étranges paysages.

Une ville pour l'empereur

La ville ancienne recouvre l'emplacement d'une cité gallo-romaine créée en 45 av. J.-C. près d'un oppidum établi par les Vulgientes sur la colline de Perréal. L'agglomération prit le nom d'*Apta Julia* en l'honneur de Jules César, rentré victorieux de l'une de ses campagnes d'Espagne. Traversée par la via Domitia et profitant de la Paix romaine, la cité se développa. Ravagée à la suite des invasions du Ier millénaire, elle retrouva une prospérité certaine après l'expulsion des sarrasins en 972.

Une ville pour le roi de France

Par le jeu stratégique des alliances, Apt et la Provence passèrent sous la domination de la maison d'Anjou au XIIIe s. Mais à la mort de la reine Jeanne, à la fin du XIVe s., de sérieux problèmes de succession entraînèrent des troubles dans la région jusqu'à ce que le roi René en hérite en 1436. Juste après sa mort, Apt et la Provence furent intégrées au royaume de France en 1481. La ville fut haussée au rang de sous-préfecture de Vaucluse en 1793, lors de la formation des départements.

Une ville pour aujourd'hui

Sous l'Ancien Régime, la production de fruits confits connut un essor parallèle à celui de la faïence artisanale. Elle a perduré jusqu'à aujourd'hui, entrecoupée de crises importantes. L'industrie des ocres, en voie d'extinction, s'est développée au XIXe s., contribuant largement à la modification des paysages aux environs

À 31 km E. de Cavaillon par la D 2 et la D 900.

ℹ 20, av. Philippe-de-Girard A1 ☎ 04 90 74 03 18; www.luberon-apt.fr

Apt abrite le siège du parc naturel régional du Luberon : → p. 244.

À ne pas manquer

La cathédrale Sainte-Anne★	230
Le musée de l'Aventure industrielle★★	231
Dans les environs	
Roussillon★★	234
Saint-Saturnin-lès-Apt★★	235
Le Colorado provençal★★★	238

Manifestations

• Marché : sam. matin dans les rues de la vieille ville; marché paysan mar. matin sur le cours Lauze-de-Perret; marché potier en août, pl. de la Bouquerie.
• Fin mai, Luberon Music Festival : musique actuelle; www.luberonmusicfestival.com
• 2e quinzaine de juil., Les Tréteaux de la nuit : concerts de variété, humour.
• En nov., durant une semaine, festival des Cinémas d'Afrique du Pays d'Apt ☎ 09 52 47 49 35; www.africapt-festival.fr

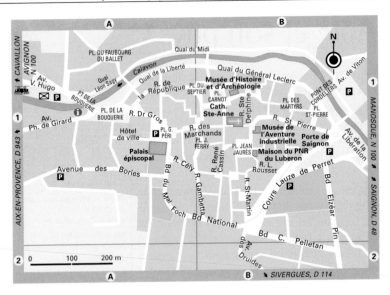

Centre du marché le sam. matin, la pl. de la Bouquerie est le point de départ idéal pour partir à la découverte de la vieille ville • compter une demi-journée avec la visite du musée de l'Aventure industrielle.

■ Le palais épiscopal★ A1

Pl. Gabriel-Péri.

Édifié au XVIIIᵉ s., il présente deux ailes en retour qui délimitent une petite cour. Son entrée principale est surmontée d'un fronton portant les armoiries des évêques. Ses proportions et son beau décor en font un des plus remarquables palais épiscopaux de Provence. Les lieux abritent aujourd'hui les services de la sous-préfecture.

■ La cathédrale Sainte-Anne★ B1

Rue de la Cathédrale ☎ *04 90 04 85 44 ou 04 90 04 61 71 • ouv. de mai à oct. du mar. au sam. 9 h-13 h et 15 h-18 h ; de nov. à avr. du mar. au sam. 9 h-12 h et 14 h-17 h • http://apt-cathedrale.com*
D'après la tradition, une 1ʳᵉ cathédrale fut élevée au Vᵉ s. à l'emplacement où fut enseveli saint Auspice, supplicié au IIIᵉ s., et où les restes de sainte Anne auraient été retrouvés. Cet édifice ayant été ruiné au VIIIᵉ s., une nouvelle construction fut commencée au XIᵉ s. et achevée au XIIᵉ s.

• Des bâtiments plus anciens, il subsiste encore les **cryptes**. Pour la plus basse, destinée à la conservation des reliques, on réemploya, lors de son aménagement, des dalles de la clôture de chœur de l'édifice du VIIIᵉ s. La crypte supérieure semble dater du XIᵉ s. Son plan est celui d'une église en miniature, avec un petit chœur en

Bonne adresse

🏠 **Le Couvent**, 36, rue Louis-Rousset **B1** ☎ 04 90 04 55 36 ; www.loucouvent.com Dans un couvent du XVIIᵉ s., une adresse de charme au cœur de la ville.

cul-de-four contourné par un déambulatoire couvert d'un berceau. Dans les arcades du déambulatoire, les **sarcophages** de petite taille (XIIIᵉ s.) sont en réalité des ossuaires.

• La **nef** du XIIᵉ s., qui ne possédait qu'un seul bas-côté à l'origine, était couverte d'un berceau qui fut remplacé, au XVIIIᵉ s., par des voûtes d'arêtes destinées à améliorer l'éclairage en favorisant l'ouverture de fenêtres hautes. La **croisée du transept**, qui supporte une coupole octogonale, est l'une des rares parties de l'église romane qui a été conservée dans son état initial.

• Le **chœur** enfin, typiquement gothique, a reçu son décor au XVIIIᵉ s. Mais il conserve encore, fait rarissime pour un édifice provençal, un vitrail* antérieur à la Révolution. Ce dernier, daté de 1501 par les sources d'archives, est dédié à sainte Anne.

• Le **bas-côté dr.** conserve ses dispositions d'origine. La naissance de son voûtement en berceau est soulignée d'une frise de motifs végétaux : c'est le seul décor sculpté de l'église qui, hormis les tableaux des XVIIᵉ et XVIIIᵉ s., apparaît très dépouillée dans son ornementation.

▲ *La tour de l'Horloge d'Apt surplombe la rue des Marchands.*

• Le **bas-côté g.** a été ajouté au XIVᵉ s. et voûté d'ogives à ce moment-là. Des chapelles furent construites plus tard contre ce collatéral : l'une, du XVIIIᵉ s., possède une belle coupole ovale, tandis qu'une autre conserve un sarcophage paléochrétien. La plus remarquable, la grande **chapelle Sainte-Anne***, ou «chapelle Royale», fut bâtie à la suite du pèlerinage effectué en 1660 par la reine Anne d'Autriche, venue remercier la sainte pour la naissance tant attendue de son fils (le futur Louis XIV) en 1638.

La rue de la Juiverie (derrière le musée) occupe l'emplacement du ghetto médiéval. La communauté ne survécut pas à l'émeute de 1348, pendant laquelle on reprocha aux Juifs d'être responsables de l'épidémie de peste qui sévissait alors.

■ Le musée d'Histoire et d'Archéologie* B1

27, rue de l'Amphithéâtre ☎ 04 90 74 95 30 • visites guidées uniquement, le matin du lun. au ven. • billet combiné avec le musée de l'Aventure industrielle.

Occupant un hôtel du XVIIIᵉ s., ses collections comprennent principalement des témoignages de la période gallo-romaine, une série d'ex-voto du XVIIᵉ s. au XIXᵉ s. provenant de la cathédrale et un bel ensemble de pots à pharmacie venant de l'ancien hôpital.

■ Le musée de l'Aventure industrielle du pays d'Apt** B1

14, pl. du Postel ☎ 04 90 74 95 30 • ouv. en juil.-août. du lun. au sam. 10 h-12 h et 14 h-18 h 30 ; le reste de l'année du mar. au sam. 10 h-12 h et 14 h-17 h 30 ; f. en janv., dim., lun. et jours fériés.

Installé dans une ancienne usine de fruits confits, ce musée présente agréablement et de manière très

Bonnes adresses

🏭 *Aptunion*, à 2 km d'Apt sur la route d'Avignon (D 900) ☎ 04 90 76 31 66 ; www.lesfleurons-apt.com Pour les amateurs de fruits confits. Magasin d'usine (visite des installations sur réservation).

🏭 *Confiserie Coulon*, 24, quai de la Liberté **A1** ☎ 04 90 74 21 90. Les fruits confits de belle qualité sont fabriqués artisanalement. On y trouve aussi des pâtes de fruits et des nougats.

Bonnes adresses

✗ **Salon de thé-pâtisserie Rousset**, 196, rue des Marchands B1 ☎ 04 90 74 14 34. Pour déjeuner simplement ou acheter fruits confits et nougats. Diverses formules pour le midi et le goûter.

🏭 **Distillerie Les Agnels**, route de Buoux ☎ 04 90 04 77 00 ; www.lesagnels.com Visite guidée t.l.j. à 11 h et 16 h, en hiver sur r.-v.. La distillerie produit de l'essence de lavande depuis 1895.

🏭 **Distillerie Les Coulets**, hameau des Coulets (route de Rustrel) ☎ 04 90 74 07 55. Distillerie de lavande et de lavandin. Visites t.l.j. de mi-juil. à fin août 9 h-18 h.

Le **musée de la Lustrerie** (hameau des Sauvans, Gargas ☎ 04 90 74 92 40 ; www. mathieulustrerie.com), installé dans l'entreprise familiale Mathieu qui restaure, crée et réédite des lustres, abrite près de 200 modèles de lustres datés du xive au xxe s.

pédagogique les trois principales activités industrielles du pays d'Apt : la fabrication des fruits confits (→ ci-contre), le traitement de l'ocre (→ p. 236) et la faïence (→ ci-dessous) : exposition d'outils, de machines dont l'utilisation et le fonctionnement sont expliqués par des textes et des schémas, et bien sûr de faïences.

■ La porte de Saignon B1

À l'extrémité de la rue Saint-Pierre.
C'est l'un des deux éléments majeurs, avec la tour de l'Hôpital (bd National), qui subsistent des remparts médiévaux. Ces derniers connurent leur plus grande extension au xive s., donnant à la ville le périmètre qu'elle conservera jusqu'au xixe s. : ils comptaient alors 6 portes et 21 tours.

■ La maison du Parc naturel régional du Luberon B1

60, pl. Jean-Jaurès ☎ *04 90 04 42 00 • ouv. d'avr. à sept. du lun. au ven. 8 h 30-12 h et 13 h 30-18 h • entrée libre • www. parcduluberon.fr*
Installée dans un hôtel particulier, elle présente une exposition permanente sur le Luberon et organise, d'avr. à juin, des sorties (gratuites) pour découvrir les richesses naturelles de la région (→ p. 244).

■ La fondation Jean-Paul Blachère Hors plan par A1

384, av. des Argiles, zone industrielle Les Bourguignons ☎ *04 32 52 06 15 • ouv. du lun. au sam. 14 h-18 h, en juil.-août t.l.j. 14 h-18 h ; f. jours fériés • www.fondationblachere.org*
Passionné par l'Afrique, l'entrepreneur Jean-Paul Blachère a fondé en 2004 ce centre d'art où sont proposées tout au long de l'année des expositions thématiques mettant à l'honneur des artistes africains contemporains (sculpture, photo, peinture, vidéo-installation, arts numériques, land-art, etc.). ▶▶▶

La faïence d'Apt

La production de poterie fine à vernis allant du jaune paille au brun noir naquit en Luberon en 1728 avec l'installation de César Moulin à Castellet. Les pièces produites imitèrent longtemps les formes de l'argenterie ou de l'orfèvrerie. Puis Claude et Barthélemy Moulin, fils de César, mirent au point le célèbre décor jaspé vers 1775. Le procédé consistait à mêler des terres de couleurs différentes afin d'obtenir des effets marbrés. Ces deux catégories de faïence fine cohabiteront dans les mêmes ateliers jusqu'au déclin de l'activité potière. Si le pays d'Apt compta une douzaine de fabriques au xixe s., il ne subsistait plus que quelques artisans d'art au début du xxe s. Léon Sagy (1863-1939) développa la technique de la terre flammée, variante du jaspé, tandis que Joseph Bernard (1905-1973) explora toutes les possibilités des terres mêlées en s'inspirant des formes du Maroc où il avait reçu une formation.

▲ *Un assortiment de fruits confits.*

Les fruits confits

Confire un fruit, c'est remplacer le liquide qu'il contient naturellement par du sirop de sucre. Le procédé, déjà connu du monde gallo-romain, a toujours eu l'honneur des gourmands depuis lors. Mme de Sévigné, la célèbre épistolière du XVIIe s., n'hésitait pas à comparer le pays d'Apt à un «vaste chaudron à confiture».

D'artisanale, la fabrication des fruits confits est devenue industrielle dans le courant du XIXe s. À la fin de ce siècle, les vergers s'étendaient sur 10 000 ha dans le pays d'Apt, produisant figues, pêches, poires, pommes, abricots, prunes… Ces cultures procuraient les ingrédients de base, mais l'industrie des fruits confits impliquait aussi l'exploitation de mines de soufre qui servait à la préparation des denrées avant de les confire. Quant à l'industrie de la poterie, favorisée par la présence de bans d'argile, elle fournissait les grands bassins dans lesquels les fruits traités étaient conservés avant le glaçage. Entre le début du XIXe s. et les années 1950, la production passa de 20 t à 21 000 t. Apt continue à fournir de nos jours quelque 14 000 t de fruits confits, exportés dans le monde entier. Si les productions des vergers locaux sont toujours prisées (les cerises surtout, mais aussi les melons et les pastèques), les fruits de provenance exotique (ananas, cédrats, oranges) composent une bonne part des ingrédients d'aujourd'hui. Équeutés, lavés, dénoyautés et calibrés pour assurer une présentation homogène, les fruits sont d'abord traités à l'anhydride sulfureux, un gaz décolorant et désinfectant qui les rend également perméables au sucre. Ils reposent ensuite pendant au moins quinze jours dans des cuves en acier inoxydable remplies de solutions sucrées de densité croissante. L'eau naturellement présente dans les fruits est alors remplacée petit à petit par le sucre et, à la fin du processus, la teneur des fruits en sucre est de 75 % environ. Les fruits ainsi confits sont égouttés, puis recouverts d'une fine couche de sucre glace. Pour cela, on les plonge dans un sirop de sucre chauffé entre 113 °C et 115 °C qui forme, une fois les fruits retirés et refroidis, une pellicule sèche et brillante.

Au départ d'Apt, découvrez les
ocres en vélo grâce à un circuit
fléché en boucle de 50 km. Rens.
à l'office de tourisme d'Apt.

Randonnée

En pays d'Apt, les vignobles
des AOC «côtes-du-ventoux»
et «côtes-du-luberon», les
champs de céréales, d'asperges
et de melons, alternent avec
les vergers de cerises burlat
pour la table et de bigarreaux
peu colorées, savoureuses
et sucrées, destinées à la
production de fruits confits.

Sports nautiques sur le plan
d'eau de La Riaille, en bordure
de la D 943 (route de Saint-
Saturnin) au N.-O. d'Apt.
Rens. auprès de la base de
loisirs ☎ 04 90 04 85 41.

▼ *Roussillon, village
du Luberon célèbre pour la
chaude teinte de ses façades.*

Le circuit de l'ocre★★★

C'est à Roussillon et à Rustrel que l'on pourra découvrir au mieux les carrières d'ocre qui ont bâti la renommée du pays d'Apt. Elles offrent des paysages uniques, savamment sculptés par la main de l'homme, mais aussi par le vent et la pluie.

Circuit de 53 km environ au départ d'Apt • compter une journée, y compris les promenades dans les anciennes carrières d'ocre.

■ Le pont Julien★

À 8,5 km O. d'Apt par la D 900, en dessous du croisement avec la D 108.
Enjambant le Calavon de ses trois arches depuis le Ier s. av. J.-C., ce pont à la fine silhouette est l'un des deux ponts romains qui subsistent encore en Vaucluse, l'autre étant celui de Vaison-la-Romaine (→ *p. 121*). Son appellation est à rapprocher de la famille impériale des *Julii* et du nom romain d'Apt, *Apta Julia*. Les ouvertures ménagées au-dessus des piles, qui facilitent l'écoulement des eaux, lui ont permis de résister aux crues de la rivière.

■ Roussillon★★

À 4,5 km N. du pont Julien par la D 108 et la D 149 ❶ pl. de la Poste ☎ 04 90 05 60 25 ; www.roussillon-en-provence.fr
Perché sur un piton à plus de 300 m d'alt., Roussillon est réputé pour ses carrières d'ocre dont les falaises colorées offrent un étrange contraste avec la végétation. Le village lui-même se confond avec le site, toutes les maisons étant badigeonnées d'ocre. En parcourant les ruelles de ce bourg très fréquenté durant la haute saison, on remarquera l'étonnante variété des nuances que cette matière peut prendre, en particulier lorsque le soleil se couche. Depuis le terre-plein de l'**église** (voir, dans la chapelle des fonts baptismaux, un inattendu décor stuqué en relief de l'époque pourtant troublée de la Révolution) s'ouvre un large et beau **panorama★** du Ventoux au Luberon (table d'orientation).

• Le **sentier des Ocres★★★** (*départ depuis le parking près du cimetière • ouv. t.l.j., en fév. et de mi-nov. à déc. 11 h-15 h 30 ; en mars 10 h-17 h ; en avr. 9 h 30-17 h 30 ; en mai et sept. 9 h 30-18 h 30 ; en juin 9 h-18 h 30 ; en juil. et août 9 h-19 h 30 ; en oct. 10 h-17 h 30 ; du 1er au 14 nov. 10 h-16 h 30 ; f. en janv. et par temps de pluie • entrée payante • compter 35 mn pour le parcours de 1,5 km ; 50 mn pour le parcours long*), en haut du village, permet d'atteindre les parois des falaises les plus remarquables. Tout au long du parcours, des panneaux

didactiques apportent des informations sur la géologie, la végétation et l'exploitation des ocres (→ p. 236).

• Le **conservatoire des Ocres et de la Couleur**★★ (sur la D 104, à 1,5 km E. de Roussillon ☎ 04 90 05 66 69 • ouv. t.l.j., d'avr. à juin et en sept.-oct. 10 h-18 h ; en juil.-août 10 h-19 h ; en fév.-mars et nov.-déc. 10 h-12 h 30 et 13 h 30-17 h pendant les vacances scolaires, 13 h 30-17 h hors vacances ; en janv. du lun. au ven. sur r.-v. • visites guidées 1 à 4 fois par jour selon les saisons • comptoir de vente de pigments • http://okhra.com) a été aménagé dans l'ancienne usine Mathieu, une unité de production d'ocre. Il permet de découvrir toute la chaîne de fabrication de cette substance qui sert principalement aujourd'hui à colorer les peintures et les enduits (→ p. 236). Il propose également de nombreux stages et ateliers dédiés aux savoir-faire de la couleur.

■ **Saint-Saturnin-lès-Apt**★★

À 10 km N.-E. de Roussillon par la D 227 et la D 2 ❶ av. Jean-Geoffroy ☎ 04 90 05 85 10 ; www.luberon-apt.fr

Joli bourg accroché aux premières pentes des monts de Vaucluse et dominé par un vieux château. La **rue de la République** est bordée de maisons dont certaines conservent de belles **portes** : au n° 22, des atlantes soutiennent un balcon à l'appui en fer forgé, selon une formule prisée au milieu du XVIIe s. ; au n° 5, la maison a été remaniée vers 1740 pour le comte de Vintimille, seigneur de Saint-Saturnin. On a agrémenté la porte de nouveaux piédroits et d'un linteau en arc segmentaire, tout en conservant l'ancien fronton du XVIIe s. et une partie du décor sculpté de «chutes» de fruits ; au n° 3, le portail du début du XVIIIe s. témoigne des aménagements effectués pour le propriétaire d'alors, François Bermond de Vachères, qui fit graver ses armoiries.

• La «**Maison commune**» (9, pl. de la Mairie) a été achetée par la municipalité en 1790, mais le bâtiment lui-même est plus ancien, comme le montre la porte à «bossages» du XVIIe s. qui a conservé ses vantaux. Au-dessus de cette entrée, un **bas-relief** de 1798 représente deux génies ailés encadrant des symboles de la Révolution (bonnet phrygien et faisceau) foulant au pied les chaînes brisées de l'Ancien Régime. Ce dernier détail a été masqué, vraisemblablement sous la Restauration. Juste à côté, l'**église Saint-Étienne**, construite en 1862 en style néoroman.

• Le **site**★★ de l'ancien **château**, accessible par une ruelle «caladée» partant à g. de l'église (parcours fléché), occupe le sommet de l'éperon rocheux dominant Saint-Saturnin (en chemin, noter le petit bassin de retenue aménagé pour recueillir les eaux de pluie) et offre une très belle vue à presque 360° sur les environs. Voir également la **chapelle castrale romane**★★; elle fut remaniée au début du XVIIIe s. sans perdre son caractère originel. ▶▶▶

⌂ *La Commedia Dell'Arte*, le Bois de la Cour, Roussillon ☎ 04 90 05 68 04 ; www. stayinluberon.net Située à 2 km de l'entrée du village, cette maison provençale a été décorée avec goût. Chambres accueillantes et confortables. Compter autour de 80 €.

✕ *Le Saint Hubert*, 1, pl. de la Fraternité, Saint-Saturnin-lès-Apt ☎ 04 90 75 42 02 ; www.hotel-saint-hubert-luberon.com Bonne cuisine du marché que l'on peut déguster en terrasse avec vue sur le Luberon.

⊙ **Manifestations**

À Roussillon
• De juil. à sept., Festival international de quatuors à cordes du Luberon à Roussillon, Goult, Saignon et dans l'abbaye de Silvacane : beaux concerts classiques pour les mélomanes avertis ; http://quatuors-luberon.org

À Saint-Saturnin-lès-Apt
• Marché : mar. matin.

Depuis mai 2009, les **mines de Bruoux**, façonnées au fil du temps par les ocriers, sont ouvertes au public.
La visite guidée (45 mn) conduit le long d'un circuit souterrain de 650 m traversant des galeries de 15 m de haut (route de Croagne ☎ 04 90 06 22 59 ; visites guidées de mi-mars à mi-nov. 10 h-18 h, 19 h en juil. et août ; réservation conseillée ; www.minesdebruoux.fr).

▲ *Bassines d'ocre rouge dans l'usine Mathieu.*

De toutes les couleurs

Pour la plupart abandonnées, les carrières d'ocre donnent au pays d'Apt une étrange beauté, pics et falaises composant une véritable symphonie de couleurs qui justifie l'appellation familière de «Colorado provençal». Ces gisements sont remarquables par leur étendue et constituent la plus grande réserve d'ocre du monde.

Une curiosité géologique

Les sables ocreux du pays d'Apt se sont constitués à partir de sédiments marins du crétacé (-140 millions à -65 millions d'années), quand la mer recouvrait la Provence. Après le retrait des eaux, ces sédiments, lavés par les pluies, se sont combinés à divers éléments : les sables ocreux étaient nés. Ils se composent de trois éléments : une argile très pure (la kaolinite), du sable (le quartz) et enfin un pigment ferrugineux (la goethite) qui est l'agent colorant constituant l'ocre à proprement parler. Sous l'action de l'oxygène, de l'air et de l'eau, le fer présent dans les sables ocreux rouille et c'est son oxydation qui donne à la roche des couleurs d'une très grande variété, aux teintes parfois étonnantes. Selon la plus ou moins grande teneur en oxydes de fer, la couleur des sables ocreux varie d'un jaune très clair (*okhra*, en grec) à un rouge très vif, en passant par tous les tons intermédiaires. Les sables blancs sont d'anciens sables ocreux entièrement lessivés naturellement et débarrassés de leurs oxydes de fer (ils entrent dans l'élaboration de la pâte de verre).

Les anciennes carrières d'un colorant très apprécié

Les gisements du pays d'Apt s'étendent sur plus de 25 km de Gignac à Saint-Pantaléon. Exploités commercialement à grande échelle en Vaucluse aux XVIIIe et XIXe s., ces gisements ont connu leur plus grande heure de gloire au début du XXe s. Cependant, leur activité a périclité quand les ocres ont été supplantées par les colorants de synthèse à partir des années 1930, et cette petite industrie n'emploie plus aujourd'hui qu'une dizaine de personnes. Les ocres de Vaucluse sont principalement utilisées

▲ *Les cheminées de fées du Colorado provençal de Rustrel.*

comme colorants des enduits extérieurs qui protègent de la pluie la maçonnerie des maisons. Car les ocres résistent bien à la chaleur et à la lumière, elles sont insolubles et inaltérables.

L'exploitation du minerai

L'extraction s'effectuait de sept. à mai dans des carrières à ciel ouvert, plus rarement en galeries. L'ocre était obtenue par le lavage des sables pour faciliter la séparation des différents éléments par gravité. Le sable, plus lourd, se déposait au fond de rigoles (les batardeaux), tandis que l'eau emportait l'ocre pure, plus légère. Cette eau chargée d'ocre était ensuite conduite vers des bassins de décantation où elle était traitée de fin mai à fin août. L'ocre, par son poids, se déposait en fines couches au fond, et l'eau était remplacée tous les matins. Quand la couche d'ocre atteignait une épaisseur de 40 cm, on interrompait l'arrivée d'eau. L'ensemble était alors abandonné au soleil pour que l'eau résiduelle s'évapore. Au bout d'un mois, l'ocre formait ainsi une couche compacte qui était débitée en briques. On les empilait en murets autour des bassins de décantation pour en faciliter le séchage en profondeur.

Le produit fini

Le traitement de l'ocre se poursuivait à l'usine. Les briques étaient réduites en poudre par broyage à la meule, puis par pulvérisation au blutoir pour assurer une granulométrie homogène. Pour obtenir des ocres rouges, rares à l'état naturel, les poudres passaient dans un four à haute température, permettant d'obtenir des ocres dites «calcinées» aux teintes très variées. Puis les ocres étaient conditionnées, en tonneaux d'abord, dans des sacs de papier plus tard, prêtes à l'expédition et à l'utilisation.

Le sang de dame Sermonde

Les falaises d'ocre près de Roussillon portent le nom légendaire de «rocher de Sermonde». Épouse de Raymond d'Avignon, seigneur de Roussillon au XIIᵉ s., Sermonde avait pour amant un page troubadour. Quand l'époux trompé découvrit son infortune, il fit arracher le cœur de son rival. L'organe fut préparé et servi à Sermonde lors d'un repas, à son insu. Quand cette dernière apprit l'origine du plat qu'elle avait goûté, elle se tua en se jetant du haut de la falaise, colorant de son sang toutes les terres du village.

▲ *Le moulin à vent de Saint-Saturnin-lès-Apt.*

• Le **moulin** (*par la rue de la Combe, puis prendre à g. une ruelle « caladée » en escalier ; accès fléché*), bâti au XVIIᵉ s., a conservé ses ailes et son mécanisme bien qu'il ait cessé de fonctionner à la fin du XIXᵉ s. C'est le seul qui reste des quatre moulins autrefois en activité.

■ Rustrel* et le Colorado provençal***

À 9 km E. de Saint-Saturnin par la D 179. Depuis Rustrel, suivre les panneaux « Colorado provençal » jusqu'au parking payant ☎ 04 90 74 03 18 • site en libre accès • www.luberon-apt.fr

Après avoir connu son heure de gloire au XIXᵉ s. grâce à l'exploitation des ocres (→ p. 236), Rustrel est aujourd'hui un bourg tranquille qui doit sa célébrité au **Colorado provençal***, superbe ensemble privé qui résulte de l'exploitation de carrières aujourd'hui désaffectées et de l'érosion naturelle par le vent et la pluie.

• La promenade, uniquement piétonne, est à faire. Une boucle de 3 h (5,5 km) fait le tour du site avec vue sur le cirque de Barriès, le désert blanc, et les cheminées de fées. Deux variantes permettent de raccourcir le parcours (2 h pour l'un, 1 h 15 pour l'autre). Chaussures de marche et provision en eau indispensables en été. D'autres randonnées, plus longues, avec des dénivelés plus importants permettent de découvrir le massif. Procurez vous les topoguides à l'office de tourisme d'Apt.

• Le **Moulin à huile** (☎ 06 30 53 89 92 • *ouv. de juin à août t.l.j. 10 h-12 h 30 et 15 h-19 h • visites guidées possibles hors saison uniquement sur r.-v.* ☎ 04 90 04 91 09) est installé au cœur du village dans un ancien moulin qui a fonctionné du milieu du XVIIIᵉ s. jusqu'aux années 1930. Une grande partie du mécanisme a été conservée. L'aménagement des lieux, simple mais attractif, permet de suivre les différentes étapes de la fabrication de l'huile d'olive telle qu'elle était pratiquée au milieu du XIXᵉ s.

• **Gignac** (*à 4 km E. de Rustrel*) fut convertie en citadelle pendant les guerres de Religion. Mais plus que son passé « protestant », ce sont les massifs d'ocre qui contribuent à sa réputation (*à l'O. du village, un sentier conduit aux anciennes carrières*).

De Rustrel, on regagne Apt (10 km) par la D 22.

Le Petit Luberon★★★

Compris entre Cavaillon et la combe de Lourmarin, le Petit Luberon culmine à 727 m au Mourre de Cairas. Constitué de calcaire dur et compact, il alterne falaises, combes et pitons rocheux où s'accrochent quelques-uns des plus fameux «villages perchés» de la région : Bonnieux, Lacoste ou bien encore Ménerbes. Leurs belles maisons de pierre font corps avec le flan de la montagne pour affronter fièrement le mistral et leurs ruelles ménagent parfois de superbes points de vue sur la montagne. Entre nature sauvage et nature maîtrisée, on perçoit peut-être ici plus qu'ailleurs le charme indicible du Luberon.

Itinéraire de 44 km environ d'Apt à Cavaillon • compter une journée.

■ Bonnieux★★

À 14 km S.-O. d'Apt par la D 900 jusqu'au pont Julien (→ p. 234), puis par la D 149 ℹ️ *7, pl. Carnot* ☎ *04 90 75 91 90 ; www. luberon-apt.fr*

Accroché à un contrefort du Luberon, Bonnieux, l'un des plus célèbres villages de la région, arbore une silhouette pyramidale dont le sommet serait le clocher de l'ancienne église. Propriété, au XIIIᵉ s. des Agoult, des comtes de Forcalquier puis des comtes de Toulouse, le bourg passa entre les mains du Saint-Siège, constituant dès lors une enclave papale en terre provençale. À l'instar du Comtat Venaissin, il devint français à la fin du XVIIIᵉ s. Dans la partie haute de Bonnieux, de charmantes ruelles et de belles maisons incitent à la flânerie.

• L'ancienne **église★★** paroissiale, à laquelle on accède par un escalier de pierre, domine le village. De l'époque romane, cet édifice, agrandi aux XIVᵉ-XVᵉ s., a conservé sa nef et le bras N. du transept. Dans le cimetière attenant repose l'acteur Maurice Ronet. Un peu plus haut, au sommet de la butte ombragée de pins, large et beau **panorama★★** sur les environs *(profiter également du point de vue depuis la table d'orientation installée en contrebas de l'église).*

• Le **musée de la Boulangerie★** *(12, rue de la République, dans la partie haute du village* ☎ *04 90 75 88 34 • ouv. t.l.j.*

ℹ️ **Maison du Parc naturel régional du Luberon**
→ *p. 244 .*

Manifestations

À Bonnieux
• Marché : ven. matin.
• Marché potier : week-end de Pâques.
• En juil. et août, concerts de musique classique dans la vieille église.

Dans les airs, la terre et l'eau

Le patrimoine écologique du Luberon est de 1re importance et l'Unesco l'a classé en 1997 dans le cadre du programme Man and Biosphere. Les étendues herbeuses des crêtes, espace silencieux, constituent un terrain de chasse pour les aigles circaètes qui viennent y traquer le campagnol. Les falaises creusées de grottes abritent des espèces de rapaces en voie de disparition telles que l'aigle de Bonelli, le vautour blanc percnoptère ou le hibou grand-duc. Sur les berges de la Durance nichent de nombreux oiseaux : le guêpier d'Europe, le grand héron cendré, le grèbe huppé, le martin-pêcheur, le cincle plongeur… On trouve aussi des castors, disparus des autres régions d'Europe, mais qui trouvent ici un territoire à reconquérir.

Bonne adresse

✗ *La Flambée*, pl. du 4-Septembre, Bonnieux ☎ 04 90 75 82 20. Comme son nom l'indique, l'établissement propose une cuisine au feu de bois, notamment des pizzas. Terrasse en saison avec vue jusqu'au Ventoux.

Randonnée

Depuis le parking de la forêt de cèdres, un sentier botanique jalonné de 8 points d'information permet de découvrir la flore locale. Compter 2 h environ. Certains points de vue permettent d'apercevoir la montagne Sainte-Victoire ou l'étang de Berre.

L'**enclos des Bories** (à la sortie de Bonnieux vers Lourmarin ☎ 06 08 46 61 44 ; ouv. t.l.j. d'avr. à nov. 10 h-19 h) abrite une vingtaine de bories de diverses époques.

sf mar., d'avr. à oct. 13 h-18 h ; le reste de l'année sur r.-v. ; f. le 1er mai) a été installé dans les locaux d'une ancienne boulangerie. Dans les caves sont évoqués la moisson et le foulage des blés, tandis que la minoterie ancienne et moderne est présentée à l'étage. Il est bien sûr aussi question de la symbolique du pain à travers les époques.

• L'**église «Neuve»** *(en bas du village)*, élevée en 1870, renferme quatre **panneaux peints★★** d'origine provençale du début du XVIe s. qui se trouvaient autrefois dans l'ancienne église. Liés à un cycle de la Passion, ils représentent le Portement de croix, la Comparution devant Pilate, le Couronnement d'épines et la Flagellation.

• Une belle **forêt de cèdres★★** *(suivre sur 2 km environ la D 36 direction Lourmarin ; à dr., une route forestière gagne les crêtes • parking)* a été plantée à partir des années 1860 sur des crêtes culminant à 720 m. Cette espèce originaire de l'Atlas fut choisie en raison des conditions de vie de la flore en Provence qui se rapprochent de celles d'Afrique du Nord. Les arbres au feuillage très dense dispensent une ombre et une fraîcheur particulièrement appréciées des promeneurs en été ; ils composent aussi un écosystème unique où nichent des espèces rares ailleurs dans le Luberon.

▶ *Bonnieux domine la vallée du Coulon.*

■ Lacoste**

À 5,5 km N.-O. de Bonnieux par la D 109 ❶ *La Cure, pl. de l'Église*
☎ *04 90 06 11 36; www.lacoste-84.com*
Véritable nid d'aigle, le village déroule entre les vestiges
de ses remparts un lacis de ruelles «caladées» bordées de
maisons anciennes dont certaines remontent au Moyen
Âge. Fervente protestante, Lacoste fut la sœur ennemie de
Bonnieux, la catholique qui lui fait face. Comme d'autres
villages du Luberon, elle connut des épisodes sanglants
lors de la répression menée contre les vaudois au XVIᵉ s.
(→ *p. 259*).

• Dominant l'ensemble, le **château** *(ouv. en été t.l.j.)*, cité
dès 1038, fut l'un des plus importants de la région. Il
fut la propriété de la famille de Sade à partir de 1716.
Pillé sous la Révolution, vendu plusieurs fois, il finit
par être abandonné. Une lente restauration commença
en 1952. Elle se poursuit aujourd'hui sous l'impulsion
de Pierre Cardin, actuel propriétaire, qui y organise
chaque année en été un festival et une exposition d'art
contemporain.

■ L'abbaye de Saint-Hilaire*

Sur la D 109 entre Lacoste et Ménerbes; accès (fléché) par un
chemin de terre ☎ *04 90 75 88 83* • *ouv. d'avr. à juin t.l.j.*
9 h-19 h, de juil. à la Toussaint t.l.j. jusqu'à 20 h • *entrée libre*
(visite de l'église, du cloître et des terrasses).
Si les origines de cette abbaye remontent au haut Moyen
Âge, c'est aux religieux de l'ordre du Mont-Carmel,
installés là à leur retour de croisade par Saint Louis au
XIIIᵉ s., qu'elle doit son développement architectural.
On y bâtit alors une chapelle plus vaste comprenant
une nef voûtée en berceau et un chevet plat éclairé par
trois fenêtres, puis un petit oratoire et un cloître au XVᵉ s.
L'établissement eut à souffrir des guerres de Religion au
XVIᵉ s. et ne s'en remit jamais, même si de nouveaux bâtiments virent le jour au XVIIᵉ s. Rachetée en 1961 par la
famille Bride, l'abbaye a fait l'objet d'une réhabilitation
importante; de beaux jardins agrémentent aujourd'hui
ses abords.

Manifestation

À Lacoste
• Marché: mar. matin
d'avr. à sept.

• En juin, Salon de Lacoste:
exposition, buffet, balades,
salon littéraire, etc.
• En juil. et août, Festival
de Lacoste: spectacles d'art
lyrique, de théâtre, de danse
et de chanson, par de jeunes
artistes internationaux.
Rens. à l'Espace La Costa, rue
Basse ☎ 04 90 75 93 12;
www.festivaldelacoste.com

Le Divin Marquis

En 1771, le marquis de Sade, qui a déjà fait parler de lui et a goûté à la prison, vient se réfugier à Lacoste. Mais la manière dont il organise ses plaisirs, notamment avec les prostituées de
Marseille, le fait condamner à mort par contumace par le Parlement de Provence. Il s'enfuit alors
en Italie avec la sœur de son épouse, une chanoinesse. À son retour, le Parlement de Provence le
condamne à verser une amende et à se conduire enfin avec décence. Le futur auteur de *Justine*
demeurera au château de Lacoste, non sans quelques démêlés avec des familles des environs,
jusqu'à ce qu'il soit arrêté sur lettre de cachet du roi, en 1778. Fait prisonnier à Vincennes puis
embastillé, il meurt finalement à l'asile de Charenton en 1814.

Manifestations

À Ménerbes
• Marché : d'avr. à oct. le jeu., parc Rossignol.
• De mai à juil., Les Musicales du Luberon à Ménerbes, mais aussi Saignon, Lacoste, et Les Taillades. Rens. au ☎ 04 90 72 68 53 ; http://musicalesduluberon.fr
• En juil., Fête des vins du Parc du Luberon.
• Fin déc., marché aux truffes.

Inspirés par le site, de nombreux artistes s'installèrent à Ménerbes. Ainsi, Nicolas de Staël habita le Castellet et Picasso résida dans la citadelle. Yves Rousset-Rouard, producteur de films à succès (*Emmanuelle, Le Père Noël est une ordure*, etc.), fut maire de la commune jusqu'en 2014.

■ Ménerbes★★★

À 7 km O. de Lacoste par la D 109 ❶ *à Bonnieux (→ p. 239) • laisser sa voiture en bas du village sur l'un des trois parkings, puis emprunter la rue du Portail-Neuf pour le centre historique ou la rue Marcellin-Poncet pour les commerces.*

L'un des plus beaux villages du Luberon – certains diront le plus beau –, implanté tout en hauteur. Cette position stratégique se révéla particulièrement efficace au XVIᵉ s., pendant les guerres de Religion, quand les troupes du pape et du roi de France en firent le siège : les calvinistes résistèrent cinq ans à leurs assauts. Par la rue du Portail-Neuf, on atteint le **beffroi** de l'ancienne mairie, surmonté d'un campanile en fer forgé du XVIIᵉ s.

• La **maison de la Truffe et du Vin** *(pl. de l'Horloge* ☎ *04 90 72 38 37 • ouv. d'avr. à oct. t.l.j. 10 h-12 h 30 et 14 h 30-18 h)*, installée au centre du village dans un bel hôtel particulier du XVIIᵉ s., propose des stages de découverte de la truffe et des formations à la dégustation des vins. Œnothèque regroupant tous les producteurs du parc du Luberon et vente de vins au prix des domaines.

• L'**église de l'Assomption**★, édifice gothique du XIVᵉ s. à la silhouette trapue, présente une large façade très sobre d'où ressortent légèrement deux contreforts encadrant le porche. Un petit **cimetière**★ aux tombes anciennes s'étend au-delà du terre-plein devant l'église. En dessous se trouve le **Castellet** *(f. au public)*, remanié à la Renaissance.

• À l'autre bout du promontoire, où le château (appelé aussi «citadelle») domine le rocher en à-pic, superbe **panorama**★★★ sur le Luberon jusqu'à Gordes.

• Le **musée du Tire-Bouchon** *(domaine de la Citadelle, en contrebas du village sur la D 3 en direction de Cavaillon* ☎ *04 90 72 41 58 • ouv. d'avr. à sept. du lun. au ven. 9 h-12 h et 14 h-19 h, sam.-dim. et jours fériés 10 h-12 h et 14 h-19 h ; d'oct. à mars du lun. au ven. 9 h-12 h et 14 h-17 h • www. domaine-citadelle.com)* expose plus de 1 000 tire-bouchons de toutes formes et matières, du XVIIᵉ s. à nos jours. Les différents systèmes de débouchage sont aussi expliqués. Dégustation et vente de vins du domaine.

▶ *L'église de Ménerbes se dresse au bout de l'éperon sur lequel est implanté le village.*

■ Oppède-le-Vieux★★

À 5 km O. de Ménerbes par la D 188 ✆ *Mairie*
☎ *04 90 76 90 06 • parking payant en saison sur les terrasses de Sainte-Cécile, en bas du village.*

Un autre village perché sur le flanc N. d'un important rocher – contre toute logique, Oppède fait face au mistral –, dominé par une église aux allures de forteresse et par les vestiges d'un château abandonné au XVIIIᵉ s. Le bourg fut alors progressivement délaissé au bénéfice du hameau des Poulivets, dans la plaine, qui devint ainsi le chef-lieu de la commune. Il était presque totalement abandonné au début du XXᵉ s. Depuis, l'engouement pour les villages du Luberon est passé par là : les ruines ont été en parties relevées et certaines maisons soigneusement restaurées, mais l'ensemble a conservé une certaine authenticité.

• L'**église Notre-Dame-d'Alidon**★, en haut du vieux bourg, est d'origine romane, mais fut remaniée aux XVIᵉ s. et XIXᵉ s. Elle semble faire partie du système des fortifications de sorte que, vu de loin, son puissant clocher pourrait passer pour une tour de défense. De la terrasse de l'église, large panorama sur la campagne environnante.

• Le **château**★ occupe le point le plus élevé d'Oppède. Édifié au XIIIᵉ s. par Raymond VI, comte de Toulouse, il fut démantelé à la fin du XVIIIᵉ s. Il n'en reste plus aujourd'hui que des ruines qui témoignent encore des remaniements intervenus jusqu'au XVIᵉ s. : ainsi, la tour encore existante a perdu son escalier, ce qui permet de voir, à la clé de la voûte couvrant le sommet, les armoiries des Maynier. En 1501, la papauté céda en effet la seigneurie d'Oppède à Accurse de Maynier. C'est le fils de ce dernier, le baron Jean, qui s'illustra dans la répression menée contre les vaudois en 1545 *(→ p. 259).*

■ Robion★

À 9 km N.-O. d'Oppède par la D 176, la D 29 et la D 2
✆ *485, av. Oscar-Roulet* ☎ *04 90 05 84 31 ; www.robion.fr*
On prendra plaisir à flâner dans ce village autrefois fortifié, situé entre les pentes du Luberon et la plaine, un peu à l'écart des grands flux touristiques. Sur la jolie place principale, face à l'église Notre-Dame-de-la-Nativité, on remarquera, sous une belle frondaison de platanes, une imposante **fontaine** en forme de tour dotée de trois goulottes de bronze décorées. Dans la partie ancienne du **cimetière**, certaines tombes présentent des sculptures témoignant du métier du défunt ou des conditions de sa disparition. ▶▶▶

Le rouge et le noir

La notoriété du Luberon, internationalement reconnue, génère une fréquentation touristique très saisonnière (voire trop importante pour certains), mais à fort pouvoir d'achat. Cette dernière permet le développement d'activités artisanales et d'une agriculture de terroir, qui vit cependant toute l'année, principalement grâce à deux produits de choix : la truffe, dont on a tenté la culture aux pieds de chênes truffiers sur le plateau des Claparèdes ou dans la forêt départementale de Sivergues, mais qui ne prospère véritablement qu'à l'état sauvage; et le vin, classé en AOC «côtes-du-luberon» depuis 1988, issu d'un vignoble s'étendant sur 37 communes et 3 500 ha entre Cavaillon et Apt. Il résulte de l'assemblage de plusieurs cépages et produit des rosés (47%), des rouges (29%) et des blancs (24%). Quelques communes situées à la limite N. du Luberon produisent des vins de l'AOC «côtes-du-ventoux».

Manifestation

À Oppède-le-Vieux
En juil., Oppède Festival, espace jardin de Madame : organisé par Michel Leeb pour la restauration de Notre-Dame-d'Alidon. Rens. aux offices de tourisme de Cavaillon et Gordes.

Randonnée

À Oppède, depuis le parking des terrasses de Sainte-Cécile, un jardin d'agrément moderne de 3 ha, commence le sentier des Vignerons, boucle de 5 km qui permet de découvrir la vigne et le vin des environs. Compter environ 1 h 30 pour cette balade ponctuée de panneaux explicatifs.

▲ *Saignon, l'un des villages perchés du Parc naturel régional du Luberon.*

Un PNR pour le Luberon

S i les montagnes du Grand et du Petit Luberon apparaissent comme de vénérables vieilles dames au regard de leur âge géologique, le parc naturel régional (PNR) est un véritable jeune homme en comparaison : il a fêté ses 35 ans en 2012. L'idée qui a préludé à sa naissance ? Protéger et mettre en valeur un patrimoine naturel d'exception tout en veillant à préserver le cadre de vie et les conditions d'un développement économique et social harmonieux.

D'un chêne à l'autre

Au carrefour des influences climatiques des Alpes et de la Méditerranée, orienté N.-S., le Luberon présente deux visages, deux pentes qui ont conservé un paysage de type forestier, l'homme ayant restreint son action aux zones agricoles implantées sur les plateaux ou dans les plaines : l'ubac (au N.) vit sous un climat plus froid et humide, qui favorise le développement d'espèces à feuilles caduques dont les chênes blancs ; l'adret (au S.), qui reçoit un ensoleillement 8 à 10 fois plus puissant, s'est couvert d'une végétation typiquement méditerranéenne composée de chênes verts et de pins d'Alep.

Entre pelouses et garrigues

Au niveau des crêtes, balayées par les vents en toute saison, écrasées de soleil en été, exposées au froid en hiver, la végétation, pour prospérer, s'est réduite à des espèces ne laissant que peu de prise aux éléments, c'est-à-dire basses ou rampantes. Ponctuées de buis ou de genêts, ces vastes étendues herbeuses s'animent cependant au printemps d'une belle profusion de fleurs, parmi lesquelles on remarque certaines orchidées. Emblématiques des régions méditerranéennes, on ne trouve les garrigues, formations

broussailleuses composées d'arbustes et de plantes herbacées au milieu de terrains rocailleux, que sur les versants S. Y dominent alors le chêne kermès ou le romarin.

Un vaste espace

Le territoire du parc déborde largement des limites imposées par le relief des montagnes du même nom. Il s'étend sur 185 000 ha, de Cavaillon (Vaucluse) à Villeneuve, au-delà de Manosque (Alpes-de-Haute-Provence), regroupant aujourd'hui 77 communes (elles n'étaient que 32 à la création du parc). Il abrite une faune et une flore d'une exceptionnelle diversité, ainsi qu'un patrimoine architectural et paysager de grande valeur. Mais le PNR du Luberon, c'est aussi un territoire vivant. Pour preuve de son dynamisme et de son attractivité, sa population a plus que doublé en trente ans, passant de 70 000 habitants en 1977 à 170 000 aujourd'hui.

Protéger sans figer

Tout comme les autres PNR de France, celui du Luberon s'est ainsi investi dans les domaines suivants : élaborer le plan d'occupation des sols pour préserver les zones agricoles, tout en permettant le développement des villages dans le respect des sites ; dispenser des conseils pour la construction ou la rénovation du bâti ; maintenir et développer les services aux habitants. Sans oublier, bien sûr, l'important volet environnemental, essentiel : inventaire des espèces et des milieux, travaux d'entretien et d'aménagement, tout en assurant aux visiteurs des lieux un accueil et des informations de qualité. Tout cela par la seule bonne volonté des signataires de la charte, car l'administration du parc ne dispose d'aucun pouvoir réglementaire. Rappelons que la maison du Parc à Apt *(60, pl. Jean-Jaurès ☎ 04 90 04 42 00 • ouv. lun.-ven. 8 h 30-12 h et 13 h 30-18 h et le sam. 9 h-12 h d'avr. à sept. • www.parcduluberon.fr)* organise des sorties à la découverte de la flore, de la faune, du patrimoine et des richesses géologiques du parc *(→ p. 232)*.

Randonnée

Depuis le théâtre de verdure de Robion, un petit sentier botanique permet de découvrir les plantes méditerranéennes des environs. Parcours en boucle de 1 h 30.

Manifestations

Aux Taillades
• 3ᵉ dim. de mai, foire artisanale au moulin.
• En juil., Les Estivales, dans les anciennes carrières: festival ouvert à toutes les disciplines de la scène (musique classique et de variété, théâtre et danse). www.lepoiesis.com/3

Bonnes adresses

🛏 **Confitures La Roumanière**, pl. de l'Église, Robion ☎ 04 90 76 41 47; www. laroumaniere.com Confitures artisanales mêlant agréablement les saveurs. Visites de l'atelier par petits groupes.

✕ **L'Auberge des Carrières**, pl. de la Mairie, Les Taillades ☎ 04 32 50 19 97; http:// aubergesdescarrières.com Menus à midi proposant des plats à base de produits du terroir. Service en terrasse, avec vue sur des jardins, en saison.

De Robion, on peut gagner Coustellet et son musée de la Lavande (4 km N.-E. par la D 2 → p. 210). Au-delà de Coustellet, la D 2 rejoint Gordes (→ p. 205).

■ Les Taillades★

À 2 km S.-O. de Robion par la D 31 ❶ *Mairie* ☎ *04 90 71 09 98; www.lestaillades.fr*

À l'entrée du nouveau village se dresse le **moulin Saint-Pierre** (1859), ancien moulin à garance puis à farine. Sa grande roue à aubes est toujours entraînée par les eaux du canal de Carpentras qui, captant celles de la Durance, vont irriguer la plaine du Comtat Venaissin. Le pont voisin permet de rejoindre le **vieux village**, juché sur un promontoire calcaire.

• L'unique rue qui conduit en haut du bourg contourne d'**anciennes carrières★** exploitées jusqu'à la fin du XIXᵉ s. À l'origine du nom «Taillades», elles lui ont permis de s'édifier, lui donnant de belles teintes qui dispensent une atmosphère chaleureuse, au propre comme au figuré. Certains fronts de taille ressemblent à de véritables falaises au sommet desquelles se dressent des constructions, que ce soient l'ancien presbytère ou l'église. Au pied de l'un des rochers se dégage de la masse une curieuse sculpture médiévale qui représente un évêque: on la surnomme familièrement le «Morvelous».

Randonnée

Un parcours facile (départ depuis le parking devant la mairie des Taillades, balisage jaune) permet de découvrir un beau réseau de failles où alternent petits vallons et mamelons qui composent l'extrémité O. du Petit Luberon. Compter 2 h aller-retour.

Cavaillon (→ p. 224) est à 4 km O. des Taillades par la D 143.

► *Le moulin Saint-Pierre des Taillades conserve une très jolie roue à aubes.*

Le Grand Luberon★★★

À l'est de la combe de Lourmarin s'étend le Grand Luberon. Bien qu'englobant le point culminant du massif, le Mourre Nègre (1 125 m), il offre un relief plus doux avec une succession de collines et un large replat, le plateau des Claparèdes. Depuis Céreste, à l'est d'Apt, une route sinueuse à souhait conduit sur le versant sud du Luberon et permet de découvrir d'autres vieux villages typiquement provençaux, qui offrent tous ruelles sinueuses, maisons anciennes et placettes ombragées.

❶ Maison du Parc naturel régional du Luberon → *p. 244*.

Circuit de 90 km environ au départ d'Apt • compter 1 journée.

■ Saignon★★

À 3 km S.-E. d'Apt par la D 48 **❶** *Mairie* ☎ *04 90 74 16 30 ; www.saignon.fr*

Offrant un très beau **point de vue★★** sur la vallée du Calavon, Saignon est un village attachant qui étale ses maisons entre deux rochers supportant, l'un, les vestiges du château, et l'autre, l'église paroissiale. Cette place forte naturelle surveillait à merveille le pays d'Apt. On pense qu'elle servait de point d'observation et que, en cas de danger, des signaux *(signum)* étaient émis du haut des rochers, d'où le nom du village (*Signum* qui aurait donné *Signio*, puis Saignon).

• L'**église Notre-Dame★** est un imposant édifice roman du XIIᵉ s. Le **tympan** de la belle porte d'entrée en bois a reçu un inhabituel et important décor sculpté par l'Aptésien Éléazar Sollier, élève de David d'Angers, représentant une Descente de croix. À l'intérieur, l'abside s'orne d'un décor d'arcatures retombant sur des colonnettes. Voir les deux colonnes avec chapiteaux antiques en réemploi et les **vases acoustiques** (récipients en terre cuite insérés dans les murs de façon à laisser l'ouverture visible, destinés à améliorer l'acoustique des lieux) dans les écoinçons des arcatures, selon une disposition qu'on ne retrouve qu'à Caumont et Vaison-la-Romaine (→ *p. 121*).

• La petite **place** centrale du village est occupée par une belle fontaine et par un lavoir à plusieurs bassins abrités sous les voûtes du rez-de-chaussée d'une maison. Un peu plus loin se dresse le **beffroi**, reconstruit à la fin du XVIᵉ s.

▶ *Tympan de l'église Notre-Dame de Saignon*

L'office de tourisme de Céreste organise des visites guidées au prieuré de Carluc (→ p. 454).

🌲 Randonnée

Depuis Auribeau, on peut rejoindre à pied le sommet du Mourre Nègre, point culminant du massif du Luberon (1 125 m). Itinéraire balisé (jaune) depuis l'aire de stationnement ; compter 2 h 30 de montée et 1 h 30 de descente (parcours en boucle). Magnifique panorama sur les Alpes du Sud, la montagne Sainte-Victoire, les Alpilles, le mont Ventoux. On peut également l'atteindre par Cucuron, départ pl. de l'Étang (5 h aller-retour, 800 m de dénivelé).

• Par l'itinéraire « **Rocher de Bellevue** » *(fléché depuis le centre du village)*, on arrive, après avoir emprunté un escalier taillé dans le roc, au point le plus haut du village : belle **vue★★** à 360° sur le Luberon.

• Poursuivre sur la D 48 en direction d'**Auribeau** *(5 km S.-E. de Saignon)*, porte d'accès du **Mourre Nègre**.

■ Céreste★

À 19 km E. de Saignon par la D 174 et la D 900 ❶ *pl. de la République* ☎ *04 92 79 09 84 ; www.cereste.fr*
Étape obligée, durant l'Antiquité, car située sur la via Domitia (devenue la D 900) qui reliait l'Italie à l'Espagne, Céreste conserva sa fonction de halte au Moyen Âge et à l'époque moderne. Au N. du cours Aristide-Briand, le village médiéval s'enroule autour du château, encore protégé ici et là par des fragments de remparts et de portes. Sur la place de ce noyau ancien, une maison du XIIIe s. est restée intacte. La route principale passait au S. du cours et ne passait pas par le village.

• Entre Céreste et Vitrolles-en-Luberon, la route ménage de très beaux **points de vue★★**.

■ Vitrolles-en-Luberon★

À 12 km S. de Céreste par la D 31 et la D 33.
Établi sur un contrefort du Luberon, Vitrolles abrite une église d'origine romane très remaniée entre les XVIe et XVIIIe s., ainsi qu'une grosse bastide des XVIIe et XVIIIe s., le château de Grand-Pré *(f. au public)*. Nombreuses possibilités de randonnées aux alentours de Vitrolles, situé à la croisée des GR 5, GR 9 et GR 97.

■ Grambois★

À 7,5 km S. de Vitrolles par la D 33 ❶ *Le Château, à La Tour-d'Aigues* ☎ *04 90 07 50 29 ; www.luberoncotesud.com*
Beau village provençal typique (en 1989, Yves Robert y tourna quelques scènes de *La Gloire de mon père*) à l'habitat de qualité, juché au sommet d'une colline

escarpée dominant l'Éze. À l'entrée, barrant à l'O. la place principale, il subsiste des pans de l'enceinte du XIVᵉ s. et une importante tour rectangulaire.

• L'**église Notre-Dame-de-Beauvoir★** *(ouv. en journée)* présente une nef romane à laquelle fut adjoint un petit chœur gothique en 1343, puis un bas-côté *(à dr.)* et un ensemble de chapelles *(à g.)* en 1560; parmi celles-ci, Saint-Pancrace est devenue la chapelle funéraire des Roquesante, seigneurs de Grambois, dont un représentant est passé à la postérité pour avoir défendu le surintendant Nicolas Fouquet devant Louis XIV. En 1708, un tremblement de terre entraîna la reconstruction des voûtes de trois travées de la nef, la reprise de la façade et de la petite tour de l'horloge. Parmi les tableaux, le **polyptique★★** de saint Jean-Baptiste daté de 1519 (dans la chapelle des fonts) est resté anonyme, mais son style permet de le rattacher à l'école italienne, peut-être piémontaise.

■ **Cucuron★**

À 18 km O. de Grambois par la D 27 ❶ *12, cours Saint-Victor* ☎ *04 90 77 28 37; www.cucuron-luberon.com*
Au pied du Mourre Nègre, Cucuron affiche une belle homogénéité architecturale avec ses vestiges de fortifications médiévales et ses demeures anciennes datant principalement des XVᵉ, XVIᵉ et XVIIᵉ s. C'est ce décor qui a retenu l'attention de Jean-Paul Rappeneau qui tourna là certaines des scènes de son film *Le Hussard sur le toit* (1995), d'après le roman de Jean Giono, et de Ridley Scott qui y planta le décor d'*Une belle année* (2005).

• L'**église Notre-Dame-de-Beaulieu★** *(ouv. t.l.j.)* conserve une nef romane complétée, au XIVᵉ s., d'un chœur et de deux chapelles voisines voûtées d'ogives (les autres chapelles latérales sont des ajouts des XVIᵉ et XVIIᵉ s.). À l'intérieur, un grand **retable★★** en marbres polychromes occupe tout le mur du fond du chœur. Installé primitivement dans la chapelle de la Visitation d'Aix-en-Provence, il a été acquis à la fin du XVIIIᵉ s. par les paroissiens de Cucuron et remonté là en 1801. Son couronnement est d'origine (l'*Assomption*, sculptée en relief dans du marbre blanc, entourée des figures en ronde-bosse de la Foi et de l'Espérance), contrairement aux tableaux. La chaire à prêcher en marbre provient également de la Visitation d'Aix. Sur l'un des panneaux de la cuve, on remarquera le portrait de saint François de Sales, fondateur de l'ordre de la Visitation, avec sainte Jeanne de Chantal. Enfin, dans la **chapelle des fonts** se distingue un Christ en *Ecce Homo*, statue en bois grandeur nature du XVIᵉ s. de provenance indéterminée.

• Le **musée Marc-Deydier** *(en face de l'église • ouv. sam.-dim. 15h30-18 h30* ☎ *04 90 09 87 61 • entrée libre)* présente des collections d'archéologie locale et d'ethnologie, ainsi

Depuis une cinquantaine d'années, la crèche du village est composée de santons sculptés à l'effigie d'habitants vivant ou ayant vécu à Grambois. Cette sympathique initiative revient au santonnier Pierre Graille qui crée, chaque année, de nouvelles œuvres reproduisant des gens du village.

Manifestations
À Cucuron
• Le dernier sam. de mai, fête de l'Arbre de mai: pour célébrer le retour des beaux jours et aussi sainte Tulle, qui sauva le village de la peste en 1720; le tronc d'un peuplier est porté en procession par des jeunes gens, puis planté devant l'église dont il doit dépasser le clocher. Il faut donc au préalable choisir un arbre mesurant plus de 24 m de haut…
• Fin août, Rencontre amicale de modélisme naval autour du bassin de l'étang.

Le sentier vigneron de Cucuron part de l'étang et effectue deux boucles (1 h chacune) au choix. Six pupitres ponctuent ces deux sentiers expliquant le vignoble et son histoire.

Bonnes adresses

🏠 ✕ *L'Hostellerie du Luberon*, 383, cours Saint-Louis, Vaugines ☎ 04 90 77 27 19. Hôtel moderne à l'entrée du village, proposant des chambres. Bonne cuisine du cru.

✕ *La Récréation*, 15, rue Philippe-de-Girard, Lourmarin ☎ 04 90 68 23 73. Cuisine de terroir, à déguster en terrasse en saison.

L'office de tourisme de Lourmarin organise, entre autres activités, des promenades littéraires sur les pas d'Henri Bosco et d'Albert Camus, qui possédait une maison dans le village (ils reposent tous les deux au cimetière).

◎ Manifestations

À Lourmarin
• Marché : ven. matin.
• De mars à déc., le mar. 17 h 30-20 h 30, marché des producteurs, avec création de plats par un chef du Luberon.
• Début juin, Festival Yeah ! : musiques actuelles. Rens. sur http://festivalyeah.fr
• De juin à sept., Festival des Musiques d'été au château de Lourmarin : festival mêlant classique, jazz et cabaret. Rens. sur www.chateau-de-lourmarin. com ou à l'office de tourisme.
• En août, Festival Durance-Luberon (→ p. 258).

que des plaques daguerréotypes de la fin du XIXᵉ s prises par Marc Deydier, notaire de Cucuron. Ces plaques représentent aussi bien des sites et des monuments provençaux que des processions et autres fêtes populaires.

■ Vaugines★

À 2 km O. de Cucuron par la D 56 ❶ à Cucuron ☎ 04 90 77 28 37 (→ p. 249) ; www.cucuron-luberon.com
Autre village attachant aux ruelles paisibles et aux belles maisons traditionnelles. On y verra une curieuse **fontaine** pl. de la Mairie, qui évoque celle du cours Mirabeau à Aix-en-Provence (→ p. 419). Comme pour sa célèbre consœur, la partie centrale en pierre est recouverte d'un épais tapis de mousse qui confère à l'ensemble une silhouette pittoresque.

• Au pied du village, un peu à l'écart, sous une belle frondaison de platanes, se trouvent l'**église Saint-Barthélemy**, d'origine romane, et son petit cimetière. En 1986, l'église servit de décor aux films *Jean de Florette* et *Manon des sources* de Claude Berry.

■ Lourmarin★★

À 5 km S.-O. de Vaugines par la D 56 ❶ pl. Henri-Barthélémy ☎ 04 90 68 10 77 ; www.lourmarin.com
Avec ses maisons juchées sur une petite éminence d'un côté et son château perché sur une butte de l'autre, Lourmarin est un village paisible dont les rues bordées de belles demeures incitent à la flânerie au rythme du gargouillis des fontaines. En saison, le village gagne en animation grâce aux manifestations organisées sur place et à la proximité de La Roque-d'Anthéron (→ p. 434), où se déroule le célèbre festival du même nom. Décimé par l'épidémie de peste de 1348, Lourmarin ne fut repeuplé qu'à partir de 1475, à l'initiative de Foulque III d'Agoult, qui fit venir des familles des vallées alpines. Mais ces dernières, de confession vaudoise, furent très durement persécutées en 1545 (→ p. 259). Fondus ensuite dans la Réforme, leurs descendants formèrent l'une des plus importantes communautés protestantes de Provence, qui prospéra grâce à l'agriculture et au commerce de la soie.

• Pl. du Temple, en contrebas du château, on remarquera une **fontaine monumentale** dont le bassin s'appuie contre un mur au sommet orné d'accolades. Inaugurée en 1947, elle a été réalisée par l'un des artisans ayant travaillé à la restauration du château, Louis Didron. Les trois masques crachant l'eau symbolisent le Rhône, la Durance et le Luberon.

• **Le château★★** (☎ 04 90 68 15 23 • *ouv. en janv. sam. et dim. 10 h 30-12 h 30 et 14 h 30-16 h 30 ; fév., nov., déc. t.l.j. 10 h 30-12 h 30 et 14 h 30-16 h 30 ; mars, avr., oct. t.l.j. 10 h 30-12 h 30 et 14 h 30-17 h ; mai et sept. t.l.j. 10 h-12 h 30* *et 14 h 30-18 h ; de juin à août t.l.j. 10 h-18 h 30 ; f. les 1er janv. et 25 déc. • www.chateau-de-lourmarin.com)* fut essentiellement construit en deux campagnes : au **château Vieux**, bâti de 1475 à 1525 par Foulque d'Agoult, s'est ajouté le **château Neuf**, édifié à partir de 1540 par ses descendants qui cessèrent cependant de l'habiter dès la fin du XVIe s. Passant ensuite de main en main, abandonné au XIXe s., l'ensemble fut racheté, restauré et remeublé à partir de 1921 dans le goût des XVIIe et XVIIIe s par Robert Laurent-Vibert, qui le légua à l'Académie des sciences, arts et belles-lettras d'Aix-en-Provence. Malgré une disparité certaine dans la construction, les différentes parties de l'édifice forment un tout très harmonieux dans lequel se distinguent particulièrement certains éléments : les **galeries** qui courent le long de la façade sur cour du château Vieux, encore imprégné de style gothique et, dans la tour carrée du château Neuf, qui conserve encore un caractère défensif malgré l'introduction de la Renaissance, le grand **escalier à vis**★. Au 1er étage du corps principal, les **hottes** des cheminées sont sculptées de motifs de vases antiques surmontés de têtes d'Amérindiens, ce qui est unique.

▲ *Le château de Lourmarin.*

• L'**église Saint-Trophime-Saint-André**, d'origine romane, fut plusieurs fois remaniée, notamment au milieu du XVIe s. avec l'adjonction d'une belle chapelle de style gothique flamboyant. On y verra de curieux fonts baptismaux : il s'agit en fait du réemploi d'un chapiteau provenant du château, sculpté aux armes des seigneurs.

• La **fontaine «basse»**★ *(pl. de la Fontaine)*, aménagée au XVIIIe s. comme en témoigne sa sobre mais belle ornementation «rocaille», se distingue par son inhabituel bassin en forme de trilobe.

• Vers le N., en direction de Bonnieux *(→ p. 239)*, la D 943 serpente le long de l'Aiguebrun dans la **combe de Lourmarin**, qui sépare le Petit et le Grand Luberon ; la route est l'une des plus belles de la région.

■ Buoux★

À 11,5 km N. de Lourmarin par la D 943 et la D 113 ❶ *à Bonnieux* ☎ *04 90 75 91 90 (→ p. 239).*
Autrefois implanté dans la vallée de l'Aiguebrun, le vieux village s'installa au XVIIe s. dans celle, plus petite, de la Loube, dont l'exposition semblait meilleure. Il se compose toujours de quelques maisons regroupées pour la plupart autour d'une église.

• Buoux est surtout connu pour son **fort** *(à distinguer du château, occupé par les services du parc naturel du Luberon ;*

Né en 1884 en Savoie, Robert Laurent-Vibert, agrégé de lettres et d'histoire, membre de l'École française de Rome, arrive à Lourmarin au cours de l'année 1920. Héritier de la fortune Pétrole Hahn, il acquiert le château et travaille à sa restauration avec les artisans du village, avant de décéder accidentellement en 1925.

Deux gourmandises distinguent Lourmarin : les croquants et les «gibassiers». Les croquants, petits gâteaux secs à base d'amande, aromatisés à la fleur d'oranger, sont si croustillants et… croquants qu'on les surnomme *li cacho dent*, «casse-dent». À l'opposé, les moelleux gibassiers, appelés «fougasses» ailleurs, sont des brioches très plates mais de belle taille, sucrées, où le beurre est remplacé par de l'huile d'olive.

⌂ *La Grande Bastide*, domaine de la Bastide, Buoux ☎ 04 90 74 29 10. Dans cette authentique bastide provençale, située au milieu des champs de lavande, vous apprécierez le confort des chambres d'hôtes et la qualité de l'accueil.

depuis le village, suivre les indications «Fort de Buoux» jusqu'au parking; de là, emprunter un chemin qui se transforme ensuite en escalier taillé dans la roche; compter de 10 à 15 mn de grimpette ☎ 04 90 74 25 75 • *ouv. t.l.j. 10 h-17 h; f. en déc.-janv. et par mauvais temps • entrée payante)* dont le **site★★** surplombe le seul lieu de traversée facile à travers le Luberon. Dominant un à-pic de quelque 80 m, il s'agit d'une plate-forme de près de 500 m de long pour 80 m de large sur laquelle les éléments édifiés depuis l'époque gallo-romaine jusqu'au Moyen Âge composent aujourd'hui autant de ruines envahies par la végétation. Au XVIe s., pendant les guerres de Religion, les lieux servirent de place forte aux protestants avant d'être démantelés sous Louis XIV. Il reste peu de chose des constructions, mais le lieu est exceptionnel.

• Depuis Buoux, la D 113 descend dans le ravin de la Loube, puis remonte sur le **plateau des Claparèdes★★**. Son nom vient des *clapas*, petits tas de pierres enlevées à la terre pour la rendre plus fertile. Aussi beau que méconnu, il s'étend entre Bonnieux et Apt à une altitude moyenne oscillant entre 500 m et 700 m. Ses nombreuses bories *(→ p. 208)* se dressent au milieu d'un paysage de champs de lavandin, de pâturages et de fermes isolées.

L'Aiguebrun est l'un des rares ruisseaux pérenne au cœur du massif du Luberon. Un sentier piéton permet de le suivre et de découvrir ermitages, habitats rupestres et terrasses de culture autour du beau village de Sivergues. Départ depuis le parking de Sivergues, parcours de 7 km, (balisage : blanc-rouge, jaune). Compter 2 h.

■ Sivergues★

À 10 km E. de Buoux par la D 113, la D 232 et la D 114.

Minuscule village de charme, isolé au bout d'une route en cul-de-sac, il a connu les faveurs de l'écrivain Henri Bosco (1888-1976), né à Avignon. La 1re agglomération s'était implantée sur la colline rocheuse du Castellas au S.-E., mais elle fut désertée au XVe s. L'ensemble des terres étant abandonné au début du XVIe s., on fit appel à des familles vaudoises qui fondèrent le village actuel où les maisons datent essentiellement des XVIe et XVIIe s. (certaines sont en partie troglodytiques). Au plus fort des troubles religieux en 1545, la population vaudoise, qui avait fui à temps, ne connut pas le triste sort infligé à d'autres communautés du Luberon par le baron Maynier d'Oppède *(→ p. 259).*

De Sivergues, on rejoint Apt par la D 114 (11 km N. → p. 229).

Un écrivain pour le Luberon

«Le village était bâti sur une pente, et, pour l'atteindre, il fallait descendre dans une étroite vallée circulaire. D'abord on distinguait mal les maisons. Les murs faisaient corps avec le roc, et toutes les bâtisses s'étaient agglomérées en épousant les formes de la terre...» Ainsi Henri Bosco parle-t-il de Sivergues. Si l'homme mène une carrière d'enseignant, l'écrivain s'attache essentiellement à l'évocation de sa chère Provence en général, et du Luberon en particulier, qui devient, plus que les gens, le personnage principal de ses romans. On le retrouve au fil des pages dans *Le Mas Théotime, Le Trestoulas, Le Sanglier, L'Âne Culotte,* admirablement servi par une prose poétique.

Pertuis et le pays d'Aigues★

Gros marché agricole et carrefour routier au XIIᵉ s., Pertuis, après une longue période de stagnation, retrouva la prospérité au début du XVIᵉ s. Durant les deux siècles suivants, les fondations religieuses s'y multiplièrent, tandis que riches bourgeois et nobles s'y firent construire de belles demeures. Avec l'arrivée du chemin de fer au XIXᵉ s., la cité qui était restée tributaire des limites imposées par son enceinte médiévale doubla de superficie. Aujourd'hui, son paysage urbain se transforme imperceptiblement sous l'effet d'une belle vitalité économique qui attire de nouveaux résidents (en trente ans, la population est passée de 5 000 à 19 000 habitants). Pertuis est la capitale du pays d'Aigues, une terre bien irriguée et bien ensoleillée propice à l'agriculture, où se cachent les beaux châteaux d'Ansouis et de la Tour-d'Aigues.

À 45 km S.-E. de Cavaillon par la D 973.

ℹ Le Donjon, pl. Mirabeau
☎ 04 90 79 15 56;
www.tourismepertuis.fr

À ne pas manquer

L'église Saint-Nicolas★★	253
Le jardin★★ du château Val Joanis	254
Dans les environs	
Le château★★ de La Tour-d'Aigues	254
Ansouis★★	256

■ Les fortifications

Les troubles du XIVᵉ s. imposèrent la construction d'une enceinte. Il en subsiste la **tour Saint-Jacques** (*dans la rue du même nom*), qui était intégrée aux remparts. Quant à la **tour de l'Horloge** (*pl. Mirabeau*), il s'agit de l'ancien donjon du château du XIIᵉ s. (démantelé à la fin du XVIᵉ s.); elle abrite l'office de tourisme.

■ L'église Saint-Nicolas★★

Devenue trop petite par rapport au nombre croissant de paroissiens, elle fut reconstruite, à partir de 1535, dans un style gothique tardif associé, cependant, à un répertoire ornemental typiquement « Renaissance » (voir, par exemple, le décor du chœur ou les piliers, inspirés de l'antique, qui portent les voûtes). Ces éléments font de cet édifice un précieux témoin de l'introduction de la Renaissance dans l'architecture religieuse en Provence. L'église abrite également un intéressant et beau **mobilier** du XVIIᵉ s. dont la

▼ *L'église Saint-Nicolas.*

> ## Raisins, asperges et pommes de terre
>
> Au XIXᵉ s., la construction de trois ponts sur la Durance (Mallemort, Cadenet, Pertuis) et l'aménagement de la voie ferrée Cavaillon-Gap, qui arrive à Pertuis en 1872, contribuent à l'essor de l'agriculture maraîchère en favorisant le commerce et l'expédition de ses produits. Complétant la viticulture (AOC «côtes-du-luberon»), la culture des asperges de Lauris et de Villelaure, ainsi que celle des pommes de terre se répandent en raison de la présence de marnes sablonneuses particulièrement fertiles. Aujourd'hui, le dynamisme de Pertuis est le digne héritier de ce passé pas si lointain.

Manifestations

• Marché provençal: ven. matin en centre-ville.
• Marché des producteurs: de mai à oct. mar. et jeu. 17h-19h.
• En avr., Les Floralies, marché aux fleurs.
• En juin, Corso fleuri dans le centre-ville.
• En août, Festival de big band: une semaine entièrement consacrée au jazz.
• En nov., Les Dyonisies: festival de théâtre amateur.

Bonne adresse

✗ *Le Boulevard*, 50, bd Jean-Baptiste-Pécout, Pertuis ☎ 04 90 09 69 31; www. restaurant-le-boulevard.com Cuisine gastronomique et régionale.

Pertuis vient du latin *pertus*, qui signifie «passage», allusion à la vallée de l'Éze, voie de pénétration dans le massif du Luberon. Quant au pays d'Aigues, rappelons que, en provençal, *aigo* signifie «eau».

qualité montre l'aisance du clergé ou des paroissiens qui ont contribué à sa mise en place : on remarquera particulièrement des statues en marbre, un ensemble de tableaux de l'école provençale (certains de Jean Daret ou de Gilles Garcin) et un autel en marbre polychrome provenant de la chapelle des Jésuites d'Aix-en-Provence. C'est ici que Mirabeau fut baptisé.

■ Le château Val Joanis

Sur la D 973 entre Villelaure et Pertuis ☎ *04 90 79 20 77 • jardin ouv. de nov. à mars du lun. au ven. 10 h-12 h 30 et 14 h-17 h 30, sam. 10 h-13 h ; d'avr. à oct. t.l.j. 10 h-13 h et 14 h-19 h • accès payant • vente de vins et épicerie fine • www. val-joanis.com*
Dans ce domaine viticole très ancien et réputé a été aménagé au début des années 1980 un superbe **jardin★★** à l'ancienne. Conçu par le paysagiste Tobbie Loup de Viane, il est organisé en trois terrasses : la 1ʳᵉ accueille un potager avec fleurs, légumes, plantes médicinales et herbes aromatiques : la 2ᵉ est le domaine des fleurs avec prééminence des rosiers; lauriers, pommiers, merisiers et figuiers – entre autres – s'épanouissent sur la 3ᵉ terrasse. Une visite des plus agréables au milieu d'un vignoble s'étendant sur 180 ha.

Environs de Pertuis

■ La Tour-d'Aigues

À 5 km N.-E. de Pertuis par la D 956 ✆ *office de tourisme Luberon côté Sud, Le Château* ☎ *04 90 07 50 29; www.luberoncotesud.com*
Ce gros bourg agricole qui surplombe l'Éze de ses remparts se distingue par les belles pierres dorées de son **château★★** qui, bien que ruiné, apparaît comme la plus somptueuse demeure provençale de la Renaissance. L'architecte italien Ercole Nigra en dirigea la construction au milieu du XVIᵉ s., utilisant certaines parties de la forteresse médiévale (on notera ainsi que

▲ *Le château de La Tour-d'Aigues.*

le pavillon central, avec son dôme, est l'ancien donjon remanié au goût du jour). Mais l'édifice fut ravagé par un incendie accidentel en 1780. À peine réparé par son propriétaire de l'époque, le président de Bruni (qui siégeait au Parlement de Provence), il subit ensuite la tourmente révolutionnaire et fut pillé puis de nouveau incendié en 1792. Ses ruines grandioses – le portail à l'antique, le vieux donjon qui a perdu son dôme, quelques pans de murs et des pavillons éventrés – sont aujourd'hui propriété du conseil général de Vaucluse. Celui-ci y a installé deux musées aménagés dans des caves voûtées.

• Le **musée des Faïences★** (☎ 04 90 07 42 10 • *ouv. uniquement sur r.-v.*) expose des pièces fabriquées entre 1750 et 1780, dans une faïencerie située dans une bastide voisine du château.

• L'**église Notre-Dame**, d'origine romane comme en témoigne la nef couverte d'un berceau brisé, a été plusieurs fois remaniée. Le transept et le chœur bâtis au XVIIe s. ont inversé l'orientation initiale du sanctuaire : ainsi la façade actuelle se compose-t-elle de l'ancien chevet. On remarquera à l'intérieur une Mise au tombeau du sculpteur aptois Sollier, élève du célèbre David d'Angers.

■ Le pont Mirabeau★
À 16 km E. de Pertuis par la D 973 et la D 96.
Ce pont sur la Durance, plusieurs fois reconstruit depuis sa 1re édification en

Une famille italienne

Le bourg de Mirabeau (à 15 km E. de Pertuis) est lié au souvenir des Riquetti, famille noble d'origine italienne, et plus précisément à l'un de ses descendants, Honoré-Gabriel Riquetti (1749-1791), comte de Mirabeau, grand tribun de la Révolution. Habité par l'esprit des Lumières, le père du 1er «grand homme» à reposer au Panthéon se distingua lui aussi en conquérant, à grands frais, de nouvelles terres en bordure de Durance, «cette horrible rivière». Quant au château *(f. au public)* acquis en 1570 par les Riquetti, il domine encore le village et la Durance. Maurice Barrès en fut le propriétaire et l'évoque dans sa *Lettre à Gyp sur le printemps à Mirabeau* (1926).

Manifestations

À Ansouis
• Marché : dim. matin.
• 3ᵉ dim. de mai, Les Botanilles : exposition-vente de végétaux.
• Dernier dim. de sept., fête de la saint Elzéar et de la bienheureuse Delphine : pèlerinage de Pertuis à Ansouis, grand-messe à 11 h, puis procession avec les bustes des saints dans les jardins et la cour du château.

Au XIVᵉ s., Delphine de Signes et Elzéar de Sabran, seigneur du château, mariés en 1299, firent tous deux vœu de chasteté dans une salle appelée aujourd'hui «chambre des Saints», située dans la partie médiévale de l'édifice.

▼ *L'entrée du château d'Ansouis.*

1831, marque la rencontre des départements de Vaucluse, des Bouches-du-Rhône, du Var et des Alpes-de-Haute-Provence. Au S. du pont, côté Bouches-du-Rhône, ont été remontées, au milieu du rond-point, quatre **sculptures** allégoriques des années 1930 provenant de l'ouvrage détruit pendant la Seconde Guerre mondiale et représentant les quatre départements.

• La **chapelle Sainte-Madeleine★** *(au N. du pont, côté Vaucluse)*, a été bâtie au XIIᵉ s. sur une éminence par une confrérie de bateliers. C'est en effet dans les environs de Mirabeau que s'effectuait jadis par bac la traversée des moutons transhumant de la Provence vers les pâturages des Alpes. Sur la façade, on peut lire une inscription en latin et en provençal relative à l'éclipse de soleil de juin 1239.

■ **Ansouis★★**

À 8 km N.-O. de Pertuis par la D 56 ou par la D 9 ❶ *La Tour-d'Aigues ; www.luberoncotesud.com*

Splendide village perché composé d'un bel ensemble de maisons anciennes dominées par les terrasses plantées de marronniers d'un imposant **château★★★** *(☎ 04 90 77 23 36 • accessible uniquement dans le cadre de visites guidées d'avr. à sept. t.l.j. sf mar. et mer. à 15 h et 16 h 30 l'été ; le reste de l'année sur r.-v. • www.chateauansouis. fr)*. D'abord propriété des comtes de Forcalquier (Xᵉ s.), le château est revenu par alliance, deux siècles plus tard, à la famille de Sabran qui en resta propriétaire jusqu'en 2008. S'il présente encore un aspect de forteresse médiévale (porte fortifiée couronnée de mâchicoulis et donjon carré), sa rigueur défensive a été tempérée par l'édification d'un **corps de logis** pendant la 1ʳᵉ moitié du XVIIᵉ s.

• La **façade** du château montre une belle ordonnance de fenêtres surmontées de frontons brisés ; comme à Lourmarin, de fines moulures séparent les étages.

• Sa **décoration intérieure** s'inspire de celles réalisées au XVIIIᵉ s. dans les hôtels particuliers d'Aix-en-Provence. On remarquera particulièrement les **gypseries** d'un style «rocaille» très italianisant qui couvrent les murs et figurent principalement les Quatre Saisons. Le château abrite un beau mobilier du XVIIIᵉ s.

• L'**église Saint-Martin**★, d'un roman tardif (XIIIe s.), serait l'ancienne salle de justice du château des comtes de Forcalquier et de Sabran. La 1re enceinte du village lui sert de façade.

• Le **Musée extraordinaire de Georges Mazoyer** (☎ 04 90 09 82 64 • *ouv. d'oct. à mai t.l.j. 14 h-18 h ; de juin à sept. t.l.j. 10 h-19 h ; f. en fév. et 2 semaines fin sept.* • *www.musee-extraordinaire.fr*) a pris place dans une belle maison provençale se distinguant par des sculptures monumentales érigées à l'entrée. On y verra des œuvres d'art (peintures, céramiques, vitraux), des collections de science naturelle (fossiles et coquillages) ou encore du mobilier, le tout composant un ensemble étonnant mais très attachant.

• Le **musée de la Vigne et du Vin** (*château Turcan, route de Pertuis* • *ouv. de sept. à juin t.l.j. sf lun. matin, mer. et dim. 9 h 30-12 h et 14 h 30-18 h ; en juil.-août t.l.j. 10 h-12 h 30 et 15 h-19 h* ☎ *04 90 09 83 33* • *www.chateau-turcan.com*), installé dans le domaine d'un propriétaire récoltant, présente une collection de 3 000 outils et ustensiles concernant la viticulture et la tonnellerie. Vente de vins.

■ Cadenet★

À 13 km N.-O. de Pertuis par la D 973 (à 8 km O. d'Ansouis par la D 135 et la D 45) 🛈 *11, pl. du Tambour-d'Arcole* ☎ *09 72 60 79 05 ; www.luberoncotesud.com*
Gros bourg s'étageant au pied d'une colline percée d'habitations troglodytiques. Au sommet de cette éminence s'élevait autrefois un château médiéval ; le site (*accessible en voiture par une rue partant à côté de l'église*) offre un large panorama sur la plaine de la Durance.

• L'**église Saint-Étienne**★ est en majeure partie de la fin du XIIe s. L'abside et la tour qui supporte le clocher datent de 1538 (la flèche fut achevée en 1844). À l'intérieur, on prêtera une attention particulière à la **cuve** des fonts baptismaux, réemploi d'une portion d'un sarcophage romain de marbre blanc orné d'un relief représentant le triomphe d'Ariane.

Randonnée

Du village de Cabrières-d'Aigues (7 km N.-E. d'Ansouis) part un sentier géologique jalonné de panneaux sur les roches et fossiles et les paysages géologiques du Luberon (boucle complète de 10 km, 3 h, facile). Fascicule de visite disponible à l'office de tourisme de La Tour d'Aigues. Au S. du village, possibilité de baignade à l'étang de la Bonde.

Manifestations

À Cadenet
• Marché : lun. matin dans le centre du village.
• Marché paysan : sam. matin d'avr. à nov.

L'office de tourisme de Cadenet propose plusieurs circuits dans le village à la découverte des fontaines et lavoirs et des façades intéressantes.

◄ *Cadenet se déploie au pied d'une colline qui fut pendant des siècles l'une des principales places stratégiques du Luberon.*

Sur la place principale, la statue d'André Estienne, né à Cadenet en 1777, rappelle un instant héroïque. Engagé comme Tambour en 1796, durant la campagne d'Italie, il traversa l'Alpone son tambour sur la tête. Arrivant sur l'autre berge, il battit la charge alors qu'il était passé seul. Les Autrichiens croyant être pris à revers, abandonnèrent le pont d'Arcole à Bonaparte et ses troupes. Son action d'éclat valut à André Estienne d'être surnommé le « Tambour d'Arcole ».

Bonne adresse

🏠 ***Domaine La Carraire***, Lauris ☎ 04 90 08 36 89; www.lacarraire.com En pleine nature, au cœur d'une propriété arborée, la maison du XVIIIᵉ s. fait face à un splendide bassin bordé de vieilles pierres. Décoration charmante, toute méridionale, et 5 chambres douillettes. Profitez de la vue qu'offre la piscine.

Manifestations

À Lauris
• Marché : lun. matin.
• En août, Festival Durance-Luberon dans plusieurs villages de la région : spectacles de musique baroque et classique, de chanson, de danse sacrée et de cirque. Rens. à l'office de tourisme de Lauris ou sur www.festival-durance-luberon.com

Un observatoire ornithologique (rens. auprès de la maison du Parc naturel régional du Luberon à Apt ☎ 04 90 04 42 00; www.parcduluberon.fr) installé sur les bords de la Durance à Mérindol permet de découvrir la faune et la flore dans leur milieu naturel, à l'état sauvage.

• Le **musée de la Vannerie★** *(La Glaneuse, av. Philippe-de-Girard* ☎ *04 90 68 06 85 • ouv. d'avr. à oct. t.l.j. sf mar. 13 h-18 h; le reste de l'année sur réservation)* présente cette activité liée à la Durance : le lit de la rivière fut, du XVIIIᵉ s. jusqu'au milieu du XXᵉ s., un lieu de récolte et de production de l'osier, aussi bien pour les Gitans vanniers que pour les ateliers artisanaux et semi-industriels du village. C'est seulement pendant l'entre-deux-guerres que l'osier de la Durance fut sérieusement concurrencé par les importations de rotin d'Extrême-Orient. Les objets sont présentés par thèmes : le voyage, l'enfance, l'artisanat, le décor maison, le linge, etc. Outillage, gabarits et matières complètent l'exposition.

De Cadenet, on peut rejoindre très rapidement Lourmarin (4 km N.-O. → p. 250) ou l'abbaye de Silvacane (8 km S.-O. → p. 436).

■ Lauris★

À 6 km O. de Cadenet par la D 973 (soit à 18 km O. de Pertuis via Cadenet) 🛈 *rue de la Mairie* ☎ *04 90 08 39 30; www. laurisenluberon.com*
Le vieux village est perché sur un éperon rocheux au pied duquel coule la Durance et d'où la vue s'étend de la montagne Sainte-Victoire à la chaîne des Alpilles. Le château, reconstruit au XVIIIᵉ s., surplombe des jardins soutenus par des terrasses en pierre sèche.

• L'un d'eux, le **Jardin conservatoire des plantes tinctoriales★** *(*☎ *04 90 08 40 48 • ouv. t.l.j. sf lun. de mai à oct. 10 h-12 h et 14 h-19 h • visites guidées mar. et sam. à 17 h • www.couleur-garance.com)*, permet de découvrir près de 250 espèces de plantes utilisées traditionnellement pour la fabrication des encres ou pour la teinture des textiles.

■ Mérindol★

À 8,5 km O. de Lauris par la D 973 (soit à 24 km O. de Pertuis via Cadenet et Lauris) 🛈 *rue des Écoles* ☎ *04 90 72 88 50; www. luberoncoeurdeprovence.com*
Le village « moderne » s'est étalé au bord de la vallée de la Durance. Par les rues du Four et de la Muse, on atteint la draille du vieux Mérindol. Ce sentier conduit jusqu'au sommet du promontoire rocheux où s'élèvent les ruines des maisons et du château du **vieux village★**, dévasté en 1545 par le baron Maynier d'Oppède; un mémorial discret rappelle le passé vaudois des lieux.

• Au **musée La Muse** *(rue de la Muse; accès fléché* ☎ *04 90 72 91 64 • ouv. d'avr. à oct. jeu. et sam. 9 h 45-12 h ; de nov. à mars jeu. 9 h 45-12 h et sam. 14 h 30-17 h 30)*, une petite exposition permanente présente les origines du valdéisme, les spécificités de la communauté vaudoise et son histoire dans la région du Luberon.

▲ *Le massacre des vaudois à Mérindol en 1545, par Matthäus Merian l'Ancien (1593-1650).*

Les vaudois du Luberon

Au XVᵉ s., le labeur des paysans vaudois installés en Luberon transforma rapidement le paysage rural. Mais ces hérétiques insupportaient l'Église et le pouvoir royal : en 1545, un arrêt ordonna «la totale extirpation des dits vaudois et luthériens» des villes et villages du Luberon. Mérindol et Cabrières-d'Avignon souffriront particulièrement de la répression qui s'ensuivra.

Les vaudois étaient les disciples d'un certain Pierre Valdo ou Valdès, riche marchand lyonnais qui, en 1173, fut touché par la parole du Christ et fonda la secte des «pauvres de Lyon» ou «vaudois». Pierre Valdès, d'abord soucieux de pauvreté évangélique, niait le purgatoire, contestait aux clercs l'exclusivité de la prédication, dénonçait la décadence morale du haut clergé, rejetait le culte des saints et la messe, prônant la dignité personnelle qui seule conférait le droit de donner les sacrements. Ses revendications ne tardèrent pas à entraîner son excommunication et celle de ses disciples par le pape Lucius III en 1184. Valdès dut alors s'enfuir de Lyon avec ses fidèles. Ils trouvèrent refuge dans les vallées alpines du Dauphiné, du Briançonnais et du Piémont où ils vécurent repliés sur eux-mêmes, fuyant l'Inquisition. Une partie d'entre eux allait ensuite faire souche en Luberon au XVᵉ s.

C'est l'arrivée à Apt de l'inquisiteur dominicain Jean de Roma, dans les années 1530, qui marqua l'intensification des persécutions contre les hérétiques en général : en cherchant des luthériens dans le Luberon, Jean de Roma trouva des vaudois… En 1540, le Parlement d'Aix prononça le fameux «arrêt de Mérindol» qui condamnait les coupables à être brûlés vifs, confisquait leurs biens et bannissait leurs familles. Il ne fut exécuté que cinq ans plus tard par Jean Meynier, baron d'Oppède. L'expédition partit de Pertuis le 16 avril et dura six jours. De nombreux villages furent incendiés, plusieurs centaines de vaudois furent tués et les survivants envoyés aux galères à Marseille. Après le massacre du Luberon, les derniers vaudois s'unirent à la Réforme protestante.

La Crau et les Alpilles

Comme embrassée par le Rhône à l'est et la Durance au nord, la vaste plaine de la Crau descend en pente douce jusqu'à la mer et présente deux visages contrastés. Au sud, elle constitue une étendue caillouteuse et aride, considérée comme la dernière steppe d'Europe de l'Ouest. Au nord, elle devient fertile et entretient le souvenir des fastes du roi René. Chaque marché agricole – Tarascon, Salon-de-Provence, Châteaurenard ou encore Saint-Rémy-de-Provence – a ainsi conservé un raffinement urbain qui prouve la prospérité historique de ce pays. Les ruines toutes proches de *Glanum* rappellent que cette campagne fut travaillée dès l'époque romaine. Entre les deux Crau émerge, comme posé par les Titans, le massif des Alpilles, chaîne calcaire emblématique de la Provence. La citadelle des Baux-de-Provence demeure l'un des principaux fleurons touristiques de la région et veille sur un paysage savamment travaillé par l'homme, où les oliveraies se déploient au milieu des mas et des vergers. Pays de légendes et de folklore, où résonnent encore la poésie de Frédéric Mistral et les histoires d'Alphonse Daudet, c'est peut-être ici plus qu'ailleurs que se trouve l'âme de la Provence.

◄ *La porte d'Eyguières, l'unique entrée des Baux-de-Provence jusqu'au XIXe s.*

Que voir dans la Crau et les Alpilles

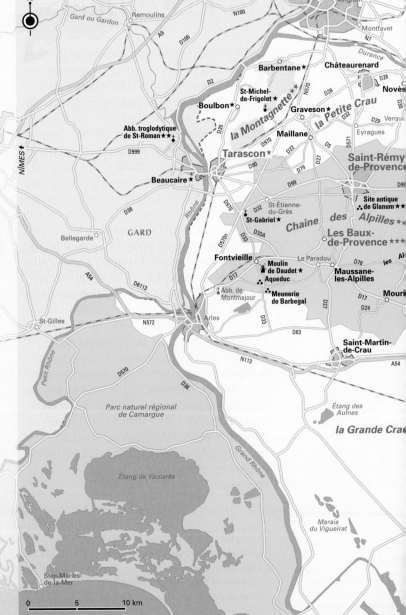

N

Remoulins
Gard ou Gardon
Avignon
Montfavet
N100
N7
A9
D108
Durance
D2
Barbentane ★
Châteaurenard
D28
Novès
St-Michel-de-Frigolet ★★★
D570
D28
la Montagnette
N570
D30
Boulbon ★
Graveson ★
la Petite Crau
Abb. troglodytique de St-Roman ★★
D35
Maillane
D970
D32
D29
Verqui
Eyragues
D571
D27
NÎMES
D999
Tarascon ★
D80
D79
Saint-Rémy-de-Provence
D99
Beaucaire ★
Rhône
D970
D99
D38
D970n
St-Étienne-du-Grès
D32
Site antique de Glanum ★★
GARD
D33A
Chaîne des Alpilles ★★
St-Gabriel ★
D33
Bellegarde
Les Baux-de-Provence ★★★
Le Paradou
D78
les Al
D6113
Fontvieille
D17
Moulin de Daudet ★
Maussane-les-Alpilles
Mouri
A54
Aqueduc
D17
D24
St-Gilles
N572
Abb. de Montmajour
Meunerie de Barbegal
D27
Arles
D33
D83
Saint-Martin-de-Crau
A54
Petit Rhône
N113
D570
D36
Grand Rhône
Étang des Aulnes
Parc naturel régional de Camargue
la Grande Cra
Étang de Vaccarès
Marais du Vigueirat
Stes-Maries-de-la-Mer

0   5   10 km

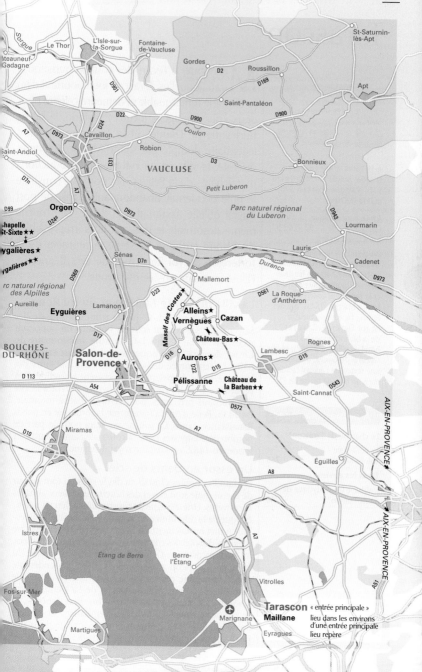

Sorgue
Le Thor
L'Isle-sur-la-Sorgue
Fontaine-de-Vaucluse
St-Saturnin-lès-Apt
Châteauneuf-Gadagne
Gordes
D2
Roussillon
D169
Apt
Saint-Pantaléon
D900
D900
Saint-Andiol
D7n
Cavaillon
D24
D22
Coulon
D973
Robion
D3
Bonnieux
D31
VAUCLUSE
D99
Orgon
Petit Luberon
D24e
Chapelle St-Sixte ★★
Parc naturel régional du Luberon
D543
Lourmarin
ygalières ★
Sénas
Lauris
ygalières ★★
D569
D7n
Durance
Cadenet
rc naturel régional des Alpilles
Mallemort
D973
Aureille
Lamanon
D23
Massif des Costes ★
D561
La Roque-d'Anthéron
Eyguières
Alleins ★
Rognes
Vernègues
Cazan
BOUCHES-DU-RHÔNE
D17
D16
Château-Bas ★
Lambesc
D15
D113
Salon-de-Provence ★
Aurons ★
D22
D15
D543
A54
Pélissanne
Château de la Barben ★★
Saint-Cannat
D572
D10
Miramas
A7
AIX-EN-PROVENCE
A8
Éguilles
Étang de Berre
A7
Berre-l'Étang
Vitrolles
A8
Istres
AIX-EN-PROVENCE
A51
Fos-sur-Mer
Marignane
Tarascon « entrée principale »
Maillane lieu dans les environs d'une entrée principale
lieu repère
Eyragues
Martigues

Tarascon★

Voir carte régionale p. 262

À 18 km N. d'Arles par la D 570n, puis la D 970; à 24 km S.-O. d'Avignon par la N 570, puis la D 570n.

ℹ️ Le Panoramique, pl. du Château A1 ☎ 04 90 91 03 52; www.tarascon.org

Un circuit «À la recherche de la Tarasque», disponible à l'office de tourisme, recense les lieux où sont figurés sainte Marthe et la Tarasque: collégiale Sainte-Marthe; 15 bis, rue des Halles; façades du théâtre (2, rue Eugène-Pelletan) et de la bibliothèque (bd Itam); hôtel de ville (→ p. 267); pl. du Général-de-Gaulle, où s'élève une statue de l'animal taillée dans un bloc de pierre de 25 t.

Méconnue, à l'écart des routes touristiques traditionnelles, Tarascon jouit pourtant d'un patrimoine remarquable et demeure célèbre pour deux «personnages» locaux: Tartarin, le héros burlesque de Daudet, et la Tarasque, monstre légendaire dompté par sainte Marthe. Calme et discrète, la ville vit au rythme des productions maraîchères de la Petite Crau, dont elle constitue le pôle occidental, abandonnant le rôle de port fluvial qu'elle assumait à l'origine. Elle tourne même désormais le dos aux flots irrépressibles du Rhône endigué, et seule la muraille de la forteresse du roi René regarde vers Beaucaire, l'illustre voisine postée rive droite.

La ville de sainte Marthe et du roi René

Peuplée au IIIe s. av. J.-C. par la tribu celto-ligure des Salyens, *Tarusco* devient sous les Romains un important relais fluvial. En 48 apr. J.-C., Marthe, missionnaire du Christ, dompte la Tarasque, animal fabuleux et sanguinaire. La renommée de la patronne de la cité attire dès lors une foule de pèlerins qui vénèrent ses reliques. À partir du XIIIe s., les comtes de Provence offrent à la cité d'importants privilèges, dont celui de battre monnaie. En 1435, René d'Anjou transforme la forteresse en palais Renaissance. Louis XI, son neveu, aura pour sa part de nombreuses largesses pour la collégiale Sainte-Marthe et fonde, en 1482, un chapitre royal de chanoines.

Un essor en dents de scie

Les familles nobles s'installent dès le XVe s., et tout autour de la collégiale sont élevés des hôtels particuliers, abbayes et couvents. Une 2e vague de construction a lieu au XVIIe s., époque de la renommée de la foire de Beaucaire. La Révolution met brutalement fin à cette prospérité: le chapitre royal est dissous, les communautés religieuses dispersées, les édifices détruits. Ce n'est que depuis la 2e moitié du XXe s. que Tarascon a reconquis sa place prépondérante dans l'économie provençale. Sa révolution industrielle date de 1955, avec l'implantation de La Cellulose du Rhône – devenue aujourd'hui Fibre Excellence –, et se confirme avec les industries d'emballage et de pâte à papier. Elle draine aujourd'hui les productions des primeurs, riziculteurs et viticulteurs de la région.

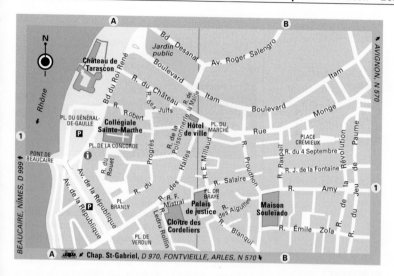

A — Chap. St-Gabriel, D 970, FONTVIEILLE, ARLES, N 570 — B

Un grand parking permet de se garer près du château et de la collégiale Sainte-Marthe • visite de la ville en 3 h.

■ Le château de Tarascon
Musée imaginaire du Moyen Âge** A1

Bd du Roi-René • ouv. de juin à sept. t.l.j. 9h30-18h30; en oct. et de fév. à mai t.l.j. 9h30-17h30; de nov. à janv. t.l.j. 9h30-17h (dernière entrée 45 mn avant); f. les 1ᵉʳ janv., 1ᵉʳ mai, 1ᵉʳ et 11 nov., 25 déc. ☎ 04 90 91 01 93 • http://chateau.tarascon.fr

Bastion imprenable à l'extérieur et palais Renaissance à l'intérieur, le château domine le fleuve de sa muraille solennelle de pierre blonde, à peine percée de quelques fenêtres. Commencée en 1400 par Louis II, duc d'Anjou et comte de Provence, et achevée par le roi René en 1449, la forteresse est un magnifique exemple d'architecture militaire dévolue aux fastes civils d'une cour royale.

• L'ordonnance du château révèle son rôle de défense passive : à l'entrée s'ouvre un fossé sec, dominé à dr. par la basse cour et à g. par les sombres élévations muettes du logis seigneurial. La basse cour et les communs bordent un étroit jardin de plantes aromatiques. Une apothicairerie du XVIIIᵉ s. présente la collection de pots en faïence de Montpellier, anciennement à l'hôpital Saint-Nicolas. Dans la cour du logis seigneurial du XVᵉ s., la rigueur laisse place aux foisonnements architecturaux du gothique flamboyant. Les façades rythmées de larges croisées portent des ornements représentatifs : feuillages de vignes et d'acanthes, animaux et personnages grotesques. Un portail ouvragé mène vers la **chapelle basse***, composée d'une nef unique à trois travées et d'une abside.

Par l'intermédiaire du musée imaginaire du Moyen Âge, la ville de Tarascon renoue avec la tradition de la cour des comtes de Provence et d'Anjou en invitant chaque année des artistes. Dans les appartements royaux, leurs œuvres interprètent de façon contemporaine le Moyen Âge et se fondent dans le patrimoine médiéval.

Manifestations

• Marchés : mar. mat. cours Aristide-Briand, av. de la République, rue des Halles.
• Week-end de la Pentecôte, foire aux Fleurs ; Festival cubain.
• Fin juin, les Médiévales : entraînements d'hommes en armes et en costumes, joutes.
• Le dernier week-end de juin, fêtes de la Tarasque.
• En août, les sam., festival des Musiques du monde.
• Fin nov., marché aux santons.

▶ *Le château de Tarascon devant le Rhône.*

Du XVIIIe s. à 1926, le château fut transformé en maison d'arrêt.

🌲 **Randonnée**
Au départ de Tarascon, le parcours des digues (12 km en 3 h 30) remonte dans le pays rhodanien par les digues du XIXe s. La distance s'effectue facilement, mais il faut éviter, bien sûr, les heures les plus chaudes.

• Trois salles d'apparat de grandes dimensions occupent l'aile O. du logis. Dans la **salle des festins**, le plafond à caissons en mélèze date du XVe s. Au 1er étage, le salon du roi possède la même ordonnance. Dans le prolongement, la chambre royale suit un plan polygonal en encorbellement sur le fleuve. Au 2e étage, dans la **chambre de retrait**, les ogives reposent sur de larges culots feuillus parfaitement conservés. De la **chapelle haute**, réservée au couple royal et à sa suite, un escalier à vis ajouré permet de gagner la **terrasse**★★, d'où l'on a un magnifique point de vue sur la Crau et Beaucaire. Dans l'aile E., trois appartements au plan identique se superposent (un salon, une chambre, une petite pièce). S'ouvrant sur le palier du rez-de-chaussée, la **salle des galères**★ doit son nom aux délicats graffitis marins qui couvrent ses murs.

■ **La collégiale Sainte-Marthe**★★ A1
1, pl. de la Concorde ☎ *04 90 91 09 50 • ouv. t.l.j. 8 h-18 h.*
Sans les saccages et les remaniements, la collégiale serait l'un des plus beaux sanctuaires romans de Provence. Son portail O. fut certainement, avant sa mutilation pendant la Révolution, l'égal de l'abbatiale Saint-Gilles (→ *p. 316*) et de la cathédrale Saint-Trophime d'Arles (→ *p. 307*). Élevée au XIIe s. pour abriter les reliques de sainte Marthe, l'église d'origine s'ouvre sur une crypte. Aux XIVe s. et XVe s., une basilique gothique sans transept et un chœur en abside surbaissé complètent les bases romanes. La reconstruction (1950-1960) à l'identique du campanile et de la flèche détruits par les bombardements de 1944 est la dernière modification apportée à cet édifice composite mais équilibré.

• **L'église haute** : il ne reste que les murs d'enceinte et un clocheton de l'édifice du XIIe s. L'église gothique (XIVe s.) adopte un plan à trois nefs caractéristique du gothique du Midi. La nef centrale est bordée de chapelles dont les plus anciennes, à g., datent des XIVe s. et

Les fêtes de la Tarasque

Au Ier s., on raconte qu'un animal monstrueux hantait les berges de Tarascon. Capturée par sainte Marthe, la créature fut livrée à la colère publique et lapidée. En 1474, le roi René remit à l'honneur les fêtes qui saluaient cet événement et créa l'ordre des Chevaliers de la Tarasque, les *Tarascaïres*, qui organisèrent un carnaval avec défilé regroupant les différentes corporations. De cette époque date la représentation improbable du monstre légendaire à tête de lion, crinière noire, carapace de tortue, crocs, dard, dents de lézard, ventre de poisson et queue de reptile…

xvᵉ s. On remarquera des **tableaux★** de Nicolas Mignard (xviiᵉ s.) et Carle Van Loo (xviiiᵉ s.). Joseph Marie Vien (1716-1809) a produit **sept toiles★** (1750) représentant la vie de sainte Marthe.

• Dans la **crypte romane★**, remaniée au xviiᵉ s., l'abside conserve une façade (mutilée lors du remaniement) ornée de scènes bibliques, et abrite le **sarcophage★** de sainte Marthe, œuvre de l'école arlésienne du ivᵉ s.

■ Les rues du centre ancien

Depuis le château du roi René, la rue du Château traverse l'ancien quartier juif et rejoint l'**hôtel de ville★ A1**. Construit en 1648, il présente une façade maniériste où s'impose une **statue de Marthe et la Tarasque** (1676), entourée de grandes fenêtres à meneaux ouvertes sur un balcon ouvragé.

• La rue Frédéric-Mistral, à g., mène au **cloître des Cordeliers★ A1** (☎ *04 90 91 38 71 • ouv. du mar. au ven. 9 h 30-12 h et 13 h 30-17 h 30, sam. 13 h 30-17 h 30 • entrée libre*) de 1550. On remarquera les voûtes sphériques sur plan carré des travées de la galerie septentrionale. Le cloître et le parloir de style Renaissance abritent des expositions artistiques ainsi que l'**Espace Tartarin** : son cabinet de curiosités, des reconstitutions et mises en scène de son salon et du salon de musique. Plus loin, le **palais de justice AB1** réside dans un magnifique hôtel particulier du xviiᵉ s.

■ La maison Souléïado B1

39, rue Charles-Deméry ☎ *04 90 91 08 80 • ouv. d'avr. à sept. du lun. au sam. 10 h-19 h ; d'oct. à mars du lun. au sam. 10 h-18 h 30 • stages et ateliers permanents • www.souleiado-lemusee.com*
L'installation d'une manufacture d'impression sur étoffes dans l'hôtel particulier d'Aiminy (xvᵉ s. et xviiᵉ s.) date de 1916. En 1939, le neveu du fondateur, Charles Démery, crée la marque Souléïado, la seule maison française qui perpétue le mode d'impression manuel.

• Le **musée du Tissu provençal** retrace l'aventure des indiennes, ces toiles peintes d'abord importées des Grandes Indes ou des Échelles levantines, puis fabriquées en grand nombre en Provence. Une cuisine des couleurs où sont élaborées les teintures, des planches à impression du xviiiᵉ s. (plombines), des tissus anciens composent l'une des plus belles collections françaises de cet artisanat. Des scènes de la vie quotidienne en Provence aux xviiiᵉ-xixᵉ s., une salle consacrée aux *santibelli* (santons liés à la religion), ainsi que des statuettes de terre cuites complètent la visite.

Tartarin de Tarascon

Publié en 1872, le roman burlesque et largement ironique d'Alphonse Daudet (→ p. 287) décrit les aventures épiques d'un personnage truculent. Le neveu de l'auteur et un certain M. de Barbarin auraient inspiré à Daudet quelques-uns de ses traits. Son caractère excessif n'avait pas pour intention de nuire aux Provençaux, mais les lecteurs préfèrent voir en Tartarin un archétype méridional plutôt qu'une figure emblématique de la nature humaine en général. Gustave Flaubert déclara, lucide : « En France, tout le monde est un peu de Tarascon. »

Environs de Tarascon

■ La chapelle Saint-Gabriel★

À 5 km S.-E. de Tarascon en direction de Fontvieille (D 970) • visite les 1ᵉʳ dim. du mois d'avr. à nov. • entrée libre.

Élevée à l'emplacement de la ville antique d'*Ernaginum*, la chapelle Saint-Gabriel est masquée par une enclave de cyprès et d'oliviers. Les lignes pures et régulières de l'édifice du XIIᵉ s. rehaussent une belle façade sculptée.

■ Beaucaire★

En face de Tarascon, de l'autre côté du Rhône ❶ *8, rue Victor-Hugo* ☎ *04 66 59 26 57; www.provence-camargue-tourisme.com*

Célèbre pour sa foire qui assura la prospérité de toute la région du XVᵉ s. au XIXᵉ s., Beaucaire est aujourd'hui réputée pour ses courses camarguaises (→ *p. 326*). Le centre ancien conserve de remarquables hôtels particuliers, dont l'hôtel de ville du XVIIᵉ s. *(pl. Clemenceau)*.

• **L'église Notre-Dame-des-Pommiers★★** *(rue Ledru-Rollin • ouv. pour les offices ou pendant les visites guidées)* fut élevée au XVIIIᵉ s. Une **frise romane★★** provenant de l'ancien édifice a été replacée sur la façade latérale *(rue Charlier, à dr. de l'église)*. Une succession de 12 scènes évoque les compositions de Saint-Gilles (→ *p. 316*).

• Le **château** *(visite libre des jardins)* offre sa plus belle perspective depuis le champ de foire. Dressé sur une colline dominant le Rhône, il fut reconstruit au XIIIᵉ s. puis démantelé au XVIIᵉ s. Du haut des 100 marches de la tour triangulaire, on découvre une belle vue sur la ville.

• Le **musée Auguste-Jacquet** *(*☎ *04 66 59 90 07 • ouv. t.l.j. sf mar. et jours fériés, de nov. à mars 10 h-12 h et 14 h-17 h ; d'avr. à oct. 10 h-12 h 30 et 14 h-18 h, les week-ends à partir de 9 h)*, implanté dans les jardins du château, présente l'archéologie, les traditions et l'histoire locale.

▼ *L'abbaye troglodytique de Saint-Roman a été redécouverte dans les années 1960.*

■ L'abbaye troglodytique de Saint-Roman★★

À 4 km N.-O. de Beaucaire par la D 986i ☎ *04 66 59 19 72 • ouv. en janv. et nov.-déc. sam.-dim. 14 h-17 h 30 ; en fév. du mar. au dim. 14 h-17 h 30 ; en mars du mar. au dim. 14 h-18 h 30 ; d'avr. à juin du mar. après-midi à dim. 10 h-13 h et 14 h-18 h 30 ; en juil.-août t.l.j. 10 h-13 h et 14 h-19 h ; en sept. t.l.j. 10 h-13 h et 14 h-18 h 30 • http://abbaye-saint-roman.com*

L'abbaye a été entièrement creusée dans la roche à partir du Vᵉ s. par des ermites disciples de saint Roman. L'ensemble fut fortifié au XIVᵉ s., puis ruiné au XIXᵉ s. On visite le couvent et le cimetière de la terrasse (nécropole rupestre), qui offre une large vue sur la vallée du Rhône.

La Montagnette★★ et la Petite Crau

Séparant les vallées du Rhône et de la Durance, les collines de la Montagnette abritent sur leurs escarpements calcaires un havre forestier et buissonneux, connu pour ses herbes aromatiques, où les moines paysans des plaines marécageuses venaient autrefois se guérir des fièvres. On y croise aujourd'hui randonneurs et cyclistes méritants. Dans les clairières arrachées à la pinède, vergers, jardins, moulins à vent et châteaux composent un paysage d'une grande variété, qui contraste singulièrement avec la petite Crau, à l'est, dévolue aux cultures maraîchères.

Circuit de 53 km au départ de Tarascon à faire en 1 journée.

■ Boulbon★

À 7 km N. de Tarascon par la D 35 ❶ mairie, pl. Victor-Barberin ☎ 04 90 43 95 47 ; www.mairie-boulbon.fr
Les ruines d'une **forteresse** du XIe s. dominent le village fortifié. À l'intérieur des remparts, des maisons Renaissance avec fenêtres à meneaux s'ordonnent entre des ruelles courbes et des placettes. Situé sur les contreforts de la Montagnette, le **moulin Bonnet**, du XVIIe s., a été restauré d'après les plans d'origine.

• Dans le cimetière, la **chapelle romane Saint-Marcellin★** *(visite sur r.-v. auprès de la mairie)*, du XIIe s., se distingue par sa nef à trois travées et son abside semi-circulaire voûtée en cul-de-four. Un tombeau à enfeu du XIVe s. occupe la chapelle de g., où un gisant est entouré de pleureuses.

■ L'abbaye Saint-Michel-de-Frigolet★

À 6 km O. de Boulbon par la D 81 ☎ 04 90 20 38 41 • visite du monastère le dim. à 16 h 30 (en hiver à 15 h 30) ; visite libre des extérieurs et des deux églises t.l.j. • www.frigolet.com
Émergeant de la pinède, l'abbaye de Frigolet avance sa nef néogothique sur les versants chaotiques de la Montagnette. Le lieu, fréquenté dès l'Antiquité, fut probablement investi vers 962 par les moines de l'abbaye de Montmajour (→ p. 318), relayés au XVIIe s. par les Ermites réformés de saint Augustin. Sécularisée sous la Révolution, l'abbaye accueille brièvement un pensionnat de

La Montagnette est un étroit massif calcaire d'à peine 6 sur 12 km, qui s'étend entre Tarascon et les rives de la Durance. Son sommet se situe à seulement 170 m d'alt., un peu à l'O. de l'abbaye Saint-Michel-de-Frigolet.

À ne pas manquer

Manifestation

À Boulbon
Le soir du 1er juin, procession des Bouteilles : elle mène en grand apparat les habitants à la chapelle Saint-Marcellin. Chacun s'est muni de sa meilleure bouteille de vin. La bouteille est bénie, on en prélève un verre puis on la referme. Le vin servira tout au long de l'année à soigner les petits maux de la famille.

1839 à 1841, où l'élève Frédéric Mistral écrit ses premiers vers. Les Prémontrés investissent le lieu en 1858. Du prieuré du XIIᵉ s. ne demeurent que l'église Saint-Michel, le cloître et la chapelle Notre-Dame-de-Bon-Remède, intégrée à l'église abbatiale du XIXᵉ s.

• L'**église Saint-Michel**★ occupe le côté N. du monastère. À la sobriété de la façade répond le dépouillement de la nef à deux travées (XIIᵉ s. et XIXᵉ s.) et de l'abside (XVIIᵉ s.). À l'entrée, une **Vierge allaitant l'Enfant**★, belle statue d'albâtre du XVIᵉ s.

▼ *La butte sur laquelle est implantée l'abbatiale Saint-Michel-de-Frigolet devrait son nom au provençal* ferigoulou, *qui signifie «thym».*

• La façade de l'**église abbatiale**, percée de trois portails et de trois rosaces, paraît surdimensionnée tant son parvis est étroit. À l'intérieur, la nef centrale se prolonge par une abside surélevée dans une composition théâtrale. Marches et paliers mènent au maître-autel éclairé de trois fenêtres dont les médaillons illustrent la vie de la Vierge. L'ensemble est décoré de **scènes religieuses**★★ aux couleurs chatoyantes. Dans le collatéral g., la chapelle Notre-Dame-de-Bon-Remède (XIIᵉ s.) abrite depuis le XVIIᵉ s. un retable fastueux de bois doré. Autel en cuir «repoussé» (finement ciselé), colonnes torves évidées et statue en pierre peinte de la Vierge à l'enfant composent un tableau d'une rare préciosité. Ce décor fut commandé par Anne d'Autriche, qui, venue intercéder auprès de la Vierge pour avoir un fils, vit son vœu réalisé.

• Le **cloître** du XIIᵉ s. *(visite guidée seulement)*, massif et dépouillé, possède quelques masques romans gravés sur les consoles des arcs.

■ Barbentane★

À 6 km N. de Saint-Michel-de-Frigolet par la D 35 E. ❶ *3, rue des Pénitents* ☎ *04 90 90 85 86 ; www.barbentane.fr*

L'ancienne seigneurie de l'archevêque d'Avignon, agrippée aux flancs de la Montagnette, a conservé ses rues obliques, ses chemins de ronde débouchant sur un splendide panorama et ses belles maisons des XVIᵉ-XVIIᵉ s. en moellons de calcaire blond. Les portes Séquier et Calendal bornent la Grand-Rue dans laquelle on trouvera l'église romane (clocher-tour du XVᵉ s.) et la maison des Chevaliers (XIIᵉ s.), où deux larges arcades supportent une galerie à colonnettes du XVIᵉ s. Surplombant le site, la **tour Anglica**★ (1365) est un donjon de 40 m, dernier vestige du château épiscopal. La vue sur la plaine et les Alpilles y est splendide. À proximité, un petit chemin mène au moulin de Bretoule (XVIIIᵉ s.).

Le siège de Frigolet

Dissous par l'État en 1880, l'ordre des Prémontrés refuse de quitter la Montagnette et l'abbaye fraîchement consacrée. Des centaines de Provençaux, dont Frédéric Mistral, rejoignent alors les moines et tiennent un siège de quelques heures, au son du fameux chant *Prouvençau e catouli* («Provençaux et catholiques»), devenu l'hymne provençal.

Après Barbentane, la D 34 quitte les contreforts de la Montagnette et pénètre dans la fertile Petite Crau.

La Petite Crau

Entre la Montagnette, la Durance et les Alpilles, la fertile Petite Crau distribue partout en Europe les fruits de ses récoltes. Vergers opulents, bataillons de serres, routes sillonnées de machines agricoles… les villages forment une trouée dans cette «industrielle ruralité».

■ Châteaurenard

À 10 km O. de Barbentane par la D 34 puis la D 77 ❶ *20, cours Carnot* ☎ *04 90 24 25 50 ; www.chateaurenard-tourisme.com*
Le bourg doit sa prospérité à son marché d'intérêt national (8 ha), qui se place au 1er rang européen par son tonnage. Du château médiéval (XIIIe s. et XVe s.) ne subsistent que deux tours – l'une intacte, l'autre en ruine – reliées entre elles par une courtine d'où s'ouvre un beau panorama. Dans les **salles de gardes et les tours** *(visites guidées • ouv. de mai à déc. du mar. au sam. 10 h-12 h et 14 h30-18 h30 ; dim. 14 h30-18 h30 ; d'oct. à avr. t.l.j. sf lun. 15 h-17 h ; f. les jours fériés)*, une exposition évoque l'histoire locale.

• L'**église romane de Saint-Denis** abrite un beau chœur gothique et des tableaux de Nicolas Mignard (XVIIe s.) placés dans les autels des confréries paysannes.

• Le **musée des Vieux Outils agraires** *(31 bis, rue Jentelin* ☎ *04 90 90 11 59 • ouv. d'avr. à sept. du mer. au sam. 14 h30-18 h30, dim. 10 h-12 h et 14 h30-18 h30)*, créé à partir de la collection d'André Vachet, regroupe des outils des cultures céréalière, vinicole et maraîchère.

■ Graveson★

À 8 km S.-O. de Châteaurenard par la D 28 ❶ *Musée Auguste-Chabaud, cours National* ☎ *04 90 90 53 02 ; www.graveson-provence.fr*
Au cœur de la Petite Crau, le village est traversé par un charmant canal surnommé «La Roubine». L'église des XIe-XIIe s. a été partiellement reconstruite au XIXe s. De la période romane demeurent deux chapelles absidiales et le chœur coiffé d'un clocher à crochets du XVe s.

• Le **musée de région Auguste-Chabaud** *(cours National • entrée par l'office de tourisme* ☎ *04 90 90 53 02 • ouv. t.l.j. 10 h-12 h et 13 h 30-18 h 30, sf les matins des week-ends et jours fériés d'oct. à mai • www.museechabaud.com)* expose des œuvres de ce peintre né à Nîmes en 1882 et qui vécut à Graveson jusqu'à sa mort en 1955. Il appartient au mouvement des Fauves, mais la puissance de son trait et de ses couleurs le rapprochent de l'expressionnisme. Un parcours dans le village présente des lieux peints par l'artiste.

Randonnées

8 itinéraires balisés traversent la Montagnette. La plupart rejoignent l'abbaye Saint-Michel-de-Frigolet. Topo : *Randonnées sur les chemins de la Montagnette,* disponible dans les offices de tourisme.
Entre autres circuits :
• Saint-Michel-de-Frigolet à Graveson (par le mas de la Dame) traverse crêtes et forêts (durée : 1 h 45). Départ de l'abbaye Saint-Michel-de-Frigolet ou de l'office de tourisme à Graveson.
• Plus longue et plus ardue, la boucle au départ de Saint-Michel-de-Frigolet par San Salvador et le ravin de Gratte-Semelle (durée : 3 h 30).
• Un circuit « Histoire d'une cité maraîchère » au départ de Châteaurenard explique comment la région est devenue l'une des plus grandes productrices maraîchères de France. Départ avec un guide de l'office de tourisme : de mai à sept., jeu. à 10 h. Durée : 1 h 30.

Manifestations

À Graveson
• Marché paysan, de mai à oct., ven. 16 h-20 h, pl. du Marché.
• Début sept., «Pictural et mural»: fête des peintres dans les rues.

À Châteaurenard
• 2e dim. de mai, Journée du cheval de trait.
• 1er dim. de juil., la Saint-Éloi, défilé de charrettes et de chevaux harnachés.
• 2e week-end de juil., feria.
• 3e dim. de sept., fête de la Saint-Omer.
• 2e dim. de sept. Finale du Trophée des maraîchers : lâchers de taureaux et démonstrations culinaires.

Entre Graveson et Maillane par la D 5, visitez le jardin aquatique Aux Fleurs de l'Eau. Sur 2 ha, des bassins, des cascades, des plantes exotiques. Ouv. de mai à mi-juin week-ends et jours fériés ; de mi-juin à mi-sept. t.l.j. 10 h-12 h et 14 h 30-19 h ☎ 04 90 95 85 02.

Bonnes adresses

🏛 *Les Figuières du mas de Luquet*, chemin du Mas-de-la-Musique, Graveson ☎ 04 90 95 72 03 ; www.lesfiguieres.com Une propriété familiale qui décline la figue sous forme de confitures, chutneys, compotes, nectars…

✗ *L'Oustalet Maianen*, 16, av. Lamartine, Maillane ☎ 04 90 95 74 60 ; www.restaurant-saint-remy-de-provence.fr Installés sous la tonnelle de ce charmant restaurant, vous dégusterez une excellente cuisine provençale.

Entourés de zones pavillonnaires, de nombreux villages à l'E. de la plaine (Verquières, Saint-Andiol, Noves, Eyragues…) possèdent néanmoins un caractère provençal qui ne se découvre qu'en approchant le centre, dominé par la silhouette d'une église romane fortifiée ou d'une chapelle aux lignes pures.

▶ *La maison de Frédéric Mistral à Maillane.*

• Le **musée des Arômes et du Parfum**★ *(à 3 km S. de Graveson par la D 80 ☎ 04 90 95 81 72 • ouv. t.l.j. 10 h-12 h et 14 h-18 h ; en juil. et août 10 h-19 h • http://museedesaromes. com)*, situé en pleine nature, est un lieu de visite olfactif autant que visuel. L'espace musée présente une superbe collection d'alambics, de flacons, des miniatures et une table d'odoration. Le site accueille également un jardin de plantes aromatiques en culture biologique, un café-restaurant bio en terrasse, une grande boutique d'aromathérapie et un espace japonisant, Aromacocoon *(10 h-18 h sur r.-v.)*, qui propose des massages zen aux huiles essentielles.

De Graveson, la D 970 ramène en 13 km à Tarascon.

■ Maillane

À 3 km S. de Graveson par la D 5 ❶ 1, av. Lamartine ☎ 04 32 61 93 86 ; www.mairiemaillane.fr
Maillane est la ville natale de Frédéric Mistral : l'instigateur du mouvement félibrige vécut à la maison du Lézard, à l'entrée du village. Il y rédige *Mirèio (Mireille)*, *Calendau (Calendal)*, *Lis Isclo d'or (Les Îles d'or)* et *Tresor dou felibrige (Trésor du félibrige)*. Il s'installe en 1876 dans la maison qui est aujourd'hui son musée.

• Le **musée Frédéric-Mistral**★ *(visites guidées seulement ☎ 04 90 95 84 19 • ouv. de mi-mars à mi-oct. 9 h 30-12 h et 13 h 30-18 h ; le reste de l'année sur r.-v. ; possibilité de visites guidées du jardin)*. Portraits et bustes rappellent la vie de l'écrivain, des tableaux évoquent ses œuvres ou ses maîtres, des objets et des souvenirs liés aux lieux qu'il affectionnait. Le bureau, de petite taille, contraste avec la stature imposante du créateur du félibrige. Le salon, aux tonalités féminines, était réservé à sa femme. Dans la salle à manger, mobilier traditionnel, faïences fleuries et farinière illustrent la vie provençale. À l'étage, on entre dans le domaine plus intime de Mme Mistral et dans la chambre d'une totale sobriété de l'auteur.

Depuis Maillane, la D 5 se poursuit jusqu'à Saint-Rémy-de-Provence (→ p. 274).

▲ *Frédéric Mistral (au centre) et un comité de félibres.*

L'épopée félibrige

L e 21 mai 1854, au château de Font-Ségugne (→ *p. 197*), sept écrivains provençaux fondent une nouvelle école littéraire, le félibrige,
véritable catalyseur des lettres provençales dont l'influence perdurera
jusqu'à la Première Guerre mondiale. Son membre le plus actif et le
plus éminent est Frédéric Mistral, prix Nobel de littérature en 1904.

Frédéric Mistral a restitué, dans *Lou Tresor dou felibrige*, la discussion qui conduisit, ce
jour-là, sept littérateurs à s'unir pour la défense du provençal. Ils auraient évoqué un
récitatif de saint Anselme, où Marie raconte ses sept douleurs à son fils. La dernière
phrase : « *li sèt felibre de la lèi* », fait référence aux « sept docteurs de la Loi » discutant avec
Jésus au Temple. Inspirés par cette prière, les sept compagnons se baptisèrent « félibres »
et le félibrige prit le « 7 » pour nombre sacré et sainte Estelle
pour patronne (fêtée le 21 mai). Encore fallait-il écrire la
« loi » de ce mouvement, ce qui fut fait le 21 mai 1876 sous
la forme d'une constitution.

Les sept compagnons s'attacheront à restaurer la littérature
provençale, à codifier la langue en fixant sa grammaire, son
orthographe et son étymologie. Le grand œuvre sera mené
dans l'*Almanach provençal*, créé par Joseph Roumanille en
1855 (toujours publié). Après une reconnaissance populaire,

Les sept fondateurs du félibrige :
Frédéric Mistral (1830-1914),
Joseph Roumanille (1818-1891),
Théodore Aubanel (1829-1886),
Jean Brunet (1823-1894),
Anselme Mathieu (1828-1895),
Alphonse Tavan (1833-1905)
et Paul Giéra (1816-1861).

le félibrige entre dans les salons parisiens aux côtés de Daudet ou de Mallarmé, et
Mistral songe même à une Fédération internationale des langues romanes. Le tournant
a lieu en 1892, lorsque de jeunes membres du félibrige se rallient au mouvement
extrémiste de l'Action française. Aujourd'hui, le félibrige reste le plus souvent associé
aux revendications identitaires de cette génération des félibres, alors qu'il est avant
tout un mouvement à la littérature remarquable qui continue à promouvoir la langue
provençale sous toutes ses formes.

Saint-Rémy-de-Provence★★

Voir carte régionale p. 262

À 21 km S. d'Avignon par la D 570n et la D 571 ; à 15 km E. de Tarascon par la D 99.

🛈 pl. Jean-Jaurès ☎ 04 90 92 05 22 ; www. saintremy-de-provence.com Visites guidées des lieux peints par Van Gogh d'avr. à oct. le mar. à 10 h ; visite du centre ancien avec audioguide (5 €).

À ne pas manquer

Manifestations

• Marché : mer.
• Le lun. de Pentecôte, fête de la Transhumance.
• Les week-ends de juil. à sept., festival Organa : il réunit, aux claviers de la collégiale Saint-Martin, les meilleurs titulaires des grandes orgues à travers le monde.
• Vers le 15 août, feria provençale et carreto ramado : cette charrette tirée par 50 chevaux, somptueusement décorée de feuilles et de fleurs, porte les fruits des récoltes de la région.
• Le dernier week-end de sept., sur 5 jours, fêtes votives : fêtes taurines et traditionnelles.

Saint-Rémy est une très belle ville, dont la campagne alentour inspira à Van Gogh certaines de ses plus célèbres toiles. Repliée derrière ses boulevards, la cité se révèle surtout au petit matin, boutiques fermées : là seulement apparaissent les proportions parfaites des façades de ses hôtels particuliers, la succession des styles Renaissance, baroque et Ancien Empire, ou encore la finesse des décors sculptés dans la pierre claire. À proximité, dans un paysage de carte postale, la commune abrite d'importants témoignages historiques : la cité antique de *Glanum* et, dans les oliviers, le monastère de Saint-Paul-de-Mausole.

Pays de cocagne

Fuyant au IIIe s. les hordes barbares qui dévastent la ville antique de *Glanum*, les Glaniques investissent la plaine où siège déjà une vaste villa gallo-romaine. Dès cette époque, l'irrigation assure prospérité aux propriétaires terriens. Du Moyen Âge au XXe s., la cité bâtira sa fortune sur ses productions agricoles : le chardon à carder, la garance et les graines potagères, une activité qui demeure essentielle dans l'économie saint-rémoise. Depuis, les vastes bâtisses du XIXe s., élevées quand Saint-Rémy était la 1re productrice mondiale de graines de semence, ont été converties en hôtels de charme, fréquentés par la jet-set européenne. Haut-lieu du tourisme provençal, Saint-Rémy attire les artistes à en juger par le nombre de galeries d'art et d'ateliers qui animent le centre-ville.

Visite du centre historique en 2 h • compter 1 journée pour découvrir musées et environs.

■ Le centre ancien★

Il suffit de franchir les boulevards commerçants pour pénétrer dans une ville d'un autre âge, témoin de la prospérité de la Provence agricole du XVe s. au XVIIe s. La **rue Carnot★**, qui traverse le centre d'O. en E., abrite plusieurs maisons médiévales, dont l'une porte une échauguette. Au n° 5 se dresse l'hôtel d'Alméran, où Charles Gounod composa la musique de l'opéra inspiré de *Mireille* de Frédéric Mistral.

• Plus au N., la **rue du Parage★** et la **pl. Favier★★** abritent des hôtels du XVe au XVIIe s. : hôtels de Sade, de Mistral de Mondragon, de Lubière… Saint-Rémy-de-Provence rend hommage à un autre illustre habitant, Michel de Nostredame (1503-1566), plus connu sous son pseudonyme, Nostradamus *(→ p. 294)*. Une plaque *(rue Hoche)* est apposée sur la maison natale de ce savant médecin et astrologue ; la fontaine Nostradamus *(à l'angle des rues Carnot et Nostradamus)* arbore un buste sculpté (1859) d'Antoine Liotard.

▲ *Une rue dans la vieille ville de Saint-Rémy.*

■ Le musée des Alpilles★★

1, pl. Favier ☎ 04 92 92 68 24 • ouv. d'oct. à avr. du mar. au sam. 13 h-17 h 30 ; de mai à sept. du mar. au dim. 10 h-18 h ; f. les 1er janv., 1er mai et 25 déc.

Il est installé dans l'**hôtel Mistral de Mondragon**, dont le décor sculpté superpose en façade les trois ordres architecturaux (dorique, ionique et corinthien), référence au passé romain de *Glanum*. L'hôtel (XVIe s.) s'organise autour d'une **cour★★** dominée par une tour d'escalier en colimaçon et veillée par un buste de Vincent Van Gogh lisant une lettre de Théo, sculpté par Ossip Zadkine en 1965.

• Créé en 1919, le **musée**, met en valeur la richesse et l'ingéniosité de l'art et des cultures populaires, à l'égal du Museon arlaten d'Arles *(→ p. 309)*. Il évoque le patrimoine naturel, minier et agricole de cette montagne. Le musée s'est enrichi d'une collection d'œuvres gravées contemporaines, ainsi que d'un atelier de typographie.

■ L'hôtel de Sade★

1, rue du Parage ☎ 04 90 92 64 04 • ouv. de mi-juin à mi-sept. t.l.j. 9 h 30-13 h et 14 h-18 h • www.hotel-de-sade.fr

L'hôtel construit au XVe s. par une famille de marchands d'Avignon occupe l'emplacement de thermes gallo-romains. La façade délicate et très ouvragée est éclairée par des fenêtres à baies moulurées, ornée de corniches et de frises, et protégées des intempéries par des larmiers.

■ Le musée Estrine

8, rue Estrine ☎ 04 90 92 34 72 • ouv. t.l.j. sf lun., en mars et nov. 14 h-17 h 30 ; en avr. et oct. 10 h-12 h et 14 h-18 h ; en mai-juin et sept. 10 h-18 h ; en juil.-août 10 h-18 h 30 ; f. de déc. à fév. • billet combiné avec la fondation Van Gogh d'Arles • http:// musee-estrine.fr

Installé dans un bel hôtel particulier du XVIIIe s., avec escalier monumental et plafonds à la française, le musée rend d'abord hommage à Van Gogh, sous la forme d'expositions abordant chaque année un nouvel aspect de l'œuvre de l'artiste. Dans les étages, expositions d'artistes contemporains du monde entier

Bonnes adresses

⌂ ✕ *La Cuisine des Anges*, 4, rue du 8-Mai-1945 ☎ 04 90 92 17 66 ; www.angesetfees-stremy. com Spécialités provençales revisitées, dont les papetons d'aubergines. La carte propose aussi des plats exotiques et des desserts maison savoureux. Sur place, 5 chambres d'hôtes, *Le Sommeil des Fées*.

⌂ *Sous les Figuiers*, 3, av. Taillandier ☎ 04 32 60 15 40 ; www.hotelsous lesfiguiers.com Voici un charmant hôtel où la plupart des chambres disposent d'un jardinet privatif avec son figuier. Accueil chaleureux et petits déjeuners délicieux. Piscine.

Randonnée

L'office de tourisme a balisé un parcours intitulé «Promenade dans l'univers de Vincent Van Gogh». Cette balade de 1 h permet de voir la campagne saint-rémoise, tandis que 21 panneaux reproduisent les œuvres sur les lieux mêmes de leur création. Le parcours débute à l'entrée de *Glanum (→ p. 278)*, remonte vers le centre-ville pour s'achever devant le musée Estrine *(→ p. 275).*

et présentation du fonds permanent d'Albert Gleizes (1881-1953), théoricien du mouvement cubiste.

■ La collégiale Saint-Martin

Pl. de la République, à l'O. du centre-ville ☎ 04 90 92 10 51 • ouv. t.l.j. 7 h-18 h • concerts en été sam. à 17 h 30.

Cette église du XIXᵉ s. reproduit un style néogrec sans surprise. Seuls survivants du sanctuaire du XIVᵉ s., le clocher et une chapelle de style flamboyant. En revanche, le **buffet d'orgues★★** réalisé en 1982 par Pascal Quoirin, est, de l'avis des spécialistes, un véritable chef-d'œuvre. Il est utilisé chaque été à l'occasion du festival Organa.

À voir encore

■ Le monastère Saint-Paul-de-Mausole★

À 1,3 km S. du centre historique par la D 5, puis à g. juste avant les Antiques ☎ 04 90 92 77 00 • ouv. t.l.j., d'avr. à sept. 9 h 30-19 h; d'oct. à mars 10 h 15-17 h; f. en janv. et fév. • entrée payante • www.saintpauldemausole.fr

À l'extérieur, le monastère des XIᵉ-XIIᵉ s. ne laisse rien voir de sa beauté. Il faut pénétrer dans l'**église romane★**, dont la nef étroite s'élance vers la lumière des baies (façade du XVIIIᵉ s.), et dans le cloître pour apprécier l'équilibre des volumes. Les chapiteaux des **galeries★** du cloître empruntent à la décoration du cloître Saint-Trophime d'Arles *(→ p. 306)* et demeurent marqués par l'Antiquité. Le clocher constitue une synthèse de plusieurs styles. Des arcatures lombardes du 1ᵉʳ âge roman soutiennent un attique et une frise de carreaux typique des édifices de la vallée du Rhône.

• Du séjour de Van Gogh en 1889, il reste une reconstitution de sa chambre et une vue sur un paysage qui lui inspira *Le Champ de blé aux cyprès*. Au centre Valetudo *(dans les anciennes salles capitulaires)*, des œuvres d'art brut réalisées par les patientes du centre psychiatrique. ►►►

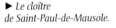

► *Le cloître de Saint-Paul-de-Mausole.*

▲ Les Blés verts *(détail)*, *de Vincent Van Gogh (1889).*

Van Gogh, la Provence sublimée

Le court séjour de Van Gogh à Arles et à Saint-Rémy-de-Provence, entre le 20 février 1888 et le 16 mai 1890, est considéré comme sa période la plus féconde. Pour celui qui est «entré en peinture» comme on entre en religion, les paysages de la Provence apaisent une soif d'absolu et un goût passionné pour la couleur.

«La nature d'ici est bien ce qu'il faut pour faire de la couleur», écrit Vincent Van Gogh à son frère Théo peu de temps après son arrivée à Arles. Inspiré par les paysages et la lumière éblouissante qui affirme son geste, il parcourt les vergers en fleurs de la campagne arlésienne, la Camargue ou les Saintes-Maries-de-la-Mer : «Je n'ai qu'à ouvrir les yeux et à peindre devant moi ce qui me fait de l'effet.»

Les amis sont peu nombreux dans cette ville où il ne dessinera que quelques portraits : le facteur Roulin – son confident –, une petite fille, un jardinier... Ils sont si rares qu'il accueille en octobre Gauguin, rencontré à Paris deux ans auparavant. Tous deux arpentent la ville et les alentours, leurs toiles se font l'écho de leurs découvertes : Arlésiennes, vignes, cafés et autoportraits marquent cette période qui s'achève tragiquement par une dispute et l'automutilation de Van Gogh. Lui qui espérait ouvrir une maison des artistes dans une bicoque jaune louée à la hâte est interné à l'Hôtel-Dieu.

Il entre à l'asile d'aliénés de Saint-Paul-de-Mausole, à Saint-Rémy-de-Provence, en mai 1889, où il demeure un an, retenu au monde par la seule intensité de la lumière et des paysages qu'il découvre de sa fenêtre. Cloîtré dans sa propre démence, il peint sans cesse iris, tournesols et cyprès, avec un souci toujours plus prononcé de retenir, de condenser la couleur pour mieux traduire la lumière fascinante du Midi. Pour lui, «tout l'avenir de l'art nouveau est [ici]». Pendant sa courte période provençale, si violente et si dense, il peindra quelque 200 toiles, toutes promises à la postérité.

■ Les Antiques*

Sur la dr. de la D 5, à 1,5 km S. de Saint-Rémy • accès libre.
Seuls vestiges de *Glanum* jusqu'en 1921, date des premières fouilles, le mausolée des Jules et l'arc de triomphe marquaient l'entrée de la ville sur le passage de la voie Alpine. Ils ont été restaurés et mis en valeur en 2009.

• Le **mausolée des Jules**★★ (30 av. J.-C.) serait le dernier vestige d'une nécropole. Haut de 18 m, il célèbre avec grandiloquence la mémoire de deux citoyens glaniques, les Julii (père et fils). Il n'abrite pas leurs corps, mais rapporte en quatre panneaux sculptés des scènes guerrières, épisodes qui permirent sans doute aux Julii d'obtenir leur nom romain. Surmontant ce socle, un arc de triomphe soutient deux statues enserrées dans un petit temple rond représentant les défunts.

• L'**arc de triomphe** (Iᵉʳ s. apr. J.-C., restauré au XVIIIᵉ s.) est décoré de bas-reliefs décrivant les batailles de la conquête des Gaules par César et les bienfaits de la *Pax romana*, symbolisés par des guirlandes de fruits et de feuilles.

▼ *Les ruines de* Glanum.

■ Glanum★★

À 1,5 km S. de Saint-Rémy par la D 5 ☎ 04 90 92 23 79 • ouv. d'avr. à sept. t.l.j. 9 h 30-18 h; d'oct. à mars t.l.j. sf lun. 10 h-17 h (dernière entrée 30 mn avant); f. le 1ᵉʳ janv., le 1ᵉʳ mai, les 1ᵉʳ et 11 nov. et le 25 déc. • visites libres ou guidées (1 h-1 h 30) • www.site-glanum.fr
Édifiée sur les pentes d'un vallon, la ville antique avance par paliers jusqu'à la forêt. Les premiers habitants ont vécu à l'âge du fer (Iᵉʳ millénaire av. J.-C.) dans des habitations fortifiées, avant que ne soit créés un sanctuaire salyen, puis une ville hellénisée par les Massaliotes au IIᵉ s. av. J.-C. Temple, agora, maisons à péristyle constituent son 1ᵉʳ patrimoine architectural, en grande partie enseveli par la conquête romaine. Seuls furent épargnés le nymphée (bassin couvert qui alimente la ville en eau) et le rempart qui séparait les lieux profanes des sanctuaires. L'empire du Iᵉʳ s. de notre ère dote *Glanum* d'un urbanisme calqué sur les grandes cités antiques. Des thermes font face à des villas inspirées des modèles italiens et grecs, dont la maison des Antes et la maison de Cybèle et Atys. Ils précèdent un espace dédié aux temples, une basilique (édifice civil faisant office de palais de justice) et un forum. Le rempart ferme la ville à flanc de montagne; à son revers, des temples vénèrent Valetudo, déesse de la santé, et Hercule.

Le terme «antes», qui donne son nom à la maison des Antes, désigne des pilastres cannelés et décorés de chapiteaux corinthiens encadrant une pièce de la maison.

Les Baux-de-Provence★★★ et les Alpilles★★★

Courant du Rhône à la Durance sur 25 km, avec à peine 8 km de large et seulement 493 m à son point culminant, la longue échine calcaire des Alpilles n'est somme toute qu'un caillou à l'échelle géologique. Mais quel caillou! Cette dernière résurgence du Luberon emprunte à la montagne ses pentes vertigineuses, à la Grèce ses collines âpres et à la côte normande ses falaises crayeuses. Dans ce relief tourmenté où s'imbriquent vals profonds et éperons rocheux, l'homme et la nature tracent, depuis le Moyen Âge, les lignes d'un paysage élégant et généreux. Le tourisme de luxe en a malheureusement poli les aspérités, comme en témoigne la parfaite ordonnance des mas cossus. Le merveilleux village des Baux de Provence résiste à son statut programmé de « village-musée » en misant sur le développement culturel. La citadelle impose au val d'Enfer ses massives murailles, aspect militaire démenti par le village où l'on découvre toute la finesse de l'architecture d'une cour princière des XVe-XVIe s.

Une vocation agricole

Tel un damier parfaitement organisé, le paysage des Alpilles semble tiré au cordeau. Les champs d'oliviers au feuillage vif argent côtoient les vignes rectilignes, qu'une haie de cyprès sombres protège du vent. Sur les contreforts ensoleillés, les carrés d'arbres fruitiers (abricotiers, amandiers) se couvrent au printemps de fleurs aux couleurs pastel. Cultivé, travaillé, enrichi depuis un millénaire grâce à une irrigation précoce, le terreau des Alpilles nourrit encore une abondante production agricole, notamment l'olivier (→ p. 290), qui place la région au 1er rang des producteurs français d'huile d'olive et bénéficie de 3 AOC ; la vigne, dispersée autour du rocher des Baux, est cultivée en agriculture biologique sur 85 % de sa surface. Ses vins rouges, rosés et blancs sont reconnus par l'AOC Baux de Provence. Enfin, le foin de Crau et le taureau de Camargue bénéficient également chacun d'une AOC.

Voir carte régionale p. 262

🛈 Parc naturel régional des Alpilles, 2, bd Marceau, Saint-Rémy-de-Provence ☎ 04 90 90 44 00 ; www.parc-alpilles.fr

L'accès au massif des Alpilles est strictement interdit de juil. à mi-sept. et toute l'année à partir d'une vitesse de vent excédant 40 km/h en raison des risques d'incendie.

À ne pas manquer

Le pass « balade aux Baux » (valable 7 jours) permet l'accès au château des Baux, au musée Yves-Brayer et aux Carrières de lumières à un tarif préférentiel. Vente sur les trois sites.

Une protection nécessaire

▼ *Le Parc naturel régional des Alpilles est parcouru par une longue crête calcaire sculptée par la nature.*

Revers de la médaille, les espaces naturels se raréfient dans le massif et subissent une forte fréquentation. Ils constituent pourtant un perchoir salvateur pour quantité de rapaces et d'oiseaux : l'aigle de Bonnelli, le vautour percnoptère et le hibou grand duc sont les hôtes habituels des crêtes et des forêts où se dispersent pins d'Alep, chênes verts et cèdres du Liban. Sur les sommets, les pelouses d'herbes aromatiques maintiennent un sol d'humus apprécié de la faune des petits rongeurs. Forte identité, agriculture de qualité, environnement menacé par les excès de la spéculation et le tourisme : tous les facteurs étaient réunis pour la création d'un parc naturel régional. Il a vu le jour en fév. 2007, rassemblant 16 communes et 68 000 habitants sur une surface de 51 000 ha.

À 8 km S. de Saint-Rémy-de-Provence par la D 27.

🛈 Maison du Roy,
à l'entrée du village A1
☎ 04 90 54 34 39 ;
www.lesbauxdeprovence.com
Découverte insolite du patrimoine en été, ven. à 10 h, au départ de l'office de tourisme (sur réservation).

Manifestations

Aux Baux-de-Provence
• En juil., Festival A-part : expositions d'art contemporain http://festival-apart.org
• En juil.-août, Festival des Alpilles, musiques rurales du monde, dans plusieurs communes des Alpilles.
• À Noël : la cérémonie du Pastrage (offrande de l'agneau à Jésus par les bergers) des Baux est l'une des plus belles de la région.

Les Baux–de–Provence★★★

Les Baux se dressent aux limites d'un éperon rocheux, en plein cœur des Alpilles. Dominant un étrange paysage minéral, les ruines du château et le dense bâti Renaissance du village attirent naturellement les foules. La population de la commune s'élève aujourd'hui à 450 habitants, confrontés à pas moins de 1,2 million de visiteurs par an ! C'est dire l'ambiguïté du statut de ce fleuron architectural. Les règles très strictes imposées par son classement aux « Plus beaux villages de France » préservent le village de toute dégradation ; les maisons, restaurées par la commune, revivent grâce à la présence d'artistes en résidence. Les immenses pans ruinés du château imposent une vision dantesque, qui explique l'engouement populaire et la protection drastique des lieux.

La famille des Baux

Le site est investi dès le IIIe millénaire av. J.-C. par les Celto-Ligures et connaît, durant l'Antiquité, une intense colonisation. Ce n'est pourtant qu'au Xe s. qu'il sort de l'anonymat. Pour récompenser le seigneur Isnard d'avoir favorisé l'expansion de la chrétienté en Provence, l'archevêque d'Arles lui offre le domaine des Baux. Isnard et ses descendants étendent bientôt leurs possessions dans le Dauphiné et le Comtat Venaissin, ayant pour but de placer la Provence entière sous leur autorité. Au XIIe s., trois guerres «baussenques» ne viennent pas à bout de la résistance des comtes de Provence, maîtres de la région. Ces derniers parviennent même à prendre l'ascendant sur leurs attaquants et ruinent le château d'Isnard en 1162.

Patiemment, les descendants d'Isnard reconstruisent et combattent, changeant d'alliés au gré des opportunités. Au XIII° s., leur engagement aux côtés de Charles d'Anjou pour la conquête du royaume de Naples les dote d'immenses territoires et de titres comtaux. Un siècle plus tard, Raymond de Turenne clôture par des épisodes sanglants la longue histoire de la seigneurie des Baux, dont le destin sera lié désormais au comté de Provence et à la France.

Dans le giron français

Au règne apaisant de René d'Anjou et de son épouse Jeanne Laval succède la plus douloureuse appropriation des Baux par le royaume de Louis XI. En partie démantelée, la cité est assujettie aux connétables qui en prennent tour à tour possession. Anne de Montmorency redonne tout son faste à la cité médiévale et y introduit magistralement le style Renaissance. Ville marchande, ville de plaisance et de culture, Les Baux prospèrent jusqu'aux guerres de Religion. La forteresse est démantelée en 1632 puis offerte par Louis XIII à Hercule de Grimaldi. En 1796, le territoire des Baux, qui s'étendait dans la plaine de Maussane, Mouriès et le Paradou, est divisé en quatre communes. Le village est déserté et il faudra attendre 1966 pour qu'il soit placé sous la protection du ministère de la Culture. Le village accueille des artistes en résidence, qui créent et exposent sur place ; concours photo, expositions d'art contemporain, colloques et concerts jalonnent le calendrier événementiel.

*De vastes parkings, souvent saturés, accueillent les visiteurs dès les premiers contreforts du rocher • on pénètre dans le bourg à pied, soit par la porte Mage **A1**, ouverte en 1866 dans la partie N. du rempart médiéval, soit par la porte d'Eyguières, reliée à la D 27 par un chemin • visite en 2 à 3 h • privilégier une visite hors saison.*

Au XII° s. les seigneurs des Baux entrent en conflit avec le comté de Provence. Pour conforter leur prestige, ils s'adjoignent pour devise *A l'azar, Balthazar* («Au hasard Balthazar»), s'inscrivant ainsi artificiellement dans la lignée du roi mage. L'étoile à 16 rais, qui guida les rois vers la crèche, fut alors intégrée aux armes des Baux.

Les Baux-de-Provence tirent leur nom de *baou*, qui désigne, en provençal, un escarpement rocheux en forme d'éperon.

◀ *Au pied de la citadelle des Baux, le val d'Enfer, où affleure la pierre, est en réalité un vallon verdoyant, frais et moins fréquenté.*

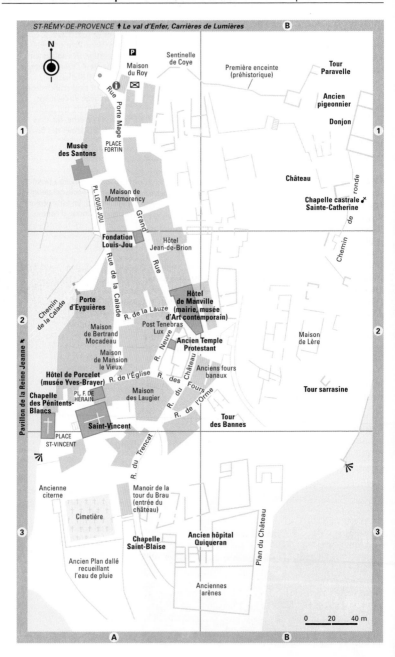

ST-RÉMY-DE-PROVENCE ↑ *Le val d'Enfer, Carrières de Lumières*

B

N

🅿

Maison
du Roy

Sentinelle
de Coye

Première enceinte
(préhistorique)

**Tour
Paravelle**

ℹ ✉

Porte Mage

Rue

**Ancien
pigeonnier**

Donjon

1

PLACE
FORTIN

**Musée
des Santons**

Château

ronde

Maison de
Montmorency

PL. LOUIS JOU

Grand

Chapelle castrale ♪
Sainte-Catherine

de

**Fondation
Louis-Jou**

Hôtel
Jean-de-Brion

Rue

Chemin

**Porte
d'Eyguières**

Rue de la Calade

R. de la Lauze

**Hôtel
de Manville
(mairie, musée
d'Art contemporain)**

2

Chemin
de la Calade

Maison
de Bertrand
Mocadeau

Post Tenebras
Lux

Maison
de Lère

R. Neuve

**Ancien Temple
Protestant**

Maison
de Mansion
le Vieux

Pavillon de la Reine Jeanne ↘

**Hôtel de Porcelet
(musée Yves-Brayer)**

R. de l'Église

R. des

R. du Château

Anciens fours
banaux

Tour sarrasine

**Chapelle
des Pénitents-
Blancs**

PL. F. DE
HÉRAIN

Maison
des Laugier

R. des Fours

R. de l'Orme

✝

Saint-Vincent

PLACE
ST-VINCENT

↗

R. du Trencat

**Tour
des Bannes**

3

Ancienne
citerne

Manoir de la
tour du Brau
(entrée du
château)

Plan du Château

↖

Cimetière

**Chapelle
Saint-Blaise**

**Ancien hôpital
Quiqueran**

Ancien Plan dallé
recueillant
l'eau de pluie

Anciennes
arènes

A

B

0   20   40 m

■ Le musée des Santons★ A1

Maison Cazenave, pl. Louis-Jou ☎ 04 90 54 43 02 • f. pour travaux.

Situé dans l'ancien corps de garde de la porte d'Eyguières, le musée met en scène plusieurs collections aux attraits distincts : santons d'argile peints ou habillés, santons du couvent du XIXᵉ s. aux visages éclairés par des yeux en sulfure de verre ; effigies sobres et modernes de Thérèse Neveu d'Aubagne et Simone Jouglas ; superbes **santons napolitains★** du XVIIIᵉ s. et une crèche traditionnelle dans le décor des Baux-de-Provence.

Quatre lieux culturels accueillent les expositions d'art aux Baux de Provence : l'hôtel de Manville, l'îlot Post Tenebras Lux (d'après l'inscription surmontant la fenêtre à croisée d'une maison Renaissance), l'église Saint-Vincent et la citerne.

■ La porte d'Eyguières★ A2

Jusqu'au percement de la porte Mage en 1866, elle fut l'unique ouverture du bourg sur le monde extérieur. Elle a conservé son système défensif, un chemin de ronde en corniche, percé de meurtrières, et l'écusson du prince de Monaco, qui fit reconstruire l'ouvrage au XVIIIᵉ s. Après avoir franchi la porte, le chemin mène, en 15 mn, au vallon de la Fontaine et au pavillon de la reine Jeanne (→ p. 286).

■ La chapelle des Pénitents-Blancs★ A2-3

Pl. Saint-Vincent • ouv. t.l.j. 9 h 30-18 h.

Construite au milieu du XVIIᵉ s., elle fut relevée de ses ruines par la confrérie des Pénitents de langue d'oc. À ce titre, elle porte en façade un bas-relief où figurent deux pénitents. À l'intérieur, les **fresques★** (1974) d'Yves Brayer (→ *plus bas*) renouent avec la tradition des Noëls provençaux. Un Christ en majesté domine l'autel. Teintes bleutées et vivacité des dorures de ces œuvres tranchent avec l'architecture simple.

▲ *Le clocher de la chapelle des Pénitents-Blancs.*

■ L'église Saint-Vincent★ A2-3

Pl. Saint-Vincent • ouv. t.l.j. 9 h 30-18 h.

C'est un édifice du XIIᵉ s. dont seule la nef a conservé une allure romane, la façade ayant subi de profondes transformations au XIXᵉ s. Au-dessus du portail, remarquez le lion sculpté en taille de réserve. La nef, en partie troglodytique, est éclairée à son chevet par les **vitraux★** (1955) de Max Ingrand. Sur le flanc N., où l'on remarquera des fonts baptismaux du XVIIIᵉ s., se trouvent plusieurs chapelles latérales, créations du XVIᵉ s. : la **chapelle funéraire des Manville★** dont les armes figurent à la clé de voûte, et qui abrite un cénotaphe (1906) ; la chapelle des confréries des vignerons et des tondeurs de moutons.

• De la terrasse de la pl. Saint-Vincent, la vue s'étend sur le verdoyant vallon de la Fontaine, le val d'Enfer et, au loin, la plaine de Tarascon.

Au contraire d'un bas-relief, la taille de réserve creuse légèrement la pierre. Seuls les contours de la figure sont profondément incisés.

Randonnée

Tour de l'éperon rocheux des Baux-de-Provence au départ du col de la Vayède (45 mn). Le chemin longe les stèles des Trémaïé et des Gaïé. Situées contre le flanc E. de l'éperon, en contrebas des ruines du château, elles datent de l'occupation romaine des Alpilles. La stèle des Trémaïé est un bas-relief où figurent trois personnages incarnant, selon la légende, les trois Maries, évangélisatrices de la Provence. Il s'agit plus sûrement de la stèle funéraire d'un couple accompagné d'une déesse protectrice. Un peu plus loin, la stèle des Gaïé présente deux personnages en toge romaine sculptés dans le roc. Le chemin se poursuit vers les anciennes carrières de pierre à ciel ouvert, passe devant une borie, une statue de la Vierge noire et revient au village par la porte d'Eyguières.

Manifestations

D'avril à septembre, le château accueille Les Médiévales des Baux : des animations médiévales (tir à la catapulte, à l'arbalète...) et des spectacles ont lieu tous les week-ends, les jours fériés et lors des vacances scolaires.

■ L'hôtel de Porcelet** A2

Pl. François-de-Hérain ☎ *04 90 54 36 99 • ouv. t.l.j. 10 h-12h30 et 14 h-18h30 (d'oct. à Pâques 17h sf mar.) ; f. en janv. et fév. • www.yvesbrayer.com*

Construit en 1569, sa haute stature austère est égayée par des fenêtres à meneaux finement ouvragés. Habité par les Lère puis par Jeanne de Quiqueran, baronne des Baux, l'hôtel a conservé une décoration intérieure délicate et chatoyante. Au rez-de-chaussée, dans les tons brun rouge, des peintures du XVIIe s. évoquent les Quatre Saisons et les Quatre Vertus cardinales. Une belle scène mythologique, *La Chute de Phaéton foudroyé par Zeus,* orne le 1er étage.

• L'hôtel abrite aujourd'hui le **musée Yves-Brayer★**. Yves Brayer (1907-1990), qui vécut aux Baux, est considéré comme l'un des peintres les plus représentatifs de la figuration contemporaine. Au rez-de-chaussée, l'atelier de l'artiste a été reconstitué. De lumineuses visions des paysages d'Espagne, d'Italie et du Maroc occupent le 1er étage. Ses plus belles œuvres sont rassemblées au 2e étage et, parmi elles, les toiles à sujets tauromachiques.

■ Le château des Baux★★★ B1-2

Rue du Trencat **A3** • *visite audioguidée* ☎ *04 90 54 55 56 • ouv. t.l.j., en juil.-août 9 h-20 h ; d'avr. à juin et en sept. 9 h-19 h ; en mars et oct. 9 h 30-18 h 30 ; de nov. à fév. 10 h-17 h • www. chateau-baux-provence.com*

L'ampleur de la forteresse avant son démantèlement en 1632 se mesure qu'une fois traversé le manoir de la Tour-du-Brau (XIVe-XVe s.), qui abrite quelques fragments lapidaires de tombes ligures. Deux maquettes donnent une idée précise de la configuration du château aux XIIIe et XVIe s.

• On découvre tout d'abord, sur le chemin du château, la **chapelle romane Saint-Blaise★** du XIIe s., l'un des rares bâtiments à avoir résisté au temps. À proximité, l'**hôpital★**, élevé par Jeanne de Quiqueran au XVIe s., n'a conservé de sa superbe architecture qu'une sobre façade

► *Les ruines de la citadelle racontent l'histoire des seigneurs des Baux.*

ornée, au rez-de-chaussée et à l'étage, d'une galerie à trois arcades. De l'éperon S., le **panorama**★★ s'étend jusqu'à l'étang de Berre, la Camargue, Arles et la Crau. La visite se poursuit tout le long du flanc E. de l'éperon, où se dressent d'imposants rochers qui ne se distinguent pas de prime abord des vestiges de la citadelle.

• Creusée en partie à l'intérieur même de ce rempart naturel, la citadelle a fait l'objet d'un vaste programme de restauration. C'est une reconstitution délicate, et en partie aléatoire, d'un groupe d'habitations et d'un château construit au XIIe s., doté au XIIIe s. d'un donjon et de **tours** (Paravelle, des Bannes et Sarrasine) et agrémenté au XVIe s. d'éléments Renaissance comme la **chapelle castrale Sainte-Catherine**★★ ou les groupes d'habitations. Des éléments remarquables ont ainsi resurgi des ruines tels que l'**escalier rupestre**★ et les **salles troglodytiques**★, quand ils n'ont pas été préservés d'une disparition totale. C'est le cas d'un fragment de la voûte à croisée d'ogives de la nef de la chapelle castrale, où l'on distingue liernes et tiercerons, ou d'un pan du **pigeonnier**★ (XIIIe s.) à 200 *boulins* (niches). L'accès au donjon, escarpé et pour le moins vertigineux, ouvre la perspective sur le val d'Enfer aux tortueuses excroissances rocheuses.

■ La ville des princes du Moyen Âge A2

Le quartier inscrit entre la rue de l'Église (beaux exemples de façades Renaissance), la rue des Fours, puis, à g., la rue de l'Orme et l'impasse du Château constitue une partie isolée du flux des visiteurs du château et offre un autre visage des Baux. Les maisons mitoyennes de facture rurale, souvent menacées d'écroulement, témoignent de l'état d'abandon du village avant les années 1970.

• À l'angle de l'impasse du Château et de la Grand-Rue, la mairie est installée dans l'**hôtel de Manville**★★ *(ouv. du lun. au ven. 9 h-12 h • rens. à l'office de tourisme)*. Une des galeries de cette magnifique bâtisse Renaissance de 1571 est ouverte lors d'expositions temporaires : art contemporain régional, ethnologie, histoire, espace naturel et archéologie des Alpilles.

• L'**ancienne église réformée**★ *(en face, sur la g.)* se signale par une seule inscription : *Post tenebra lux* («Aux ténèbres succède la lumière»).

■ La fondation Louis-Jou★★ A2

Grand-Rue ☎ *04 90 54 34 17* • *ouv. toute l'année sur r.-v.*
Situé dans l'hôtel Jean de Brion, ensemble Renaissance restauré par Louis Jou (1881-1968), éditeur, typographe et graveur, le musée reconstitue le parcours de cet homme discret, ami des plus grands auteurs du XXe s. Son atelier, sa bibliothèque et ses œuvres sont répartis dans les salles de sa demeure privée acquise en 1940.

Bonnes adresses

🏠 ✕ *Hostellerie de la Reine Jeanne*, Grand-Rue A2 ☎ 04 90 54 32 06 ; www.la-reinejeanne.com Pour ceux qui désirent résider au village, profitez du cadre et de la vue de cette maison joliment restaurée aux chambres agréables. Le restaurant sert une bonne cuisine provençale.

🍷 *Castelas*, Mas de l'Olivier, sur la D 27 hors plan, par A1 ☎ 04 90 54 50 86 ; www.castelas.com Producteur d'huile d'olive AOC «Vallée des Beaux de Provence». Visite t.l.j. du moulin et dégustation. Vente des huiles d'olive extraites au moulin.

🍷 *Mas Sainte-Berthe*, sur la D 27 hors plan, par A1 ☎ 04 90 54 39 01 ; www.massainte berthe.com Domaine viticole avec 37 ha de vignes AOC «Les Baux de Provence». Ouv. t.l.j. 9 h-12 h et 14 h-18 h, 19 h en juil.-août. Circuit pédestre de 30 mn à partir de la cave à la découverte du vignoble, avec panneaux explicatifs.

🍷 *Mas de la Dame*, sur la D 5 hors plan, par A1 ☎ 04 90 54 32 24 ; www.masdela dame.com Ouv. t.l.j. Domaine viticole et oléicole depuis quatre générations. Production de vins, d'huile d'olive (deux AOC), d'olives vertes et de tapenade.

À voir encore

■ Les Carrières de Lumières★★

À 300 m N. du village par la D 27, direction Maillane ☎ *04 90 54 47 37 • ouv. t.l.j., d'avr. à juin et en sept.-oct. 9 h 30-19 h ; en juil.-août 9 h 30-19 h 30 ; de nov. à janv. et en mars 10 h-18 h ; f. en fév. • durée 35 mn • http://carrieres-lumieres.com*

Le dédale des galeries d'une ancienne carrière de pierre et ses parois claires et lisses servent de cimaises monumentales aux photographes qui se sont prêtés au jeu de l'Image totale®. Le spectateur circule au milieu d'images projetées dans d'inhabituelles dimensions par 70 projecteurs. Le sol lui-même est un tapis d'images. Les fondateurs, Albert et Anne Plécy, cherchaient ainsi par la démesure à promouvoir le reportage photographique qui, en 1977, n'avait pas encore atteint la notoriété d'aujourd'hui. Le lieu a conservé toute sa force évocatoire, révélée par Jean Cocteau dans son film *Le Testament d'Orphée* (1959).

■ Le val d'Enfer★ et le pavillon de la Reine Jeanne★

À 1 km N.-O. des Baux par la D 27, puis la D 78 G. Un chemin ombragé monte en 15 mn jusqu'au **val d'Enfer★**, gorges tourmentées aux concrétions calcaires travaillées par l'érosion.

• On croise plus au S. le **pavillon de la reine Jeanne★**, modeste kiosque élevé en 1581, parvenu à la postérité grâce à Frédéric Mistral qui en fit exécuter une copie pour son tombeau. L'original fut édifié par une famille des Baux pour un jardin dénommé le « Jardin du Roi ». Deux siècles ont donc séparé sa construction du séjour de la reine Jeanne en France (1345) !

Les galeries des Carrières s'animent d'un nouveau spectacle centré sur l'Histoire de l'Art : Gauguin et Van Gogh, Renoir, Monet.

La bauxite

En 1821, le chimiste Berthier découvre la bauxite, une roche sédimentaire composée d'oxydes de fer et d'alumine. En 1854, Henri Saint-Claire Deville met au point un procédé chimique d'extraction de l'alumine, rendant ainsi possible une production industrielle d'aluminium. Les premiers lingots sont présentés à l'Exposition universelle de 1855 et, dès les années 1860, de vastes carrières de bauxite s'ouvrent dans le Var, les Bouches-du-Rhône et l'Hérault. Péchiney implante alors des usines à Marseille, Gardanne et Saint-Auban (Hautes-Alpes). En 1914, les trois quarts de la production mondiale provenaient de la région. L'épuisement des veines de bauxite en France a fait disparaître cette industrie de Provence, et l'une des dernières usines fermera ses portes dans les années 1970.

Environs des Baux

■ Fontvieille

À 8 km O. des Baux par la D 78 F et la D 17 ❶ *av. des Moulins* ☎ *04 90 54 67 49; http://fontvieille-provence.fr*

Le village, érigé à l'emplacement même des carrières de pierre blanche qui firent sa réputation du Moyen Âge au XIXe s., affiche un caractère moins policé que ses confrères des Alpilles. Les quartiers troglodytiques, comme la Grand-Rue ou le Planet, furent construits par les carriers sur les exploitations épuisées. Tout à fait anachronique dans cet habitat modeste, le

---

Manifestations

À Fontvieille

• Le 2e dim. d'août: fête d'Alphonse Daudet.
• Week-end du 11-Nov., foire aux Santons.

château de Montauban, du XVIIIe s. (☎ *04 90 54 67 49 • ouv. d'avr. à sept., horaires variables ; se rens.*), où résida Alphonse Daudet, abrite une exposition permanente « Fontvieille en histoires » et le musée Alphonse Daudet, qui regroupe des souvenirs, des éditions rares et des photographies.

• La **Petite Provence du Paradou★** (*au village du Paradou, à 6,5 km E. de Fontvieille* ☎ *04 90 54 35 75 • ouv. t.l.j. 10 h-12 h 30 et 14 h-19 h, jusqu'à 18 h hors saison*) reconstitue, miniaturisé, un village provençal peuplé de 400 santons.

■ Le moulin de Daudet★

Sur une colline S. de Fontvieille ; accès fléché par la D 33 • visible de l'extérieur.

En 1935, l'association Les Amis d'Alphonse Daudet restaure le moulin Ribet, juché sur une colline, pour le consacrer à l'auteur des *Lettres de mon moulin*, recueil dont l'action se déroule à Fontvieille et qu'il écrivit… dans un moulin. De la colline du moulin, vue sur les Alpilles et la plaine de Tarascon.

■ L'aqueduc et la meunerie hydraulique de Barbegal

À 3,5 km à pied de Fontvieille par un sentier balisé en bleu • accès libre • compter 1 h 30 aller-retour • en voiture par la D 33 et la D 82.

L'aqueduc romain, qui alimentait Arles en eau venue des Alpilles, se dédouble au lieu-dit de Barbegal, où fut installée, au IIe s. de notre ère, sur l'une des branches, une meunerie industrielle : il s'agit d'une batterie de 16 moulins s'étageant par paliers sur le flanc d'une colline, dont les roues à aubes, activées par la puissance de l'eau, pouvaient produire 4,5 t de farine par jour, de quoi nourrir 12 000 personnes. L'aqueduc et la meunerie constituent l'un des rares exemples de bâti industriel romain dont on peut encore voir des vestiges.

▲ *Le moulin de Daudet à Fontvieille, un des symboles de la Provence traditionnelle.*

Du moulin de Daudet débute une promenade « Sur les traces d'Alphonse Daudet ». Un sentier mène au château de Montauban en 10 mn. De là, on peut suivre le parcours thématique dans le village, ponctué de 30 plaques émaillées illustrées par Léo Lelée (compter 2 h aller-retour). Descriptif à retirer à l'office de tourisme de Fontvieille.

La Provence selon Daudet

Alphonse Daudet a puisé son inspiration dans la Provence et son petit peuple. *Les Lettres de mon moulin* inaugurent le meilleur de sa veine romanesque : les contes qui composent ce volume, injustement réservé aux enfants, offrent autant de métaphores sur la transformation du monde rural de la fin du XIXe s. Ainsi, «Le secret de Maître Cornille» relate la disparition des moulins à vent, rendus obsolètes par les minoteries à vapeur. La verve, l'empathie naturelle pour ses personnages et l'esprit malicieux d'Alphonse Daudet ont restitué, bien loin des clichés, toute la chaleur et la convivialité du mode de vie des Provençaux.

Les Alpilles d'Eygalières★★★

La forte personnalité du versant sud des Alpilles ne vient pas des vals tourmentés et des éperons rocheux qui caractérisent les environs des Baux. Ici, entre plaine et montagne, se dessine la part agricole du massif, où champs de céréales et oliveraies témoignent d'une exploitation intensive qui ne dépare pas le paysage, bien au contraire.

Itinéraire de 33 km des Baux à Orgon à faire en 1 jour.

■ Maussane-les-Alpilles

À 4 km S. des Baux par la D 27 ❶ *av. des Alpilles* ☎ *04 90 54 23 13 ; www.maussane.com*

Possession des seigneurs des Baux jusqu'au XVIIe s., le village s'étire le long de la route, ancienne voie romaine dont on a retrouvé deux bornes milliaires (l'une se trouve au musée d'Archéologie de Marseille → p. 348). Maussane, comme Mouriès, tire sa renommée de son huile d'olive, véritable or vert de la vallée des Baux. Dans le village, l'église Notre-Dame (XVIIIe s.) présente une grande façade classique et de belles boiseries intérieures en noyer.

Randonnée

Une partie du GR 6 traverse les Alpilles d'O. en E. Le chemin suit la ligne de crête jusqu'aux Baux, puis redescend, au N., par le *gaudre* («lieu où s'écoule un torrent») de Rougadou jusqu'à Saint-Rémy. On découvre des panoramas superbes sur la Crau et la Camargue au S., le mont Ventoux au N. et les Cévennes à l'O. Après Saint-Rémy, le chemin remonte en direction de l'exceptionnel **point de vue de la Caume**★★★ (387 m), où se dévoile, par beau temps, une grande partie de la Provence.

On peut aussi accéder directement à la Caume depuis Maussane en suivant la D 5 vers Saint-Rémy sur 6 km, puis, à dr., par l'accès fléché ; 4 km plus loin, garer sa voiture et suivre le sentier *(15 mn de marche).*

■ Mouriès★

À 7 km S.-E. de Maussane par la D 17 ❶ *2, rue du Temple* ☎ *04 90 47 56 58 ; http://tourisme.mouries.fr*

Aux portes de la Grande Crau (→ p. 296), la 1re commune oléicole de France est ceinturée de 80 000 pieds d'oliviers dressés en bon ordre sur les piémonts des Alpilles. Ils fournissent une partie conséquente de l'AOC «huile d'olive de la vallée des Baux-de-Provence». Le village, cependant, n'a rien d'un bourg agricole, mais tout d'une villégiature. Des mas cossus et monumentaux, comme celui de la **Tour-de-Brau** *(f. au public)*, élevé au XVIe s. par Jeanne de Quiqueran, donnent une touche de style à un habitat traditionnel plus sobre.

▲ *Un bidon d'huile d'olive de Maussane-les-Alpilles. L'huile d'olive des Alpilles était mondialement connue bien avant l'obtention du label AOC en 1997.*

À noter que, en raison des risques d'incendie, l'accès aux massifs est parfois restreint ou fermé lors des jours de grand vent. Avant de partir en randonnée, se rens. au ☎ 0811 20 13 13.

Manifestation

À Mouriès
Le 3e week-end de sept., fête des Olives vertes : réunion conviviale de groupes folkloriques de Provence, défilé de chars, fanfares, courses camarguaises avec, pour le gagnant, le trophée des Olives vertes.

■ Eygalières★

À 14 km N.-E. de Mouriès par les D 24 et D 24B.

Familier et harmonieux, le nouveau village s'étend, depuis le XVIIIᵉ s., au pied d'un éperon rocheux où siègent les ruines d'anciennes habitations. Une calade mène à ces vestiges et à un point de vue exceptionnel sur les Grands Calans, crêtes des Alpilles, et la vallée de la Durance. La chapelle des Pénitents (XVIIᵉ s.) abrite le **musée Maurice Pezet** (☎ *04 90 95 95 21 • ouv. de mars à nov. dim. et jours fériés 14 h-18 h, jusqu'à 19 h 30 l'été*), où sont regroupés les vestiges romains et médiévaux exhumés du site, ainsi que des outils traditionnels. Un donjon carré surmonté d'une vierge s'élève à proximité de la tour de l'Horloge (XVIIᵉ s.).

■ La chapelle Saint-Sixte★★

À 1 km E. d'Eygalières par la D 24B • f. au public.

Cette gracieuse chapelle, isolée sur une colline, aurait succédé à un sanctuaire païen. C'est un modèle d'architecture romane provençale : simplicité des formes (une nef unique d'une à trois travées) et absence de décor sculpté. Les divers remaniements du XVIIᵉ s. et sa reconversion en lazaret au XVIIIᵉ s. n'ont pas détruit cette pureté des lignes, soulignée par les silhouettes élancées des cyprès et les courbes douces des oliviers et des amandiers.

■ Orgon

À 8 km E. d'Eygalières par la D 24B ❶ *chemin des Aires* ☎ *04 90 73 09 54; www.orgon.fr*

Le village, célèbre pour son calcaire crayeux aux qualités géologiques remarquables, conserve un grand charme dans sa partie ancienne. À dr. de l'église de l'Assomption, de style gothique provençal, débute le chemin des Oratoires qui rejoint en 20 mn la **chapelle Notre-Dame-de-Beauregard** (*ouv. en été • expositions géologiques et archéologiques*). De la table d'orientation s'ouvre une **vue★** surprenante sur la plaine de la Durance, les Alpilles et le Luberon.

• Au sommet du village, le **château du duc de Guise**, démantelé en 1630.

Manifestations

À Sénas (8 km S.-E. d'Orgon par la D 7n)
• De juil. à sept., tous les matins, marché paysan: l'un des plus beaux de la région.

À Orgon
• 1ᵉʳ sam. de juil., Fête médiévale.

◀ *La chapelle Saint-Sixte d'Eygalières. Depuis des siècles, on vient prier ici afin d'avoir des pluies clémentes toute l'année.*

▲ *Dans de bonnes conditions, un olivier peut produire des olives dès sa 5ᵉ année d'existence.*

L'olivier, emblème de la Provence

Comment concevoir la Provence sans cet arbre noueux au feuillage argenté, le premier, dit-on, à sortir de terre après le déluge ? On le rencontre en Provence et sur la Côte d'Azur, isolé sur une place de village ou membre anonyme d'une oliveraie. L'olivier est prodigue et, de son fruit savoureux, s'échappe une huile portant les saveurs de chaque terroir.

Une culture millénaire

La mythologie grecque attribue l'apparition de l'olivier à une querelle entre Athéna et Poséidon. Tous deux souhaitaient posséder la plus grande ville de Grèce. Pour les départager, Zeus ordonna à chacun de faire un présent aux hommes : Poséidon fit surgir un cheval et toute une armée destinée à conquérir de nouvelles terres ; Athéna fit apparaître un olivier aux fruits mûrs et remporta la ville qui porte encore son nom, Athènes. Légende mise à part, l'arbre sauvage serait vraisemblablement apparu en Asie Mineure dans des temps immémoriaux, puis cultivé pour la 1ʳᵉ fois 4 000 ans av. J.-C dans plusieurs pays du pourtour méditerranéen. Probablement introduit en Provence par les Phocéens, le commerce de son huile prospéra tout d'abord en Italie, avant de s'étendre progressivement à la faveur des conquêtes de l'Empire romain. Les premiers chrétiens lui confèrent une dimension sacrée : pour preuve, dans la Bible, une colombe porte à Noé un rameau d'olivier, signe qu'une terre existe quelque part. En terres d'islam et de chrétienté, on a toujours prêté un caractère divin à la lumière de son huile. Jamais, au cours de son histoire millénaire, l'olivier ne perdra ses valeurs positives, et il fait plus que jamais partie de la «trilogie méditerranéenne» avec la vigne et le blé.

▲ *Comme pour le vin, l'huile d'olive se compose de plusieurs « jus » savamment mélangés.*

Les meilleures huiles du monde!

Depuis le gel de 1956 qui a réduit les plantations à néant, les producteurs provençaux privilégient une production de qualité, considérée comme l'une des meilleures du monde. Les grandes oliveraies se concentrent dans les Alpilles, autour d'Arles, dans le Var et la vallée de la Durance, et prennent aujourd'hui une singulière importance dans les Baronnies. Classées en AOC et en AOP (appellation d'origine protégée) au niveau européen, les huiles de la vallée des Baux, des Alpes-de-Haute-Provence et de Nyons développent des caractères sensiblement différents, dont le parfum dépend de la composition des sols.

On distingue en Provence une quinzaine de variétés d'olives, qui peuvent être combinées entre elles pour obtenir une huile spécifique. Parmi les plus répandues : la *picholine*, la plus courante, conservée en saumure ; la *grossane*, piquée au sel, typique de la vallée des Baux ; la *tanche* (→ p. 106), unique fruit de l'AOC de Nyons ; l'*aglandau*, réservée à la production d'huile ; et, plus localisées, la *salonenque* (à Salon-de-Provence) ou la *béruguette* (toutes deux également préparées en olives cassées aromatisées au fenouil – une spécialité des Baux), ainsi que la *verdale* (au S. des Bouches-du-Rhône).

Une leçon de goût

Les amateurs d'huile d'olive ne tolèrent que l'huile d'olive vierge, extraite après une 1re pression à froid par des procédés mécaniques. La qualité de l'huile tient à son taux d'acidité, qui doit être idéalement inférieur à 0,8 % (elle est dans ce cas qualifiée d'« extra »). Son fruité peut être vert ou noir : le 1er présente un goût plus végétal, un nez herbacé et, souvent, des arômes de fruits légèrement astringents (cassis, tomate, pomme…) ; le 2e, un goût de fruit mûr et des arômes plus francs, extrêmement variés selon la nature des sols, l'exposition et l'altitude. L'AOC des Baux se reconnaît à son goût d'olives confites et à ses saveurs de fruits secs. En haute Provence, les arômes d'artichaut et d'amande dominent, soutenus par le parfum prononcé de la *tanche*. Certaines huiles, comme celles de Nice ou d'Aix-en-Provence, distillent en fin de bouche une sensation plus piquante, appelée poétiquement « ardence ».

Salon–de–Provence★ et la Grande Crau★

Voir carte régionale p. 262

À 34 km N.-O. d'Aix-en-Provence par la A8 et la A7 ; à 42 km E. d'Arles par la D 113 et la A 54.

ℹ 249, pl. Morgan
☎ 04 90 56 27 60 ;
www.visitsalondeprovence.com

À ne pas manquer

Le château de l'Empéri★   292

Dans les environs

Le château de la Barben★   294

Le massif des Costes★   295

Manifestations

• Marchés : mer. sur les cours, dim. pl. du Général-de-Gaulle ; sam. pl. Saint-Michel et pl. Jules-Morgan.
• En juil. et août, Festival international de musique de Salon-de-Provence, dans la cour Renaissance du château de l'Empéri.
• En août, festival d'art lyrique au château de l'Empéri.

S alon-de-Provence est une ville active qui s'inscrit au centre du quadrilatère formé par les pôles économiques d'Aix-en-Provence, Avignon, Arles et Marseille. Sa dimension urbaine s'estompe dès les zones périphériques franchies, puisque la ville ancienne et les extensions des XVIIIᵉ-XIXᵉ s. renouent avec les charmes typiques des villes provençales. Charmes plus prononcés encore à l'est de Salon, dans le massif des Costes, peuplé de quelques villages de caractère et de petites chapelles romanes. À l'ouest, le paysage se lisse pour laisser place à la vaste plaine de la Grande Crau.

Les habits modernes d'une ville médiévale

Édifié par les archevêques d'Arles au Xᵉ s. sur le rocher de Puech, qui surplombe la plaine de la Grande Crau, le 1ᵉʳ fortin de Salon devient, au XIIIᵉ s., le plus imposant des châteaux forts de Provence (antérieur au palais des Papes d'Avignon). À son pied, protégée par une enceinte de murailles (*visibles cours Carnot, Victor-Hugo et Gimon*), se développe la ville basse, qui exerce une influence commerciale sur toute la région et se dote d'hôtels particuliers aux XVIᵉ s. et XVIIᵉ s.

À la fin du XIXᵉ s., l'industrie savonnière et la culture maraîchère insufflent à la ville un vent nouveau. Symboles d'aisance urbaine, des boulevards et des avenues rectilignes sont tracés, jalonnés d'un théâtre à l'italienne, du Cercle des arts (1886) et de villas cossues au style éclectique conjuguant néoclassicisme et Art nouveau. Depuis 1964, la prestigieuse Patrouille de France est installée à Salon-de-Provence.

Visite de la vieille ville et du château en 1/2 journée.

■ Le château de l'Empéri★

Montée du Puech • accès libre aux horaires du musée.

Propriété de l'archevêché d'Arles et placé sous l'autorité du Saint Empire romain germanique, le château de l'Empéri occupe le rocher du Puech, dominant la plaine de la Crau. Cette position favorable n'échappe pas aux archevêques d'Arles qui, dès le Xᵉ s., érigent une première forteresse,

◀ Un festival de musique classique redonne vie chaque été à la cour Renaissance du château de l'Empéri.

transformée en palais au XIIIᵉ s., lequel s'ordonne autour de trois vastes cours agrémentées, au XVIᵉ s., de galeries Renaissance. De cette époque datent les seuls éléments décoratifs d'un ensemble dévolu à l'architecture militaire. De 1831 à 1920, une caserne occupe le château qui sera gravement endommagé par le tremblement de terre de 1909 (→ p. 433). Une association de Salonnais, fondée en 1926, sauve le bâtiment de la ruine. Depuis 1967, le château accueille les collections nationales des armées.

• Le **musée de l'Empéri**★★ (☎ *04 90 44 72 80 • ouv. t.l.j. sf lun., d'oct. à mi-avr. 13 h 30-18 h ; de mi-avr. à sept. et vacances scolaires 9 h 30-12 h et 14 h-18 h)* d'armes (du mousquet du XVIIᵉ s. au revolver du XIXᵉ s.), d'étonnants costumes militaires et des objets, provenant pour une grande part, de la faste époque napoléonienne. Quelques pièces d'ethnologie locale occupent la chapelle Sainte-Catherine.

■ L'église Saint-Michel★

Pl. Saint-Michel • ouv. du lun. au ven. 14 h-18 h ainsi que durant les offices.

Cette église du XIIIᵉ s. porte en façade un **tympan**★ sculpté de scènes expressives (Agnus Dei et Saint Michel) et d'un patchwork de délicats motifs floraux. La simplicité de son plan à nef unique et son clocher à arcades la classent parmi les modèles de l'art roman provençal.

■ La Maison de Nostradamus

Rue Nostradamus ☎ 04 90 56 64 31 • ouv. du lun. au ven. 9 h-12 h et 14 h-18 h, les week-ends 14 h-18 h • billet combiné avec le musée de l'Empéri.

Dans la maison où Nostradamus passa ses vingt dernières années, on découvre une

---

Bonnes adresses

🍽👁 Le Café-Musique du Portail-Coucou, pl. Porte-Coucou ☎ 09 52 96 32 09. Lieu très prisé, pour amateurs de musiques actuelles.

✕ La Salle à Manger, 6, rue du Maréchal-Joffre ☎ 04 90 56 28 01. Les Salonnais se retrouvent volontiers dans ce restaurant chic situé dans un hôtel particulier à la décoration éclectique. Carte offrant des produits du terroir.

Les savonniers

À proximité des Alpilles, où elle puise son huile d'olive, et de la Camargue, qui fournit le sel et la soude essentiels à la saponification, la ville de Salon jouit d'une situation privilégiée pour la fabrication du savon de Marseille. Entre 1880 et 1920, une quinzaine de savonneries industrielles assurent sa fortune. Deux fabriques artisanales fonctionnent encore aujourd'hui et organisent des visites :

• **Savonnerie Marius Fabre** et **musée du Savon**, 148 av. Paul-Bourret ☎ 04 90 53 82 75 ; www.marius-fabre.fr

• **Savonnerie Rampal-Latour**, 71, rue Félix-Pyat ☎ 04 90 56 07 28 ; www. rampal-latour.com

▲ Le célèbre savon de Marseille.

Nostradamus

Originaire de Saint-Rémy-de-Provence (→ p. 274), Michel de Nostredame (1503-1566) est connu d'abord pour ses prophéties. Cette renommée masque une personnalité plus complexe et un fervent humaniste. Médecin éminent et excellent botaniste, il mettra au point les premières règles d'asepsie qui sauveront nombre de ses contemporains de la peste. Ces *Centuries* lui vaudront les faveurs de la cour de Catherine de Médicis.

reconstitution des grandes étapes de son existence et une abondante documentation.

• On sort de la vieille ville par **la tour de l'Horloge** *(pl. Crousillat)*. Construite au XVIIᵉ s., elle perce le mur d'enceinte, surmontée d'un beau campanile de fer forgé. Elle fait face à la **fontaine Moussue** (XVIᵉ s.), que des concrétions calcaires recouvertes de végétation ont transformé en objet de curiosité.

■ La collégiale Saint-Laurent★

Au N.-O. en sortant de la vieille ville, pl. Jean-XXIII • ouv. du lun. au ven. 14 h-18 h ainsi que durant les offices ; f. les jours fériés.

Construite en 1344 par les Dominicains, elle constitue un curieux mélange architectural. De l'église romane originelle, elle conserve un **portail latéral**, inscrit dans une bande d'arcatures lombardes et surmonté d'un **clocher roman** à étages orné de pinacles et d'une **flèche** gothiques. Son plan s'inspire néanmoins du gothique provençal : une large nef autour de laquelle se répartissent des chapelles latérales s'achève par une abside polygonale. À l'intérieur, la chapelle de la Vierge abrite le **tombeau de Nostradamus**. On notera aussi une **Descente de Croix★** du XVᵉ s. dont les couleurs ont traversé le temps.

Environs de Salon-de-Provence

■ Eyguières

À 9 km N.-O. de Salon par la D 17 ❶ *pl. de l'Ancien-Hôtel-de-Ville* ☎ *04 90 59 82 44 ; www.eyguieres.org*

Ce gros bourg agricole doit son nom à ses nombreux points d'eau, canalisés dans de belles fontaines. On remarquera également quelques jolis hôtels particuliers.

• Le site de **Calès** *(à Lamanon, 4 km E. par la D 17 E, accès en 15 mn à pied au départ de l'église)* est un bel ensemble troglodytique de 116 grottes. Ces anciennes carrières, qui serviront à la construction du château (XIIᵉ s.), seront ensuite reconverties en habitations et dépendances du Moyen Âge au XVIᵉ s. Belle vue sur la Durance et le Luberon.

■ Le château de la Barben★★

À 10 km E. de Salon via Pélissanne par la D 572 ☎ *04 90 55 25 41 • visites animées d'avr. à début sept. t.l.j. 11 h-18 h ; également ouv. pendant les vacances scolaires et certains week-ends • www.chateaudelabarben.fr*

La forteresse de l'an mille, transformée au XVIIIᵉ s. en château de plaisance, s'inscrit dans la lignée du château de l'Empéri. Cinq tours dotées de créneaux et mâchicoulis rappellent sa vocation défensive, démentie par

Manifestation

À Eyguières
En août (1 semaine), fête de la Saint-Vérédème : courses de taureaux, défilé, concerts...

Randonnée

Au départ d'Eyguières plusieurs sentiers de randonnées mènent à la tour des Opies postée sur le mont L'Aupiho (498 m), point culminant des Alpilles.

◀ *Le château de la Barben.*

l'ornementation sculptée des façades. Le jardin à la française, dessiné par Le Nôtre, s'étale au pied de la rampe d'accès.

• Le château se distingue par sa remarquable **décoration intérieure★★** : plafonds à la française (XVIIᵉ s.), cuirs de Cordoue habillant une pièce, mobilier s'échelonnant du XVIIᵉ s. au Directoire. La cuisine est munie d'un four à pâtisserie en pierre volcanique du Massif central. De la terrasse d'honneur, **panorama★** sur Salon-de-Provence et l'étang de Berre.

• Le **parc zoologique★** (☎ *04 90 55 19 12* • *ouv. t.l.j., en juil.-août 9 h 30-19 h ; de nov. à fév. 10 h-17 h 30 ; de mars à juin et en sept.-oct. 10 h-18 h* • *nourrissage toute l'année, spectacles de vols de rapaces d'avr. à oct.* • *www.zoolabarben.com) de 33 ha*, doté d'un vivarium, d'une oisellerie et d'un aquarium, rassemble près de 500 spécimens des cinq continents. Il est aussi réserve naturelle volontaire et site de nidification des aigles de Bonelli.

■ Le massif des Costes★

De la Barben, revenir jusqu'à Pélissanne. Itinéraire dans le massif de 30 km au départ de Pélissanne jusqu'à Salon • *compter une journée* ❶ *du massif des Costes, parc Roux-de-Brignoles, à Pélissanne* ☎ *04 90 55 15 55; www.ot-massifdescostes.com*

C'est un étroit massif boisé, où les petits villages abritent un surprenant patrimoine au regard de leur taille actuelle, résultat du rôle non négligeable qu'ils ont joué dans l'histoire et des privilèges qu'ils en ont retiré.

• **Pélissanne** (*5 km E. de Salon par la D 17 ou la D 572*), halte de l'antique via Aurélia, se caractérise par ses rues en ellipse bordées de beaux hôtels particuliers du XVᵉ s. au XVIIᵉ s. Le **moulin des Costes** (*445, chemin de Saint-Pierre* ☎ *04 90 55 30 00* • *visites guidées l'été 10 h-19 h ; f. dim, et lun. hors saison* • *www.moulindescostes.com*) produit de l'huile d'olive AOC «Aix-en-Provence». Visite de deux anciens moulins du XVIIIᵉ s.

Randonnées

• On peut parcourir quatre boucles, à pied ou à vélo, dans le massif du Tallagard (de Salon, passer sous l'A 7, direction « SPA parking ») : le sentier des Pastorales pour ses bories ; le sentier des Caussiers pour la vue sur le pays de Salon ; le sentier des Agassons entre oliveraies et garrigue ; le sentier des Abeilles vers les falaises calcaires (compter de 1 h 30 à 2 h 30).

• Au départ du moulin des Costes à Pélissanne, passer le canal de Craponne. Le chemin serpente sur la colline avant de rejoindre une table d'orientation avec vue sur la montagne Sainte-Victoire et l'étang de Berre (7 km, balisage bornes en bois, compter 2 h 10). Cartes disponibles à l'office de tourisme de Pélissanne.

Manifestations

À Pélissanne
• Marché le dim.
• Dernier dim. de janv., Salon de la truffe et de l'huile d'olive.
• Dim. de Pâques et dim. des Rameaux, corso fleuri.

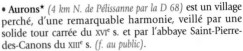

• **Aurons★** *(4 km N. de Pélissanne par la D 68)* est un village perché, d'une remarquable harmonie, veillé par une solide tour carrée du XVIᵉ s. et par l'abbaye Saint-Pierre-des-Canons du XIIIᵉ s. *(f. au public).*

• À **Vernègues** *(4 km N. d'Aurons par la D 68 et à dr. la D 22 B)*, le château seigneurial (Xᵉ et XVᵉ s.) est posté sur le **plateau du Grand Puech★**, d'où la vue s'étend jusqu'à la montagne Sainte-Victoire et la Méditerranée. Ce village fut entièrement détruit par le tremblement de terre de 1909 (→ *p. 433*). La chapelle romane de Saint-Symphorien fait toujours l'objet de deux pèlerinages populaires les 21 août et 3ᵉ dim. d'oct.

• À **Cazan** *(à 4 km E. de Vernègues par la D 22b)*, au milieu des vignobles, le romantique **Château-Bas★** occupe le site d'une ancienne petite ville romaine. Il n'en demeure que les ruines d'un **temple** du Iᵉʳ s. et une enceinte sur laquelle s'adosse la chapelle Saint-Césaire, du XIIᵉ s.

• **Alleins★** *(à 6 km N.-O. de Cazan par la D 7n, puis à g. la D 17d)* abrite de nombreux témoignages de l'art de la Renaissance qui donnent au village un air aixois. Dans le cimetière qui longe la D 17d, la chapelle porte sur son flanc S. un fragment de frise de mausolée romain.

D'Alleins, la D 16 ramène au S. à Salon (12 km).

La Grande Crau★

De Salon-de-Provence à Arles et jusqu'aux rivages maritimes de Fos-sur-Mer, la Grande Crau concentre sur sa plaine des activités agricoles et industrielles, qui ont réduit à une portion congrue la steppe caillouteuse originelle, la dernière d'Europe de l'Ouest.

Un ancien delta asséché

Avant d'être une rivière se jetant dans le Rhône, la Durance fut un fleuve débouchant sur l'océan il y a 4 millions d'années. Ses flots

▲ *La bergerie de la réserve de Peau de Meau, au milieu des* coussouls, *prairies de galets dans la Crau.*

déposèrent cailloux et limons fertiles sur une terre marécageuse, avant de suivre d'autres voies. Le delta s'assécha puis se fossilisa, laissant apparaître une plaine parfaitement plane de 600 km² recouverte de galets. La steppe qui succéda au fleuve, favorisée par un climat sec, fut utilisée comme pâturage dès l'Antiquité. Évoluant librement dans les *coussouls* (steppes de cailloux et d'herbes rases), les troupeaux d'ovins suivront, à partir du XVIᵉ s., les chemins de la transhumance, quittant la plaine pendant la saison sèche pour les Alpes du S.

Une difficile cohabitation

L'aspect de la Grande Crau a radicalement changé. Quadrillée par un réseau de canaux dont les plus anciens remontent au XVIe s., la Crau dite «humide» concentre, au N., les cultures maraîchères et fruitières protégées du mistral par des haies de cyprès. De ces prairies irriguées provient l'exceptionnel foin de Crau bénéficiant d'une AOC. Plus au S., les *coussouls* nourrissent encore un cheptel unique de mérinos d'Arles. À l'O., une zone marécageuse appelée «Costière de Crau» est réservée à l'élevage de taureaux de combats. La façade littorale est tout entière occupée par les installations industrielles de Fos-sur-Mer.

Un écosystème en sursis

En 1970, la Crau comptait encore 20 000 ha de steppe. Elle ne s'étend plus aujourd'hui que sur 9 500 ha, dont une partie est classée réserve naturelle. Cette dernière protège une flore et une faune uniques : ganga cata, faucon crécerellette, outarde canepetière, œdicnème criard, alouette calandre, perdrix rouge... La diminution des surfaces atteint également un mode d'élevage extensif ancestral, qui conditionne l'obtention par les éleveurs du label AOC. Ces dernières décennies, les bergers ont acquis des parcelles d'herbage, une petite révolution dans les modes extrêmement codés qui régissent les sociétés agricoles du Midi.

■ Saint-Martin-de-Crau

À 25 km O. de Salon par la D 113 ou la A 54 ❶ *av. de la République* ☎ *04 90 47 98 40; www.saintmartindecrau.fr*
La petite ville fait une trouée dans le paysage horizontal de la Crau. Quelques rues tranquilles en constituent le centre.

• L'**écomusée de la Crau** *2, pl. Léon-Michaud* ☎ *04 90 47 02 01* • *ouv. du mar. au dim. 9 h-17 h ; f. dim. en juil.-août ainsi que les jours fériés* • *www.cen-paca.org)* expose une collection ethnologique et des présentations de l'écosystème environnant. Elles préludent à une visite libre (2 h) sur le sentier de découverte (panneaux didactiques) qui parcourt le Domaine de la Peau de Meau. Outre le paysage unique des coussouls, on y découvre un ancien jas. Un observatoire y a été installé pour observer l'avifaune.

• L'**étang des Aulnes** *(à 7 km S. de Saint-Martin-de-Crau par la D 24)*, propriété du conseil général, alterne des zones accessibles au public et des zones protégées. Lieu de détente et de loisirs, la ferme des Aulnes accueille des artistes en résidence.

Adam de Craponne

Cet ingénieur (1526-1576) natif de Salon-de-Provence mit en œuvre un «grand canal» courant de la Durance à l'étang de Berre. Utilisant une imperceptible pente naturelle, le canal alimenta les moulins et, plus tardivement, les cultures maraîchères. Prudent, Adam de Craponne établit une charte, toujours en vigueur aujourd'hui, sur les droits et devoirs de chaque utilisateur du canal. Une assemblée de propriétaires, L'œuvre générale de Craponne, veille à l'entretien des ouvrages. Le tracé originel (de Salon-de-Provence à l'étang de Berre) ne cessera de s'améliorer au cours des siècles, et des dérivations vers Arles, Eyguières, Istres et Pélissanne existent aujourd'hui, créant un réseau qui court sur 145 km.

Manifestations

À Saint-Martin-de-Crau
En mai, fête du Printemps : départ en transhumance, défilés d'attelage, animations.

Arles et la Camargue

Arles fonde sa réputation sur un patrimoine spectaculaire. Les arènes conservent le souvenir de la brutalité des combats ; les Alyscamps, la solennité des premiers chrétiens ; le quartier de l'hôtel de ville, son architecture policée ; le théâtre antique, sa splendeur romantique. Cet héritage monumental inscrit au Patrimoine mondial de l'Unesco, les Arlatens – comme on les appelle en provençal – l'investissent au jour le jour et l'intègrent volontiers aux réjouissances populaires. Comme si leur était dévolue, sous la figure tutélaire de Frédéric Mistral, la mission de perpétuer la mémoire du peuple provençal.

Cette mission est aussi un attachement. Pour en mesurer la fécondité, il faut se rendre dans les musées arlésiens, où le lien entre la modernité affirmée de Picasso et la finesse de la statuaire romaine passe nécessairement par le chas des aiguilles sculptées du Museon arlaten. Pour en mesurer la densité, mieux vaut visiter Arles et la Camargue pendant les ferias qui les animent d'un souffle épique. Cette Camargue mythique, qui n'est plus vraiment, depuis les endiguements du XIXe s., un espace naturel à proprement parler, mais qui a su conserver une nature prolixe et un peuple fascinant d'oiseaux.

◀ *Flamants roses dans un étang de Camargue.*

Que voir en Camargue

N

NÎMES →
D6113

D14
D42
D38
Saint-Gilles ★★
A54
N572
Rhône

D572n
Petit Rhône
D37
D570
D36

● **Musée de la Camargue ★★**

Albaron
Gageron
D36B

AIGUES-MORTES ★

GARD

D37
Parc   naturel   régional

de   Camargue
Villeneuve

Domaine de Méjanes ●

D179

● Maison du Cheval

La Camargue ★★★
Étang de Vaccarès

D38C

Réserve naturelle zoologique et botanique

D570

Étang de Malagroy

Îlots des Rièges

la Petite Camargue

Petit Rhône

Parc ornithologique du Pont-de-Gau ★
Étang de l'Impérial

Digue à la mer ★ ☖ **Phare de la Gacho**

Saintes-Maries-de-la-Mer ★

Mer Méditerranée

Arles   « entrée principale »
Saint-Gilles   lieu dans les environs
                   d'une entrée principale
Albaron   lieu repère

0   5   10 km

Arles***

Nîmes
Arles
Salon-de-Provence
Camargue

Voir carte régionale p. 300

À 36 km S.-O. d'Avignon par la D 570n; à 93 km N.-O. de Marseille par la A7 jusqu'à Salon-de-Provence, puis la A 54 et la N 113.

ℹ bd des Lices A2
☎ 04 90 18 41 20;
www.arlestourisme.com

• Visites du vieil Arles et « sur les pas de Van Gogh » de fin juin à sept. et pendant les vacances scolaires du lun. au sam.
• Le Pass Avantage donne accès à tous les monuments pour un forfait de 16 € valable 6 mois. Le Pass liberté, valable 1 mois, fonctionne pour quatre monuments et un musée (12 €) ; le Pass couplé permet la visite des Alyscamps et du cloître Saint-Trophime (9 €). Rens. à l'office de tourisme.

Classés au Patrimoine mondial de l'Unesco, les monuments d'Arles se concentrent sur un petit périmètre. L'envergure de l'amphithéâtre et les ruines du théâtre antique taillent dans le lacis de la ville ancienne des espaces anachroniques, comme détachés de leur environnement. Place de la République, le portail de la cathédrale Saint-Trophime rappelle les fastes du Moyen Âge. Dans les rues tracées entre ce cœur monumental et les quais du Rhône, les façades harmonieuses affichent une belle jeunesse, alors que leur édification remonte souvent à la Renaissance. Arles dégage ainsi une beauté intemporelle, qui donne parfois au visiteur la sensation de circuler dans un décor.

À la source

Au VIᵉ s. av. J.-C., les Grecs de Phocée, conscients de la position privilégiée de cette butte calcaire en bordure du Rhône, postée de surcroît sur la route reliant l'Espagne à l'Italie, posent les bases d'une 1ʳᵉ cité. La ville s'agrandit au cours des siècles jusqu'à s'étirer sur 30 ha. L'intense trafic fluvial favorise les échanges culturels et, déjà, Arles respire un air métis, sous l'influence de l'Espagne et de l'Italie. Un canal creusé au Iᵉʳ s. av. J.-C. entre Arles et Fos accentue les liens entre Massaliotes et Gaulois de l'intérieur.

Demeurer romain

En 49 av. J.-C., alors que *Massalia* est assiégée par César, Arles prend le parti de la République romaine. En récompense, elle est dotée d'une large autonomie. La ville s'étend à nouveau selon un 1ᵉʳ plan d'urbanisme importé d'Italie, encore sensible aujourd'hui dans le cloisonnement des quartiers. À Trinquetaille (→ p. 316), rive dr. du Rhône, l'élite romaine élève de superbes villas, tandis que le quartier de la Roquette (→ p. 315) voit se développer des chantiers navals. Un siècle plus tard, la romanisation d'Arles est complète, symbolisée par des édifices grandioses : amphithéâtre, théâtre et hippodrome.

De la fin de l'Empire à l'an mille

Jusqu'au Vᵉ s., Arles conserve une position enviable dans un Empire romain en friche, et un 1ᵉʳ évêché est attesté en 254. Puis viennent les siècles obscurs des invasions barbares : la ville se replie sur elle-même, l'amphithéâtre se transforme en forteresse à l'intérieur de laquelle se cloîtrent les Arlésiens. Guerres, épidémies et massacres se succédant, il faudra attendre la fin du Xe s. pour retrouver une paix durable. Grâce aux comtes d'Arles, la cité accède au rang de capitale du royaume de Provence, et Montmajour (→ p. 318) devient sépulture des princes.

Le temps des moines

L'ordre revenu, des dizaines de chantiers voient le jour sous la tutelle des ordres monastiques. La cathédrale Saint-Trophime (→ p. 307) s'élève rapidement au centre de la cité. L'embellie dure deux siècles, puis la désolation revient : disettes, épidémies, pillages éprouvent la population, qui est divisée par deux entre le XIVe s. et le XVe s. En 1510, les loups sont en Crau, puis, en 1570, une gelée inopinée détruit les oliveraies. La seule issue semble de s'en remettre à Dieu, et cette ferveur populaire marquera sensiblement la ville. Les évêques espagnols, en charge du diocèse d'Arles, agrandissent, construisent, embellissent leurs couvents et sanctuaires. Aux XVIe s. et XVIIe s., Italiens et Provençaux affluent, attirés par cette fièvre de construction. La Renaissance fait une entrée remarquée dans les hôtels particuliers des grands propriétaires terriens, acteurs de la conquête agricole de la Camargue.

L'industrialisation du XIXe s.

L'arrivée du train en 1848 ruine le commerce fluvial et un quart de la population se retrouve sans ouvrage. En compensation, la compagnie des chemins de fer PLM installe ses ateliers sur l'ancienne nécropole des Alyscamps. La proximité des voies entraîne l'implantation d'usines chimiques et papetières. Malgré cet essor industriel, qui subira un revers avec le développement de Fos, la relation avec la terre reste intense dans

Manifestations

• **Marché** : mer. et sam. matin ; marché paysan, sam. matin. Tous les marchés se déroulent bd des Lices, bd Émile-Combes et esplanade Charles-de-Gaulle.
• **Pâques, feria pascale** : durant 4 jours, corridas, lâcher de taureaux dans les rues ;
• **Le 1er mai, fête des Gardians** à l'église Notre-Dame-de-la-Major (→ p. 314). Les gardians s'y rendent en procession pour la bénédiction des chevaux.
• **En juin et juil., les Festiv'Arles** regroupent la course de Satin, la Pegoulade et la fête du Costume ; www.festivarles.com
• **De juil. à fin sept.,** Rencontres internationales de la photographie (→ p. 311) ; www.rencontres-arles.com
• **La 2e semaine de juil.,** Les Suds à Arles : festival des musiques du monde.
• **La 2e semaine de sept., feria du Riz,** Festival du cheval, et Camargue gourmande.
• **De la 3e semaine de nov. à mi-janv., Salon international des santonniers** au cloître Saint-Trophime : la plus grande manifestation française de cet artisanat.

La croissance des échanges commerciaux aux XVIe-XVIIe s. a donné naissance à des bateaux à fond plat réservés à la navigation mixte (fleuve et mer) appelés «allèges».

◀ *Les costumes arlésiens, une invention de Frédéric Mistral.*

La passion des Antiques

Arles se développa sur certains de ses vestiges. Cependant, pour l'essentiel, les monuments furent préservés, volontairement ou non. En 1615, l'installation des allées des Alyscamps (→ p. 314) par les Frères mineurs fut la 1re mesure conservatoire. En 1785, sous l'impulsion du clergé, cette nécropole devint un musée public d'antiquités. Tout s'accéléra au XIXe s. avec le dégagement de l'amphithéâtre (1825) et du théâtre antique (1834). Arles paria désormais sur la force d'attraction de ses monuments. Les vestiges, longtemps éparpillés, sont enfin réunis au musée départemental Arles antique (→ p. 315), inauguré en 1995, qui renoue, par sa dimension, avec le gigantisme romain.

Le théâtre fonctionna au moins jusqu'au VIe s. Puis, comme l'amphithéâtre, il fut investi par des monuments parasites : l'église Saint-Georges et le couvent de la Miséricorde. Peu à peu démantelé, il fut révélé au public à l'aube de la Révolution.

▼ *La scène du théâtre et ses deux colonnes corinthiennes.*

cette commune, la plus vaste de France (72 000 ha), et jusqu'en 1960, vin et riz assurent l'essentiel des revenus. Depuis les années 1980, la riziculture se conjugue avec l'élevage du mérinos et la culture maraîchère. L'activité touristique est très importante, favorisée par la proximité des plages de Camargue et un patrimoine exceptionnel.

*Se garer sur l'un des parkings (sf les jours de marché) du bd des Lices **AB2**, aborder le petit centre historique d'Arles par le jardin d'Été, qui borde les vestiges du théâtre • on peut visiter tranquillement la ville en une 1/2 journée ; pour une découverte plus approfondie, comprenant la visite des musées, compter 2 jours.*

■ Le théâtre antique** B1

Entrée rue de la Calade ☎ 04 90 49 59 05 • ouv. t.l.j., en avr. et oct. 9 h-18 h ; de mai à sept. 9 h-19 h ; de nov. à mars 10 h-17 h ; f. les 1er janv., 1er mai, 1er nov. et 25 déc. (dernière entrée une 1/2 h avant fermeture).

Il faut monter au sommet de la *cavea*, série de gradins pouvant contenir 10 000 spectateurs, pour apprécier l'envergure de ce théâtre romain. Le **dallage*** de l'*orchestra*, la **scène** *(proscenium)* et un pan du **mur de scène** *(frons scaenae)*, partiellement reconstitués, ne donnent qu'une idée imprécise du somptueux monument original, couvert d'autels, de niches pouvant accueillir des statues, de colonnes corinthiennes et de bas-reliefs.

• Seule la parfaite composition des **deux colonnes**** du mur de scène, l'une en brèche africaine, l'autre en marbre jaune de Sienne, permet d'imaginer la splendeur impériale du décor. Construit sous le règne d'Auguste entre 40 et 12 av. J.-C., l'édifice bénéficia sans doute des largesses de l'empereur, sensible à l'art grec. La statue d'Auguste, probablement insérée dans le *pulpitum* (mur bas marquant la séparation entre l'orchestre et la scène), ainsi que d'autres précieux vestiges, sont conservés au musée départemental Arles antique (→ p. 315).

• À l'extérieur, la **tour de Roland***, visible au sommet du jardin d'Été, est un élément des murs rayonnants qui soutenaient les

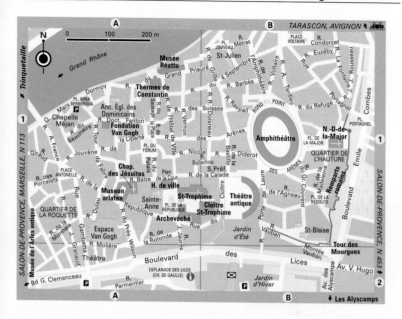

gradins. Les trois étages d'arcades de la façade portent encore leur entablement, une corniche et un panneau montrant des **sculptures★** de taureaux et d'oiseaux.

■ La place de la République★★ A1

Familière, animée à la belle saison par une foule hétéroclite de touristes et d'Arlésiens, cette place du XVIIᵉ s. est fermée de tous côtés par des bâtiments civils et religieux qui ne dévoilent leurs richesses qu'après une lecture attentive des façades. Sur le côté E., la régularité du **palais de l'Archevêché** contraste avec le foisonnement des ornements du portail de la **cathédrale Saint-Trophime**; au N., l'**hôtel de ville** de style baroque jouxte la sévère façade de l'église Sainte-Anne. L'obélisque dressé au centre de la place ornait initialement la *spina* (mur central autour duquel circulaient les chars) du cirque romain.

■ L'archevêché★ A1

Pl. de la République • mêmes horaires que le cloître (→ p. suiv.).

Sa façade date du XVIIIᵉ s., mais sa configuration actuelle est l'œuvre de Mᵍʳ Grignan qui, dans la 2ᵉ moitié du XVIIᵉ s., dote le bâtiment de son porche d'entrée, d'un **escalier monumental★** et du décor des pièces ouvertes à la visite. Le style classique y triomphe, incarné par les **frises peintes** ceignant la grande salle et par les **sculptures** de la vaste cheminée à plusieurs niveaux.

En 1651 fut exhumée du théâtre antique la *Vénus d'Arles*, dont les lignes fermes et subtiles évoquent l'art grec. Cette pièce fut littéralement kidnappée par Louis XIV, qui l'installa au musée du Louvre.

■ Le cloître Saint-Trophime** AB1

Accès par la cour du palais de l'Archevêché ☎ 04 90 49 59 05 • ouv. t.l.j., en avr. et oct. 9 h-18 h; de mai à sept. 9 h-19 h; de nov. à mars 10 h-17 h; f. les 1er janv., 1er mai, 1er nov., 25 déc. (dernière entrée 30 mn avant fermeture) • expositions temporaires.

Dédié à la communauté des chanoines, le *claustrum* demeure un espace hors du temps. Seule la présence d'étudiants reproduisant les motifs sculptés renvoie à notre époque. Mais la richesse de la **décoration** rend la description des lieux périlleuse, tant le regard se plaît ici à vagabonder d'une scène à l'autre. Les plus belles se trouvent dans les galeries romanes N. et E. (1180-1190), contemporaines du portail de la primatiale et bordant le réfectoire et la salle capitulaire.

▲ *De la cour de l'archevêché, on découvre la façade S. de la cathédrale Saint-Trophime, où se lisent, dans la diversité des matériaux, les étapes de sa construction. Son fort clocher carré y prend toute sa dimension.*

• La **galerie N.*** : le pilier d'angle N.-O. soutient les **statues** des saints Pierre, Jean et Trophime, séparés par deux reliefs représentant la Résurrection et les Saintes Femmes. Le pilier N.-E. montre les saints Paul, Étienne et André, ainsi que deux scènes sculptées de l'Ascension et de la Lapidation de saint Étienne. La facture de la statuaire des apôtres, lumineuse et chargée d'émotion, est très proche de celle du portail de Saint-Gilles (→ p. 316). Des figures de marbre représentant le *Christ apparaissant aux pèlerins d'Emmaüs et à saint Thomas* occupent les piliers intermédiaires, tandis que les arcades sur colonnettes géminées et les piliers recevant les voûtes en berceau rampant exposent les épisodes de la Résurrection.

• La **galerie E.*** : l'influence gothique se fait déjà sentir dans cette galerie probablement construite au début du XIIIe s. À l'angle S.-E., on remarquera un magnifique **bénitier*** soutenu par un personnage accroupi et, sur les chapiteaux, *Le Massacre des innocents*, *La Fuite en Égypte* et le cycle des Mages.

• Les **galeries S. et O.** : ces galeries gothiques et le grand portail accolé au mur S. sont datés du XIVe s. Au S. sont sculptées des scènes de la vie de saint Trophime, déclinées d'après un poème du XIIIe s., et, à l'O., sur des chapiteaux semblables à ceux de la galerie S. de Montmajour (→ p. 319), quelques **scènes typiquement arlésiennes***, comme *Sainte Marthe terrassant la tarasque* (→ p. 266) ou *Sainte Madeleine baisant les pieds du Christ*.

• La **salle capitulaire*** accueille les expositions temporaires. On y voit une série de tapisseries qui prolonge le cycle de la *Vie de la Vierge*, dont une partie se trouve dans la cathédrale Saint-Trophime; une autre raconte l'épopée de *Godefroy de Bouillon délivrant Jérusalem*. L'ancien **dortoir*** des moines est séparé à mi-hauteur par une belle voûte surbaissée du XVIIe s. formant une tribune.

■ La cathédrale Saint-Trophime** AB1

Pl. de la République ☎ *04 90 96 07 38* • *ouv. lun., ven. et sam.*
8 h-12 h et 14 h-18 h, du mar. au jeu. et dim. jusqu'à 17 h.

Étape sur le chemin de Compostelle, Arles affirma, avec la
construction de la cathédrale Saint-Trophime au XIIᵉ s., sa
vocation de capitale religieuse de la Provence. Sur les lieux
d'un sanctuaire roman du Xᵉ s., les religieux désirèrent
un édifice d'envergure, selon les canons de l'art roman
provençal, alors à son apogée.

Face à la cathédrale, l'église
Sainte-Anne (1627), sécularisée
depuis 1805, oppose aux
débordements sculptés
de Saint-Trophime une façade
rude, à peine égayée par
un fronton au sommet duquel
niche une statue de la Vierge.

• Le **portail***, d'une exceptionnelle majesté, est antérieur à la construction de la nef. Inspiré par le porche de
l'abbatiale Saint-Gilles (→ *p. 316*), il est accolé en 1180 à
une façade qui devait être dépouillée à l'origine, comme
le montre la partie haute percée de deux modestes
ouvertures. Reprenant la grammaire antique, le portail
forme un arc de triomphe sous lequel se déploie une
frise sculptée supportée par une colonnade. Plusieurs
thèmes de l'Ancien Testament* proposent une lecture
édifiante du catéchisme d'alors : le Christ en majesté du
tympan, entouré des symboles des quatre évangélistes,
domine les 12 apôtres assis sculptés sur le linteau.
L'archivolte abrite une nuée d'anges – les plus significatifs, visibles à la clé de la voûte, soufflent dans
les trompettes annonciatrices de l'Apocalypse.

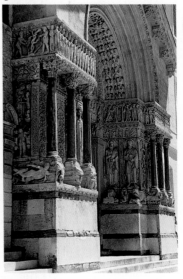

Les **bas-reliefs*** de la frise offrent une interprétation imagée du **Jugement dernier** : on
note la *Procession des élus (à g.)* et la *Lie humaine
projetée par les démons vers l'enfer (à dr.)*. En
dessous, une autre frise représente l'*Adoration
des Mages, avec les bergers et leurs troupeaux (à
dr.)*, les *Mages devant Hérode (au centre)* et le
Massacre des innocents (à g.). Sur les **retours** du
portail se découvrent des scènes effrayantes
du *Pèsement des âmes* et du *Léviathan*. Les
saints sont alignés en bon ordre, séparés
par des pilastres ornés de rinceaux : à g. de
la porte, les saints Pierre, Jean l'évangéliste,
Trophime, Jacques le Majeur et Barthélemy ;
à dr., les saints Paul et André, la *Lapidation de
saint Étienne*, et les saints Jacques le Mineur et
Philippe. Les **chapiteaux des colonnes*** sont
historiés par des *Scènes de la vie de Samson*.

• La **nef*** paraît sobre en comparaison. Très
élancée, étroite et éclairée par de hautes fenêtres,
elle serait, aujourd'hui, le plus haut vaisseau de
Provence. Toute la partie haute, élevée en pierre de taille,
évoque l'esprit antique. Des **colonnettes corinthiennes** et
des **corniches à feuilles d'acanthes*** habillent les piliers,
ajoutant une finesse à la puissance des murs en moyen
appareil. Le sanctuaire est inauguré en 1152, lorsque y
sont déposées les reliques de saint Trophime inhumées

▲ *La majesté du portail de
la cathédrale Saint-Trophime
symbolise l'importance
religieuse de la ville, étape
sur la route de Saint-
Jacques-de-Compostelle.*

Bonnes adresses

🏠 ***Grand Hôtel Nord-Pinus***, pl. du Forum **A1** ☎ 04 90 93 44 44 ; http://nordpinus. com L'hôtel a vu passer dans les luxueux fauteuils en cuir de son hall les plus grandes stars de la tauromachie.

🍴 ***La Farandole***, 11, rue des Porcelets **A1** ☎ 04 90 96 01 12. Fabrique artisanale de saucisson d'Arles dont la recette a été fixée en 1655.

jusqu'alors aux Alyscamps (→ *p. 314*). Au XVᵉ s., sous les bons auspices du roi René, le chœur, le déambulatoire et les chapelles rayonnantes sont ajoutés. Rénovée au XIXᵉ s. par Auguste Véran et Henri Revoil, l'église se pare de quelques éléments inspirés du Moyen Âge : chaire, porte d'entrée et vitraux. Trois **sarcophages paléochrétiens**★★ occupent les chapelles depuis cette époque : le plus beau, sur le bas-côté g., est surmonté de deux colonnes antiques en basalte et décoré de deux rangs de sculptures. Les **tapisseries d'Aubusson**★ du XVIIᵉ s., pendues aux murs de la nef, représentent le cycle de la *Vie de la Vierge*.

■ L'hôtel de ville★ A1

Pl. de la République ☎ *04 90 49 36 36 • ouv. du lun. au ven. 8 h-16 h 30, sam. 8 h 30-12 h • www.ville-arles.fr*

Le conformisme de cet édifice baroque achevé en 1675 tranche avec le foisonnement du portail de la cathédrale Saint-Trophime. Construit à l'extrémité de l'ancien forum romain, l'édifice pèse sur les cryptoportiques (→ *ci-dessous*). Pour alléger la charge, l'architecte Jacques Peytret a conçu, au rez-de-chaussée, un **vestibule à voûte plate**★★ retombant sur des doubles colonnes. L'effet esthétique de ce chef-d'œuvre de stéréotomie est saisissant. Jules Hardouin-Mansart décidera, quant à lui, de l'intégration de la **tour de l'Horloge**★ (XVIᵉ s.).

Traverser le vestibule pour sortir sur le plan de la cour.

Deux bâtiments contigus à l'hôtel de ville rappellent qu'ici se tenaient les pouvoirs municipaux.

• La façade de la **Maison commune** (*dans le prolongement de l'hôtel de ville, à l'O.*), du XVᵉ s., intègre un tympan roman où apparaît un bœuf couché.

• Le **palais des Podestats**★ (XIIIᵉ s.) lui est mitoyen. Résidence du viguier (juge) et siège de l'administration comtale, il est surélevé au XVᵉ s. et doté de créneaux et de meurtrières qui lui donnent une allure de maison fortifiée. Sur la g. du porche roman, quelques gradins où se réunissaient les officiers comtaux. On peut pénétrer dans la cour (*aux heures d'ouverture des annexes de la mairie*) pour y découvrir les portes des anciens cachots et les graffitis des prisonniers.

■ Les cryptoportiques★ A1

Entrée par l'hôtel de ville ☎ *04 90 49 59 05 • ouv. t.l.j., en avr. et oct. 9 h-18 h ; de mai à sept. 9 h-19 h ; de nov. à mars 10 h-17 h ; f. les 1ᵉʳ janv., 1ᵉʳ mai, 1ᵉʳ nov. et 25 déc. • dernière entrée 30 mn avant la fermeture.*

La construction d'un forum regroupant les édifices religieux et administratifs était une règle de l'urbanisme romain, aussi fallut-il dégager à Arles une vaste esplanade. La pente de la butte étant un problème, les ingénieurs eurent l'idée, pour surélever la zone, d'édifier des soubassements souterrains appelés «cryptoportiques», cela afin d'obtenir une surface plane. Les trois branches des cryptoportiques d'Arles forment un U ouvert vers l'E. : ils circulent au S. sous l'hôtel de ville et la rue Balze, puis tournent en angle dr. et rejoignent la pl. du Forum, bordée par la galerie N. Il semble que, en raison de la déclivité du terrain, cette dernière galerie se soit trouvée de plain-pied sur une place et que ses arcades aient abrité dans l'Antiquité des boutiques et l'administration.

■ Le Museon arlaten** A1

29, rue de la République ☎ *04 13 31 51 99 • f. pour travaux, réouverture prévue en 2019 • www.museonarlaten.fr*
Fondé par Frédéric Mistral en 1899, le Museon arlaten a pris place dans l'hôtel Laval-Castellane, bel exemple d'architecture arlésienne des XVᵉ s. et XVIIᵉ s., afin de sauver de l'oubli la culture provençale. Le futur musée proposera un cheminement dans le passé muséographique du musée lui-même en alliant reconstitutions d'ambiances et scénographies innovantes.

Revenir à l'hôtel de ville et prendre à g. la rue du Palais.

■ La place du Forum* A1

La place la plus animée d'Arles réunit quelques symboles de l'histoire provençale et locale. Les deux **colonnes romaines** surmontées d'un vestige de fronton, inscrites dans le mur de l'hôtel *Nord-Pinus*, sont de modestes témoignages d'un vaste édifice qui s'ouvrait sur la place au IIᵉ s. La figure magistrale d'un **Frédéric Mistral** au faîte de sa gloire (due à Théodore Rivière, 1909), accompagnée d'un médaillon de *Mireille* (de Férigoule, membre

Durant tout le temps des travaux, le Museon arlaten garde le contact avec le public en organisant des manifestations hors les murs.

La cour intérieure du Museon arlaten abrite une exèdre romaine, ultime vestige de l'entrée monumentale du forum romain.

◄ *La place du Forum, animée et populaire, est dominée par la statue de Frédéric Mistral.*

Un circuit retrace, en 10 étapes et 10 toiles, les lieux liés à Van Gogh dans la ville d'Arles et ses environs. Le célèbre pont de Langlois, peint par l'artiste, a été remplacé par un ouvrage de béton en 1930, puis détruit en 1944. En hommage, Arles implanta en 1960 sur l'av. de la 1re-Division-Française-Libre, à proximité du musée départemental Arles antique, un pont provenant de Port-de-Bouc identique au modèle du peintre.

Les thermes ont été baptisés «palais de la Trouille» par les Arlésiens. Une légende ancienne attribue en effet ces vestiges au palais des comtes de Provence appelé *Trullia*. Une autre version rapporte cette épithète à la présence d'une grande salle voûtée (*trouille* en vieux français) recouvrant une des piscines.

Van Gogh à Arles

Van Gogh (→ *p. 277*) vient en Provence chercher une lumière nouvelle, capable de traduire «les terribles passions humaines». Il s'installe à Arles en fév. 1888 et peint avec frénésie. Paysages, portraits et autoportraits exaltent les couleurs, brisent les codes picturaux de l'époque. En quelques mois, Van Gogh peindra près de 200 toiles décisives, dont *Café de nuit, place Lamartine, Arles* et la série des « Tournesols ».

En contournant le bâtiment pour rejoindre le quai Marx-Dormoy, on peut admirer, face au Rhône, la façade gothique du musée.

du félibrige → *p. 273*), domine les terrasses colorées des cafés. À ces deux témoins de l'histoire s'ajoute le célèbre café représenté par Van Gogh (→ *p. 277*) dans *Terrasse de café, le soir* (l'original est visible au Kröller-Müller Museum d'Otterlo, aux Pays-Bas).

• Non loin, la **fondation Van-Gogh-Arles** *(35 ter, rue du Docteur-Fanton* ☎ *04 90 93 08 08 • ouv. t.l.j. sf lun. 11 h-18 h, en été t.l.j. 11 h-19 h • www.fondation-vincentvangogh-arles.org)* accueille de nombreuses expositions d'art contemporain et plusieurs dessins originaux du maître.

■ Les thermes de Constantin* A1

Rue du Grand-Prieuré ; l'entrée se fait par la rue Dominique-Maïsto ☎ *04 90 49 59 05 • ouv. t.l.j., en avr. et oct. 9 h-18 h ; de mai à sept. 9 h-19 h ; de nov. à mars 10 h-17 h (dernière entrée 30 mn avant fermeture) ; f. les 1er janv., 1er mai, 1er nov. et 25 déc.*

Construits au IVe s., les thermes ont conservé la **demi-coupole***, intacte et une architecture parfaitement régulière, qui aurait servi de modèle à nombre d'absides romanes. Le caldarium est encore doté de son four à bois (hypocauste). Sauvées en partie de la ruine, la salle tiède (tepidarium) et l'étuve ont perdu leur plancher, mais on peut encore voir les piles de briques qui les surélevaient, permettant à l'air chaud de circuler sous les salles.

■ Le musée Réattu*** A1

10, rue du Grand-Prieuré ☎ *04 90 49 37 58 • ouv. t.l.j. sf lun., de nov. à fév. 10 h-17 h ; de mars à oct. 10 h-18 h ; f. les 1er janv, 1er mai, 1er nov. et 25 déc. • billet combiné avec la fondation Van-Gogh • www.musee-reattu.arles.fr*

Ce **musée des Beaux-Arts** est installé depuis 1868 dans l'ancien Grand Prieuré de l'ordre de Malte. À la 1re commanderie du XVe s. vient s'ajouter, en 1615, la résidence des grands prieurs, réfugiés à Arles à la suite des guerres de Religion. Les deux bâtiments, contigus, s'ouvrent sur deux cours sensiblement différentes. La 1re (XVIIe s.) est occupée par un bel **escalier d'honneur** à balustre (1640) et une **chapelle gothique** (1503) dont les voûtes sont ornées de belles clés à pendentif armoriées ; de larges fenêtres à meneaux, des créneaux et de faux mâchicoulis soutenant des gargouilles occupent les façades de la 2e.

• Les **œuvres de Jacques Réattu** (Grand Prix de Rome en 1790 qui acquit le Grand Prieuré en 1796) sont mises en valeur, notamment une série de six grisailles destinées à la décoration du temple de la Raison de Marseille (église Saint-Cannat, → *p. 353*), rare exemple de décor révolutionnaire. La restauration d'une toile de ▶▶▶

▲ *Exposition photographique dans le cloître Saint-Trophime.*

Arles et la photographie

La photographie n'avait pas encore acquis, dans les années 1960, le prestige qu'elle détient aujourd'hui, et les photographes atteignaient rarement les cimaises des musées. En 1965, le photographe Lucien Clergue et le conservateur du musée Réattu, Jean-Maurice Rouquette, décident de créer un département d'art photographique, une première dans un musée français. Forts de leur succès, les deux fondateurs s'associent en 1970 à l'écrivain Michel Tournier pour organiser la première édition des Rencontres internationales de la photographie.

Dès l'ouverture du département d'art photographique au musée Réattu, les dons de photographes célèbres affluent : Richard Avedon, Cecil Beaton, Man Ray, Brassaï, Robert Doisneau, William Klein… En moins de cinq ans, la collection s'enrichit de 400 œuvres. La création des Rencontres internationales de la photographie lui donne l'ampleur qu'elle recherchait, et depuis quarante ans, Arles ouvre les portes de ses monuments à la photographie contemporaine. Cet événement se déploie aujourd'hui sur une cinquantaine de lieux d'exposition. Au fil des ans, le musée Réattu s'est enrichi d'œuvres offertes par les illustres invités : Bernard Plossu, Eva Rubinstein, le groupe Spectrum, Agnès Varda, André Kertész, Marc Riboud, Willy Ronis, ou encore Raymond Depardon.

La collection de photographie du musée Réattu est présentée lors d'expositions thématiques au rez-de-chaussée du Grand Prieuré.

Depuis la fin des années 1980, le musée passe également commande à des photographes qui revisitent le patrimoine d'Arles et des alentours, dont l'abbaye de Montmajour, où les artistes réalisent un travail thématique sur ce monument. Dans une certaine mesure, les Rencontres ont déterminé la vocation culturelle de la ville. La création de l'École nationale de photographie et du médiapôle Saint-Césaire, où sont formés les réalisateurs d'œuvres numériques, conforte encore l'image d'une ville vouée… à l'image.

Le centre d'Arles, notamment autour de la rue des Arènes, abrite de beaux témoins de l'architecture Renaissance et classique. La Renaissance pénètre à Arles grâce aux communautés religieuses, mais s'exprimera paradoxalement davantage dans l'architecture civile. Tout comme l'art roman médiéval, le style demeure imprégné des canons de l'art antique. Au N.-E. de la pl. du Forum, la belle rue du Sauvage **A1** abrite plusieurs témoignages de la Renaissance : au n° 26 se distingue l'hôtel d'Arlatan (XVᵉ s.), tandis qu'un peu plus loin saille, à un angle, la tourelle (XVIᵉ s.) de l'hôtel Monblanc. La rue de la République **A1**, ancienne rue Royale, abrite l'un des plus beaux ensembles d'hôtels arlésiens des XVIIᵉ-XVIIIᵉ s.

jeunesse, *La Vision de Jacob*, a mis en lumière ses talents de coloriste. Une petite salle présente les acquisitions du peintre, dont un magnifique **autoportrait** (1615) de Simon Vouet. On remarquera également trois toiles destinées à l'église Saint-Paul de Beaucaire, en particulier une composition de trois têtes de patriarches.

• Le musée s'est doté, depuis les années 1950, d'une belle **collection d'art contemporain**, dont le point d'orgue fut la **donation faite par Picasso★★** à la ville d'Arles de 57 dessins et d'une toile. Les sculptures et dessins d'Ossip Zadkine (dont *L'Odalisque★* de 1932), *Le Griffu* (1952) de Germaine Richier, les toiles de Pierre Alechinsky ou encore les installations d'Arman éclairent sur les grandes étapes de l'art contemporain du XXᵉ s.

• Depuis 1981, le musée s'est engagé dans une politique active de commande, invitant des sculpteurs (Toni Grand, Bernard Pagès, Bernard Dejonghe, Hélène Agofroy) à confronter leur vision du monde au patrimoine arlésien. Il possède également une magnifique collection de 4 000 œuvres des plus grands **photographes** du XXᵉ s. *(→ p. 311)*.

■ La rue des Arènes★ AB1

Revenir sur ses pas pour remonter la rue Dominique-Maïsto ; emprunter ensuite, à g., la rue des Suisses, puis, à dr., la rue Vernon qui donne dans la rue des Arènes.

Avant d'atteindre la rue des Arènes, on croise, au n° 5, rue Vernon, l'**hôtel de Vernon★★**, représentatif des hôtels arlésiens de la 1ʳᵉ moitié du XVIIIᵉ s. Sa façade classique s'ouvre sur une porte délicatement décorée d'une corniche à modillons. La rue des Arènes, sur laquelle on débouche un peu plus loin, remonte en pente douce vers l'amphithéâtre et abrite quelques-uns des plus beaux hôtels aristocratiques de la ville.

La Cité arénoise

L'amphithéâtre fut habité dès la fin de l'Antiquité. Construit sur la colline de l'Hauture, dominant les alentours, il sera rapidement reconverti en forteresse au sein de laquelle la population retrouve une fragile sécurité. Les arcades sont alors murées et quatre tours de guet édifiées. Deux églises et 212 maisons constituent la paroisse populaire surnommée «Cité arénoise». Au XIXᵉ s., l'amphithéâtre est dégagé et rendu à sa fonction première. Le 1ᵉʳ spectacle a lieu en 1830 : il célèbre, par une course de taureaux, la prise d'Alger.

• Au n° 31, l'**hôtel Forbin-Soliers★** (XVIᵉ s.) porte, dans sa partie haute, un fin décor de pilastres cannelés et de chapiteaux corinthiens. Une **échauguette★**, courante dans les constructions de cette époque, marque un des angles. L'**hôtel des Amazones★** (XVIᵉ s.), au n° 29, est décoré de deux bas-reliefs antiques dont l'un représente un combat d'Amazones. L'**hôtel de Castillon**, l'un des plus grands hôtels particuliers d'Arles, se trouve en face, au n° 20 : sa façade de style classique est rythmée par de larges fenêtres surmontées de grands claveaux. Enfin, au n° 16, l'**hôtel Quiqueran de Beaujeu★** porte en façade un décor raffiné du XVIIIᵉ s.

◄ *L'amphithéâtre romain, dominé par les tours de guet médiévales.*

Il accueille aujourd'hui l'**École nationale supérieure de la photographie**.

Voir plan p. 305

■ L'amphithéâtre (les arènes)*** B1

Rond-point des Arènes, entrée principale au N. ☎ 04 90 49 59 05 • ouv. t.l.j., de mai à sept. 9 h-19 h ; en avr. et oct. 9 h-18 h ; de nov. à mars 10 h-17 h ; f. les 1er janv., 1er mai, 1er nov., 25 déc. et lors des ferias.

Dominant le quartier de sa massive silhouette, ce monument, qui servit au Moyen Âge de citadelle aux Arlésiens, accueille aujourd'hui la feria de Pâques, la feria du Riz et aussi les fêtes d'Arles. Depuis son édification en l'an 90, il aura toujours été investi par la population. Ses dimensions totales (136 m pour son grand axe et 107 m pour le petit axe) et celles de son arène (69 m sur 39 m) en font l'égal des arènes de Nîmes.

• Il faut franchir la **façade** imposante de deux niveaux d'**arcades** en plein cintre et suivre la **galerie extérieure*** couverte de dalles monolithes avant d'entrer dans l'arène. Le gigantisme de l'édifice apparaît alors : 34 **gradins** s'échelonnent, divisés en quatre sections correspondant à la répartition des 21 000 spectateurs en fonction de leur position sociale. Un escalier escarpé permet d'accéder à l'une des **tours de défense** du Moyen Âge, d'où l'on a une vue spectaculaire sur l'édifice, et aussi sur le Rhône et la ville.

■ Le quartier de l'Hauture* B1

Depuis l'entrée principale, contourner l'amphithéâtre vers la dr.

Protégée par l'enceinte romaine du Ier s. av. J.-C., qui marque toujours la frontière E. de ce quartier, la colline de l'Hauture se développe avec les premiers chrétiens d'Arles, dont Hilaire, qui élève, au Ve s., une 1re basilique aujourd'hui disparue.

• L'**église Notre-Dame-de-la-Major*** *(ouv. pendant certaines manifestations, dont la fête des Gardians, le 1er mai)*, point

Bonnes adresses

✗ *La Gueule du loup*, 39, rue des Arènes **B1** ☎ 04 90 96 69. À deux pas des arènes, une savoureuse cuisine camarguaise (feuilleté camarguais aux asperges, filet de taureau...) rehaussée des senteurs des herbes de Provence.

🛏 *Le Calendal*, 5, rue de la Porte-de-Laure **B1** ☎ 04 90 96 11 89 ; www.lecalendal.com Près des arènes et du théâtre antique, un ravissant hôtel au décor provençal dans les chambres et un jardin clos et ombragé.

◉ *Galerie Aréna*, 16, rue des Arènes **B1** ☎ 04 90 99 33 33 ; www.ensp-arles. fr Expositions temporaires et travaux des étudiants de l'École nationale supérieure de la photographie.

central du quartier épiscopal qui prit son essor au XIIe s., fut par la suite dédiée à la confrérie des Gardians, fondée en 1512. De la terrasse de l'église, point culminant de la cité, on bénéficie d'une vue étendue sur les toits, l'abbaye de Montmajour (→ *p. 318*), la plaine de la Crau et les Alpilles (→ *p. 260*).

• On rejoint enfin le **bd des Lices** par la montée Vauban. C'est un lieu particulièrement animé : cafés, théâtre et fêtes populaires y rassemblent les foules. On arrive au pied de la **tour des Mourgues**, tour romaine intégrée aux remparts.

À voir encore

■ **Les Alyscamps**★★ Hors plan par B2

L'av. des Alyscamps commence en contrebas de la tour des Mourgues, à la sortie du quartier de l'Hauture ☎ 04 90 49 59 05 • ouv. t.l.j., en avr. et oct. 9 h-18 h ; de mai à sept. 9 h-19 h ; de nov. à mars 10 h-17 h ; f. les 1ᵉʳ janv., 1ᵉʳ mai, 1ᵉʳ nov. et 25 déc.

▲ *Les Alyssii campi (Champs Élysées), d'où dérive le terme «Alyscamps», désignent pour les Romains la voie par laquelle les défunts héroïques rejoignent le royaume des morts.*

Implantée à l'extérieur de l'enceinte de la ville, mais à proximité de la via Aurelia, la nécropole romaine de la fin du Iᵉʳ s. jouxtait probablement les remparts. Ce n'est qu'à partir du IIe s. qu'elle s'étendra sur le site actuel. La nécropole acquit sa popularité à partir du Ve s., grâce au martyr arlésien Genest (futur saint). La puissante abbaye Saint-Victor de Marseille (→ *p. 364*) en acquiert, au XIe s., la partie orientale et fonde, sur le lieu même de l'inhumation du saint, l'église Saint-Honorat, du nom de l'évêque arlésien Honorat (426-429) qui institua le monachisme provençal. La nécropole est une 1ʳᵉ fois endommagée par les travaux de creusement du canal de Craponne (XVIe s.), puis largement amputée par la construction de la voie et des ateliers de la compagnie de chemin de fer PLM au XIXe s.

• On croise, à l'entrée du site, les vestiges de l'**église Saint-Césaire-le-Vieux**, dont il demeure un arc, une tombe sous enfeu et une chapelle expiatoire. Célébrée par Van Gogh et Gauguin en 1888, l'allée bordée d'arbres et de **sarcophages**★★ de facture dépouillée est une « création » des Frères minimes qui établissent leur couvent à proximité de l'église Saint-Honorat au XVIIe s. Plus loin, sur la g., le **monument des Consuls**★, du XVIIIe s., honore les édiles municipaux disparus lors de l'épidémie de peste de 1721. On remarquera la petite chapelle des Porcelets-Vieux★, l'une des plus anciennes familles d'Arles. Devant l'**église Saint-Honorat★★**, les tombes de la nécropole paléochrétienne s'amoncellent, cernées par des murets d'enclos funéraires. L'église, reconstruite au XIIe s., est caractéristique du 2e âge roman en Provence rhodanienne : taille parfaite des pierres, nef-halle sans fenêtre et arcatures décoratives reliant murs et voûtes. Une rénovation a permis de recréer le dispositif de circulation des pèlerins de Compostelle dans la crypte aux reliques. La **tour octogonale★**, faisant office de lanterne des morts, se dresse à la croisée du transept : haute de deux étages et percée de huit baies en plein cintre, elle constitue une transposition habile du portique des arènes.

En 1615, les Frères minimes prennent possession du monastère Saint-Honorat. L'acte de vente leur donne obligation de conserver les antiquités du site. Ils ne respectèrent que peu cet engagement, utilisant cippes et sarcophages pour les fondations du monastère. Mais c'est à eux que les Alyscamps doivent cet alignement caractéristique de tombes.

■ **Le musée départemental Arles antique★★** Hors plan par A2
Presqu'île du Cirque romain, à 1 km S.-O. du centre ☎ *04 13 31 51 03* • *ouv. t.l.j. sf mar. 10 h-18 h ; f. les 1er janv., 1er mai, 1er nov. et 25 déc.* • *entrée gratuite le 1er dim. du mois* • *www. arles-antique.cg13.fr*

Le musée réunit les collections archéologiques d'Arles et de sa région, depuis le néolithique jusqu'à la fin de l'Antiquité tardive. Après un aperçu des éléments trouvés dans les tombes mégalithiques de Fontvieille (→ *p. 286*), surnommées «hypogées d'Arles» (2 500 av. J.-C.), le visiteur découvre, dans un espace lumineux et libéré de tout cloisonnement, les plus infimes témoignages de la vie quotidienne de l'Arles romaine – **vaisselle**, **bijoux**, **outils**... –, ainsi que des œuvres monumentales.

La visite au musée départemental Arles antique se combine aisément depuis le centre-ville avec une promenade dans le quartier chaleureux de la Roquette, où se pressent de petites maisons à un ou deux étages, selon un plan en damier qui ménage quelques charmantes placettes.

• Les **maquettes★** des grands monuments en restituent tout le gigantisme et bien souvent l'ingéniosité, comme le **pont à bateaux** du quartier de Trinquetaille (→ *p. 316*). Son tablier, soutenu par des navires à proue très relevée, s'arrimait à deux ponts-levis signalés par des arcs de triomphe surmontés de statues et de trophées.

• La **collection de mosaïques★**, dont la plupart proviennent des vastes demeures de Trinquetaille, est un livre ouvert sur l'imaginaire romain : allégories des Zodiaques ou des Saisons, personnages légendaires, dieux du panthéon romain entourés d'un bestiaire fantastique... La **mosaïque de l'Annus-Aiôn★** présente une disposition typique des sols de salle à manger, avec une image centrale encadrée d'une bordure à motifs géométriques : le dieu Annus, «source de vitalité», énergie vitale de la nature et des êtres, trône au centre de la composition, tenant une roue du Zodiaque pour signifier sa maîtrise du temps. Un bandeau horizontal, visible dès l'entrée, invite au banquet par son cortège dionysiaque.

Vingt ans de fouilles et de recherches archéologiques sous-marines dans le Rhône, à Arles, ont permis d'extraire de la vase des centaines d'objets antiques et des trésors, dont un buste de Jules César, un captif en bronze et une victoire dorée, exposés au musée départemental Arles antique. Un chaland antique de plus de 30 m de long a aussi été découvert en 2011. Il est également exposé dans une salle du musée.

▶ *Allée des Sarcophages au musée départemental Arles antique.*

De grands sites protohistoriques, retrouvés au pied des Alpilles, montrent qu'un réseau commercial dynamique traversait cette région. La culture et les savoir-faire gréco-italiques avaient déjà largement pénétré la Provence. Les fouilles effectuées dans les années 1980, dans le quartier du jardin d'Hiver, en contrebas du bd des Lices, ont montré l'existence, à cet emplacement, d'un habitat structuré d'où furent exhumés céramiques, vases et autres objets de la vie quotidienne.

Le **jardin Hortus** (mêmes horaires que le musée, entrée libre) prolonge le musée départemental Arles antique. Situé à côté des vestiges du cirque romain, ses pelouses et ses allées invitent à découvrir la civilisation romaine de façon ludique. Organisé à la façon d'un cirque (gradins, piste, jeux d'eau), il alterne des espaces de jeux d'adresses à la romaine et des lieux de découvertes thématiques (prêt d'un « kit à jouer » avec règles du jeu à l'accueil du musée).

• Les **sarcophages★★** païens et chrétiens extraits des nécropoles de la région, notamment des Alyscamps, constituent un autre élément majeur du musée. L'iconographie des **bas-reliefs** reprend en partie les motifs des mosaïques, y ajoutant les divinités psychopompes (qui accompagnent le défunt dans l'au-delà). La qualité d'exécution et la richesse d'inspiration montrent qu'ils proviennent d'ateliers romains où se développait une véritable industrie de l'art funéraire. Tout autre est la facture du **sarcophage de Phèdre et d'Hippolyte★★**, unique monument funéraire grec découvert en France. À partir du IVe s., les scènes s'enrichissent de thèmes chrétiens (Ancien Testament, épisodes de la vie du Christ). On remarquera en particulier le **sarcophage de la Trinité★**, intact, qui porte trois bandeaux sculptés aux thématiques exclusivement chrétiennes.

■ **Le quartier de Trinquetaille★** Hors plan par A1
De l'autre côté du Grand Rhône.

À l'époque romaine, le quartier fut le centre de l'activité économique, les entrepôts du port se regroupant à proximité du pont à bateaux *(maquette visible au musée départemental Arles antique)*. À partir du IIe s., le quartier devint résidentiel. Il fut détruit en partie pendant la Seconde Guerre mondiale. S'élève aujourd'hui une intéressante église contemporaine, **Saint-Pierre**, construite par Pierre Vago, dans un style dépouillé rehaussé par deux grands vitraux d'Alfred Manessier.

Environs d'Arles

■ **L'abbatiale Saint-Gilles★★**
À 19 km O. d'Arles par la D 572n ☎ *04 66 87 33 75* • *ouv. de sept. à juin du lun. au sam. 9 h 30-12 h 30 et 14 h-17 h ; en juil.-août t.l.j. sf dim. matin 9 h 30-12 h 30 et 14 h-17 h 30 ; f. le 1er mai* • *http://saint-gilles.fr*

Venus saluer par milliers le tombeau de saint Gilles, ermite grec des VIIᵉ-VIIIᵉ s., les pèlerins de Compostelle sont à l'origine de la construction de l'abbatiale, placée sous la tutelle de Cluny. Le chantier, malmené par les aléas de l'hérésie cathare, s'étalera sur plus d'un siècle.

• Sa **façade à trois portails**★★★ est connue dans le monde entier pour la finesse et l'abondance de ses sculptures. Son dispositif s'inspire largement des monuments antiques de la région. Les **tympans** sont ornés, à g., d'une Adoration des Mages au modelé délicat ; au centre, d'un Christ en majesté ; à dr., d'une scène de la Crucifixion aux lignes plus abruptes. Une **frise** court sous le tympan central, représentant des scènes de la vie du Christ. Les apôtres, **statues monumentales** dont la facture diffère selon le sculpteur, forment une longue procession sur toute la largeur de la façade. Seule la nef centrale subsiste du plan originel à trois vaisseaux, disparus avec le chœur roman.

• La **vis de Saint-Gilles**★ est tout ce qui reste de la tour d'escalier : merveille de stéréotomie, elle fascinait les compagnons qui l'incluaient dans leur tour de France.

• La **crypte**★ du XIᵉ s. est bien conservée : l'influence romaine, toujours présente, se remarque aux voûtes surbaissées ; le décor sculpté évoque celui de la façade.

▼ *Schéma de la façade de l'abbatiale Saint-Gilles.*

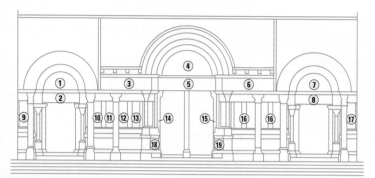

① Adoration des Mages
② Entrée du Christ à Jérusalem
③ Le salaire de Judas ; les marchands chassés du Temple ; résurrection de Lazare ; lavement des pieds et prédiction du reniement de Pierre
④ Christ en majesté
⑤ Cène
⑥ Baiser de Judas et arrestation de Jésus ; Jésus devant Pilate ; flagellation ; portement de la Croix
⑦ Crucifixion
⑧ Disciples d'Emmaüs ; Jésus et Marie Madeleine ; Jésus à Béthanie ; les Saintes Femmes au sépulcre et l'apparition du Christ aux apôtres

⑨ Archange saint Michel
⑩ Saint Mathieu
⑪ Saint Barthélemy
⑫ Saint Thomas
⑬ Saint Jacques le Mineur
⑭ Saint Jean l'Évangéliste et saint Pierre
⑮ Saint Jacques le Majeur et saint Paul
⑯ Apôtres non identifiés
⑰ Archanges
⑱ Caïn et Abel
⑲ Le prophète Balaam ; Samson ; David

5 m

L'abbaye de Montmajour★★★

Voir carte régionale p. 300

À 2 km N.-E. d'Arles par la D 17, direction Les Baux-de-Provence.

Visites guidées de l'abbaye (durée 1 h 15) t.l.j. à 11 h et 15 h, réservation conseillée.

Elle se dresse, austère et massive, sur un rocher solitaire émergeant de la plaine des Baux. Une nécropole rupestre, un monastère carolingien, une abbatiale romane, une tour fortifiée et les vestiges d'un monastère classique offrent autant de leçons magistrales d'architecture.

Une histoire tourmentée

Investi par des anachorètes au IIIᵉ s., l'ermitage primitif fut offert aux bénédictins au Xᵉ s., qui fondèrent la chapelle Saint-Pierre (948). Soutenue par les comtes d'Arles, l'abbaye devient au XIᵉ s. l'une des plus puissantes de la région – les terres s'étendent sur une partie de la Provence et du Dauphiné. La création en 1030 d'un pèlerinage très populaire dédié à la relique de la sainte Croix donne l'impulsion décisive à la construction, au XIIᵉ s., de l'abbatiale Notre-Dame (inachevée), du cloître et du monastère. Pillages et querelles internes entraînent le départ de la communauté bénédictine en 1593. En 1639, la communauté bénédictine réformée de Saint-Maur s'y installe et sauve l'abbaye de la ruine. Livrée au saccage sous la Révolution, l'abbaye est classée en 1840. Sa rénovation se poursuit aujourd'hui.

L'abbaye accueille les Rencontres internationales de la photographie d'Arles (→ p. 311) ainsi que des expositions temporaires.

☎ 04 90 54 64 17 • ouv. de janv. à mars et d'oct. à déc. t.l.j. sf lun. 10 h-17 h ; en avr.-mai t.l.j. 10 h-17 h ; de juin à sept. t.l.j. 10 h-18 h 30 (dernière entrée 45 mn avant) ; f. les 1ᵉʳ janv., 1ᵉʳ mai, 1ᵉʳ nov. et 25 déc. • visite de l'abbaye en 1 h • www. abbaye-montmajour.fr

■ La crypte Saint-Benoît★★

Au N. de l'abbaye, la crypte supporte l'abbatiale.

La crypte (XIIᵉ s.) présente un plan concentrique dont on mesure la perfection en entrant par le **déambulatoire★** ouvert sur cinq absidioles. Au centre de l'étroit transept, dont la partie S. est creusée dans le roc, une rotonde est coiffée d'une **coupole★★** percée de cinq baies placées dans l'axe des chapelles. Les jeux de lumière y sont incessants. On remarquera l'extraordinaire qualité d'exécution de l'appareillage de pierre.

■ L'abbatiale Notre-Dame★★

Accès depuis la crypte par un plan incliné.

Montmajour signifie «mont majeur» ou «grande île au centre des marais».

Dans la nef du XIIᵉ s., l'ampleur des proportions et la luminosité saisissent. Le jour pénètre par les fenêtres du

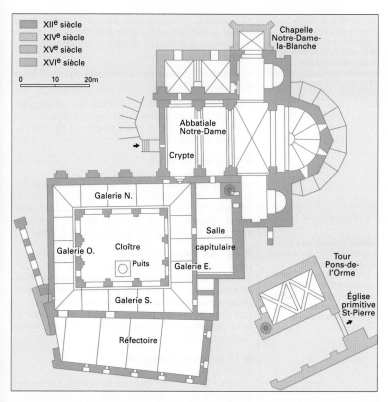

Plan de l'abbaye de Montmajour.

chœur et les hautes baies de la croisée du transept. Les murs gouttereaux, massifs, sont surmontés de voûtes élancées. La nudité de la nef met en relief un plan pur conjugué à une rare maîtrise de la stéréotomie. Sur la voûte de l'**abside★**, monumentale et austère, courent cinq bandeaux plats s'appuyant sur un cordon mouluré. Dans le transept N., la chapelle Notre-Dame-la-Blanche abrite deux enfeus. Bien qu'inachevée, l'abbatiale demeure le modèle de référence de l'architecture romane provençale.

■ Le cloître★

Accès par le flanc S. de l'abbatiale Notre-Dame.
Construit au XIIᵉ s., il reprend le style antiquisant des églises arlésiennes. Les galeries présentent une largeur inhabituelle (4,30 m) et un spectaculaire décor, synthèse d'imageries antique et chrétienne.

• La **galerie N.★** s'apparente à celle du cloître Saint-Trophime *(→ p. 306)*, avec ses piliers à cannelure et ses chapiteaux corinthiens.

Manifestation

Le 3 mai, fête anniversaire de l'Invention de la Sainte-Croix, pardon de la Sainte-Croix : messe et procession.

Dans la nef S. de l'église Saint-Pierre *(f. actuellement)*, les chapiteaux sont sculptés de rosaces surdimensionnées, de corbeilles végétales, de tresses et de stries verticales.

• La **galerie E.**, dont l'entrée est marquée par un **enfeu** des comtes de Provence, est dotée de deux chapiteaux romans représentant la Tentation de Jésus et un acrobate inséré dans un feuillage d'acanthe.

• La **galerie S.** présente des scènes réalistes probablement sculptées au XIVe s.

• La **galerie O.**, du XVIIIe s., offre une vue remarquable sur l'ensemble du cloître. Elle comporte de nombreux graffitis marins du XIIe s. et des chapiteaux illustrant un fabuleux bestiaire.

■ Les espaces de vie
Accès par les galeries E. et S. du cloître.
En partie aménagés dans le rocher, la **salle capitulaire**, le **réfectoire**★ *(galerie d'exposition)* et le **dortoir**★ (XIIe s.) conservent la simplicité romane. De la **terrasse supérieure**, dominée par les ruines du couvent du XVIIIe s., **vue**★ sur la plaine marécageuse, les Alpilles et Arles.

Grandes Compagnies : la guerre de Cent Ans achevée, les soldats mercenaires à la solde de Jean II et Charles V poursuivirent un combat d'un autre genre, pillant en bandes organisées le royaume de France et la Provence pour survivre.

■ La tour Pons-de-l'Orme★
Longer le réfectoire pour franchir le portail.
On laisse sur la dr. l'**église primitive Saint-Pierre**★ du XIe s. *(en rénovation ; f. au public)* pour gagner la terrasse E. (belle vue sur Notre-Dame, aux lignes sèches). À sa g., la tour **Pons-de-l'Orme**, donjon défensif (26 m) édifié au XIVe s. pour résister aux pillages des Grandes Compagnies. Au sommet, vue panoramique.

■ La nécropole rupestre★
Au pied du chevet de Notre-Dame.
L'origine de cette nécropole est méconnue. Les tombes peu profondes creusées dans le roc sont ouvertes sur le ciel. Il reste que ces creusets anthropomorphes paraissent aussi monumentaux que l'abbaye qui les domine.

▼ *L'inscription de l'abbaye au Patrimoine mondial par l'Unesco a permis sa rénovation.*

■ La chapelle Sainte-Croix★
À 200 m E. de l'abbaye de Montmajour • propriété privée.

Pour accueillir les nombreux pèlerins fêtant le pardon de Montmajour (vers 1030), les moines édifient, au XIIe s., ce petit sanctuaire, chef-d'œuvre de l'art roman provençal. Son plan rayonnant en forme de quatre-feuilles s'ouvre sur un narthex, les quatre absides sont reliées par une travée carrée. À l'extérieur, l'harmonie générale est plus sensible encore. On remarquera les denticules des corniches décorés de fins motifs végétaux ou géométriques.

La Camargue★★★

Voguant de bras en bras, engloutie sous la houle, dénudée par le sel, rincée par le fleuve, piégée par ses marais, la Camargue est-elle terre à fleur d'eau ou eau à fleur de terre ? Elle est l'un des quatre plus grands deltas d'Europe et enserre, entre les sillons du Petit et du Grand Rhône, un territoire livré aux errances naturelles des eaux. L'homme, depuis des siècles, tente de contenir ce paysage incertain, figeant la terre le long des digues, asséchant ici et irriguant là, taillant des rizières ondulantes et des damiers à l'équerre dans les salines du bord de mer.

Voir carte régionale p. 300

Immédiatement au S. d'Arles, la Camargue représente le territoire inscrit entre les deux bras du Rhône. Elle couvre au total 145 000 ha si l'on inclut la Petite Camargue, à l'O. du Petit Rhône.

« Des » Camargues

La Camargue est apparue sous sa forme actuelle il y a 7 000 ans, grâce aux apports sablonneux et limoneux du Rhône. L'action conjuguée du fleuve et de la mer a créé une mosaïque de lagunes séparées par des cordons alluviaux. La Camargue est loin d'être uniforme, et trois ensembles se distinguent.

• La **haute Camargue** *(au N. de l'étang de Vaccarès)*, forgée par le Rhône et nourrie de ses alluvions, est une terre d'eau douce. Arbres de hautes futaies (chênes, peupliers ou robiniers), cultures céréalières et maraîchères s'y développent. Elle bénéficie de la dynamique urbaine d'Arles, subissant toutefois une forte pression foncière.

• La **moyenne Camargue** *(répartie autour de l'étang de Vaccarès)* accueille les cultures traditionnelles : riz, blé et maïs. Les zones où la nappe phréatique salée interdit toute culture sont occupées par des élevages de taureaux ou de chevaux. Marais et roselières sont peuplés d'oiseaux. Au S. de l'étang de Vaccarès, pivot de l'équilibre écologique de la Camargue, les îlots des Rièges abritent une flore unique de chardons, tamaris, lentisques, narcisses…

• La **basse Camargue** *(au S. de l'étang de Vaccarès)* est formée d'étangs salés et de lagunes infertiles, ainsi que de salines sur les terrains situés sous le niveau de la mer. La basse Camargue et l'étang de Vaccarès sont intégrés à la **réserve nationale**, créée en 1927. Une succession de 60 km de plages, bordées d'un cordon aléatoire de dunes, clôturent le delta.

Pour apprécier au mieux la Camargue, penser à se munir de jumelles, d'une crème solaire et d'un répulsif antimoustiques, car ces derniers sont particulièrement virulents dans cette région humide.

▶ *La cabane du gardian présente au N. une façade arrondie qui offre moins de résistance aux vents.*

L'étang de Vaccarès, le plus grand de Camargue, reçoit le surplus des réseaux d'irrigation. Son degré de salinité, déterminant pour la flore et la faune, dépend de ces apports artificiels, réajustés en cas de besoin. Les oiseaux aquatiques (foulques, canards) et les poissons marins (athérines) sont ses hôtes habituels. Certaines saisons, l'étang accueille des colonies de flamants roses.

Une domination exclusive

La **digue à la mer** (→ *p. 326*), édifiée en 1859, et l'endiguement total du delta du Rhône dix ans plus tard, mirent les cultures à l'abri des inondations. Ce progrès considérable eut pourtant son revers, car l'eau douce du Rhône dessalait jusqu'alors les terres et compensait le déficit des précipitations. Endiguée, la Camargue allait-elle devenir un désert? Le pompage des eaux du fleuve, réparties dans un réseau complexe de canaux, permit à l'agriculture de la fin du XIXᵉ s., non seulement d'échapper à l'assèchement, mais de produire davantage. Les exploitations s'étendirent, raréfiant les espaces naturels qui ne reçurent plus ni eau douce ni eau de mer. Dans les années 1960, le constat était alarmant : l'abandon de la riziculture, la difficile gestion de l'eau, l'élevage extensif de bétail et la pression touristique en bord de mer menaçaient l'équilibre fragile du delta.

Un territoire protégé

La Camargue est une région exemplaire puisque s'y juxtaposent aujourd'hui presque tous les types de protection en vigueur en France et en Europe. Créé en 1970 sur 86 300 ha, entre Petit et Grand Rhône, le **parc naturel régional** gère les espaces protégés et la répartition des eaux. Il appartient à trois communes : Arles, Saintes-Maries-de-la-Mer et Port-Saint-Louis-du-Rhône. La Camargue est essentiellement constituée de domaines privés, aussi faut-il rejoindre les espaces protégés du parc ou du Conservatoire du littoral pour découvrir son extraordinaire patrimoine écologique.

L'ouest de la Camargue★

Cette zone est essentiellement occupée par des «sansouires» (lagune locale où domine la salicorne), des pelouses et des marais temporaires qui lui confèrent, à certaines saisons, un aspect désertique. Fréquentée par les touristes qui se rendent aux plages, la D 570 est bordée de manades, de restaurants et de cafés. Le musée de la Camargue et le parc ornithologique de Pont-de-Gau demeurent incontournables.

Itinéraire de 40 km entre Arles et les Saintes-Maries-de-la-Mer par la D 570 • compter 1 journée en profitant des plages.

■ Le musée de la Camargue★★

Au mas du Pont de Rousty, à 12 km S.-O. d'Arles par la D 570 ☎ 04 90 97 10 82 • ouv. d'avr. à sept. t.l.j. 9 h-12 h 30 et 13 h-18 h ; d'oct. à mars t.l.j. 10 h-12 h 30 et 13 h-17 h ; f. les week-ends de janv., les 1ᵉʳ janv., 1ᵉʳ mai et 25 déc. • www.museedelacamargue.com • www.parc-camargue.fr
Aménagé dans la bergerie du mas du Pont-de-Rousty, par le parc naturel régional de Camargue, ce musée est une bonne introduction à la visite de ce territoire en partie façonnée par l'homme. L'exposition « Le fil de l'eau... le fil du temps en Camargue » permet de mieux comprendre cette île formée par le Rhône et la mer, et l'adaptation permanente de l'homme aux transformations de son milieu. Une collection de photos « La Camargue en images » témoigne des mutations du XXᵉ s. Le musée se prolonge par un **sentier de découverte** de 3,5 km *(accès libre et gratuit pendant les travaux du musée)* cheminant à travers rizières et marais. Au départ, un observatoire de bois, œuvre de l'artiste plasticien japonais Tadashi Kawamata, permet aux visiteurs de s'élever pour apprécier le paysage.

■ Le Parc ornithologique de Pont-de-Gau★

À Pont-de-Gau, à 9 km S. du château d'Avignon par la D 570 ☎ 04 90 97 82 62 • ouv. t.l.j. d'oct. à mars de 10 h au coucher du soleil (dès 9 h d'avr. à sept.) ; f. le 25 déc. • www.parcornithologique.com

Le cheval de Camargue

Reconnu comme une race en 1978, le camargue appartient en réalité aux races les plus anciennes, mais son origine demeure à ce jour inconnue. Jules César favorisa son élevage et la race se développa autour d'Arles. Monture des camisards protestants et de l'armée napoléonienne, il est apprécié pour sa vivacité et son endurance exceptionnelles qui en ont fait aujourd'hui l'allié indispensable des manadiers pour la garde des troupeaux. Menacée par l'industrialisation au milieu du XXᵉ s., sa population s'est maintenue grâce au tourisme et au succès des fêtes traditionnelles, où il est roi. Ils sont aujourd'hui près de 6 000 chevaux de Camargue à être élevés en semi-liberté. La maison du Cheval de Camargue ouvre seulement deux ou trois fois par an pour des manifestations ponctuelles *(au mas de la Cure, en face du château d'Avignon • rens. à l'office de tourisme des Saintes-Maries).*

▲ *Chevaux de Camargue.*

Depuis 1949, il a investi le marais de Pont-de-Gau, situé en bordure de la réserve naturelle, et accueille, sur 60 ha, une grande colonie de **flamants roses**, de nombreuses espèces de hérons et des oiseaux migrateurs (limicoles, goélands…). Pas moins de 7 km de sentiers permettent aux néophytes de les approcher. Ces promenades familiales sont ponctuées de tours d'observation, de panneaux explicatifs, d'observatoires et de grandes volières.

■ **Saintes-Maries-de-la-Mer***

À 4 km S.-E. du parc de Pont-de-Gau par la D 570 ❶ *5, av. Van-Gogh* ☎ *04 90 97 82 55; www.saintesmaries.com*

Livrée à l'irrépressible avancée de la mer, la ville occupe l'un des derniers bastions de terre émergée. Quelques ruelles de maisons basses et blanches au pied de la forteresse chrétienne constituent le centre-ville, tandis que, autour, les résidences balnéaires sans grâce cernent les cabanes trapues des gardians. Les Saintes-Maries-de-la-Mer constituent la plus importante station balnéaire de Camargue, et ses arènes accueillent des **ferias** et des **courses camarguaises** très fréquentées. La célébrité de la cité revient aussi à ses **rendez-vous folkloriques ou religieux** : la fête des Vierges *(festo Vierginenco)* et surtout le **pèlerinage des Gitans**.

● L'**église Notre-Dame-de-la-Mer**** *(ouv. t.l.j. 9 h-19 h)* se dresse, impériale, au milieu du village. Édifiée au XIIᵉ s. et incorporée aux fortifications de la ville, elle protégea tout à la fois les reliques des saintes Marie Jacobé et Marie Salomé, évangélisatrices de la Provence, que les habitants sont eux-mêmes. Les invasions se multipliant aux XIIᵉ s. et XIVᵉ s., les reliques furent enterrées dans le chœur. En 1448, le roi René les exhuma et construisit une crypte pour les accueillir. L'invention des reliques coïncide avec l'arrivée des Gitans en Provence, qui prirent Sara pour patronne. ▶▶▶

Manifestations

Aux Saintes-Maries-de-la-Mer
● En avr., les Pâques camarguaises : ferrades, jeux taurins, courses.
● Les 24 et 25 mai, pèlerinage des Gitans : depuis 1935, aux jours supposés de la mort des deux saintes, les châsses de Marie Jacobé et de Marie Salomé, ainsi que les ossements de Sara sont portés en procession à la mer.
● À la mi-juil., feria du Cheval : spectacles, corridas du Réjon d'or et du Centaure d'or.
● Fin juil., festo vierginenco (fête des Vierges) : créées par Frédéric Mistral à Arles en 1904, puis reprises par le marquis de Baroncelli, ces retrouvailles folkloriques marquent l'entrée des jeunes filles dans l'âge adulte.
● 3ᵉ week-end d'oct., pèlerinage des Saintes en l'honneur de Marie Salomé et de Marie Jacobé.
● Le 11 nov., festival d'Abrivado.

La nomade Sara

La ferveur et la démesure du pèlerinage des Gitans attirent les autres peuples tsiganes de toute l'Europe (Roms et Manouches) au cours de retrouvailles chaleureuses, musicales et exubérantes qui durent plus d'une semaine. Ces festivités célèbrent une légende gitane locale : Marie Jacobé, Marie Salomé, ainsi que Marie Madeleine, Lazare, Marthe et Maximin auraient fui la Judée dans une barque et accosté à cet endroit. La Gitane Sara, qui campait là avec sa tribu, se porta au secours des saintes qui la convertirent. Selon une autre légende, Sara la Noire (peut-être une Égyptienne) accompagnait les saintes durant leur fuite et échoua avec les saintes Maries en ce lieu. Au-delà des légendes, Sara est devenue, pour les Gitans, le symbole de leur vie nomade : lors de la fête, ils revêtent la sainte d'un manteau qui, pour eux, prend valeur de relique.

▲ *Un rassemblement de gardians dans un marais de Camargue.*

Vivre en Camargue

Indissociables, Arles et la Camargue ont eu, de l'Antiquité au XIXᵉ s., une histoire commune. La première doit à la seconde ses plus grandes fortunes, et la seconde à la première la valorisation de ses terres. Si la région n'est plus aujourd'hui le grenier de la ville, elle n'en constitue pas moins un pan essentiel de son économie et de sa culture.

Après les Romains, ce sont les abbayes arlésiennes du Moyen Âge, propriétaires de vastes domaines, qui établissent les premiers ouvrages hydrauliques sur cette terre sauvage. Des portions de digues allant jusqu'à la mer sont dressées au XVIᵉ s., et un réseau de roubines introduit l'eau douce sur des terres salines jusque-là incultivables. Les ressources de la Camargue paraissent alors inépuisables : agriculture, élevage et pêche, soude pour les industries de la savonnerie et de la verrerie. Bénéficiant de cette manne, les grands propriétaires terriens se font construire de somptueux hôtels particuliers à Arles.

Car il faut posséder une fortune considérable pour supporter les coûts de travaux pharaoniques de dérivation des eaux, la construction des roubines et des digues, sans parler des années de mauvaises récoltes. Le propriétaire du domaine laisse la gestion à un *baile*, un gérant, qui veille pour lui sur l'exploitation et dirige bergers, gardians et *ràfi* (ouvriers agricoles). Le *mas*, qui désigne à la fois le domaine et les habitations, reproduit strictement cette hiérarchie : la demeure du propriétaire est généralement édifiée en pierre de Beaucaire et son décor s'inspire bien souvent de l'hôtel particulier arlésien ; les gardians et les *ràfi* logent dans les cabanes de terre et de roseaux. La région sera longtemps peuplée d'hommes seuls, dont les familles résident aux Saintes-Maries-de-la-Mer ou à Arles. Un dicton affirme : «Personne ne naît ni ne meurt en Camargue. »

La course camarguaise

Héritier des divertissements des gardians, ce jeu très populaire, numéro prodigieux d'agilité, de rapidité et de souplesse devenu sport officiel en 1975, se pratique de mars à nov. dans les arènes. Le taureau est orné d'une cocarde de tissu rouge sur le front et de pompons de laine blanche sur les cornes. Le *raseteur*, muni d'un crochet, doit lui subtiliser ses ornements. Il n'y a pas de mise à mort. Le passage des bêtes de la manade aux arènes *(abrivado)* et le lâcher *(bandido)* dans les rues de la ville sont également des moments joyeux. Certains taureaux ont acquis une réputation légendaire, et il n'est pas rare de voir, aux abords des villages, des monuments érigés en leur mémoire.

▶ *Notre-Dame-de-la-Mer, munie d'un chemin de ronde, de mâchicoulis et d'un clocher à peigne, identifiable à des kilomètres à la ronde.*

L'édifice se présente comme un château fort, coiffé d'un remarquable **clocher à peigne**. Le toit est entouré d'un chemin de ronde (**vue★** magnifique) avec créneaux et mâchicoulis du XIVe s. La nef unique, voûtée en berceau et légèrement brisée, se termine par une abside en cul-de-four percée d'une seule ouverture. Elle n'est pas sans grandeur, auréolée de sa légende dont on retrouve des évocations naïves sur les ex-voto. La chapelle haute, ancien donjon de la forteresse, sombre et secrète, abrite les **châsses★ de Marie Jacobé et Marie Salomé**. Dans la crypte demeure toujours celle de Sara.

Loisirs

⊚ Promenades commentées en mer et sur le Petit Rhône (1 h 30) au départ du Port Gardian aux Saintes-Marie-de-la-Mer avec *Le Camargue* (☎ 04 90 97 84 72 ; www. bateau-camargue.com) ou *Les Quatres Maries* (☎ 04 90 97 70 10 ; www. lesquatremaries.fr) ; au départ du clos du Rhône (2 km du village), avec le *Tiki III* (☎ 04 90 97 81 68 ; http://tiki3.fr), bateau à roue. Arrêt devant une manade de taureaux et chevaux.

Randonnée

• **La digue à la mer★**, ligne tracée au cordeau sur 20 km, s'inscrit dans un paysage de dunes mouvantes et de sansouire. Accessible à pied ou à vélo par temps sec, elle traverse la partie S. de la réserve nationale depuis les Saintes-Maries-de-la-Mer, à l'O., jusqu'à Salin-de-Giraud, à l'E. À mi-chemin, le **phare de la Gacholle** offre un point de vue panoramique époustouflant *(ouv. week-ends et vacances scolaires 11 h-17 h)*. Durée : 1 journée.

• **Des Saintes-Maries-de-la-Mer à Méjanes**, le chemin longe la zone des étangs (L'Impérial, Malagroy, Vaccarès). Il traverse tous les paysages typiques de la Camargue : sansouires et marais, roselières et étangs. Suivre la D 85 A sur 4 km en direction du mas de Cacharel. De ce lieu-dit *(panneau indicatif)*, continuer le chemin vers le N.

La Camargue sauvage du Grand Rhône*

D'Arles à Salin-de-Giraud, le paysage est sensiblement différent de celui de l'ouest. L'étendue cristalline de l'étang de Vaccarès, les marais baignés d'eau, les forêts de saules et de peupliers blancs évoquent une nature rendue à son état primitif. Vision démentie au sud-est par les éblouissantes camelles (collines) des salines et l'ordonnance stricte du village de Salin-de-Giraud.

Boucle de 111 km environ au départ d'Arles à faire en 1 journée : l'itinéraire descend la rive dr. du Grand Rhône jusqu'à Port-Saint-Louis-du-Rhône et remonte par la rive g.

La réserve nationale zoologique et botanique

Créée dès 1927, la réserve couvre 13 117 ha de l'étang de Vaccarès à la mer. Cette protection extrême interdit depuis cette date l'accès libre à cette zone, profitant aux 276 espèces d'oiseaux qui l'occupent : espèces sédentaires (mésanges et bouscarles), estivants nicheurs d'avr. à sept. (sternes, huppes et rolliers), hivernants de sept. à mars (canards). Le parc compte près de 150 000 oiseaux migrateurs par an qui font halte en automne et au printemps (limicoles, hérons et passereaux). La colonie de **flamants roses** compte près de 10 000 couples. Moins visibles mais cependant nombreux, sangliers, renards, castors ou ragondins évoluent entre sansouire et marais. La tortue cistude préfère les étangs et demeure invisible. Batraciens, reptiles et micromammifères (crossopes, campagnols amphibies) abondent.

■ Le domaine de la Capelière*

À 27 km S. d'Arles : franchir le Rhône par la D 570, prendre à g. la D 36, à dr. la D 36B et enfin, à hauteur de Villeneuve, tout droit en suivant les panneaux «Étang de Vaccarès»; le domaine se trouve 5 km plus loin ☎ 04 90 97 00 97 • ouv. d'avr. à sept. t.l.j. 9 h-13 h et 14 h-18 h; d'oct. à mars t.l.j. sf mar. jusqu'à 17 h • www.reserve-camargue.org

Centre d'information de la réserve nationale et site d'observation, la Capelière est le point de départ d'un sentier nature *(1,5 km)* pénétrant dans les roselières,

Bonne adresse

🏠 ✕ *Lou Mas Dou Juge*, quartier Pin Fourcat, Les Saintes-Maries-de-la-Mer ☎ 04 66 73 51 45 ; http:// loumasdoujuge.com Dans un mas camarguais du XVIIIe s., avec chevaux, une table d'hôtes où le repas commence en chanson, continue avec la gardiane ou le sandre à la cheminée, et s'achève par une tarte. Les neuf chambres sont décorées dans le style provençal.

On peut atteindre le phare de la Gacholle (→ p. préc.) en poursuivant au S. de la Capelière par la D 36B puis à dr. direction «La Digue à la mer». À la fin de la route, poursuivre à pied (1/4 h). Le phare abrite une exposition sur le littoral camarguais.

Le domaine de la Capelière présente une exposition sur la Camargue avec pour thèmes la formation du delta du Rhône, la flore, la faune, l'hydrologie, etc.

Randonnées

À faire en famille, quatre circuits (de 29 à 31 km) à vélo traversant les rizières, les élevages et les digues. Départ d'Arles ou du Sambuc, balisage des «Boucles du 13». Brochure détaillée avec informations pratiques disponible pour chaque circuit dans les offices de tourisme.

Le taureau de Camargue

Plus encore que le cheval, ce petit taureau trapu, à la robe sombre et aux cornes graciles, souvent en forme de lyre, est l'emblème de la Camargue. Son élevage a connu un regain au XIXe s. avec le développement des jeux taurins, mais la race n'a été reconnue qu'en 1999, puis classée comme race menacée. Ici appelé *biou*, il vit en troupeaux (*manades*, du provençal *manado*, « poignée ») laissés libres dans les pelouses et les marais. Les courses de *taù* (jeune taureau), apparues en 1983, rassemblent les éleveurs qui opèrent alors un tri parmi les membres d'un troupeau. Sa viande a obtenu en 1996 le label AOC. Le cheptel se monte aujourd'hui à quelque 20 000 bêtes réparties dans 150 manades.

▶ *Taureaux de Camargue.*

traversant les pelouses, les sansouires et la forêt avant de rejoindre l'étang de Vaccarès. Observatoires et plates-formes panoramiques diversifient les points de vue (proches pour les oiseaux, lointains pour les paysages). La balade se prolonge utilement au **salin de Badon★★**, propriété de la réserve *(à 7 km S. de la Capelière par la D 36 B. 4,5 km de sentiers • ouv. toute l'année du lever au coucher du soleil).*

■ Salin-de-Giraud

À 20 km S.-E. de la Capelière par la D 36 B et la D 36 C en longeant la réserve.

Le **salin de Giraud★** est ouvert en 1856 par la société chimique Henry Merle (aujourd'hui Péchiney) qui s'est rendue propriétaire de la plus grande partie de la basse Camargue. En 1861, Ernest Solvay met au point un procédé de fabrication de soude à partir du sel, et non plus de la plante éponyme. Depuis 1971, la Compagnie des Salins du Midi est propriétaire du grand salin de Giraud. C'est elle qui est à l'origine des maisons de brique de la cité ouvrière de Salin-de-Giraud.

Le salin de Giraud reste aujourd'hui le plus vaste salin d'Europe (11 000 ha) et produit, avec les salins du Midi, à Aigues-Mortes, 90 % du sel français.

■ Le domaine de la Palissade★

À 8 km S.-E. de Salin-de-Giraud par la D 36 D ☎ 04 42 86 81 28 • ouv. de mi-juin à mi-sept. t.l.j. 9 h-18 h; de mi-sept. à mi-oct. et de mars à mi-juin t.l.j. 9 h-17 h; de nov. à fév. t.l.j. sf lun. et mar. 9 h-17 h; f. en janv., les 1er mai, 11 nov. et 25 déc. • visites libres ou commentées • d'avr. à oct., possibilité de visiter le domaine à cheval (1 h à 3 h) avec un guide.

Propriété du Conservatoire du littoral depuis 1977, le domaine de la Palissade est également reconnu «zone de protection spéciale» par le réseau européen Natura 2000. Les 702 ha placés hors digues – une exception en Camargue – sont les témoins de la Camargue originelle. Trois itinéraires *(1 km à 8 km)* ont été tracés dans cet exceptionnel environnement. Pêcheurs, *paluniers* (coupeurs de roseaux) et manadiers installés sur le site maintiennent la biodiversité de ces milieux changeants.

On peut rejoindre la magnifique **plage de Piémanson*** (25 km de sable fin) à partir de Salin-de-Giraud par la D 36 D. La plage est également accessible au départ des Saintes-Maries par la digue à la mer, à condition d'être bon marcheur.

■ Port-Saint-Louis-du-Rhône

À 16 km E. du domaine de la Palissade : remonter à Salin-de-Giraud et prendre le bac de Barcarin qui traverse le Grand Rhône ➊ tour Saint-Louis ☎ 04 42 86 01 21 ; www.portsaintlouis-tourisme.fr

Le port, trait d'union entre le fleuve, la mer et le canal Fos-Rhône, se situe au carrefour des trafics fluviaux et maritimes de l'Europe et de la Méditerranée.

• La **tour Saint-Louis** *(ouv. en été du lun. au sam. 9 h-18 h, dim. 10 h-13 h ; hors saison du lun. au ven. 8 h 30-12 h et 13 h 30-17 h)*, ouvrage défensif du XVIIIe s., abrite la plus importante collection d'oiseaux naturalisés de Camargue. Du haut de la terrasse, vue panoramique sur les marais salants, l'embouchure du Grand Rhône et le canal Saint-Louis.

À 7 km S. de Port-Saint-Louis, on peut rejoindre la belle plage Napoléon.

■ Les marais du Vigueirat*

À 23 km N.-O. de Port-Saint-Louis par la D 35 direction Arles, puis, à dr., à Mas-Thibert ☎ 04 90 98 70 91 • ouv. d'oct. à mars t.l.j. 9 h 30-17 h ; d'avr. à sept. t.l.j. 9 h 30-17 h 30 • visites libres ou commentées • www.marais-vigueirat.reserves-naturelles.org

À la frontière entre Crau et Camargue, les marais (1 000 ha) s'étendent entre le canal d'Arles et le canal du Vigueirat. Anciens territoires agricoles, ils sont encore traversés de roubines, petits canaux servant à l'irrigation. Ces derniers permettent aujourd'hui la conservation des milieux naturels par une gestion affinée des apports d'eau douce sur des terrains salés. Sur les marais, jolis sentiers de randonnée *(de 2 h à 5 h)* avec observatoires et bornes pédagogiques.

Pour découvrir la faune et la flore des marais du Vigueirat (sur réservation) :
• visites guidées nature (2 h) t.l.j. d'avr. à sept. à 9 h ;
• randonnées nature (4 h) de fév. à mai et de sept. à nov. mer. et dim. à 9 h 30 ;
• balades en calèche sur les digues (2 h) d'avr. à sept. t.l.j. sf lun. à 10 h et à 15 h (t.l.j. en juil.-août).

Un petit grain

La culture du riz en Camargue remonte au XVIe s. Elle sera longtemps pratiquée dans le seul but de dessaler les sols puisque le riz, grand buveur d'eau, favorise le recul du sel en profondeur. L'âge d'or de la riziculture camarguaise se situe entre 1942 et 1964, date de l'application du marché commun ; la production a toutefois repris depuis les années 1980. Le riz de Camargue a obtenu en 1998 le label AOC et en 2000 la certification européenne IGP (indication géographique protégée). Il est semé en hiver, sur un champ parfaitement aplani par des niveleuses guidées au rayon laser. Un **musée du Riz de Camargue**, installé sur la rizerie du Petit Manusclat, retrace l'histoire de cette culture locale *(au Sambuc, à 14 km N. de Salin-de-Giraud par la D 36 ☎ 06 31 03 40 11).*

Marseille et sa région

Capitale économique de la Provence et deuxième agglomération de France, la métropole marseillaise, vibrante et cosmopolite, pousse ses ramifications jusqu'à Aix-en-Provence. Son tissu dense marque sensiblement toute la côte, de La Ciotat à l'étang de Berre : on est ici dans la Provence urbaine et industrieuse, qui pourra rebuter le visiteur au premier abord.

Il faudra pourtant s'affranchir de ce paysage industriel et moderne pour découvrir les richesses de ce pays. Car Marseille, pour commencer, jouit d'un patrimoine spectaculaire et a su conserver un caractère provençal sensible surtout sur le Vieux-Port et dans le quartier du Panier. Autour, dans une lumière franche, se dessinent les célèbres calanques, mais aussi le massif de la Sainte-Baume et sa forêt relique, ainsi que des centres-villes typiquement provençaux comme Cassis, Aubagne ou Martigues. Autant de raisons de découvrir cette côte complexe mais généreuse, en voiture par la route des Crêtes, à pied dans le massif de la Sainte-Baume ou en train le long de la Côte Bleue.

◀ *Proues de pointus dans le port de Cassis.*

Que voir dans la région de Marseille

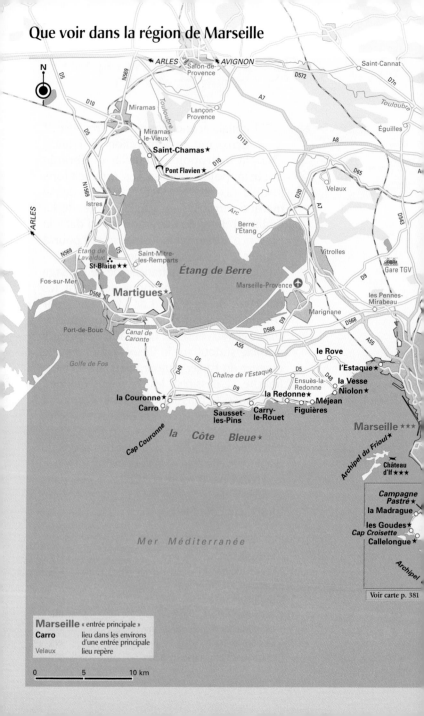

N

← ARLES ↖ AVIGNON
Saint-Cannat

D5
D10
N569
D572
D7n
Touloubre

Miramas
Lançon-Provence
A7
Éguilles

Miramas-le-Vieux
Saint-Chamas ★
D113
A8
D65

Pont Flavien ★
D10
D20
A7
D543

Velaux

Arc

Berre-l'Étang

Istres

Étang de Lavalduc
Saint-Mitre-les-Remparts
Vitrolles

St-Blaise ★★
Étang de Berre
D9

Fos-sur-Mer
D5
Martigues ★
Marseille-Provence ✈
Gare TGV

Port-de-Bouc
Canal de Caronte
Marignane
les Pennes-Mirabeau

Golfe de Fos
D568
D568
A55

D5
Chaîne de l'Estaque
le Rove
l'Estaque ★

D48
la Vesse

A55
Ensuès-la-Redonne
Niolon ★

la Couronne ★
D9
la Redonne ★
Méjean
Figuières

Carro
Sausset-les-Pins
Carry-le-Rouet

Cap Couronne la   Côte   Bleue ★
Marseille ★★★

Archipel du Frioul ★

Château
d'If ★★★

Campagne
Pastré ★
la Madrague

les Goudes ★
Cap Croisette
Callelongue ★

Archipel

Mer   Méditerranée

Voir carte p. 381

Marseille « entrée principale »
Carro lieu dans les environs
d'une entrée principale
Velaux lieu repère

0   5   10 km

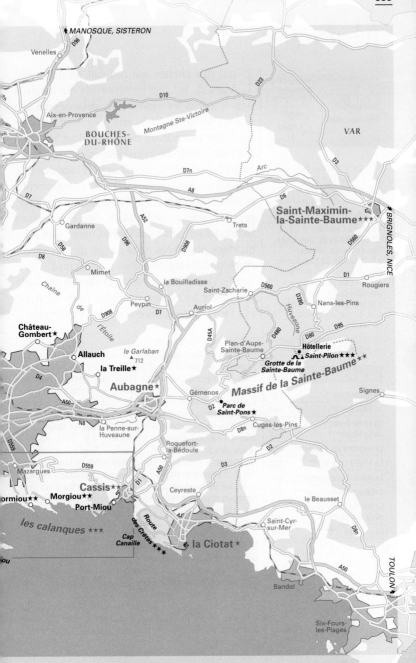

↑ *MANOSQUE, SISTERON*

Venelles

D96

D10

D23

Aix-en-Provence

Montagne Ste-Victoire

BOUCHES-DU-RHÔNE

VAR

D7n

Arc

A8

D6

D3

Saint-Maximin-la-Sainte-Baume ★★★

BRIGNOLES, NICE

D7

A52

D908

D96

Trets

D590

Gardanne

D58

D8

Mimet

la Bouilladisse

Saint-Zacharie

D560

D1

Rougiers

Chaîne

de

D908

l'Étoile

Peypin

D7

Auriol

D280

Nans-les-Pins

Huveaune

D80

D95

Château-Gombert ★

D45A

D480

Allauch

le Garlaban
▲ 712

Plan-d'Aups-Sainte-Baume

Hôtellerie

⛪ *Saint-Pilon* ★★★ ★★

la Treille ★

Grotte de la Sainte-Baume

Aubagne ★

Gémenos

Massif de la Sainte-Baume ★★

Signes

D4

A50

N8

la Penne-sur-Huveaune

D2

Parc de Saint-Pons ★

D8n

Cuges-les-Pins

D2

D559

Roquefort-la-Bédoule

Mazargues

D559

D11

A50

D3

le Beausset

D8n

Cassis ★★

Ceyreste

Morgiou ★★

A50

Saint-Cyr-sur-Mer

ormiou ★★

Port-Miou

Route des Crêtes ★★★

les calanques ★★★

Cap Canaille ★★★

la Ciotat ★

Bandol

TOULON

A50

iou

Six-Fours-les-Plages

Marseille★★★

À 31 km S. d'Aix-en-Provence par la A 7 et la A 51; à 105 km S.-E. d'Avignon par la A 7; à 93 km S.-E. d'Arles par la A 7, la A 54, puis la N 113.

🛈 11, La Canebière II C3 ☎ 0826 50 05 00. Ouv. toute l'année du lun. au sam. 9 h-19 h, 18 h de janv. à mars; dim. et jours fériés 10 h-17 h; f. 25 déc. et 1er janv. www. marseille-tourisme.com
• accueil gare Saint-Charles. Ouv. du mar. au sam. 10 h-17 h en saison.

Autres informations pratiques : → p. 338.

• Plan I : Plan d'ensemble p. 341.
• Plan II : Centre-ville en fin d'ouvrage.
• Plan métro et tram en fin d'ouvrage.

L oin des clichés qui ont fait sa notoriété, Marseille est une immense cité qui a saisi à bras-le-corps les monuments délaissés de son histoire vieille de 2 600 ans pour tout revisiter, réhabiliter, reconstruire, mettre en valeur. Sa façade maritime, jadis friche industrielle, est devenu un lieu incontournable de la vie culturelle et touristique de la Provence. Son patrimoine du XIXe s., monumental et jusque-là méprisé, a retrouvé toute sa superbe, et ses musées prennent place dans des fleurons architecturaux comme la Vieille Charité. Même les quartiers populaires, sans perdre de leur saveur cosmopolite, s'habillent désormais de neuf. Il n'est que le Vieux-Port et Notre-Dame-de-la-Garde pour rester les mêmes, symboles, s'il en est, d'une ville bien vivante et ouverte sur la Méditerranée.

L'héritage phocéen

C'est par la mer que les Grecs de Phocée, venus d'Asie Mineure, abordent au VIe s. av. J.-C. les rivages marseillais. La légende voudrait alors que Gyptis, fille des Ligures autochtones, ait choisi le Grec Protis pour époux. L'alliance fut ainsi consommée entre les navigateurs qui allaient faire la fortune maritime de Marseille et les terriens qui allaient alimenter la cité. Le 1er port de *Massalia* est bâti à l'embouchure du Lacydon (→ p. 353). Alliée à Rome dès le IVe s. av. J.-C., *Massilia* – ainsi rebaptisée par les Romains – conserve une grande indépendance et noue des liens commerciaux bénéfiques avec l'Afrique, l'Espagne et Rome. Riche et pacifiée, la cité rayonne grâce à ses prestigieuses écoles de rhétorique et de médecine, héritées de ses origines hellènes.

Les aléas du Moyen Âge

Si Marseille échappe économiquement au chaos qui domine depuis le Ve s., elle n'en est pas moins ballottée d'une royauté à l'autre, devenant tour à tour wisigothe, burgonde et ostrogothe. Sous les Carolingiens, l'insécurité maritime réduit le Vieux-Port à une activité minimale. Une timide renaissance survient au XIIIe s., lorsque Charles d'Anjou, comte de Provence, fonde un arsenal. Au XIVe s. toutefois, les conflits avec les pays catalans, musulmans et génois, les guerres de succession du comté de Provence,

◀ Le Port de Marseille
*(1754) par Joseph Vernet
(détail).*

Marseille respecte une relative neutralité dans le conflit qui oppose César à Pompée, mais commet l'erreur d'accueillir les troupes de ce dernier. En 49 av. J.-C., César, qui a reconquis les provinces romaines, assiège la ville. Elle se rend après six mois de résistance, mais elle conserve une indépendance suffisante pour redresser son économie.

la guerre de Cent Ans, puis les manœuvres politiques des papes d'Avignon démantèlent sa fragile économie ; elle se retrouve ruinée en 1423 par un saccage catalan. Il faudra un demi-siècle et l'entrée dans le royaume de France en 1481 pour que Marseille se reconstruise : Louis XI lui offre la primauté du commerce des produits d'Orient et y installe ses galères, puis François Iᵉʳ, en lutte avec Charles Quint, édifie en 1535 le château d'If (→ p. 375), rempart contre l'ennemi et point d'ancrage de l'armée royale face à une population qui a toujours affirmé son autonomie.

Née sous la tutelle de prestigieux théologiens comme Jean Cassien, l'abbaye Saint-Victor jouera, du vᵉ s. au xiiiᵉ s., un rôle prépondérant dans la diffusion du christianisme en Europe.

La ville de Louis XIV

Au milieu du xviiᵉ s., Louis XIV reprend en main la défense de la cité en ordonnant l'édification du fort Saint-Nicolas (→ p. 363), l'agrandissement du fort Saint-Jean (→ p. 342) et la construction d'un arsenal de galères royales. L'intendant Nicolas Arnoul finalise en 1666 un plan d'agrandissement et d'embellissement que la ville mettra 85 ans à concrétiser. Si la peste décime en 1720 un tiers de sa population, l'activité maritime n'en demeure pas moins d'une exceptionnelle vitalité durant le xviiiᵉ s. et de grands navires commercent avec les Antilles, les Indes et les Amériques.

Le renouveau du xixᵉ s.

Marseille est la 3ᵉ ville de France et le 1ᵉʳ port du pays lorsque la Révolution éclate. En 1789, le peuple se soulève et convoque la création d'une nouvelle assemblée municipale. Cette ferveur soudaine pour la République est vite écornée par le centralisme jacobin, qui fait perdre tous ses privilèges à la cité, puis engloutie par la Terreur et sa guillotine. L'esprit va-t-en-guerre de Napoléon, qui aboutit au Blocus continental, aggravera la situation économique du port. Il faut attendre la Restauration, la conquête de

Les temps maudits

Le 25 mai 1720, le *Grand-Saint-Antoine*, en provenance de Syrie, s'arrime dans le port de Marseille. Quelques marins sont malades et mis en quarantaine, mais leur linge est confié à des lavandières : ce seront les premières victimes d'une épidémie de peste qui s'étend à toute la Provence. Deux hommes, l'évêque Belsunce et le chevalier Roze, se distinguent par leur présence et leur courage au milieu des malades et des morts. Avec près de 50 000 victimes, l'événement laissera de profondes traces dans l'imaginaire marseillais, nourries par une grande production iconographique, entre autres toiles celles de Michel Serre et les gravures de Jacques Rigaud.

Marseille débaptisée

En 1794, la ville participe à l'insurrection fédéraliste menée contre la Convention. En représailles, Marseille est alors répudiée et symboliquement dépouillée de son nom. Entre janv. et fév. 1794, tout acte se passant à Marseille sera consigné dans les registres officiels comme ayant eu lieu dans « la ville sans nom ».

l'Algérie (1830) et l'ouverture du canal de Suez (1869) pour que se confirme la reprise. Elle est spectaculaire, marquée par un développement hégémonique de l'industrie. En 1853, la création du bassin de la Joliette entraîne la délocalisation des activités portuaires, jusque-là concentrées sur le Vieux-Port. Ce dynamisme économique se double d'une effervescence architecturale, puisque sont dressés le palais Longchamp *(→ p. 356)*, le palais de la Bourse *(→ p. 352)*, la préfecture *(→ p. 362)*, la cathédrale de la Major *(→ p. 344)* et la basilique Notre-Dame-de-la-Garde *(→ p. 366)*, devenue le symbole de la ville.

Conflits sociaux et corruption

À la fin du XIXᵉ s., la classe ouvrière se soulève et organise des mouvements sociaux qui, jusqu'en 1914, paralysent le port. Durant l'entre-deux-guerres, la Canebière *(→ p. 351)* devient une frontière symbolique – toujours sensible aujourd'hui – entre deux mondes : au N., les activités industrielles et les quartiers paupérisés ; et au S., la bourgeoisie. En 1929, dans ce contexte d'instabilité, les alliances secrètes et les jeux complexes de la politique font entrer au conseil municipal Simon Sabiani, truand notoire. L'assassinat en 1934 d'Alexandre de Yougoslavie et du ministre des Affaires étrangères français Louis Barthou, puis l'incendie des Galeries Lafayette, dévoilent l'incompétence des nouveaux édiles locaux. La ville est mise sous tutelle par l'État, et c'est sous ce statut qu'elle entre dans la Seconde Guerre mondiale.

En 1881, les 250 000 Italiens résidant à Marseille ne saluent pas l'armée française qui vient de battre leur armée nationale en Afrique. Le prétexte est tout trouvé pour engager les hostilités. Accusés de vendre leur force de travail à moindre coût, et de voler ainsi le travail aux Marseillais, ils subissent la vindicte populaire. Ces « Vêpres marseillaises », ainsi appelées en référence aux Vêpres siciliennes (1282), feront 3 morts et 28 blessés.

Ville martyre

Port de transit vers les territoires libres avant l'arrivée des Allemands en 1942, Marseille voit converger des réfugiés venus de toute l'Europe pour échapper à la terreur nazie. En 1943, pour mettre un terme à la Résistance établie dans le dédale du Panier, Allemands et élus français s'accordent sur le dynamitage d'une partie du quartier ; 27 000 personnes sont évacuées. L'année suivante, les Alliés bombardent à leur tour une ville martyre. Après la guerre, Gaston Defferre, élu maire en 1953 pour diriger la reconstruction de la cité, conservera son mandat jusqu'à sa mort en 1986.

Les vagues d'immigration

En 1962, Marseille voit débarquer 500 000 Français d'Algérie, dont près de 100 000 s'y établissent pour servir de levier à l'économie locale. À cette 1ʳᵉ vague s'ajoutent, dans les années 1970 et 1980, les populations maghrébine et africaine. Les Trente Glorieuses sont une époque de mutation pour la cité : ses industries traditionnelles disparaissent, tandis que ses activités

▶▶▶

▲ *Le port antique abrite les ruines du complexe portuaire du Lacydon.*

Marseille antique

De *Massalia*, l'une des plus importantes colonies grecques de la Méditerranée, ne demeurent que de fragiles témoignages éparpillés dans les musées de la ville. Les monuments ont presque tous disparu, ensevelis sous des constructions plus récentes, ou démantelés pour servir à la construction de sanctuaires chrétiens.

Les fouilles du XXᵉ s. ont révélé un pan de l'histoire antique de Marseille. La ville des Phocéens a pris racine sur la butte Saint-Jean, à l'O. du quartier du Panier, avant de s'étendre sur la rive N. du Lacydon (sous l'actuel palais de la Bourse) jusqu'à atteindre 50 ha environ. Ce développement urbain témoigne de la prospérité du port qui fait commerce avec l'Europe tout entière. Alliés de Rome dès le IVᵉ s. av. J.-C., les Phocéens dominent six siècles durant l'économie méditerranéenne, en dépit de nombreuses guerres avec les peuplades celto-ligures. Ils ne se départiront jamais de leur identité d'origine, cultivant les archaïsmes de la culture grecque. Les Marseillais participent aux jeux Olympiques, honorent l'Apollon de Delphes, la déesse Athéna, Dionysos, Cybèle – très populaire – et la déesse Leucothéa.

Cette citadelle avancée de la civilisation grecque en pays «barbare» ne manque pas d'envergure : un vaste temple (à l'emplacement de la cathédrale de la Major) et des thermes (à proximité de la Vieille Charité) rivalisent en taille avec ceux de l'agora d'Athènes. Aristote (IVᵉ s. av. J.-C.) salue, dans *La Politique*, la Constitution aristocratique de Marseille, qui rassemble 600 *timouques* (hommes de mérite ou membres de droit élus à vie) dévolus à la gestion de la ville.

En 49 av. J.-C., César met fin à cette insolente indépendance, mais confère à la cité le statut de «ville fédérée». Si elle perd alors ses institutions grecques, elle gagne une autre guerre, celle de l'esprit. Strabon (v. 58 av. J.-C.-entre 20 et 25 apr. J.-C.) rapporte dans sa *Géographie* : «Marseille a su persuader à leur tour les jeunes Romains illustres de venir étudier dans ses murs plutôt qu'à Athènes.»

▲ *Depuis la construction des docks de la Joliette, le Vieux-Port n'accueille plus que de petits bateaux de pêche et de plaisance.*

« Marseille n'est pas une ville pour touristes. Il n'y a rien à voir. Sa beauté ne se photographie pas. Elle se partage. Ici, il faut prendre parti. Se passionner. Être pour, être contre. Être, violemment. Alors seulement ce qui est à voir se donne à voir. »

Jean-Claude Izzo,
Total Khéops, 1995.

pétrolières sont délocalisées autour de Fos-sur-Mer. Marseille parachève sa reconstruction et devient la 2e ville de France, avec 890 000 habitants. Face à l'afflux d'immigrés, 125 000 logements sont construits en vingt ans, les grands immeubles se multiplient sur l'ensemble du territoire marseillais.

L'heure des défis

Près de la moitié de la surface de la commune est aujourd'hui constituée de zones naturelles ; notamment le massif des Calanques (→ *p. 379*), érigé depuis 2012 en Parc national, à quelques encablures du premier port de France. L'agglomération se métamorphose. Le projet Euroméditerranée et la désignation de Marseille en 2013 comme « capitale européenne de la culture » ont contribué à donner un nouvel élan à la ville. Marseille comble son retard en matière d'infrastructures touristiques et culturelles : valorisation du patrimoine, ouverture de nouveaux lieux culturels, rénovation et transformation des musées existants. La nouvelle esplanade du Vieux-Port privilégie le piéton ; l'ancien port maritime a été complètement repensé avec l'implantation du musée des Civilisations de l'Europe et de la Méditerranée (MuCEM), la villa Méditerranée, et le musée Regards de Provence. Moins d'automobiles et davantage d'accessibilité en ville, le pari était osé, mais les résultats sont là : recul de l'autoroute à la porte d'Aix, création de tunnels et de parkings publics souterrains, promenade littorale dédiée aux piétons. Enfin, les grandes friches industrielles du XIXe s. sont transformées en quartiers économiques, commerciaux et résidentiels, reliés au centre-ville par le métro, le tramway et le TER.

Marseille pratique

Informations touristiques

L'office de tourisme organise des visites à thèmes du centre-ville plusieurs fois par semaine (2 h). Réservation obligatoire.

• Le **city-pass**, valable 1 ou 2 jours, comprend l'entrée dans la plupart des musées de la ville, le libre accès au réseau des transports urbains, une promenade en bateau et en petit train et la visite du château d'If.

• Des **taxis labellisés** par l'office de tourisme proposent des visites d'environ 2 h 30, avec commentaire audioguidé.

• Le « **Grand Tour** » est un circuit de 18 km à travers les principaux quartiers de la ville (1 h 30) à bord d'un bus à impériale découvert. Les passagers peuvent descendre visiter chaque monument et reprendre le bus suivant. Le pass est valable 1 ou 2 jours. www.marseillelegrandtour.com

• **Les Petits Trains de Marseille** proposent un circuit dans le Vieux-Marseille (1 h) et un circuit vers Notre-Dame-de-la-Garde (1 h) au départ du quai du Port. Rens. ☎ 04 91 25 24 69 ; www.petit-train-marseille.com

Transports

- **Aéroport Marseille-Provence**, à Marignane, 27 km N.-O. par la A 55 ou la A 7 ☎ 0820 81 14 14 ; www.marseille.aeroport.fr Liaison entre la gare routière et l'aéroport toutes les 15 mn de 4 h 10 à 0 h 10 (durée : 25 mn). La nuit, navettes assurées en fonction des vols programmés. Gare Saint-Charles ☎ 04 91 50 59 34 ; aéroport ☎ 04 42 14 31 27 ; www.navettemarseilleaeroport.com

- **Gare SNCF Saint-Charles** II D1 ☎ 36 35 ou www.sncf.fr

- **Gare routière** : pôle d'échanges Saint-Charles, 3, rue Honnorat II D1. Métro Saint-Charles ☎ 0800 71 31 37 ; www.lepilote.com

Circuler et se garer

Les quartiers historiques (le Panier, le Vieux-Port, la Canebière) se visitent facilement **à pied**, d'autant que la circulation y est chaotique. Les places de stationnement en centre-ville sont rares et chères : le plus simple consiste à laisser sa voiture sur des emplacements gratuits à l'écart du centre ou au parking et à utiliser le réseau de transports urbains.

- Deux lignes de **métro** desservent les quartiers du centre, le Prado, le palais Longchamp, la gare et Castellane. Elles circulent t.l.j. de 5 h à 0 h 30.

- Trois lignes de **tramway** desservent le centre : la T1 relie les Caillols à Noailles, la T2 la gare de la Blancarde à Arenc Le Silo, la T3 Arenc Le Silo à Castellane. Elles circulent t.l.j. de 5 h à 0 h 30.

- La ligne de **bus** n° 83 relie l'hôtel de ville aux plages du Prado via le Vieux-Port ; la ligne n° 60 circule du Vieux-Port à Notre-Dame-de-la-Garde via l'abbaye Saint-Victor ; la ligne n° 81 relie le métro Saint-Just au Pharo via la Canebière, le Vieux-Port et Saint-Victor. Rens. dans les stations de métro ou à l'Espace infos : 6, rue des Fabres ☎ 04 91 91 92 10. Ouv. du lun. au ven. 8 h 30-12 h et 13 h-16 h 30 ; www.lepilote.com ou www.rtm.fr

- En saison, une **navette maritime**, relie le Vieux-Port à la pointe Rouge en 40 mn. De mai à sept. ; départ toutes les heures de chaque port, de 7 h à 19 h (22 h du 15 mai au 15 sept.).

- Un service de **location de vélos** en libre service, est accessible t.l.j. de 6 h à minuit (restitution 24 h/24) avec une carte d'abonnement (7 jours ou 1 an). Rens. aux stations ou ☎ 01 30 79 29 13 ; www.levelo-mpm.fr

Fêtes, festivals set manifestations culturelles

- **Le 2 fév.** : octave de la Chandeleur, la célèbre procession de la Vierge noire de l'abbaye Saint-Victor, et bénédiction des navettes du Four des navettes.

- **En mars** : Babel Med Music, concerts de musiques du monde ; www.dock-des-suds.org

- **Juin** : Festival Marsatac, musique électro et hip hop ; www.marsatac.com

- **De mi-juin à mi-juil.** : Festival de Marseille : musique, danse, théâtre, cinéma ; www.festivaldemarseille.com

- **Juil.** : Festival international du Documentaire, www.fidmarseille.org ; Festival international de Folklore de Château-Gombert, www.roudelet-felibren.com ; Festival de Jazz des Cinq Continents, www.festival5continents.org

- **Fin août** : Septembre en mer : régates, activités nautiques, expositions ; www.septembrennmer.com

- **En oct.** : Fiesta des Suds, musiques du monde et du Sud ☎ 04 91 99 00 00 ; www.dock-des-suds.org ; Festival mondial de l'image sous-marine ; www.aquatic-festival.com

- **En nov-déc.** : foire aux Santons pl. du Général-de-Gaulle II C3.

MARCHÉS

Marseille compte 23 marchés différents, vivants et chaleureux.

- **Marché des Capucins** : pl. des Capucins, du lun. au sam. 8h-19h, l'un des plus importants et des plus variés.

- **Marché aux Poissons** : quai de la Fraternité (ex-quai des Belges), t.l.j. 8h-13h.

- **Marché paysan** : cours Julien, mer. 8h-13h.

- **Brocante** : cours Julien, 2e dim. du mois.

- **Livres anciens** : cours Julien, 2e sam. du mois.

- **Marché forain** : pl. de la Joliette, du mar. au ven. 8h-14h ; pl. Jean-Jaurès, les mar., jeu. et sam. 7h-13h ; av. du Prado, du lun. au sam. 7h-13h.

- **Marché aux Fleurs** : pl. de la Joliette le lun. ; quai du Port et sur la Canebière, les mar. et sam. ; pl. Jean-Jaurès le mer. ; av. du Prado, le ven.

Loisirs

◉ **Promenades en bateau.** • *Icard Maritime* ☎ 04 91 33 36 79 ; www.visite-des-calanques.com Vers les calanques jusqu'à Cassis (3 h 15), les calanques jusqu'à Sugiton (2 h 30) et autour du château d'If et des îles de Frioul (1 h) • *Croisières Marseille-calanques* ☎ 04 91 33 36 79 ; www.croisieres-marseille-calanques.com Vers les 6 calanques de Marseille (2 h) et les 12 calanques jusqu'à Cassis (3 h 15). Départs quai des Belges, à l'angle du quai du Port.

◉ **Plongée sous-marine.** Marseille est l'un des principaux centres français de plongée. Ses fonds recèlent quantité de richesses naturelles et d'épaves à explorer, surtout autour des îles de l'archipel du Frioul (→ p. 376) ou dans les calanques (→ p. 379). Liste des prestataires, auprès de l'office de tourisme.

Bonnes adresses

▶ *Plan I : plan d'ensemble de Marseille.*

Du quai du Port à la Joliette★

Popularisé par les films de Marcel Pagnol, dans les années 1930, le quai du Port reste une promenade prisée des Marseillais. L'architecture y mêle les époques : immeubles de la reconstruction bâtis par Pouillon, grâce maniériste de l'hôtel de ville, toits colorés du Panier, ou encore rigueur de l'église Saint-Laurent.

Une ville ouverte sur la mer

Tournée davantage vers la Méditerranée que vers son arrière-pays, Marseille s'est tout naturellement développée autour de son **Vieux-Port**★★, anse abritée des vents et protégée par de hautes collines (le Panier, le Pharo et la Garde). Il ne prit sa forme actuelle qu'au IIIe s. et fut longtemps le cœur commerçant de la cité, où étaient débarquées les marchandises venues des quatre coins du monde. Depuis la délocalisation du trafic vers la Joliette, rien ne demeure de ces anciennes activités commerciales, et seuls les mâts des voiliers (près de 3 000) peuvent évoquer de lointaines équipées.

Entouré de bastions défensifs, attirant bars et restaurants, le Vieux-Port, où convergent les grandes artères a été entièrement rénové. Les quais sont devenus une immense place piétonne laissant peu de place à la voiture. L'ensemble a été conçu par l'architecte britannique Norman Foster, créateur du viaduc de Millau, et le paysagiste français Michel Desvigne.

Départ du quai de la Fraternité (ex-quai des Belges), en bas de la Canebière, et longer la rive N. du Vieux-Port • compter 2 h.

■ L'hôtel de ville II B2

Quai du Port ☎ 04 91 55 11 11.

De modestes proportions, situé à l'emplacement de l'ancienne maison de ville, ce bel édifice de style baroque provençal fut achevé en 1673 par Mathieu Portal et Gaspard Puget, frère de Pierre Puget. Deux ailes couronnées de frontons triangulaires enserrent un corps central d'où s'avance un large balcon. Restauré en 1914, l'hôtel de ville a conservé en façade le **buste** de Louis XIV entouré d'attributs guerriers de Martin Grosfils et une copie de l'**écusson de Marseille**, sculptée par Pierre Puget, qui couronne la porte principale. Derrière le bâtiment, une galerie couverte d'Esprit-Joseph Brun, dotée d'une parfaite arcade à la française (1786), relie les annexes.

• La place située à l'arrière de l'hôtel de ville a été aménagée en 2006 pour créer en sous-sol l'**Espace Villeneuve-Bargemon**, qui accueille la nouvelle salle du conseil municipal, ainsi qu'un vaste espace muséal.

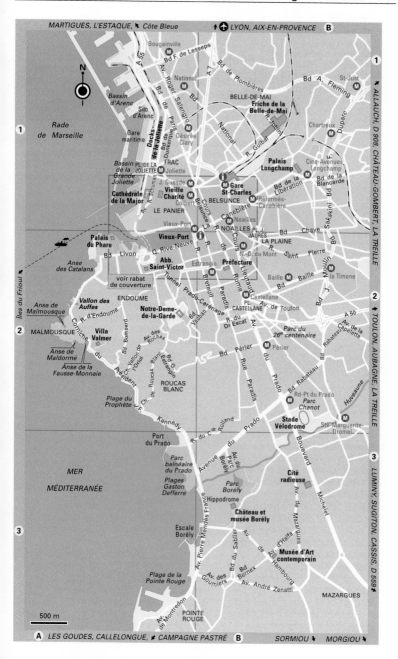

Du promontoire où se dresse l'église s'ouvre une large vue sur le port et la mer.
À côté s'élève la belle chapelle Sainte-Catherine, édifiée en 1604 pour le sacerdoce de la confrérie des Pénitents-Blancs.

■ L'église Saint-Laurent* II A3

Esplanade de la Tourette, accès par les escaliers depuis le quai
☎ *04 91 90 99 81 • ouv. du mar. au sam. 14 h-18 h 30.*

Autrefois mêlée à la ville des pêcheurs *(sanjanencs)*, l'église du XIIᵉ s. est désormais isolée, entourée d'immeubles aux lignes sèches des années 1950. De style roman provençal, ce sanctuaire se distingue par sa **façade★** d'une remarquable sobriété. Les murs en pierre de calcaire rose de la Couronne *(→ p. 396)* ne sont percés que de rares ouvertures et d'un oculus qui renforcent cette impression d'austérité. À l'intérieur, la régularité de la nef, dépourvue de transept, est rompue par un arc triomphal en plein cintre qui marque l'entrée dans l'abside du XVIIᵉ s. On remarquera une pietà en bois polychrome et une statue en bois doré de saint Laurent de la fin du XVIIIᵉ s.

■ Le fort Saint-Jean** II A3

Au bout du quai du Port ☎ *04 84 35 13 13 • ouv. t.l.j. sf mar., de nov. à avr. 11 h-18 h ; de mai à début juil. et en sept.-oct. 11 h-19 h ; de début juil. à fin août 10 h-20 h • accès libre au jardin sur le toit • expositions temporaires • www.mucem.org*

Dressée au XVᵉ s. à l'initiative du roi René, la **tour carrée★**, surmontée de mâchicoulis et dotée à l'origine d'une douzaine de canons, impose sa silhouette massive entre le Vieux-Port et la rade. Cet emplacement fut fortifié sur ordre de Louis XIV entre 1660 et 1679 : de larges remparts reliaient la tour carrée à la **tour ronde du Fanal★** (1644). Le complexe fut alors appelé «fort Saint-Jean», du nom d'une commanderie bâtie ici à la fin du XIIᵉ s. par les Hospitaliers de Saint-Jean-de-Jérusalem. Il fut endommagé par l'explosion d'un dépôt de munitions allemand en août 1944.

• Les bâtiments réhabilités abritent une partie de la collection du MuCEM, autour des thèmes des fêtes, des loisirs et des spectacles populaires. Un espace présente l'histoire du fort et des quartiers environnants. Sur le toit, un jardin-promenade recense différentes essences de la flore méditerranéenne. Une passerelle relie le fort au MuCEM, une autre à l'esplanade de l'église Saint-Laurent.

• Le **Mémorial des camps de la mort★** *(contre le fort Saint-Jean* ☎ *04 91 55 36 00 • actuellement fermé, se rens. • www.musee-histoire-marseille-voie-historique.fr)*, installé dans un blockhaus allemand, réunit pour un ultime hommage les cendres retrouvées dans 18 camps de concentration. Le mémorial possède un fonds important, dont les **archives de Coblence** et les archives militaires sur la rafle de 1943, complétées par des documents relatifs aux rapports entre le nazisme et l'État français.

Euroméditerranée

Née en 1995, l'opération d'aménagement et de développement économique Euroméditerranée, soutenue par la Communauté européenne, a accompagné une rénovation urbaine sans précédent. Chantier après chantier, la ville s'est transformée : les anciens docks de la Joliette se sont mués en un quartier d'affaires dynamique, les friches de la Belle de Mai sont dédiées aux industries de l'audiovisuel et du multimédia, les façades haussmanniennes de la rue de la République ont retrouvé leur éclat. L'ambitieuse Cité de la méditerranée accapare le front de mer sur 3 km. Le boulevard du Littoral, qui relie la haute tour futuriste CMA-CGM, dessinée par Zaha Hadid, au fort Saint-Jean, est jalonné d'édifices pour la plupart culturels.

■ Le MuCEM*** II A2

Esplanade du J4 • trois accès piétons possibles : par le fort Saint-Jean ; par la passerelle Saint-Laurent reliant le Panier au fort ; par le J4 ☎ 04 84 35 13 13 • ouv. t.l.j. sf mar., de nov. à avr. 11 h-18 h ; de mai à début juil. et en sept.-oct. 11 h-19 h ; de début juil. à fin août 10 h-20 h • www.mucem.org

Ouvert au printemps 2013, le musée des Civilisations de l'Europe et de la Méditerranée est dédié aux cultures de la Méditerranée. Édifié sur l'ancien môle J4 du port, le bâtiment dessiné par Rudy Ricciotti est le cœur du MuCEM. Il est enserré dans une résille de béton fibré, dont les façades brise-vent laissent filtrer la lumière, et bordé de douves en eau de mer. Une passerelle de 115 m de long le relie au toit du fort Saint-Jean, offrant une vue magnifique sur la Méditerranée.

• Plan I : Plan d'ensemble p. 341.
• Plan II : Centre-ville en fin d'ouvrage.
• Plan métro et tram en fin d'ouvrage.

• Le MuCEM abrite l'ancien fonds du musée national des Arts et Traditions populaires de Paris, soit une très riche collection de tableaux, de bijoux, de décors, de mobilier et de vêtements, l'ancien fonds du musée de l'Homme, enrichis d'acquisitions réalisées depuis une douzaine d'années. Parmi ces collections, on admirera les manèges et leurs chevaux de bois, les marionnettes, les reliquaires espagnols, italiens ou allemands et les costumes de fête.

■ La villa Méditerranée II A2

Esplanade du J4, à côté du MuCEM ☎ 04 95 09 42 70 • ouv. du mar. au ven. 12 h-18 h, sam., dim. et jours fériés 10 h-18 h ; f. les 1er janv., 1er mai et 25 déc. • www.villa-mediterranee.org

Dessiné par le Milanais Stefano Boeri, l'édifice étonne par son architecture audacieuse et l'immense porte-à-faux de 40 m. Ouvert sur le monde méditerranéen, il accueille des expositions et des spectacles contemporains.

■ Le musée Regards de Provence* II A2

Allées Regards de Provence, à côté du MuCEM ☎ 04 96 17 40 40 • ouv. t.l.j. sf lun. 10 h-18 h ; f. les 1er janv., 1er mai, 15 août et 25 déc. • www.museeregards deprovence.com

▲ *Le spectaculaire porte-à-faux de la villa Méditerranée.*

Le bâtiment dessiné par Fernand Pouillon en 1948, entièrement rénové, abritait l'ancienne station sanitaire maritime de la ville. Le musée offre une vue panoramique sur le port de la Joliette et le J4. Il abrite une partie de la collection de la fondation Regards de Provence-Reflets de Méditerranée. Le patrimoine artistique du Sud du XVIIIe s. à nos jours est illustré par des peintures, des sculptures, des dessins et des photos d'artistes. Une salle à la scénographie innovante est consacrée à l'histoire de la station destinée à assurer le contrôle sanitaire des migrants. Tout au long de l'année, se succèdent des expositions temporaires d'art moderne et contemporain.

Seules les fondations du baptistère du Vᵉ s., encore partiellement enfouies, témoignent de ce que fut la cathédrale paléochrétienne avant sa reconstruction au XIᵉ s. Ses dimensions exceptionnelles et sa décoration laissent supposer qu'il fut l'un des plus importants baptistères de la chrétienté (25 m de côté).

■ La cathédrale de la Major*** II A1-2

Pl. de la Major ☎ *04 91 90 52 87 • ouv. t.l.j. sf mar. 10 h-18 h 30 (10 h-17 h 30 en hiver).*

Orientée N.-S. pour être bien visible depuis la mer, la cathédrale repose sur les fondations d'un site religieux du Vᵉ s. À sa consécration en 1897, elle fut saluée comme la plus belle et la plus vaste cathédrale élevée en France depuis le Moyen Âge.

• Son **chantier** s'étala sur quatre décennies et réunit trois grandes figures de l'architecture marseillaise : Léon Vaudoyer, Jacques-Henri Espérandieu (1829-1874) et Henri Révoil (1822-1900). Pour le dessin de l'édifice, Vaudoyer s'inspirera de modèles constantiniens inédits en France, qui se distinguent par l'emploi des voûtes en plein cintre, l'abondance de coupoles et l'alternance de matériaux nobles de couleurs différentes.

• La cathédrale est un édifice tripartite en forme de croix latine, avec déambulatoire et chapelles rayonnantes. Longue de 142 m, elle s'ouvre sur un **portique*** monumental ceint de deux grandes **tours-clochers** de 60 m. Une **galerie** en architrave formant sept arcades abrite des statues représentant le Christ entouré des apôtres, et les saints de Provence (à dr., Pierre, Lazare et Madeleine ; à g., Paul, Maximin et Marthe). Une **mosaïque**** de Révoil, d'une rare finesse, en bleu et or, orne la voûte du porche en référence au mausolée de Galla Placida de Ravenne.

Dans la 3ᵉ travée, on remarque un groupe sculpté d'Auguste Carli représentant une sainte Véronique particulièrement expressive qui essuie les larmes de Jésus. Cette œuvre est à comparer au groupe sculpté du même artiste présent sur la terrasse de Notre-Dame-de-la-Garde (→ p. 366).

• À l'intérieur, la nef principale est rythmée par 444 **colonnes** de marbre rouge et de pierre ocre clair qui soutiennent trois larges travées éclairées par de hautes fenêtres cintrées. Au sol, une mosaïque de 3 142 m², création de mosaïstes nîmois, reprend une symbolique orientaliste. À la croisée du transept, quatre arcs monumentaux supportent la **coupole centrale**** qui culmine à 70 m pour un diamètre de 17,7 m – la 6ᵉ du monde. Les statues des *Quatre Évangélistes* de Botinelly (1937) occupent les quatre piliers de la coupole. L'**autel majeur*** en marbre de Carrare, décoré de mosaïques de Révoil, est coiffé d'un ciborium au dôme de bronze soutenu par quatre colonnes d'onyx de Tunis. Le tombeau de saint Eugène de Mazenod, initiateur de la cathédrale et de Notre-Dame-de-la-Garde, canonisé par Jean-Paul II en 1995, a été placé dans la chapelle axiale du déambulatoire.

■ La Vieille Major II A2

2, rue de la Charité, accolée à la Major • f. au public.

Très endommagé, ce témoin de l'art roman provençal daté du XIᵉ s. comprenait à l'origine une nef centrale à cinq travées. L'église fut plusieurs fois remaniée par la suite : un clocher lui fut adjoint en 1390, puis elle fut amputée de deux travées au XVIᵉ s. En 1852, la construction de la «nouvelle» Major entraîna la destruction de deux autres travées, du cloître et du baptistère. La Vieille Major abrite aujourd'hui un **autel-reliquaire de Saint-Sérénus** en marbre du XIIe s. et une **Mise au tombeau** en faïence du XVIe s. L'**autel de Saint-Lazare** (1481), en marbre de Carrare, présente une double arcade soutenue par des piliers dont les chapiteaux supportent les trois fondateurs de l'église marseillaise : Lazare, Victor et Cannat.

■ Les docks de la Joliette* I A1

À 500 m N. de la cathédrale en longeant la gare maritime.

Édifiés en 1863 sur le modèle de ceux de Londres, ces docks bordant le quartier de la Joliette furent fermés en 1988. En 1992 débuta une longue et fructueuse rénovation des cinq corps de bâtiment séparés par des atriums, qui accueillent désormais bureaux et commerces. Inclus dans le **projet Euroméditerranée**, le nouveau quartier d'affaires qui s'étend autour des docks accueille désormais 800 entreprises employant plus de 12 000 personnes. Le bâtiment des **archives départementales**, dessiné par Corinne Vezzoni, le silo d'Arenc (1926) et le FRAC, œuvre du Japonais Kengo Kuma complètent une réhabilitation spectaculaire de ces ports marchands du XIXe s. et de leurs quartiers adjacents.

▲ *Le silo d'Arenc est l'ancien entrepôt à grain de la Compagnie des Docks. Il a gardé sa structure sur pilotis. Reconverti, le silo abrite une grande salle de spectacle.*

Le quartier du Panier★★

Surplombant le Vieux-Port, la colline du Panier est l'un des quartiers les plus emblématiques de la ville. Dédié aux cultes grecs, investi par les marchands à la Renaissance avant de devenir un village de pêcheurs, le Panier accueillit, après la décolonisation, les immigrants d'Algérie, puis ceux des Comores. Longtemps délaissé, entaché d'une réputation sulfureuse, il fut réhabilité dans les années 1990. Cette succession désordonnée de ruelles escarpées et de petites places ombragées conserve un caractère de village provençal populaire et métissé, aux lointains accents napolitains.

Départ du quai de la Fraternité : emprunter le quai du Port et remonter à dr. la rue Bonneterie, juste avant l'hôtel de ville • compter 1 h 30.

■ L'hôtel de Cabre* II B2

À l'angle de la rue Bonneterie et de la Grand-Rue.

Datant de 1535, année où Louis Cabre devint consul de la ville, il est aujourd'hui le plus ancien hôtel particulier de Marseille. Les moulurations de ses fenêtres à meneaux et son **décor** sculpté de têtes fantastiques sont significatifs de l'art gothique. Seul le pinacle de la niche angulaire emprunte à la Renaissance.

En vue de l'élargissement de la Grand-Rue, l'hôtel de Cabre fut littéralement déplacé de quelques mètres à l'aide de vérins en sept. 1954.

Jacques Daviel (1693-1762), médecin oculiste, réalisa la 1re opération de la cataracte le 2 avril 1745 à l'Hôtel-Dieu.

■ Le pavillon Daviel II B2

Pl. Daviel, face à l'église des Accoules.

L'ancien palais de justice de la sénéchaussée (1747) accueille, sur sa façade aux pilastres ioniques, des sculptures de Jean-Michel Verdiguier. Au 1er étage, remarquer le **balcon★** en fer forgé et ses panneaux dits « à la marguerite », motif favori des artisans français du XVIIIe s.

■ L'église Notre-Dame-des-Accoules II B2

10, pl. Daviel ☎ 04 91 90 99 81 • ouv. du mar. au sam. 14 h-18 h 30.

Se dressait à cet emplacement le plus vaste monument gothique de Marseille : l'« Ecclesia formosa » ou « Belle Église ». Elle fut rasée entre 1794 et 1804 pour avoir abrité une section rebelle à la Convention. Seul fut épargné son **clocher★** gothique de pierre rose, avec sa flèche à crochets, qui impose encore sa silhouette sur le Panier. Depuis 1820, un Golgotha adossé au mur de l'abside surmonte une crypte de faux rochers, reproduction de la grotte de Lourdes.

• L'ancien hôpital de l'**Hôtel-Dieu** *(pl. Daviel)*, l'un des plus imposants bâtiments du quartier, fut conçu en 1753 par Mansart et comprend trois étages ouverts sur de vastes galeries en arcades. Il abrite un hôtel de luxe.

▲ *La montée des Accoules, l'une des rues pittoresques du quartier du Panier.*

■ La Maison diamantée★ II B2

2, rue de la Prison, sur la g. du pavillon Daviel.

Miraculeusement épargné par le dynamitage de 1943, cet ancien hôtel particulier (1620) porte en façade un décor à bossage en pointe de diamant qui lui a valu son nom. À l'intérieur, les plafonds du spectaculaire escalier font la synthèse entre influences italiennes et décor bourguignon (motifs végétaux).

Longer la rue du Lacydon à l'angle de la Maison diamantée jusqu'à la pl. Vivaux.

■ Le musée des Docks romains★ II B2

28, pl. Vivaux ☎ 04 91 91 24 62 • ouv. t.l.j. sf lun. et jours fériés 10 h-18 h • www.musee-histoire-marseille-voie-historique.fr

Prolongeant le parcours muséographique du musée d'Histoire de Marseille, le site des docks romains a été modernisé par la mise en place de passerelles transparentes et d'une mise en scène lumineuse et sonore.

Particulièrement intense, l'activité du port nécessita, dans les premiers siècles de notre ère, la création de vastes entrepôts. Bâtis au pied du futur quartier du

• Plan I : Plan d'ensemble p. 341.
• Plan II : Centre-ville en fin d'ouvrage.
• Plan métro et tram en fin d'ouvrage.

Panier, ils ne seront retrouvés qu'à l'occasion de la reconstruction du Vieux-Port dans les années 1950. Le musée, fondé en 1963, présente in situ les vestiges d'un entrepôt commercial qui fonctionna entre le Ier s. et le IIIe s. Il fabriquait des *dolias*, jarres d'argile de 1,60 m de haut servant à conserver les aliments ou le vin. Les collections présentent également une maquette qui restitue le site tel qu'il est aujourd'hui connu, ainsi que de nombreuses antiquités (céramiques, amphores, pièces de monnaie…) exhumées de la rade lors de fouilles sous-marines.

Revenir pl. Daviel et emprunter la montée des Accoules.

■ Le vieux Panier★★

Avec ses façades colorées où le linge pend aux fenêtres, l'abrupte montée des Accoules★ est l'artère la plus célèbre du quartier. Sur la dr. s'ouvre un peu plus haut la pl. des Moulins, qui comptait 15 moulins jusqu'au XVIe s. La montée des Accoules s'achève sur la jolie pl. de Lenche★, la plus ancienne de Marseille. Elle se situe à l'emplacement présumé de l'agora grecque et du forum romain, et conserve, au S., des caves et des salles voûtées du IIe s. av. J.-C. (peut-être un réservoir d'eau) classées Monuments historiques par Prosper Mérimée en 1840.

La Vieille Charité★★★

Le lacis brouillon du Panier contraste fortement avec l'ordonnance parfaite de la Vieille Charité. L'ancien hôpital reconverti accueille deux des grands musées de la ville. Ce chef-d'œuvre de Pierre Puget symbolise, par son histoire et son architecture, les grandes étapes de la politique patrimoniale de Marseille.

*2, rue de la Charité II **B1**, au N. du Panier ☎ 04 91 14 58 80 • musées ouv. t.l.j. sf lun. et jours fériés 10 h-18 h, jusqu'à 19 h en été • compter 3 h pour la visite des musées.*

Bonnes adresses

✗ **Le Bobolivo**, 29, rue Caisserie II **B2** ☎ 04 91 31 38 21 ; www.bobolivo.fr Une décoration colorée de bric et de broc, et surtout une cuisine méditerranéenne surprenante et originale qui attire les foules.

Y ◉ Le Cup of Tea, 1, rue Caisserie II **B2** ☎ 04 91 90 84 02. Ce café littéraire accueille des expositions de photo et de peinture. Mais ce sont aussi 50 variétés de thés, tisane du Berger, café, bières, vins, le tout accompagné d'une petite restauration dans une déco pastel et bois. La terrasse donne sur l'église des Accoules.

✗ **Y Café La Charité**, dans l'enceinte de la Vieille Charité II **B1** ☎ 04 91 91 08 41. Sur les graviers ou sous les arcades, un lieu paisible pour déguster une crêpe, une salade ou un plat de pâtes, ou boire un café ou un chocolat.

⌂ 72 % Pétanque, 10, rue du Petit Puits II **B2** ☎ 04 91 91 14 57. À deux pas de la Vieille Charité, une boutique de produits du Sud, où le savon possède des saveurs étonnantes : noyau d'abricot, patchouli, feuilles de tomate… On trouve aussi tapenades et affiches anciennes.

◀ *La cour bordée de galeries de la Vieille Charité, occupée au centre, par la chapelle..*

L'abri des plus démunis

Au XVIIᵉ s., Marseille est une ville en pleine expansion où affluent ouvriers saisonniers, paysans et mendiants. À partir de 1671, les miséreux natifs de Marseille sont regroupés dans les bâtiments de l'hospice de la Charité, puis, de 1690 à 1885, des générations d'hommes et de femmes employés dans des ateliers créés in situ se succéderont. L'hôpital recevra ensuite les Marseillais que les destructions du quartier insalubre de la Bourse (1922) et du Panier (1943) ont jeté à la rue. Promis en 1961 à la démolition en dépit de son classement aux Monuments historiques (1951), le bâtiment sera heureusement restauré entre 1968 et 1986.

Un modèle de l'architecture hospitalière

Le Centre international de poésie de Marseille occupe l'aile g. de la Vieille Charité (au rez-de-chaussée). Ouv. du mar. au sam. 12 h-19 h ☎ 04 91 91 26 45 ; www.cipmarseille.com

Le projet de l'hospice de la Charité est confié en 1671 à l'architecte de Louis XIV Pierre Puget, qui dessine un ensemble de quatre bâtiments formant une cour fermée. Chaque aile présente trois niveaux d'arcades ouvrant sur une galerie qui dessert de vastes ateliers. Seules de rares fenêtres donnent sur la rue, prêtant à l'ensemble l'aspect extérieur d'une forteresse. Le tout est d'une grande rigueur, renforcée encore par l'utilisation de la pierre de la Couronne *(→ p. 396)*, mais non dépourvu de charme.

■ La chapelle baroque★★

Au centre de la cour.

Chef-d'œuvre de Pierre Puget et de son fils François, le sanctuaire est coiffé d'une **coupole** elliptique inspirée de l'église Saint-André du Quirinal, à Rome, soutenue par un tambour de grande envergure percé de fenêtres.

• À l'intérieur, la décoration sobre semble dévolue à la seule célébration de l'architecture. Ce plan apparemment simple multiplie pourtant niches, couloirs et escaliers dérobés afin d'éviter toute promiscuité entre les bienfaiteurs et les miséreux, eux-mêmes séparés selon le sexe. Pierre Puget disparaît en 1694 alors que la chapelle est encore en chantier. C'est à son fils que revient l'achèvement de la coupole, des pilastres doriques des fenêtres, de la corniche à modillons et de la rotonde de colonnes. Sur le fronton de l'actuelle **façade corinthienne** (1863), l'allégorie de la Charité est entourée de deux pélicans nourrissant leurs petits.

■ Le musée d'Archéologie méditerranéenne★★

À l'origine de la collection du musée, la passion du docteur Antoine Clot (1793-1868). Ce médecin originaire de Grenoble suit ses études à l'Hôtel-Dieu, puis rejoint l'Égypte en 1825 à l'invitation de Méhémet-Ali. Il y dirige l'institution hospitalière. Il revient en France en 1859, ennobli par le titre de bey et chargé de trésors antiques, dont il fera don à la ville.

Vieille Charité, 1ᵉʳ étage ☎ *04 91 14 58 59.*

Le musée présente la plus importante collection d'**égyptologie** des musées de province. Un millier de pièces éclairent les débuts de l'Ancien Empire (env. 2 700 av. J.-C.) jusqu'à la domination romaine (IIIᵉ-IVᵉ s. apr. J.-C.) ;

▶▶▶

▲ *La chapelle de la Vieille Charité, chef-d'œuvre baroque de Pierre Puget.*

Pierre Puget

L e créateur du célèbre *Milon de Crotone* est natif de Marseille. Peintre
méconnu, mais architecte et sculpteur éminemment réputé, Pierre
Puget a puisé son inspiration dans l'Italie baroque du XVIIe s. Il en fera
une remarquable synthèse pour la chapelle de la Vieille Charité.

Né en 1620, l'enfant du Panier entreprend à 18 ans son voyage en Italie destiné à para-
chever sa formation de sculpteur sur bois. Son périple s'arrête à Florence, où Pierre de
Cortone l'initie à la peinture. De retour en France en 1644, il rejoint son frère Gaspard
à Toulon : l'aménagement du nouvel arsenal et l'embellissement de cette cité sont ses
premières œuvres publiques. Les atlantes de la façade de l'hôtel de ville, qui lui valent,
en 1656, le titre d'architecte, ainsi que l'*Hercule* commandé par le marquis de Girardin,
annoncent la naissance d'un immense sculpteur. Le Louvre conserve quelques-uns de
ses chefs-d'œuvre : le célèbre groupe de marbre du *Milon de Crotone* (1682), le monumental *Persée délivrant Andromède* (1684) et le bas-relief d'*Alexandre et Diogène* (1688).
Architecte de Fouquet, Pierre Puget retourne à Carrare choisir son marbre, mais la
disgrâce de son commanditaire le contraint à demeurer à Gênes. Le bonheur et la
fortune sont au rendez-vous : les commandes privées affluent, et les églises reçoivent
en nombre les œuvres du Marseillais. En 1662, il découvre l'art baroque romain monumental d'artistes comme le Bernin, Borromini et Rainaldi. De son retour à Marseille en
1667 jusqu'à sa disparition en 1694, il assure la fonction d'architecte en chef dans le
projet d'embellissement de la ville. Les nouveaux cours s'habillent de façades raffinées
de son invention. C'est toutefois avec l'hôpital de la Charité que l'artiste livre son œuvre
la plus aboutie, 1er et unique bâtiment public de sa carrière marseillaise.

elles sont placées le long d'un chemin thématique qui traverse cinq salles successivement dédiées à l'introduction de la collection, la vie quotidienne, la vie spirituelle, les rites funéraires et la momification.

▼ *La stèle de Netjery-Mes.*

• L'abondante statuaire parcourt les époques et les styles : de l'émouvante **statue de femme★** de la période prédynastique (4 000 ans av. J.-C.) à la **statue fragmentaire et solennelle de Ramsès VI★** (XXᵉ dynastie), les composantes les plus diverses du peuple égyptien sont représentées (scribes, hauts fonctionnaires, artistes et architectes). À leurs côtés, parmi objets et outils du quotidien, un superbe **vase★** portant un cartouche au nom du roi Neferkarê Pépi II, de la VIᵉ dynastie. Dans la 3ᵉ salle, la haute **statue de la déesse Neith★★**, en granit noir, marque l'entrée dans l'univers sacré du temple et de la religion. Bronzes de la Basse Époque, reliquaires d'animaux et objets liturgiques témoignent de l'intensité des cultes et des rites funéraires. Des **stèles funéraires★** remarquables provenant du temple d'Abydos, ainsi que la **table d'offrande de Kenhihopchef★**, scribe de la XXᵉ dynastie, occupent la 4ᵉ salle. La 5ᵉ salle est consacrée à la conservation des corps : une momie humaine est entourée des objets qui ont accompagné le défunt dans l'au-delà (canopes, coque de barque, statuettes appelées *ouchebtis*).

• Les **salles d'archéologie méditerranéenne** abritent les antiquités chypriotes et proche-orientales réunies par Louis Borély au XIXᵉ s., certaines vieilles de deux millénaires. Chypre est essentiellement représentée par sa fine statuaire et sa céramique aux décors de cercles concentriques. Les pièces provenant de Suse, capitale de l'Empire perse fondée au Vᵉ millénaire av. J.-C., révèlent l'existence d'une organisation sociale élaborée et de systèmes marchands complexes.

■ **Le musée d'Arts africains, océaniens, amérindiens (MAAOA)★★**
Vieille Charité, 2ᵉ étage ☎ *04 91 14 58 38.*
• La collection du neurologue Henri Gastaut (1915-1995) réunit 90 **crânes★** d'ancêtres papous, du Vanuatu, de Nouvelle-Irlande, et des **têtes réduites** des Indiens Shuars (Équateur). Les **rambaramb★** du Vanuatu (mannequins funéraires supportant des crânes) portent les signes identitaires de la tribu du défunt. Les ornements sont réalisés avec des matériaux empruntés à la nature (toile d'araignée, pâte végétale, colorants naturels).

• La collection africaine de Pierre Guerre privilégie la qualité plastique des pièces (volumes équilibrés, lignes pures, matériaux patinés) telles ces **figures reliquaires fang★★** (Afrique centrale) représentant l'ancêtre du lignage et fixées sur le couvercle d'une boîte-reliquaire qui ont fait la notoriété de la collection. On remarquera également une délicate **statuette de femme fang agenouillée★**, sculptée dans une pierre grise veinée de rouge, et des **masques batcham★** du Cameroun dont la facture est singulière en Afrique : deux pans forment le visage, les yeux et le front sculptés en bas-relief.

• Une partie des collections provient du fonds de la chambre de commerce et regroupe les pièces des musées coloniaux de la ville de Marseille, dont des **masques gelede★★** du Bénin et des masques rares de formes coniques du Vanuatu.

• Une autre salle présente la collection du cinéaste François Reichenbach, amateur d'arts populaires brésiliens, qui a rassemblé ou commandé des centaines d'œuvres d'artistes contemporains. Les arbres de vie et les tableaux de laine produits par les montagnards Huichols reproduisent, dans un foisonnement de couleurs vives, des scènes de la vie quotidienne.

▲ *Crâne d'ancêtre surmodelé du Vanuatu.*

Au nord de la Canebière★

Large avenue tirée au cordeau depuis le Vieux-Port, la Canebière fut au centre de la vie sociale de la cité à partir du XVIIIe s. Au nord s'étend le quartier hybride de Belsunce et ses commerces coptes, maghrébins ou asiatiques qui voisinent avec la récente bibliothèque. Noyés dans ces rues grouillantes se côtoient deux lieux essentiels à la compréhension de la ville : le palais de la Bourse du XIXe s. et le jardin des Vestiges, à l'emplacement du port antique.

Départ du quai des Belges, en bas de la Canebière • compter 2 h.

■ La Canebière★ II C2-3/D2

Ouverte en 1666 sur des champs de chanvre (*canébé* en provençal) et leurs corderies, la Canebière est l'artère centrale du plan d'agrandissement de la ville mené par l'intendant Nicolas Arnoul. La destruction de l'arsenal en 1771, qui ouvre l'avenue sur le Vieux-Port, lui donne un nouveau souffle. Elle devient très vite une artère incontournable et, en 1860, les immeubles de la rue de Noailles sont abattus pour permettre son élargissement. Palaces, restaurants, cafés, boutiques de luxe et maisons de négoce se déploient alors, attirant une riche clientèle. Au début du XXe s., la Canebière constitue le lieu où convergent toutes les lignes de tramway et tous les intérêts commerciaux. Délaissée à la fin du XXe s., elle est à nouveau mise en valeur avec l'implantation de nouvelles enseignes et le retour du tramway depuis 2007.

Manifestations

Sur la Canebière
• Mar. et sam. matin : le marché aux Fleurs s'étend jusqu'au square Stalingrad.
• Chaque mois de déc. depuis 1883 : une foire aux Santons et aux Crèches pl. Charles-de-Gaulle, 10h-19h.

En 1846, le succès du *Comte de Monte-Cristo* d'Alexandre Dumas entraîne celui de la Canebière. L'écrivain Joseph Méry, qui accueillit Dumas à Marseille, a lancé la célèbre formule : « Si Paris avait la Canebière, ce serait un petit Marseille. »

▲ *Jusqu'au début du XXe s., la Canebière était au centre de la vie sociale, politique et économique de la cité.*

- Plan I : Plan d'ensemble p. 341.
- Plan II : Centre-ville en fin d'ouvrage.
- Plan métro et tram en fin d'ouvrage.

Le symbole d'une cité

Depuis sa fondation, la Canebière est le lieu des mouvements populaires. En 1790, les comités révolutionnaires y élèvent l'effigie de la République et y installent la guillotine. Dans les années 1930, son destin bascule sous les coups de feu des bandits locaux soutenus par le maire Sabiani. L'assassinat, sur la Canebière, du roi Alexandre Ier de Yougoslavie, le 9 oct. 1934, exacerbe un peu plus l'opinion publique, massivement choquée par le climat délétère qui règne dans ce quartier. Point d'attache des communautés étrangères, la Canebière cherche à retrouver son statut et son prestige d'antan.

Quelques façades de la Canebière

- Au n° 53 (actuel magasin C&A), l'**ancien hôtel du Louvre et de la Paix** (1863-1941), édifié par Jean-Charles Pot, est orné de quatre caryatides sculptées par Ferrat.
- Au n° 62, l'**ancien hôtel de Noailles** (Société générale) fut édifié par Bérengier dans la 2e moitié du XIXe s.
- Au n° 64, le **Grand Hôtel**, bâti par Jauffret en 1865, a conservé les sculptures des génies du Commerce et de la Navigation. Il abrite désormais un commissariat.

■ Le palais de la Bourse★ II C2

7, La Canebière ☎ *0810 11 31 13 • ouv. du lun. au ven. 8 h 30-18 h 30.*

Construit par les architectes Coste et Ferrié entre 1852 et 1860, ce palais de style néoclassique abrite le siège de la plus ancienne chambre de commerce de France (1599).

- La **façade principale★★** est précédée d'un avant-corps percé de cinq arcades revêtues des attributs de l'Industrie, du Commerce, des Sciences et de l'Agriculture. Une galerie de 10 colonnes corinthiennes (12,6 m) surmonte le porche où un large bas-relief (27 m) représente *Marseille accueillant les marins*. L'attique est orné de pilastres et de cartouches dédiés aux explorateurs. Les armes de la ville, soutenues par la Méditerranée et l'Océan, dominent l'ensemble. Les deux arrière-corps abritent les statues figurant les génies du Commerce et de la Navigation, et les explorateurs Pythéas et Euthymènes.

- À l'intérieur, l'ancienne **corbeille de la Bourse★**, pavée de marbre noir et blanc, est cernée de deux niveaux d'arcades aux pilastres doriques ; les cartouches des tympans célèbrent les partenaires économiques : Égypte, Tunisie, Indochine. L'horloge d'Henry Lepaute, qui sonna l'ouverture et la fermeture des cotations, est toujours visible dans les galeries du 1er étage. Au-dessus des arcades d'entrée, la statue du Commerce reçoit les plans du palais. La voussure se compose de 10 bas-reliefs reconstituant les faits marquants de l'histoire de Marseille jusqu'en 1860.

• Le **musée de la Marine et de l'Économie*** *(au rez-de-chaussée • ouv. t.l.j. 10 h-18 h • entrée libre)* expose, depuis 1989, des **maquettes de navires**** – dont le *Mongolia* (1923-1938) et le *Danube*, paquebot mixte gréé en trois-mâts (1855-1878) –, des objets et des instruments de navigation, des affiches publicitaires et des peintures rappelant les liens étroits qui ont uni le grand commerce, l'industrie et l'armement marin de Marseille. Deux maquettes de la ville permettent de mieux comprendre son évolution urbaine. Dans les galeries latérales, des toiles donnent un aperçu du port ouvrier.

Entrer dans le Centre Bourse derrière le palais de la Bourse.

> Au musée de la Marine, *Les Abords du bassin du Lazaret* d'Alfred Casile (1884) montre une vision peu habituelle de Marseille : un homme seul sur une charrette avance dans un paysage industriel sous un ciel de pluie.

■ Le musée d'Histoire de Marseille** II C2

2, rue Henri-Barbusse ☎ 04 91 55 36 63 • ouv. t.l.j. sf lun. 10 h-18 h ; f. les 1ᵉʳ janv., 1ᵉʳ nov., 25 et 26 déc. • visites commentées, se rens. • www.musee-histoire-marseille-voie-historique.fr

Entièrement rénové, le musée offre un espace ouvert sur l'ancien port antique de Massalia, cité fondée par les Phocéens en 600 av. J.-C. Les vestiges comportent les aménagements portuaires, les remparts grecs de Massalia et la voie romaine qui conduit au musée.

• Le parcours de visite comporte 13 séquences historiques ayant la navigation comme fil conducteur, depuis la fondation de Massalia par les Phocéens, 600 av. J.-C. jusqu'à la ville-port d'aujourd'hui. Elles racontent l'histoire de Marseille, à travers la religion antique, la céramique médiévale, les ambitions de Louis XIV, la peste de 1720, l'arrivée des rapatriés d'Algérie et les vagues migratoires du XXᵉ s... On peut y découvrir des maquettes de la ville aux IIᵉ et IIIᵉ s. av. J.-C., les vestiges de la nécropole paléochrétienne de Malaval (au N. de la ville antique), mais aussi une rare **épave antique**** et sept vaisseaux grecs et romains.

> La rue de la République a bénéficié d'une importante réhabilitation menée dans le cadre du projet Euroméditerranée. Reliant le Vieux-Port au quartier de la Joliette, c'est la seule rue haussmannienne de Marseille. Ses façades ont été nettoyées, rénovées ; en levant les yeux, vous admirerez les belles entrées d'immeubles, les caryatides, les atlantes, les balcons ouvragés, les décors sculptés des porches.

Bonne adresse

✗ *La Kahéna*, 2, rue de la République II B2 ☎ 04 91 90 61 93. Ce couscous est la coqueluche de ce quartier cosmopolite. Les plats sont servis dans la plus pure tradition tunisienne.

■ L'église Saint-Cannat-les-Prêcheurs II C2

4, rue des Prêcheurs, dans la petite rue en face du jardin des Vestiges ☎ 04 91 90 26 69 • ouv. lun. et jeu. 9 h-13 h, mer. 9 h-19 h, mar. et ven. 9 h-12 h.

L'ancienne église du couvent des Dominicains fut construite entre 1526 et 1619, présentant une nef de gothique tardif entourée de chapelles latérales. L'imposante façade baroque (XVIIIᵉ s.) perdit son fronton et l'ordre supérieur en 1926. L'édifice surprend par la richesse de son **mobilier***, acquis à d'autres églises après la Terreur : le maître-autel (1755), à baldaquin en marbre polychrome avec des ornements de bronze ciselé, vient de la chapelle des Bernardines ; la chaire baroque (1700) des

Minimes ; les **tableaux*** de Michel Serre, de Pierre Bernard et de Faudran de l'église des Accoules. Le buffet d'orgue d'Isnard est classé Monument historique.

Contourner le Centre Bourse jusqu'au cours Belsunce.

■ Le quartier de Belsunce II C1-2/D1-2

Le quartier est traditionnellement le port d'attache des immigrants : les Arméniens en 1915, les Italiens dans les années 1930, les pieds-noirs en 1962 puis les Maghrébins et les Chinois, chaque communauté investissant tour à tour les rues et les animant de commerces propres à chacune.

• La **rue du Tapis-Vert*** recèle quelques trésors architecturaux : au n° 22, la façade du couvent des Récollets (1750) ; au n° 52, une façade Louis XVI avec pilastres et chapiteaux d'origine. Pl. des Capucines trône une fontaine (1778) surmontée d'un obélisque porté par quatre dauphins, deux couples de chérubins et quatre lions.

• L'**église Saint-Théodore-les-Récollets*** *(1, rue de l'Étoile ; visite par l'office de tourisme)* présente une façade percée de niches abritant des statues recomposées en 1857. La nef se compose d'une succession de voûtes d'arêtes recouvertes d'une fresque très endommagée d'Antoine Sublet. Le mobilier comprend de belles pièces du XVIIIᵉ s. : un buffet d'orgue (1735) et, dans le chœur, un tableau de Beaufort représentant l'embarquement de Saint Louis à Aigues-Mortes pour les croisades.

■ Le Mémorial de la Marseillaise II C2

23-25 rue Thubaneau ☎ *04 91 55 36 00* • *visite mar. et ven. à 10 h 30 et 15 h, se rendre préalablement au musée d'Histoire (→ p. 353)* • *www.musee-histoire-marseille-voie-historique.fr*

Dans la maison de l'ancien club des Jacobins, trois espaces ludiques et interactifs proposent un parcours scénographié en musique retraçant l'histoire de l'hymne national. On peut y écouter près de 40 versions différentes de *La Marseillaise*, consulter des facs-similés de journaux parus durant la Révolution à Marseille, revivre la Révolution racontée par les voix de Mirabeau ou de La Cayolle ; dans l'ancienne salle du jeu de paume, des projections à 360° avec effets spéciaux, racontent l'épopée des fédérés marseillais montant sur Paris et la naissance de la République française.

L'*Alcazar*

Construit dans un style mauresque, L'*Alcazar* ouvre ses portes sur le cours Belsunce le 10 oct. 1857. À partir des années 1920, il accueille avec succès les revues marseillaises, mélange de satire mordante et de variété lyrique, puis les opérettes de Vincent Scotto. Des générations de chanteurs firent ici leurs premières armes : Fernandel, Yves Montand, Édith Piaf, Michel Sardou, Mireille Mathieu, Johnny Hallyday… L'*Alcazar* ferme en 1965 et le bâtiment est démoli en 1979 après un terrible incendie. Sa façade, restaurée, signale aujourd'hui l'entrée de la bibliothèque municipale à vocation régionale (BMVR).

■ La porte d'Aix **II C1**

Pl. Jules-Guesde.

En 1823, l'actuelle pl. Jules-Guesde marque l'entrée de Marseille pour qui vient de Paris. Le projet d'un arc de triomphe est confié à l'architecte Penchaud. Féru de période antique et défenseur d'un style néoclassique rigoureux, il s'inspire des arcs de Trajan à Bénévent et Saint-Rémy-de-Provence (→ p. 278), ainsi que du temple de Cazan (→ p. 296). Les victoires napoléoniennes constituent le thème majeur de la décoration sculptée.

• À l'intérieur de l'arc se déploient les reliefs *La Patrie appelant ses enfants à la défense de la Liberté* de Pierre-Jean David, dit «d'Angers», et *Le Retour des braves après la victoire* d'Étienne-Jules Ramey. Quatre statues représentant la Prudence, le Dévouement, la Valeur et la Résignation sont placées en haut de la façade (*côté rue d'Aix*).

▲ *Le cours Belsunce et la porte d'Aix, en arrière-plan.*

• Dans le cadre de l'opération de rénovation Euroméditerranée, le recul de l'autoroute A7 a permis la mise en valeur de la porte d'Aix et la création d'un parc urbain. Libéré peu à peu de la circulation routière, le quartier renaît avec l'implantation de nouveaux logements, de commerces, d'un hôtel et d'espaces verts.

Remonter le bd Charles-Nédélec.

■ La gare Saint-Charles d'Aix **II D1**

Afin d'accueillir les voyageurs de la nouvelle ligne ferroviaire Avignon-Marseille, Léonce Reynaud, architecte de la gare du Nord à Paris, reçoit en 1846 la commande de cette nouvelle gare. Il reprend une répartition classique à cette époque : deux halls (entrée et sortie) enserrent le bâtiment central et une immense verrière recouvre les voies.

• L'**escalier monumental**★ (*il relie la gare au bd d'Athènes*) est dessiné par les architectes Sénès et Arnal. En 1927,

• Plan I : Plan d'ensemble p. 341.
• Plan II : Centre-ville en fin d'ouvrage.
• Plan métro et tram en fin d'ouvrage.

▲ *L'escalier monumental de la gare Saint-Charles.*

des décors d'inspiration coloniale habillent ses paliers. Les œuvres de six sculpteurs célèbrent le commerce et l'industrie (lions de Carli, statues d'Auguste Martin), les colonies (femme alanguie de Botinelly) et le terroir (groupes en bronze de Bitter et Raynaud). Un vaste projet de rénovation, lancé à la fin des années 1990 et mené par l'architecte Jean-Marie Duthilleul, a récemment offert un nouveau visage à la gare.

• Une grande verrière (6 400 m²), la **halle Honnorat**, prolonge désormais l'ancien hall et ouvre vers le boulevard Charles-Nédélec. Elle est jalonnée de 24 pins factices et soutenue par 64 colonnes de pierre blanche qui s'inscrivent dans le prolongement de l'ancienne façade.

En bas des escaliers, longer à g. le bd Voltaire, puis passer sous le tunnel du bd National. Prendre ensuite la rue Honnorat et la rue Guibal : on atteint en 20 mn à pied la friche de la Belle-de-Mai qui longe les voies ferrées. Accès depuis la gare par le bus n° 49, arrêt «Jobin Pautrier».

▨ **La friche de la Belle-de-Mai I B1**

41, rue Jobin ☎ 04 95 04 95 95 • ouv. du lun. au sam. 8 h 30-minuit, dim. 8 h-22 h • www.lafriche.org

L'ancienne Manufacture des tabacs est aujourd'hui un lieu d'accueil pour la création artistique et culturelle. 12 ha, trois bâtiments, trois pôles : un pôle patrimoine, regroupant les archives municipales, le Centre interrégional de conservation et de restauration du patrimoine (CICRP) et l'Institut national de l'audiovisuel méditerranéen (INAM) ; un pôle média, réunissant les professionnels liés aux secteurs de l'audiovisuel et du multimédia ; un pôle arts et spectacle vivant tourné vers la création contemporaine. Ce pôle accueille des spectacles de danse, de théâtre, de cirque, des arts de la rue, et abrite des studios de répétition, des ateliers et des résidences d'artistes.

Le palais Longchamp★★

Alors que l'agitation de la Canebière s'estompe dans la lente montée vers le plateau Longchamp, une autre facette de la ville se révèle. On quitte l'éclectique architecture du quartier de Belsunce pour l'ordonnance des boulevards de la Libération et Longchamp, avec leurs vastes demeures bourgeoises du XIXe s. En ligne de mire se dresse le palais Longchamp, élevé de 1862 à 1869 à la gloire de l'eau, des arts et des sciences. La rénovation de ses façades lui redonne aujourd'hui toute sa magnificence baroque.

En haut du bd Longchamp **I B1** : *remonter la Canebière, puis, à g., la rue de la Grande-Armée et, à dr., le cours Joseph-Thierry d'où l'on voit le palais • compter 3 h pour la visite des musées.*

Une célébration des eaux

Marseille a souffert jusqu'au milieu du XIXe s. d'une pénurie d'eau récurrente. La construction d'un canal acheminant les eaux de la Durance dote la ville d'une ressource considérable. Le canal aboutit dans les vastes bassins-réservoirs (10 000 m³) enfouis sous le plateau Longchamp et soutenus par 1 200 piliers. Le palais dressé au-dessus, confié à Jacques-Henri Espérandieu, vient célébrer cet événement. Il présente un pavillon central relié par une double colonnade ionique en demi-cercle à deux importants bâtiments : l'un abrite le muséum *(aile dr.)*, l'autre le musée des Beaux-Arts *(aile g.)*. Devant le porche du pavillon central, un **groupe sculpté★** par Jules Cavelier en 1866 reçoit les eaux du canal : l'allégorie de la Durance est dressée sur un char à quatre taureaux de Camargue ; elle est entourée de la Vigne et du Blé, symboles de prospérité. Le décor animalier, omniprésent, habille jusqu'aux grilles de la porte d'entrée principale dominées, depuis 1865, par des fauves d'Antoine-Louis Barye, grand sculpteur animalier de l'époque romantique.

Manifestation

Dans le parc Longchamp
En juil., Festival de jazz des cinq continents : les grands noms du jazz fréquentent assidûment ce festival de plein air.
☎ 04 95 09 32 57 ;
www.marseillejazz.com

◀ *Le palais Longchamp, un vaste monument à la gloire de l'eau.*

■ Le muséum d'Histoire naturelle★

Palais Longchamp, aile dr. ☎ *04 91 14 59 50 • ouv. t.l.j. sf lun. et jours fériés 10 h-18 h.*

Au rez-de-chaussée, une collection d'**animaux naturalisés★** regroupe nombre d'espèces exotiques, dont un gecko géant (62 cm), seul spécimen de cette espèce connu dans le monde. Dans les salles annexes, une **collection de crânes** couvre la longue période qui sépare l'australopithèque de l'*Homo sapiens*. Au 1er étage, la salle de Provence se partage entre les espèces typiques de la flore endémique, la faune marine, les rongeurs et les oiseaux. Les murs du musée sont abondamment décorés de fresques.

■ Le musée des Beaux-Arts**

Palais Longchamp, aile g. ☎ *04 91 14 59 30* • *ouv. t.l.j. sf lun. 10 h-18 h, jusqu'à 19 h de mi-mai à mi-sept. ; f. les 1er janv., 1er mai, 25 et 26 déc.* • *entrée libre le 1er dim. du mois.*

Outre des sculptures originales, dont certaines œuvres de Pierre Puget, ce musée abrite une importante collection de toiles de l'école française du XIXe s. Les grands maîtres – Courbet, Corot, Puvis de Chavannes… – côtoient l'école marseillaise, dont les paysages lumineux sont signés Monticelli, Ziem, Loubon. La peinture hollandaise du XVIIe s. et l'école italienne des XVIe-XVIIe s. sont représentées.

Le canal de Marseille

L'ingénieur des Ponts-et-Chaussées Franz Mayor de Montricher fut le maître d'œuvre du canal construit entre 1838 et 1849. Les eaux captées à Pertuis (→ p. 253) parcouraient 84 km avant de rejoindre la plaine de Longchamp, traversant 254 ouvrages d'art, dont 18 ponts-aqueducs (notamment l'aqueduc de Roquefavour, → p. 430) et 17 km de souterrains. Près de 2 000 ouvriers furent embauchés sur le chantier. Fermés en 1996, les bassins et le château d'eau auront fonctionné près de 150 ans.

■ Le parc Longchamp

À l'arrière de l'édifice • *ouv. t.l.j. 8 h-17 h 45, 18 h 45 ou 19 h 45 selon la saison.*

Des trois jardins d'origine dessinés à la fin des années 1860, demeurent le jardin public dit « du plateau », ses allées à la française, ses sculptures et son jardin zoologique. Les animaux ont disparu depuis 1987, mais pas les cages ornées de peintures naïves et les pavillons aux décors de faïence, témoins d'une époque empreinte d'exotisme.

■ Le musée Grobet-Labadié*

140, bd Longchamp, en face du palais ☎ *04 91 62 21 82* • *f. pour rénovation, visites guidées possibles sur réservation au* ☎ *04 91 55 33 60.*

Au XIXe s., le Marseillais Alexandre Labadié, riche négociant de draps, et sa fille Marie-Louise, épouse du peintre et violoniste Louis Grobet, ont constitué une importante et éclectique collection d'œuvres d'art exposée dans un hôtel particulier de 1873. Mobilier et instruments de musique, céramiques (Moustiers, Apt…), tapisseries, toiles italiennes et françaises (de Delacroix à Monticelli), primitifs flamands, dessins (Puget, Daumier…) abondent dans chaque pièce. Cinq tentures de Jean-Baptiste Huet égaient le grand salon où sont disposés canapés et fauteuils aux dessins champêtres du XVIIIe s. On remarquera, dans l'antichambre du 1er étage, un cabinet portatif du XVIIe s. orné de scènes de la bataille de Constantin.

Dans le salon d'inspiration gothique du musée Grobet-Labadié, la cheminée est habillée d'un monumental linteau sculpté.

Au sud de la Canebière*

Ce quartier urbanisé au XIXe s. se distingue par une étonnante unité architecturale pimentée par le cosmopolitisme du marché des Capucins et les cafés à la mode du cours Julien, le « Quartier latin » marseillais. De là, des rues piétonnes accèdent à la place Jean-Jaurès – communément appelée « la Plaine » –, vaste plateau dominant la ville à 45 m d'altitude.

• Plan I : Plan d'ensemble p. 341.
• Plan II : Centre-ville en fin d'ouvrage.
• Plan métro et tram en fin d'ouvrage.

Départ tout en haut de la Canebière • compter 1 h.

◼ L'église Saint-Vincent-de-Paul (les Réformés)★ ‖ D2

2, cours Franklin-Roosevelt ☎ 04 91 48 57 45 • ouv. du lun. au sam. 8 h-20 h; dim. 8 h 30-12 h 30 et 16 h-19 h.

L'édifice est l'œuvre conjointe de l'architecte François Reybaud et de l'abbé Pougnet. Les deux flèches aériennes de 69 m et les multiples ornements de la façade, notamment les **vitraux★** de Didron, évoquent le style gothique du Nord, insolite dans le paysage marseillais. Dessiné par Pougnet, le grand-**orgue★** de tribune en deux buffets, classé Monument historique, a été construit par Joseph Merklin en 1888. Ce fut le 1er orgue à transmission électrique d'Europe. On remarquera deux **sculptures** de Louis Botinelly, le *Christ★* (1931), à l'intérieur de l'église, et *Jeanne d'Arc* (1945), placée sur le parvis ainsi que les **portes de bronze** de Caras-Latour.

◼ Le quartier Noailles ‖ C2-3/D2-3

Les Marseillais viennent volontiers s'approvisionner dans ce quartier, au **marché des Capucins** *(du lun. au sam. 8 h-19 h)* ou dans les nombreuses boutiques d'alimentation de la rue Longue-des-Capucins qui proposent des produits de tous horizons et reflètent le métissage marseillais.

◼ Le palais des Arts★ ‖ D2

1, pl. Auguste-et-François-Carli ☎ 04 91 55 36 00 • ouv. pendant les expositions temporaires t.l.j. 10 h-18 h.

Dessiné par Henri Espérandieu en 1874, il abritait des salles de dessin, d'architecture et de sculptures, une bibliothèque et un cabinet des médailles. Les deux entrées sont décorées du *Génie des arts* de Chabaud et de *La Science* de Truphène. Le sommet des piédouches accueille 10 bustes des grands mécènes de l'histoire de l'architecture, surmontés de médaillons gravés. Devant trônent un obélisque surmonté d'un angelot d'Espérandieu ainsi qu'un cheval de bronze de l'artiste vénitien Ludovico De Luigi (1983). Ses salons accueillent désormais les expositions, conférences et concerts organisés par la fondation Regards de Provence.

• Le **lycée Thiers** *(5, pl. du Lycée)* est installé depuis 1802 dans l'ancien couvent des Bernardines (XVIIIe s.). Y furent élèves Edmond Rostand, Adolphe Thiers, Marcel Brion, Albert Cohen, Marcel Pagnol et André Suarès.

▲ *La cour intérieure du palais des Arts.*

▲ *Le cours Julien.*

■ Le quartier de la Plaine II D3

C'est l'un des quartiers les plus animés de la ville en soirée.

• Le **cours Julien**★ *(en face du palais des Arts)*, créé en 1785, abrita jusqu'en 1972 le principal marché maraîcher de Marseille. Ses alentours accueillent des boutiques de créateurs, de brocanteurs et d'artistes. En haut du cours, la partie piétonne, très agréable avec ses fontaines et ses cyprès, est animée de petits restaurants et de cafés.

• La **pl. Jean-Jaurès** *(accès par les petites rues à g. du cours Julien)*, « la Plaine », est cernée de maisons typiques d'un habitat modeste mais harmonieux.

Le quartier de l'Opéra★

Il est le reflet de la société bourgeoise du XIXᵉ s., appréciant l'apparat, les célébrations officielles, le commerce et la culture. Le bâti d'Ancien Régime voisine avec d'amples constructions des XIXᵉ et XXᵉ s. Points d'orgue de ce plan d'urbanisme, la rue Saint-Ferréol, la rue Paradis et la rue de Rome sont prises d'assaut le samedi, lorsque la foule des chalands vient se presser dans les boutiques aux enseignes plus ou moins prestigieuses.

Départ du quai des Belges, en bas de la Canebière • *compter 2 h 30 avec la visite du musée Cantini.*

• Plan I : Plan d'ensemble p. 341.
• Plan II : Centre-ville en fin d'ouvrage.
• Plan métro et tram en fin d'ouvrage.

■ L'Opéra★★ II C3

2, rue Molière ☎ *04 91 55 11 10* • *visites organisées par l'office de tourisme.*

Voulu par le prince de Beauvau, gouverneur de Provence et amateur de théâtre, il est inauguré en 1787, sept ans après le 1ᵉʳ Opéra français, construit à Bordeaux. En 1919, un incendie détruit le bâtiment mais épargne la façade. Cinq ans plus tard, les architectes Castel, Raymond et Ébrard invitent plus d'une vingtaine d'artistes locaux à participer à la reconstruction de l'édifice, dans un pur style Art déco.

• Le plafond du foyer représente *La Légende d'Orphée*★ d'Augustin Carrera; les *Scènes du Satyricon* du buffet des loges sont d'Henry de Groux; *Le 14 juillet à Marseille* est une peinture de Louis-Mathieu Verdilhan; et, surmontant la scène, *La Naissance de la Beauté* est un bas-relief en stuc d'Antoine Bourdelle. Le péristyle de la façade d'origine a été conservé, mais l'attique a été rehaussé pour accueillir les *Allégories* d'Antoine Sartorio, qui a aussi réalisé les bas-reliefs en bronze de la grille extérieure.

■ Le palais de justice **II C4**

6, pl. Montyon ☎ *04 91 15 56 56* • *entrée libre.*

Cette réalisation néoclassique du XIXᵉ s. présente un portail antiquisant d'ordre ionique, surmonté d'un fronton où se dresse une allégorie de la Justice. La salle des pas perdus est dominée par une verrière octogonale. Le palais annexe (1933) possède une façade décorée des frises de Pomones allégoriques (divinités romaines des fruits et des jardins). Le tribunal de grande instance (1987) est installé à côté, dans un bâtiment aux parois de verre réfléchissant.

■ L'église Saint-Charles★ **II C4**

64, rue Grignan ☎ *04 91 33 32 13* • *ouv. du mar. au sam. 10 h-12 h et 15 h-19 h.*

Curieuse réminiscence du classicisme français à une époque où il était révolu, l'église (1828) a été construite selon un plan central parfaitement équilibré. Le revêtement des murs et le pavement pourraient s'inspirer de la Renaissance italienne. Le **maître-autel★** (1891) en marbre polychrome et les **tableaux** du chœur évoquent un style baroque, alors que la chaire s'apparente à l'esthétique romano-byzantine de Notre-Dame-de-la-Garde ou de la Major. Le grand **orgue** (1859) de style Louis XV, d'Aristide Cavaillé-Coll, est classé Monument historique.

■ Le musée Cantini★★ **II C3**

19, rue Grignan ☎ *04 91 54 77 75* • *ouv. t.l.j. sf lun. et jours fériés 10 h-18 h, 19 h en été* • *entrée libre le 1ᵉʳ dim. du mois.*

L'hôtel particulier, édifié en 1694, devint la propriété du marbrier Jules Cantini, qui en fera don à la ville. De belle facture, il a conservé en façade les ornements de la fenêtre centrale (guirlande et mascarons). Entièrement rénové en 2012, le musée créé en 1936, a constitué l'une des plus belles collections publiques françaises portant sur les grands mouvements artistiques de 1900 à 1960. Entre autres œuvres significatives : *Académie d'homme* (1901) de Matisse et *Développement en brun* (1933) de Kandinsky.

• L'ensemble de **dessins d'Antonin Artaud★★** constitue une exception partagée seulement par le Centre Georges-Pompidou, à Paris. Les 22 dessins du **jeu de Marseille★**, créé par les surréalistes en transit à Marseille durant l'hiver 1941, sont entrés au musée grâce à la donation d'Aube et d'Oona Breton.

• Ensemble unique dans les musées français, la collection d'**art gutaï★**, venue du Japon, est une initiative de Michel Tapié et Georges Mathieu. Un remarquable fonds met en valeur les **photographes★** du XIXᵉ s. et des années 1930, dont Man Ray, auteur d'un portrait d'Antonin Artaud, des photos du pont transbordeur *(→ p. 363)*, et une *Vue du port de Marseille* en 1936 dans un tirage argentique exceptionnel.

Le cours Pierre-Puget s'étend devant les bassins de la place Montyon. Il a été percé à l'emplacement de l'ancien rempart et relie, à l'O., le beau jardin de la Colline (jardin Puget).

Bonnes adresses

✗ *Le Mas*, 4, rue Lulli **II C3** ☎ 04 91 33 25 90. *Le Mas*, avec sa cuisine du terroir, est le seul restaurant du quartier ouvert jour et nuit. Il réjouit donc les noctambules affamés.

✗ *L'Aromat*, 49, rue Sainte, **II C3** ☎ 04 91 55 09 06. F. sam. midi, dim. et lun. soir. Cuisine innovante et raffinée que l'on déguste dans un cadre cosy.

🏛 *Marianne Cat*, 53, rue Grignan **II C3** ☎ 04 91 55 05 25. Marianne Cat a ouvert sa boutique dans un très bel hôtel du XVIIIᵉ s. Sur 400 m², elle propose vêtements de jeunes créateurs, accessoires et bijoux.

Bonnes adresses

✗ ♈ *Le Bar de la Marine*, 15, quai de Rive-Neuve **II B3** ☎ 04 91 54 95 42. Devant le ferry-boat, ce lieu, rendu célèbre grâce aux films de Pagnol, accueille la jeunesse dorée le soir.

✗ ◉ *Les Arcenaulx*, 25, cours Estienne-d'Orves **II C3** ☎ 04 91 59 80 30. Un lieu magique réunissant sous ses voûtes une librairie moderne, un fonds de livres anciens, un restaurant, un salon de thé et une boutique pleine d'idées cadeaux.

✗ *L'Oliveraie*, 10, pl. aux Huiles **II B-C3** ☎ 04 91 33 34 41. À deux pas du Vieux-Port, les oliviers en pot signalent l'agréable terrasse. Les produits sont de qualité et les suggestions renouvelées régulièrement.

✗ *Pelle-Mêle*, 8, pl. aux Huiles **II B-C3** ☎ 04 91 54 85 26. F. dim. Une sympathique et chaleureuse cave à jazz où se produisent d'excellents musiciens (du lun. au sam. à partir de 22 h 15). L'entrée est gratuite et le prix des consommations très raisonnable.

■ L'hôtel de la Préfecture* II D4

Pl. de la Préfecture • f. au public.

Charlemagne-Émile de Maupas, sénateur des Bouches-du-Rhône de 1860 à 1866, mena une campagne active pour la modernisation de Marseille, qui manquait singulièrement de bâtiments civils. L'hôtel de la Préfecture fut le point d'orgue de cette politique. Élevé en 1866, le vaste édifice (90 m de long pour 80 m de large) concentre toutes les théories architecturales de l'époque.

• La **façade principale**★ à trois étages est ornée de statues dédiées aux administrateurs de Provence ; le pavillon de Marseille, coiffé d'un dôme, est entouré, à dr., du pavillon des Arts, attribué à Aix-en-Provence et, à g. du pavillon du Commerce et de l'Agriculture, attribué à Arles. François-Joseph Nolau, qui a décoré l'Opéra-Comique à Paris, conçut les aménagements intérieurs et confia leur décoration à des peintres régionaux.

• Depuis la préfecture, emprunter la rue de Rome jusqu'à la **pl. Castellane**. Les groupes sculptés de sa **fontaine**★ illustrent le Rhône, la Mer, la Source et le Torrent.

Au sud du Vieux-Port★★

Il faut quitter la chaleureuse animation du quai de Rive-Neuve pour rejoindre l'isolement superbe du Pharo et la solennelle abbaye Saint-Victor. Pour reprendre pied dans la ville trépidante, revenez vers le port par les rues Sainte et Neuve-Sainte-Catherine, où demeurent deux institutions du folklore local : le Four des navettes et le musée des Santons Carbonel.

Départ du quai de la Fraternité, en bas de la Canebière • compter 3 h.

▶ *Le quai de Rive-Neuve. Au centre, la Criée, théâtre national de Marseille.*

■ Le quai de Rive-Neuve II BC3

Face au Panier, le quai de Rive-Neuve affiche une façade d'une belle harmonie. Suite au déplacement de l'arsenal à Toulon en 1748, un plan d'urbanisme conçu par Sigaud trace, du quai à la rue Sainte, un ensemble d'entrepôts de trois étages, édifiés en 1784. Huit îlots sont répartis autour d'une petite place carrée très animée : le **carré Thiars***. Cette impression d'unité se prolonge sur la **pl. aux Huiles**. Espace piétonnier, le **cours d'Estienne-d'Orves** accueille la jeunesse étudiante dans ses chaleureux cafés.

■ La Criée - Théâtre national de Marseille II B3-4

30, quai de Rive-Neuve ☎ *04 91 54 70 54* • *www.theatre-lacriee.com*

Délaissée à la construction du port de pêche de Saumaty (au N. de Marseille) en 1975, la criée aux poissons (1909) fut transformée en 1981 et devint l'outil culturel le plus prestigieux de Marseille. Cette première rénovation, dirigée par l'architecte-scénographe Bernard Guillaumot, a conservé la façade d'origine.

■ Le fort Saint-Nicolas II A4

2, bd Charles-Livon • *visites guidées seulement, rens. à l'office de tourisme.*

Le fort Saint-Nicolas, construit entre 1660 et 1664 par le chevalier de Clerville, intendant du roi Louis XIV, paraît amputé d'une partie de ses ouvrages défensifs. Ils furent en effet démantelés en 1790 par les Marseillais eux-mêmes, pour qui le fort était une représentation symbolique du pouvoir royal. En 1862, le fort fut coupé en deux parties par la percée du bd de l'Empereur *(aujourd'hui bd Charles-Livon)* reliant le Vieux-Port au Pharo.

■ Le palais du Pharo* II A3

Il surplombe l'entrée du Vieux-Port ☎ *04 91 14 64 95* • *visite uniquement lors des Journées du patrimoine.*

Construit sous l'impulsion de Napoléon III à partir de 1858, le palais du Pharo se dresse en haut d'une butte surplombant l'entrée du Vieux-Port. Dessinée par Lefuel, architecte de l'empereur, la résidence présente deux ailes enserrant un corps central percé de hautes fenêtres en plein cintre. Le porche est souligné par des pilastres et un fronton triangulaire où siègent deux angelots porteurs de l'écusson impérial. Resté inachevé, le bâtiment n'accueillit jamais le couple impérial.

• Le **jardin** entourant le palais du Pharo *(ouv. t.l.j. 8 h-21 h)*, aménagé en bord de falaise, ménage une **vue*** unique sur le Vieux-Port surtout au soleil couchant.

Le pont transbordeur

Le pont transbordeur mis en service en 1905 a marqué une époque du Vieux-Port de sa silhouette. Long de 240 m et haut de 86 m, cet ouvrage métallique reliait le quai de la Tourette et le fort Saint-Nicolas, fermant l'horizon de sa gigantesque armature. Un million de voyageurs et 50 000 voitures empruntèrent sa passerelle mobile chaque année pendant 40 ans. Il fut dynamité par les troupes d'occupation en août 1944 et démonté en 1945.

Le ferry-boat

Jusqu'à l'arrivée du ferry-boat en 1880, les traversées du Vieux-Port se faisaient en bateau à rames. Le *César*, qui assurait la liaison depuis 1967, avait été remplacé en 2010 par un bateau électro-solaire. Ce dernier ayant connu quelques déboires, le *César*, entièrement rénové, a repris du service en 2013. On dit à Marseille que ce ferry-boat (prononcez «ferry-boâte») est le seul bateau à prendre le port «en travers». Accès devant la pl. aux Huiles et la mairie. Horaires variables, entre 7 h 30 et 20 h 30.

Prendre l'av. Pasteur puis à g. l'av. de la Corse.

■ L'abbaye Saint-Victor★★★ II B4

3, rue de l'Abbaye ☎ *04 96 11 22 60 • ouv. t.l.j. 9 h-19 h • entrée des cryptes payante • www.saintvictor.net*

▼ *La chapelle Notre-Dame-de-la-Confession, dans la crypte de l'abbaye Saint-Victor.*

L'ancienne abbaye bénédictine, aujourd'hui basilique, se dresse face au Vieux-Port. Deux tours aveugles et crénelées défendent ce sanctuaire qui fut, de l'an mille au XVIᵉ s., l'un des plus importants de la chrétienté.

Aux origines de la chrétienté

La rive S. du port devient, au IIIᵉ s., le lieu de repos de premiers chrétiens, inhumés dans des tombes rupestres, puis dans des sarcophages. Parmi eux, peut-être, Victor, qui introduit le culte de la Vierge en Occident. En 430, deux monuments funéraires (actuelles chapelle Notre-Dame-de-la-Confession et chapelle Saint-André) sont élevés dans le front de taille de la carrière avant d'être en partie démantelés lors d'une invasion sarrasine au IXᵉ s. Au XIᵉ s., l'abbé Isarn, fidèle à la règle de saint Benoît, fonde une nouvelle abbaye dont l'influence gagne toute la Provence. Les nefs supérieures sont reconstruites au XIIIᵉ s. dans un style roman provençal. En 1363, le pape Urbain V, ancien abbé de Saint-Victor, fait prolonger le sanctuaire, reconstruire le transept et fortifier l'édifice. La fin du Moyen Âge est marquée par le déclin de l'ordre bénédictin. La Révolution loge des forçats dans l'église, dépouillée, et ruine les bâtiments conventuels. Réinvestie en 1804, l'église est élevée au rang de basilique en 1934.

L'église haute

L'entrée de la basilique, percée à la base d'une tour fortifiée du XIVᵉ s., est close par un portail roman décoré au XIIIᵉ s. En entrant, on est frappé par l'exemplaire sobriété de la longue nef voûtée, dont le berceau est soutenu par des arcs-doubleaux. Des colonnettes ornées de chapiteaux moulurés encerclent les piliers. Un grand arc annonce le transept et un autre délimite le chœur, faisant converger toute l'attention vers le **maître-autel★** en bronze (1966). Plusieurs tableaux occupent les transepts : au N., une toile de Michel Serre représente la *Vierge dans l'attente d'un enfantement★* (XVIIIᵉ s.) ; au S., *Saint Joseph et l'enfant Jésus* (XIXᵉ s.) de Dominique Papety. Dans la chapelle g., une margelle monolithique de puits provenant de *Glanum* (→ p. 278) sert de fonts baptismaux. À g. de l'entrée des cryptes, la chapelle du Saint-Sacrement, éclairée par des vitraux de 1968, conserve une **table d'autel★** du Vᵉ s. en marbre décoré de colombes et d'agneaux.

Devant l'entrée de l'abbaye Saint-Victor, la terrasse surplombant le bassin de carénage offre un superbe panorama sur les bateaux du Vieux-Port et le Panier, qui n'a rien à envier à la vue depuis le jardin du palais du Pharo.

Les chapelles basses

Parmi les différentes chapelles de la crypte, trois abritent tombeaux et vestiges des églises primitives du Vᵉ s.

• La **chapelle Saint-Mauront** *(en face de l'escalier)* abrite un **sarcophage païen★** dont la façade sculptée représente les *Noces du dieu Bacchus avec Ariane*. La cuve servira au VIIIᵉ s. à recevoir la dépouille de l'évêque de Marseille, saint Mauront.

• La **chapelle Notre-Dame-de-la-Confession★** (Vᵉ s.) a été édifiée sur des tombes rupestres : quatre d'entre elles sont visibles au pied de l'autel. Elle se compose de trois nefs voûtées en plein cintre et d'une vaste salle carrée appelée «atrium». Dans la nef centrale, l'autel est un réemploi de sarcophage antique, dévolu aux **reliques de Jean Cassien**. La **Vierge noire★** du XIIIᵉ s., en bois de noyer polychrome vert et or, a toujours fait l'objet d'un culte fervent.

• La **chapelle rupestre de sainte Madeleine★**, dite «du confessionnal de Saint-Lazare», conserve une sculpture préromane d'une facture archaïque, représentant probablement saint Lazare, et un **bas-relief★** du XVIIᵉ s. dédié à sainte Madeleine, attribué à un élève de Pierre Puget. Un sarcophage d'enfant marque l'entrée de la grotte Saint-Victor, attenante à la chapelle, d'où l'on aperçoit, derrière une grille, les vestiges du cimetière, réduit pour l'instant à un amoncellement de sarcophages.

• La **chapelle Saint-André** du XIᵉ s. *(dans l'alignement de la chapelle Notre-Dame-de-la-Confession)* abrita jusqu'en 1980 les reliques de saint André, restituées à l'église de Patras (Grèce). À côté, s'ouvre la **salle lapidaire★** où l'on trouvera les inscriptions de Lazare et de deux martyrs : Volsianus et Fortunatus.

▪ Le Four des navettes II B4

136, rue Sainte ☎ *04 91 33 32 12 • ouv. du lun. au sam. 7 h-20 h, dim. 9 h-13 h et 15 h-19 h 30 • www.fourdesnavettes.com*

Le 2 février 1782, le maître-boulanger Antoine Lauzière crée, pour la Chandeleur, un biscuit sec qui deviendra légendaire. Ces «navettes», dont la forme rappelle une barque fuselée, évoquent la légende des saintes Maries et de saint Lazare arrivant par bateau sur les côtes de Marseille. Depuis plus de deux siècles, en grande cérémonie, le curé de la basilique Saint-Victor et l'archevêque de Marseille bénissent le four d'origine.

▼ *Les «navettes», gourmandises typiquement marseillaises.*

■ Le musée des Santons Carbonel II B4

47, rue Neuve-Sainte-Catherine ☎ *04 91 13 61 36 • ouv. du mar. au sam. 10 h-12 h 30 et 14 h-18 h 30 (du lun. au sam. en déc.) • entrée libre • www.santonsmarcelcarbonel.com*

La maison Carbonel est l'une des trois dernières fabriques de santons traditionnels. Le musée du fabricant rassemble 1 000 pièces rares datant du XVIIIe s. au début du XXe s., venues des quatre coins de la planète. On y trouve de grandes signatures comme celle de l'abbé César Sumien (1858-1934), le 1er artisan à avoir habillé les santons de tissu.

• Plan I : Plan d'ensemble p. 341.
• Plan II : Centre-ville en fin d'ouvrage.
• Plan métro et tram en fin d'ouvrage.

La basilique Notre–Dame–de–la–Garde★★★

Le monument emblématique de Marseille dresse sa délicate silhouette sur la colline de la Garde, point culminant de la ville. Symbole identitaire autant que religieux, la « Bonne Mère » occupe une place incomparable dans le cœur des Marseillais.

Au sommet de la colline de la Garde I A2 ☎ *04 91 13 40 80 • ouv. t.l.j. 7 h-20 h, d'oct. à mars jusqu'à 19 h • accès depuis le Vieux-Port par le bus n° 60 • compter 2 h • www.notredamedelagarde.com*

▼ *Monumentale, visible de toutes parts, Notre-Dame veille sur Marseille.*

Un promontoire stratégique

Bien visible depuis la baie de Marseille, la colline de la Garde a joué un rôle stratégique au cours de l'histoire. Ancien lieu de culte dans l'Antiquité gréco-romaine, la colline (154 m) porte déjà son nom, la Garde, en 903. En 1214, un moine de l'abbaye de Saint-Victor fait élever un 1er oratoire dédié à la Vierge. Le site est ensuite fortifié par François Ier qui lutte contre l'avancée de Charles Quint. À la fin du XVIe s., le pèlerinage devient particulièrement populaire auprès des marins, qui font don au sanctuaire des premiers ex-voto. Interrompu sous la Révolution, le culte ne reprend qu'en 1807. À partir de 1838, l'évêque Eugène de Mazenod ravive la foi populaire en s'adressant à ses fidèles en provençal. Son diocèse s'enrichit de 38 églises, dont Notre-Dame-de-la-Garde, pour laquelle il entreprend de grands travaux d'agrandissement.

Une basilique pour Marseille

L'architecte Jacques-Henri Espérandieu n'a que 24 ans quand la construction de la basilique lui est confiée, mais il disparaît avant d'avoir vu son grand œuvre

▶▶▶

▲ *Au XIXᵉ s., les santons prennent la forme du petit peuple provençal.*

Au pays des santons

L'histoire de ces petits personnages qui incarnent si bien la culture provençale débute à Bethléem, où de hautes figurines de bois peuplent les crèches primitives. On retrouve plus tard leur trace en Italie : ce sont les ancêtres des santons (de *santoun*, «petit peuple» en provençal).

Au Moyen Âge, des figurines de bois sculpté très simples apparaissent dans les crèches des églises italiennes. Elles seront introduites dans les foyers provençaux au XIIIᵉ s., en même temps que la crèche vivante (future pastorale) qui met en scène Marie, Joseph, l'âne, le bœuf et les Rois mages. Venues d'Italie, toujours, apparaissent au XVIIᵉ s., les crèches à automates, où les personnages sont revêtus de costumes richement décorés. Dans le même temps, santons en carton estampé ou moulé, en verre, en bois ou en mie de pain font leur apparition.

Le santon, tel que nous le connaissons aujourd'hui, est l'improbable enfant de la Révolution. Pour les Provençaux, les fêtes de Noël, les pastorales et les messes de minuit sont bien plus qu'un rendez-vous formel : elles soudent la population et favorisent la transmission des traditions grâce aux contes et récits des veillées. En réaction à l'interdiction des messes par les révolutionnaires, les premiers santonniers créent de petites figurines d'argile crue représentant la Sainte Famille, que chaque foyer conserve.

Sous Louis-Philippe, le figuriste marseillais Jean-Louis Lagnel produit de nouveaux personnages en argile, inspirés des pastorales et de la vie quotidienne. L'Aveugle de la pastorale Maurel, l'une des plus populaires de Marseille, la Bohémienne ou le Ravi se vendent un sou la pièce et peuplent, depuis, la crèche familiale, représentation symbolique de la Provence, parfois qualifiée de «folklorique». La 1ʳᵉ foire aux santons aura lieu sur la Canebière en 1803. Elle est aujourd'hui inaugurée à l'issue de la messe des santonniers à l'église Saint-Vincent-de-Paul.

◀ *Le chœur de la basilique, aux rondeurs byzantines, se caractérise par sa belle polychromie : marbre blanc de Carrare, pierre verte de Maurin (Alpes), pierre rouge de Brignoles, porphyre de Fréjus, granit rouge du Jura et onyx de Constantine.*

abouti. C'est Henri Révoil qui achèvera le somptueux décor de mosaïques, tâche monumentale qui lui demandera vingt-cinq ans. En 1870, une statue monumentale de la Vierge couronne l'édifice. La consécration a lieu en 1879.

L'édifice est un chef-d'œuvre polychrome de style romano-byzantin. Selon la tradition chrétienne, son chœur est tourné vers Jérusalem. Pour concevoir sa basilique, Espérandieu ne s'inspire pas seulement de l'air du temps où l'Orient a les faveurs de l'imaginaire occidental. La **polychromie** des pierres extraites des carrières de Cassis, de Baruthel, de Calissane et de la Golfalina toscane évoque aussi bien les expériences italiennes que l'islam, et fait écho à l'architecture singulière de la cathédrale de la Nouvelle Major. La vocation militaire du site n'échappe pas à Espérandieu, et il pose les fondations du sanctuaire sur les bases du fort de François Ier, soulignant cette 1re vocation par un pont-levis, des bastions et un clocher-porche.

■ L'église haute

Elle s'ouvre sur de lourdes **portes de bronze** (1 900 kg) dessinées par Henri Révoil et posées en 1891. Selon un plan basilical classique au transept étroit, la nef est surmontée d'un dôme d'inspiration byzantine. La profusion des décorations de **mosaïques**★★ à fond d'or et de **marbres polychromes** est réservée aux coupoles et aux plafonds. Le **maître-autel**★ en marbre blanc d'Henri Révoil est surmonté d'une **statue de la Vierge**★★ en argent repoussé au marteau, chef-d'œuvre d'orfèvrerie réalisé par Jean-Baptiste Chanuel entre 1831 et 1837. Deux œuvres italiennes ornent la basilique : *L'Annonciation* (XVIe s.), bas-relief en faïence polychrome de Girolamo Della Robbia, et le pavement de mosaïque commandé à l'atelier du Vénitien Francesco Mora.

• La **nef** de l'église haute s'appuie sur deux travées peuplées d'**ex-voto**★ qui expriment, dès le XVIe s., la reconnaissance des pêcheurs envers la « Bonne Mère ». Naïfs, expressifs et émouvants, ils citent souvent un événement de la vie quotidienne (maladie, naissance) ou des drames

ACCÈS À LA « BONNE MÈRE »

En voiture
Du Vieux-Port, prendre la rue Breteuil, le boulevard Vauban et la rue Fort du sanctuaire. Privilégiez les transports en commun : le bus n° 60, qui part du Vieux-Port ou le petit train touristique.

À pied
• Depuis le Vieux-Port, longer la rue d'Endoume et poursuivre par la montée du bd Tellène. Juste après le stade, les escaliers Valentin mènent à la basilique.
• Depuis la Corniche, monter le chemin du Vallon-de-l'Oriol, puis l'av. des Roches. Prendre en haut à g. le chemin du Roucas-Blanc, puis, à dr., la rue du Bois-Sacré, qui traverse la faille creusée dans la colline. De là, un chemin zigzague jusqu'à la basilique à travers la pinède du jardin du Bois-Sacré planté de pins d'Alep, de cyprès, de chênes, de cèdres et d'oliviers.

(naufrages) : l'un d'eux, de 1901, représente un bateau pris dans un cyclone de l'océan Indien. Tous les ex-voto antérieurs à 1810 ont malheureusement été dispersés.

• L'**église basse**, crypte de style roman creusée dans le roc, austère et dépouillée est dédiée à la Vierge Marie.

■ **Le clocher de Notre-Dame**
Réalisée en 1843 par le fondeur lyonnais Gédéon Morel, la cloche de la basilique est composée de débris de canons russes fournis par la reine d'Angleterre. Au sommet du clocher, la **statue de la Vierge★**, réalisée entre 1867 et 1869, est l'œuvre de la maison Christofle sur un modèle du sculpteur Lequesnes : elle pèse 9 796 kg et mesure 9,72 m de haut, le diamètre du poignet de l'Enfant Jésus est de 1,10 m ! Cette statue, considérée comme le plus grand objet au monde en cuivre galvanique, est protégée de la corrosion par un revêtement de feuilles d'or.

La terrasse de la basilique offre une vue unique sur la ville et la rade, plus particulièrement sur le Vieux-Port et les monuments illuminés.

En août 1944, la basilique est au cœur des combats de la Libération. Très endommagée, elle fait l'objet de restaurations dans les années 1950, puis 1980. Sur le versant N., en contrebas, le char français Jeanne-d'Arc, touché par l'artillerie allemande, a été conservé en plein air.

La corniche★★ et les quartiers sud★

Digne d'un panoramique de cinéma, la corniche ouvre de manière spectaculaire sur l'immensité méditerranéenne. Sur plus de 5 km, la longue route surplombe la mer et se prête à des haltes rafraîchissantes. Deux monuments, plus au sud, font la gloire de la ville : la Cité radieuse de Le Corbusier, concept architectural mondialement célèbre, et le Stade-Vélodrome, plus populaire, mais dont la ferveur qu'il suscite n'a rien a envier à la «Bonne Mère».

En venant du Vieux-Port, prendre la direction du palais du Pharo, puis poursuivre le bd Charles-Livon ; la plage des Catalans signale le début de la corniche du Président-John-Fitzgerald-Kennedy, qui longe la mer sur plus de 5 km jusqu'aux plages du Prado • compter une bonne demi-journée à pied et par le bus n° 83 qui longe la corniche jusqu'au parc Borély (terminus au rond-point du Prado).

• Plan I : Plan d'ensemble p. 341.
• Plan II : Centre-ville en fin d'ouvrage.
• Plan métro et tram en fin d'ouvrage.

◄ *En contrebas de la corniche, la plage de sable du Prophète, bordée de quelques cabanons, est l'une des plus populaires de Marseille.*

Avant d'atteindre le vallon des Auffes, on croise la plage des Catalans, qui doit son nom aux pêcheurs catalans qui s'établirent dans un ancien lazaret au XVIIIe s. Il ne reste aujourd'hui de ces infirmeries qu'une tour carrée à g. de la plage.

▶ *Le viaduc de la corniche et le monument à l'armée d'Orient vus depuis le petit port du vallon des Auffes.*

■ Le vallon des Auffes* I A2

Descendre par le bd des Dardanelles, en face du monument aux morts.

Du haut du viaduc qui le surplombe, le vallon des Auffes offre une vision de carte postale. C'est un petit port bordé de cabanons, où les pointus (barques des pêcheurs du littoral marseillais) oscillent au gré du vent. Les auffiers (d'« alfa », *auffo* en provençal) y mouillaient les pailles servant à fabriquer les cordages des bateaux.

• Le **monument aux morts de l'armée d'Orient** *(face au large, de l'autre côté du viaduc),* arc de triomphe inauguré en 1927, est l'œuvre de l'architecte Gaston Castel et du sculpteur Antoine Sartorio. De chaque côté de la Victoire en bronze sont regroupés des soldats et des marins précédés de Bellone, déesse de la guerre, et d'Amphitrite, déesse de la mer.

■ Le quartier de Malmousque I A2

Accès principal par la rue Boudouresque.

Cet ancien village, qui abrite aujourd'hui de belles villas, est un dédale d'impasses et de ruelles qui descendent jusqu'à une minuscule calanque bordée de cabanons et de pointus. De l'autre côté du quartier, la rue de la Douane mène à l'**anse de Maldormé**, véritable havre de paix où une discrète échelle accrochée aux rochers descend vers une petite plage de galets. Tout à côté, l'**anse de la Fausse-Monnaie** est connue pour *Le Petit Nice Passédat*, l'une des meilleures tables de la ville.

■ La corniche du Président-John-Fitzgerald-Kennedy** I A1-2

Ouverte sur le large, la corniche offre l'une des plus belles **vues*** sur la rade de Marseille. Surplombant la Méditerranée de plus de 10 m et longée par le plus long banc en ciment du monde (3 km), cette route littorale est bordée de grandes demeures bourgeoises, comme la **villa Valmer**

▶▶▶

Bonnes adresses

✗ *Le Péron*, 56, corniche du Président-John-Fitzgerald-Kennedy I A2 ☎ 04 91 52 15 22. Un des plus vieux restaurants de Marseille, suspendu à la corniche. La déco mêle bois précieux et filin d'inox. La table est raffinée.

✗ *Chez Fonfon*, 140, Vallon-des-Auffes I A2 ☎ 04 91 52 14 38 ; www.chez-fonfon.com Au fond du vallon des Auffes, face au petit port, une adresse célèbre dans un cadre féerique, surtout au coucher du soleil. La bouillabaisse y est l'une des meilleures de la ville.

▲ *La bouillabaisse, plat marseillais par excellence.*

La bouillabaisse

Nul ne sait comment ce plat de fortune des pêcheurs des calanques a gagné une telle notoriété. Il serait aujourd'hui connu dans le monde entier et porté au rang de plat national en Uruguay et au Chili.

L'histoire de la bouillabaisse se perd dans la nuit des temps. Si le chaudron est connu des Phocéens, le poisson ne devient un mets courant que sous l'influence perse (Ve s. av. J.-C.). Au Ier s. apr. J.-C., Apicius, 1er auteur gastronomique romain, signale l'existence d'un *minutal* (ragoût) réalisé par les pêcheurs des calanques. La recette est très simple : le bouillon se résume à de l'eau de mer et à des poissons aux morceaux trop abîmés pour être vendus.

Ce plat humble gagne cependant les tables parisiennes dès 1786, dans le restaurant des *Frères provençaux*, où l'eau de mer est remplacée par un fumet. Le XIXe s. lui donne ses lettres de noblesse : Alexandre Dumas cite une recette de «roubion de Marseille», et Jean Reboul, auteur de *La Cuisine provençale*, répertorie 40 variétés de poissons convenant à ce plat. Frédéric Mistral popularise la «tournée des croûtons», instant cérémoniel où le bouillon est versé sur des croûtons frottés à l'ail. Et pour que chacun soit informé, il traduit enfin ce mot mystérieux : *boui abaisso*, qui signifierait «quand ça "bouille", abaisse (le feu)».

S'il n'existe pas de recette unique, la *Charte de la bouillabaisse*, élaborée en 1980 par des cuisiniers soucieux d'en préserver l'authenticité, précise que ce plat se sert dans deux récipients séparés et doit comprendre au moins quatre espèces de poissons, découpés impérativement devant les convives. Au choix : rascasse (rascasse blanche, scorpène), araignée, rouget grondin (ou galinette), saint-pierre, baudroie (ou lotte de mer), congre. La bouillabaisse se sert alors en deux fois : le bouillon vient en premier, suivi des poissons égouttés et des pommes de terre accompagnées de rouille et de croûtons frottés à l'ail.

Bonnes adresses

🏠 ✗ *La Petite Maison à Marseille*, 56, rue Jean-Mermoz I B2 ☎ 06 12 59 12 00 ; http://petitemaisona marseille.com Trois chambres d'hôtes au calme dans une belle maison du quartier résidentiel Prado-Périer. La table d'hôtes (sur réservation) propose une cuisine du terroir.

🏠✗🍸 *Marseille Palm Beach*, 200, corniche du Président-J.-F.-Kennedy I A2 ☎ 04 91 16 19 00 ; 04 91 16 19 21 (restaurant). Un emplacement unique et une vue imprenable. Le mobilier contemporain est griffé Starck, Zanotta, Luceplan, Vlaemynck. Le restaurant *La Réserve* propose une cuisine élaborée. Si vous prenez un verre au bar, vous profiterez de la piscine alimentée par les eaux d'Aygues-Chaudes (eau chlorée sodique).

Les plages du Prado ont été redessinées dans les années 1970 grâce aux déblais issus de la construction du métro.

Marseille s'est dotée en 2001 d'un parc, le 3ᵉ en termes de taille après le parc Borély et la campagne Pastré : le parc du XXVIᵉ Centenaire, à l'E. de l'av. du Prado, a remplacé l'ancienne gare du Prado. Le belvédère offre une vue remarquable sur Notre-Dame-de-la-Garde.

▶ *Havre de paix, le parc Borély est l'un des trois plus grands parcs de la ville.*

(1865), entourée d'un beau jardin public, ou le château Berger (1890), et de quartiers parmi les plus verdoyants et les plus huppés de la ville, notamment le **Roucas-Blanc**, où les villas se dispersent dans un lacis de sentiers et d'escaliers abrupts.

■ Les plages du Prado** I A3

Au bout de la corniche, sur plus de 3 km.

Les plages Gaston-Defferre, dites «du Prado», ont des allures de plages californiennes, avec 26 ha de pelouses propices aux activités sportives. Plusieurs œuvres d'art contemporain sont disposées en plein air : *Le Bateau ivre* (1989) de Jean Amado, métaphore d'un vaisseau du désert, élevé en hommage à Rimbaud qui mourut à Marseille en 1891 ; *David portant la fronde contre Goliath* (1903) de Jules Cantini *(en bas de la longue av. du Prado)* ; et, à l'extrémité S. de la plage, au centre du rond-point bordant l'hippodrome, les 500 fanions du *Mât des fédérés* (1989) de Daniel Buren.

■ Le château* et le musée Borély** I B3

134, av. Clot-Bey ☎ 04 91 55 33 60 • ouv. t.l.j. sf lun. et jours fériés 10 h-18 h, jusqu'à 19 h l'été • visite guidée dim. à 15 h sf le 1ᵉʳ dim. du mois • entrée libre le 1ᵉʳ dim. du mois • billet combiné avec le jardin botanique • le parc est accessible par l'av. du Prado.

Le château fut édifié pour le riche négociant Louis Borély de 1767 à 1778. Cette bastide marseillaise témoigne de la grande époque de la ville portuaire. Louis Chaix conçut une décoration fastueuse en trompe l'œil et camaïeux, de vastes compositions mythologiques peintes, des gypseries et des boiseries dorées. Le musée, rouvert en 2013, rassemble les collections d'arts décoratifs, de mode et de faïence dispersées autrefois dans plusieurs lieux. Vous y verrez de riches collections de céramique, du mobilier, des textiles, des objets d'art, des flacons de parfum, du design, de la mode et des accessoires, datant du XVIIᵉ s. à l'époque contemporaine.

• Classé «Jardin remarquable», le **parc Borély**★★ *(ouv. t.l.j. 6 h-21 h • entrée libre)* couvre 54 ha : à l'O., le jardin à la française dont la perspective regarde le château; à l'E., le parc à l'anglaise sillonnant autour d'un lac sur lequel flottent des canots; la cascade en rocaille du XIXᵉ s. sert d'écrin à *L'Homme aux oiseaux* (1995) de Jean-Michel Folon.

• Le **jardin botanique** (☎ 04 91 55 24 96 • *ouv. t.l.j. sf lun. et jours fériés 10 h-18 h)* cultive plantes grimpantes, succulentes et médicinales. Il comprend un jardin chinois, un *palmetum* (lieu planté de palmiers), une serre subtropicale et deux jardins, l'un japonais, l'autre méditerranéen.

Sortir du parc par l'arrière du château et prendre à dr. l'av. Clot-Bey. Au rond-point, remonter l'av. de Hambourg à g. jusqu'à voir la sculpture du Pouce de César qui annonce le MAC.

■ Le musée d'Art contemporain (MAC)★ I B3

69, av. d'Haïfa ☎ 04 91 25 01 07 • ouv. t.l.j. sf lun. et jours fériés 10 h-18 h, jusqu'à 19 h en été • entrée libre le 1ᵉʳ dim. du mois.

Le MAC expose les œuvres des années 1960 à nos jours. Sa collection permanente, issue du musée Cantini (→ p. 360), s'organise autour des diverses tendances de l'art contemporain. On y découvre la plus grande collection française des *Compressions* et *Expansions* de César et, pour le nouveau réalisme, des œuvres d'Yves Klein et de Christo. Le fonds, d'une grande diversité, dévoile les grands principes plastiques qui ont animé les mouvements de ces cinquante dernières années : arte povera, land art, pop'art, art conceptuel. Parmi les pièces majeures se distinguent *Non Lieux* de Jean Dubuffet, *La Cabane éclatée n° 2* de Buren. Le *Pouce* de César que l'on peut voir au centre du rond-point Pierre-Guerre *(à 20 m du MAC)* est la reproduction agrandie au pantographe du pouce de l'artiste.

Prendre le bus n° 23 ou n° 45 direction «Métro Rond-point du Prado» et descendre à l'arrêt «Boulevard Verne». Prendre à dr. l'av. Guy-de-Maupassant, puis à g. le bd Michelet.

■ La Cité radieuse★ I B3

280, bd Michelet • visite par l'office du tourisme.

Considéré comme l'un des plus grands architectes du XXᵉ s., Le Corbusier signe avec la Cité radieuse (1952) un édifice reconnu dans le monde entier comme une référence architecturale et un symbole culturel français. Ce vaste parallélépipède (137 m de long, 24 m de large, 56 m de hauteur), posé sur des pilotis en béton, est conçu pour accueillir une vie sociale autant que des espaces privés : une galerie intérieure, véritable rue, court sur toute la longueur des

Manifestation

Début juil., le parc Borély accueille le Mondial de la pétanque : depuis 1962, cette compétition reçoit tous les *fanas*, amateurs ou professionnels, de ce jeu populaire. Le champion porte le titre envié de «vainqueur du Mondial de la Marseillaise à pétanque».

• Plan I : Plan d'ensemble p. 341.
• Plan II : Centre-ville en fin d'ouvrage.
• Plan métro et tram en fin d'ouvrage.

Le Modulor

Pour bâtir cette unité d'habitation, Le Corbusier a exploité, pour la première fois, les ressources de son système de calcul de proportions, le Modulor : fondé sur le nombre d'or et les proportions du corps humain rapporté à une taille de 1,83 m, soit 2,26 m bras levés, il a ainsi déterminé les dimensions idéales de ses constructions.

8 étages et dessert 337 appartements en duplex. Aux 7e et 8e étages sont regroupés les services – commerces, bureaux et un hôtel-restaurant (seuls l'hôtel-restaurant et une alimentation générale ont survécu) –, tandis que le toit-terrasse abrite un gymnase, un théâtre ouvert, une piste de course à pied et un bassin d'eau pour les enfants. Près de 1 000 personnes vivent aujourd'hui dans la Cité radieuse, surnommée la « maison du Fada » par les Marseillais. Ses habitants ne souhaite-raient en partir pour rien au monde. La diffusion de la lumière, la sérénité des espaces intérieurs, le cocon des rues confèrent une dimension émotionnelle forte dans un habitat conçu pourtant sur la base des froides mathématiques.

Poursuivre le bd Michelet.

■ Le Stade-Vélodrome* I B2

3, bd Michelet ☎ 04 13 64 64 64 • visite guidée de 45 mn t.l.j. selon les événements, se rens. • www.orangevelodrome.com

À côté du stade, le parc Chanot conserve un vestige de l'Exposition coloniale de 1922 : le palais de l'Art provençal, qui abrite un hall de marbre, ainsi que le plafond richement sculpté de la bibliothèque du couvent des Prêcheurs. Les hautes grilles en fer forgé (1924) du parc sont l'œuvre de l'architecte Lajarrige et du ferronnier Trichard.

Créé en 1899, l'Olympique de Marseille est à l'initia-tive de la construction en 1937 du stade olympique. L'architecte Henri Ploquin a eu recours au béton, maté-riau inusité jusqu'alors pour les équipements sportifs d'envergure. La façade, conçue avec des doubles piliers formant une colonnade, fut conservée lors de la recons-truction complète du site en 1997. Sous sa coupole elliptique, le 2e stade de France a été entièrement modernisé pour accueillir l'Euro 2016. Désormais appelé **Orange-Vélodrome** et d'une capacité de 67 000 places, il s'insère dans un écoquartier mêlant logements, centre commercial et complexe hôtelier.

• Le **musée-boutique de l'OM** *(à dr. du stade ☎ 04 91 23 32 51 • ouv. t.l.j. 10 h-18 h, 10 h-19 h en été)* rappelle les exploits et la popularité du club de football marseillais : photographies, reproductions des grands trophées…

► *Le nouveau Stade-Vélodrome et, en arrière-plan, la basilique Notre-Dame-de-la-Garde.*

Les îles de la rade★★

Plusieurs îles émergent dans la baie de Marseille, qui court du cap Couronne au cap Croisette. Celle du château d'If en est le fleuron. À côté, l'archipel du Frioul, émergence rocailleuse battue par les flots, abrite des colonies d'oiseaux marins. Fréquentées dès l'époque romaine, elles constituèrent, jusqu'au XIXᵉ s., une barrière naturelle contre les invasions et les épidémies.

Voir carte régionale p. 332.

Accès par des navettes au départ du 1, quai de la Fraternité II C3 ☎ *04 96 11 03 50 • www.frioul-if-express.com • traversée de 20 mn pour le château d'If, 20 mn de plus pour Port-Frioul • compter 1 h 45 de visite pour le château d'If et une bonne après-midi en ajoutant une promenade sur Pomègues et Ratonneau.*

◀ *Le château d'If, ancienne prison du Comte de Monte-Cristo, veille sur la rade de Marseille.*

■ Le château d'If★★★

☎ *04 91 59 02 30 • ouv. d'avr. à sept. t.l.j. 10 h-18 h ; d'oct. à mars t.l.j. sf lun. 10 h-17 h ; f. les jours fériés • interdit aux chiens, même tenus en laisse • accès à l'îlot payant.*

La silhouette du château se dresse sur l'île d'If, l'une des îles de l'archipel du Frioul. Élevé vers 1531 à l'initiative de François Iᵉʳ pour préserver l'arsenal des galères des attaques de Charles Quint, il sert de prison dès la fin du XVIᵉ s. et jusqu'en 1871 pour les opposants au pouvoir et les protestants. Une longue cohorte de réprouvés et de galériens périront dans ses geôles. Entre sept. 1774 et avr. 1775, Mirabeau y fait un séjour remarqué, la prison y étant moins dure qu'ailleurs. L'austérité revient avec Napoléon, qui enferme sur l'île ses opposants. Les partisans de la Commune de Marseille, dont Gaston Crémieux, subiront ou sort en 1871.

• Conçu pour résister à des assauts venant de la mer et de la terre, le fort comprend un carré central de 28 m de côté appelé la **tour d'If** (1529). Sur trois des angles, des tours rondes d'époques plus tardives veillent sur

Alexandre Dumas a décrit les conditions de détention de la prison du château d'If dans *Le Comte de Monte-Cristo*. Incarnation de l'idéal républicain de liberté, son héros, Edmond Dantès, est en effet incarcéré à tort sur l'île : « Dantès se leva, jeta naturellement les yeux sur le point où paraissait se diriger le bateau, et à cent toises devant lui il vit s'élever la roche noire et ardue sur laquelle monte comme une superfétation du silex le sombre château d'If. Cette forme étrange, cette prison autour de laquelle règne une si profonde terreur, cette forteresse qui fait vivre, depuis trois cents ans, Marseille de ses lugubres traditions, apparaissant tout à coup à Dantès, qui ne songeait point à elle, lui fit l'effet que fait au condamné à mort l'aspect de l'échafaud. »

Alexandre Dumas, *Le Comte de Monte-Cristo*, 1844.

la mer. L'une d'elles, le **donjon Saint-Christophe**, commande la passe entre les îles et la côte. Une cour centrale dessert les bâtiments carcéraux. Les prisons, chambres et cachots, s'ordonnent selon le rang des détenus : les «pistoles», le long de la coursive, étaient réservées aux hôtes de marque ; au rez-de-chaussée, les cellules des gens du peuple ; les culs-de-basse-fosse des tours servaient de cachots.

Plongée dans l'histoire

Dans les fonds sous-marins de l'archipel du Frioul, des épaves de toutes les époques attirent les plongeurs. Parmi les plus impressionnantes, les épaves de l'île du Planier, le bombardier allemand de l'îlot Tiboulen, le morutier de Pomègues… Mais la variété des fonds et leur biotope méritent à eux seuls un baptême de plongée.

■ L'archipel du Frioul★

Débarcadère et restaurants à Port-Frioul, sur l'île de Ratonneau • les usagers doivent s'informer sur les horaires qui varient en fonction de la météo • interdiction de bivouaquer sur l'île où il n'y a pas d'hôtel • les îles du Frioul ont un équilibre fragile, il est recommandé de marcher sur les chemins tracés, de ne pas piétiner la végétation et de ne rien cueillir.

Face à la rade de Marseille, l'archipel du Frioul, rongé par le mistral, constitue la zone la plus sèche du territoire français, avec moins de 300 mm de pluie par an. Situées à 4 km de la côte, ses îles à l'aspect sauvage abritent une flore remarquable et de nombreuses espèces d'oiseaux. Classé site naturel protégé, l'archipel du Frioul est surtout aujourd'hui un paradis pour les plongeurs.

▶ *Le village de Port-Frioul, sur l'île de Ratonneau a été construit dans les années 1970. Son port accueille plus de 600 bateaux de plaisance.*

• Les deux îles principales, **Ratonneau** et **Pomègues**, reliées par une digue au XIXᵉ s., servirent de remparts contre les épidémies. Parmi les anciens lazarets, installations sommaires accueillant les marins des navires en quarantaine, seul l'**hôpital Caroline★** *(f. au public)*, sur Ratonneau, tient encore debout. Sur l'île de Pomègues est installé une ferme aquacole biologique pratiquant l'élevage de loups de mer (bars).

◀ *L'ancien village de L'Estaque inspira autant Cézanne que la Sainte-Victoire.*

À voir encore

■ L'Estaque*

À 10 km N.-O. du centre-ville par l'autoroute du Littoral (A55), sortie «L'Estaque», ou par le bus n° 35 jusqu'au terminus.

Le village de L'Estaque (son nom viendrait du provençal *estaco*, «lien») est longtemps resté confiné au pied de la montagne de la Nerthe, avant que la construction du chemin du littoral, en 1900, ne désenclave le N. de la rade. L'activité portuaire industrielle marqua alors de son empreinte le paysage alentour, relayée par les grands ensembles des années 1960.

• Vu de la plage, le village a préservé son caractère méditerranéen. Sur la rive se découpe encore le chalet de l'ancien *Hôtel des Bains*, construit sur pilotis. Les rues s'agrippent aux flancs de la Nerthe jusqu'à la terrasse de la pl. de l'Église. Les maisons, serrées les unes contre les autres, ont conservé leurs badigeons ocre, jaunes et rouges. Dernières résurgences d'un passé populaire, les oursinades en fév., les joutes provençales en juin et l'aïoli en mai rassemblent une foule bon enfant et chaleureuse.

■ Le musée du Terroir marseillais*

5, pl. des Héros, à Château-Gombert, 10 km N.-E. du centre-ville par la rocade du Jarret, direction Saint-Jérôme • accès par le bus n° 5, arrêt « Palama Château-Gombert » ☎ 04 91 68 14 38 • visite uniquement sur r.-v. • www.espace-pignol.com

Ce musée remarquable fut fondé en 1928 par Jean-Baptiste Julien Pignol (1872-1970), maçon félibre (→ p. 273). Il retrace, à l'aide de scènes reconstituées, le mode de vie provençal du XVIIe s. au XIXe s.

• On découvre entre autres une chambre bourgeoise, une cuisine avec une table des 13 desserts du réveillon de Noël. Costumes et travaux d'aiguille du XIXe s. complètent

Les lumières de L'Estaque

Paul Cézanne vient le premier poser son chevalet sur les escarpements du massif de L'Estaque. Son 1er séjour, en 1870, dure six mois. Il revient en 1876, puis en 1878-1879, entraînant dans son sillage Auguste Renoir. Les fauves André Derain et Raoul Dufy, impressionnés par les œuvres de Cézanne, suivent ses traces en 1906 et 1907, de même que Georges Braque. Cézanne réalise ici ses premières ébauches cubistes, confirmées lors de son dernier séjour en 1910.

Randonnée

Aride et d'altitude modeste, la chaîne de l'Étoile barre l'horizon de Marseille au N.-E. Depuis les grottes Loubière (à 600 m de Château-Gombert en venant de Marseille), un sentier mène en 2 h au sommet de l'Étoile (651 m), couronné d'une immense antenne-relais. Belle vue sur la cité phocéenne.

L'Huveaune des potiers

Installés dans la vallée de l'Huveaune dès le XVIᵉ s., les potiers marseillais se sont spécialisés dans la production d'objets en terre vernissée. Au XVIIIᵉ s., ils ornent leur production d'une grande variété de décors, paysages ou scènes champêtres. La veuve Perrin, Joseph-Gaspard Robert, Honoré Savy et Antoine Bonnefoy deviennent les maîtres français de la faïence, tandis qu'une poterie dite «provençale» se développe à Moustiers, La Tour-d'Aigues, Aubagne et Apt. Dès la 2ᵉ moitié du XIXᵉ s., les potiers privilégient une approche artistique qui se confirme dans les années 1930 autour de l'Art nouveau. Les formes épurées d'Émile Decœur annoncent les expériences formelles des designers européens de la 2ᵉ moitié du XXᵉ s. (Aalto, Franck, Starck, Bianconi…).

Manifestations

À Allauch
• En août, fêtes de la Saint-Laurent avec cavalcade et cortèges de chars.
• Le 24 décembre, descente des bergers : procession costumée à la lueur des flambeaux.
• Déc. et janv., exposition de la crèche provençale de Gilbert Orsini et ses 600 santons.

une collection de costumes provençaux des XVIIIᵉ-XIXᵉ s. Une importante collection de crèches et de santons (→ *p. 367*) remonte le fil du temps depuis les premières figurines de Jean-Louis Agnel aux «créchistes» et santonniers contemporains (Raymonde Martin, Thérèse Neveu, Henry Varade…).

■ Allauch et La Treille★

À 19 km E. du centre-ville par la A 50, sortie 4B «La Valentine», puis suivre les Trois-Lucs et Allauch • accès par le métro n° 1 jusqu'au terminus «La Rose», puis bus n° 144 ❶ ☎ 04 91 10 49 20 ; http://tourisme.allauch.com

À l'extrémité de l'agglomération marseillaise, Allauch s'adosse aux contreforts de la chaîne de l'Étoile. De l'enceinte fortifiée qui occupait l'éminence rocheuse, il ne reste aujourd'hui qu'une tour, une poterne et une chapelle du XIIᵉ s., lieu de pèlerinage toujours prisé chaque 8 septembre. Sur une esplanade subsistent cinq moulins du XVIIᵉ s., dont un parfaitement restauré.

• Le **musée d'Allauch Symboles et Sacré** (*pl. Pierre-Bellot* ☎ *04 91 10 49 00 • ouv. du mar. au dim. 9 h-12 h et 14 h-18 h • http://musee.allauch.com*) présente le patrimoine religieux à travers trois thèmes : les religions et les symboles, les sanctuaires et les sacrements.

• Le joli village de **La Treille**★ (*à 5,5 km S.-E. d'Allauch par la D 4 A • accès par le bus n° 50 depuis la pl. Castellane puis, à «La Valentine», correspondance par le bus n° 129, ou prendre directement le bus n° 129 à la station de métro Timone*) se dresse sur les contreforts du Garlaban, au pied de collines de calcaire blanc célébrées par Marcel Pagnol (→ *p. 390*). Il est resté assez proche des descriptions que le romancier et cinéaste en fit, avec ses maisons resserrées autour de la célèbre fontaine (1870). Depuis 1974, Pagnol repose dans le petit cimetière (*à dr. de la route en venant de Marseille*) ; on peut lire en épitaphe : «Il fut l'ami des sources.»

Randonnée

Du village de La Treille, plusieurs circuits fléchés permettent d'aller à la rencontre des sites mentionnés dans l'œuvre de Pagnol. Sur la pl. Gaston-Recoulat, près de l'église Saint-Dominique (1710), part le chemin des Bellons qui serpente jusqu'à Allauch : il passe devant la **Bastide-Neuve** (à 1 km du village environ), maison de vacances de Pagnol qui l'inspira pour sa trilogie *Souvenirs d'enfance*.

La route littorale se poursuit dans un paysage rocheux jusqu'aux Goudes et à Callelongue (→ p. 382).

Les calanques★★★

On le croirait mythique, tel un paradis réservé à quelques initiés. En réalité, le massif des Calanques est devenu le jardin aquatique des Marseillais et des estivants. Surpeuplée en haute saison, ce n'est qu'à l'automne ou mieux encore au printemps que cette côte abrupte et déchiquetée retrouve un air de solitude sauvage. Les montagnes qui la surplombent sont alors à nouveau accessibles aux promeneurs, les anses de Callelongue, Sormiou et Morgiou redeviennent fréquentables, et l'on peut enfin apprécier toute la démesure de ce paysage âpre, couvert d'une piètre lande arbustive, qui plonge dans la Méditerranée sous une lumière étincelante.

Le massif des Calanques s'étend du cap Croisette, à l'extrémité S. de la rade de Marseille, jusqu'aux portes de Cassis, sur 20 km environ.

La pierre

Ce massif de 5 000 ha qui s'étend entre Marseille et Cassis est tout ce qui reste d'un socle de calcaire primitif creusé par les fleuves et sculpté par la mer. Les falaises érodées, ménageant grottes et promontoires, se retrouvent recouvertes par la mer, dont le niveau monte entre 12 000 et 6 000 av. J.-C. L'eau ronge les flancs de la montagne, et la roche dite « dolomitique » accuse son grand âge (135 millions d'années), se perçant et s'érodant de toutes parts. Parfois, elle cède et des anses s'ouvrent, des grottes et des failles apparaissent ; parfois, elle résiste et de puissants clochetons, des arêtes et des aiguilles surgissent des flots. Chaotique, le massif tirerait son nom de la racine indo-européenne *kal*, qui signifie « pierre », et deviendra le *calanco*, « escarpé » en provençal.

La terre

La flore a su s'adapter à ces données géologiques peu engageantes, à ce climat sec (moins de 500 mm de précipitations par an) et à ces pentes abruptes dépourvues de terre. Criste marine, lavande de mer, ononis, coronille, sans oublier l'exceptionnel astragale de Marseille : en tout, 900 espèces ont été recensées. Surexploitation et incendies ont réduit la forêt originelle de chênes verts à quelques parcelles farouchement protégées. Lui a succédé une garrigue à chênes kermès, romarin et bruyère, magnifique au printemps. Les plateaux constituent un biotope idéal pour le lézard ocellé, la couleuvre de Montpellier et les petits mammifères. La plus

Loisirs

◎ **Promenades en bateau.** • *Icard Maritime* ☎ 04 91 33 36 79 ; www.visite-des-calanques.com Les calanques jusqu'à Cassis (3 h 15), les calanques jusqu'à Sugiton (2 h 30) et autour du château d'If et des îles du Frioul (45 mn) • *Croisières Marseille-calanques* ☎ 04 91 33 36 79 ; www.croisieres-marseille-calanques.com Vers les 6 calanques de Marseille (2 h) et les 12 calanques jusqu'à Cassis (3 h 15) Départs quai de la Fraternité.

◎ **Plongée sous-marine.** Marseille est un important centre français de plongée. Ses fonds recèlent quantité de richesses naturelles et d'épaves à explorer, surtout autour de l'archipel du Frioul (→ p. 375) ou dans les calanques. Liste des prestataires auprès de l'office de tourisme.

▶ *La calanque de Port-Pin.*

L'archipel de Riou

Réservé à la plongée professionnelle, l'archipel de Riou (160 ha) s'étend au large du massif de Marseilleveyre, du cap Croisette à la calanque de Cortiou. Il se compose d'une douzaine d'îles, les plus importantes étant l'île Maïre avec son à-pic vertigineux de 130 m, l'île de Jarre, l'île Plane et l'île Riou. C'est près de cette dernière que Cousteau découvrit l'épave antique du *Grand Congloué* en 1952, et qu'en 2003 ont été retrouvés les restes de l'avion dans lequel Saint-Exupéry disparut en 1944.

Ces îles sont battues par des vents forts plus de 200 jours par an, avec seulement 350 mm de pluie par an. Dépourvues d'embarcadères et interdites à la plongée libre en bouteille, elles ont le statut de réserve naturelle depuis août 2003 pour protéger ce patrimoine naturel d'exception.

« Les gens du Nord, avec un air d'envie, demandent ce qu'est le cabanon ; le cabanon, c'est toute notre vie, c'est tout, c'est rien et ça n'a pas de nom. »
La Chanson du cabanon, Andrée Turcy, paroles de Fortuné Cadet, interprétée en 1919 au music-hall *L'Alcazar*.

grande chauve-souris d'Europe, le molosse de Cestoni, y a élu domicile. Les oiseaux marins comme le goéland leucophée (ou *gabian*) se concentrent sur les falaises.

La mer
Les fonds marins de cette partie du littoral ne sont géologiquement que la continuité du massif. Tombants, surplombs, pics et grottes rappellent à s'y méprendre le relief émergé. Mérous, loups, oursins et autres espèces de la Méditerranée peuplent les prairies à posidonies, qui souffrent bien entendu de la forte fréquentation des eaux par les navettes et les plaisanciers, et d'une chasse sous-marine qui fut longtemps libre de contraintes.

L'homme
Occuper un **cabanon** dans une calanque revient symboliquement, pour un Marseillais, à posséder une fortune. Seuls quelques privilégiés ont en main un bail de location, et plus rarement un titre de propriété, ce qui explique que la plupart des calanques habitées conservent un petit air de guingois et d'improvisation. Les cabanons, abris sommaires d'une seule pièce dépourvus de confort, sont peints de couleurs qui s'éveillent au soleil et les pointus sont amarrés au port, quand bien même on ne naviguerait jamais. Pour tous ceux qui ne peuvent jouir d'un cabanon, les calanques restent synonymes de **plages** – une vingtaine – et de rochers d'où l'on peut profiter d'une superbe baignade. Le parc national des Calanques a vu le jour en 2012, il s'agit du dixième parc national français et du premier parc péri-urbain terrestre et marin d'Europe. Cette création vise à mieux maîtriser la surfréquentation du site, préserver la biodiversité marine et terrestre et prévenir la pollution marine et les incendies.

Les calanques pratique

Réglementation sur l'accès

L'accès au massif des Calanques est réglementé du 1er juin au 30 sept. À partir des prévisions de Météo France, la préfecture émet quotidiennement une carte matérialisant le niveau de risque d'incendie. Cette carte est consultable tous les jours à partir de 18 h sur le site de la préfecture (www. bouches-du-rhone.pref.gouv.fr) ou par téléphone (☎ 0 811 20 13 13) :

• En niveau de **danger noir** : l'accès au massif est strictement interdit.

• En niveau de **danger rouge** : l'accès au massif est limité de 6 h à 11 h, à l'exception des zones d'accueil du public en forêt (Zapef), où l'accès est libre jusqu'à 18 h (piste de Luminy à Sugiton, aires d'accueil des parcs de la Sablière, des Baumettes, de la grotte Rolland, du vallon de la Jarre et Adrienne Delavigne).

• En niveau de **danger orange** : l'accès au massif est autorisé toute la journée.

Le col de la Gardiole (route Gaston-Rébuffat) est interdit aux véhicules du 1er juin au 15 sept.

L'accès à Sormiou, Morgiou et Callelongue est interdit aux véhicules à moteur (sf laissez-passer) en avr. et mai les week-ends de 8 h à 19 h 30 et du 1er juin au 30 sept. t.l.j. de 8 h à 19 h 30. Il faut alors suivre les routes à pied.

Activités de plein air

• La **baignade** constitue évidemment le principal attrait du massif. Les **randonneurs** profiteront de plusieurs très beaux chemins, notamment le GR 98-51 (→ p. suiv.). L'**escalade** moderne doit beaucoup aux calanques. Le relief tourmenté des falaises ménage de nombreuses prises et des voies de grande difficulté technique. Le **kayak de mer** est un moyen idéal de randonner sur l'eau. La **plongée** reste sans doute l'activité phare des calanques, aux fonds sous-marins riches en espèces et en herbiers. Castel Viel et sa grotte à corail, le tombant de la pointe Cacau, le phare de la Cassidaigne et l'Eissadon sont les sites les plus fréquentés.

• Pour la plongée, les offices de tourisme de Marseille et de Cassis donnent la liste des compagnies.

Sur les reliefs déserts reliant les calanques, il est difficile de s'abriter du soleil. De l'eau en quantité et une casquette sont donc nécessaires.

Gaston Rébuffat popularise l'escalade dans le massif durant les années 1950, puis, dans les années 1980, les maîtres de l'escalade libre (freeclimbing) comme Patrick Edlinger confirmeront la renommée de ce sport où l'esthétique revêt autant d'importance que la performance.

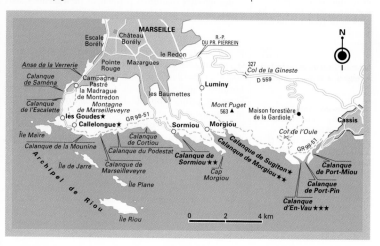

Sur le chemin des Goudes, la calanque de Saména est une anse minuscule, territoire des nudistes, d'où l'on a vue sur le cap Croisette. Un sentier mène un peu plus loin à la calanque de l'Escalette.

Bonnes adresses

✘ *Le Nautic Bar*, calanque de Morgiou ☎ 04 91 40 06 37. De très bons poissons et produits de la mer à des prix raisonnables. Réservation indispensable en été.

✘ *La Grotte*, port de Callelongue ☎ 04 91 73 17 79. On s'y arrête pour une friture de supions, un poisson grillé ou une viande «pizzé».

✘ *Le Château*, Sormiou ☎ 04 91 25 08 69 ; http:// lechateausormiou.fr Surplombant la calanque, l'ancien cabanon de Mme Buret est spécialisé dans le poisson et la bouillabaisse (sur commande). Compter 30-40 € pour un repas complet. Réservation indispensable en été. Pas de carte bancaire.

✘ *Le Lunch*, sur la dr. de la calanque de Sormiou ☎ 04 91 25 05 37. Du poisson, et uniquement du poisson, sur une grande terrasse, les pieds dans l'eau. Pas de carte bancaire.

Sormiou vient du provençal *sor*, «troupeau», et *miou*, «mule».

Sous le pseudonyme de Marie de Sormiou, Marie Thérèse Buret écrivit des recueils poétiques au début du xxe s., qui la rattachent au courant des félibres.

■ Les Goudes* et Callelongue*

Au S. de Marseille par la route qui longe la mer. • en bus, ligne n° 19 jusqu'au terminus «Madrague de Montredon», puis ligne n° 20.

Le charme désuet du village des **Goudes**★ a popularisé l'image des calanques comme de petits paradis intimistes. En réalité, l'environnement est âpre et désertique. Une route conduit à l'anse de la Maronaise où pousse une rarissime variété de bruyère *(Erica multiflora)*. La beauté du site est toutefois largement écornée par un cabanon sans cachet faisant office de restaurant. Tout près, le cap Croisette et la baie des Singes font face à l'impressionnante île Maïre.

• **Callelongue**★ *(au S.-E. des Goudes)* est encore dans le 8e arrondissement de Marseille, mais ce petit port de pêche, excessivement fréquenté par les Marseillais et où s'arrête la route littorale, a des allures de bout du monde. Formé d'une rue unique de cabanons accrochés au massif de Marseilleveyre (432 m), il constitue un décor très apprécié des cinéastes – Marcel Pagnol et Henri Verneuil, entre autres.

🌲 Randonnée

La traversée des calanques : le GR 98-51 relie la Madrague de Montredon à Cassis sur 28 km. Dans un paysage somptueux et tourmenté, longeant tantôt la mer, tantôt les crêtes, on traverse toutes les criques et calanques du célèbre littoral : Callelongue, la Mounine, Marseilleveyre, Podestat, Cortiou, Sormiou, Morgiou, Sugiton, les falaises du Devenson, En-Vau, Port-Pin et Port-Miou. Balisage : rouge et blanc. Durée : 12 h, à faire en deux jours avec un retour en ville. En saison, des navettes maritimes permettent de regagner Cassis ou Marseille par la mer.

■ La calanque de Sormiou**

Route fléchée depuis le quartier de Mazargues • en saison, il faut laisser la voiture au parking et rejoindre à pied la calanque (45 mn) ; en bus, ligne n° 23 jusqu'à l'arrêt «La Cayolle».

Encadrée par les falaises du Cancéou et par le bec de Sormiou, promontoire de 123 m qui clôt l'anse à l'O., la calanque est la propriété de la famille Buret depuis le xixe s. Les cabanons, habités toute l'année, sont loués de génération en génération aux mêmes familles. Les restaurants de poissons y sont renommés. Le belvédère du cap Morgiou permet de relier la calanque éponyme.

■ La calanque de Morgiou**

Route fléchée depuis le quartier des Baumettes • en saison, il faut laisser la voiture au parking et rejoindre à pied la calanque (45 mn) ; en bus, ligne n° 22 jusqu'au terminus « Les Baumettes », puis n° 23 jusqu'à « Morgiou-Beauvallon ».

Ce couloir naturel pénètre profondément dans le massif. Ses rives sauvages sont dominées par une imposante bande de calcaire gris. Des cabanons discrets habités toute l'année occupent le fond de la calanque. Quelques pointus oscillent dans le port, d'une taille fort modeste.

En poursuivant le chemin à g. de la calanque de Sugiton, on découvre les falaises inaccessibles du Devenson et de l'Oule, réservées aux habiles grimpeurs qui en ont fait un de leurs terrains de jeu favoris.

■ La calanque de Sugiton*

Depuis le centre de Marseille, prendre la direction du parc de Luminy • accès facile en 1 h de marche depuis le parking ; en bus, ligne n° 21 jusqu'au terminus «Luminy» sf week-ends et jours fériés.

Petite, la calanque est impressionnante : elle est cernée par le **cirque de la Grande-Candelle★**, tandis que l'îlot du Torpilleur clôt la perspective de sa forme singulière. Plus loin à g., la plage de la calanque des Pierres-Tombées étire sa longue bande de roche dénudée, rendue inaccessible depuis 2006. Très fréquentée car proche du campus de Luminy, cette calanque s'apprécie plutôt le matin.

▼ *La calanque de Sugiton.*

■ La calanque d'En-Vau★★★

Depuis le centre de Marseille, prendre la direction de Luminy, puis de Cassis par le col de la Gineste (D 559). Une petite route à dr. (en face du camp militaire de Carpiagne) conduit à la maison forestière de la Gardiole ; un chemin de 3 km rejoint la calanque. En bus, ligne n° 18 (Cartreize) jusqu'à l'arrêt «Carpiagne». Depuis Cassis, un sentier rejoint En-Vau en 1 h de Port-Pin.

La plus haute, la plus belle, mais aussi la plus fréquentée. L'anse étroite et profonde, au fond de laquelle se déploie une toute petite plage de galets, est bordée de falaises calcaires abruptes qui plongent littéralement dans les eaux limpides. Les pics du Doigt-de-Dieu et de la Petite-Aiguille s'en détachent. De là, le chemin des Crêtes mène à la **calanque de Port-Pin** *(1 h)*, idéale pour la baignade.

■ La calanque de Port-Pin

À 30 mn de marche du parking de Port-Miou. Depuis le centre de Cassis, rejoindre la presqu'île puis emprunter le sentier des calanques. En bus, navette au départ du parking des Gorguettes jusqu'à la presqu'île.

Plus facilement accessible, sa petite plage de sable et de galets peu encaissée et généreusement ombragée de pins est particulièrement appréciée des familles.

■ La calanque de Port-Miou

À 30 mn de marche du centre de Cassis • accès possible jusqu'au parking de la presqu'île en voiture ou par la navette de la plage des Gorguettes. 10 mn à pied.

La plus longue des calanques (1,5 km) se trouve à l'abri des vents. Aisément accessible depuis Cassis, elle est très fréquentée par les plaisanciers et 500 bateaux peuvent y séjourner. Sur son flanc E., une ancienne carrière de pierre de Cassis laisse une blessure profonde dans la falaise. Le chemin se prolonge jusqu'à la pointe Cacau, moins fréquentée.

Pendant six ans, le plongeur Henri Cosquer explora le cap Morgiou pour mettre au jour la seule grotte ornée de Provence. Au terme d'un boyau sous-marin de 175 m environ, à 37 m de profondeur, cette grotte a conservé d'exceptionnelles traces du néolithique (entre 27 000 et 19 000 ans av. J.-C.) : 55 mains en négatif, des signes géométriques et la représentation rarissime d'un défunt. Les peintures d'animaux (chamois, chevaux) semblent plus récentes (18 500 ans). Classée Monument historique en 1992, la **grotte Cosquer** a été fermée par mesure de précaution.

Cassis★★

Voir carte régionale p. 332

À 22 km S.-E. de Marseille par la D 559 (par le col de la Gineste) ou par la A50 en direction de Toulon et Nice.

🛈 quai des Moulins
☎ 0892 39 01 03 ;
www.ot-cassis.com

Le petit train effectue d'avr. à début nov. des visites commentées de la ville jusqu'à Port-Miou. Départ de l'office de tourisme.

Gare SNCF, pl. de la Gare, à 3,5 km N. du centre-ville
☎ 36 35 ; www.sncf.com

À ne pas manquer

La route des Crêtes★★★   385

Manifestations

• Fin avr. ou début mai :
Le Printemps du livre.
• Dernier week-end de juin, joutes nautiques de la Saint-Pierre : la statue de saint Pierre est conduite en procession de sa niche, au tribunal de pêche (quai Barthélemy), jusqu'à l'église ; suit une bénédiction des barques.
• Fin sept., Les Vendanges étoilées : rencontres avec des chefs étoilés et démonstrations culinaires, marché des producteurs, dégustations de vins de Cassis.

Fermée à l'ouest par l'avancée de la pointe de Cacau et à l'est par l'impressionnant cap Canaille, la petite enclave de Cassis semblerait entièrement urbanisée si ne s'étalaient pas, sur les pentes qui l'entourent, de grands champs d'oliviers et des vignobles. Il se dégage une certaine élégance de ce conglomérat hétéroclite de villas perchées et d'immeubles résidentiels enserrant le noyau ancien. La vie se concentre sur les quais et dans le village des pêcheurs, aux rues étroites bordées de petites maisons peu élevées dont le caractère n'a guère changé depuis les films de Marcel Pagnol. Vers l'est, les belles façades classiques des XVIIe-XVIIIe s. incarnent une époque d'opulence, tandis que la promenade Aristide-Briand et la Grande Plage ouvrent la perspective et relient la ville à la mer.

De la ville antique à la ville touristique

L'insécurité qui règne sur les côtes à la chute de l'Empire romain contraint la population de l'antique *Carsicis Portus* à se réfugier dans les terres : elle ne reviendra sur le rivage qu'au XIVe s. Possession des évêques marseillais, Cassis se développe à partir du XVIe s. grâce à la pêche côtière et au commerce maritime avec les pays du Levant. La ville s'étend alors à l'E. du port, selon un plan orthogonal rigoureux toujours lisible aujourd'hui dans l'ordonnance des rues. Au XIXe s. apparaissent sur le port les usines de salaisons de sardines et d'anchois, qui vont perdurer jusqu'à la Première Guerre mondiale. Cette activité fondamentale pour l'économie locale, avec l'exploitation des carrières, sera peu à peu supplantée par le tourisme.

En saison, il est presque impossible de circuler et de se garer en ville. Laisser votre voiture au parking des Gorguettes, à l'entrée de Cassis, et rejoindre le centre-ville par la navette mise à disposition • compter 2-3 h pour la visite.

■ L'hôtel de ville

Pl. Baragnon ☎ 04 42 18 36 36 • ouv. du lun. au ven. 8 h 30-12 h (12 h 30 ven.) et 13 h 30-17 h (16 h 30 ven.).
L'ancien hôtel particulier du XVIIe s. s'élève sur deux étages, percés de fenêtres à meneaux ornées de bossages. À l'intérieur, ne pas manquer l'**escalier** et le **salon d'honneur**, surmonté d'un plafond à caissons, décoré de fresques

épiques et orné d'une cheminée. Dans le vestibule, un sol vitré surplombe les vestiges d'une cuisine datant du Moyen Âge.

■ Le musée d'Art et Traditions populaires★

Pl. Baragnon ☎ 04 42 01 88 66 • ouv. du mer. au sam. 10 h-12 h 30 et 14 h-17 h 30, jusqu'à 18 h de juin à sept. ; f. les jours fériés • entrée libre.

Dans un ancien presbytère du XVIIIe s., le musée rassemble des **collections archéologiques** (du Ier s. au Ve s.) et **ethnologiques** (costumes, maquettes de bateaux). Les **paysages littoraux** de la fin du XIXe s. et du XXe s. (Guidon, Ziem, Audibert ou, plus contemporain, Rudolf Kundera) témoignent de la ferveur coloriste des peintres pour le Midi.

■ La route des Crêtes★★★

Sortir de Cassis par le casino (D 559) en suivant l'indication «La Ciotat», puis prendre la route (fléchée) qui monte sur la dr. (D 141) sur 15 km • fermée par vent fort.

La route grimpe jusqu'au **cap Canaille** puis court en lacets sur les rebords des **falaises de Soubeyran**, les plus hautes de France. Des belvédères surplombent la mer à des altitudes vertigineuses (394 m à la Grande-Tête). Au pas de la Colle *(13 km de Cassis)*, deux routes sont possibles. Celle de g. gagne le **mont de la Saoupe**, qui bénéficie d'un superbe panorama : on y découvre, à l'O., Cassis, l'archipel de Riou, le massif de Marseilleveyre et la chaîne de Saint-Cyr ; au N., la chaîne de l'Étoile, le Garlaban et le massif de la Sainte-Baume ; au S.-E., La Ciotat, les caps de l'Aigle et Sicié. La route de dr. mène au belvédère du **Sémaphore** (328 m), tourné vers La Ciotat *(→ p. suiv.)*.

Le vin de Cassis

Avant la crise du phylloxéra en 1880, le vignoble de Cassis produisait un muscat réputé. Au XXe s., les vignerons privilégieront des cépages donnant des vins secs, essentiellement blancs. Ces vins bénéficient depuis 1936 d'une AOC, et leur renommée est incontestable. Une douzaine de propriétaires cultivent 210 ha de vignes et produisent annuellement 1 million de bouteilles ; certains proposent des dégustations au domaine.

La plage de sable de la Grande-Mer, sur la g. du port, est grande mais très fréquentée. Deux belles plages isolées sont accessibles à l'O. : la plage du Bestouan (15 mn) et, par l'av. des Calanques, celle des Roches-Plates. À l'E. deux anses naturelles : l'anse du Corton et l'anse de l'Arène.

Exploitée dès l'Antiquité, la pierre blanche de Cassis, très dure, servit à la construction des quais du canal de Suez et de monuments urbains, entre autres le socle de la statue de la Liberté.

◄ *La route des Crêtes offre une vue superbe sur la baie de Cassis.*

La Ciotat★

• Arles Voir carte régionale p. 332

St-Maximin-
la-Ste-Baume
Martigues •
Aubagne
Marseille • •
La Ciotat
Cassis •

À 10 km S.-E. de Cassis par la D 559 ou par la D 141 (route des Crêtes) sur 15 km ; à 32 km S.-E. de Marseille par la A 50.

🛈 bd Anatole-France
☎ 04 42 08 61 32 ;
www.laciotat.info

Gare SNCF, à 5 km N. du centre-ville ☎ 36 35 ;
www.sncf.com

Manifestations

• Marché : mar. pl. Évariste-Gras et dim. sur le Vieux-Port.
• Fin mars : salon nautique Les Nauticales.
• En mai, Festival du premier film ; http://berceau-cinema.com
• En oct., « Il était une fois 1720 » : plus de 2 000 personnes en costumes d'époque ; www.festival1720.eu
• En juil. et août, marché artisanal à 20 h sur le Vieux-Port.

Le berceau du cinéma

La Ciotat, villégiature des frères Lumière, accueille, le 21 sept. 1895, l'une des 1ʳᵉˢ projections privées des inventeurs du cinématographe. Cette année-là, ils tournent deux films sur les rivages de la Méditerranée : *La Mer*, montrée le 28 déc. 1895 à Paris, et *L'Arrivée d'un train en gare de La Ciotat*. La 1ʳᵉ projection publique à La Ciotat aura lieu en 1899 au cinéma *L'Éden*, aujourd'hui pôle culturel.

Entre station balnéaire et ville ouvrière, La Ciotat n'a pas tranché, et c'est ce qui fait le charme et la singularité de la cité. Sa physionomie générale a été déterminée par l'emprise des chantiers navals, avec leurs grues immenses, et par la nécessité de loger des milliers d'ouvriers. Mais La Ciotat, c'est aussi un littoral bordé de plages magnifiques, qui, depuis l'engouement de la fin du XIXᵉ s., draine chaque année davantage d'estivants.

La révolution des chantiers navals

Fondé par les Massaliotes au IVᵉ s., le port de La Ciotat se développe au XVIᵉ s. grâce à l'aristocratie génoise, qui met en place les premiers chantiers navals. Défavorisés par la présence de l'arsenal de Marseille (→ p. 335), puis par les conditions économiques du XVIIIᵉ s., ils vont toutefois végéter jusqu'au milieu du XIXᵉ s. En 1836, l'armateur Louis Benet et la famille de Vence achèvent le 1ᵉʳ paquebot français construit en Méditerranée. Les chantiers navals, possession des Messageries maritimes dès 1851, vont dès lors prendre une dimension industrielle, profitant de cette époque d'expansion coloniale où leurs navires sillonnent toutes les mers du monde.

La fin d'une industrie

Après la Seconde Guerre mondiale, les chantiers se spécialisent dans la réparation et la fabrication des superpétroliers et des méthaniers. Ils emploient alors 5 000 personnes, mais la concurrence avec l'Asie s'accentue en 1973. Le coup fatal est porté par la Communauté européenne, qui exige de chaque pays qu'il ne conserve qu'une seule unité de production s'ouvrant sur la mer. En 1986, La Seyne-sur-Mer, La Ciotat et Dunkerque ferment leurs chantiers au profit de Saint-Nazaire. La ville souffrira longtemps de la perte de cette activité. Aujourd'hui, grues et portiques ne sont qu'un souvenir du passé. Les yachts luxueux arrimés au port côtoient les barques de pêcheurs.

Un vaste parking s'étend au bout du quai Ganteaume (côté opposé aux grues) • visite de la ville en 2 h.

■ Le Musée ciotaden

1, quai Ganteaume, à g. du port
☎ *04 42 71 40 99* • *ouv. t.l.j.*
sf mar. et jours fériés, en juil.-août
16 h-19 h; de sept. à juin 15 h-18 h •
www.museeciotaden.org
Dans l'ancien hôtel de ville
(1864), dont le beffroi de
facture insolite marque l'angle
du quai Ganteaume, le musée
fait la part belle à l'**histoire des
chantiers navals**★ (maquettes
de bateaux, pièces de marine,
outils…). On y trouve aussi des
pièces archéologiques provenant des fouilles de sites locaux.

▲ *Le port de La Ciotat.*

• La **chapelle des Pénitents-Bleus** *(esplanade du 8-Mai-1945,
en longeant le bord de mer vers la dr.* • *ouv. t.l.j. sf lun.)* présente
une façade baroque typique de la Contre-Réforme, avec
un fronton interrompu par une niche à statue autour de
laquelle sont agenouillés deux pénitents.

■ L'église Notre-Dame-de-l'Assomption

25, rue Adolphe-Abeille, à g. du port ☎ *06 81 97 17 97* • *ouv. du
lun. au ven. 10 h-12 h et 15 h-17 h, sam. 10 h-12 h.*
Passé le portail classique, on découvre dans cet édifice du
XVIIe s., appelé aussi «Notre-Dame-du-Port», un maître-
autel de marbre polychrome du sculpteur tessinois
Dominique Fossati et une **Vierge à l'enfant**★ du peintre
marseillais Michel Serre, tous deux du XVIIIe s. Placées
dans l'abside, les fresques représentent des scènes de
l'Évangile et les peintures sont plus contemporaines.

• Parmi les petites maisons et les rues étroites de la
ville des pêcheurs, on remarquera l'**hôtel de Grimaldi-
Regusse**★ *(18, rue Adolphe-Abeille)*, du XVIe s., dont la façade
est un modèle d'architecture maniériste.

■ Les calanques de La Ciotat

*À 2 km S.-O. de La Ciotat par l'av. des Calanques ou le quai de
Roumanie.*
La **calanque du Mugel** est entourée de massives falaises
de pierre ocre, assemblage de galets et de sable, appelées
«**Poudingue**». Le cap de l'Aigle se poste en surplomb et
culmine à 155 m. Dans la calanque, le **parc du Mugel**
(ouv. d'avr. à sept. t.l.j. 8 h-20 h; d'oct. à mars 9 h-18 h), créé
au XIXe s., cultive des essences endémiques ou tropicales
rares; le sentier botanique rejoint le sommet du cap.
En revenant vers la ville *(suivre l'av. Mugel, puis, à g., l'av.
de Figuerolles)*, les hautes falaises trouées d'alvéoles et
le rocher filiforme du Capucin dotent la **calanque de
Figuerolles**★ d'un caractère sauvage.

Jusqu'en 1907, la «longue»
était le jeu de boules favori des
Provençaux. Jules Hugues dit
«Le Noir», ciotaden qui
souffrait de rhumatismes, fut
autorisé à jouer les «pieds
tanqués», c'est-à-dire rivés au
sol. La pétanque était née. Il
faudra attendre le 1er concours
officiel à La Ciotat, en 1910,
pour que le mot soit adopté.

En face de la calanque du
Mugel, l'**île Verte** (12 ha)
est couverte de pins d'Alep.
Ses belles criques sont
d'agréables lieux de baignade.
Compter 1/2 h aller-retour en
bateau depuis le port.
Accès d'avr. à sept. t.l.j.
Rens. ☎ 04 42 83 11 44 ;
www.laciotat-ileverte.com

Aubagne★
et la Sainte-Baume★★

• Arles Voir carte régionale p. 332
St-Maximin-
la-Ste-Baume
Martigues •
Aubagne
Marseille •
• La Ciotat
Cassis •

À 19 km E. de Marseille par
la A50.

🛈 8, cours Barthélemy
☎ 04 42 03 49 98 ;
www.tourisme-paysdaubagne.fr

Gare SNCF, square Marcel-
Soulat ☎ 36 35 ;
www.sncf.com

Pôle d'échange, square Marcel-
Soulat ☎ 0800 71 31 37 ;
www.lepilote.com

À ne pas manquer

Manifestations

• **Marchés des primeurs :** les
mar., jeu., sam. et dim. matin,
cours Voltaire.
• En mars, **Festival
international du film ;**
www.aubagne-filmfest.fr
• En août les années impaires,
Argilla : marché de potiers.
• Le 1er week-end de déc.,
les années paires, **biennale
de l'art santonnier.**

Enserrée dans de vastes reliefs, la fertile vallée de l'Huveaune demeura longtemps le jardin potager des Marseillais. Elle est désormais intégrée à l'agglomération de la capitale phocéenne, qui s'étend sans transition jusqu'à Aubagne, petite cité postée sur un promontoire surplombant l'Huveaune et dominée par le massif du Garlaban. Le cœur de la ville natale de Marcel Pagnol se différencie peu de ce que l'écrivain cinéaste a connu enfant : ruelles pentues et façades de couleurs vives, marchés vivants et boulevards animés. À l'est, le massif de la Sainte-Baume, couvert d'une forêt dense, oppose à l'agglomération sa face sombre et sauvage.

Se garer sur l'un des parkings des boulevards de ceinture (av. Elzéard-Rougier au N., rue de la République ou pl. Beaumont au S.) ; de là, on rejoint à pied la maison natale de Marcel Pagnol, située à l'O. de la pl. Pasteur • visite de la ville en 3 h.

■ La maison natale de Marcel Pagnol

16, cours Barthélemy (fléché), à l'orée de la vieille ville ☎ 04 42 03 49 98 • ouv. d'avr. à oct. t.l.j. 9 h 30-12 h 30 et 14 h-18 h ; de nov. à mars t.l.j. sf dim. 9 h-12 h 30 et 14 h-17 h 30 ; f. les 1er et 2 janv., 25 et 26 déc.

On y découvre une reconstitution de l'appartement familial dans lequel Marcel Pagnol (1895-1974) vécut les deux premières années de sa vie, agrémentée de souvenirs de l'auteur : lettres, photos…

■ Le Petit Monde de Marcel Pagnol

Esplanade Charles-de-Gaulle, au N. de la maison natale, près de la maison du Tourisme ☎ 04 42 03 49 98 • ouv. t.l.j., d'avr. à oct. 9 h 30-12 h 30 et 14 h-18 h ; de nov. à mars 9 h-12 h 30 et 14 h-17 h ; f. les 1er et 2 janv., 1er mai, 25 et 26 déc. • entrée libre.

Le lieu est un autre hommage à la figure emblématique de la ville. Pagnol a donné naissance à une foule de personnages cocasses, réincarnés ici sous la forme de santons.

Depuis la maison natale de Marcel Pagnol, la rue Rastègue pénètre dans la vieille ville.

■ La vieille ville

Jusqu'au Moyen Âge, la cité se blottissait contre la colline, à l'abri de ses remparts du XIVe s. dont les rues Gachiou et de Guin suivent le tracé. Une opération de réhabilitation a redonné leurs couleurs aux façades classiques et créé des zones piétonnières.

• La **tour de l'Horloge**, au centre de la ville ancienne, est surmontée d'un beau campanile en fer forgé. Derrière la mairie, les escaliers de la rue de la Liberté surplombent le **clocher triangulaire★** (1610), dernier vestige de l'église de l'Observance.

■ L'église Saint-Sauveur

Pl. de l'Église, sur le petit plateau au sommet de la vieille ville ☎ 04 42 03 11 72 • ouv. t.l.j. 9 h-12 h et 15 h-17 h.

Elle se dresse face au massif du Garlaban sur lequel elle offre un beau panorama. Édifiée au XIIIe s., elle est précédée d'une façade néoromane (1900). La flèche élancée de son clocher (1551) affine ses proportions. Ne manquez pas, à l'intérieur, le **maître-autel★** aux marbres polychromes du XVIIIe s. et la *Transfiguration* (1713), toile de Michel Serre.

■ Les ateliers Thérèse Neveu

4, cour de Clastre (à l'E. de l'église Saint-Sauveur) ☎ 04 42 03 43 10 • horaires variables selon les expositions • entrée libre.

Thérèse Neveu (1866-1946) aurait, la première, cuit les **santons** pour les solidifier. Elle ajouta aux personnages traditionnels de la crèche les effigies de ses contemporains. Ses anciens ateliers accueillent des expositions consacrées aux arts de la terre.

■ Le musée de la Légion étrangère

Chemin de la Thuilière, à 2 km O. du centre par la D 2 vers Marseille, puis, à dr., la D 44 A ☎ 04 42 18 12 41 • ouv. du mer. au dim. 10 h-12 h et 14 h-18 h • entrée libre • http://musee. legion-etrangere.com

Suite à l'indépendance de l'Algérie, la Légion étrangère quitte Sidi-Bel-Abbès pour Aubagne, en 1962. Le quartier Viénot accueille les militaires, leurs familles, ainsi que le patrimoine de la Légion (documents, uniformes, armes et photographies, monuments…) visible dans le musée.

■ La font de Mai

Sur la D 44 en dir. d'Éoures • en semaine, il est recommandé d'emprunter les transports publics : bus n° 10 au départ du pôle d'échange d'Aubagne t.l.j. sf dim., direction La Treille, arrêt Font-de-

▲ *La tour de l'Horloge dans le vieil Aubagne.*

En sortant de l'église Saint-Sauveur, le chemin d'Entrecasteaux rejoint la chapelle baroque des Pénitents-Blancs (XVIIIe s.), puis le chemin Saint-Michel mène à la chapelle des Pénitents-Noirs (XVIIIe s.), à la façade néoclassique. Elle abrite des expositions d'art.

47 ateliers, une école de céramiste de réputation internationale, une biennale et une grande foire aux Santons perpétuent l'art des santonniers.

▶ ▶ ▶

▲ *Photo tirée du film César (1936) de Marcel Pagnol.*

Marcel Pagnol, prophète du Midi

Sans la verve haute en couleur et les personnages truculents de Pagnol, le Midi ne serait pas ce qu'il est aujourd'hui pour les gens du «Nord». D'une certaine manière, ses portraits excessifs ont «fendu le cœur» des Provençaux, mais il suffit de relire ses *Souvenirs d'enfance* et *L'Eau des collines* pour se réconcilier avec cet auteur profondément amoureux de son pays.

Né à Aubagne, Marcel Pagnol (1895-1974) passe une enfance heureuse lors de ses vacances à la Bastide-Neuve dans le village de La Treille (→ p. 378). Amoureux des lettres, il fonde la revue *Fortunio* en 1915 qui deviendra plus tard les *Cahiers du Sud*, puis il «monte» à Paris à la fin des années 1920. Trois de ses pièces, *Topaze, Marius* et *Fanny*, seront transposées à l'écran par Korda, puis par Marc Allégret, entre 1931 et 1936. Le succès, qui popularisera les clichés marseillais, est immédiat et se prolonge avec *César* (1936), réalisé par l'auteur lui-même. Sa carrière de cinéaste, intense, s'achèvera en 1954 avec *Les Lettres de mon moulin*. Il est reçu à l'Académie française dès 1947, alors que l'essentiel de son œuvre romanesque est encore à venir.

La publication, dans les années 1950, des *Souvenirs d'enfance* (*La Gloire de mon père, Le Château de ma mère, Le Temps des secrets*, puis, posthume, *Le Temps des amours*), révèle l'affection profonde qu'il voue à son pays natal. Les villages de La Treille et d'Allauch, ainsi que le massif du Garlaban, y apparaissent comme autant de paradis perdus, où la forêt giboyeuse, les sources, la lumière et les pierres calcaires elles-mêmes semblent prendre vie. Le château de la Buzine, tant évoqué dans *Le Château de ma mère*, devient brièvement sa propriété en 1941. Il abrite depuis 2013, la maison des Cinématographies de la Méditerranée. Si, en 1962, l'écrivain abandonna le récit autobiographique avec *L'Eau des collines* (*Jean de Florette* et *Manon des sources*), ce fut pour célébrer mieux encore la nature de l'arrière-pays marseillais qu'il affectionnait tant.

Mai • ouv. en juil.-août mar. et ven. 8 h-12 h ; de sept. à juin mer.
9 h 30-12 et 14 h-17 h 30 ; f. les 1ᵉʳ janv., 1ᵉʳ mai, 25 et 26 déc. •
de juin à sept., accès réglementé, se rens.

Accrochée au versant sud-est du massif du Garlaban,
cette ancienne propriété agricole domine de jolies
restanques remises en culture. La ferme propose des
animations, des visites guidées et un départ pour les
sentiers du Garlaban afin de découvrir les paysages
et les lieux décrits par Marcel Pagnol dans ses romans.
Quelques vestiges des «plateaux» sur lesquels il planta
sa caméra pour tourner certains de ses films sont encore
visibles : le puits de Raimu, le mas de Massacan, la
ferme d'Angèle, la maison de Panturle, la grotte de
Manon, etc.

Le massif de la Sainte-Baume★★

Excroissance rocheuse surgissant au nord-est
d'Aubagne, le massif de la Sainte-Baume, étonnamment sauvage, est couvert, sur son versant sud, d'une
épaisse forêt, interrompue, au nord, par de hautes
falaises. Idéal pour les promenades et les randonnées,
le massif, lieu sacré dans l'Antiquité, demeure une
destination de pèlerinage populaire.

Un massif d'une rare diversité

Étendu et élevé (1 147 m au point culminant), le massif de
la Sainte-Baume présente deux versants très différents.
Le **versant S.** s'étale en pentes douces, couvert d'une
forêt méditerranéenne de chênes verts, de filaires et
d'arbousiers, qui cède en altitude à la garrigue odorante.
Vers les sommets, balayés par les pluies, l'eau pénètre
dans un vaste réseau de grottes et de gouffres pour
abreuver ensuite des vallons verdoyants (où coule
notamment l'Huveaune), qui tranchent avec l'aridité
des collines.
Le **versant N.** étire, à l'inverse, un long ruban de falaises
au pied desquelles survit une
forêt relique★. À l'ombre du
massif, un terreau humide
et froid a favorisé l'implantation naturelle d'essences
septentrionales rares en
Provence : hêtres, tilleuls,
érables, ifs, lierres et houx.

Mythes et légendes
de la forêt

Avec ses essences inhabi-
tuelles sous une telle latitude,
la forêt de la Sainte-Baume

Randonnée

Début mai, festival de randonnée
« De villages en collines ». Une
douzaine de circuits au choix à
suivre dans le massif du Garlaban,
le massif de la Sainte-Baume ou
sur les chemins du pays minier.
Rens. office de tourisme.

Traditionnellement, les
compagnons du Tour de France
achevaient leur périple par
un pèlerinage à la patronne
du compagnonnage, Marie-
Madeleine, à la Sainte-Baume.
Son parcours spirituel est
en effet considéré comme
un modèle pour l'aspirant
compagnon : conscience
du sens de la vie acquise
par la réflexion, le labeur
et l'engagement social.

▼ *Humide, sombre*
et mystérieux, le massif
de la Sainte-Baume tranche
avec l'aspect traditionnel
des massifs provençaux.

Château de la Buzine,
56, traverse de la Buzine,
Marseille ☎ 04 91 45 27 60 ;
www.labuzine.com
Entouré d'un immense parc,
le célèbre « château de ma
mère » de Marcel Pagnol
a été réhabilité en maison
des Cinématographies
Méditerranéennes. Ce lieu
emblématique regroupe
une cinémathèque, un
espace de conservation du
patrimoine cinématographique
méditerranéen, une
vidéothèque et une salle
de cinéma.

(140 ha) fut longtemps une énigme. Les Gaulois lui attribuaient des pouvoirs sacrés ; les puissants seigneurs locaux puis les rois de France interdirent l'exploitation du bois dès le XIIIᵉ s. L'ermitage présumé de Marie-Madeleine dans cette montagne n'est pas étranger au culte qui lui est réservé : la sainte y aurait vécu une trentaine d'années dans la solitude.

Boucle de 61 km au départ d'Aubagne à faire en 1 journée.

■ Le parc de Saint-Pons*

À 7 km E. d'Aubagne par la D 2 via Gémenos • accès libre.

Sillonné par des sentiers botaniques accessibles en famille, ou par d'autres plus escarpés réservés aux sportifs, le parc abrite une ancienne abbaye cistercienne du XIIIᵉ s. et un moulin ruiné. La forêt et la charmante source vauclusienne confèrent une grande sérénité au lieu.

Au-delà du parc de Saint-Pons, la D 80 grimpe dans le massif et rejoint en 20 km l'hôtellerie religieuse de la Sainte-Baume.

Randonnées

L'hôtellerie religieuse du XIXᵉ s. *(au bord de la D 80)* demeure un lieu spirituel animé dont le hall abrite le portail qui fermait la grotte au XVIᵉ s. Depuis le bâtiment partent les plus célèbres excursions du massif.

• La **grotte de la Sainte-Baume**. On accède à l'endroit où Marie-Madeleine aurait vécu trente ans en ermite par deux sentiers différents qui montent à travers la forêt domaniale et se rejoignent à l'oratoire des Quatre-Chemins : le rude chemin du Canapé *(à g. de l'hôtellerie • 1 h 30 aller-retour)* ou par le chemin des Rois *(depuis le carrefour des Trois-Chênes au croisement des D 80 et D 95 • 1 h 30 aller-retour)*, jalonné d'oratoires datant de 1516. Un escalier de 150 marches mène à une terrasse anoblie par une pietà de bronze. Les principaux centres d'intérêt de la grotte (946 m d'alt.) sont un reliquaire de sainte Marie-Madeleine et une statue en marbre blanc du XVIIIᵉ s., qui la représente.

• Le **sommet du Saint-Pilon★★★**. Du carrefour de l'oratoire des Quatre-Chemins, le GR 9 se poursuit jusqu'au sommet du Saint-Pilon (994 m), signalé par une chapelle du XVIIᵉ s. et une table d'orientation. Superbe panorama sur la montagne Sainte-Victoire, le mont Aurélien et, à l'horizon, le massif des Écrins, dans les Alpes *(2 h aller-retour, suivre le balisage du GR 9).*

La D 80 mène en 8 km à Nans-les-Pins : à dr., la D 80 puis la D 560 mènent au N.-E. en 13 km à Saint-Maximin-la-Sainte-Baume ; à g., la D 280 puis la D 560 mènent en 9 km à Saint-Zacharie. La D 560 puis l'autoroute ramènent à Aubagne.

Saint-Maximin-
la-Sainte-Baume★★★

L'aura sacrée du massif de la Sainte-Baume
se prolonge au nord jusqu'à la plaine de
Saint-Maximin, où fut édifiée la plus grande
basilique gothique de la région, afin de protéger
les reliques de Marie-Madeleine, patronne de la
Provence. Ce statut exceptionnel a doté le village
d'hôtels particuliers inhabituels dans la région.

À 21 km N.-E. de l'hôtellerie
de la Sainte-Baume par la D 80,
puis la D 560 ; à 43 km E. d'Aix-
en-Provence par la A 8.

ℹ Couvent royal
☎ 04 94 59 84 59 ;
www.la-provence-verte.net

■ La vieille ville

Conçu avec rigueur et simplicité au XIIᵉ s. selon un plan en
damier, le village médiéval cerne une 1ʳᵉ église, supplantée
au XIIIᵉ s. par la basilique. Aux XVIIᵉ s. et XVIIIᵉ s., les revenus
tirés du pèlerinage à sainte Marie-Madeleine, l'un des plus
importants d'Europe, servent à l'édification de nombreux
hôtels particuliers et de plusieurs églises de Pénitents.

● L'**hôtel de ville** *(à g. de la basilique)* est installé dans
l'ancienne hôtellerie du couvent royal des Dominicains,
construit entre 1750 et 1785. Ce solennel édifice construit
par l'architecte avignonnais Jean-Baptiste Franque est le
point d'orgue du quartier aristocratique. Les rues du ghetto
médiéval courent jusqu'à la pl. des Arcades où se tenaient
les marchands. Couvents et chapelles jalonnent la ville
contenue dans les anciens **remparts** et dont il demeure un
dernier vestige à l'angle N.-E. du couvent royal.

■ La basilique Saint-Maximin★★★

Pl. de l'Hôtel-de-Ville • ouv. 7h-19h30, à partir de 9h le lun.

La légende voudrait que Marie-Madeleine ait quitté son
ermitage de la Sainte-Baume pour mourir aux côtés de
saint Maximin. Fort à propos, Charles d'Anjou II, roi
de Naples et comte de Provence, exhume en 1279 les
reliques des deux saints. Il élève, pour la célébrer, la plus
grande basilique gothique de Provence (XIIIᵉ s.-début du
XVIᵉ s.), avec le soutien du pape Boniface VIII.

L'apparition du gothique provençal

L'ouvrage est confié à Pierre d'Augicourt, architecte des
rois de Naples, qui réalise une remarquable synthèse
entre l'architecture gothique du nord de la France et l'art
roman provençal.

● Héritage du gothique, la lumière jaillit dans le
sanctuaire d'allure massive. S'ordonnant en gradins

▼ *La chaire, le buffet d'orgue
et le chœur de la basilique
sont de remarquables
œuvres d'art gothiques.*

de hauteurs décroissantes, la nef ainsi que les chapelles et les contreforts latéraux sont percés de baies à chaque niveau.

• Le roman dote l'édifice de lignes pures et d'une décoration minimale réservée aux clés de voûte de la nef, portant des blasons. Le vaisseau (73 m de long, 37 m de large, 29 m de hauteur) est prolongé par une abside à sept pans, généreusement éclairée par une double rangée de fenêtres et deux absidioles.

• Trois siècles séparent l'élévation de la nef de la construction des travées occidentales ; la façade ne sera jamais achevée et le clocher se réduit à une tour hâtivement accolée au chevet. Une remarquable unité caractérise pourtant le sanctuaire dominicain.

Des décors baroques

Le **buffet d'orgue** en bois, placé au-dessus de l'entrée, est l'œuvre du frère Jean-Esprit Isnard de Tarascon (XVIIIe s.). La chaire monumentale en bois du XVIIIe s. décrit avec brio les épisodes mythiques de la vie de Marie-Madeleine. Au centre de la nef, le chœur (XVIIe s.), aux imposants panneaux sculptés de médaillons représentant la vie monacale, enferme 94 stalles.

• Dans l'abside, un retable et un maître-autel en marbre du pays ainsi que des décorations en stuc tranchent singulièrement sur l'aspect dépouillé de l'ensemble. Dans l'absidiole de dr., l'**autel du Rosaire★** (1536) est orné de bas-reliefs hagiographiques de sainte Marie-Madeleine et surmonté d'un retable du XVIIe s. L'absidiole de g. abrite le **retable de la Passion** (XVIe s.), où Antoine Ronzen a entouré une Crucifixion de 16 médaillons.

• Dans la **crypte gallo-romaine** du IVe s. se trouvent les sarcophages de saint Maximin *(2e à g.)* et de sainte Marie-Madeleine *(au fond de la crypte)*, ainsi que la châsse contenant ses reliques, dessinée par Henri Révoil et sculptée par Didron au XIXe s.

■ Le cloître dominicain

Pl. Jean-Salusse, attenant à la basilique • accès par l'office de tourisme • ouv. du lun. au sam. 9 h-12 h 30 et 14 h-18 h, dim. et jours fériés 10 h-12 h 30 et 14 h-17 h 30.
Commencé au XIIIe s. et achevé au XVe s., le cloître constitue une prouesse architecturale exemplaire. Pas moins de 32 travées se succèdent autour d'un jardin arboré de cèdres centenaires. Le cloître donne accès à une ancienne chapelle, un réfectoire et une belle salle capitulaire dont la voûte gothique est portée par des colonnettes aux chapiteaux sculptés. L'ensemble est aujourd'hui occupé par un hôtel-restaurant.

Manifestations

• Marché provençal : mer. matin.
• En avr., Foire médiévale.
• En août, les Nuits du Parvis, festival de musique classique : concerts dans la basilique.
• En nov., foire aux Santons au Couvent Royal.

La petite histoire raconte que le buffet d'orgue de la basilique fut sauvé pendant la Révolution par Lucien Bonaparte, qui y fit jouer *La Marseillaise.*

Bonne adresse

🏠 ✗ *Le Couvent royal*, pl. Jean-Salusse ☎ 04 94 86 55 66. Logée dans l'ancien cloître dominicain, un lieu historique unique en Provence, cette charmante hôtellerie dispose de chambres donnant soit sur le cloître, soit sur le jardin. Le restaurant est installé dans la salle capitulaire et les travées du cloître. Cuisines française et provençale.

La Côte Bleue*

La chaîne de l'Estaque, quasiment une presqu'île, ferme au nord la rade de Marseille. À l'est, sa façade maritime est accidentée, creusée de calanques étroites et profondes entre lesquelles les petits ports, vivants et animés, jouissent d'une grande popularité. Sur les hauteurs, marquées dès le XIXe s. par les industries de la cité phocéenne, les vignobles et les oliveraies se disputent de rares arpents de terre. Au-delà de Carry-le-Rouet, les reliefs s'adoucissent, les anses se font plus accueillantes : une succession de plages court le long du littoral jusqu'au cap Couronne.

Au N.-O. de Marseille, entre le quartier de l'Estaque (→ p. 377) et le cap Couronne.

Itinéraire de 50 km environ de Marseille à Carro à faire en 1 journée.

À ne pas manquer

La calanque de Niolon* 395

▮ Le Rove

À 17 km N.-O. de Marseille par la A 55 et la D 568.
À la limite de l'Estaque (→ p. 377), cet ancien bassin agricole est célèbre pour ses fromages frais au lait de chèvre (brousses). On remarquera deux édifices religieux intéressants : l'église du XIIe s., fortifiée au XIVe s., et la chapelle Saint-Michel, vestige d'un ensemble fortifié du XIIe s. construit par les Templiers.

• Le **canal du Rove**, inauguré en 1927, relie, grâce à un tunnel parfaitement rectiligne, le port de Marseille à l'étang de Berre. Un effondrement du massif de la Nerthe l'a rendu inutilisable à partir de 1963.

▮ Les calanques de la Vesse et de Niolon*

À 2 km S. du Rove, au bout de la D 48 • accès interdit aux voitures les week-ends et jours fériés de mai à août • parking gratuit à l'entrée du hameau (800 m) • un escalier relie les deux calanques.
Petite plage dominée par le viaduc du chemin de fer (1915), la **calanque de la Vesse** marque le début de la Côte Bleue.

• L'étroite **calanque de Niolon*** et son pittoresque petit port de pêche sont cernés d'aiguilles et de clochetons dolomitiques travaillés par l'érosion. Du centre UCPA (école de plongée) s'ouvre une belle vue sur les îles du Frioul et le château d'If.

▼ *La calanque de Niolon et son petit port de pêche, l'un des plus pittoresques de la Côte Bleue.*

Randonnée

Le sentier du littoral constitue une belle balade de 15 km reliant Sausset-les-Pins à la plage des Laurons. Le site www.baladeenprovence.com donne des idées de balades, précises et bien documentées.

Le train de la Côte Bleue

Mise en service en 1915, la ligne de chemin de fer Marseille-Miramas a imprimé sa trajectoire au mépris des reliefs. Tunnels et viaducs se succèdent dans un paysage exceptionnel, qui surplombe la mer, et les petites gares font halte à proximité des calanques et des stations balnéaires jusqu'à Fos-sur-Mer. Plus loin, la ligne traverse les étangs salés d'Engrenier et de Lavalduc, pour atteindre Miramas.

Gare Saint-Charles-Miramas (à 62 km N.-O. de Marseille ; 4 à 8 trains par jour ☎ 36 35).

Manifestations

À Carry-le-Rouet
Les dim. de fév., les Oursinades, fêtes populaires et carnavalesques : en 1952, les pêcheurs offrirent au maire son poids en oursins. Devenues fête municipale en 1960, elles réunissent aujourd'hui les amateurs d'oursins pour des dégustations sur le port. Des oursinades sont aussi organisées les 3 derniers dim. de janv. à Sausset-les-Pins.

■ **Les calanques de la Redonne★, de Figuières et de Méjean**

À 7 km S.-O. du Rove par la D 5 jusqu'à Ensuès-la-Redonne, puis, à g., par la D 48 D jusqu'au carrefour qui descend de manière abrupte, à g., vers la calanque de la Redonne • accès interdit aux véhicules les week-ends et jours fériés de mai à sept.

À l'origine, Ensuès est un semis de hameaux entourés de terres agricoles séparé de la côte par une petite forêt. Son port, **la Redonne★**, se situe à 3 km en contrebas, au terme d'une route sinueuse qui plonge vers la calanque éponyme. Depuis cette dernière, le sentier des douaniers rejoint, vers l'E, deux autres calanques *(1 h aller-retour)* : **Figuières**, avec sa plage de galets, et **Méjean**.

• Les deux petits ports de la Redonne et de Méjean ont en commun leurs alignements désordonnés de cabanons et l'aspect désuet d'un ponton où sont amarrés les pointus.

■ **Carry-le-Rouet**

À 6 km S.-O. d'Ensuès-la-Redonne par la D 5 ✪ *Quai Vayssière, vers la capitainerie ☎ 04 42 13 20 36 ; www.otcarrylerouet.fr*

Rien de la ville ancienne, mentionnée dès l'Antiquité, n'apparaît aujourd'hui dans ce fatras désordonné de résidences dominées par une tour des années 1970. Le front de mer est bordé de quelques villas du XIXe s. Fernandel séjourna dans le village, donnant son nom à l'une des plages les plus fréquentées, avec celle du Rouet.

• **Sausset-les-Pins** *(à 4 km O. de Carry-le-Rouet par la D 5)* est un village de pêcheurs investi par une population de citadins et de plaisanciers. On rejoint par un vallon les plages de sable de Verdon, Tamaris et Sainte-Croix.

■ **La plage de la Couronne et Carro**

À 10 km O. de Carry-le-Rouet via Sausset-les-Pins par la D 5 et la D 49.

• L'**anse de la Couronne** est artificiellement échancrée par les carrières de molasse rose, pierre qui servit depuis l'Antiquité à l'édification de nombreux monuments marseillais : les forts Saint-Nicolas et Saint-Jean, la Vieille Charité, l'abbaye Saint-Victor… Sur le plateau du cap Couronne, un **village néolithique★** fréquenté du IIIe au Ier millénaire av. J.-C. domine la mer.

• **Carro** *(à 1 km O.)* s'étage sur les pentes entourant son petit port, le 2e de Méditerranée occidentale pour la pêche artisanale du thon *(marché le matin)* et un «spot» renommé de planche à voile.

Martigues★ et l'étang de Berre

C'est grâce à cet étang de 155 km² que la Provence est devenue le premier site français de production pétrochimique. L'histoire du XXᵉ s. a profondément transformé ce territoire, le hérissant de raffineries, le cisaillant de routes et de ports industriels. Sa survie économique assurée, le pays de l'étang de Berre s'évertue aujourd'hui à défendre ses rares espaces naturels et son patrimoine : la rénovation des centres anciens ou la valorisation des vestiges historiques comptent ainsi comme autant d'actes de résistance.

Un paradis perdu

Né de la fonte des glaciers il y a 40 000 ans, l'étang de Berre offre aux populations locales une réserve inépuisable de poissons, de coquillages et de sel, raison pour laquelle les vestiges archéologiques sont nombreux sur ses rives. Tout change en 1863 : le percement du canal de Caronte qui relie l'étang à la Méditerranée, avec, pour conséquence, un apport constant d'eau salée, constitue une 1ʳᵉ atteinte à son équilibre écologique. L'ouverture, en 1966, de la centrale hydroélectrique de Saint-Chamas dégrade la situation, la centrale rejetant des milliards de mètres cubes d'eau douce. L'étang suffoque et son biotope dépérit, d'autant qu'à ce fléau s'ajoute la pollution engendrée par l'industrie et l'urbanisation des 75 km de rives.

Le tournant industriel

Les premières raffineries sont établies sur l'étang à partir de 1922. Les considérations environnementales restent

Voir carte régionale p. 332

À 40 km N.-O. de Marseille par la A 55, à 48 km S.-O. d'Aix-en-Provence par la D 9, à 50 km S.-E. d'Arles par la D 568.

Au large de Carry-le-Rouet, le 1ᵉʳ parc marin de France (1983) protège 70 ha de fonds aquatiques de la calanque de Niolon à l'anse de Carro. Différents niveaux de protection s'y succèdent : les zones marines protégées du cap Couronne et de Carry-le-Rouet, interdites aux pêcheurs comme aux plongeurs ; les récifs et les zones périphériques très réglementées mais accessibles. L'Observatoire du parc marin organise en juil. et août des visites guidées (gratuites) de surface, avec masque et tuba, le long d'un sentier sous-marin aménagé dans la réserve marine de Carry-le-Rouet. Réservation au ☎ 06 83 09 38 42.

◄ Depuis le début du XXᵉ s., les raffineries forment l'une des composantes majeures des rives de l'étang de Berre.

Manifestations

À Martigues
• Dernier week-end de juin, fête de la Mer et de la Saint-Pierre.
• De juin à août, joutes provençales.
• En juil., Fête vénitienne : spectacle en pyromélodie sur le jardin de la Rode, face à l'étang de Berre. Festival de Martigues : danses, musiques et voix du monde.
• En sept., Flâneries au miroir : des passionnés de Venise et de son carnaval défilent en costume vénitien. Marché italien.

▼ *Martigues, une petite enclave vénitienne sur l'étang de Berre.*

bien loin des esprits. Malgré la crise du pétrole des années 1970, le port de Fos-sur-Mer demeure le fleuron du port autonome de Marseille, l'un des 1ers au monde en termes d'équipements et d'accessibilité.

En quête d'un renouveau

Fort de cette primauté industrielle, le pays de l'étang de Berre a connu, dans la 2e moitié du XXe s., une urbanisation galopante, surtout dans la partie la plus proche de Marseille (Marignane, Vitrolles). Perchés sur des éperons calcaires, plusieurs vieux villages, tels Saint-Mitre ou Miramas-le-Vieux, ont su protéger malgré tout leurs enceintes de pierre, leurs hôtels particuliers et leurs sanctuaires, tandis que Fos-sur-Mer conserve son ancien castrum du XIIe s., l'un des plus anciens de la région. Les centres de Lançon-Provence, Vitrolles et Marignane ont également un charme certain.

■ Martigues*

À 40 km N.-O. de Marseille par la A 55 ⊙ *rond-point de l'Hôtel-de-Ville* ☎ *04 42 42 31 10 ; www.martigues-tourisme.com*

Le **centre historique★★** de Martigues se tient dans l'île de Brescon (ou «l'Île»), cernée de quelques canaux. Au S., le quai appelé «**Miroir aux oiseaux**», bordé de maisons de pêcheurs colorées, fut célébré par des peintres comme Picabia, Dufy ou Derain, qui le contemplaient depuis le pont Saint-Sébastien. C'est sur l'Île que sont rassemblés les témoins de l'occupation humaine du site : un village gaulois du Ve s. av. J.-C. dont on rebâti quatre cases *(rue Marguetorte)*; un palais du Moyen Âge *(rue Galinière)* à l'arcade appareillée ; l'hôtel particulier Colla de Pradines du XVIIe s. *(pl. de la Libération)*…

• L'**église de la Madeleine** *(rue de la République • XVIIe s.)*, impose sa haute façade agrémentée de quatre colonnes et d'une statue de Vierge à l'Enfant. À l'intérieur, des œuvres de Michel Serre occupent les chapelles des confréries.

• Le **quartier Ferrières**, au N. de l'Île, débouche largement sur l'étang de Berre. On débutera la visite par la **Galerie de l'histoire de Martigues** *(rond-point de l'Hôtel-de-Ville* ☎ *04 42 44 36 48 • ouv. du mar. au ven. 9 h-12 h 30 et 14 h-18 h, sam. 10 h-12 h 30 et 14 h-18 h ; visite commentée le sam. à 15 h et 17 h • entrée libre • www. ville-martigues.fr)*, qui permet de comprendre le développement de la ville à travers vidéos, documents écrits, photographies et maquettes.

• Le **musée Ziem** *(bd du 14-Juillet* ☎ *04 42 41 39 60 • ouv. de sept. à juin du mer. au dim. 14 h-18 h ; en juil. et août t.l.j. sf mar. 10 h-12 h et 14 h-18 h)* retourne sur les pas du peintre orientaliste de l'école de Barbizon. La collection de Félix Ziem a été enrichie des toiles de ses contemporains, dont Picabia (*Vue de l'étang de Berre*, 1905).

• Le **musée du Cinéma Prosper Gnidzaz★** (*4, rue Colonel-Denfert-Rochereau* ☎ *04 42 49 44 67* • *ouv. mar., jeu. et ven. 14 h-18 h, mer. et sam.-dim. 10 h-12 h et 14 h-18 h*) retrace l'histoire du cinéma à Martigues. Il abrite la collection de Prosper Gnidzaz, un passionné de cinéma, soit près de 2250 bobines de films, de scopitones, de dessins animés, et 40 appareils de projection datés du début du XXe s.

• Le **quartier Jonquières**, au S. de l'Île, avec ses rues animées et ses petites maisons, abrite la massive église **Saint-Geniès** (XVIIe s.) qui protège, juste derrière, la **chapelle de l'Annonciade des Pénitents-Blancs** (1664), dont l'intérieur déborde d'ornements baroques. Plus à l'O., à l'embouchure du canal de Caronte, le **fort de Bouc** (*chemin de Lavéra* • *visite sur r.-v. auprès de l'office de tourisme*), appelé aussi caserne Suffren, dresse sa tour carrée du XIIe s. entourée de fortifications édifiées par Vauban au XVIIe s.

■ Le site archéologique de Saint-Blaise★★

À 10 km N.-O. de Martigues par la D 5 jusqu'à Saint-Mitre-les-Remparts, puis, à g., par la D 51 • *site très fréquenté et parking réduit (du parking à la chapelle, chemin escarpé)* • *ouv. t.l.j. sf lun., de nov. à mars 8 h 30-12 h et 13 h 30-17 h ; d'avr. à oct. 8 h 30-12 h et 14 h-18 h* • *visites guidées hors saison avec l'office de tourisme le dim. à 14 h 30* • *entrée libre.*

La tribu celto-ligure des Salyens fut la 1re à investir, dès le VIIe s. av. J.-C., cette colline qui domine l'étang de Lavalduc, tirant profit de l'exploitation du sel. Quatre siècles plus tard, un rempart hellène en pierre de taille, crénelé de merlons à l'image des ouvrages grecs de Sicile, protégea la ville qui n'en fut pas moins assiégée. La conquête romaine, au Ier s. av. J.-C., fit table rase de la cité, mais le site fut réinvesti au IVe s. de notre ère par les populations locales. *Ugium* – son nouveau nom – disparaîtra, ruinée au IXe s., pour renaître sous le nom de Castelveyre au XIIIe s., elle-même réduite à néant par les raids de Raymond de Turenne. Deux chapelles ont néanmoins traversé les époques : la **chapelle Saint-Pierre** dont il demeure quelques pans, et **Notre-Dame★** (appelée aussi «chapelle Saint-Blaise»), un élégant petit sanctuaire.

■ Saint-Chamas★

À 18 km N. de Saint-Mitre-les-Remparts par la D 5 et la D 569 jusqu'à Miramas, puis à dr. par la D 10 ❶ *17, rue du 4-Septembre* ☎ *04 90 50 90 54 ; www.tourismesaintchamas.fr*

Dans la plaine, le village du XIXe s. présente un alignement harmonieux de maisons basses. Le rocher du Baou, creusé d'habitations troglodytiques, supporte un 2e village fortifié. L'église du XVIIe s., d'un souffle baroque, abrite une pietà dans une niche de sa façade.

✗ *Le Miroir*, quai Brescon, Martigues ☎ 04 42 80 50 45. Le cadre enchanteur du plus célèbre quai de la ville est l'endroit idéal pour savourer de délicieux poissons.

Depuis sa colline au N.-O. du quartier Ferrières, la **chapelle Notre-Dame-de-Miséricorde**, dite «chapelle des Marins» (par l'av. Kennedy, puis, à dr., par le bd Notre-Dame ; ouv. pendant les offices, rens. au ☎ 04 42 42 10 65) offre une vue saisissante sur l'étang de Berre, le canal de Caronte et le golfe de Fos.

L'**étang de Berre** et les étangs périphériques étaient des réservoirs halieutiques de 1er ordre. La pêche y a prospéré du XVIe s. au début du XXe s. L'anguille est aujourd'hui le poisson le plus fréquemment piégé. La **poutargue**, fabriquée à partir d'œufs salés de mulets capturés dans le canal de Caronte, entretient une tradition vivante, mais particulièrement onéreuse pour le consommateur.

Le **pont Flavien** (à 1 km E. de Saint-Chamas par la D 10) enjambe la Touloubre d'une arche unique depuis le Ier s. Les deux extrémités sont marquées par des arcs triomphaux décorés de motifs végétaux et d'aigles. Des quatre lions, un seul est d'époque.

Aix et sa région

Intégrée avec Marseille dans une vaste agglomération, la région d'Aix connaît, depuis plusieurs décennies, un développement rapide et une forte croissance démographique. Elle offre cependant quelques fleurons touristiques tels le centre historique d'Aix-en-Provence et l'abbaye de Silvacane. Le premier témoigne de la vitalité de la Provence aux XVIe et XVIIe s., quand l'aristocratie aixoise s'établit dans de somptueux hôtels particuliers qui trouveront leur prolongement dans les bastides ; le second rend compte de l'émergence de l'art roman sur les rives de la Durance. Erratique et dénudée, la montagne Sainte-Victoire, dont l'image exaltée par Cézanne a parcouru le monde, constitue un autre point d'orgue. Plus humbles, les villages qui s'accrochent à ses flancs, les oppidums ruinés perchés sur des éminences rocheuses, les vallées étroites des trois rivières qui baignent la région révèlent à leur tour quelques épisodes d'une histoire qui a débuté au néolithique. Densément peuplé, le pays d'Aix l'a toujours été et cultive, depuis les premières implantations gallo-romaines, un art de vivre citadin, dont le paysage est une composition savante et l'expression d'une culture. Parti pris vivement ressenti aujourd'hui encore en dépit d'une forte urbanisation.

◀ *La fontaine des Quatre-Dauphins, dans le paisible quartier Mazarin d'Aix-en-Provence.*

Que voir dans la région d'Aix-en-Provence

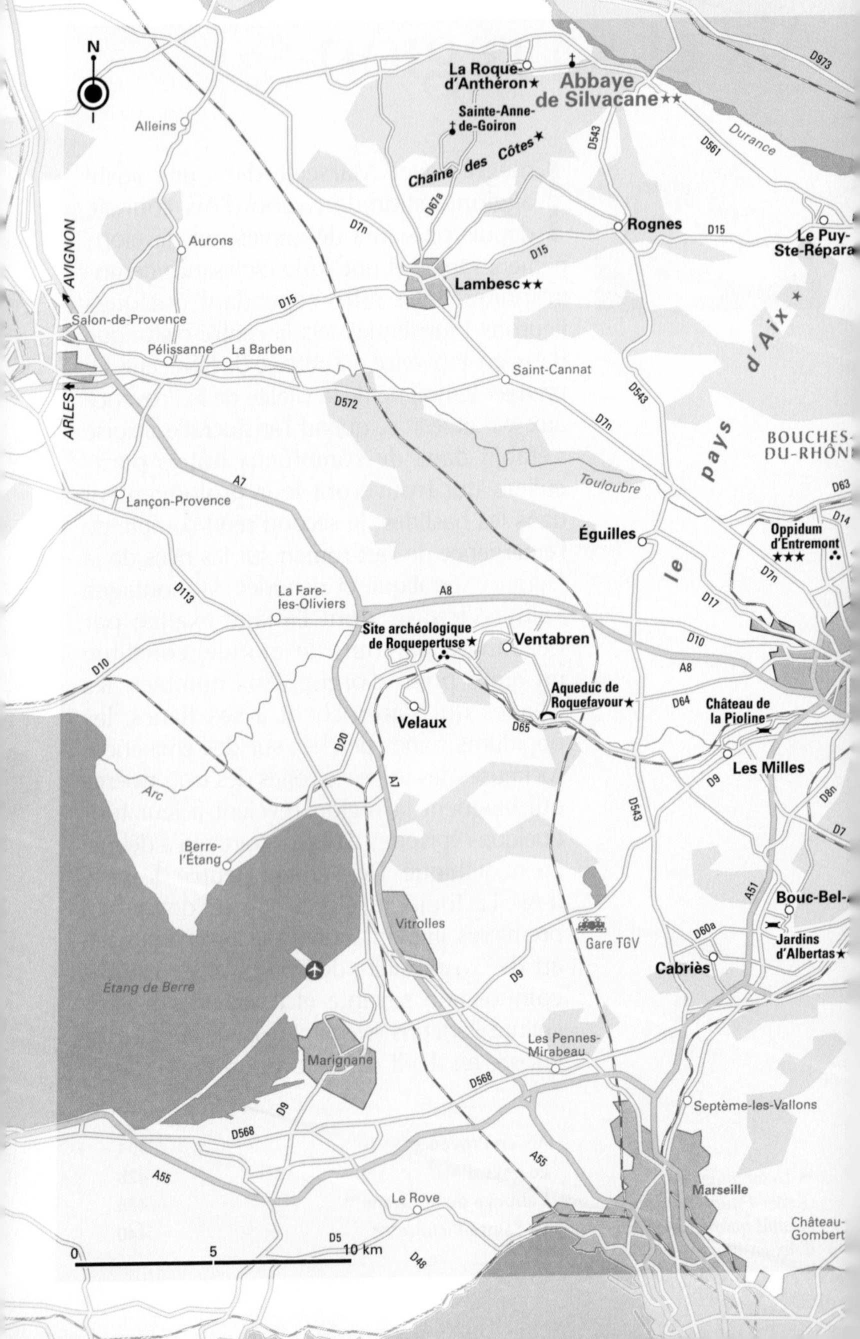

N

D973

La Roque-d'Anthéron ★

Abbaye de Silvacane ★★

Durance

Alleins

Sainte-Anne-de-Goiron

Chaîne des Côtes ★

D543

D561

D7n

D97a

Rognes

D15

Le Puy-Ste-Répara

Aurons

D15

Lambesc ★★

le pays d'Aix ★

Salon-de-Provence

Pélissanne

La Barben

Saint-Cannat

D543

ARLES ★

AVIGNON ★

D572

D7n

BOUCHES-DU-RHÔN

A7

Touloubre

Lançon-Provence

D63

D113

La Fare-les-Oliviers

Éguilles

le

D14

Oppidum d'Entremont ★★★

D7n

A8

D17

Site archéologique de Roquepertuse ★

Ventabren

D10

Aqueduc de Roquefavour ★

D64

Château de la Pioline

Velaux

D65

D20

D9

Les Milles

Arc

A7

D543

D8n

D7

Berre-l'Étang

A51

Bouc-Bel-a

Vitrolles

Gare TGV

D60a

D9

Jardins d'Albertas ★

Étang de Berre

Cabriès

D9

Les Pennes-Mirabeau

Marignane

D568

Septème-les-Vallons

D9

A55

D568

A55

Le Rove

Marseille

D5

D48

Château-Gombert

0   5   10 km

MANOSQUE, SISTERON

VAUCLUSE

Mirabeau

Pertuis

Parc naturel régional du Luberon

Saint-Paul-lès-Durance

A51

D96

D561

Peyrolles-en-Provence

Jouques ★

Rians

D561

D96

D96

A51

Concors
▲
781

D11

D23

VAR

la Gaude

la Mignarde

Pavillon de Lenfant

Vauvenargues

Infernet

Sainte-Victoire ★★★

D10

D10

Barrage de Bimont ★

Parc de Roques-Hautes

Saint-Ser

x-en-Provence ★★★

Le Tholonet

D17

● **La Croix de Provence**

Puyloubier

A8

D7n

Beaurecueil

Saint-Antonin-sur-Bayon

D57

D57D

Pourrières

D623

SAINT-MAXIMIN-LA-SAINTE-BAUME

Châteauneuf-le-rouge

D7n

Arc

Meyreuil

D6

Rousset

A8

D6

Pourcieux

Gardanne

D46A

A52

Peynier

Trets

Gréasque

D7

D58

D98

D908

Mimet

Saint-Savournin

D8

La Bouilladisse

Saint-Zacharie

D560

Cadolive

Peypin

D908

D7

Auriol

Chaîne

de

l'Étoile

D908

Roquevaire

Aix-en-Provence « entrée principale »
Gardanne lieu dans les environs d'une entrée principale
Meyreuil lieu repère

Aix-en-Provence★★★

Voir carte régionale p. 402

Lambesc • Pertuis

Aix-en-Provence

Marseille •

À 24 km N. de Marseille par l'A 7, puis l'A 51.

🛈 300, av. Giuseppe Verdi (pl. de la Rotonde) A2
☎ 04 42 161 161; www.aixenprovencetourism.com Ouv. d'avr. à sept. du lun. au sam. 8 h 30-19 h, dim. et jours fériés 10 h-13 h et 14 h-18 h; d'oct. à mars du lun. au sam. 8 h 30-18 h; f. 1er janv., 1er mai et 25 déc.

Autres informations pratiques → p. 407.

À ne pas manquer

L'office de tourisme propose un «City Pass», qui permet de bénéficier de tarifs préférentiels pour la visite d'une quinzaine de musées et de site en ville et dans le pays d'Aix.

Entre les vestiges celto-ligures de l'oppidum d'Entremont au nord et la gare TGV au sud, Aix-en-Provence étage 2 000 ans d'histoire. Fière de son glorieux passé de ville parlementaire, celle qui fut la capitale de la Provence du temps du roi René joua, au XIXe s., les Belles au bois dormant. Avec ses 140 000 habitants – dont 40 000 étudiants –, Aix est reconnue aujourd'hui pour son dynamisme. La pérennité de ses festivals et l'extension de son pôle culturel dédié à la danse, au livre, à la musique et au théâtre, confirme par ailleurs son statut de ville d'art et de culture. Loin du tumulte de Marseille, Aix se laisse découvrir au gré de ses fontaines, de ses placettes toujours animées et de ses beaux hôtels particuliers. Ses ruelles pavées piétonnes ou semi-piétonnes – le plus long réseau de France – incitent à une flânerie favorisée par un climat des plus cléments, à l'ombre des platanes et de la montagne Sainte-Victoire.

Une fondation romaine

Première fondation romaine en Gaule, la création d'*Aquae Sextiae* en 122 av. J.-C. constitue la 1re étape de la mainmise romaine sur le pays des Salyens et, partant de là, sur la Gaule. L'agglomération prend le nom du consul Caïus Sextius Calvinus qui, avec son armée, vient assiéger les Salyens sur l'oppidum d'Entremont (→ *p. 432*), qu'il détruit entièrement. La nouvelle ville est créée en contrebas, à côté de sources d'eau chaude et froide (→ *p. 420*), d'où le nom latin *Aquae Sextiae*, «les eaux de Sextius».

Un des noyaux de la ville romaine se développe alors autour de l'actuel palais de justice (→ *p. 416*), et la via Aurelia, qui entre dans l'agglomération par la porte d'Italie, en devient l'artère principale. Au Moyen Âge, la ville comtale prospère à l'O. de cet ancien noyau romain, tandis que le bourg épiscopal se développe naturellement autour de la cathédrale (→ *p. 411*), elle-même bâtie sur un monument romain de l'antique castrum.

Aix au Moyen Âge

Au début du XIIIe s., la ville devient la résidence ordinaire du comte et le siège de sa cour. Cette présence accroît le prestige d'Aix et contribue à son essor démographique, lequel se traduit par la création de faubourgs rapidement protégés par une nouvelle ceinture de remparts et par la multiplication des fondations religieuses et caritatives. En 1357, la Maison commune s'installe au pied de la future tour de l'Horloge *(→ p. 418)*, à la jonction du bourg ecclésiastique et de la ville comtale : l'autorité municipale commence alors à s'affirmer.

Entre Provence et France

Métropole religieuse, siège d'une municipalité forte, Aix devient ville royale lorsque le roi René décide de s'y installer en 1471. Il fait agrandir le palais comtal et crée la pl. des Prêcheurs *(→ p. 416)*, réalisations à l'origine d'un renouveau de la construction civile. Après le rattachement de la Provence à la France, l'ancien palais comtal change de fonction pour héberger, en 1501, le nouveau parlement, ainsi que les autres grands corps de l'administration provençale : la cour des comptes, la sénéchaussée et le gouvernement. Ce dynamisme administratif se double d'une grande activité architecturale, d'une vie intellectuelle foisonnante, d'une économie vivace et d'une extension de la ville vers l'E., avec la création, en 1583, du quartier de Villeneuve.

▲ *Atlante du pavillon de Vendôme.*

La ville classique

Le XVIIe s. constitue également une période d'intense développement puisqu'il voit la réalisation de nouveaux programmes d'urbanisme : l'intégration du faubourg des Cordeliers à l'O., avec la création du quartier de Villeverte en 1602 ; puis le quartier Mazarin *(→ p. 423)*, en 1646, au S. Malgré cette expansion, chaque quartier s'attache à préserver ses particularités héritées du Moyen Âge : le bourg épiscopal reste dominé par le clergé des religieux séculiers et des artisans ; le quartier des Cordeliers, avec ses corporations regroupées par rues, demeure le quartier populaire par essence ; le récent quartier Mazarin devient le quartier aristocratique ; l'ancienne ville « comtale », enfin, conserve ses prérogatives politiques et économiques.

La « belle endormie »

Le Siècle des lumières apparaît davantage comme une période de mise en valeur de l'espace urbain délimité au XVIIe s. que comme une période d'expansion : aménagement de boulevards à l'emplacement des anciens remparts, amélioration de la perspective du « cours à

▶ *La fontaine de la Rotonde.*

carrosses» (le futur cours Mirabeau → *p. 419*), création de la pl. d'Albertas *(→ p. 413)* et de la pl. de l'Hôtel-de-Ville, construction de monuments publics, etc.

Cependant, avec la création du département des Bouches-du-Rhône et l'installation de la préfecture à Marseille à la fin du XVIIIᵉ s., la Révolution marque une étape importante, mais en creux, du développement d'Aix : elle entraîne une forte émigration et la perte des fonctions administratives qui faisaient prospérer la ville. Au cours du XIXᵉ s., Aix reste éloignée du mouvement général d'industrialisation, et le tracé du chemin de fer Paris-Lyon-Marseille la laisse à l'écart des flux de voyageurs et de marchandises. La ville connaît toutefois quelques transformations ponctuelles – création de la fontaine de la Rotonde – et voit la fondation de plusieurs établissements d'enseignement : faculté de droit, école normale d'instituteurs, école des arts et métiers, puis faculté des lettres.

Un réveil spectaculaire

Dans la 2ᵉ moitié du XXᵉ s., la ville sort de sa torpeur pour connaître un spectaculaire essor démographique et économique. Depuis les années 1970, la commune connaît une urbanisation galopante. Un pôle d'activité très attractif s'est développé au S.-O. de la ville, autour du village des Milles, regroupant près de 1 400 entreprises. Dans le centre-ville, l'achèvement de l'opération d'urbanisme Sextius-Mirabeau a changé le visage d'Aix, permettant de relier le centre ancien aux quartiers situés à l'O. de la Rotonde et du cours Mirabeau. Occupé jusqu'en 1960 par une zone industrielle, le quartier s'est doté de nouveaux immeubles abritant logements et bureaux ; un gigantesque parking a été construit sous la Rotonde pour désengorger le stationnement en centre-ville ; au bout des Allées provençales, nouvelle artère commerciale, se trouvent les grands lieux culturels de la ville : la cité du Livre, le centre chorégraphique Preljocaj, le Grand théâtre de Provence et le conservatoire régional de musique et de danse.

Aix-en-Provence pratique

Informations touristiques

L'office de tourisme organise des **visites guidées** du centre ancien : départ de l'office d'avr. à oct. les mar. et sam. à 10 h ; de nov. à mars le mer. à 10 h ; se présenter 10 mn avant aux bureaux d'accueil. **Visite « Sur les pas de Cézanne »** d'avr. à oct. les jeu. à 10 h.

Vous pouvez aussi parcourir seul les circuits balisés :

• Le **parcours pictural « Sur les pas de Cézanne »** présente cinq chemins balisés au départ du centre-ville vers les alentours d'Aix pour découvrir les paysages de Cézanne (les carrières de Bibémus, Le Tholonet, le Jas de Bouffan...). Un **circuit en ville**, guidé par un marquage au sol, permet de retrouver les quartiers et les lieux où a vécu le peintre. Rens. à l'office de tourisme (brochure « Sur les pas de Cézanne », également disponible sur Internet en téléchargement).

Transports

• **Aéroport de Marseille-Provence** : à 29 km S.-O. par la D 9 ☎ 0820 81 14 14 ; www.marseille.aeroport.fr Navettes régulières (payantes) entre l'aéroport, la gare TGV et la gare routière toutes les 30 mn, de 4 h 50 à 23 h 25 de la gare routière d'Aix et de 5 h 35 à 0 h 25 au départ de l'aéroport (durée : 30 mn) ☎ 0 810 00 13 26 ou 04 42 93 59 00 ; www.lepilote.com

• **Gare TGV** : à 15 km S.-O. par la D 9 (la gare d'Aix est en fait plus proche de Vitrolles) ☎ 36 35 ou www.sncf.com Navettes régulières (payantes) entre la gare TGV et la gare routière. Compter 15 mn quand la circulation est fluide.

• **Gare SNCF** : av. Victor-Hugo A2 ☎ 36 35 ou www.sncf.com À 5 mn à pied de la pl. du Général-de-Gaulle (pl. de la Rotonde).

• **Gare routière** : av. de l'Europe hors plan par A2, à 10 mn à pied de la pl. du Général-de-Gaulle (pl. de la Rotonde) par l'av. des Belges ☎ 0810 00 13 26 ou 09 69 32 82 07 ; www.lepilote.com

Circuler et se garer

Le centre ancien d'Aix-en-Provence, où il est très difficile de circuler et de se garer, ne se découvre qu'à pied, au gré de très agréables déambulations dans ses rues. 3 parcs relais sont disponibles : les hauts de Brunet, le Krypton, la Route des Alpes ; www.aixenbus.fr/conseils-pratiques/parcs-relais Aussi est-il préférable de laisser son véhicule dans les parkings payants aménagés soit à l'extérieur, autour des grands boulevards qui le ceinturent, soit à l'intérieur, près de la pl. des Cardeurs et du palais de justice ou à la Rotonde.

• **Navettes électriques :** 3 circuits sillonnent le cœur d'Aix ; pour monter, faites signe au conducteur. Ticket à bord (0,60 €). T.l.j. sf dim. et jours fériés de 8 h 30 à 19 h 30 ☎ 04 42 38 07 36 ; www.la-diabline.com

MARCHÉS

• **Produits locaux** : t.l.j. pl. Richelme A1.

• **Vêtements** : les mar., jeu. et sam. autour du cour Mirabeau AB2.

• **Brocante** : les mar., jeu. et sam. pl. des Combattants-d'Afrique-du-Nord. et av. Victor-Hugo B2.

• **Fleurs** : t.l.j. sf dim. pl. de l'Hôtel-de-Ville A1, le 1er dim. du mois face à la cathédrale A1.

• **Artisanat** : mar., jeu. et sam. pl. de la Rotonde A2.

▼ *Marché sous les platanes, place Richelme.*

Voir plan p. 409

Fêtes, festivals et manifestations culturelles

• **En mars et avr.,** Les Rencontres du 9ᵉ Art : festival de la bande dessinée ☎ 04 42 16 11 61 ; www.bd-aix.com

• **D'avr. à juil.,** Les Festes d'Orphée : pour (re)découvrir le répertoire baroque ☎ 04 42 99 37 11 ; www.orphee.org

• **En juil.,** Festival d'Aix *(→ p. 410)* : le Festival international d'art lyrique programme quatre productions d'opéras plus des récitals de musique de chambre qui en font aujourd'hui l'un des festivals majeurs du sud de la France. Boutique du festival : palais de l'Archevêché, pl. des Martyrs-de-la-Résistance A1 ☎ 08 20 92 29 23 ; http://festival-aix.com

• **En août.,** Les Nuits pianistiques : festival international de piano ☎ 06 16 77 60 89.

• **Fin août,** Musique dans la rue : concerts gratuits de musiques vocales et instrumentales (jazz, classique, musiques du monde et contemporaines) ☎ 04 42 91 99 19.

• **De fin nov. à début déc.,** festival Tous Courts : consacré au court-métrage, il est considéré comme un tremplin pour les jeunes réalisateurs ☎ 04 42 27 08 64 ; http://festivaltouscourts.com

Pour avoir une vision générale de la ville, compter un week-end. Pour découvrir réellement ses richesses, quatre jours sont nécessaires.

Le bourg Saint-Sauveur★★

Autour de la cathédrale, le bourg Saint-Sauveur était au Moyen Âge le cœur religieux de la ville. Les étudiants d'aujourd'hui ont remplacé les clercs d'autrefois pour faire de ce petit quartier un ensemble plaisant et animé.

*À partir de la pl. de l'Hôtel-de-Ville **A1**, remonter au N. la rue Gaston-de-Saporta • promenade de 2 h 30 à 3 h en comptant la visite du musée Estienne-de-Saint-Jean et du musée des Tapisseries.*

■ Le musée Estienne-de-Saint-Jean **A1**

17, rue Gaston-de-Saporta ☎ 04 42 91 89 78 • ouv. t.l.j. sf mar. 10 h-12 h 30 et 13 h 30-17 h • entrée libre.

Le musée, anciennement appelé musée du Vieil-Aix, est installé depuis le XXᵉ s. dans l'**hôtel d'Estienne de Saint-Jean**, reconstruit vers 1670-1680 par Joseph de Martigny, trésorier de France. Œuvre de Laurent Vallon, la façade présente de hauts pilastres cannelés corinthiens.

• À l'intérieur, l'extrémité du grand salon du rez-de-chaussée se prolonge par deux petites pièces appelées « cabinets » par convention : le 1ᵉʳ est couvert d'une **coupole★★★** peinte d'angelots et de motifs floraux, supportée par un important décor en stuc doré ; le 2ᵉ possède un plafond orné d'une allégorie de la Renommée et des armoiries de la famille de Martigny.

• Le **musée Estienne-de-Saint-Jean** rassemble des témoignages du passé aixois (faïences, objets de confrérie, etc.), parmi lesquels un **paravent★** du XVIIIᵉ s. qui relate la procession de la Fête-Dieu, dont l'origine remonte

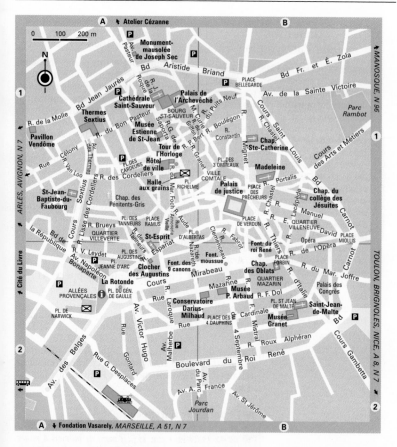

au roi René, et une **crèche parlante***, dont les petits personnages en bois costumés et articulés s'animaient autrefois pour faire revivre la Nativité. Des manipulateurs dissimulés sous la scène assuraient dialogues et chants. Le musée présente régulièrement des expositions centrées sur le patrimoine historique de la ville.

■ L'hôtel de Châteaurenard **A1**

19, rue Gaston-de-Saporta • f. au public.

L'hôtel a été construit au milieu du XVIIᵉ s. par l'architecte Pierre Pavillon. Il abrite aujourd'hui certains services municipaux. L'austérité de sa façade est inversement proportionnelle à l'intérêt du **décor peint*** de son grand escalier *(accès à dr. dans la cour après avoir traversé le porche)*. Dès sa réalisation en 1654, ce magnifique

Un festival pour l'art lyrique

Lors de sa création, en 1948, par Gabriel Dussurget, le Festival international d'art lyrique d'Aix-en-Provence n'offrait que quelques concerts dont certains étaient donnés dans la cour de l'archevêché. Il était déjà question d'opéra, mais seul *Cosi fan tutte* de Mozart fut à l'honneur cette année-là. C'est la mise en scène, l'année suivante, de *Don Giovanni* dans des décors de Cassandre, célèbre peintre et affichiste, qui donnera au festival le ton qu'il a encore aujourd'hui. Les productions lyriques s'y sont depuis diversifiées pour en faire «une grande fête du chant» qui intègre désormais dans sa programmation des œuvres du XXᵉ s. et des créations du XXIᵉ s., tout en affirmant l'héritage baroque et en confortant Mozart dans son rôle de référence. Depuis 1998, l'Académie européenne de musique, consacrée à la promotion des jeunes talents, s'est adjointe au festival.

Voir plan p. 409

trompe-l'œil de Jean Daret a valu à son auteur de nombreuses louanges, parmi lesquelles celles de Louis XIV en 1660.

• Les murs sont peints d'une imposante architecture feinte, rythmée de niches abritant des statues et de fenêtres devant lesquelles des personnages, semblant se pencher au dehors, tirent un rideau. Sur la partie haute des murs se déploie une frise en grisaille dont les personnages représentent des allégories des arts : la Grammaire, la Rhétorique, l'Arithmétique (qui montre une ardoise avec la date 1654), la Géométrie, la Musique, l'Astrologie, la Peinture (occupée à peindre les armoiries du maître des lieux, Aymar d'Albi de Châteaurenard) et la Sculpture. Au centre du plafond, la Vertu, sous les traits de la déesse Pallas.

■ L'hôtel Maynier d'Oppède A1

23, rue Gaston-de-Saporta • f. au public sf durant les Journées du patrimoine.

L'ensemble a été acheté aux Maynier d'Oppède et reconstruit à partir de 1730 par les Thomassin de Saint-Paul, deux familles de parlementaires. L'hôtel abrite aujourd'hui différents centres d'enseignement et accueille en saison certaines des représentations du Festival international d'art lyrique.

■ Le palais de l'Archevêché** A1

28, pl. des Martyrs-de-la-Résistance (dite aussi pl. de l'Archevêché) ☎ *04 42 23 09 91 • ouv. t.l.j. sf mar., de mi-mars à mi-oct. 10 h-12 h 30 et 13 h 30-18 h ; le reste de l'année jusqu'à 17 h ; f. en janv., les 1ᵉʳ mai, 25 et 26 déc.*

L'ancien palais des archevêques est un vaste bâtiment composé de quatre ailes délimitant une cour intérieure. Cette disposition est très ancienne, mais seule la salle gothique du rez-de-chaussée témoigne encore du passé médiéval des lieux, car le palais actuel fut reconstruit en plusieurs fois entre 1650 et 1730.

• Le **musée des Tapisseries**★, au 1ᵉʳ étage, présente essentiellement des œuvres issues de la manufacture de Beauvais de la fin du XVIIᵉ au XVIIIᵉ s. : des pièces dont le décor exubérant est surnommé «à grotesques», inspirées du style de Bérain ; une importante suite de l'histoire de Don Quichotte tissée sous la direction de Besnier et Oudry d'après des cartons du peintre Charles Natoire ; et la série des «Jeux russiens» (ou rustiques) d'après Jean-Baptiste Leprince. Depuis 1990, le musée a développé une section «Arts du spectacle» et présente, à ce titre, des maquettes de décors ayant servi au **Festival international d'art lyrique**, dont les représentations ont lieu tous les étés dans la cour du palais.

■ La cathédrale Saint-Sauveur** A1

En haut de la rue Gaston-de-Saporta ☎ 04 42 23 45 65 • ouv. lun. 8 h-19 h, du mar. au sam. 7 h-19 h 30, dim. 8 h 15-20 h ; pour les horaires d'hiver, se rens. • visite du cloître toutes les demi-heures 10 h-11 h 30 et 14 h 30-17 h 30.

La construction de l'actuelle cathédrale fut commencée en 1285 et poursuivie pendant une bonne partie du XIVe s. C'est donc de cette période que date l'essentiel du bâtiment : la nef centrale, le transept et l'abside, au fond de laquelle s'ouvre la petite chapelle Saint-Mitre de 1442, disposition exceptionnelle dans un édifice sans déambulatoire. Cet édifice gothique a cependant dû tenir compte de la présence d'éléments plus anciens : le **baptistère mérovingien** couvert d'une coupole du XVIe s. ; la nef romane de l'ancienne cathédrale devenue le bas-côté droit ; et le **cloître roman** qui se distingue toujours par la finesse de ses colonnettes de marbre et la variété de ses chapiteaux.

• À l'extérieur, juste à côté de la façade du vieil édifice roman, s'élève la **façade** flamboyante, élevée à partir de 1477. C'est peu après que Jean Guiramand exécuta les magnifiques **vantaux*** de la porte *(protégés par des volets en bois ; pour les voir, s'adresser à l'accueil de la cathédrale à dr. en entrant)*, dont le style témoigne de la transition qui s'opère entre le gothique et la Renaissance (les figures représentent les 12 sibylles païennes et les prophètes d'Israël).

• Les plus belles œuvres d'art que renferme la cathédrale sont le célèbre **triptyque du «Buisson ardent»***, peint pour le roi René par Nicolas Froment en 1476, et les **tapisseries du chœur**, issues d'ateliers bruxellois en 1511, qui représentent la vie de la Vierge et des scènes de la Passion. Données à la cathédrale de Canterbury, elles furent vendues par Cromwell au XVIIe s. et achetées à Paris, en 1656, par le chapitre d'Aix *(elles ne sont que rarement exposées pour des raisons de conservation).*

En poursuivant par la rue Jean-de-la-Roque, on arrive au niveau des anciens remparts que les boulevards ont remplacés. Ils marquent la sortie de la vieille ville. En face s'ouvre l'av. Pasteur.

Saint-Sauveur est formée de plusieurs édifices qui se sont succédé : une cathédrale romane, constituant le bas-côté dr. ; un édifice gothique, commencé en 1285 et achevé en 1513 par une façade flamboyante ; et des chapelles de la fin du Moyen Âge, réunies à l'époque baroque pour former le bas-côté g.

Le triptyque du «Buisson ardent» est ouvert selon un calendrier liturgique défini : du dimanche de Pâques au lundi de Pentecôte, en juillet-août et jusqu'au 8 septembre, lors des Journées du patrimoine, en octobre et du 8 décembre à l'Épiphanie.

▼ *La cathédrale Saint-Sauveur*

Voir plan p. 409

Le monument abrite
la sépulture de Joseph Sec
(1715-1794), riche négociant
aux aspirations aristocratiques.
Par une judicieuse politique
d'acquisitions foncières, il fut
à l'origine du développement
du quartier à partir des années
1770, et il choisit donc d'y
établir sa dernière demeure.

■ Le monument-mausolée de Joseph Sec★ A1

*6, av. Pasteur • accès libre au jardin du lun. au ven. 8 h-12 h et
14 h-16 h 30 • le monument reste bien visible à travers les grilles
depuis la rue.*

Cet ensemble unique en son genre est un rare échantillon
d'architecture révolutionnaire qui soit à la fois tombeau
et monument à la gloire des idées nouvelles, dédié à la
municipalité d'Aix (voir les inscriptions).

• De nombreuses **statues** et **bas-reliefs** peuplent la
construction en bordure de rue. On y reconnaîtra la Loi
puis, en dessous, Moïse qui semble tendre les tables de
la Loi à deux personnages placés plus bas : à g., l'Afrique,
à dr., l'Europe. Derrière, dans le petit jardin, se dresse
une importante série de statues placées dans des niches.
Sculptées par Pierre Pavillon vers 1660, elles proviennent
de l'ancien collège des Jésuites. Il semble que Joseph Sec
ait pu les acquérir après l'expulsion de la Compagnie
en 1763. De dr. à g. : le prophète Aaron, la prophétesse
Deborah, le roi Saül, Jaël s'apprêtant à clouer Sisera
endormi, David et Goliath, Marie sœur d'Aaron, et Noé.

*Depuis le monument-mausolée de Joseph Sec, on peut atteindre l'atelier
Cézanne (→ p. 427) en 15 mn à pied en poursuivant l'av. Pasteur,
puis, à dr., l'av. de la Violette et, à g., l'av. Paul-Cézanne.*

Bonnes adresses

✕ *La Tomate Verte*, 15, rue
des Tanneurs A1 ☎ 04 42 60
04 58 ; www.latomateverte.
com Un petit restaurant
sympathique à l'ambiance
bistrot, où l'on sert une très
bonne cuisine méditerra-
néenne à prix doux. Les tables
sont vite prises d'assaut à midi.
✕ *Drôle d'Endroit*, 14,
rue Annonerie-Vieille A1
☎ 04 42 38 95 54 ; http://
droledesite.fr Dans une rue
oubliée du centre-ville d'Aix,
le lieu dénote par son aspect
branché, son décor original.
Restaurant, salon de thé,
mais aussi café culturel et
lieu d'expositions. Humour et
convivialité au programme.
Plats bio et de saison créatifs
et très bien cuisinés.

Autour de la ville comtale★★

Elle incite à la flânerie le long de ses pittoresques rues
piétonnes. Développé à partir du palais comtal, que
la cité judiciaire a remplacé depuis, ce grand quartier
constitue le noyau historique d'Aix-en-Provence, où
étaient autrefois regroupées les fonctions administratives séculières et commerçantes. L'époque a changé
mais non l'ambiance, toujours animée d'une multi-
tude de boutiques, cafés et restaurants, offrant autant
de sympathiques haltes aux promeneurs.

*À partir de la pl. du Général-de-Gaulle (pl. de la Rotonde),
emprunter la rue Espariat qui s'élargit pour former la petite pl. des
Augustins • promenade de 2 h 30; compter 1 h 30 à 2 h de plus
pour la visite du musée d'Histoire naturelle et du pavillon Vendôme.*

■ La fontaine des Augustins★ A2

Pl. des Augustins.

L'origine de cette fontaine remonte à 1620. Elle fit, à
l'époque, l'objet d'un conflit entre les Augustins et la ville
au sujet de la propriété des eaux. Autrefois située quelques
mètres plus loin, au croisement de la rue Isolette et de la
rue des Tanneurs, elle occupe son emplacement actuel
depuis 1820. C'est à l'occasion de ce transfert que la
borne d'où l'eau s'écoule a été surmontée d'une colonne
romaine provenant de l'ancien palais comtal.

■ L'église du Saint-Esprit* A2

40, rue Espariat • ouv. t.l.j. 9 h-21 h.

Cette église fut construite sur les plans de Laurent Vallon de 1706 à 1728. Cependant, le projet est bien plus ancien : il remonte à la mise en place, en 1605-1610, du nouveau quartier de Villeverte. Le plan de l'église est celui d'une croix latine inscrite dans un rectangle. Le parti pris de faire communiquer les bras du transept avec les bas-côtés et le chœur constitue une innovation pour l'architecture religieuse aixoise de cette époque. Sobriété et dépouillement caractérisent l'ordonnance de la façade.

Presque en face de l'église du Saint-Esprit se dressait autrefois l'ancien couvent des Augustins. Il ne subsiste plus aujourd'hui que son clocher du XVe s., dont la partie supérieure a été remplacée, à la fin du XVIIe s., par un beau campanile en fer forgé.

• L'église conserve un **retable★★**, représentant principalement l'Assomption de la Vierge, peint par Henri Guigues vers 1520 *(bras g. du transept)*. Les figures des 12 apôtres autour du tombeau pourraient être les portraits de membres du parlement. Depuis la fermeture de l'église de la Madeleine pour restauration, l'église du Saint-Esprit abrite l'exceptionnel **retable de l'Annonciation★★** de Barthélemy d'Eyck datant de 1444 *(côté g.)*.

■ L'hôtel Peyronetti★★ A1

13, rue Aude • f. au public.

Il porte le nom de la famille responsable de sa construction, à la fin du XVIe s. Sa façade est le résultat du remaniement effectué en 1620 par Jean Lombard, sur le modèle de celle du château de la Tour-d'Aigues *(→ p. 254)*, réalisée vers 1580. Son imposante **porte à bossages vermiculés★★** présente une imposte ornée de guirlandes attachées à des mufles de lion et conserve ses vantaux d'origine. Les pilastres jumelés qui encadrent les baies portent une frise montrant, parmi d'autres motifs typiques de l'époque, les armoiries de la famille. Le vestibule *(rarement accessible)*, au plafond orné de caissons, débouche sur un bel escalier à balustre de pierre.

▲ *La porte à bossages vermiculés de l'hôtel Peyronetti.*

■ La place d'Albertas★★ AB1

Située le long d'un axe très fréquenté, la pl. d'Albertas, d'emprise modeste mais aux harmonieuses proportions, semble prendre ses distances par rapport à l'agitation citadine pourtant toute proche. Il s'en dégage une curieuse atmosphère, dont le calme tout aristocratique pourrait confiner à l'abandon, alors qu'il n'en est rien.

• L'**hôtel d'Albertas** *(f. au public)*, édifié sous Louis XIII, ne convenait plus, à l'époque de la Régence, aux goûts du marquis d'Albertas. Aussi celui-ci décida-t-il, en 1724, de moderniser la façade. Son fils Jean-Baptiste acheta ensuite, pour les démolir en 1745, les maisons lui faisant

▶▶▶

▲ *L'intérieur de l'hôtel Boyer d'Éguilles.*

Les hôtels
du Grand Siècle à Aix

Les hôtels d'Aix diffèrent sensiblement les uns des autres par leur emprise, leur style, leur ornementation ou la distribution qu'ils adoptent suivant les besoins des propriétaires et l'inspiration des architectes. Tous présentent néanmoins de nombreux points communs qui leur confèrent un air de famille indiscutable : belles façades à la noble ordonnance, balcons à ferronnerie, portes sculptées, vastes vestibules d'où partent d'amples escaliers, etc.

À l'époque de Louis XIII et de Mazarin

Pendant la 1ʳᵉ moitié du XVIIᵉ s., sous Louis XIII, les demeures des personnes de qualité ne se distinguent que par l'ornementation de leurs portes, dont les montants en pierre, taillés en forme de pointe de diamant ou animés de bossages, supportent un fronton. Sur ce dernier, bien souvent, étaient sculptées les armoiries de la famille possédant les lieux. Les lucarnes éclairant les greniers ménagés sous les toitures bénéficiaient aussi de l'attention des entrepreneurs.

Cette sévérité ambiante s'estompe peu à peu au cours d'une 2ᵉ phase : les portes et fenêtres vont s'orner d'encadrements et de frontons variés, triangulaires ou arrondis, qui se peuplent de rinceaux ; les façades s'enrichissent de frises souvent palmées ou parfois à denticules et mascarons (façade de l'hôtel Peyronetti → *p. 413*).

Sous le règne de Louis XIV

Avec le début du règne de Louis XIV, un nouveau type d'élévation se dessine et maints détails viennent s'ajouter encore à la décoration des façades : des niches d'angles

▲ *La façade du pavillon Vendôme, encadrée par deux des plus beaux atlantes d'Aix.*

reçoivent des statues de la Vierge, les fenêtres arborent un encadrement distinct à chaque niveau, tandis qu'un balcon est implanté dans l'axe de la porte principale (soutenu alors par des caryatides ou de belles consoles comme pour l'hôtel d'Agut → *p. 416*). Une 2ᵉ tendance ne tarde pas à voir le jour. Chaque étage se voit désormais animé d'une série de pilastres : l'ordre dorique règne au rez-de-chaussée, le ionique au 1ᵉʳ étage et le corinthien au 2ᵉ (hôtel de Lestang-Parade → *p. 422*). Ces rangées de pilastres séparent les fenêtres les unes des autres, mais sans contribuer à leur encadrement. Elles supportent seulement les frises, entablements et corniches qui séparent les étages les uns des autres. À la différence du type précédent, les fenêtres ne possèdent plus une ornementation propre, mais seulement un encadrement soigné de moulures.

À la fin du XVIIᵉ s., un nouveau type de façade offre pour caractéristique principale la réunion des étages en un seul ordre d'architecture appelé, en raison de sa taille, « ordre colossal » (hôtels d'Estienne de Saint-Jean → *p. 408* ; de Boyer d'Éguilles → *p. 416* ; et de Grimaldi-Régusse → *p. 422*).

Une profusion d'atlantes

Les atlantes les plus anciens que l'on rencontre à Aix, ceux de Jacques Fossé, sont imposants et un peu lourds (hôtel Maurel de Pontevès → *p. 421*). Ils se terminent par des gaines débutant au-dessous des torses musclés. Les atlantes de Jean-Claude Rambot sont, au contraire, doués d'une grande qualité d'expression (hôtel d'Arbaud, → *p. 418* ; pavillon Vendôme → *p. 419*), au point que leur paternité fut longtemps attribuée – à tort – à Pierre Puget. Tout est traité avec soin, depuis les gaines et les draperies en passant par les veines des corps taillés dans la pierre (hôtel d'Agut → *p. 416*). Si leur rôle de support reste le même, leur type présente parfois de discrètes variantes : les gaines sur des bases élevées ne s'ébauchent qu'à mi-hauteur des portes, une ceinture de feuilles raccorde les gaines aux figures, tandis que des socles, au sommet des figures, supportent le balcon. On trouvera encore cette formule, mais assagie, sous la Régence, avec les tritons ailés de l'hôtel d'Albertas (→ *p. 413*).

► *La fontaine de la discrète place d'Albertas.*

face, et c'est ce dégagement qui permit la création de la place, fermée sur trois côtés par de nouvelles constructions dont les façades devaient répondre, pour des raisons esthétiques, à celle de l'hôtel. Ce n'est qu'en 1862 que l'on érigea une **fontaine** au centre. À l'origine en pierre, sa vasque fut refaite en fonte en 1912.

Voir plan p. 409

■ Le palais de justice B1
Pl. de Verdun • f. au public.
Il a été construit à la fin du XVIIIe s. par Claude Nicolas Ledoux, remplaçant le palais comtal qui avait été installé à l'emplacement du noyau de la ville romaine. Le chantier, abandonné sous la Révolution, reprit en 1822.

■ La place des Prêcheurs B1
Avant la création du «cours à carrosses» (futur cours Mirabeau) au milieu du XVIIe s., la pl. des Prêcheurs était l'espace libre le plus vaste de la ville, à la fois champ de foire et lieu de réjouissances, mais aussi l'endroit où était dressé l'échafaud.

Ce n'est pas son architecture qui a rendu fameux l'hôtel du n°1 de la pl. des Prêcheurs, mais la littérature. En effet, c'est pour consoler son propriétaire, M. Du Périer, après le décès de sa fille, que le poète Malherbe a écrit, au début du XVIIe s., ces célèbres vers : «Mais elle étoit du monde, où les plus belles choses / Ont le pire destin / Et, rose, elle a vécu ce que vivent les roses / L'espace d'un matin.»

• **L'hôtel d'Agut**★ *(au n°2 • f. au public)*, construit en 1676 pour Pierre d'Agut, conseiller au parlement d'Aix, montre une façade agréablement proportionnée avec alternance de frontons triangulaires et curvilignes au-dessus des fenêtres. Son **portail** se distingue également par sa caryatide et son atlante, d'une facture très dynamique.

• **L'église de la Madeleine** *(au N. de la place • f. pour restauration)*. À la fin du XVIIe s., les Dominicains confièrent à

Laurent Vallon la reconstruction de leur église, devenue
«la Madeleine» après la Révolution. La façade fut achevée
au milieu du XIXᵉ s. L'église de la Madeleine conserve de
nombreuses œuvres d'artistes ayant vécu à Aix.

• La **fontaine des Prêcheurs*** *(au centre de la place)* fut
édifiée en 1748 par le sculpteur aixois Chastel. Elle
se compose d'un obélisque moderne reposant sur un
important socle orné de lions et de quatre médaillons.
représentant le dernier comte de la Provence indépendante (Charles III), le comte de Provence contemporain
à titre honorifique (le futur Louis XVIII), Sextius Calvinus
(le fondateur romain d'Aix) et le souverain régnant à
l'époque (Louis XV).

■ La chapelle Sainte-Catherine B1
12, rue Mignet • f. au public.
Le monastère de la Visitation fut construit vers 1650 sur les
plans de Pierre Pavillon. Pour la façade de la chapelle, ce
dernier s'est écarté du schéma traditionnel de l'ordonnance
à deux étages, proposant une composition à trois registres
superposés au-dessus d'un perron. Cette **façade**** haute et
étroite constitue un remarquable exemple de style baroque
avec sa recherche d'effets et l'importance donnée au décor.

■ La place des Trois-Ormeaux** B1
Il émane de cette petite place sans édifice majeur un
charme discret et une sérénité qui suffisent à en faire l'un
des lieux les plus attachants du quartier. Elle tient son
nom des trois ormes plantés ici au XVᵉ s., aujourd'hui
remplacés par trois érables argentés. Au centre de la place,
la fontaine remonte au milieu du XVIIᵉ s.

Les calissons

Ces petites gourmandises à base de pâte d'amande et de
melon confit, enrobées de pain azyme et d'un glaçage au
sucre, sont à l'honneur dans le pays d'Aix depuis, dit-on,
le roi René. Et plus précisément depuis 1454, date du
2ᵉ mariage du roi avec Jeanne de Laval. Réputée
pour son sérieux, la princesse ne souriait jamais,
jusqu'à ce qu'elle goûtât une de ces petites
friandises. Ce qui, vu son air réjoui, fit dire
à un courtisan : *«Di calin soun»* («ce sont
des câlins»). Légende ou pas, la production
des calissons se développa à partir du XVIᵉ s., lors de l'introduction de l'amande en Provence
et du développement de son négoce à Aix. D'industrielle au XIXᵉ s., sa production est, pour
le meilleur, redevenue artisanale. Quelques adresses pour goûter ces friandises : *Confiserie
du Roy René*, 11, rue Gaston-de-Saporta **A1** ☎ 04 42 26 67 86; *Confiserie Brémond*, 16 ter,
rue d'Italie **B2** ☎ 04 42 38 01 70; *Confiserie Béchard*, 12, cours Mirabeau **A2** ☎ 04 42 26
06 78; *Confiserie Parli*, 35, av. Victor-Hugo **A2** ☎ 04 42 26 05 71; *Puyricard*, 7-9, rue
Rifle-Rafle **B2** ☎ 04 42 21 13 26.

Voir plan p. 409

Derrière l'hôtel de ville, la vaste pl. des Cardeurs (appelée aussi «forum des Cardeurs») résulte de la démolition, en 1963, d'îlots insalubres qui correspondaient à l'emplacement du quartier juif au Moyen Âge. Elle est ornée d'une fontaine créée en 1977 par l'artiste aixois Jean Amado. On ne peine aujourd'hui à la voir, car elle est ceinturée de terrasses de cafés et de restaurants.

▲ *L'hôtel de ville
et la tour de l'Horloge.*

■ La halle aux grains* A1

Elle sépare la pl. Richelme de la pl. de l'Hôtel-de-Ville • accès libre à La Poste et à la bibliothèque en journée, mais le bâtiment vaut surtout pour son extérieur.

Ce bel édifice a été construit en 1754 pour le commerce du blé. Le rez-de-chaussée s'ouvre naturellement par des arcades. L'avant-corps central, très plat, est surmonté d'un fronton triangulaire montrant des allégories du Rhône et de la Durance. La Poste et une bibliothèque municipale ont été aménagées côté pl. de l'Hôtel-de-Ville.

■ L'hôtel d'Arbaud** A1

7, rue du Maréchal-Foch • f. au public.

Construit au milieu du XVIIᵉ s. pour Jacques d'Arbaud, seigneur de Jouques (ne pas confondre avec l'hôtel du même nom sur le cours Mirabeau → p. 420), il présente un beau portail encadré de deux atlantes dus au ciseau de Jean-Claude Rambot en 1670, et dont la disposition est originale : l'un tourne le dos et l'autre fait face.

■ L'hôtel de ville** A1

Pl. de l'Hôtel-de-Ville • accès libre à la cour et au grand escalier du lun. au ven. 8 h-19 h, le sam. jusqu'à 12 h.

Depuis sa construction en 1655-1670, il se compose de quatre corps qui délimitent une vaste cour centrale au fond de laquelle est implanté le grand escalier, dans l'axe du porche d'entrée. Ce dernier a conservé sa porte d'origine : on remarquera les imposants mufles de lions ornant ses vantaux.

• La **tour de l'Horloge**★ (*f. au public*), accolée à l'hôtel de ville, fut construite au début du XVIᵉ s. sur une ancienne porte de la ville comtale. Placée dans une niche de la façade en 1801, une urne funéraire porte l'inscription «Aux mânes des défenseurs de la patrie» et remplace un buste de Louis XIII, abattu en 1793. En dessous, une autre inscription rappelle la libération de la ville, le 20 août 1944. Mais c'est surtout l'horloge astronomique (1661) qui attire l'attention, avec ses quatre statues de bois représentant les Quatre Saisons.

• La **fontaine**★, en face de l'hôtel de ville, a été aménagée dans les années 1750 par le sculpteur aixois Chastel, qui réalisa sa décoration en laissant la part belle aux inscriptions laudatives sur le socle.

La pl. de l'Hôtel-de-Ville donne accès, en remontant par la rue Gaston-de-Saporta, à l'ancien bourg Saint-Sauveur (→ p. 408).

Pour poursuivre la visite de la ville comtale, longer l'hôtel de ville sur sa g. et emprunter la rue des Cordeliers sur toute sa longueur, puis tourner à g. sur le cours Sextius.

■ L'église Saint-Jean-Baptiste-du-Faubourg A1

22, cours Sextius • f. au public.

Au XVIIᵉ s., les fossés protégeant les remparts O. de la cité furent comblés pour aménager une large artère, l'actuel cours Sextius. Le chanoine Jean-Baptiste du Chaîne et son frère, président au parlement, décidèrent la création d'une paroisse dans ce quartier où les voyageurs et les marchands faisaient étape sur la route reliant les Alpes à Marseille. C'est Laurent Vallon qui travailla à la construction de l'église de 1697 à 1702.

■ Le pavillon de Vendôme** A1

32, rue Célony et 13, rue de la Molle ☎ 04 42 91 88 75 • ouv. de mi-avr. à mi-oct. t.l.j. sf mar. 10 h-12 h 30 et 13 h 30-18 h, le reste de l'année jusqu'à 17 h ; f. en janv., les 1ᵉʳ mai, 25 et 26 déc.
Précédé d'un jardin à la française, le pavillon de Vendôme fut construit par Pierre Pavillon pour le duc de Vendôme en 1665. Il a été surélevé d'un étage recouvert d'un toit provençal de tuiles romaines au XVIIIᵉ s., ce qui a entraîné la disparition de la toiture d'origine à la Mansart. La façade superpose les ordres classique, dorique, ionique et composite, tandis que les beaux atlantes, de part et d'autre de l'entrée principale, sont l'œuvre de Rambot. À l'intérieur, l'escalier à double révolution date également du XVIIIᵉ s. et montre une belle ornementation faite de motifs stuqués.

• L'édifice abrite aujourd'hui un **musée**★★ où sont exposés meubles, tableaux et faïences locales des XVIIᵉ et XVIIIᵉ s. Il organise également des présentations d'œuvres d'art modernes et contemporaines.

Autour du cours Mirabeau**

Symbole du charme aixois et de la douceur de vivre, le cours Mirabeau fut tracé au milieu du XVIIᵉ s. à l'emplacement des remparts médiévaux. Le «cours à carrosses», où il était de bon ton de se montrer avec un riche équipage, a acquis son nom moderne en 1876. Cette belle artère est rythmée par quatre fontaines et un alignement d'arbres majestueux. Comme autrefois, toute la population d'Aix s'y retrouve. Au rez-de-chaussée des beaux hôtels, les brasseries, cafés et librairies du côté nord du cours font face aux banques du côté sud.

Partir de la pl. du Général-de-Gaulle (pl. de la Rotonde), en bas du cours Mirabeau. Promenade de 1 h 30.

Depuis fort longtemps, les eaux coulent et jaillissent à Aix. Les thermes modernes (av. des Thermes, en haut du cours Sextius) seraient établis, en aidant un peu l'histoire, à l'emplacement exact où le général romain Sextius fonda *Aquae Sextiae* en 122 avant J.-C. Quoi qu'il en soit, ils reprennent l'emplacement d'un ancien établissement romain dont on peut encore voir quelques vestiges.

Bonnes adresses

✕ **Le Petit Verdot**, 7, rue d'Entrecasteaux A1 ☎ 04 42 27 30 12 ; www.lepetitverdot.fr Un sympathique bistrot à vins qui offre de bons petits plats du terroir et une ambiance jazz toujours.

✕ **L'Épicurien**, 13, pl. des Cardeurs A1 ☎ 06 89 33 49 83. La carte change toutes les semaines, la cuisine est raffinée et inventive, l'accueil est chaleureux et la terrasse accueillante. Réservation recommandée.

✕ ♥ **Juste en face**, 6, rue de la Verrerie A1 ☎ 04 42 96 47 70. À l'angle de la pl. des Cardeurs, ce petit restaurant et bar à vin sans prétention dispose d'une belle terrasse en été. Cuisine d'inspiration méditerranéenne de bon goût : grillades, tajines, cassolettes provençales, mezze.

Au XVIIIᵉ s., l'harmonie du cours, interdit aux charrettes et autres petits véhicules, fut remise en question : en 1748, attiré par le potentiel commercial des lieux, un limonadier proposa d'y ouvrir un café. Bourgeois et aristocrates protestèrent, on voulait défigurer leur promenade... Mais le conseil de ville trancha : «Sur le cours, des cafés seuls pourront y être établis et nulle autre boutique d'artisans.»

Bonnes adresses

⌂ *Hôtel Saint-Christophe*, 2, av. Victor-Hugo **A2** ☎ 04 42 26 01 24 ; 3 étoiles ; www.hotel-saintchristophe.com Très bien situé, à deux pas du cours Mirabeau, cet hôtel offre des chambres agréablement décorées et confortables. Au rez-de-chaussée, la brasserie *Léopold* a un superbe décor Art déco.

🍬 *Confiserie Béchard*, 12, cours Mirabeau **A2** ☎ 04 42 26 06 78. C'est une institution à Aix. Pas seulement pour ses calissons, mais pour sa galette des rois, unique, et ses chouquettes.

Canaux et fontaines

Aix possède ses propres sources, alimentées par la nappe phréatique abondante qui s'étend sous la dalle calcaire du plateau de Puyricard. L'achèvement du canal Zola, construit par le père de l'écrivain (→ p. 422) et inauguré en 1854, permit de régulariser le débit des fontaines et de faire jouer les eaux de la Rotonde en 1860. Cependant, c'est l'aménagement du canal du Verdon (aujourd'hui abandonné au profit du canal de Provence) qui assurera l'alimentation de la ville en eau à partir de 1876. Notons que, sur la quarantaine de fontaines que compte le centre ancien, quatre d'entre elles sont toujours alimentées par des sources : la Fontaine « moussue » (cours Mirabeau); la fontaine des Augustins (pl. des Augustins); la fontaine Villeverte (en bas du cours Sextius); et la fontaine Sainte-Croix (cours des Minimes).

■ La place du Général-de-Gaulle et la fontaine de la Rotonde* A2

La place fut créée en 1777 au débouché des anciennes routes de Marseille et d'Avignon, puis entièrement remblayée pour être mise au même niveau que le cours Mirabeau.

• Une imposante **fontaine** fut érigée en son centre en 1860. L'ensemble fut longtemps surnommé « les Trois Grâces » en raison du groupe sculpté qui le surmonte : trois figures féminines représentant la Justice (côté cours Mirabeau), l'Agriculture (côté Marseille, vers l'av. des Belges) et les Beaux-Arts (côté Avignon, vers l'av. Bonaparte).

■ L'hôtel de Villars** A2

4, cours Mirabeau • f. au public.

Cédé en 1750 au duc de Villars, gouverneur de Provence, il possède une entrée monumentale encadrée de colonnes Louis XVI supportant un imposant balcon qui se développe sur trois travées. La porte a conservé ses vantaux Régence contemporains de la construction de l'hôtel.

■ L'hôtel d'Arbaud de Jouques** A2

19, cours Mirabeau • f. au public.

Construit au début du XVIIIe s. par André-Éléazar d'Arbaud de Jouques, président au Parlement, il est typique du style Régence (ne pas confondre cet hôtel avec son homonyme de la rue du Maréchal-Foch → p. 418). La porte d'entrée conserve ses vantaux d'origine. On remarquera le balcon en fer forgé au centre du 1er étage, avec les initiales du constructeur surmontées du chapeau typique de sa charge (le « mortier » des présidents au parlement).

■ L'hôtel de Forbin** A2

20, cours Mirabeau • f. au public.

C'est pour César de Milan que Pierre Pavillon entreprit, en 1656, la construction de l'un des plus vastes hôtels d'Aix, à la charnière des styles Louis XIII et Louis XIV. Le fils de César de Milan en hérita et y accola le nom de sa femme : Forbin.

• La **fontaine des Neufs-Canons** (*à côté de l'hôtel Forbin, au débouché des rues Nazareth et Joseph-Cabassol*) date de 1691 et tire son nom des neufs « canons » (tuyaux) qui rejettent l'eau dans ses bassins.

Voir plan p. 409

◀ *Bordé de platanes, le cours Mirabeau, principale artère d'Aix-en-Provence, accueille bars et boutiques de souvenirs.*

■ La Fontaine «moussue» B2

Cours Mirabeau, au débouché des rues Clemenceau et du 4-Septembre.

Aménagée en 1667, elle ne déversait à l'origine que de l'eau froide. Elle prit le nom «fontaine d'eau chaude» au milieu du XVIIIᵉ s., quand elle fut alimentée par l'eau thermale provenant de la fontaine des Bagniers. La décoration centrale a entièrement disparu sous de pittoresques concrétions et d'importantes couches de mousse.

Au plus fort de l'hiver, la Fontaine «moussue» est le théâtre d'un spectacle original : de la vapeur émane des eaux chaudes (36°C) qu'elle déverse.

■ L'hôtel Maurel de Pontevès** B2

38, cours Mirabeau • f. au public.

Pierre Maurel accola au sien le nom de sa 3ᵉ femme, de Pontevès, après son mariage en 1645. Sa nouvelle épouse lui apportait sa jeunesse, mais surtout sa fortune. L'édification d'une superbe demeure lui permettait d'afficher le nouveau statut social d'un ancien marchand drapier devenu magistrat fortuné. Commencée en 1648 par Jean Lombard, la construction fut achevée en 1651 par Pierre Pavillon. C'est en 1654 que les atlantes de Jacques Fossé furent installés.

■ L'hôtel de Gantès B2

53, cours Mirabeau • f. au public, mais le décor du rez-de-chaussée est visible dans le café-brasserie Les Deux Garçons.

Les terrains libres commençant à manquer, François de Gantès, procureur général au parlement, fut contraint d'acheter, en 1660, une hôtellerie pour la démolir et reconstruire sa propre demeure à la place (ironie du sort, un débit de boissons occupe à nouveau les lieux). Elle est bien représentative du style Louis XIV, même si des remaniements ultérieurs sont venus perturber les élégantes proportions d'origine. À partir de 1750, l'hôtel devint le siège du Grand Cercle d'Aix, pour lequel fut installé le beau **décor Empire**** toujours visible au rez-de-chaussée.

Bonne adresse

📖 *Librairie Goulard*, 37, cours Mirabeau et 7-9, rue Papassaudi **B2** ☎ 04 42 27 66 47. C'est la plus grande librairie généraliste du pays d'Aix. Choix intelligent à tous les rayons, très bien fournis. Bonne section régionaliste. Un plus : sièges et machines à café pour faire son choix en toute quiétude…

▲ *La statue du «bon roi René», en haut du cours Mirabeau.*

■ La fontaine du roi René* B2

En haut du cours Mirabeau.

Les eaux de cette fontaine appartenaient autrefois aux Carmélites, dont le couvent était tout proche. Elles furent cédées à la ville en 1698 et une fontaine fut construite pour les distribuer, décorée d'une statue du roi René réalisée en 1822 par Pierre-Jean David d'Angers. Sa mise en place fut mal accueillie car les Aixois ne lui trouvaient que peu de ressemblance avec la représentation traditionnelle du roi (par exemple sur le retable du Buisson ardent → p. 411). La grappe de raisin qu'il tient dans la main gauche rappelle qu'il introduisit la variété muscat en Provence.

■ L'hôtel du Poët** B2

Pl. Forbin, en haut du cours Mirabeau • f. au public.

Fermant la perspective du cours Mirabeau, l'hôtel a été construit à partir de 1730 pour Henri Gautier, trésorier général, qui fut anobli en 1724 par l'achat de diverses terres nobles dont celle du Poët. C'est un beau morceau d'architecture Louis XV qui témoigne bien des aspirations sociales de son commanditaire.

■ La chapelle des oblats B2

Pl. Forbin, à côté de l'hôtel du Poët • ouv. en journée.

La chapelle faisait partie de l'ancien couvent des Carmélites. Elle fut reconstruite de 1695 à 1701 sur des plans de Thomas Veyrier, qui réalisa également la décoration. Sa nef est couverte d'une coupole ovale. Au-delà du chœur s'ouvrait la nef réservée aux religieuses. La façade a été dessinée par Laurent Vallon en 1697, mais sa décoration n'a jamais été achevée.

■ L'hôtel de Lestang-Parade** B2

18, rue de l'Opéra • f. au public.

C'est l'un des beaux hôtels du quartier de Villeneuve, aménagé à partir de la fin du XVIe s. Il a été construit vers 1650 pour Louis d'Antoine, conseiller à la cour des comptes, par Pierre Pavillon et Jean-Claude Rambot. Un portail donne accès à la cour au fond de laquelle on trouve le corps de logis principal, encadré de deux ailes en retour, selon le schéma parisien. Chaque niveau est scandé de puissants pilastres qui confèrent à l'ensemble une certaine massivité.

■ L'hôtel de Grimaldi-Régusse** B2

26, rue de l'Opéra • f. au public.

C'est le prévôt général Antoine de Laurans de Peyrolle qui est à l'origine, en 1675, de la construction de cet hôtel par Louis Jaubert, l'architecte qui avait déjà réalisé l'hôtel Boyer d'Éguilles (→ p. 416). Deux pilastres colossaux encadrent la façade.

■ L'hôtel de Maliverny* B1

Voir plan p. 409

33, rue Émeric-David • f. au public.

L'hôtel ne se distingue pas par l'organisation de ses austères façades, mais par l'imposant portail implanté à l'angle, remanié à la fin du XVIIe s. Ses piliers, hauts de plus de 4 m, présentent un appareil à bossages vermiculés.

■ La chapelle du collège des Jésuites B1

22, rue Lacépède • ouv. sur r.-v. ☎ 04 42 38 41 32.

Installés officiellement à Aix depuis 1621, les Jésuites firent reconstruire leur chapelle entre 1681 et 1698 par Laurent Vallon, qui réalisa ici sa 1re église, dont la façade n'a jamais été achevée. L'édifice (actuel lycée du Sacré-Cœur), adopte le parti classique de la nef sans transept, mais flanquée de bas-côtés couverts de tribunes. Cependant, c'est dans le voûtement de l'abside que l'église montre son originalité : une coupole sur tambour, solution dont on ne connaît pas d'autre exemple à cet emplacement de l'église. Car, dans la tradition classique de l'architecture, la coupole couvre toujours la croisée du transept, absent ici, et non pas le sanctuaire.

Cette chapelle possède un **décor peint***** inattendu et exceptionnel dans la longue salle édifiée au-dessus des voûtes de la nef : il s'agit de la seule «anamorphose» murale conservée en France. Par les lois de la perspective et du redressement optique, lorsque le spectateur se positionne à un endroit précis, les paysages représentés deviennent un Repentir de saint Pierre.

Le quartier Mazarin**

Michel Mazarin fut à l'origine, en 1646, de la vaste opération d'urbanisme qui allait donner naissance à ce quartier aristocratique qui porte depuis son nom. On ouvrit de nouvelles rues tracées au cordeau, on implanta une fontaine à la principale intersection, tout en tenant compte, pour le tracé de la rue Cardinale, de la vieille église Saint-Jean-de-Malte qui ferme la perspective. Le cours Mirabeau fut habilement aménagé pour effectuer la liaison entre la vieille ville comtale et ce quartier neuf, où règne toujours un calme serein qui offre un saisissant contraste avec le reste de la cité.

Michel Mazarin (1607-1648), frère du cardinal ministre de Louis XIV et ancien religieux dominicain, fut nommé archevêque d'Aix en 1645. Un autre frère d'un autre cardinal ministre l'avait précédé en 1626 dans cette fonction : Alphonse-Louis du Plessis de Richelieu (1582-1653).

Partir de la fontaine des Neufs-Canons, sur le cours Mirabeau A2, et emprunter en face la rue Joseph-Cabassol • promenade de 2 h ; compter 1 h 30 à 2 h de plus pour la visite du musée Granet.

■ L'hôtel de Caumont** B2

3, rue Joseph-Cabassol ☎ 04 42 20 70 01 • ouv. t.l.j., de mai à sept. 10 h-19 h ; d'oct. à avr. jusqu'à 18 h • www.caumont-centredart.com

Quand François de Tertulle, président à la cour des comptes, entreprit l'édification de son hôtel, il en demanda les plans à l'architecte du roi, Robert de Cotte, et confia, en 1717, la coordination des travaux à l'Aixois Georges Vallon. François de Tertulle n'en vit jamais la fin, et c'est son fils qui mena le projet à son terme après avoir apporté quelques modifications, notamment en amplifiant en hauteur le très plat avant-corps central

Bonnes adresses

🏠 *Hôtel des Quatre-Dauphins*, 54, rue Roux-Alphéran **B2** ☎ 04 42 38 16 39; www.lesquatredauphins.fr Cet hôtel situé dans une ancienne demeure des XVIIe-XVIIIe s. propose d'agréables chambres alliant la chaleur de l'ancien (pour la décoration et le mobilier) au confort moderne.

🍴 🏠 *Book in Bar*, 4, rue Joseph-Cabassol **B2** ☎ 04 42 26 60 07; www.bookinbar.com Librairie anglaise originale qui fait également café et salon de thé, et organise des soirées à thème.

Les années aixoises d'Émile Zola

Né à Paris en 1840, le jeune Émile Zola a 3 ans quand ses parents s'installent à Aix-en-Provence. Son père, ingénieur civil d'origine italienne, y est chargé de concevoir un canal destiné à alimenter la ville en eau potable. Il n'en voit jamais l'achèvement car il décède prématurément en 1847, laissant sa veuve et son jeune fils dans une situation financière délicate. Émile passe néanmoins son enfance et son adolescence à Aix, se liant d'amitié avec un certain Paul Cézanne (→ p. 442) au collège Bourbon (actuel collège Mignet, à l'O. de la rue Cardinale), avant de quitter la ville en 1858 pour rejoindre sa mère à Paris. Devenu écrivain, Zola se souviendra d'Aix pour créer Plassans, ville provençale imaginaire dont il fera le berceau de la famille Rougon-Macquart.

---

par la construction d'un 2e fronton. Ce splendide hôtel particulier accueille désormais des expositions temporaires de grande qualité.

• On pénètre dans l'hôtel par un vaste vestibule dont le grand **escalier** est orné de deux atlantes. L'un regarde vers l'entrée et l'autre vers la montée de l'escalier, assurant ainsi un effet scénographique cher au baroque. On découvre ensuite le salon de musique lambrissé, puis la chambre de Pauline de Caumont. La visite des **jardins** à la française est à ne pas manquer. Dans l'auditorium, projection d'un film sur la vie de Paul Cézanne dans le pays d'Aix.

■ Le musée Paul-Arbaud **B2**

2, rue du 4-Septembre ☎ *04 42 38 38 95 • ouv. t.l.j. sf dim., lun. et jours fériés 14 h-17 h • http://academiedaix.fr*
L'hôtel fut construit à la fin du XVIIIe s. à l'emplacement du couvent des Feuillants, vendu sous la Révolution, et présente une sobre ordonnance néoclassique. Collectionneur et mécène, Paul Arbaud (1831-1911) y rassembla un ensemble de pièces et d'objets remarquables. À sa mort, il légua l'ensemble à l'académie des sciences, agriculture, arts et belles-lettres d'Aix.

• Le **musée** présente de nombreuses **faïences provençales★★**, avec principalement des productions de Moustiers (→ p. 480) et de Marseille dont il montre et explique l'évolution. Parmi les tableaux, il faut signaler la série des portraits de la famille Riquetti, ancêtres du célèbre tribun Mirabeau ; un triptyque du XVIe s. attribué à Van Aelst et une Crucifixion sur panneau de bois du XVe s.

■ L'hôtel de Villeneuve d'Ansouis★ **B2**

9, rue du 4-Septembre • f. au public.
Théodore de Villeneuve, conseiller au parlement, fit reconstruire cet hôtel en 1740. Ce dernier présente une façade dont l'élévation est représentative du raffinement du style Louis XV, avec les vantaux de sa porte d'entrée et les belles ferronneries de ses balcons.

■ L'hôtel de Boisgelin★ **B2**

11, rue du 4-Septembre, à l'angle de la pl. des Quatre-Dauphins • f. au public.
Pierre Pavillon et Jacques Rambot furent responsables de sa construction, au milieu du XVIIe s., pour une famille de parlementaires. Il comprend deux corps de bâtiments implantés à angle droit entre cour et jardin. Sa façade est ornée d'une frise dorique.

■ **La fontaine des Quatre-Dauphins** B2**

Pl. des Quatre-Dauphins (anciennement pl. Mazarin).

Élevée en 1667 en même temps que la Fontaine «moussue» (→ p. 421), elle a été décorée par Rambot. Orientés vers les quatre rues qui débouchent sur la place, les dauphins déversent l'eau dans un bassin circulaire dominé par un petit obélisque. L'intense fréquentation du cours Mirabeau, pourtant tout proche, que l'on aperçoit au bout de la rue du 4-Septembre, rend d'autant plus surprenant, par contraste, le rythme paisible du quartier. Il y règne, même en semaine, un calme quasi dominical.

■ **L'hôtel de Gastaud et l'hôtel de Ravel d'Esclapon B2**

37 et 39, rue Cardinale • f. au public.

Une même personne, le conseiller à la cour des comptes Jean de Gastaud, est à l'origine de la construction de ces hôtels jumeaux à la fin du XVIIᵉ s. Les deux façades montrent des baies encadrées de pilastres doriques au rez-de-chaussée et ioniques au 1ᵉʳ étage. Au-dessus des portes, on remarquera des pierres qui attendent toujours leur décor sculpté.

▲ *La fontaine des Quatre-Dauphins trône au centre du paisible quartier Mazarin.*

■ **L'église Saint-Jean-de-Malte* B2**

Pl. Saint-Jean-de-Malte (entrée également sur le côté par la rue Cardinale) • ouv. du lun. au sam. 10 h-12 h et 15 h-18 h 30.

Pour la commanderie des Hospitaliers de Saint-Jean-de-Malte, fondée en 1180, on construisit, au XIIIᵉ s., le 1ᵉʳ ensemble gothique de la ville. L'église fut bâtie sur un plan simple en forme de croix latine. Au XIVᵉ s. fut ajoutée, à g., la chapelle Saint-Louis-d'Anjou (actuelle chapelle du Saint-Sacrement). Au cours du XVIIᵉ s., l'église fut agrandie par l'adjonction de chapelles entre les contreforts de la nef. Avant la mise en place du quartier Mazarin, l'établissement se trouvait à l'extérieur des remparts, en bordure de la grande route reliant Arles à Fréjus (portion de l'ancienne via Aurelia). L'église conserve une belle série de **tableaux**** du XVIᵉ s. au XIXᵉ s. et abrite les vestiges du **tombeau** des comtes de Provence, détruit sous la Révolution mais reconstitué en 1828.

• Reconstruit au XVIIᵉ s. lors de l'aménagement du quartier, l'ancien logis du prieuré de Malte abrite aujourd'hui le musée Granet.

Il faut attendre la 2ᵉ moitié du XIIIᵉ s. pour trouver un édifice de qualité entièrement gothique, car on s'était contenté jusque-là de couvrir d'ogives des édifices de conception romane (par exemple l'église du Thor, près d'Avignon → p. 196). Aix possède les deux seuls édifices gothiques construits en Provence au XIIIᵉ s. : la nef centrale de la cathédrale Saint-Sauveur et l'église Saint-Jean-de-Malte.

La carrière de François Marius Granet

Né à Aix en 1775, François Marius Granet est attiré très jeune par la peinture, n'hésitant pas à dérober des couleurs chez le droguiste pour assouvir sa passion. Remarqué par Bonaparte en 1793, engagé à l'arsenal comme décorateur de navires, il obtient la reconnaissance de l'aristocratie à Rome, où il séjourne de 1802 à 1819. Conservateur adjoint à la direction des musées royaux en 1824, élu membre de l'Institut en 1830, nommé directeur des galeries historiques de Versailles, il est fait officier de la Légion d'honneur en 1837… Les honneurs ne l'éloignent pas de sa ville natale, où il meurt en 1849.

Depuis 2013, la chapelle des Pénitents-Blancs des Carmes (24, rue du Maréchal-Joffre), entièrement réhabilitée, accueille une extension du musée Granet. On peut y admirer les chefs-d'œuvre réunis par le collectionneur Jean Planque : des toiles des plus grands noms d'artistes du xxe s. (Monet, Van Gogh, Braque, Dufy, Dubuffet, Sonia Delaunay, Staël, Picasso, etc.).

■ **Le musée Granet*** B2**

Pl. Saint-Jean-de-Malte ☎ *04 42 52 88 32 • ouv. du mar. au dim. d'oct. à mai 12 h-18 h; de juin à sept. 10 h-19 h • f. lun., les 1er janv., 1er mai et 25 déc. • www.museegranet-aixenprovence.fr*

L'achat par Aix, en 1821, du fonds Fauris de Saint-Vincent se trouve à l'origine du musée inauguré en 1838 dans l'ancien logis du prieuré de Malte, dont l'église Saint-Jean était la chapelle.

• Le musée présente le **patrimoine du pays d'Aix**, dont une salle dédiée à Cézanne, avec dix de ses tableaux ainsi que les œuvres d'artistes provençaux (Granet, Mignard, Puget, Daret et Arnulphy) et de divers peintres de l'école provençale (Grésy, Loubon, Ravaisou, Guigou, Monticelli); il présente aussi l'**art du xxe s.**, avec la remarquable donation du collectionneur Philippe Meyer «De Cézanne à Giacometti», qui compte un ensemble d'œuvres signées Giacometti, Picasso, Léger, Matisse, Piet Mondrian, Paul Klee, Balthus, Giorgio Morandi, Bram Van Velde, Nicolas de Staël et Tal Coat.

• Le musée dresse par ailleurs un panorama de la création européenne en présentant les écoles nordique (xive-xviie s.) et italienne (xviie-xviiie s.) ainsi qu'une importante collection de peinture française du xviie au xxe s.

• Au rez-de-jardin, la **galerie des sculptures** expose les œuvres de Jean-Pancrace Chastel, André-François Truphème et celles de sculpteurs aixois du xixe s. Au sous-sol, les **collections archéologiques** rassemblent les sculptures celto-ligures mises au jour lors des fouilles pratiquées sur l'oppidum d'Entremont *(→ p. 432)*.

À voir encore

■ **La bastide du Jas de Bouffan*** Hors plan par A1**

Route de Galice (3 km S.-O. du centre-ville) ☎ *04 42 16 11 61 • f. pour rénovation.*

Cette ancienne bastide du xviiie s., propriété de la famille Cézanne de 1859 à 1899, garde le souvenir du jeune Paul qui y réalisa ses premières peintures. Il y avait installé son atelier, où il travailla jusqu'en 1899, avant que la maison ne soit vendue à Louis Granel. Elle est entourée d'un joli parc qui inspira à Cézanne pas moins de 36 huiles et 17 aquarelles. Dans le grand salon ovale, Cézanne eut l'autorisation de peindre sur les murs d'immenses panneaux d'inspiration romantique : *Les Quatre Saisons.*

■ **L'atelier Cézanne* Hors plan par A1**

9, av. Paul-Cézanne • accès en 15 mn à pied depuis le bourg Saint-Sauveur (→ p. 408) ou accès en bus n° 1, arrêt «Cézanne» ☎ 04 42 21 06 53 • ouv. t.l.j., d'avr. à mai et en oct. 10 h-12 h et 14 h-18 h (17 h de nov. à mars) ; de juin à sept. 10 h-18 h; f. dim. en déc., janv. et fév., les 1er janv., 1er mai et 25 déc. • www.cezanne-en-provence.com

La maison que Cézanne fit construire en 1901 a été aménagée pour la visite. Ici, aucune des œuvres de l'artiste, mais l'ambiance dans laquelle il a vécu et peint, avec la reconstitution de son atelier. À peu de distance du centre-ville mais déjà sur les hauteurs, le site permettait à Cézanne de profiter d'un large panorama sur sa cité natale et ses environs.

▲ *L'atelier de Cézanne.*

■ **La Cité du livre Hors plan par A2**

8-10, rue des Allumettes (près de la gare routière, 500 m S.-O. de la pl. de la Rotonde) ☎ 04 42 91 98 88 • ouv. du mar. au sam. 14 h-19 h • www.citedulivre-aix.com

Aménagé dans une ancienne manufacture d'allumettes, la Cité du livre fait partie d'un important complexe culturel, comportant également le Pavillon noir, édifié par Rudy Ricciotti pour la Compagnie de danse Angelin-Preljocaj, le Grand Théâtre de Provence et le nouveau conservatoire de musique. La Cité du livre abrite la riche **bibliothèque Méjanes** et son important fonds ancien, la **fondation Saint-John-Perse**, une vidéothèque d'art lyrique et le centre de documentation Albert-Camus.

Disparu en 1975 sans descendant direct, le poète Saint-John-Perse, prix Nobel de littérature en 1960, a légué l'ensemble de ses collections à la ville d'Aix-en-Provence. Conservé à la Cité du livre, ce fonds riche est accessible du mar. au sam. 14 h-18 h. Il est régulièrement mis en valeur lors d'expositions, ☎ 04 42 27 11 86.

■ **La fondation Vasarely* Hors plan par A2**

1, av. Marcel-Pagnol (3 km S.-O. du centre-ville) • accès en bus, ligne n° 4 en direction de la Mayanelle ☎ 04 42 20 01 09 • ouv. t.l.j. 10 h-18 h • www.fondationvasarely.org

Cet ensemble, aménagé à partir de 1976 sur une idée de Victor Vasarely, expose des œuvres de l'artiste. Parmi elles, 42 «intégrations monumentales» destinées à démontrer qu'il est possible d'intégrer l'art à l'architecture dans le but d'améliorer le cadre de vie de chacun. La fondation organise régulièrement des expositions.

L'art selon Vasarely

La médecine l'attira d'abord, mais l'art le retint ensuite. Victor Vasarely (1908-1997), hongrois de naissance mais français de cœur, créa, en 1970 à Gordes (→ p. 205), une fondation portant son nom pour promouvoir et conserver son œuvre, puis une autre à Aix-en-Provence, en 1976, pour favoriser l'intégration de l'art dans l'architecture. Si un large public a gardé en mémoire le style singulier de ses affiches dites «psychédéliques», où de vigoureuses couleurs se mettent au service d'illusions optiques, on n'oubliera pas que l'artiste s'illustra également dans le décor monumental : université de Caracas, musée de Jérusalem, université de Montpellier, ou encore, de façon plus inattendue, la gare Montparnasse et la patinoire de Grenoble…

Le pays d'Aix★

Voir carte régionale p. 402

Lambesc • • Pertuis
Pays d'Aix
Aix-en-
Provence

Marseille •

L'office de tourisme d'Aix-en-Provence (→ p. 404) propose un «City Pass», qui permet de bénéficier de tarifs préférentiels pour la visite de certains sites du pays d'Aix.

Le pays d'Aix est tout entier gouverné par la dynamique économique d'Aix et de Marseille. L'urbanisation a certes gagné la campagne, mais le relief parfois chaotique creusé par les rivières de l'Arc et de la Touloubre préserve de courtes vallées pleines de charme. La région a été très tôt un lieu d'implantation et sa culture citadine est précoce, comme en témoignent les sites de Roquepertuse et Entremont. Lambesc, Rognes ou La Roque-d'Anthéron ont, chacune en leur temps, assumé le rôle de capitale régionale, tandis que les architectes d'Aix-en-Provence émaillaient la campagne de monuments raffinés : les bastides.

Au sud d'Aix-en-Provence

Au sud d'Aix, la coupure verte qui existait entre la ville et Marseille a presque totalement disparu sous la poussée de l'urbanisation et de l'industrialisation, si bien que, aujourd'hui, les périphéries des deux cités se confondent. Deux sites apporteront une touche réconfortante dans cet environnement urbain marqué par une aventure minière aujourd'hui révolue : l'écomusée de la Forêt méditerranéenne et les jardins d'Albertas.

■ Gardanne

À 15 km S. d'Aix par la D 8N, la D 7 et la D 6 🛈 *31, bd Carnot* ☎ *04 42 51 02 73 ; www.tourisme-gardanne.fr*
Le village médiéval dont l'entrée est marquée par la tour de l'Horloge du XVIe s. se métamorphose, au XIXe s., grâce au développement de l'industrie minière. S'ouvrent alors, le long des remparts du XIVe s., de longues promenades et des boulevards (fontaine monumentale de 1901), tandis que de nouveaux quartiers apparaissent en périphérie. En dépit du traumatisme provoqué par la fermeture des mines, Gardanne demeure vivante et animée.

• Le musée **Gardanne autrefois** *(21, rue Courbet* ☎ *04 42 51 02 73* • *ouv. mer. 14 h-17 h, 2e sam. de chaque mois 14 h-17 h ou sur r.-v. à l'office de tourisme)* présente dans une maison ancienne des objets de la vie quotidienne et, dans la chapelle des Pénitents-Blancs, une reconstitution d'un cabanon de vigne et des vestiges gallo-romains issus de la colline de Cativel, site primitif de la ville.

• **L'écomusée de la Forêt méditerranéenne**
(en venant d'Aix, peu avant Gardanne sur la D 7, chemin de Roman ☎ *04 42 65 42 10 • ouv. t.l.j. sf sam., de sept. à juin 9 h-12 h 30 et 13 h-17 h 45 ; en juil.-août 9 h-13 h et 13 h 30-18 h ; f. la 2ᵉ quinzaine d'août • http://ecomusee-foret.org)* propose une initiation savante mais ludique à ce biotope fragilisé. Un espace pédagogique présente plantes et animaux de Provence, vieux métiers et travail du bois en complément de visites guidées (1 h 30) dans la forêt qui entoure l'écomusée. Cette initiation peut se prolonger dans la forêt du domaine de Valabre.

• À **Gréasque** *(à 7,5 km S.-E. de Gardanne par la D 46 A)*, un **musée de la Mine★** *(* ☎ *04 42 69 77 00 • ouv. du mer. au sam. 9 h-12 h et 14 h-18 h 30, également le dim. en juil.-août jusqu'à 18 h ; f. lun., mar., les 1ᵉʳ mai, 11 nov. et du 21 déc. au 15 janv. • visites guidées, durée 1 h 15)* établi dans l'ancien puits de mine d'Hély d'Oissel, en activité de 1922 à 1962, aborde les différents aspects de la culture minière. Matériel d'extraction du charbon, salle de treuil, systèmes de sécurité et leurs modernisations, cartes, objets usuels restituent le quotidien des mineurs.

■ **Les jardins d'Albertas★★**
Sur la commune de Bouc-Bel-Air, située à une dizaine de km S. d'Aix par la D 8N ☎ *04 42 22 94 71 • ouv. t.l.j. de juin à août 15 h-19 h ; les week-ends et jours fériés de mai, sept. et oct. 14 h-18 h • www.jardinsalbertas.com*
En 1751, Jean-Baptiste Albertas, 1ᵉʳ président de la cour des comptes de Provence, dessine les plans d'un jardin extraordinaire. Dans ce vallon où l'eau abonde, l'architecte tirera le meilleur parti d'un relief confus. Une succession de terrasses dévoile de nombreuses variations du jardin à la française, empreint d'influences italiennes. Une longue suite de fontaines s'achève par un grand canal puis un bassin à 17 jets alimenté par la seule loi de la gravité.

Le charbon de Gardanne

Cet ancien bourg agricole a été tout entier dévolu, dès le début du XIXᵉ s., à la production de charbon. La pénurie de bois qui affecte la région favorise alors cette énergie extraite des quelques dizaines de puits de la région. Entre 1880 et 1890, la mine de Biver et l'installation d'une usine Péchiney de traitement de la bauxite accélèrent son industrialisation. La population croît rapidement avec l'apport d'une main-d'œuvre étrangère. L'activité va résister jusqu'en 2003, date de fermeture des derniers puits. Depuis, la ville s'est reconvertie dans la micro-électronique, accueillant la première école d'ingénieurs enseignant cette spécialité.

◄ *Statue ornant une fontaine dans les jardins d'Albertas. Les bassins d'eau constituaient également une réserve pour l'arrosage des terres cultivées.*

Manifestation
À Cabriès
Chaque lun. de Pâques,
bénédiction des chevaux et
des cavaliers en la chapelle
Notre-Dame-de-la-Salette.

• À **Cabriès** *(à 4 km S.-O. de Bouc-Bel-Air par la D 60 A)*, l'ancienne place forte des comtes de Provence juchée sur un piton rocheux est devenue le **musée Edgar-Mélik** *(☎ 04 42 22 42 81 • ouv. du mer. au dim. 10 h-12 h et 14 h-18 h)*. Il renferme des œuvres de ce peintre expressionniste (1904-1976), notamment des fresques murales visibles dans la chapelle du château.

La vallée de l'Arc

À l'ouest d'Aix-en-Provence, l'Arc traverse le plateau d'Arbois en entaillant des gorges profondes avant de poursuivre son chemin jusqu'à l'étang de Berre. Ainsi, la rivière fut un obstacle important dans la construction du canal de Marseille, et ce jusqu'à l'édification de l'aqueduc de Roquefavour. Depuis cet imposant ouvrage installé dans un cadre verdoyant, on gagnera Ventabren, joli village du pays d'Aix qui offre une vue panoramique sur toute la région.

Itinéraire de 38 km environ au départ d'Aix jusqu'à l'étang de Berre • compter 4 h.

■ **Le site-mémorial du camp des Milles★**

40, chemin de la Badesse, Les Milles, à 5 km S.-O. d'Aix environ par la A 51 et la D 9 • accès en bus n°15 depuis la Rotonde, arrêt « gare des Milles », puis 7 mn à pied ☎ 04 42 39 17 11 • ouv. t.l.j. sf lun. 10 h-19 h ; f. les 1ᵉʳ janv., 1ᵉʳ mai et 25 déc. ; fermeture de la billetterie à 18 h • audioguides gratuits • www.campdesmilles.org

Le site-mémorial du Camp des Milles est un Monument historique reconnu par le ministère de la Culture. Il est présenté par le ministère de la Défense comme l'un des neuf hauts lieux de mémoire en France.

C'est le seul grand camp français d'internement et de déportation encore intact et accessible au public. Entre 1939 et 1942, 10 000 personnes de 38 nationalités y furent internées, et plus de 2 000 hommes, femmes et enfants juifs, livrés aux Allemands par le gouvernement de Vichy, furent déportés vers Auschwitz. Nombre de ces occupants, artistes et intellectuels inconnus ou célèbres comme Max Ernst ou Hans Bellmer, ont résisté à l'enfermement grâce à la création artistique. De nombreuses traces (plus de 300) existent encore sur le site et dans la salle des Peintures murales.

• Le **château de la Pioline** *(à l'E. des Milles par la rue Guillaume-du-Vair)*, aujourd'hui hôtel de luxe, était à l'origine une bastide du XVIᵉ s. remaniée en 1770. À l'intérieur, un salon à colonnes orné de frises et de gypseries fait la part belle à une cheminée monumentale de 1560.

■ **L'aqueduc de Roquefavour★**

À 10 km O. des Milles par la D 9 et la D 65.

L'aqueduc, pièce maîtresse du canal de Marseille conçu en 1843-1847 par l'ingénieur Franz Mayor de Montricher (→ *p. 358*), atteint une hauteur de 83 m pour 400 m de long (deux fois plus que le pont du Gard). La pierre est extraite des carrières voisines de Velaux. Trois niveaux (12, puis 15, puis 35 arcades) soutiennent la canalisation qui transporte les eaux de la Durance jusqu'à Marseille.

• Sur la rive dr. de l'Arc, en amont de l'aqueduc, un chemin *(direction «Le Petit Rigouès»)* rejoint le camp Marius et le **sommet**★ de l'ouvrage.

■ **Ventabren**

À 3,5 km N. de Roquefavour par la D 64 ✚ *4, bd de Provence* ☎ *04 42 28 76 47.*

Comme d'autres, le village s'est greffé à un éperon rocheux et là fut construit un château médiéval d'où le **panorama**★ est spectaculaire. La citadelle, aujourd'hui en ruine, est enserrée par des ruelles escarpées. Moulin à vent et moulin à huile, bories, glacière et four banal, témoins du patrimoine rural, sont disséminés aux alentours.

▲ *L'aqueduc de Roquefavour est l'un des principaux éléments du canal qui acheminait l'eau de la Durance à Marseille.*

■ **Le site archéologique de Roquepertuse**★

À 7 km S.-O. de Ventabren par la D 64, la D 10 et, à Moulin-du-Pont, la D 20 en direction de Velaux. • *accès libre en fonction des conditions météo* • *visites guidées par le service du Patrimoine de Velaux* ☎ *04 42 87 73 59.*

Dominé par la colline de Sainte-Propice, le plateau de Roquepertuse surplombe la vallée de l'Arc. Découvert en 1860, puis fouillé entre 1917 et 1927, ce site antique est creusé en hémicycle dans le flanc S. de la colline. Il se serait développé dès le Vᵉ s. av. J.-C. pour devenir, deux siècles plus tard, une cité importante comportant un oppidum et un ensemble de maisons en terrasses. Il fut détruit et abandonné vers 200 av. J.-C. Les premiers archéologues ont longtemps pensé qu'il s'agissait d'un sanctuaire celto-ligure. Les campagnes de fouilles menées de 1992 à 2002 ont démontré l'existence d'une importante cité au IIIᵉ s. av. J.-C.

• Les vestiges ne sont pas spectaculaires (on préférera visiter Entremont → *p. suiv.*), mais les fouilles ont exhumé des pièces rares (exposées au musée d'Archéologie de Marseille) : un oiseau inconnu dans la statuaire gauloise et une tête d'Hermès bicéphale. Ont également été retrouvés deux guerriers assis : datés du Vᵉ s. av. J.-C. et de facture authentiquement celte, ils interrogent les archéologues sur la pénétration de cette culture dans la population gauloise. De même, les piliers porte-crânes mis au jour sur place semblent, eux aussi, être une importation celte. Les crânes exposés étaient aussi bien des trophées guerriers que les reliques d'ancêtres vénérés.

• À **Velaux** *(à 1,5 km S.-O. du site)*, une tour médiévale abrite le **musée de la Tour** (☎ *04 42 87 73 59* • *ouv. sam.*

14 h-17 h, en juil.-août 15 h-18 h • entrée libre), qui regroupe des pièces provenant de Roquepertuse. Le **musée du Moulin seigneurial** (1, rue Curie • mêmes horaires que le musée de la Tour) présente l'oléiculture locale, le village au XIXᵉ s. et les fossiles découverts dans la basse vallée de l'Arc.

De Velaux, on rejoint l'étang de Berre par la D 20 (12 km S.).

Vers Silvacane

Cet itinéraire qui longe la chaîne de la Trévaresse en faisant un court détour par Lambesc, sorte de petit «double» d'Aix-en-Provence, permettra de rejoindre l'abbaye de Silvacane. On pourra ensuite traverser la Durance et se lancer à la découverte d'une des régions les plus emblématiques de la Provence : le Luberon.

Itinéraire de 45 km depuis Aix jusqu'à La Roque-d'Anthéron • compter 1 journée.

■ L'oppidum d'Entremont★★★

À 3 km N. d'Aix environ par la D 1 • depuis Aix, accès par les bus nᵒˢ 21 et 24 ☎ 04 42 21 97 33 • ouv. t.l.j. sf mar. 9 h-12 h et 14 h-18 h, 17 h de sept. à mars ; f. sam.-dim. d'oct. à mai, 1ᵉʳ janv., 1ᵉʳ et 8 mai, 1ᵉʳ et 11 nov., 25 déc. • www.entremont.culture.gouv.fr
La colline fut, dès l'âge du fer, un lieu cultuel avant de devenir la capitale du pays salyen. Au IIᵉ s. av. J.-C., un 1ᵉʳ village fut, qui se résumait à un assemblage d'habitations à une seule pièce organisées en damier. Cette 1ʳᵉ ville «haute» fut prolongée, quelques générations plus tard, par la «ville basse», aux plus vastes maisons pouvant accueillir des activités commerciales et artisanales. C'est à ce moment-là qu'apparurent les deux premiers monuments publics et une place destinée à regrouper la population. Pour accéder à l'oppidum, il faut désormais remonter une allée sacrée bordée d'une statuaire représentant des guerriers assis (exposés au musée Granet d'Aix-en-Provence) et de piliers porte-crânes. Ce modèle de l'urbanisme celte, s'inspirant des villes hellènes du territoire (Olbia à Hyères), sera détruit en 122 av. J.-C. par les Romains.

De l'oppidum à la citadelle

À la fondation de Marseille en 600 av. J.-C., la Provence est une mosaïque de peuples ligures. Ils se mélangent peu à peu aux tribus celtes qui pénètrent dans le pays à partir du VIᵉ s. av. J.-C. Au IIIᵉ s., ces tribus celto-ligures s'organisent en confédération : les Voconces, au seuil des Préalpes ; les Cavares, au N. de la Durance ; et les Salyens, entre la Durance et la mer. Ces derniers sont à l'origine des oppidums du pays d'Aix édifiés sur des promontoires rocheux, progressivement investis par les Massaliotes, les Romains et enfin par les seigneurs du comté de Provence. Ainsi les villages, même de taille modeste, détiennent-ils, la plupart du temps, des vestiges d'une ancienne cité paléochrétienne et ceux d'un château fort, quand il n'a pas été conservé.

■ Éguilles

À 10 km O. d'Entremont par la D 14 et la D 63
🛈 pl. Gabriel-Payeur ☎ 04 42 92 49 15.
Vieux bourg blotti autour du château des Boyer d'Éguilles (XVIIᵉ s.), aujourd'hui hôtel de ville, dont la vaste esplanade domine la vallée de l'Arc de ses 266 m

◄ Les ruines de l'oppidum d'Entremont. La disposition ordonnée des habitations montre que l'organisation sociale de la cité imposait des règles d'urbanisme très précises.

(vue panoramique). Au XVIIIᵉ s., Éguilles connut une certaine renommée pour ses élevages de moutons et son industrie lainière.

■ **Lambesc★★**

À 15 km N.-O. d'Éguilles par la D 543 et la D 7N ❶ *2, av. de la Résistance* ☎ *04 42 17 00 62 • www.lambesc.fr*

Le 11 juin 1909 à Lambesc, un violent tremblement de terre détruisit de nombreuses habitations et fit une quarantaine de victimes. Ce séisme fut le plus fort jamais enregistré en France métropolitaine durant le XXᵉ s. (magnitude supérieure à 6).

Érigée en principauté par Louis XIV, Lambesc fut, de 1639 à 1787, le siège des assemblées générales des communautés de Provence, sorte de parlements présidés par les archevêques d'Aix et formés des députés des communautés du comté. Ainsi, la cité connut une longue période d'enrichissement et s'habilla d'hôtels particuliers, tout comme sa grande voisine.

● Outre cette belle architecture urbaine, on verra également une porte de l'enceinte médiévale transformée en **beffroi** en 1646 et qui sert de piédestal à une horloge pourvue de quatre automates.

● L'**église** du XVIIIᵉ s., dominée par un dôme, s'appuie sur un clocher et la chapelle de la Résurrection, vestiges de l'église primitive du XIIIᵉ s. À l'intérieur, un **tableau★★** de Mignard dans l'autel Notre-Dame de Lourdes, sur le bas-côté dr. de la nef, et un orgue du XVIIIᵉ s.

● La **chaîne des Côtes★** (*à 6 km N. de Lambesc par la D 67 A et une petite route à g.*), de taille modeste (*10 km de Charleval à Rognes*), surgit au-dessus de la vallée de la Touloubre montrant une face abrupte émaillée d'éperons. Au sommet du mont Goiron (464 m), le plateau de Mani-vert, ponctué de grottes où s'abritèrent les populations du néolithique, est sillonné d'un réseau d'irrigation médiéval (bassins et rigoles).

Manifestation

À Lambesc
Début juil., Festival international de guitare
☎ 04 42 92 44 51 ; www.festivalguitare-lambesc.com

• La **chapelle Sainte-Anne-de-Goiron** (XIᵉ s.) est l'œuvre de moines pontistes, fondateurs de l'abbaye de Silvacane. De son belvédère, la cloche du campanile indiquait aux moissonneurs l'arrivée des orages.

■ Rognes

À 7,5 km E. de Lambesc par la D 15 ❶ *5, cours Saint-Étienne* ☎ *04 42 50 13 36 ; www.ville-rognes.fr*

Adossé sur les pentes du Foussa, le village était connu au XIXᵉ s. pour ses carrières de pierre : sur les six alors exploitées, deux sont encore en activité (on peut en voir sur la route de Lambesc). Cette pierre était réservée aux monuments urbains. Aujourd'hui, Rognes se consacre surtout à la culture de la truffe, et la forêt de pins a fait place aux arbres truffiers (chênes) qui apprécient les terrains sableux et humides de la région. Le bourg fut ravagé par le tremblement de terre de 1909, et il ne subsiste que quelques maisons et ruelles du vieux village.

• L'**église de l'Assomption** (*visites sur r.-v. à l'office de tourisme*), élevée en 1607, renferme de magnifiques **retables**★★ du XVIIᵉ s. En se dirigeant vers le plateau qui couronne le Foussa, on verra un **ex-voto** dédié à la Vierge gravé dans la roche ; il rappelle que le village fut épargné pendant la Seconde Guerre mondiale.

• À l'extérieur du village, une chapelle romane (XIIᵉ s.) et l'ermitage Saint-Marcellin (XVIIᵉ s.) constituent une halte paisible et ombragée (*suivre au N.-O. la D 66 sur 1,5 km, puis le chemin à g. qui mène à un petit parking*).

• Au **Puy-Sainte-Réparade** (*à 9 km E. de Rognes par la D 15*), village entouré de vignes et de cultures, voir dans l'**église** du XVIIᵉ s., le **retable**★ baroque représentant une Assomption attribué à Pierre Puget et provenant du couvent des Augustins d'Aix. Au sommet de la colline sur laquelle le village est implanté se dresse une chapelle du Xᵉ s.

■ La Roque-d'Anthéron★

À 9,5 km N. de Rognes par la D 543, la D 66 E et la D 561 ❶ *13, cours Foch* ☎ *04 42 50 70 74 ; www.ville-laroquedantheron.fr*

À proximité de l'**abbaye de Silvacane** (→ *p. 438*), La Roque-d'Anthéron, en dépit d'une banlieue sans charme s'ouvrant sur la plaine de la Durance, conserve un centre ancien homogène des XVIIᵉ et XVIIIᵉ s. Planté de platanes et de séquoias, le parc du **château de Forbin** (*f. au public*) construction des XVIᵉ et XVIIᵉ s., sert de cadre au prestigieux Festival international de piano. Un temple, un cimetière et un **mémorial** rappellent que le bourg fut repeuplé au XVIᵉ s. par des colons vaudois (→ *p. 259*).

De La Roque-d'Anthéron, on pourra poursuivre vers Lourmarin (*15 km N.* → *p. 250*). ▶▶▶

Manifestation

À Rognes
Le dim. qui précède
le jour de Noël, grand
marché aux Truffes.

On utilise la pierre de Rognes toujours pour la restauration des hôtels d'Aix-en-Provence construits aux XVIIᵉ et XVIIIᵉ s. avec de la pierre de Bibémus, de même origine mais plus poreuse et donc moins résistante à la pollution, à la pluie ou au gel.

Manifestation

En juil.-août, Festival international de piano : plus de 80 concerts de jazz ou classiques présentés à La Roque-d'Anthéron et aussi dans l'abbaye de Silvacane, le parc du château de Florans, à l'étang des Aulnes de Saint-Martin-de-Crau et dans les carrières de Rognes.
Rens. ☎ 04 42 50 51 15 ; www.festival-piano.com

▲ Le «château» du Tholonet, en réalité une ancienne bastide du XVIIᵉ s.

Les bastides du pays d'Aix

Du XVIIᵉ s. au XIXᵉ s., la bastide fera partie intégrante de l'art de vivre provençal. Les hôtels particuliers des centres urbains sont ainsi délaissés aux plus fortes chaleurs au profit de cette résidence secondaire où l'on reproduit le mode de vie citadin.

La bastide n'est pas une invention du XVIIᵉ s. Elle apparaît pour la première fois dans les textes autour de 1230. Il n'est pas alors question d'une villégiature, mais d'une fortification au sein de laquelle se développe l'exploitation agricole d'un seigneur ou d'un évêché. Ces bâtiments sont occupés au gré des besoins : moissons, pâtures des moutons en transhumance, cueillette des vergers rythment la vie des bastides confiées à des métayers. À partir du XVᵉ s. seulement, les propriétaires citadins réservent une partie de l'habitation au plaisir et au divertissement. Les bastides du roi René, avec leurs galeries, pièces d'eau, jardins ombragés et jeu de paume, ne sont encore qu'une exception.

Elles deviennent un prolongement des hôtels particuliers des villes d'Aix ou de Marseille à partir du XVIIᵉ s. Elles sont alors dotées de tous les attributs de l'architecture nobiliaire : appareillage de pierre de taille et ouvertures symétriques sur les façades, portes moulurées, terrasses à balustres, jardins et fontaines… Leur plan, carré le plus souvent, ménage des espaces distincts entre leur fonction de représentation et leur fonction agricole : au S., les bâtiments de prestige ; au N., les logis des paysans, granges, étables ou écuries. On y reproduit volontiers le mode de vie citadin (dîners, concerts…) et l'on y poursuit ses affaires. Le domaine apporte souvent un complément de revenus, il assure une nourriture de qualité et des forêts giboyeuses où l'on pratique la chasse. Ce n'est qu'à partir de la fin du XIXᵉ s., alors que l'on compte près de 5000 bastides dans la région aixoise, que ce mode de vie disparaîtra peu à peu avec le morcellement et le lotissement des domaines. Seuls les bâtiments seront conservés, monuments civils reconvertis en hôtels luxueux ou en musées, quelques-unes demeurant des exploitations agricoles.

Entre Durance et Sainte-Victoire

Les bastides témoignent de la prospérité du pays d'Aix aux XVIIᵉ et XVIIIᵉ s. On découvrira les plus connues en suivant cette promenade qui remonte vers la Durance. Depuis Jouques, la route pique ensuite vers le sud, puis, après avoir traversé une cuvette fertile, s'élève entre la montagne des Ubacs et la montagne de Concors, belvédère remarquable sur la Sainte-Victoire.

*Itinéraire de 40 km environ au départ d'Aix jusqu'à Vauvenargues. Depuis la pl. Bellegarde **B1**, suivre vers le N. la D 96 direction Pertuis • compter 1 journée.*

■ Le pavillon de Lenfant

Entrée située sur la D 96, peu après la bifurcation avec la D 63 C (route des Pinchinats) • visites guidées du parc organisées par l'office de tourisme d'Aix de mai à oct.

La bastide construite par Simon Lenfant, trésorier général de France au XVIIᵉ s., et entourée d'un parc du XVIIIᵉ s. accueille aujourd'hui un département de l'université d'Aix-en-Provence. Dans le hall, l'escalier à double révolution, les gypseries, les ferronneries et les fresques (1712) du plafond, dues à Jean-Baptiste Van Loo, forment un décor raffiné.

Rebrousser chemin pour emprunter, à g., la D 63 C (route des Pinchinats).

■ La Mignarde et la Gaude

À 800 m du pavillon de Lenfant, route des Pinchinats.

La Mignarde, l'une des bastides les plus représentatives de la mode aixoise, revêtit ses habits maniéristes en 1775. Des gypseries d'esprit Louis XVI et des papiers peints habillent depuis les pièces de scènes chinoises. Nymphées, fontaines, bassins et statues peuplent le jardin. Le château abrita, en 1807, les amours de Pauline Borghèse, sœur de Napoléon Iᵉʳ, et d'Auguste de Forbin de La Roque-d'Anthéron.

• Le **château de la Gaude** *(juste après le château de la Mignarde, route des Pinchinats • f. au public).* Un chemin tracé dans le vignoble (AOC « coteaux-d'aix-en-provence ») mène jusqu'au jardin. Ces haies de buis tracent des parcours complexes avant de rejoindre la terrasse animée de pins et de fontaines qui précède la bastide du XVIIIᵉ s.

■ Meyrargues

À 18 km N.-E. environ d'Aix.

Dressé sur une falaise, le **château** médiéval de Valbelle (aujourd'hui, un hôtel de luxe noyé dans les pins) domine le village blotti dans la plaine de la Durance. La citadelle originelle a été dotée, au XVIIᵉ s., par la famille d'Albertas d'un perron monumental et d'une terrasse boisée au S. À l'arrière du château *(route du Cimetière)*, un sentier rejoint les vestiges de l'**aqueduc** romain qui alimentait Aix-en-Provence.

Pertuis (→ p. 253) se trouve à 10 km N.

■ **Peyrolles-en-Provence**
À 6 km E. de Meyrargues par la D 96
ⓘ *pl. Albert-Laurent* ☎ *04 42 57 89 82 ;*
http://peyrolles-en-provence.fr
Le bourg est bâti sur deux rochers émergeant du lit de la Durance. Sur l'un d'eux s'élève le **château** *(en juil. et août visites guidées du château et de la grotte sur r.-v. à l'office de tourisme)*, ancienne résidence du roi René très remaniée au XVIIᵉ s., qui abrite aujourd'hui la mairie.

• Dans le hall, un escalier «de vanité» (sa fonction était de mettre en avant la condition sociale du propriétaire des lieux auprès des visiteurs) décoré de gypseries mène aux appartements où s'imposent de larges cheminées de marbre du XVIIIᵉ s. Deux terrasses ouvrent sur la vallée de la Durance, le défilé de Mirabeau et le massif de Concors. Au pied du château, une **grotte** conserve des traces de palmiers fossilisés de l'ère tertiaire (6,5 millions d'années) uniques en Europe.

• La **chapelle du Saint-Sépulcre** *(pl. du Saint-Sépulcre • visites sur r.-v. à l'office de tourisme)*, postée sur une éminence, date du XIIᵉ s. Des fresques représentant Adam et Ève, et des saints ornent les murs incisés par les graffitis des marins qui, au XVᵉ s., franchissaient la Durance à leurs risques et périls.

■ **Jouques***
À 5 km E. de Peyrolles par la D 96 et la D 561 **ⓘ** *33 bis, bd de la République* ☎ *04 42 63 75 04 ; www.jouques.fr*
Charmant village grimpant à l'assaut des pentes S. de la Roque. Par des ruelles escarpées, on parvient au sommet où se dressent une église du XIᵉ s. revisitée au XVIᵉ s., les ruines du château d'If et l'ancien prieuré des archevêques d'Aix, restauré, dans les années 1920, par le sculpteur Antoine Sartorio. Une cascade de jardins du XVIIIᵉ s. relie la colline au mail longeant la rivière (le Réal).

De Jouques, on rejoint Vauvenargues (13 km S. → p. 443) et la Sainte-Victoire par la D 11 qui se faufile entre la montagne de Concors et la montagne des Ubacs.

▼ *La chapelle du Saint-Sépulcre à Peyrolles.*

Manifestation
À Peyrolles-en-Provence
En juil. et août, Festival des nuits du château : concerts et représentations théâtrales.

Randonnée
La randonnée au mont de Concors débute à 10 km N. de Vauvenargues dans le domaine départemental du Taulisson, sur la D 11 (depuis le parking à l'entrée du domaine, suivre le balisage jaune ; quelques passages délicats ; compter 3 h). Au cours de cette balade en boucle, on voit deux fours à charbon de bois (charbonnières), installés sur les lieux mêmes de la coupe et la petite chapelle Sainte-Consorce.

L'abbaye de Silvacane**★★**

Voir carte régionale p. 402

À 29 km N.-O. d'Aix-en-Provence par la D 7n et la D 543 et à 34 km S.-E. de Cavaillon par la D 973 et la D 943.

Manifestations
• En juin, les Voix de Silvacane : concerts sur 2 jours.
• En août, Festival international de quatuors à cordes du Luberon (→ p. 235).
• En juil. et août, l'abbaye sert de cadre au Festival international de piano de La Roque-d'Anthéron (→ p. 434).

Silvacane fut fondée par les moines de Morimond, l'une des quatre premières filles de l'abbaye de Cîteaux avec La Ferté, Pontigny et Clairvaux.

La position a priori peu enviable de l'abbaye, en bordure d'un fleuve capricieux, fut, au contraire, un atout. Les moines drainent les terres riches de limon, tandis que deux ruisseaux assurent l'approvisionnement en eau pour la consommation et les activités agricoles.

Implantée sur le lit capricieux de la Durance face au Luberon, Silvacane est la première en date des trois abbayes cisterciennes de Provence (les deux autres étant Sénanque et Le Thoronet). Élevée entre 1175 et 1230, elle illustre l'idéal de pureté, de dépouillement et de perfection de l'ordre, adouci par une décoration sculptée rare dans cette architecture.

Au milieu des roseaux

Située à proximité du bac de Gontard qui permettait de traverser la Durance, l'abbaye était cernée de marécages. Son nom y fait référence, *sylva cana* signifiant «forêt de roseaux». Jusqu'au XIVe s., elle rayonne sur la région, donnant naissance aux abbayes de Sénanque et Valsainte. Après son annexion au chapitre de la cathédrale Saint-Sauveur d'Aix, l'église devient paroissiale et les bâtiments conventuels sont dévolus aux activités agricoles. Très endommagée, mais paradoxalement préservée par cette occupation pragmatique, Silvacane, après avoir été vendue en 1790, est rachetée en 1846 par la commission des Monuments historiques. Une autre épopée s'engage alors. Jusqu'à la fin du XXe s., les architectes se succéderont, sauvant souvent in extremis le bâti de la ruine.

☎ 04 42 50 41 69 • *ouv. de juin à sept. t.l.j. 10 h-18 h; d'oct. à mars t.l.j. sf lun. 10 h-13 h et 14 h-17 h; en avr.-mai t.l.j. sf lun. 10 h-13 h et 14 h-17 h 30 (dernière entrée 45 mn avant la fermeture) • f. les 1er janv., 1er mai et 25 déc. • www.abbaye-silvacane.com*

■ L'abbatiale**★★**

Les abbayes cisterciennes ont en commun une majesté un peu froide soulignée par la rareté des ornements. Comparée à ses deux sœurs, Silvacane paraît plus fine et plus élégante. Ainsi le **clocher** s'ouvre-t-il sur des baies géminées que rien ne justifie sinon un parti pris décoratif. Il en est de même pour la **façade O.★★★** qui, tout en respectant l'ordonnance propre à l'architecture cistercienne, agrémente chaque élément d'une décoration inhabituelle. Au-dessus de l'oculus percé au centre de la façade se trouvaient probablement des céramiques de facture maghrébine, une anomalie pour l'architecture cistercienne comme pour l'architecture provençale.

• La **nef★★** voûtée en berceau brisé, de belles proportions, flanquée de larges bas-côtés, aboutit à un vaste **transept** dont les bras sont occupés par deux chapelles voûtées d'ogives à chevet plat. L'**abside** légèrement surélevée a conservé sa table d'autel d'origine, éclairée par trois baies et une rosace. Du tabernacle gothique qui ornait le mur g., il ne demeure que les pieds et un dais. Les fresques du XIVe s., à peine visibles, représentaient vraisemblablement des moines et la Vierge. Les **chapiteaux**★ sont unilatéralement sculptés de feuilles d'eau, seul motif autorisé par l'ordre. De légères modifications dans leur taille ou leur ordonnance suffisent à créer un sentiment de variété qui contraste, une fois encore, avec la rigueur cistercienne habituelle.

■ Le cloître★★

Les bâtiments conventuels s'appuient sur le bas-côté N. de l'église. Ils s'ordonnent autour d'un **cloître** roman (XIIIe s.) voûté en berceau plein cintre, aux murs épais, dont l'allure massive et austère rappelle le cloître du Thoronet. Trois de ses angles, voûtés en croisées d'ogives, révèlent une influence gothique. Les arcs moulurés donnant sur le préau s'appuient sur des piliers sévères qu'allègent des frises sculptées de feuillages. Un couple de **colonnettes**★ aux chapiteaux sculptés de feuilles d'eau (dont une partie a été restituée dans les années 1960) séparait les arcs. Dans le préau, des fouilles récentes ont mis au jour la vasque du lavabo (fontaine). Deux élévations cernent le cloître sur ses côtés E. et N., une porte à l'O. ouvrant directement sur la campagne. Suivant le modèle bénédictin, la sacristie, la salle capitulaire, la salle des moines et le réfectoire occupent le rez-de-chaussée, l'étage étant réservé au dortoir.

▼ *Le dortoir des moines, un bel exemple d'architecture cistercienne.*

● La **galerie E.** débute par l'**armarium**, ou bibliothèque précédant la **sacristie**. La **salle capitulaire**, divisée en six travées carrées, est voûtée d'ogives primitives qui viennent s'ancrer sur deux piliers placés au centre de la salle. Un passage utilisé comme **parloir** relie le cloître au jardin des moines. Le **chauffoir**, seule pièce munie d'une cheminée, accueillait les activités artisanales. La fenêtre à meneaux est un ajout du XVe s. Un escalier à double révolution mène au **dortoir**★, d'une grande simplicité, sans aucun ornement sculpté.

● Dans la **galerie N.**, le **réfectoire**★★ (fin du XIIIe s.) renoue avec l'influence gothique des angles du cloître. Les hautes fenêtres à lancette trilobées et les deux rosaces ont perdu leurs vitraux d'origine. Bien que discrète, l'accumulation d'ornements sculptés sur les **chapiteaux**★ et les culots à pans coupés tranchent singulièrement sur la pureté de l'ensemble de l'abbaye.

En réaction à l'enrichissement ostentatoire des ordres et des évêchés, un ordre bénédictin réformé s'installe en 1098 à Cîteaux, au S. de Dijon. Ces Cisterciens font vœu de pauvreté et demandent la stricte application de la règle de saint Benoît de Nursie, qui préconise un retour à l'ascèse originelle. En un demi-siècle, l'ordre se verra doté de plus de 300 abbayes. Mais il ne pénètre que tardivement en Provence, avec l'abbaye dauphinoise de Bonnevaux qui donne naissance au monastère de Mazan. De ce dernier partiront les moines fondateurs du Thoronet (1136).

La Sainte-Victoire★★★

Voir carte régionale p. 402

Lambesc • • Pertuis
Aix-en-Provence • Ste-Victoire
Marseille •

À l'E. d'Aix-en-Provence.

ℹ️ La Sainte-Victoire offre de nombreuses possibilités de randonnées pédestres. Rens. auprès de l'office de tourisme d'Aix-en-Provence (→ p. 407) ou à la Maison de la Sainte-Victoire à Saint-Antonin-sur-Bayon (☎ 04 13 31 94 70 → p. 443). Descriptifs des sentiers sur le site de l'association Les Amis de la Sainte Victoire : www.amisdesaintevictoire.asso.fr

À ne pas manquer

La vue★★★ depuis
la croix de Provence   441

De juil. à sept., l'accès aux sentiers est réglementé : en période orange (niveau de risque d'incendie faible), ils demeurent libres d'accès ; en période rouge, ils ne sont accessibles que de 6 h à 11 h, à l'exception des Zapef (zone d'accueil du public en forêt), particulièrement surveillées ; en période noire (niveau de risque élevé), ils sont fermés. Rens. au ☎ 0 811 20 13 13, dans les offices de tourisme d'Aix et de la région ou sur les sites www.prefectures-regions.gouv.fr et www.grandsitesaintevictoire.com

Montagne emblématique de la Provence, la Sainte-Victoire ménage ses effets. Roses, bleues ou d'un blanc virginal, ses hautes falaises s'habillent des couleurs que lui renvoie le ciel. Ce qui séduisit Cézanne n'a pas fondamentalement changé. Les verts de la vallée de l'Infernet, les argiles rouges surmontées de calcaire immaculé entre Puyloubier et Le Tholonet, la brutalité des lignes des bancs de calcaires effondrés provoquent toujours un tableau contrasté.

Un espace naturel fragile

Ce dernier maillon des Alpes du Sud émerge au début du crétacé, il y a plus de 100 millions d'années. Les forces tectoniques en mouvement fracturent les bancs de calcaire et soulèvent les terres enfouies du jurassique propulsées vers le S. Le quaternaire connaît d'autres soulèvements et l'incessant travail de sabotage de la pluie creuse la craie livide, s'insinue en ses flancs, taillant au hasard des gouffres profonds (Garagaï et du Cagoloup).

Quand Cézanne découvre la Sainte-Victoire, la montagne culmine à l'E. à 1 011 m au Baou de Vespré. D'E. en O., 20 km de falaises s'imposent sur sa face S., tandis qu'au N., elle s'éteint dans une succession de plateaux aux volumes adoucis par une végétation généreuse : 900 espèces de plantes à fleurs y cohabitent. Les forêts denses de pins d'Alep et de chênes verts se cantonnent au pied du massif. En altitude, le tilleul, l'if, le chardon ou le cerisier Sainte-Lucie étoffent une garrigue à romarin. Douce et spectaculaire nature qu'un incendie détruit aux trois-quarts en 1989. La montagne a, depuis, été reboisée. Le Grand Site Sainte-Victoire (label Natura 2000) participe à la sauvegarde de ce patrimoine naturel, à la gestion de l'exploitation forestière et à sa protection contre les incendies.

Circuit de 60 km environ au départ d'Aix. Quitter la ville par la D 10 en direction de Vauvenargues • une navette (www.la-victorine.fr) au départ d'Aix relie les villages de la Sainte-Victoire et les points de départ des randonnées • compter 1 journée pour cette promenade.

■ Les carrières de Bibémus★ Hors plan par B1

3090, chemin de Bibémus (3,5 km E. du centre-ville) • parking à l'entrée des carrières, mais en période estivale l'accès au chemin de Bibémus est interdit : stationner au parking des Trois-Bons-Dieux, sur la route de Vauvenargues (D 10), d'où une navette (payante) rejoint

le site 45 mn avant la visite • accès en bus n°4 de la Rotonde à l'arrêt « les Trois-Bons-Dieux » puis navette • visite guidée (1 h 15) d'avr. à mai et en oct. les lun., ven. et dim. à 10 h 30, 15 h 30 ; de juin à sept. t.l.j. à 9 h 45 ; de nov. à mars les mer. et sam. à 15 h • f. les 1ᵉʳ janv., 1ᵉʳ mai et 25 déc. • parcours difficile pour les personnes à mobilité réduite.

Ce plateau rocheux qui domine la vallée du Tholonet servit en partie de carrières de pierre de l'Antiquité à la fin du XVIIIᵉ s. Ce site fascina Cézanne qui, de 1895 à 1904, prit l'habitude de venir y poser son chevalet. Il y louait un cabanon, toujours visible, pour y entreposer ses œuvres. Ces rochers ocre taillés en falaises inspirèrent à l'artiste 11 huiles et 16 aquarelles à travers lesquelles on peut apprécier son travail sur la composition et la couleur.

Des carrières de Bibémus, un sentier de randonnée conduit jusqu'au barrage de Bimont (facile, 4,5 km, 1 h 30, balisage jaune).

■ Le barrage de Bimont*

À 7 km E. d'Aix-en-Provence par la D 10, à la sortie de Saint-Marc-Jaumegarde, prendre la 1ʳᵉ route sur la dr. • parking au bout de la route • en travaux jusqu'en 2019, accès fermé sf le week-end.

Construit entre 1946 et 1952 dans le vallon de l'Infernet, le barrage retient les eaux qui alimentent le canal de Provence. Il précède le **barrage Zola**, 1ᵉʳ ouvrage de retenue en voûte édifié dans le monde (1843-1852).

■ Le prieuré et la croix de Provence

Plusieurs sentiers de randonnée mènent au prieuré et à la croix de Provence, dont le chemin des Venturiers, qui démarre au lieu-dit les Cabassols (→ ci-contre).

Sauvage et âpre, le sommet de la Sainte-Victoire convient aux ermites qui le fréquentent depuis le XIIIᵉ s. Un pèlerinage au départ du Pertuis *(Roumavagi)* remonte à cette époque. L'un des plus hauts ermitages de Provence (888 m) fut construit au XVIIᵉ s. Un **prieuré**, où vécut une petite communauté cistercienne, un cloître et deux chapelles s'élèvent dans un aven entre deux falaises. Les lieux laissés à l'abandon au XIXᵉ s. seront en partie sauvés de la ruine par Henry Imoucha, à l'initiative de la création de l'association Les Amis de la Sainte-Victoire, qui assure, avec des archéologues, les fouilles et les rénovations. Elles ont permis la restauration du prieuré (refuge) et de la chapelle du XVIIᵉ s. qui porte en façade une vierge noire.

• La **croix de Provence** (17 m), à quelques mètres sur la falaise, fut élevée en 1875 et porte sur son socle des devises en grec, latin, provençal et français. La **vue***** s'étend au S. sur le massif de la Sainte-Baume, la chaîne de Vitrolles, la Crau ; au N., la vallée de la Durance, le Luberon, les Alpes de Provence et le pic des Mouches.

Randonnées

• Du barrage de Bimont, un sentier (balisage jaune) longe le bord du plateau, offrant une très belle vue sur la montagne Sainte-Victoire, la chaîne de l'Étoile et le fond des gorges de l'Infernet. Puis le sentier descend (balisage jaune) vers le lac Zola (2 h 30 aller-retour).

• Le sentier Imoucha (balisage bleu, 2 h, 600 m de dénivelé) rejoint le prieuré au départ du barrage de Bimont. Traverser le barrage et au bout prendre à gauche. Le chemin forestier se transforme en un sentier de pierre qui chemine sur la ligne de crête des Costes chaudes jusqu'au prieuré puis 50 m plus haut jusqu'à la croix de Provence. On peut aussi atteindre le prieuré par le sentier des Venturiers (GR 9) au départ des Cabassols (2 h, montée raide).

▶ ▶ ▶

▲ La Montagne Sainte-Victoire *par Paul Cézanne (vers 1887-1890).*

Cézanne, premier cubiste?

Natif d'Aix-en-Provence, Paul Cézanne éprouvait un attachement passionné pour ce qu'il appelait son «vieux sol natal». La campagne aixoise, l'Estaque et la montagne Sainte-Victoire, sur laquelle le peintre revient inlassablement, seront ses plus fidèles alliées dans son chemin vers la modernité.

Entre 1870 et 1876, Paul Cézanne délaisse l'impressionnisme de sa jeunesse, et choisit l'abrupte côte de l'Estaque pour théâtre de ses expériences picturales. Celles-ci tendent à unifier le paysage dans une construction rigoureuse où réalité et perception subjective se confondent. À la même époque, apparaît fugitivement la montagne Sainte-Victoire dans un tableau représentant des baigneuses, un autre de ses motifs récurrents.

Dans les années 1880, le peintre rentre définitivement au pays et s'installe au Jas de Bouffan, la bastide familiale. Son terrain d'exploration est réduit : les carrières de Bibémus, Château-Noir, le parc qui entoure la bastide, Gardanne. Sans cesse revisités, les lieux sont analysés, détaillés, dépecés, tranchés, comme le sont les roches de son ami Antoine-Fortuné Masson, géologue éminent de la Provence. Car le peintre s'appuie sur l'histoire de cette terre autant que sur ses apparences : «Pour bien peindre un paysage, je dois découvrir d'abord les assises géologiques.»

La montagne Sainte-Victoire, qui n'est qu'un pli arraché à la mer primordiale, s'impose à lui comme un vaste champ d'expérimentation. À partir de 1890, ses tons et ses traits deviennent plus radicaux et tendent vers l'abstraction. Son défi plastique : «traiter la nature par le cylindre, la sphère, le cône», s'incarne tel un manifeste dans ses multiples visions de la Sainte-Victoire, que les cubistes salueront comme la genèse de leur mouvement. «Notre père à tous» : tels sont les termes qu'emploiera Picasso en évoquant Paul Cézanne.

■ Vauvenargues

À 14 km E. d'Aix par la D 10.

Le village s'inscrit dans la vallée verdoyante de l'Infernet. Son château, du XVIIe s. et remanié au XVIIIe s., se protège derrière une enceinte fortifiée du XIVe s. Pablo Picasso (1881-1973) en fit sa dernière demeure, demandant à être enterré dans le parc. C'est dans cette vallée qu'il peignit son *Déjeuner sur l'herbe* (1960, d'après Manet).

Au Puits-de-Rians (à 11,5 km E. Vauvenargues), prendre à dr. la D 23, puis, à Pourrières, la D 623.

■ Puyloubier

À 24 km S.-E. de Vauvenargues ❶ square Jean-Casanova ☎ 04 42 66 36 87 ; www.puyloubier.com

Sur le versant S. de la Sainte-Victoire, dominant les vignobles de l'AOC « côtes-de-provence », l'ancien castrum est entouré de rues étroites aux maisons hautes. Dans le **domaine du capitaine Danjou**, qui abrite l'Institution des invalides de la Légion étrangère, petit **musée de l'Uniforme de la Légion étrangère** *(chemin Pallière ☎ 04 42 91 45 01 • www.legion-etrangere.com • ouv. t.l.j. 10 h-12 h et 14 h-17 h)* présentent une collection de plus de 200 uniformes.

■ Saint-Antonin-sur-Bayon

À 9 km O. de Puyloubier par la D 17.

Sur le plateau du Cengle, le village qui se resserre autour d'une bastide et d'une église du XVIIIe s. abrite la **Maison de la Sainte-Victoire** *(☎ 04 13 31 94 70 • ouv. du lun. au ven. 10 h-18 h, sam.-dim. 10 h-19 h ; f. les 1er janv. et 25 déc. • www.grandsitesaintevictoire.com)*, lieu d'informations sur le massif. Un sentier d'interprétation permet de se familiariser avec les espèces endémiques. La Maison abrite un espace musée : projection d'un film sur l'histoire de la montagne Sainte-Victoire des dinosaures à nos jours, maquettes et expositions temporaires. La Maison propose également des randonnées gratuites à pied, à vélo, à dos d'âne dans le département. Cartes et topoguides en vente.

• C'est du village de **Beaurecueil** *(3 km O. de Saint-Antonin)* que l'on a la plus belle vue sur la Sainte-Victoire.

■ Le Tholonet

À 6 km O. de Saint-Antonin par la D 17.

La Société du canal de Provence occupe un **château** du XVIIe s. remanié au XVIIIe s., nanti d'un corps central, de deux ailes latérales précédés d'une allée de platanes.

Rejoindre Aix-en-Provence par la D 17 (6 km → p. 404).

Randonnée

• Depuis Puyloubier (parking), un sentier de crêtes (une portion du GR 9, balisage rouge et blanc) conduit au pic des Mouches (1 011 m). Belle vue en hauteur sur le village. Retour par le même chemin. Compter 4 h de marche.

• Du domaine de la Torque (91 ha), entre Puyloubier et Saint-Antonin-sur-Bayon (accès indiqué), un sentier mène au refuge Baudino par l'ermitage de Saint-Ser.

Bonnes adresses

✗ *Les sarments*, 4, rue qui monte, Puyloubier ☎ 04 42 66 31 58 ; www.restaurant-sarments.com Dans un paisible village, deux salles rustiques et une petite terrasse ombragée, véritable paradis l'été. On y déguste une cuisine provençale raffinée.

✗ *Chez Thomé*, La Plantation, Le Tholonet ☎ 04 42 66 90 43 ; www.chezthome. fr Bonne cuisine provençale dans un cadre enchanteur : terrasse ombragée au pied de la Sainte-Victoire aux beaux jours, ou intérieur chaleureux.

Loisirs

◉ *Le parc de Roques-Hautes* (parking 3 km avant Le Tholonet) protège le versant O. de la Montagne (700 ha). On peut y pique-niquer et randonner sur les sentiers aménagés. C'est là que se trouve la réserve géologique (interdite au public) abritant l'un des dix grands gisements d'œufs de dinosaures du monde (spécimens à la Maison de la Sainte Victoire).

La haute Provence

À la confluence des Alpes et de la Provence, la région dévoile ses charmes le long de l'étroit sillon creusé par la Durance. Dans cette contrée où semblent s'étaler à perte de vue de vertes collines se succèdent pourtant des paysages sensiblement différents. La douceur du pays de Forcalquier ou les rives fertiles de la Durance n'ont, en effet, rien de commun avec les crêtes pelées de la montagne de Lure, tout comme le raffinement architectural de Manosque, Simiane-la-Rotonde ou Sisteron demeure très éloigné de la rudesse des constructions de pierres sèches des bergers transhumants.

Il se dégage de ce pays une singulière harmonie, comme si l'homme et la nature avaient su y tracer, au fil des siècles, une connivence toujours palpable. Retirés dans de superbes écrins naturels, les monastères romans de Ganagobie, Salagon ou Carluc témoignent de ce lien spirituel unique. Rien d'étonnant que des écrivains comme Jean Giono ou Paul Arène aient puisé ici leur inspiration. Ce qu'ils ont ressenti dans ce « Sud imaginaire », comme l'appelait Giono, ne se découvrira qu'au rythme lent de la marche, le temps d'une courte promenade ou d'une randonnée de longue haleine.

◀ *La chapelle Saint-Pancrace, dite « de Toutes-Aures », domine tout le bassin de Manosque.*

Que voir en haute Provence

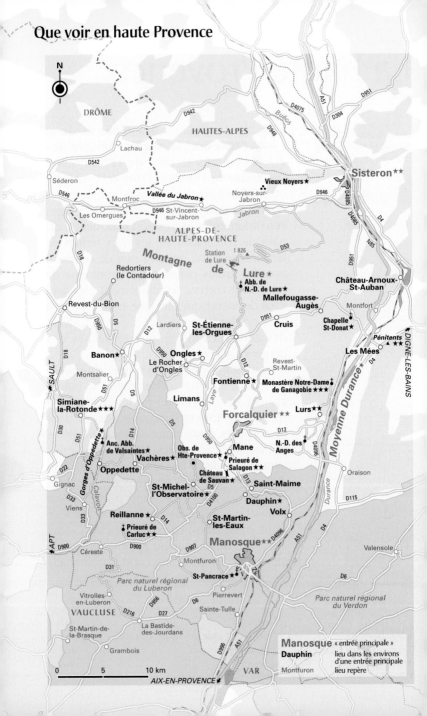

N

DRÔME

HAUTES-ALPES

Sisteron ★★

Lachau

Séderon

Montfroc

Les Omergues

St-Vincent-
sur-Jabron

Vallée du Jabron ★

Noyers-sur-
Jabron

Vieux Noyers ★

Jabron

ALPES-DE-
HAUTE-PROVENCE

Montagne

Redortiers
(le Contadour)

Station
de Lure

1 826

de

Revest-du-Bion

Lure ★

**Abb. de
N.-D. de Lure ★**

Lardiers

Montsalier

**St-Étienne-
les-Orgues**

**Mallefougasse-
Augès**

Château-Arnoux-
St-Auban

Montfort

**Chapelle
St-Donat ★**

Cruis

Banon ★

Ongles ★

Le Rocher
d'Ongles

Revest-
St-Martin

Fontienne ★

**Monastère Notre-Dame
de Ganagobie ★★★**

Les Mées

Pénitents ★★

DIGNE-LES-BAINS

Limans

Laye

Lurs ★★

Simiane-
la-Rotonde ★★★

Forcalquier ★★

Moyenne Durance

Anc. Abb.
de Valsaintes ★

Vachères ★

**Obs. de
Hte-Provence ★**

Mane

N.-D. des
Anges

Oppedette

**Prieuré de
Salagon ★★**

Oraison

Gignac

Château
de Sauvan ★

Viens

**St-Michel-
l'Observatoire ★**

Saint-Maime

Durance

Reillanne ★

Dauphin ★

Volx

**St-Martin-
les-Eaux**

Prieuré de
Carluc ★★

Céreste

Manosque ★★

Valensole

Montfuron

Parc naturel régional
du Luberon

Vitrolles-
en-Luberon

St-Pancrace ★

Pierrevert

Parc naturel régional
du Verdon

VAUCLUSE

Sainte-Tulle

St-Martin-de-
la-Brasque

La Bastide-
des-Jourdans

Grambois

VAR

AIX-EN-PROVENCE

0   5   10 km

Manosque « entrée principale »

Dauphin lieu dans les environs
d'une entrée principale

Montfuron lieu repère

Manosque★★

anosque n'est plus le bourg décrit par Jean Giono dans *Le Hussard sur le toit*. La création d'un vaste réseau d'irrigation, l'arrivée des rapatriés de l'Algérie, puis l'ouverture du Centre d'études nucléaires de Cadarache ont fait d'elle, avec près de 23 000 habitants, la plus grande ville des Alpes-de-Haute-Provence. Il faut franchir la porte Saunerie pour découvrir une vieille ville provençale charmante, avec d'étroites demeures aux balcons travaillés et des petites places chaleureuses. Le contraste est grand avec les vastes espaces sauvages et dépeuplés qui se déploient au nord-ouest, entre le Luberon et la montagne de Lure.

Voir carte régionale p. 446

À 55 km N.-E. d'Aix-en-Provence par la D 96 et la D 996 ou par la A 51.

🛈 pl. du Docteur-Joubert
☎ 04 92 72 16 00;
www.ville-manosque.fr
Visite de la ville une fois par semaine sur réservation en été et durant les vacances scolaires.

Une cité partagée

Sur les rives fertiles de la Durance, cernée par six collines, la ville s'étend, à partir du XIe s., autour de l'église Notre-Dame de Romigier. Quatre quartiers dessinent ce plan reconnaissable à sa forme de poire : les quartiers d'Ébréards et du Palais recueillent les faveurs de la bourgeoisie ; les quartiers des Payans et des Martels attirent les fermes et les échoppes des artisans. Du XIIIe s. au XVIe s., la ville se développe grâce à un commerce fructueux, aux cultures des rives de la Durance et à la vitalité des congrégations religieuses. Les guerres de Religion frappent durement les familles protestantes détentrices de nombreuses richesses. Il faudra à la ville près de trois siècles pour retrouver la prospérité de cette époque.

À ne pas manquer

«En bas de la colline était la ville : une carapace de tortue dans l'herbe ; le soleil, maintenant un peu oblique, carrelait de lignes d'ombre l'écaille des toits». Jean Giono parlant de Manosque dans *Le Hussard sur le toit* (1951).

◀ *Manosque depuis les collines qui l'entourent.*

Se garer au S., sur les parkings près de l'office de tourisme ou de la poste • on entre dans la ville ancienne par la porte Saunerie • visite en 3 h.

■ La porte Saunerie*

Édifiée vers 1382, elle tire son nom des entrepôts de sel qui étaient situés à proximité. Elle présente des mâchicoulis et quatre fenêtres géminées. Les créneaux qui la surmontent datent du début du XXᵉ s. Les armoiries de la ville, appelées «l'écusson aux quatre mains», représentent les quatre quartiers médiévaux.

■ La rue Grande*

Dans le prolongement de la porte Saunerie.

Les ruelles qui partent à g. et à dr. de la rue Grande donnent une vision plus juste de l'atmosphère de la ville, avec son dense bâti médiéval et son dédale de rues étroites et d'impasses.

Avec ses portes, ses balcons et ses ornements sculptés, cette artère qui traverse l'ancien quartier aristocratique a naturellement aujourd'hui les faveurs des commerçants. Voir, au n° 14, la **maison natale de Giono**, simple et dépouillée. Plus haut, au n° 23, l'**hôtel particulier de Gassaud** (XVIᵉ-XVIIᵉ s.), où Mirabeau fut assigné à résidence en 1774, a conservé une belle **porte sculptée** encadrée d'un portail antiquisant.

■ L'église Saint-Sauveur*

Pl. Saint-Sauveur, en poursuivant la rue Grande • ouv. t.l.j. 9 h-19 h.

Témoin de l'art roman provençal, l'église (XIIIᵉ-XIVᵉ s.) présente une façade sobre et équilibrée. Le diocèse de Forcalquier mettra plus d'un siècle à achever l'édifice, dotant le sanctuaire de nombreux éléments gothiques, dont le portail et une belle **coupole** octogonale sur trompes, flanquée de croisillons. Sur le côté N., en réemploi dans le mur, deux pierres représentent un pèlerin et un oiseau combattant un serpent. Le clocher de 1551, surélevé au XIXᵉ s., porte un **campanile** (1725) considéré comme l'un des plus beaux de Provence.

Manifestations

• Marché : sam. matin.
• En mai, fête de saint Pancrace à la chapelle Toutes-Aures.
• 2ᵉ quinzaine de juil., Musik's à Manosque : concerts en plein air gratuits au parc de Drouille.
• Fin juil.-début août, Rencontres Giono : spectacles musicaux et lectures.
• En août, festival Blues et Polar : concerts et lectures.
• En sept., les Correspondances : ateliers, rencontres et spectacles autour de l'écriture.

• À l'intérieur, les bas-côtés sont des ajouts des XVIᵉ-XVIIᵉ s. Le **buffet d'orgue*** en bois doré (1625), rénové au XIXᵉ s. par Piantanida, facteur d'orgues lombard, occupe une vaste tribune dorée. C'est le seul élément baroque avec le retable dédié à saint Pancrace (XVIIᵉ s., toile centrale du XIXᵉ s.) placé au croisillon N. De petits tableaux du XVIIᵉ s. sont regroupés dans le collatéral S.

• La **maison du Studium papal d'Urbain V** *(5, rue Voland, sur la g. de l'église)*, édifiée en 1365, présente une belle façade classique.

■ L'église Notre-Dame de Romigier*

Pl. de l'Hôtel-de-Ville, en poursuivant la rue Grande • ouv. t.l.j. 10 h-18 h.

C'est aux origines de la sculpture de la Vierge noire que le sanctuaire doit son nom. «Roncier» se dit en effet *romigier* en provençal.

Les Manosquins sont profondément attachés à cet édifice qui fut le 1ᵉʳ sanctuaire de la ville. Construite par les moines de Saint-Victor de Marseille (→ p. 364) à l'emplacement d'un temple gallo-romain, l'église primitive romane est difficilement reconnaissable en raison des ajouts du XVIIe s. Parmi eux, le **porche★**, dont l'archivolte en plein cintre est encadrée de deux piliers ornés de rosaces.

• À l'intérieur, les murs romans supportent de belles voûtes à croisées d'ogives du XVIIe s. Le chœur est éclairé par trois vitraux contemporains du maître verrier Gérard Hermet. Un beau **sarcophage★** en marbre de Carrare du Ve s., représentant les apôtres mains levées vers la croix, fait office d'autel. Parmi les toiles, on remarquera *La Vierge à l'enfant montrant son cœur★* (vers 1720) de Michel Serre. L'élément le plus touchant et le plus remarquable reste sans doute la *Vierge noire★* du VIe s., retrouvée, selon la légende, dans un buisson d'épines.

■ L'hôtel de ville★

Pl. de l'Hôtel-de-Ville, en face de Notre-Dame de Romigier ☎ *04 92 70 34 00 • ouv. du lun. au ven. 8 h 30-18 h • www. ville-manosque.fr*

Dédié à la municipalité depuis 1772, ce bâtiment est un bel exemple du style classique du XVIIIe s. Le portail encadré de deux pilastres à chapiteaux doriques et d'un entablement supporte un balcon en fer forgé.

• À l'intérieur, les voûtes de l'escalier accueillent des masques de gypse. Au 1er étage, un buste en argent (XVIIe s.) de Gérard Tenque, père fondateur des Hospitaliers (1113), est attribué à Pierre Puget. Des aquarelles de Valvéranne évoquent l'histoire de la cité et une toile reprend le thème de la pièce d'Élémir Bourges (1852-1925), *Le Miracle de Théophile*.

■ La porte Soubeyran

De la pl. de l'Hôtel-de-Ville, par la rue des Marchands et la rue Soubeyran.

Ouverte dans les remparts au XIVe s., cette porte clôt l'extrémité N. de la vieille ville. Elle fut décorée d'une balustrade, d'une tour et d'un campanile très ouvragé au XIXe s. Les ruelles du quartier s'ouvrent sur d'agréables placettes ouvertes au XIXe s. pour des raisons de salubrité.

De la porte Soubeyran, prendre à g. et revenir au S. par les boulevards circulaires Casimir-Pelloutier et Élémir-Bourges.

■ La fondation Carzou
L'église du couvent de la Présentation★★

7-9, bd Élémir-Bourges ☎ *04 92 87 40 49 • ouv. d'avr. à oct. du mar. au sam. 10 h-12 h 30 et 14 h-18 h ; de nov. à mars du mer. au sam. 14 h-18 h ; f. les jours fériés et du 24 déc. au 2 janv. • www.fondationcarzou.fr*

Jean Carzou (1907-2000) a dédié six années de sa vie (1985-1991) à la décoration de la chapelle néoclassique

De la pl. de l'Hôtel-de-Ville, un lacis de ruelles mène au N., par la rue du Mont-d'Or, au quartier médiéval des Payans. On y remarque l'hôtel Renaissance d'Herbès (actuelle médiathèque) et, dans la rue des Écoles, l'ancienne chapelle des Observantins, aujourd'hui conservatoire de musique.

Bonnes adresses

✗ *Sens et saveurs*, 43, bd des Tilleuls ☎ 04 92 75 00 00. Une cuisine gastronomique et une carte renouvelée toutes les 6 semaines. Salle voûtée ou terrasse.

◉ 🏭 *L'usine et musée de l'Occitane*, route de Valensole, Z. I. Saint-Maurice ☎ 04 92 70 32 08. Implantée dans les années 1990, l'usine élabore des cosmétiques, des parfums, des savons à base de lavande, d'olive, de verveine ou de miel, connus dans le monde entier. Visite gratuite de l'usine du lun. au ven., Visite gratuite musée du lun. au sam. (inscriptions par téléphone ou par e-mail : reservations.visites@loccitane.com).

◉ 🏭 *Le moulin de l'Olivette*, rond-point de l'Olivette ; f. dim. ☎ 04 92 72 00 99 ; www.moulinolivette.fr Des huiles d'olives produites sur place au moulin (médaillé en 2011) et une boutique de produits du terroir à base d'olives.

Randonnées

• Le centre Jean-Giono propose des balades littéraires sur les lieux décrits par l'écrivain dans ses œuvres.

• Parmi les six collines qui cernent Manosque, la plus visible est celle du Mont-d'Or (1,5 km au N.-E. du centre-ville), grâce à sa tour, vestige de l'ancien château des comtes de Forcalquier, bien mise en valeur de nuit. Elle offre l'une des plus belles vues sur les toits de la ville, ainsi que sur la plaine de la Durance et le Luberon. À mi-chemin de la montée menant à la colline, on peut accéder par un sentier à dr. à la maison de Giono, Lou Paraïs (montée des Vraies-Richesses ☎ 04 92 87 73 03; ouv. sur r.-v. à 14 h 30 et 15 h 30, de juin à sept. les mar. et ven., seulement le ven. le reste de l'année.

Maison de la biodiversité du Parc naturel régional du Luberon (à 5 km de Manosque par la D 5 puis fléché chemin de la Thomassine. Visites libres ou guidées de juil. à sept. du mar. au sam. 10h30-13 h et 15 h-18h30. D'oct. à juin, mer. 10 h-12h30 et 14 h-16h30 ☎ 04 90 04 42 00).
Au pied d'une bastide provençale s'étend un verger conservatoire de plus de 500 variétés de fruits, un jardin potager et huit jardins en terrasse dans lesquels on peut se promener.

À 11 km O. de Manosque par la D 907, le **moulin à vent de Montfuron** fonctionne toujours. De son promontoire, le panorama s'étend jusqu'à la Sainte-Victoire. Visite sur r.-v. à la mairie ☎ 04 92 76 41 65.

du couvent de la Présentation. Ses peintures recouvrent les murs de l'édifice. L'architecture harmonieuse de l'église tranche avec l'œuvre de Carzou, qui met en scène l'*Apocalypse des temps modernes*. Dans une dominante bleu vert se succèdent des scènes de terreur, de destructions massives des populations, de vénalité et de luxure. Dans l'abside, la femme auréolée de lumière marque un tournant dans le cheminement. Dans l'aile dr., se dresse la spectaculaire femme-arbre, symbole de la renaissance de la terre. Un autre cycle s'engage, vertueux celui-là, dans lequel on trouve un hommage au fameux Angélus du peintre Jean-François Millet (1814-1875).

■ **Le centre Jean-Giono**★

3, bd Élémir-Bourges ☎ 04 92 70 54 54 • ouv. d'avr. à sept. t.l.j. du mar. au sam. 10 h-12 h et 14 h-18 h ; d'oct. à mars du sam. 14 h-18 h ; f. les jours fériés et pendant les vacances de Noël • http://centrejeangiono.com
Dans un ancien hôtel particulier du XIXe s., photographies et documents manuscrits retracent la vie de la figure tutélaire de la ville. Espace lecture et expositions d'ouvrages illustrés de Giono. Une vidéothèque propose un riche catalogue documentaire. Organise des activités autour de l'œuvre de l'écrivain (balades, séjours, rencontres).

Environs de Manosque

■ **La chapelle Saint-Pancrace**★
(dite «de Toutes-Aures»)
À 2 km S.-O. de Manosque. Depuis le bd Élémir-Bourges, sortir de la ville par la rue Léon-Mure, puis suivre la montée de Toutes-Aures.
Cette curieuse chapelle du XVIIe s., tout en longueur, possède un portail imposant de style Louis XIII, composé d'un appareil à bossages et refends. Un vaste auvent protège les fidèles qui viennent toujours nombreux le lun. de Pâques, fête de saint Pancrace, le patron de la ville. Des ex-voto témoignent de cette ferveur. De la chapelle, la **vue**★ s'étend sur le Luberon, Manosque, la Durance, le plateau de Valensole et les Préalpes de Digne.

■ **Saint-Martin-les-Eaux**
À 10 km N.-O. de Manosque par la D 907, puis à dr. la D 105 et la D 505.
Le village, qui a conservé une belle harmonie, doit son qualificatif à une source d'eau sulfureuse exploitée durant une vingtaine d'années au début du XXe s. Son église romane du XIIe s. a été sauvée de la ruine en 1968, puis entièrement restaurée par une association locale. Ses volumes équilibrés sont mis en valeur par une rare ornementation sculptée archaïsante. ▶▶▶

▲ *Jean Giono dans sa maison Lou Paraïs.*

Jean Giono, l'homme du Contadour

La Provence de Giono ne s'arrête pas à Manosque et ses collines. La vallée de la Durance, la montagne de Lure, le plateau de Valensole puis, dans la dernière partie de son œuvre, la montagne de la Sainte-Baume et les plateaux du Var composent ce qu'il appelait un «Sud imaginaire».

Ayant grandi à Manosque, qui n'est encore qu'un village à cette époque, Jean Giono (1895-1970) est contraint, en raison de la maladie de son père, à travailler, dès l'âge de 16 ans. Son temps libre, il le passe dans les collines, perdu dans la lecture des œuvres classiques. La Première Guerre mondiale l'emporte sur les champs de bataille de Verdun ; il en revient brisé, et son œuvre comme ses choix de vie dépendront de ce drame.
En 1929, Gallimard publie son 1er ouvrage, *Colline*, ode vibrante à la vie rurale. Jusqu'en 1937, il écrira six romans, deux pièces de théâtre et plusieurs récits, tous situés près de Manosque. Un souffle épique, une profusion d'expériences sensuelles en communion avec la nature dominent ces œuvres, où la morale veut que l'homme ne puisse survivre qu'en solidarité avec ses congénères et en bonne intelligence avec son environnement. L'auteur s'inscrit pour toujours dans un «Sud imaginaire». En 1935, *Que ma joie demeure* rencontre enfin un immense succès.
L'été de la même année, Jean Giono emmène une poignée de lecteurs dans la montagne de Lure, à proximité des bergeries de Redortiers. Inspirée par ce bâti ancestral et le paysage, la petite communauté décide de s'y retrouver chaque année et publie une revue littéraire : *Les Cahiers du Contadour*. Puis arrive la Deuxième Guerre, et Giono, prophète de la paix, se replie dans sa maison de Manosque. À la Libération il est injustement accusé de collaboration. Il entame alors le cycle du *Hussard sur le toit* (1951), vision amère de l'humanité où la duplicité et l'indifférence ont remplacé la solidarité humaine, un des thèmes principaux des premiers romans.

Randonnées

Dans toute la partie occidentale de haute Provence, une vingtaine d'itinéraires paysans vont à la rencontre des agriculteurs de la région et des producteurs locaux : miel, truffe, vignoble, fromage de Banon, etc. Les balades sont suivies d'une dégustation. Inscription au plus tard la veille au soir ☎ 04 92 87 58 81 ; www.itineraires-paysans.fr

Bonnes adresses

☐ Librairie Le Bleuet, pl. Saint–Just, Banon ☎ 04 92 73 25 85 ; www.lebleuet.fr Une librairie gigantesque, au fonds régionaliste remarquable, qui tranche avec la modeste taille du village.

◑ ☐ Fromagerie de Banon, route de Carniol ☎ 04 92 73 25 03 ; www.fromagerie-banon.fr Vente de fromages de chèvre et écomusée présentant l'histoire et les secrets de fabrication du fameux Banon AOC.

☐ La maison Dumaistre, le village, Simiane ☎ 04 92 75 91 31 ; www.maisondumaistre.com Gîtes et chambres d'hôtes dans une très belle maison du XVIIᵉ s. avec jardin.

Manifestations

À Banon
• Marché : mar. et sam.
• En mai, fête du Fromage de Banon.

Le Banon, cette tome de chèvre connue dans le monde entier est produite par les villages de la montagne de Lure. Le fromage caillé à la présure est ensuite trempé dans de l'eau-de-vie et enveloppé dans des feuilles de châtaignier. L'affinage dure deux mois.

Entre Luberon et Lure★★

Au nord-ouest de Manosque, les étendues sèches de la montagne de Lure et du pays d'Albion contrastent avec les belles prairies de Simiane-la-Rotonde. Ce village, où les bâtis fortifiés de campagne portent des raffinements urbains, témoigne de la culture des comtes de Provence. Il en est de même à Banon ou à Vachères. Aux alentours, les collines abritent les témoins vernaculaires d'une culture paysanne : bergeries, murets et abris de pierres sèches, construits à force de patience sans autre matériau que la pierre.

Circuit de 115 km au départ de Manosque • compter 2 jours.

■ Reillanne★

À 18 km N.-O. de Manosque par la D 907 et la D 14 **❶** *cours Thierry-d'Argenlieu* ☎ *04 92 76 45 37 ; www.reillanne-en-provence.com*
Courant sur une butte, le village connut une certaine prospérité au Moyen Âge, comme en témoigne la richesse de son patrimoine. Ses ruelles rejoignent la dernière des tours du château médiéval, surmontée, au XIXᵉ s., d'un clocher à coupole.

■ Vachères★

À 8 km N. de Reillanne par la D 14.
Dans un site magnifique, ce village perché, à la belle architecture de pierre sèche, offre une superbe vue à 360 degrés sur le Ventoux, les Alpes, la Sainte-Baume. Ruelles caladées, portes aux encadrements sculptés, linteaux délardés d'un motif en accolade, passages couverts, prieuré et château fort datent pour l'essentiel des XVIᵉ-XVIIᵉ s.

• Le **musée Pierre Martel★** (☎ *04 92 75 67 21* • *ouv. en juil.-août t.l.j. 15 h-18 h ; d'avr. à nov. mer., dim. et jours fériés 14 h 30-17 h 30 ; le reste de l'année ven. 9 h-16 h 30)* présente, parmi les pièces maîtresses, la copie d'un **guerrier celto-ligure** du Iᵉʳ s. av. J.-C. découvert à Vachères (original au musée Calvet d'Avignon, → p. 157) et de surprenants **calcaires en plaquettes★** de l'oligocène (30 millions d'années av. J.-C.), qui ont conservé animaux et végétaux fossilisés, dont un remarquable *bachitherium*, petit herbivore primitif âgé de 30 millions d'années.

■ Banon★

À 14 km N. de Vachères par les D 14 et D 5 **❶** *rue Meffre* ☎ *04 92 73 29 78; www.paysdebanon.fr*
Implanté sur un champ de fracture connu des géologues, le village fut bâti au XIIᵉ s. à l'emplacement d'un ancien oppidum. Si la ville moderne s'étend sur la

plaine, le village ancien baigne toujours dans une atmosphère médiévale. Ses hautes maisons forment des remparts imprenables, tandis que veille une porte massive surmontée d'une bretèche. L'église du XVIIᵉ s. reproduit le style roman des premiers âges.

Les pierres de la carrière de Banon ont servi au dallage du parvis de la pyramide du Louvre.

■ Simiane-la-Rotonde★★★

À 10 km S.-O. de Banon par la D 51.

Fondé par la famille Simiane-Agoult, vassale des comtes de Forcalquier au XIIᵉ s., Simiane est sans doute l'un des plus beaux villages de haute Provence. Il s'étage en gradins jusqu'au sommet d'un éperon rocheux. Les ruelles «caladées» sinuent entre des hôtels particuliers des XVIᵉ-XVIIᵉ s., hauts et égayés de linteaux et de portes diamantées. Les halles couvertes du XVIᵉ s. percent le rempart, laissant apparaître la montagne de Lure et les Alpes.

• **La Rotonde★★** (☎ *04 92 73 11 34* • *ouv. en mars et avr. et de sept. au 11 nov. t.l.j. sf mar. 13h30-18h; de mai à août t.l.j. 10h30-13h et 14h-19h* • *www.simiane-la-rotonde.fr*) est un donjon circulaire du XIIᵉ s. haut de 18 m, pièce maîtresse du **château** des Simiane-Agoult. C'est aussi l'un des plus prestigieux témoins de l'architecture romane civile et militaire. Il faut imaginer cette tour massive, plus large à son pied qu'à son sommet, comme un élément d'un plus vaste appareil défensif, dont les vestiges sont peu à peu restaurés. L'état primitif de la Rotonde est d'ailleurs inconnu, diverses restaurations au XIXᵉ s. (dont une d'Henri Revoil en 1875) et au XXᵉ s. l'ayant considérablement modifiée. Sa vocation est également incertaine : chapelle funéraire de la famille d'Agoult, salle capitulaire, commanderie des chevaliers de Saint-Jean-de-Jérusalem, ou simple cuisine du château?

• On commence la visite par l'aile S. du château, où une 1ʳᵉ salle romane est dédiée aux vestiges lapidaires et à l'histoire de la famille d'Agoult. Au 1ᵉʳ étage, deux salles Renaissance portent encore la marque estompée de **fresques★** en grisaille et de **frises**. On parvient ensuite à la Rotonde proprement dite, où la salle romane est surmontée d'une haute **coupole★** (5 m) ouverte sur le ciel par un oculus zénithal. 12 nervures saillantes convergent vers son sommet, leurs arcatures s'appuient sur les piliers où s'imposent de remarquables **sculptures★★** : des motifs végétaux alternent avec des masques humains et des figures de bovidés.

• Simiane étant le siège de la plus importante coopérative de plantes à parfum de Provence en France, un laboratoire

▲ Randonnée

Le lieu-dit la Tinette (à l'issue de la D 5) est le point de départ de randonnées à travers les cultures de lavande où se nichent encore quelques bergeries *(jas)* de pierres sèches. Durée 4 h; circuit de 10 km, sans difficulté.

◉ Manifestation

À Simiane-la-Rotonde
En août, les Riches heures musicales de Simiane-la-Rotonde : musiques classique et baroque; ☎ 04 92 75 90 14; http://festival-simiane.com

▲ *Étagé sur une colline, Simiane est couronné par son impressionnante Rotonde.*

La vallée comprise entre Simiane, Mont-salier et Oppedette fut longtemps le grenier de la haute Provence. Si les fruits des amandiers alimentent encore les fabricants de calissons d'Aix, les cultures sont aujourd'hui majoritairement dévolues à la sauge sclarée et surtout aux plantes à parfum (2 t/an d'essences), dont Simiane est la 4ᵉ commune productrice de France. Cerises, châtaignes, fromages de chèvre, miel et truffe conservent toujours, eux aussi, une excellente réputation.

Randonnée

On peut faire le tour des gorges d'Oppedette par un sentier balisé qui part de l'entrée S. du village d'Oppedette. Durée : 3 h; déconseillé aux enfants.

▼ *Un chapiteau sculpté d'oiseaux au prieuré de Carluc.*

d'aromathérapie s'est installé au château. Un spécialiste vous initie aux secrets de la distillation et aux usages et vertus des huiles essentielles (espace vente). De la terrasse du château, on a une superbe vue.

• L'**église Sainte-Victoire** (*à l'E. du village • pour les horaires, se rens. à la Rotonde*), des XVIᵉ-XVIIᵉ s., possède une façade Renaissance ornée d'un fronton triangulaire à l'antique. Sa grande nef flanquée de deux nefs latérales voûtées sur croisées d'ogives, est close par une abside où court une corniche de frises et de feuillages. La décoration date du XIXᵉ s.

■ **Jardin de l'abbaye de Valsaintes**★

À mi-chemin entre Simiane et Oppedette par la D 18 et la D 451 ☎ *04 92 75 94 19 • ouv. t.l.j., en avr. 14 h-16 h; de mai à sept. 10 h 30-19 h; en oct. 14 h-18 h • visites guidées sur réservation • www.valsaintes.org*

De l'abbaye cistercienne ne subsiste qu'une modeste église. Le jardin, empreint de poésie, vaut le détour. Un chemin didactique serpente entre rosiers (floraison à son maximum de fin mai à mi-juin), vivaces, arbustes et plantes aromatiques. Des animations sont organisées tous les mois autour du jardin.

• Le village d'**Oppedette** (*à 9 km S.-E. de Simiane par la D 18, la D 451 et la D 201*), perché sur un socle rocheux, surplombe les **gorges**★ du même nom, creusées par le Calavon. Le canyon atteint la profondeur de 150 m.

■ **Le prieuré de Carluc**★★

D'Oppedette, se rendre à Céreste (14 km S.) par la D 155, la D 33, puis à g. la D 900 • 3,5 km plus loin, prendre à g. en suivant le panneau «Prieuré de Carluc», puis, juste après le hameau du Grand Carluc, descendre la petite route à dr. • accès gratuit sur réservation auprès de l'office de tourisme de Céreste (→ p. 248).

Dans la verdoyante vallée de l'Encrème, les ruines du prieuré de Carluc, adossées aux contreforts d'une barrière rocheuse, se perdent dans une dense forêt de chênes. Le site est rattaché à l'abbaye de Montmajour (→ p. 318) au XIᵉ s.

• L'église du XIIIᵉ s., éventrée, se résume à son **abside penta-gonale**★. Les chapiteaux du chœur possèdent une orne-mentation de facture romane, mais la voûte d'ogives est déjà de style gothique. À l'extérieur, bornant le chevet, des colonnes à fûts cannelés portent des chapiteaux sculptés de motifs végétaux et d'oiseaux. Une nécropole rupestre abrite des **tombes anthropomorphes**★. Plus loin, un chemin rejoint un abri-sous-roche et la dernière muraille du château de Carluc.

Reprendre la D 900 puis la D 907 qui ramène à Manosque.

Forcalquier★★
et la montagne de Lure★

L a ville ancienne de Forcalquier se révèle singulièrement raffinée et s'affirme comme le principal pôle culturel, patrimonial et gastronomique de la haute Provence. Plus au nord, sur les contreforts de la montagne de Lure, le regard joue à saute-mouton sur d'indolentes collines, coiffées d'un village, d'une steppe aride ou d'un champ de lavande. Pays authentique sous un ciel d'une grande pureté, où déjà se font sentir les fraîcheurs de la montagne, cette partie de la haute Provence offre les charmes de la Provence tempérés par l'âpreté des Alpes du Sud.

Voir carte régionale p. 446

À 23 km N. de Manosque par la D 4096, puis à g. la D 13 et à dr. la D 4100; à 42 km E. d'Apt par la D 4100.

ⓘ de Forcalquier et de la montagne de Lure, 13, pl. du Bourguet ☎ 04 92 75 10 02; www.haute-provence-tourisme. com

L'influence des comtes

Au XIᵉ s., après une longue période d'instabilité, les comtes de Forcalquier font de la ville un État indépendant, battant monnaie et ayant ses propres lois. Rivalisant avec les comtes de Provence, ils ont mainmise sur une partie des Alpes-de-Haute-Provence, les Hautes-Alpes, la Drôme méridionale et une partie de Vaucluse. Cette opposition prend fin au XIIᵉ s. quand la comtesse de Forcalquier, Gersende de Sabran, épouse Alphonse II d'Aragon, comte de Provence : leur fils Raymond Bérenger V réunira les deux comtés. Lieu de culte officiel des réformés au XVIᵉ s., Forcalquier conserve, tout au long de son histoire, un esprit indépendant et frondeur : la ville sera au 1ᵉʳ rang des troupes révolutionnaires opposées au coup d'État de Napoléon III en 1851 (→ p. 465) et obtiendra la croix de guerre pour ses actes de résistance au cours de la Seconde Guerre mondiale.

Se garer sur le parking de la pl. Martial-Sicard et rejoindre la pl. du Bourguet • visite de la ville en 2 h.

■ La cathédrale
Notre-Dame-du-Bourguet★

Pl. du Bourguet • ouv. t.l.j. 8 h 30-18 h.

Sur la place la plus animée de Forcalquier se dresse le flanc austère de la cathédrale (XIIIᵉ s.). Accolée aux remparts, elle ne sera dépouillée de ses éléments défensifs qu'au XIXᵉ s. Malgré des proportions toutes romanes, elle constitue le 1ᵉʳ essai d'art gothique en pays d'Oc avec

Manifestations

• Marché : lun. matin ; le plus important de la région.
• En avr., Biennale des savoirs faire et des métiers d'art les années paires. Fête de la Randonnée du pays de Forcalquier et montagne de Lure : itinéraires thématiques alliant paysage et bâti rural.
• En juil., Rencontres musicales de haute Provence à Forcalquier et au prieuré de Salagon : concerts et musique de chambre à la cathédrale de Forcalquier ; www.rmhp.fr

▲ *La cathédrale Notre-Dame-du-Bourguet. Le lundi matin, un marché convivial se déploie juste en face.*

Forcalquier est construit sur une butte de safre (appelé aussi «molasse») surmontée d'une dalle calcaire. L'eau des sources, par effet de capillarité, remontait à travers le safre, puis venait buter contre la dalle calcaire, avant d'être recueillie dans une citerne.

ses voûtes d'ogives. Le campanile date du XVIᵉ s., les deux nefs latérales et le 2ᵉ étage du clocher sont du XVIIᵉ s. Seuls demeurent du mobilier ancien un Christ en croix du XVIIᵉ s. et une statue de saint Pancrace. Le **grand orgue★** (1627, agrandi par Moitessier au XIXᵉ s.) possède un nombre de jeux suffisants pour qu'y soit jouée l'intégralité du répertoire pour orgue.

Rejoindre les coteaux boisés de la citadelle par la rue Mercière, la rue Passère et la calade Saint-Mary. Attention, la butte est escarpée.

■ La citadelle

Au sommet de la calade Saint-Mary, la façade de l'hôtel de Castellane-Adhémar (XVIIᵉ s.) marque l'entrée de la citadelle, rasée en 1601. Jardins et plantations de cèdres du XIXᵉ s. recouvrent les ruines de la forteresse.

• La colline est couronnée par la **chapelle Notre-Dame de Provence★**, érigée dans un style néobyzantin en 1875 et dont le tympan est orné des statues des saints de Provence. La chapelle Notre-Dame de Provence possède un carillon de 18 cloches (1925) qui se prête au jeu traditionnel, dit «à coups de poings». Il sonne tous les dim. à 11 h 30 et pour les fêtes. Du parvis, décoré d'anges musiciens, une **vue★★** magnifique s'étend sur tout le pays.

Un chemin, à g. de la chapelle, descend en épingle à cheveux jusqu'à la rue Chouran, qui mène à la rue du Collège.

■ La rue du Collège★

Elle est caractéristique de Forcalquier, avec son alignement de maisons hautes et étroites aux raffinements discrets. Au n° 12, l'hôtel Gassaud date du XVIIᵉ s. Au n° 10, l'ancien temple protestant porte, sur son fronton, une citation d'Isaïe. À l'angle de la rue Saint-Jean se trouve l'ancienne chapelle de l'hôpital de la Charité Saint-Louis (XVIIᵉ s), tandis que l'hôtel d'Autane (XIIᵉ s. et XVᵉ s.), aux ouvertures en ogive, occupe la rue Grande.

• En poursuivant par la rue du Palais, à l'angle de la pl. Saint-Michel, on croise l'hôtel de Tende (XVIᵉ s.) qui a conservé un beau fronton soutenu par deux colonnes doriques. La **fontaine Saint-Michel**, élevée sur la place en 1512, est reconnaissable à sa pyramide, refaite en 1976 à l'identique. Sa base montre encore des scènes sculptées d'origine («dégueuloirs» et bas-reliefs du tronc central) représentant les *Vices vaincus par saint Michel*.

■ Le quartier des Cordeliers

Dans le prolongement de la pl. Saint-Michel, suivre les rues Plauchud, Cordeliers et Hautes-Lices, puis à g. le bd des Martyrs-de-la-Résistance.
Ici, les maisons sont plus simples et discrètes, mais tout aussi accueillantes. Autour de la porte des Cordeliers, ultime vestige des remparts médiévaux, quelques façades s'ouvrent sur de courts jardins en espalier.

• Le **couvent des Cordeliers** (XIIIᵉ s.) abrite aujourd'hui l'**Université européenne des senteurs et des saveurs** (☎ *04 92 72 50 68 • accès libre aux jardins et au cloître • www.couventdescordeliers.com*) qui propose des ateliers grand public (création de parfum ou d'huile, aromathérapie, dégustation de vin, création d'apéritifs, etc.).

Environs de Forcalquier

■ Mane

À 3,5 km S. de Forcalquier par la D 4100.
Mane semble repliée autour de sa **citadelle** (*propriété privée*), édifiée avec la pierre locale, une molasse réputée datant du miocène. Imposante, la pl. de l'Église réunit le sanctuaire (XVIᵉ-XVIIᵉ s.), doté d'un massif clocher-tour, et une chapelle (1613). Dans les ruelles « caladées », les façades ouvragées datent pour la plupart du XVIᵉ s.

■ Le prieuré de Salagon★★

À la sortie de Mane, en direction d'Apt, par la D 4100 ☎ 04 92 75 70 50 • ouv. t.l.j. sf mar., de mai à sept. 10 h-19 h; d'oct. à avr. 10 h-18 h (dernière entrée 1 h avant la fermeture); f. fin déc. et en janv. • www.musee-de-salagon.com
Les moines bénédictins de Villeneuve-lez-Avignon (→ *p. 174*) fondent un premier monastère sur cette colline fertile dès la fin du XIᵉ s. Placé en commende (→ *p. 212*), il s'enorgueillit au XVᵉ s. d'un nouveau logis prieural aux décors raffinés.

• L'**église**★★ du XIIᵉ s. s'ouvre par un **portail**★ en appareillage de pierre de Mane, qui comprend un arc à triple voussure soutenu par des colonnettes dont les chapiteaux sont finement travaillés. L'archivolte est décorée de billettes et flanquée de panneaux sculptés. À L'intérieur, les remaniements successifs ont détruit l'essentiel de la nef originelle; le 2ᵉ date du XVIᵉ s. Seule les deux travées occidentales et l'abside sont de style roman provençal. La fresque du tympan, très estompée, représente Marie et son enfant. Remarquables, les **chapiteaux**★ portent un décor à motifs végétaux. Dans le collatéral, une scène du baptême du Christ habille le sommet d'une colonne.

• Le **musée départemental de haute Provence**★★ (*dans les anciens bâtiments conventuels*), créé par l'association Alpes de

Bonnes adresses

🛏 ***Auberge Charembeau***, route de Niozelles (3 km du centre) ☎ 04 92 70 91 70; www.charembeau.com Une belle auberge pleine de charme au milieu des prés et des arbres. Des chambres superbes avec ou sans terrasses, un accueil plaisant. Piscine.

◐ 🏭 ***Distilleries et domaines de Provence***, 9, av. de Saint-Promasse ☎ 04 92 75 71 66; www.distilleries-provence.com C'est ici que l'on détient le secret du pastis Henri Bardouin, apéritif de dégustation dans lequel se mêlent les saveurs et les parfums d'une cinquantaine de plantes et épices. Pour becs fins.

Randonnée

Le paysage des Mourres, situé au N. de Forcalquier, présente d'étonnants rochers en forme de champignons datant de 25 millions d'années. Le sentier commence à l'école de musique (au S.-O. de Forcalquier); balisage blanc-rouge; durée 2 h 15 pour 6 km; sans difficulté.

► *Le prieuré de Salagon.*

Manifestation

Au prieuré de Salagon
En juil., Rencontres musicales
de haute Provence (→ p. 455).

Le pays de Forcalquier détient
quatre produits phares : l'huile
d'olive de Lurs, le fromage
de Banon (→ p. 452), le petit
épeautre et les apéritifs de
Forcalquier.
Le moulin de la Cascade
(☎ 04 92 79 95 03), à Lurs,
perpétue une production
d'huile d'olive à l'ancienne,
très fruitée, rare et chère.
Parmi les apéritifs aux plantes
aromatiques de Forcalquier,
le plus connu est le pastis
Henri Bardouin, élaboré avec
une cinquantaine de plantes
et épices. La gentiane de Lure
et la farigoule, liqueur de
thym, sont deux autres grands
classiques.

lumière *(→ p. 461)* et géré par le conseil général, présente
des objets de la vie quotidienne et deux belles expositions
permanentes : «Les lavandes et les plantes aromatiques»,
parcours ludique et sensoriel, et «Les artisans au village».
Les jardins du prieuré, classés «jardin remarquable»
accueillent quelques 1 700 espèces de plantes *(→ encadré
ci-dessous)*.

■ **Le château de Sauvan**★

*À 2 km S. du prieuré de Salagon par la D 4100 ☎ 04 92 75 05 64 •
visite guidée uniquement à 15 h 30 : en mars le dim. ; en avr. et oct. les
jeu., sam., dim. et jours fériés ; en mai-juin et sept. t.l.j. sf mar. et mer. ;
en juil.-août t.l.j. ; f. de mi-nov. à fév. • www.chateaudesauvan.com*
Inachevé, ce «petit Trianon de Provence» (1729), toujours
habité par ses propriétaire, est l'un des rares exemples
d'architecture classique dans la région. La longue bâtisse
en pierre à un étage s'ouvre sur un corps central en légère
saillie, dont les quatre colonnes supportent un balcon
aux ferronneries délicates. À l'intérieur, les volumes
démesurés, les grandes baies et le mobilier, en partie
reconstitué, composent un décor théâtral.

L'histoire est dans le jardin

Le prieuré de Salagon est entouré de différents jardins ethnobotaniques remarquables, qui se
visitent au printemps ou en été. Dans le *jardin médiéval* se mêlent plantes médicinales, alimentaires, textiles, magiques… soit près de 400 espèces, dont 88 plantes issues de l'inventaire
capitulaire De Villis (VIIIᵉ s.), qui recense la flore des jardins carolingiens. Le *jardin des Simples et
Plantes villageoises* fait un détour par la végétation des chemins et plantes de base de la société
traditionnelle. Le *jardin des Senteurs* est ouvert aux familles végétales riches en aromatiques.
Le *jardin de la Chênaie blanche* donne toutes les clés pour comprendre le paysage végétal du
bassin de Forcalquier. Le *jardin des Temps modernes*, enfin, accueille des plantes majeures des
cinq continents. Une dernière partie des jardins fait office de conservatoire génétique : céréales
et messicoles (coquelicots, bleuets, etc.), plantes médicinales rares, plantes anciennes, mûriers,
sorbiers et saules y sont préservés.

■ Saint-Michel-l'Observatoire*

À 6 km S.-O. du château de Sauvan par la D 4100, puis à dr. la D 5 ❶ *château d'Agoult, pl. de la Fontaine* ☎ *04 92 76 69 09 ; www.haute-provence-tourisme.com*
Ce village possède un charme certain dû à ses maisons médiévales et à ses demeures du XVIIe s. L'**église Saint-Pierre** *(ouv. t.l.j. 8 h-18 h)*, dite « église basse », date des XIVe-XVe s. Le « chemin des Étoiles » *(départ à g. de l'église Saint-Pierre ; compter 15 mn)* mène à une éminence où siège l'**église Saint-Michel** (XIIe s., puis remaniée jusqu'au XVIIes.), dite « église haute ». Elle contient un bénitier de marbre du XIIe s. De son parvis, belle vue sur les environs.

• L'**Observatoire de haute Provence**★ *(à 2 km N. de Saint-Michel par la D 305* ☎ *04 92 76 69 69* • *ouv. d'avr. à début nov. mer. 14 h-16 h ; en juil. et août mar., mer. et jeu. de 14 h à 18h30 ; f. de déc. à mars et les jours fériés* • *accès en bus obligatoire de mi-juil. à août* • *rens. à l'office de tourisme* • *www.obs-hp.fr)*, construit en 1937, est célèbre pour ses recherches en astronomie et ses études sur la qualité de l'air. Visite de la grande coupole, du télescope de 1,93 m et projection d'un film expliquant les activités de l'Observatoire.

■ Saint-Maime

À 8 km S. de Forcalquier par la D 4100 jusqu'à Mane, puis à g. par la D 13.
À l'abri d'une crête rocheuse, une physionomie double : au sommet, le donjon d'un château ruiné et une chapelle du XIIIe s. dont les fresques (XIVe s.) sont encore visibles ; en contrebas, une petite cité minière aux maisons identiques longe l'ancienne voie ferrée Apt-Volx.

• Le **musée de la Mémoire ouvrière**★ *(sur la D 13* ☎ *04 92 79 58 15* • *ouv. en juil. t.l.j. sf mar. 14 h-16 h* • *entrée libre)*, fondé par l'association L'œuvre au noir et implanté dans la salle de réunion du syndicat des mineurs, conserve plusieurs témoignages de cette activité, dont le carreau de la mine.

■ Dauphin*

À 1 km S.-O. de Saint-Maime ❶ *salle du Château, permanence en juil.-août* ☎ *04 92 79 52 76.*
Dauphin incarne l'image même du village perché. Ses remparts médiévaux, toujours debout, intègrent des maisons des XVe-XVIe s. Il ne demeure du château des comtes de Provence qu'un corps de logis du XVIIe s.

• L'**église**★ *(demander la clé à la mairie* ☎ *04 92 79 58 18)* se distingue par son chœur à chevet plat, dont la voûte est soutenue par des croisées d'ogives formant une rosace. S'y trouvent la plus ancienne crèche (1748) de haute Provence et un orgue provençal.

Manifestation

À Saint-Michel-l'Observatoire
De juil. à sept., Festival de l'Été Astro au centre d'Astronomie : observations au télescope et conférences.

Loisirs

◎ *Le centre d'Astronomie*, plateau du Moulin-à-Vent ☎ 04 92 76 69 69 ; www.centre-astro.fr Propose toute l'année des séances d'observation en journée et des soirées découverte.

Le bassin de lignite de Forcalquier-Manosque fut exploité de la fin du XIXe s. à 1949 et compta jusqu'à 1 000 mineurs.

Dauphin offre, au N., une vue exceptionnelle sur les coupoles de l'observatoire de Saint-Michel, Mane, Forcalquier, Saint-Maime, le rocher de Volx et la forêt de Pélicier.

La montagne de Lure★

Culminant à 1 826 m, les crêtes dépouillées de la montagne de Lure dominent tout le pays de Forcalquier. Les deux versants ont des caractères si contrastés que, si le flanc sud évoque toujours la Provence, celui du nord est déjà affilié aux Alpes.

▲ *Les crêtes pelées de la montagne de Lure.*

Une frontière climatique

Avec des sols calcaires propices aux pâturages, le flanc S. s'élève lentement depuis Forcalquier. À partir de 800 m apparaît une forêt de chênes blancs, où abondent aussi érables de Montpellier, noisetiers et sorbiers. L'ensoleillement exceptionnel de ce versant, tempéré par la fraîcheur des vents des Alpes, favorise la culture des plantes aromatiques, notamment la lavande (entre 800 et 1 200 m). Au-delà, hêtraies puis pins sylvestres (1 400 m) fournissent l'industrie papetière. Passé les crêtes où fleurissent l'orchis sureau ou la gentiane, la montagne s'affaisse jusqu'à la vallée du Jabron. Le climat y est plus alpin, permettant l'existence d'une forêt de sapins malingres ou de pins d'Autriche implantés à la fin du XIXᵉ s. pour lutter contre l'érosion.

Itinéraire de 73 km entre Forcalquier et Sisteron par le sommet de Lure à faire en 1 journée.

■ Limans

À 7 km N.-O. de Forcalquier par la D 950, puis à g. la D 313.
Le Moyen Âge a laissé un bâti dense et en bon état : certaines maisons du XIVᵉ s. conservent des portes basses à linteaux de bois ; celles antérieures des linteaux monolithes.

Limans est entouré de beaux pigeonniers, dont certains remontent au XVIᵉ s.

• Dans l'**église** du XIVᵉ s. *(pour la visite, s'adresser à la mairie ☎ 04 92 73 01 69)*, quatre **panneaux de marbre★** (datés entre le Vᵉ s. et le VIIIᵉ s.) présentent d'étonnantes scènes sculptées : celui qui décore le tympan du portail montre un bestiaire fantastique d'inspiration orientale.

■ Ongles★

À 6 km N. de Limans par la D 950, puis à dr. la D 112.
C'est une constellation de hameaux où l'on cultive le lavandin et la truffe : perché, celui du rocher d'Ongles offre une très belle vue sur les crêtes de Lure ; à Vière subsistent des bâtisses du XIIIᵉ s.

• La **maison d'Histoire et de Mémoire d'Ongles★** *(château d'Ongles ☎ 04 92 74 04 37 • ouv. en été du mar. au ven. 14 h 30-18 h 30 ; hors saison mar., jeu. et ven. 11 h-16 h, également sam. 14 h-18 h en sept. ; f. les jours fériés)* rend hommage aux familles de réfugiés harkis qui vécurent à Ongles entre 1962 et 1971.

■ Saint-Étienne-les-Orgues

À 8 km N.-E. d'Ongles par la D 951 ❶ *médiathèque*
☎ *04 92 73 02 57 ; www.saint-etienne-les-orgues.fr*
Abandonné après les épidémies de peste du
XVᵉ s. puis repeuplé, Saint-Étienne joua un
rôle commercial important jusqu'au XIXᵉ s.
grâce à sa position stratégique. Le centre
ancien conserve de belles façades des XVIᵉ-
XVIIIᵉ s. aux portes ouvragées. L'**église** *(ouv.
t.l.j. 10 h-17 h)* de facture romane, emprunte
au gothique ses voûtes d'ogives.

• **Fontienne★** *(à 5 km S. de Saint-Étienne par la
D 12)* abrite dans ses champs des **cabanons
de pierres sèches**, apparentés aux bories
(→ *p. 208)*. Rénovés par l'association Alpes
de lumière, deux d'entre eux sont désormais
ouverts à la visite sur un site aménagé : le
vallon de l'Eau salée.

• **Cruis** *(à 5 km E. de Saint-Étienne par la D 951)* est réputé
pour son **église★** *(ouv. de juin à sept. du mar. au sam.
14 h 30-18 h ; en juil. et août t.l.j. 14 h 30-18 h 30)* : elle
abrite une pierre sculptée du VIᵉ s., un superbe **retable★**
du XVIIᵉ s. et accueille à Noël une crèche dont les santons
du XIXᵉ s. ont été classés Monuments historiques.

■ L'abbaye de Notre-Dame de Lure★

*À 10 km N. de Saint-Étienne-les-Orgues par la D 113 en direction
de la station de ski de Lure • ouv. de juil. à sept. t.l.j. 10 h-18 h.*
Fondée en 1165 par Guigues de Revel, abbé de Boscodon
(Hautes-Alpes), elle occupe une combe au cœur du massif
forestier peuplé de noyers et de tilleuls tricentenaires.
Seule l'église a survécu aux aléas de l'histoire. Le portail
principal et l'oculus datent de la fin du XIXᵉ s., mais
le portail roman qui s'ouvre à l'O. remonte au XIIᵉ s.
L'austérité de la chapelle d'origine a été estompée par
les **fresques** vives (XIXᵉ s.) de peintres italiens. Classée
Monument historique en 1980, l'église fait l'objet d'une
restauration menée par de jeunes bénévoles.

• La minuscule **station de ski de Lure** *(4 km N. de l'abbaye
par la D 113)* est parfaite pour randonner. Une courte
promenade *(1 h 45 • balisage blanc-rouge, puis jaune)* gagne
le Pré du Fau et la crête de Lure, d'où l'on rejoint le GR 6.

• En poursuivant la D 113, on parvient au **sommet de
Lure★★** (1 826 m). Toute la Provence semble s'étaler à
son pied, de la vallée du Jabron aux Baronnies, du mont
Ventoux à la côte méditerranéenne. Le regard porte
jusqu'au mont Viso et au Vercors.

*Au-delà du sommet de Lure, la D 113 puis la D 53 redescendent
en épingle à cheveux jusqu'à la vallée du Jabron (→ p. 469) et
à Sisteron.*

Les Alpes de lumière

Fondée en 1953 par Pierre Martel, cette
association œuvre pour l'étude, la sauvegarde et la mise en valeur du patrimoine
naturel. Elle a rassemblé autour d'elle
des habitants, qui ont pris conscience
de la valeur de leur histoire et de leurs
savoir-faire. Elle s'est imposée comme
l'un des interlocuteurs essentiels dans
l'aménagement du territoire, soutient de
nombreux projets touristiques (sentiers)
et des chantiers de restauration bénévoles, et anime le réseau d'acteurs du
patrimoine bâti et paysager connu sous
le nom «Pétrafolia».

Manifestations

À Saint-Étienne-les-Orgues
• Marché : mer.
• En juil., foire à l'Herboristerie.

Randonnée

Le «Sentier des 5 sens» (2,5 km,
1 h 30, balisage jaune), à la sortie
de Saint-Étienne-les-Orgues, dir.
Lure : un parcours en boucle
patiemment aménagé de postes
d'observation et de créations
imaginaires par des écoliers de
Saint-Étienne.

Au refuge de Lure, une
stèle honore la mémoire
de Wendelin, moine belge
et précepteur des enfants d'une
famille noble de Forcalquier,
qui, le premier, prit conscience
de la transparence de l'air
et installa en 1603, au-dessus
de Lardiers, le premier
observatoire astronomique
de la région.

La moyenne Durance★

Voir carte régionale p. 446

Sisteron
• Orange
Forcalquier
• Avignon   Apt
• Cavaillon   Manosque

ⓘ du val de Durance, Ferme de Font-Robert, Château-Arnoux-Saint-Auban ☎ 04 92 64 02 64; www.valdedurance-tourisme.com

À ne pas manquer

De Manosque à Sisteron, les rives de la Durance se couvrent de champs céréaliers et de vergers. Dans cette succession de bourgs agricoles dominant la rivière aujourd'hui assagie se cache l'une des plus belles réalisations romanes de haute Provence : le monastère de Ganagobie.

Itinéraire de 85 km environ de Manosque à Sisteron • compter 1 journée.

■ Volx

À 8 km N.-E. de Manosque par la D 4096.

Ce gros bourg monte à l'assaut de la dernière des six collines entourant Manosque. Du village médiéval subsiste l'église romane (XIIᵉ s.) et les vestiges d'un château, dont la tour carrée ornée de gargouilles en forme de dauphins.

• **L'écomusée de l'Olivier**★ *(sur la D 13 direction Saint-Maime ☎ 04 86 68 53 15 • ouv. en saison du lun. au sam. 10 h-18 h 30, dim. 10 h-12 h 30 et 14 h 30-18 h ; hors saison du mar. au sam. 10 h-18 h • www.ecomusee-olivier.com)* présente la culture de l'olivier autour du bassin méditerranéen dans une mise en scène interactive, ludique et très contemporaine. Initiation à la dégustation des huiles d'olive, épicerie de l'olive, agréable caféteria de produits du pays.

■ Lurs★★

À 16 km N. de Volx par la D 4096, puis, à g., la D 12 et, à dr., la D 462 ⓘ *village ☎ 04 92 79 10 20.*

Perché sur un éperon dominant la Durance, Lurs fut la résidence d'été des évêques de Sisteron. Son architecture harmonieuse a été mise en valeur par d'intelligentes rénovations. La tour de l'Horloge, surmontée d'un campanile en 1861, marque l'entrée du village. L'église au portail ouvragé et au clocher-arcade à trois baies date du XVIᵉ s.

• Au sommet du village, la promenade des Évêques *(15 mn)* longe 15 oratoires (1866) jusqu'à la chapelle Notre-Dame-de-Vie, qui domine le bassin de Forcalquier.

• Le **chemin des Écritures**, au départ du parking du village, est un parcours péda-

La Durance agricole

Si les premiers travaux visant à maîtriser les crues de la Durance remontent à l'Antiquité, il faut attendre la 2ᵉ moitié du XXᵉ s. pour que le débit de l'impétueuse rivière soit régulé par nombre d'ouvrages, canaux et barrages. Au seuil du barrage de Serre-Ponçon, le canal EDF longe la Durance jusqu'à Mallemort, puis rejoint l'étang de Berre, alimentant 25 centrales hydroélectriques. Les prises d'eau réservées à l'irrigation et à l'eau potable antérieures y ont été raccordées : les riches terres limoneuses sont désormais exploitées de Sisteron à la cluse de Mirabeau, tandis que vergers et cultures maraîchères occupent la vallée entre Manosque et Vinon-sur-Verdon, abreuvée par le canal de Provence.

gogique balisé à travers le village ayant pour thème le passé des écritures de diverses civilisations et la culture typographique. Des stèles gravées et émaillées présentent les différents types d'écriture, une table ronde est dédiée à Maximilien Vox, à l'origine de la classification des caractères dits latin.

> Lurs est devenue célèbre en 1952 pour avoir été le théâtre d'une des affaires criminelles françaises les plus retentissantes du xxᵉ siècle : l'affaire Dominici.

■ **Le monastère**
Notre–Dame de Ganagobie***

À 7 km N.-E. de Lurs par la D 30 ☎ *04 92 68 00 04 • église ouv. t.l.j. sf lun. 15 h-17 h • www.ndganagobie.com*
À l'abri d'une forêt de chênes verts, le monastère clunisien du xᵉ s. forme un quadrilatère aux sévères murailles, protections élevées contre le vent et les ennemis. Deux campagnes de construction développent le bâti vers l'E. à la Renaissance et aux xviiᵉ-xviiiᵉ s. La Révolution sonne le glas de l'ordre clunisien et le monastère est abandonné jusqu'à la fin du xixᵉ s. Il est alors investi par les moines bénédictins de Marseille, qui engagent la restauration, suivis en 1992 des moines bénédictins de Hautecombe (Savoie).

> ## Les Rencontres de Lure
>
> Depuis 1952, les Rencontres internationales de Lure réunissent à Lurs la 2ᵉ quinzaine d'août les créateurs typographes les plus inventifs. Cette manifestation fut initiée par Maximilien Vox, pseudonyme de Samuel Monod (1894-1974), l'un des grands artistes typographes de la 2ᵉ moitié du xxᵉ s. Il est l'auteur d'une nouvelle classification des caractères, et fut également écrivain, traducteur et éditeur. www.rencontresdelure.org

• Grâce à l'équilibre de ses volumes, au bel appareil de pierres calcaires, et à la majesté de son portail occidental, l'**église***** du xiiᵉ s. se place au rang des plus beaux édifices romans de toute la Provence.

• Sous un large oculus, le **portail**** s'organise autour d'une archivolte retombant sur trois colonnettes de chaque côté. Ces dernières sont rehaussées de chapiteaux corinthiens à feuille d'acanthe, tous dissemblables. Un visage est gravé sur le 1ᵉʳ chapiteau à g., remplacé à dr. par des masques de gladiateurs. Sur le linteau, un bas-relief représente les douze apôtres, tandis que le **tympan**** expose un Christ placé dans une mandorle et entouré des symboles des quatre évangélistes : le Lion *(bas du tympan à dr.)* pour saint Marc évoquant la

> La *via Domitia* constituait l'axe le plus rapide menant de l'Italie à l'Espagne. Des ouvrages d'art marquaient le passage des cours d'eau : le pont de Ganagobie ou le gué du Reculon à Saint-Michel-l'Observatoire. Les deux villes de *Catuiacia* (Céreste) et *Alaunium* (sur le site de Notre-Dame-des-Anges, près de Lurs) ont servi de halte.

◀ *Le tympan du monastère de Ganagobie.*

Randonnées

Perché au-dessus de la Durance, le plateau de Ganagobie est sillonné de petits chemins qui traversent la forêt.

• L'allée des Moines (à g. de l'église) mène à un point de vue sur le fleuve, le plateau de Valensole et les Préalpes de Digne.

• L'allée de Forcalquier (à dr.) s'ouvre à l'O. sur le bassin de Forcalquier et la montagne de Lure.

• Depuis le N. du monastère, une randonnée (durée : 2 h ; balisage jaune ; sans difficulté) traverse la forêt de chênes avant de rejoindre le village de Ganagobie.

Le pays du val de Durance est un paradis pour le VTT. Entre Sisteron et Ganagobie, 600 km de sentiers VTT (22 parcours) ont été balisés. Descriptifs et carte en vente à l'office de tourisme de Château-Arnoux-Saint-Auban, location de VTT.

Des parcours d'orientation permanents ont été mis en place dans la région. Objectif : retrouver des balises cachées dans la nature à l'aide d'une carte et d'une boussole. Rens. à l'office de tourisme du val de Durance.

L'aérodrome de Saint-Auban propose des vols pour découvrir le val de Durance
☎ 06 73 46 62 27.

Bonne adresse

✗ *Le Fougassais*, Mallefougasse ☎ 04 92 77 00 92 ; www.le-fougassais.com Un bistrot de pays en pleine nature. Sur l'agréable terrasse, on savoure des spécialités provençales bien préparées ou des pizzas cuites au feu de bois.

Résurrection ; le Taureau *(à g., face au lion)*, lié à saint Luc et à la Passion ; au-dessus de lui, le Jeune homme ailé, associé à saint Mathieu et à l'Incarnation ; au sommet, l'Aigle, symbole de saint Jean et de l'Ascension.

• La **nef**★ à trois travées, prolongée par un double transept, s'achève sur un chœur à trois absides. D'une très grande sobriété aujourd'hui, l'église était à l'origine abondamment décorée de mosaïques, fresques et vitraux.

• L'abside est toujours pavée de **mosaïques**★★★ romanes (1124) sur une surface de 72 m². Les inspirations qui ont présidé à cette œuvre sont multiples : arts lombard et byzantin dans les motifs et entrelacs, art perse dans le bestiaire africain. La combinaison reproduit les motifs orientaux des tapis rapportés par les croisés, représentant le combat des moines contre les forces démoniaques : à g. en haut, un chevalier, protégé par un satyre, s'attaque à une chimère ailée ; au centre, dans l'abside, une frise d'animaux fantastiques (un éléphant, un félin, un griffon, des poissons, un centaure abattant un lion maléfique) rappelle le pouvoir du Créateur ; en bas à dr., un chevalier domine le dragon.

• Le **transept**★★ est recouvert de sept panneaux de décors historiés ou géométriques. Une faune extraordinaire s'y ébat, faisant référence à la mythologie : oiseaux antiques à tête humaine, image de la tentation charnelle provoquant la chute de l'âme.

Reprendre la direction de Lurs, puis, à l'embranchement, prendre la D 4096 vers la g. (direction Château-Arnoux), puis 7 km plus loin, encore à g., la D 101.

■ La chapelle Saint-Donat★

Sur la D 101, à 13 km N. du monastère de Ganagobie • *pour les horaires, se rens. à la mairie de Montfort* ☎ *04 92 64 02 90.*

Juchée sur un éperon rocheux dominant d'étroites gorges, l'église fut édifiée au XIe s. en l'honneur de saint Donat, ermite évangélisateur de la région. Elle s'articule selon un plan caractéristique du 1er âge roman. Une nef unique, courte mais élancée, gagne un chevet à trois absides voûtées en cul-de-four. Une fine décoration court sur les couronnements de piliers, étoiles et chevrons de la nef. Rénovée par des amateurs, l'église exhibe encore les blessures de son abandon au XVIIIe s.

• **Mallefougasse-Augès** *(à 6 km N.-O. de Saint-Donat par la D 101 puis à g. la D 951)*, située au pied de la montagne de Lure, offre une belle vue sur la vallée de la Durance et les Pénitents des Mées. Elle possède un certain charme avec ses passages couverts, ses portes surmontées de linteaux gothiques et Renaissance, ainsi que son église Saint-Jean du 1er art roman, au clocher carré à colonnettes.

Revenir sur la D 4096 et franchir la Durance.

■ Les Mées

À 6 km E. de Saint-Donat, rive g. de la Durance ❶ *16, bd de la République* ☎ *04 92 34 36 38 ; www.lesmees-tourisme04.com*

Au bord de la Durance, le village des Mées conserve trois portes de son ancienne enceinte médiévale, ainsi que de belles façades du XVIe s., en particulier le portail de la maison de Crose *(rue Font-Neuve)*.

▲ *Les Pénitents des Mées.*

• C'est surtout à son site que le village doit sa notoriété, puisqu'il est établi, notamment pour sa partie médiévale, au pied d'une impressionnante paroi chaotique appelée « les Pénitents★★ ». La Durance, après avoir arraché des blocs calcaires aux massifs de l'Estérel, du Verdon et des Alpes, en a hâté la dissolution. De ce socle soulevé il y a 25 millions d'années demeure cette barrière constituée d'un poudingue résistant à l'érosion, mais néanmoins sculpté en alignement de rochers verticaux fissurés par le ruissellement des eaux et les glaces.

Franchir à nouveau la Durance pour revenir sur la N 96.

■ Château-Arnoux-Saint-Auban

À 10 km N. des Mées par la D 4096 ❶ *du val de Durance, ferme de Font-Robert, av. de la Bastide* ☎ *04 92 64 02 64 ; www.valdedurance-tourisme.com*

Avec ses maisons hautes et resserrées, recouvertes de tuiles vernissées, l'harmonieuse architecture du bourg ne laisse rien deviner de la place prépondérante que tient l'industrie dans sa périphérie, sur la rive dr. de la Durance. Le **château** (1510-1530) renferme un bel escalier à colimaçon *(se présenter à la mairie pour le visiter)*, portant aux écoinçons des portraits sculptés de personnages historiques et mythologiques. Le **parc** adjacent sert d'arboretum à 150 espèces d'arbres séculaires *(demander le livret « Découverte du parc » à l'office de tourisme, une mine d'informations sur la faune, la flore, les arbres, les circuits)*.

Randonnée

Un sentier des crêtes suit le cheminement des Pénitents. Départ de la chapelle Saint-Roch (XIIe s.) ; durée : 3 h 30 ; balisage jaune ; assez difficile. Version plus accessible au début du camping et retour au village (1 h 45).

Être républicain en 1851

C'est aux Mées qu'eut lieu l'ultime bataille des républicains bas alpins contre le coup d'État de 1851. La dissolution de l'Assemblée nationale par Louis Napoléon Bonaparte, provoquant de nouvelles élections, suscite une vive émotion en haute Provence, où la République est tenue en haute considération : les rebelles affluent à Digne, Manosque et Forcalquier. La révolte sera matée les 9 et 10 déc. Une stèle, élevée en 1913, célèbre la vaillance des résistants qui subirent une répression féroce. Près d'un millier d'entre eux seront déportés en Algérie ; 41 dans les bagnes de Guyane.

• Le **lac** *(à 10 mn de la pl. Jean-Jaurès, suivre les panneaux « Tour du lac »)*, créé en 1963 sur la Durance, accueille une centaine d'espèces d'oiseaux. On peut en faire le tour à pied *(9,5 km, 2 h)*.

Au-delà de Château-Arnoux, la N 85 mène en 14 km à Sisteron (→ p. 466).

Sisteron★★

Voir carte régionale p. 446

Orange
Avignon   Forcalquier
Apt   **Sisteron**
Manosque
Cavaillon

À 54 km N. de Manosque
par la A 51; à 67 km E. de Sault
par la D 942 jusqu'à Montbrun-
les-Bains, puis la D 542,
la D 546 et la D 946.

ℹ hôtel de ville, pl. de la
République ☎ 04 92 61 36 50;
www.sisteron-tourisme.fr

Visites guidées gratuites de la
ville en juil. et août (sf lun.),
se rens. auprès de l'office de
tourisme.

À ne pas manquer

Manifestations

• Marché: mer. et sam. matin.
• En mai, fête de l'Agneau:
transhumance des fermes dans
les rues de la ville puis montée
aux pâturages.
• En juil. et août, Rues en fête:
spectacles de rues en nocturne.
• En août, Fête médiévale les
années paires: concerts, jeux
médiévaux, tournoi...
• En été, les Nuits de la
citadelle (depuis 1928):
concerts, danse, théâtre;
www.nuitsdelacitadelle.fr

Dans un paysage minéral, la citadelle veille
sur la plus imposante *clue* (mot provençal
pour «cluse») de la Durance, au-delà de laquelle
la Provence laisse place au Dauphiné et aux
Alpes. Cette position frontalière guide la destinée
de la ville depuis les premières implantations de
l'Antiquité. Aujourd'hui encore, Sisteron a l'âme
d'un passeur: ses 8 000 habitants ont en charge
les services de toute une région, et le touriste ne
s'attarde pas toujours ici. Mal lui en prend, car,
outre son site impressionnant, la cité cache un
bâti remarquable et d'intéressants musées.

Un verrou entre Provence et Alpes

La vallée a perdu ses glaces il n'y a guère que 4 000 ans.
Très vite, les rochers dominant la *clue* sont investis par
des nomades sédentarisés, qui fonderont le peuple des
Voconces. L'administration romaine transforme le simple
belvédère en une ville étape, postée sur la via Domitia.
Que Sisteron soit sous la domination des seigneurs de
Forcalquier ou d'Arles, elle demeure un poste frontière
jusqu'au XVIᵉ s., époque où les rivalités entre la France
et la Savoie achèvent de la ruiner. La ville, reconstruite
au XVIIᵉ s., devient un relais agricole important (chanvre,
laine) et s'entoure des quartiers paysans de la Coste
et Bourg-Reynaud. À la fin du XIXᵉ s., le chemin de fer
conforte sa position commerciale.

*Se garer à proximité de la citadelle, pl. René-Cassin • visite de la
ville en 1/2 journée.*

■ La citadelle★★

☎ 04 92 61 27 57 • *ouv. t.l.j., en avr. 9 h-18 h; en mai
9 h-18 h 30; de juin à sept. 9 h-19 h; en juil.-août 9 h-19 h 30;
en oct. 9 h-17 h 30; en nov. 9 h-17 h; f. de mi-nov. à fin mars
• mise en lumière à la tombée de la nuit • www.citadelledesisteron.fr*
Sur le rocher dominant la *clue* de la Durance, cet ensemble
composite, fortifié depuis l'époque voconce, intègre des
ouvrages de toutes les époques. Doté d'un donjon, le
rempart supérieur (ou chemin de ronde) date du XIIᵉ s.
Ces premières constructions sont consolidées au XVIᵉ s.
par l'ajout de bastions étagés: quatre enceintes sont
établies face S., fermées par des portes; trois, très remaniées au XIXᵉ s., sont dressées face N. En 1692, Vauban

vient réviser les plans défensifs de la citadelle pour lutter contre les intrusions du duc de Savoie, Victor-Amédée II. Il imagine un dispositif monumental qui se réduira en réalité à une poudrière et un puits. Entre 1842 et 1860, l'armée relève les courtines, ouvre deux portes charretières sur la face S., aménage une citerne, tandis que des casemates et un escalier souterrain relient la citadelle à la porte N. de la ville.

• La **chapelle** du XIVe s. occupe une terrasse portée par de puissantes arcades. Un vaisseau gothique lumineux mêle appareillage de grès doré et calcaire gris. Au trois quarts détruite en 1944, la chapelle restaurée s'ouvre aujourd'hui sur les vitraux de Claude Courageux.

▲ *Sisteron et sa citadelle, surveillant l'étroite* clue *de la Durance.*

• Une **salle** aménagée dans une casemate est consacrée au retour de Napoléon Ier de l'île d'Elbe. Sisteron est, en effet, située sur la « route Napoléon » empruntée par l'empereur en 1815 pour rallier Paris.

Descendre de la citadelle par la rue de la Poterie, puis prendre à g. la rue Droite jusqu'à l'av. Paul-Arène, principale artère du vieux Sisteron.

■ La vieille ville★

Sisteron s'étage aujourd'hui de la citadelle jusqu'aux bords de la Durance, sécurisés par les aménagements hydroélectriques. La **tour de l'Horloge★** (XIVe s., reconstruite en 1890), au campanile en fer forgé ouvragé, marque l'entrée du quartier où se tenaient les demeures bourgeoises et les commerces. Les rues Mercerie, Droite et Saunerie sont jalonnées de belles portes ouvragées et marquetées qui égaient la dominante grise des pierres de Sisteron. Voir en particulier les portes de l'**hôtel d'Ornano★** (*à l'angle des rues Mercerie et Saunerie*) et de l'hôtel situé au n° 85, rue Droite. De la rue de la Mercerie aux rives de la Durance, le quartier paysan se reconnaît à ses maisons modestes sous lesquelles sinuent de minuscules ruelles souvent voûtées appelées « andrônes ».

Regagner l'av. Paul-Arène et la longer jusqu'à la cathédrale.

■ La cathédrale Notre-Dame-et-Saint-Thyrse★★

Pl. du Général-de-Gaulle • ouv. t.l.j., horaires variables, se rens. ☎ *04 92 61 54 50.*

Appelée aussi Notre-Dame-des-Pommiers, elle doit son nom au *pomerium*, espace laissé libre de constructions et réservé au culte dans les villes latines. Son édification

Paul Arène (1843-1896) a construit son œuvre littéraire sur la terre de Sisteron, sa ville natale, qui lui inspire en 1868 *Jean des figues*. Collaborateur d'Alphonse Daudet, il fut aussi ami de Mistral et membre du Félibrige. Il écrivit sa poésie en provençal et son œuvre romanesque en français.

Randonnées

• À faire à pied, un sentier botanique traverse le massif du Molard, forêt de 25 ha, jardin et poumon vert de la cité qui s'étend au S.-O. de Sisteron. La promenade fait étape dans sept stations présentant le milieu forestier et ses essences. Départ derrière la gendarmerie de l'av. Jean-Moulin (en contournant l'av. des Arcades où se trouve le musée du Vieux-Sisteron); durée 2 h; balisage GR 6 et ONF.
• La route du Temps (D 951) part de Sisteron, rejoint au N.-E. le défilé de Pierre Écrite, Saint-Geniez, la forêt de Fontbelle, pour redescendre vers Digne par les vallons de Thoard et les secrètes vallées de l'Asse. Elle se prolonge au S. de Digne jusqu'à Estoublon. On y croise tous les paysages de la haute Provence. Rens. au musée du Temps à Sisteron. Durée : 1 journée si l'on fait le circuit en voiture; plusieurs jours si l'on suit les circuits pédestres.

Bonne adresse

⌂ ✗ *Grand-Hôtel du Cours*, pl. de l'Église ☎ 04 92 61 04 51 ; www.hotel-lecours. com De grandes chambres classiques et le plus ancien restaurant de la ville. De bonnes spécialités régionales (pieds paquets, agneau de Sisteron…) servies avec bonne humeur.

est l'œuvre de l'évêque Pierre de Sabran (1145-1171), qui rapporta de Terre sainte un fragment de la vraie Croix. La cathédrale est intégrée à un groupe épiscopal comprenant l'église Saint-Thyrse, un baptistère et un cloître. Sa facture lombarde la rapproche des cathédrales de Digne et d'Embrun : la bichromie du portail et de l'abside, la coupole enluminée de colonnettes qui s'appuie au clocher enveloppé de contreforts en témoignent. Sur la façade O., un **portail★** richement orné est surmonté d'une rosace. Sur le côté N., une autre porte s'inscrit sous une belle arcade. La nef s'étire jusqu'à la voûte au berceau légèrement brisé, soutenue par des collatéraux étroits voûtés en plein cintre. Sur le carré du chœur s'élève une coupole sur trompe.

• Le mobilier traduit la vitalité de l'art religieux de la Contre-Réforme dans les Alpes. La pièce majeure est le **retable du maître-autel★**, doré à l'or fin, encadrant la *Sainte Famille★* de Nicolas Mignard. Outre les stalles de l'ancien chapitre et le siège épiscopal, admirables œuvres d'ébénisterie, on remarquera le tombeau de Mgr Glanvedès (XVIIe s.) et une belle **Vierge★** de marbre (XVIIe s.).

■ Le musée Terre et Temps★

Pl. du Général-de-Gaulle, derrière la cathédrale ☎ *04 92 61 61 30 • ouv. du mar. au sam., de mars à juin et en sept. 13 h 30-17 h 30 ; en juil.-août 10 h-12 h et 14 h 30-18 h 30 • f. d'oct. à fév. • entrée libre.*

Installé dans l'ancienne chapelle du couvent de la Visitation (XVIIe s.), le musée est consacré à l'histoire méconnue de la mesure du temps par nos civilisations, à travers des instruments mystérieux, objets rares, pendule de Foucault, calendriers, cadrans solaires, sabliers, horloge à eau, atomique ou parlante, etc. Une partie est réservée au temps géologique et à son échelle démesurée. Ce musée est l'un des pôles de la Réserve géologique de haute Provence (*siège à Digne-les-Bains* ☎ *04 92 36 70 70 • www. resgeol04.org*), qui allie connaissance du terrain, savoirs scientifiques et art contemporain, et protège 190 000 ha de nature entre Alpes-de-Haute-Provence et Var.

■ Les tours de l'enceinte médiévale

Sur la g. de la cathédrale.

L'enceinte de la ville, élevée vers 1370, se soudait aux ouvrages de la citadelle. La plus grande partie des murs et des portes a été abattue au XIXe s. Il reste aujourd'hui **cinq tours rondes** encore intactes. L'une d'entre elles, dite « de la Médisance », a conservé l'escalier intérieur qui donnait accès aux galeries de bois (hourds), prenant appui sur des corbeaux qui les couronnent aujourd'hui.

Dépasser les tours et le rond-point, puis prendre à dr. jusqu'au parking de l'hôtel de ville.

■ **Le musée gallo-romain**
14, av. des Arcades, derrière l'hôtel de ville ☎ *04 92 61 54 50* •
ouv. en juil. et août mar. et jeu. 14 h-18 h 30, mer. et ven.
10 h-12 h 30 et 14 h 30-18 h 30, sam. 9 h 30-12 h 30 et
14 h 30-18 h 30, dim. 14 h 30-18 h 30 ; le reste de l'année,
horaires variables, se rens. • *entrée libre.*
Il rassemble les trouvailles archéologiques faites à
Sisteron. Gravures, objets, outils et mobilier dressent un
tableau détaillé de la vie quotidienne.

À voir encore

■ **Le faubourg de la Baume**★
Sur la rive g. de la Durance ; franchir la rivière
au pont situé en contrebas de la citadelle.
Surmonté par le **rocher de la Baume**,
où alternent barres verticales de calcaire
et couches rocheuses plus tendres creusées par l'érosion, cet ancien village
offre l'une des plus belles vues sur la
citadelle postée rive dr.

• Le **couvent Saint-Dominique**★ *(f. au*
public), du XIIIe s., au clocher roman,
a été remaniée au XVIIIe s. Son chevet
s'ouvre sur un triplet de hautes fenêtres.
Il accueille les concerts des Nuits de la citadelle.

▲ *Le faubourg de la Baume,*
dominé par les étranges
plissements du rocher
de la Baume.

• L'**église Saint-Marcel**★ *(visites guidées l'été)*, du XIIe s.,
comprend une nef de deux travées ouvrant sur un transept.
Dans l'abside, une fresque du XVIIe s. imite la texture des
tapisseries et représente saint Antoine.

Environs de Sisteron

■ **La vallée du Jabron**★
À l'O. de Sisteron par la D 53 (ou la N 85), puis à dr. la D 946.
Située entre la Durance et les hautes Baronnies, et
comprenant l'ubac de la montagne de Lure, la vallée
est longue de 35 km et large de 3 à 10 km. Les paysages
varient au gré de la rivière qui a érodé les reliefs, abrupts
ravins ou prés pentus et arborés. Le pays est âpre et froid.

• À **Valbelle** *(par la D 53)*, la chapelle romane de Saint-
Pons siège, monacale, au milieu d'un cirque naturel. Les
habitats ancestraux comme **Le Vieux-Noyers**★ ou Saint-
Vincent dressent leurs ruines dans un environnement
sauvage, inaccessible aux voitures.

En poursuivant la D 946, au-delà de Montfroc, on entre dans les
Baronnies pour rejoindre en 54 km Montbrun-les-Bains (→ p. 117)
et la vallée du Toulourenc.

L'écomusée du Pays
sisteronais, à la sortie de
Sisteron, direction Gap, sur la
D 4085, rond-point Melchior-
Donnet ☎ 04 92 32 48 75 ;
ouv. de mi-juin à mi-sept.
mar., jeu. et dim. 14 h-18 h ;
mer., ven. et sam. 10 h-12 h
et 14 h-18 h. On y découvre
une centaine d'objets, d'outils
agricoles et artisanaux d'antan,
mémoire du patrimoine rural
régional.

Le pays du Verdon

Depuis sa source située au col d'Allos, le Verdon parcourt 175 km avant de venir se jeter dans la Durance, à Cadarache. En chemin, il s'engouffre dans un extraordinaire canyon, le plus grand d'Europe, qui marque la frontière naturelle entre le Var et les Alpes-de-Haute-Provence, entre les paysages méditerranéens et les paysages préalpins. Mais l'impétueuse rivière a été domptée par la mise en place de cinq barrages, et elle sert aujourd'hui de cadre à toutes sortes d'activités de loisirs, depuis la randonnée pédestre jusqu'aux sports d'eaux vives. À l'ouest de ce splendide décor s'étend l'immensité turquoise du lac de Sainte-Croix, lui-même dominé par le plateau de Valensole, où règne le lavandin. Au sud du Verdon, le haut Var offre un moutonnement de collines couvertes de vastes forêts riches en truffes. Grandiose, la région se goûte tout particulièrement au printemps, lorsque des myriades de fleurs envahissent les terres, et à l'automne, pour ses cieux limpides d'un bleu intense et ses couleurs d'été indien.

◀ *La sortie des gorges du Verdon depuis le pont du Galetas.*

Que voir dans le pays du Verdon

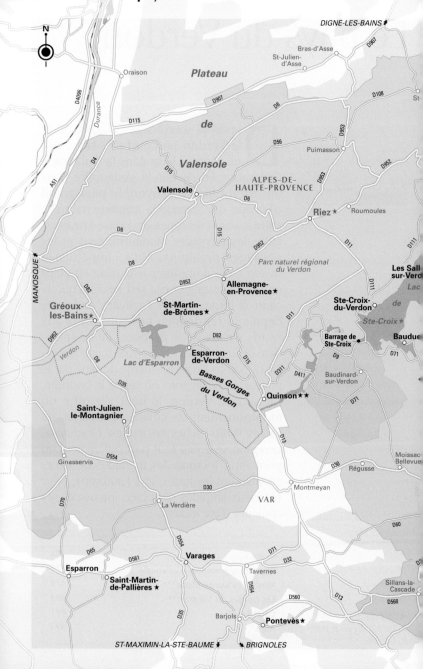

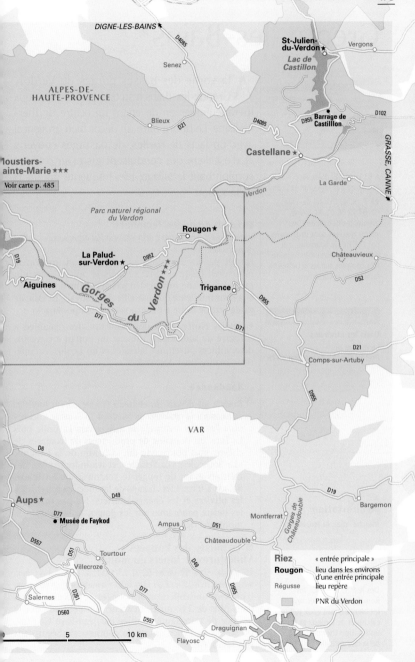

DIGNE-LES-BAINS

Senez

ALPES-DE-HAUTE-PROVENCE

Blieux

D21

D4085

St-Julien-du-Verdon ★

Vergons

Lac de Castillon

D4085

D955 **Barrage de Castillon**

D102

Castellane ★

La Garde

GRASSE, CANNES

Moustiers-sainte-Marie ★★★

Voir carte p. 485

Parc naturel régional du Verdon

Rougon ★

Châteauvieux

La Palud-sur-Verdon ★

D952 ★★★

Trigance

D955

Châteauvieux

D19

Aiguines

Gorges du Verdon

D71

D71

D52

D21

Comps-sur-Artuby

D955

VAR

D6

D19

Bargemon

Aups ★

D77

D49

Montferrat

Gorges de Châteaudouble

● **Musée de Faykod**

Ampus

D51

D557

D51

Tourtour

Châteaudouble

D49

Villecroze

D77

D955

Salernes

D561

Bargemon

D560

D557

Draguignan

5   10 km

Flayosc

Riez « entrée principale »
Rougon lieu dans les environs d'une entrée principale
Régusse lieu repère
⬛ PNR du Verdon

Gréoux–les–Bains★

Voir carte régionale p. 472

Moustiers-
Ste-Marie Castellane
Manosque   Riez
Gréoux-
les-Bains   Aups
Barjols   Draguignan

À 53 km N.-E. d'Aix-en-Provence par la A51 et la D 952.

ℹ 7, pl. de l'Hôtel-de-Ville **☎** 04 92 78 01 08; www.greoux-les-bains.com Des visites guidées sont organisées par l'office de tourisme, qui édite également un ludoguide très complet sur les activités en famille sur la commune.

À ne pas manquer

Dans les environs
Le musée de
Préhistoire★★★ à Quinson   475

Manifestation
Marché : mar. et jeu. matin.

Dès le Iᵉʳ s. apr. J.-C., les Romains avaient découvert les bienfaits des eaux sulfurocalciques de Gréoux et fondé une station thermale à l'E. de la cité actuelle.

À la sortie des basses gorges du Verdon, Gréoux-les-Bains a su tirer parti de ses eaux thérapeutiques en devenant un centre de thermalisme. Le bourg offre un décor bien provençal avec un lacis de ruelles, de passages couverts et d'escaliers qui conduisent jusqu'au château surplombant le village, très fréquenté durant la belle saison.

■ Le château des Templiers★
Visite possible dans le cadre des visites guidées organisées par l'office de tourisme.
Lancée par les Templiers au XIIᵉ s., sa construction se poursuivit jusqu'au XVIIIᵉ s., mais le puissant donjon carré date de son origine. Un passage voûté donne accès à la cour intérieure qui accueille des festivals. La salle de garde sert de cadre à des expositions temporaires.

• **L'église Notre-Dame-des-Ormeaux**, très remaniée, a conservé de son origine romane un portail à claveaux, deux minces ouvertures latérales et un oculus. À l'intérieur, maître-autel des XVIᵉ-XVIIᵉ s.

▶ Randonnée
Boucle au départ du château *(15 km, 3 h 40 ; possibilité de raccourcir la randonnée au niveau de La Bouscole • descriptifs à l'office de tourisme)* : se diriger vers La Colle puis La Fare, un domaine de producteurs de fromages de chèvre, puis poursuivre dir. «Chemin de la Laoupi», «La Bouscole», «La Veiselle», et rejoindre le ravin des Détroits avant de longer le Verdon jusqu'à Gréoux. Balade à travers les champs de lavande *(en juin et juil.)*, les oliviers et les chênes truffiers. Ne pas manquer les beaux panoramas sur les gorges, le Ventoux et la montagne de Lure.

■ Le musée des Poupées, Miniatures et Jouets du monde
16, av. des Alpes **☎** *06 84 62 71 23 • ouv. de mi-avr. à oct. lun., mer. et ven. 16 h-19 h ; f. les jours fériés • www.museedespoupees.com*
Il présente une collection de poupées, de jeux et de jouets dans plus de 140 mises en scène. On peut admirer la poupée de porcelaine habillée par Jean-Paul Gaultier, les scènes de *french cancan*, la comtesse de Ségur dans son salon, etc.

Environs de Gréoux–les–Bains

■ Esparron-de-Verdon

À 14 km E. de Gréoux par la D 952 et la D 82 ℹ *hameau du Port*
☎ *04 92 77 15 97 ; www.esparrondeverdon.com*
Bâti au bord du lac du même nom, propice aux sports
nautiques, Esparron se résume à un port de plaisance,
à de petites maisons proprettes et à un donjon, vestige
d'une forteresse du XIIᵉ s. transformée, au fil du temps, en
château de plaisance *(aujourd'hui chambre d'hôtes).*

• L'écomusée **La Vie d'antan** *(rue des Fontaines* ☎ *04 92 77
13 70* • *ouv. de mai à sept. 14 h 30-18 h 30 ; en juil. et août 10 h-12 h
et 15 h-19 h ; f. mar.)* regroupe des outils, des costumes et
des objets qui témoignent de la vie provençale au XIXᵉ s.

■ Quinson★★

À 23 km S.-E. de Gréoux par la D 952, la D 82 et la D 15
ℹ *chapelle Saint-Esprit* ☎ *04 92 74 01 12 ; www.quinson.fr*
Paisible village environné de vignes et d'oliviers, en bord
de Verdon, qui cache un riche passé préhistorique.

• Le **musée de Préhistoire des gorges du Verdon★★★**
(route de Montmeyan ☎ *04 92 74 09 59* • *ouv. t.l.j. sf mar.,
10 h-18 h ou 19 h selon les saisons ; t.l.j. 10 h-20 h en juil. et
août ; f. de mi-déc. à fin janv.* • *animations sur réservation* •
www.museeprehistoire.com), installé dans un bâtiment signé
Norman Foster, présente les fouilles d'une soixantaine
de sites du Verdon et de haute Provence depuis l'époque
paléolithique jusqu'à l'âge de bronze : reconstitutions de
scènes préhistoriques, animations multimédias, troupeau
préhistorique reconstitué (mammouth et rhinocéros
laineux, tigre à dents de sabres...), reconstitution partielle
de la **grotte de la Baume-Bonne** *(visites guidées de 3 h 30 sur
réservation* ☎ *04 92 74 09 59),* occupé il y a 400 000 ans.
À 50 m au-dessus du Verdon, elle constituait un abri idéal,
près de l'eau et des falaises riches en gibier et en silex.

• Le **village préhistorique** *(visite libre),* près du musée,
jouxte le jardin néolithique. Les deux sites reconstituent
les habitats et les modes de vie des premiers hommes.

🎯 Manifestations

• Vers le 22 juil. et le 15 août,
fêtes du village à Esparron.
• Le 3ᵉ dim. de juil., journée
de la Préhistoire à Quinson.

À Esparron d'avr. à oct.,
croisières commentées sur le
lac à bord de *La Perle du Verdon*
☎ 04 92 77 10 74 ;
http://laperleduverdon.fr
À Quinson d'avr. à fin août,
promenade en canoë, kayak,
pédalo ou bateau éléctrique
jusqu'au lac d'Esparron
(4 à 6 h). Rens. à l'office
de Tourisme de Quinson.

🌲 Randonnée

Belle randonnée à la chapelle
Sainte-Maxime au départ du
musée de Préhistoire (9,5 km ;
durée 3 h 45) par les basses
gorges du Verdon. Le sentier
(balisé en jaune) rejoint l'ancien
canal de Provence, puis un
sentier raide rejoint le plateau.
Au niveau d'une ruine, descendre
à dr. (balisé blanc et rouge) et
poursuivre jusqu'à la chapelle
Sainte-Maxime (balisé jaune).
Revenir par le même itinéraire
jusqu'à la ruine, puis suivre le GR
vers Quinson.

Bonnes adresses

🏠 ✗ *Villa La Castellane*,
av. des Thermes, Gréoux-
les-Bains ☎ 04 92 78 00 31 ;
www.villacastellane.com Parc
ombragé de cèdres cente-
naires, chambres décorées
avec goût. Savoureuse cuisine
provençale servie dans la
véranda, face à la piscine.

🏠 ✗ *Le Relais Notre-
Dame*, Quinson ☎ 04 92 74
40 01. Chambres confortables
de style provençal. Cuisine du
terroir. Terrasse et piscine.

◀ *Esparron-de-Verdon.*

Riez★ et le plateau de Valensole

Voir carte régionale p. 472

Plateau de Valensole — Castellane
Manosque — Moustiers-Ste-Marie
Riez
Gréoux-les-Bains — Aups
Barjols — Draguignan

À 74 km N.-E. d'Aix-en-Provence par la D 96, la A51 et la D 952.

ℹ pl. de la mairie ☎ 04 92 77 99 09; www.ville-riez.fr

Vue imprenable depuis la colline Saint-Maxime, que l'on peut atteindre en 20 mn à pied du clocher de Riez.

Manifestations

• Marché : mer. et sam. matin.
• Le mer. de nov. à mars, marché aux truffes.
• Le 3e ou 4e dim. de juin, fête de la Transhumance.
• Le 1er dim. d'août, fête du Blé : travail du blé à l'ancienne.

Le gypse est prélevé sur le gisement de Saint-Jurs, puis transformé en plâtre. Corvéable à merci, il habille nombre de bâtiments de la moyenne Durance et du Verdon. Un itinéraire de découverte sine dans Riez et permet la visite d'une ancienne fabrique de plâtre. Rens. à l'office de tourisme.

Le plateau de Valensole s'étend entre la Durance à l'ouest, l'Asse au nord et le Verdon au sud. Moins accidenté que son voisin situé au nord de l'Asse, le plateau de Puimichel, il offre de larges étendues planes couvertes de champs de lavandin et de céréales, où seuls quelques amandiers arrêtent le regard. Au confluent des routes qui sillonnent ces vastes espaces, Riez, l'une des plus anciennes cités de la haute Provence, constitue une étape de charme.

■ La vieille ville★★

On y pénètre par la **porte Aiguière** (XIVe s.) avant de rejoindre la **Grande-Rue**, bordée d'édifices des XVIe et XVIIe s. : au n° 12, l'**hôtel de Mazan** a conservé un escalier orné de belles sculptures en gypse ; aux nos 7, 25, 27 et 29, d'autres édifices portent de fins décors de gypserie.

• Par la **porte Saint-Sols** (XIVe s.), on rejoint la **cathédrale** : de la construction originelle (XVe s.) ne subsistent que le clocher et les chapelles derrière le chœur, l'édifice ayant été profondément remanié au XIXe s.

■ Les colonnes romaines

Accès par l'av. Frédéric-Mistral.

Il s'agit de quatre colonnes de granit datant du Ier s., qui s'élèvent en plein champ. Ornées de chapiteaux corinthiens taillés dans du marbre blanc, elles constituent les restes d'un temple sans doute dédié à Apollon.

■ Le baptistère★★

L'intérieur est visible depuis l'entrée • visites sur demande auprès de la mairie ☎ *04 92 77 99 00.*

Datant du Ve s., c'est l'un des rares témoignages de l'architecture mérovingienne en Provence. Il a été fort restauré au XIXe s., mais l'intérieur abrite une piscine octogonale entourée de huit colonnes romaines à chapiteaux corinthiens supportant une majestueuse coupole du XIIe s. Quelques pièces gallo-romaines y sont exposées (autels, mosaïques, bornes). De l'autre côté de la route, des fouilles ont révélé les soubassements d'une cathédrale paléochrétienne et des vestiges de la ville gallo-romaine.

►►►

▲ *La lavande est aujourd'hui devenue l'un des principaux symboles de la Provence.*

La lavande

C onnue depuis l'Antiquité, cette plante a probablement été introduite sur le sol provençal par les Phocéens. Elle s'est étendue naturellement sur les terres rocailleuses et les plateaux ensoleillés, mais ne sera cultivée qu'après la Première Guerre mondiale.

Les vertus de la lavande sont déjà appréciées par les Grecs qui l'utilisent pour la fabrication de médicaments. Au Moyen Âge, son essence est brûlée dans les maisons pour éviter la propagation des épidémies. Au XVIIIe s., la lavande entre majoritairement dans la composition des parfums très en vogue à la cour. Sur les hautes terres de Provence, la cueillette de la plante s'intensifie. Il faudra plus tard entretenir les «lavanderaies» sauvages (ou *baïassières)* pour améliorer la production. À la fin du XIXe s., elles sont labourées et nourries de fumure. Les alambics à vapeur d'eau qui permettent de recueillir l'huile essentielle de la plante offrent, à partir des années 1920, un débouché économique inattendu aux villages dépeuplés des hautes terres. La lavande sauvage est délaissée au profit de plantes sélectionnées. Les grandes lignes ininterrompues des champs d'aujourd'hui sont apparues dans les années 1960 avec l'invention de la machine à couper.

La lavande vraie (destinée à l'huile essentielle et à l'herboristerie) est l'hôte des montagnes calcaires et arides du Midi, situées entre 500 et 1 500 m suivant les expositions. Le lavandin, hybride né de la pollinisation des insectes, occupe les plaines. Il est plus résistant et plus productif que la lavande vraie, et on le réserve aux industries de la lessive et du savon. Depuis 1981, une AOC «huile essentielle de lavande de haute Provence» identifie l'huile de lavande fine produite à une altitude minimale de 800 m dans les départements des Alpes-de-Haute-Provence, des Hautes-Alpes, de la Drôme et de Vaucluse qui concentrent 94 % de la production française de lavande et de lavandin.

Le plateau de Valensole a été reconnu en 1994 comme « Site remarquable du goût » pour son miel de lavande. Il se récolte fin juil. au terme de la floraison des lavandes. Ses arômes de paille de lavande sèche et d'amande douce en font un nectar délicat, très apprécié en cuisine.

Le plateau de Valensole

Suivant les saisons, le plateau de Valensole change de physionomie. En hiver, les vents rasent un pays âpre où subsistent des touffes de lavande et de lavandin. En juin et juillet, le plateau s'habille de ce bleu violine que l'on associe à la Provence. Il faut le découvrir durant cette période, dans le bourdonnement des abeilles qui s'activent sous un ciel sans taches.

Circuit de 40 km au départ de Riez • compter une 1/2 journée.

■ Le château d'Allemagne-en-Provence*

À 8 km S.-O. de Riez par la D 952 ☎ 04 92 77 46 78 • f. au public en 2017, se rens. • http://chateaudallemagneprovence.com

Édifié par la famille Castellane au XIIe s., il a perdu ses attributs défensifs entre la fin du XVe s. et la 1re moitié du XVIe s. Imprégné des modèles gothique et Renaissance, le corps central en équerre s'appuie sur quatre tours rondes postées aux angles. Sur l'aile O., les fenêtres à meneaux sont habillées de galbes sculptés d'animaux et de fleurs. À l'intérieur, belles salles à la française et **cheminée** monumentale du XVIe s. ornée de gypserie.

■ Saint-Martin-de-Brômes*

À 6 km O. d'Allemagne par la D 952.

Petit village typiquement provençal proche de Gréoux (→ p. 474), dominé par un donjon (XIVe s.); au rez-de-chaussée, **musée** (☎ 04 92 78 02 02 • *ouv. de mai à mi-sept. t.l.j. sf lun. et jours fériés 15 h-19 h ou sur r.-v.*) présentant des vestiges gallo-romains découverts alentour (pièces, sarcophage, etc).

Randonnée

Suivre la D 952 en direction de Gréoux-les-Bains, puis, au pont, prendre à dr. le sentier pédestre (balisage jaune) qui traverse les gorges du Colostre jusqu'à son confluent avec le Verdon (durée 4 h ; difficulté moyenne).

• L'**église Saint-Martin***, romane, est entourée d'une esplanade herbue, ancienne aire de battage des céréales. Son clocher-tour est surmonté d'une pyramide en pierre de taille du XVe s., typique de l'art provençal alpin. À l'intérieur, noter la **décoration*** sculptée sur les consoles du bas-côté S.

■ Valensole

À 12 km N. de Saint-Martin par la D 8 ❶ 2, rue du Docteur-Chaupin ☎ 04 92 74 90 02 ; www.valensole.fr

▼ *Le village de Valensole, dominé par son église.*

Des rues en colimaçon rejoignent l'**église** dotée d'un chœur gothique à chevet plat et d'un clocher demeuré inachevé. À noter, la chaire sculptée du XVIIIe s. et le jubé du XVIe s., remarquables ouvrages d'ébénisterie.

On regagne ensuite Riez (14 km E.).

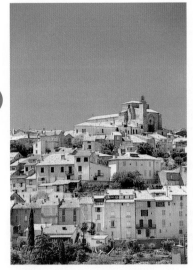

Moustiers–Sainte-Marie★★★

A ux portes des gorges du Verdon, Moustiers est bâti en amphithéâtre au-dessus du lac de Sainte-Croix, face au plateau de Valensole. Séparé en deux par le vallon de l'Adou, le village alterne ruelles étroites, placettes, lavoirs, fontaines, passages voûtés et petits ponts en dos-d'âne. Les maisons anciennes à encorbellement et toits de tuiles creuses jouxtent des maisons du XVIIIᵉ s. ouvrant sur de très belles portes en bois.

Ville de la faïence

Plusieurs monastères sont à l'origine du village, dont le nom provient du latin *monasterium*. Le 1ᵉʳ est fondé vers 434 par des moines venus de l'île de Lérins, qui s'abritent dans les cavités creusées dans le tuf. Chassés par les invasions sarrasines (IXᵉ s.), ils reviennent au XIᵉ s. Un bourg voit le jour et se développe au XIVᵉ s. autour de ses industries : tannerie, papeterie, fabriques de drap, poteries. Il connaît son apogée au XVIIIᵉ s., devenant l'un des plus grands centres faïenciers de France. Le dernier four s'est éteint en 1874.

■ Le musée de la Faïence★

À côté de la mairie ☎ *04 92 74 61 64 • ouv. t.l.j. sf mar., d'avr. à juin et en sept. et oct. 10 h-12 h 30 et 14 h-18 h ; en juil. et août 10 h-12 h 30 et 14 h-19 h ; en nov., déc., fév. et mars 10 h-12 h 30 et 14 h-17 h ; vacances scolaires t.l.j. sf mar. 14 h-17 h ; f. en janv.*

Il a été fondé en 1929 par Marcel Provence, à qui l'on doit la renaissance de l'activité de la faïence. Installé dans un hôtel particulier du XVIIIᵉ s., le musée abrite sept salles d'exposition, accueillant près de 500 pièces, qui présentent les différents styles de la faïencerie de Moustiers, du XVIIᵉ au XXIᵉ s. Les prestigieux ateliers de Clérissy, Olérys, Laugier et Ferrat y sont largement représentés. On y voit également des pièces plus tardives de la fin du XVIIIᵉ s. jusqu'à nos jours. Une vidéo explique les étapes de la fabrication de la faïence, les décors propres à Moustiers et la créativité des ateliers contemporains.

■ L'église paroissiale★★

En grande partie du XIIᵉ s., elle est coiffée d'un joli **clocher★★** carré en pierres de tuf, de style roman, s'élevant sur quatre niveaux. Ses arcatures trahissent une influence lombarde. La nef romane dégage une impression de puissance et de sobriété. La voûte en berceau brisé est renforcée par de simples arcs-doubleaux retombant sur

Voir carte régionale p. 472

À 90 km N.-E. d'Aix-en-Provence par la A51 et la D 952.
ⓘ pl. de l'Église ☎ 04 92 74 67 84 ; www.moustiers.eu
Maison du Parc naturel régional du Verdon → p. 484.

À ne pas manquer

Le musée de la Faïence★	479
L'église paroissiale★★	479

Manifestations

• Ven. matin, marché provençal ; en juil. et août, marché nocturne mer. soir et marché paysan dim. 16 h-21 h.
• Du 31 août au 8 sept., fête de la Diane : procession vers la chapelle Notre-Dame-de-Beauvoir.

Randonnées

• Une douzaine d'itinéraires pédestres et cinq parcours VTT sont balisés autour de Moustiers (durée de 1 h 30 à 6 h de marche ; livret en vente à l'office de tourisme).
• Le sentier botanique de Tréguier (durée 1 h 30 aller-retour) part du cimetière (parking supérieur). Cette balade facile est ponctuée d'une vingtaine de panneaux détaillant la flore méditerranéenne. Elle mène à un promontoire, d'où la vue sur le canyon d'Angouire et le lac de Sainte-Croix est superbe.

▶▶▶

▲ *Faïences de Moustiers issues de l'atelier Au Violon Dingue (www.violondingue.com).*

La faïence de Moustiers

Très prisée par la noblesse aux XVIIᵉ et XVIIIᵉ s., la faïence de Moustiers orna les plus grandes tables de France. Concurrencée par la porcelaine et la faïence fine anglaise, elle a été reléguée dans l'oubli avant de renaître grâce à l'écrivain régionaliste Marcel Provence. Aujourd'hui, une quinzaine d'ateliers perpétuent la tradition.

L'héritage de la famille Clérissy

La qualité des argiles, le séchage à l'air libre et l'abondance de l'eau et du bois (pin et genêt) pour la cuisson contribuèrent au développement de la production locale. Au XVIᵉ s., les Clérissy, issus d'une famille de potiers d'origine italienne, font figure de pionniers. Bénéficiant de la promulgation des édits de Louis XIV ordonnant la fonte de la vaisselle d'or et d'argent pour pallier les difficultés du Trésor royal, ils fabriquent de la vaisselle en terre vernissée, décorée d'oiseaux, de fleurs et de personnages. Pierre Clérissy (1651-1728) s'associe à un peintre de talent, François Viry, pour couvrir les pièces de faïence de grotesques, d'arabesques, de draperies, d'iconographie mythologique et de motifs animaliers. C'est l'époque des grands plats de chasse décorés en camaïeux de bleus, des décors tirés des gravures d'Antonio Tempesta (1555-1630), des services armoriés, des décors «à la Bérain» (compositions issues des grotesques italiens de la Renaissance privilégiant les personnages de la commedia dell'arte). Les deux fils de Pierre Clérissy, Antoine puis Pierre II, dirigent successivement la manufacture.

Le style «Olérys»

Vers 1737, Joseph Olérys s'installe à Moustiers et s'associe à Jean-Baptiste Laugier, bourgeois aisé. Il révolutionne la production locale en adoptant la technique de la polychromie. Avec lui, le décor «aux grotesques» atteint son apothéose. Le succès

de Moustiers s'affirme, les ateliers se multiplient. Le gendre d'Olérys perpétue la tradition, bientôt rejoint par des artisans inventifs : Fouque, Pelloquin, Féraud… Les frères Ferrat abandonnent le décor sur émail cru en 1761 pour se spécialiser dans la fabrication de petit feu. Ils obtiennent un rouge carmin qui relève un décor de fleurs naturelles. Après la Révolution, la blancheur et la transparence de la porcelaine de Limoges et l'arrivée de la faïence fine anglaise ruinent les ateliers de Moustiers. En 1874, le dernier four s'éteint. Il est rallumé en 1927 grâce à Marcel Provence, protecteur du patrimoine provençal, qui crée l'Académie de Moustiers et le musée de la Faïence.

La terre et le feu

Aux XVIIe et XVIIIe s., le faïencier purifie son argile, l'amende par des mélanges et la lave par décantation. Il la fait pourrir à l'abri de l'air dans le *pastaïre*, puis la pétrit pour la rendre homogène et modèle sa forme par tournage, moulage ou façonnage à la main. Une fois sèche, la poterie cuit une 1re fois à une température comprise entre 800 et 1 000 °C. Puis la pièce est plongée dans un bain d'émail à base d'étain ; le peintre peut alors y apposer son décor. La palette se compose de jaune d'oxyde d'antimoine, de vert d'oxyde de cuivre, de bleu de cobalt, de violet et de brun, oxydes de manganèse. La pièce obtenue passe alors au four grand feu à 900 °C, cuisson au cours de laquelle les couleurs se fondent dans l'émail en fusion et adoptent sa brillance.

Cuisson à petit feu

Dans la technique du petit feu, utilisée à partir du XVIIIe s., le décor est posé sur l'émail cuit, ce qui facilite le travail du peintre et élargit sa palette. La pièce subit alors une 3e cuisson à une température moins élevée. Décorée à la main, la faïence demande une grande maîtrise dans le geste et dans la connaissance des couleurs : le pinceau ne doit passer qu'une seule fois sur la pièce. De plus, au cours de la cuisson, les couleurs changent de tonalités. Le peintre doit donc imaginer le résultat final en ayant intégré les essais précédents.

L'étoile de Moustiers

Au-dessus de la crevasse séparant le village en deux brille une mystérieuse étoile suspendue à une chaîne dorée de 227 m de long. Une légende raconte que le chevalier de Blacas, prisonnier des sarrasins lors d'une croisade (XIIᵉ s.), fit le vœu de poser une chaîne près de la chapelle Notre-Dame-de-Beauvoir, à Moustiers, s'il recouvrait la liberté et retrouvait sa patrie. De retour à Moustiers, il exauça son vœu.

Bonnes adresses

🏠 ✗ **Le Relais**, Moustiers-Sainte-Marie ☎ 04 92 74 66 10. Dans la véranda ou sur la terrasse, au bord de la rivière, on savoure des produits du terroir servis avec gentillesse. Chambres confortables.

✗ **La Cantine**, rue de la Bourgade, Moustiers-Sainte-Marie ☎ 04 92 77 46 64. La terrasse est toute petite, mais offre une jolie vue sur Notre-Dame de Beauvoir et l'étoile. Les plats, affichés sur l'ardoise changent souvent, alliant créativité et qualité.

✗ **La Ferme Sainte-Cécile**, route des Gorges-du-Verdon, à 2 km à la sortie du village ☎ 04 92 74 64 18. De ses racines bretonnes, le patron a gardé le goût du poisson décliné à la mode provençale. Cuisine légère et raffinée.

SPORTS NAUTIQUES

• Les Salles-sur-Verdon : club nautique ☎ 04 94 70 21 49 ; Surf center ☎ 04 94 84 23 22.
• Bauduen : école de voile ☎ 04 94 70 09 22.
• Sainte-Croix-du-Verdon : Association voile et nautisme ☎ 04 92 77 76 51.
• L'Étoile moustérienne, au Pont-de-Galetas (accès par la D 957 entre Moustiers et Aiguines), loue canoës, kayaks, pédalos pour accéder à la sortie des gorges, là où le lac rejoint les eaux du Verdon (entre 4 et 10 km aller-retour). Ouv. d'avr. à oct. ☎ 07 68 94 17 87.

des pilastres et les murs gouttereaux s'évasent vers le haut, de manière très visible. Des chapelles voûtées en plein cintre creusées dans l'épaisseur du mur encadrent la nef. Le chœur gothique (XIVᵉ s.), aux belles croisées d'ogives barlongues, est désaxé par rapport à la nef. L'autel est un sarcophage du Vᵉ s. trouvé sur le territoire de la commune de Moustiers, orné d'un bas-relief figurant Le Passage de la mer Rouge.

■ La chapelle Notre-Dame de Beauvoir★

En haut du village, à 15 mn à pied à partir de la source.

On l'atteint par un escalier (365 marches) jalonné d'oratoires illuminés le soir et d'un chemin de croix illustré par Simone Garnier (vers 1950). La chapelle (XIIᵉ s.) porte un petit clocher en tuf du XVIᵉ s., coiffé d'une pyramide. Le **portail★** arbore des vantaux du XVIᵉ s. finement sculptés. Deux travées gothiques et une abside pentagonale (XVIᵉ s.) ont été rajoutées à l'édifice roman, qui abrite de nombreux ex-voto. Un grand retable (XVIIᵉ s.) de bois sculpté et doré occupe tout le chœur.

• La **chapelle Sainte-Anne** (XVIIᵉ s.), accolée au vieux cimetière, ouvre sur un grand auvent charpenté. Sa façade est surmontée d'un clocheton en arcade.

Le lac de Sainte-Croix★

Cet immense lac artificiel aux eaux turquoise s'étend sur 10 km de long et 3 km de large. Mis en eau en 1974, il a bouleversé l'environnement naturel, noyant la vaste plaine agricole au pied des falaises du plateau de Valensole et engloutissant le village ancien des Salles-sur-Verdon. Son emplacement exceptionnel, à la sortie des gorges du Verdon, en fait un pôle privilégié des sports nautiques. Sur ses rives, les villages autrefois isolés sont devenus de petites stations balnéaires.

Circuit de 67 km au départ de Moustiers-Sainte-Marie • compter 1/2 journée.

■ Les Salles-sur-Verdon

À 13 km de Moustiers par la D 957, direction Aiguines ❶ *La Maison du lac, pl. Font-Freye* ☎ *04 94 70 21 84 ; www. sallessurverdon.com*

Le village, vieux d'une trentaine d'années, a été reconstruit à quelques centaines de mètres de l'ancien bourg englouti par les eaux.

• À **la maison du Lac**, un petit musée retrace la mise en eau du lac de Sainte-Croix et l'historique de l'ancien village (photos, vidéo et maquettes du village et du barrage). Des plaques historiques apposées sur certains édifices (église, école, lavoirs, mairie) font revivre la mémoire du vieux bourg.

▲ *Le lac de Sainte-Croix.*

■ Bauduen*

À 23 km S. des Salles par la D 957 et la D 49 ❶ *60, rue Grande* ☎ *04 94 84 39 02.*

Curieux destin que celui de Bauduen, joli village perché qui se retrouva les pieds dans l'eau après la mise en eau du lac. Son nouveau statut de station balnéaire n'a pas fait disparaître ses ruelles étroites et pittoresques qui, suivant les courbes de niveau, escaladent la colline jusqu'à l'église. La rue Longue est bordée de passages couverts et de maisons anciennes coiffées de toits de tuiles aux teintes mordorées.

• L'ancien **moulin à huile** (XVIIIᵉ s. ; *dans la rue principale*) a conservé son cadre et sa meule de pierre, actionnée autrefois par un animal. Vente de miel et d'artisanat.

■ Le barrage de Sainte-Croix

À 9 km O. de Bauduen par la D 49, la D 71 et la D 111.

Le lac de 2 200 ha alimente l'usine hydroélectrique de Sainte-Croix, qui, en retenant 760 millions de m³ par an, produit 150 millions de kWh/an. La retenue régularise les lâchers d'eau des barrages de Castillon et de Chaudanne et alimente en eau potable plusieures communes aux alentours.

■ Sainte-Croix-du-Verdon

À 6 km N. du barrage par la D 111 ❶ ☎ *04 92 77 85 29 ; http://saintecroixduverdon-tourisme.fr*

Le tout petit village est bâti sur un promontoire rocheux dominant le lac. Des « calades » en escaliers relient ses ruelles escarpées. Des fortifications ne subsiste qu'une porte, le Portalet. Dotée d'une plage et d'une base nautique, Sainte-Croix vit surtout l'été.

Moustiers se trouve à 16 km N.-E. de Sainte-Croix-de-Verdon.

Baignade surveillée sur les plages de Moustiers-Sainte-Marie, Les Salles-sur-Verdon, Bauduen, Aiguines et Sainte-Croix-de-Verdon.

Manifestations

Aux Salles-sur-Verdon
• Marché : jeu. matin.
• Le 1ᵉʳ dim. de mai, fête du Printemps.

Randonnées

• Des Salles-sur-Verdon part un sentier naturaliste *(durée 1/2 h)* qui longe le lac. Il est jalonné de panneaux détaillant les plantes, les arbustes et les oiseaux rencontrés.
• À 2 km de Baudinard, sur la D 71, vers Sainte-Croix, un sentier botanique part sur la gauche (au niveau du Point info). Il a été aménagé le long d'un ancien chemin de charbonnières. Des panneaux explicatifs jalonnent le parcours, retracent l'histoire de la fabrication du charbon en haute Provence du XIIIᵉ au XXᵉ s., notamment autour d'une charbonnière reconstituée, et donnent de nombreuses informations sur les plantes.

Les gorges du Verdon★★★

Voir carte régionale p. 472

ℹ Maison du Parc naturel régional du Verdon, domaine de Valx, Moustiers-Sainte-Marie ☎ 04 92 74 68 00; http://parcduverdon.fr
Pour se rendre à la maison du Parc, depuis Moustiers, suivre la D 957, puis la D 957 direction Les Salles-sur-Verdon. Tout de suite à g., entrée du domaine. Des fiches patrimoine et randonnées, des cartes y sont en vente.

Sur présentation du Pass'Découverte, une réduction tarifaire ou une offre privilège vous sera accordée dès la 2ᵉ activité (musées, maisons thématiques, activités bénéficiant de la marque « Accueil du parc naturel régional du Verdon »). Ce billet à tamponner vous sera remis dès la première visite de l'un des sites répertoriés.

Maison des guides du Verdon à La Palud-sur-Verdon: escalade, raft, aquarando, canyoning, parcours aventure, via ferrata ☎ 04 92 77 30 50; http://escalade-verdon.fr

Deux corniches routières vertigineuses surplombent les gorges du Verdon, offrant des panoramas époustouflants. La rivière aux eaux turquoise, jadis impétueuse, a creusé sur 21 km une gigantesque entaille dans le calcaire, atteignant, par endroits, une profondeur de 700 m. Au fond des gorges, le célèbre sentier Blanc-Martel permet à de bons marcheurs équipés de longer en partie le Verdon, encadré d'impressionnantes parois verticales. Paradis de la randonnée, de l'escalade et des sports en eaux vives, ce site est tout simplement exceptionnel.

La rive droite★★★

De Moustiers-Sainte-Marie à Castellane, la route domine des à-pics spectaculaires sur les gorges, survolées par d'inoffensifs vautours fauves. À La Palud-sur-Verdon, la maison des Gorges est une halte indispensable pour comprendre l'environnement, la faune, la flore et l'histoire tumultueuse d'une grande rivière. Les nombreux belvédères aménagés sur la route des Crêtes offrent, enfin, autant de vues saisissantes plongeant dans le Verdon.

Itinéraire de 70 km environ de Moustiers-Sainte-Marie à Castellane (→ p. 491) par la D 952 sans le détour par la route des Crêtes • itinéraire de 130 km environ pour effectuer le tour complet des gorges en empruntant directement à Pont-de-Soleils la D 955.

■ Le col d'Ayen★★

À 18 km E. de Moustiers.

Avant d'atteindre le col, on pourra s'arrêter au **belvédère du Galetas**, puis au **belvédère de Mayreste**, qui offrent des **vues panoramiques★★** sur le lac de Sainte-Croix et la sortie du canyon. Au col d'Ayen, un belvédère *(accès par un petit sentier)* permet de contempler le tracé sinueux des gorges, dans leur partie la plus étroite.

■ La Palud-sur-Verdon★

À 3 km E. du col d'Ayen par la D 952.

Des ruelles étroites enserrent l'ancien château des comtes de Demandolx (XVIᵉ s.), imposant édifice carré percé de nombreuses fenêtres et encadré de quatre tours d'angle.

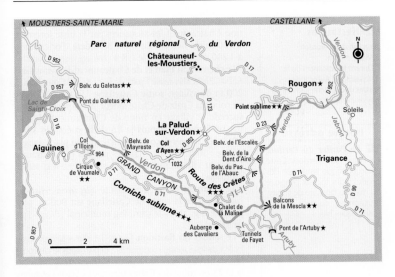

Racheté et restauré en 1981 par la commune, il abrite la **maison des Gorges du Verdon** (☎ *04 92 77 32 02 • ouv. en avr.-mai et sept.-oct. 10 h-12 h et 16 h-18 h ; de juin à août 10 h-13 h et 16 h-19 h ; f. le mar. • www.lapaludsurverdon.com*).

• À l'étage, une exposition permanente sur le patrimoine naturel et historique du Verdon s'accompagne d'une jolie scénographie : panneaux didactiques, mur d'images sur la flore, la faune, les paysages méditerranéens et alpins, diaporamas, objets archéologiques, mise en scène d'un atelier de potier. La reconstitution du fond des gorges raconte la découverte du canyon à pied par Édouard-Alfred Martel et Isidore Blanc, en 1905, et les débuts du tourisme. La maison des Gorges propose également des expositions temporaires, des conférences, des formations et des activités de découverte de Pâques à la Toussaint : sorties géologie, randos nature, sorties observation des vautours, randos équestres, sorties VTT, sorties nocturnes *(inscriptions à la maison des Gorges)*.

Randonnée

Le **GR 4** relie La Palud-sur-Verdon à Moustiers-Sainte-Marie *(17 km ; durée, 6-7 h • balisage rouge et blanc)* : suivre la route de Châteauneuf-lès-Moustiers sur 200 m, puis le sentier à g. de l'oratoire, qui monte vers un petit bois. Cette très belle randonnée emprunte en partie la ligne de crête, offrant un **panorama★★** exceptionnel sur le lac de Sainte-Croix, le plateau de Valensole et les Préalpes.

▲ *Les gorges du Verdon.*

QUELQUES CONSEILS

Les balades au fond du canyon (niveaux moyen et sportif) nécessitent certaines précautions :
• un équipement adapté : de bonnes chaussures, une réserve de 2 l d'eau potable, un anorak léger, un pull, un chapeau, de la crème solaire, une lampe torche, une carte précise (échelle 1:25 000) ;
• ne jamais quitter les sentiers, ne pas prendre de raccourcis (qui peuvent se terminer dans le vide) ;
• au bord du Verdon, prudence ! Prendre garde aux variations de niveau d'eau et rester sur les berges ;
• tenir compte de la météo : les orages au fond du canyon sont très violents. Pour les Alpes de haute Provence ☎ 08 92 68 02 04. Pour le Var ☎ 08 92 68 02 83 ;
• ne pas faire du feu (amende de 135 €) ;
• ne pas cueillir les fleurs ;
• emporter ses déchets.

Manifestations

À La Palud-sur-Verdon
• Marché : dim.
• Durant les vacances de la Toussaint, les Automnales : sorties découverte, journée paysanne, spectacles, concerts.

Bonne adresse

🍴 **Le Panier du Verdon**, La Palud-sur-Verdon. Cette petite boutique tenue par des producteurs locaux propose du miel, du fromage de chèvre, de l'agneau, du pain, ou des cosmétiques bio.

Randonnée

Le sommet du mont Chiran (1905), au N. du Verdon, accueille un petit observatoire implanté en 1974 par le CNRS. On y accède par Majastres (2 h à pied), par Blieux (3 h à pied) ou par La Palud (3 h). De juin à sept., on y observe les étoiles avec un télescope de 305 mm de diamètre. Possibilité de dormir en refuge sur place sur réservation Association ABCDE
☎ 04 92 34 23 93.

▶ *Le Verdon depuis le sentier Blanc-Martel.*

• Le **tour de Barbin** *(durée, 4 h • balisage jaune)*, direction Châteauneuf-lès-Moustiers par la piste forestière à 200 m du lieu-dit du Brec. Belvédère d'orientation à 1 280 m. Retour par le GR 4 *(balisage rouge et blanc)*.

• Le **chemin du Plan et de Châteauneuf-lès-Moustiers** *(durée, 2 h 30 aller-retour)* part de la piste de Courchon, à 200 m du village, sortie Castellane. Un sentier monte au col de la Croix-de-Châteauneuf. Au hameau du Plan succède le village en ruine de Châteauneuf, déserté par ses habitants depuis la fin de la guerre de 1914-1918. Un sentier découverte a été mis en place dans le village : 10 haltes matérialisées par des plots retracent l'âme du village abandonné *(livret en vente à la maison des Gorges)*.

• Le **pont du Baou** *(durée, 1 h 30 aller-retour • balisage jaune)* : suivre la route de Castellane sur 900 m, puis prendre à g. après le camping municipal *(fléché «Pont du Baou»)*.

• Le **sentier du Bastidon** *(durée, 3 h aller • balisage jaune, facile • quelques passages vertigineux)* : départ sous le camping Bourbon. Rejoindre le ravin de Mainmorte à 3 km sur la D 23 ou route des Crêtes *(direction La Maline)* et suivre le sentier en balcon au-dessus du Verdon jusqu'au belvédère de Mayreste *(5 km O. de La Palud sur la D 952)*.

■ La route des Crêtes★★★

1 km après La Palud, tourner à dr. sur la D 23 • circuit de 23 km, avec une portion en sens unique.

Cette superbe petite route est jalonnée d'une succession de 14 belvédères aménagés au-dessus d'à-pics vertigineux, permettant d'admirer le Verdon et l'enfilade des falaises. C'est l'occasion d'observer les grimpeurs chevronnés qui se laissent descendre en rappel jusqu'aux terrasses du dessous, pour ensuite escalader la paroi. Les vues les plus grandioses sont au belvédère de l'Escalès, de la dent d'Aire et du pas de l'Abauc (point culminant des crêtes, 1 285 m). Puis la route redescend en lacets jusqu'au **chalet de la Maline**, départ du sentier Blanc-Martel.

Une première !

Si les gorges étaient déjà bien connues des coupeurs de buis et des braconniers qui s'arrimaient à des cordes pour y descendre, le Verdon n'avait jamais été exploré avant le XXe s. C'est en août 1905 que le spéléologue français Édouard-Alfred Martel est mandaté par le ministère de l'Agriculture pour faire une étude dans les gorges. Il réussit en quatre jours l'exploit d'effectuer une descente complète du canyon (21 km), en compagnie d'Armand Janet, d'Isidore Blanc, de Louis Armand et de trois paysans de Rougon, dans des conditions souvent périlleuses. Par la suite, le Touring Club de France aménagea le sentier des gorges qu'il nomma «sentier Martel», vers 1928, et inaugura le chalet de la Maline. Ce sentier a été rebaptisé en 2005 «sentier Blanc-Martel» en hommage à l'instituteur de Rougon, Isidore Blanc.

Randonnée au sentier Blanc-Martel★★

Départ du chalet de la Maline, à 8 km de l'embranchement pour la route des Crêtes. Arrivée au Point sublime. Retour par navettes et taxis : Navette des gorges du Verdon (t.l.j. pendant les vacances de Pâques et en juil.-août ; le week-end en avr., mai, juin et sept. ; rens. office de tourisme de Castellane ☎ 04 92 83 61 14 ou de La Palud ☎ 04 92 77 32 02) • 14 km de sentier, 350 m de dénivelé ; durée, 6 h de marche environ • sentier balisé blanc-rouge • prévoir 2 l d'eau par personne, de bonnes chaussures et une lampe de poche.

C'est le plus célèbre des sentiers au cœur des gorges : du chalet de la Maline, descendre le chemin jusqu'au gué de l'Estellié. À la 1re bifurcation, prendre à g. en direction du Pré-d'Issane, petite plage de galets. Continuer dans l'étroit passage dominé par la falaise des Cavaliers. 30 m plus bas à g., on atteint la grotte de la Baume-aux-Bœufs. Au carrefour suivant, grimper les lacets jusqu'au belvédère de la brèche Imbert et descendre par les échelles métalliques (240 marches). Le sentier se poursuit sur 3,5 km dans le défilé des Baumes-Frères, puis sous les vertigineuses falaises de l'Escalès, avant de franchir le tunnel de Trescaïre (100 m) et le tunnel dit « du Baou » (670 m). Le sentier remonte vers la route (D 236). De là, continuer jusqu'au Point sublime.

■ Rougon★

À 10 km E. de La Palud par la D 952 et, à g., par la D 17 ❶ mairie ☎ 04 92 83 66 32 ; www.rougon.fr ❶ office de tourisme des gorges du Verdon ☎ 04 92 77 32 02 ; www.lapalud-verdontourisme.com

De ce charmant village, la **vue**★★ sur l'entaille du Verdon est spectaculaire, tout particulièrement à l'automne, lorsque seul le bourg émerge de la brume matinale qui envahit les gorges.

• À 200 m avant d'atteindre Rougon, remarquer la jolie petite **chapelle Saint-Christophe**.

Le retour du vautour fauve

Ce géant inoffensif de plus de 2,5 m d'envergure pour 7 à 10 kg arbore un long cou recouvert d'un fin duvet, une collerette blanche et un plumage fauve. Il niche en colonies dans les falaises et se nourrit exclusivement de charognes. Victime de tirs et d'empoisonnements, il avait disparu du Verdon, mais une association, Vautours en haute Provence, le réintroduisit en 1999. Lâchés en groupe, les vautours sont équipés de bagues et d'émetteurs permettant leur identification et leur suivi. Une centaine de vautours planent aujourd'hui au-dessus des falaises de Rougon, où ils se reproduisent naturellement.

Des balades naturalistes à la rencontre des vautours sont organisées par l'association Le Piaf, de mi-juin à août mar., mer., ven. à 9 h 30 et 18 h. Départ au parking de la chapelle de Rougon. Réservations impératives ☎ 06 26 47 50 00 ; www.voirlepiaf.fr

Chauves-souris et oiseaux du Verdon

22 espèces de chauve-souris ont été répertoriées sur le territoire du parc (sur 33 en France). Le petit rhinolophe et le murin de Capaccini sont les deux espèces les plus répandues. Cette dernière, typiquement méditerranéenne, affectionne les grottes et les galeries de gorges. Afin de protéger ces fragiles colonies, des grilles à chauves-souris ont été posées à l'entrée de certaines galeries souterraines. 155 espèces d'oiseaux nicheurs fréquentent le Verdon. On peut observer, le long de la rivière, le héron cendré, le guêpier d'Europe, le cingle plongeur, la bergeronnette des ruisseaux; dans le Grand Canyon, le bruant zizi, la fauvette orphée, la perdrix rouge; dans les falaises, le faucon pèlerin, le martinet à ventre blanc, l'hirondelle de rocher, le crave à bec rouge, et bien sûr le vautour fauve.

Après avoir suivi la rive dr. du Verdon, on peut enchaîner directement la découverte de la rive g. en empruntant la D 955 à Pont-de-Soleils.

À l'entrée du hameau de Soleils (sur la D 955, à mi-chemin entre Pont-de-Soleils et Trigance), au bord du Riou, un moulin à eau actionne toujours sa grande roue. Le meunier est aussi boulanger, et l'on peut déguster des pizzas cuites au feu de bois (sur réservation toute l'année) ☎ 04 94 76 92 62 ; www. moulindesoleils.fr

Manifestation

À Trigance
Mi-juil., mi-août, l'Été théâtral: quatre ou cinq représentations. Rens. à l'office de tourisme.

■ **Le Point sublime**★★

À 2 km S. de Rougon par la D 952 • se garer sur le parking et marcher jusqu'au belvédère.

À 185 m au-dessus du Verdon, ce belvédère offre un panorama unique sur le couloir Samson, magnifique brèche marquant l'entrée du Grand Canyon.

• Du Point sublime *(parking)* part le **sentier découverte du Lézard** *(durée, 4 h aller-retour • livret descriptif en vente à la maison des Gorges de La Palud).* Il comprend trois itinéraires à faire successivement ou séparément: le circuit du belvédère *(1/2 h)*, le circuit du pont de Tusset *(2 h 30)* et l'itinéraire des tours de Trescaïre *(1 h)*. Ce sentier pédagogique, jalonné de 17 panneaux gravés de l'emblème du lézard, a pour vocation de faire découvrir l'environnement des gorges, sa formation, la géologie, la végétation… Le chemin débouche au pont de Tusset à une seule arche, daté du xviiᵉ s., puis vers l'entrée du Verdon par le couloir Samson, dont les falaises atteignent 250 m de haut. Les tunnels, creusés dans le cadre de projets d'aménagement hydroélectrique abandonnés, mènent aux tours de Trescaïre.

Du Point sublime, on rejoindra Castellane (18 km → p. 491) par la D 952.

La rive gauche★★★

La Corniche sublime est à la hauteur de sa réputation. Entre Trigance et Aiguines, la route épouse les méandres de la falaise et… le précipice. Elle est ponctuée d'impressionnants belvédères et offre d'extraordinaires points de vue sur les gorges.

Itinéraire de 70 km environ depuis Castellane (→ p. 491) jusqu'à Moustiers-Sainte-Marie • compter 1/2 journée.

■ **Trigance**

À 18 km S.-O. de Castellane par la D 952 et la D 955 ❶ *mairie* ☎ *04 94 76 91 01 ; www.trigance.fr*

Blotti au pied de son château féodal *(hôtel, f. au public)*, perché sur un éperon rocheux, le village fortifié domine la vallée du Jabron. Il est parcouru de «calades», de passages voûtés, de placettes et de ruelles en escalier. Les belles maisons de pierre en calcaire blanc, coiffées de tuiles romanes s'enroulent autour du beffroi carré de l'église Saint-Michel, dont le toit à quatre pentes est recouvert d'écailles vernissées polychromes.

• Une promenade dans le village avec panneaux fléchés (puits, chapelle, tour de l'Horloge) se prolonge par un sentier botanique *(départ du lieu-dit Fontaine Basse)*, qui rejoint la rivière. Des pancartes permettent d'identifier les plantes méditerranéennes et les espèces de la ripisylve des bords du Jabron.

■ La Corniche sublime★★★

Cette route spectaculaire *(D 71)*, qui longe le bord de la falaise, conduit aux **balcons de la Mescla★★** : ils offrent une vue vertigineuse sur la « mêlée » des eaux de l'Artuby et du Verdon, quelque 250 m en contrebas, qui se replie autour d'une étroite crête rocheuse.

• Un peu plus loin, le **pont de l'Artuby★**, doté d'une élégante arche unique de 110 m de portée, s'élance à 145 m au-dessus des gorges. Son parapet sert de tremplin aux amateurs de saut à l'élastique.

• On franchit ensuite les **tunnels de Fayet**, taillés dans la roche et dominant le Verdon de 380 m, puis la **falaise des Cavaliers** et son à-pic impressionnant, où le Verdon décrit une courbe. Viennent ensuite le **cirque de Vaumale★★**, offrant un ample panorama, puis le **col d'Illoire** (967 m).

▲ *L'entaille spectaculaire du Verdon.*

Randonnée

Le sentier de **l'Imbut** *(durée, 4 à 6 h aller-retour ; 6 à 8 km)* est une randonnée passionnante, mais difficile. Le chemin débute près de l'*Auberge des cavaliers (sur la D 71)*. Prendre le GR 99 jusqu'à la passerelle de l'Estellié (qui rejoint, de l'autre côté, le sentier Blanc-Martel et remonte à l'*Auberge de la Maline* en 45 mn). Rester sur la rive g. et poursuivre le sentier étroit jusqu'au « Styx ». À cet endroit, le Verdon, d'un vert émeraude profond, se fraye un passage dans les rocs éboulés. Le sentier reprend jusqu'au chaos de l'Imbut (du provençal *imbucaïre*, signifiant « entonnoir »). Le Verdon a creusé là, sous d'énormes blocs,

La couleur très particulière de ses eaux vert émeraude a peut-être donné son nom au Verdon. Elle est liée à des particules calcaires dissoutes dans l'eau et à la présence de micro-organismes.

Le Parc naturel régional du Verdon

Créé en 1997, le PNR s'étend sur 180 000 ha environ, du haut Var au plateau de Valensole et de l'Artuby aux massifs préalpins du Montdenier. Il regroupe 46 communes, englobe les gorges du Verdon et les 5 lacs de retenue. Face aux grands enjeux que sont la préservation du patrimoine naturel, la gestion de l'eau, la fréquentation touristique, le maintien des activités agricoles et de l'emploi, la pression foncière, l'accueil des nouveaux habitants, l'organisation du territoire et de l'habitat, la charte du Parc naturel régional du Verdon sert de règle du jeu. Elle définit la manière dont les habitants et les visiteurs doivent vivre en bonne intelligence sur un territoire aux richesses exceptionnelles.

▲ *Les gorges du Verdon depuis le col d'Illoire.*

des galeries et disparaît ainsi sur 150 m. Retour par le même sentier, ou possibilité de remonter par le sentier Vidal *(45 mn)* à l'aide de cables et échelons *(attention au vertige)*, puis de reprendre la route et le GR 99 vers l'*Auberge des cavaliers*.

■ Aiguines
À 34 km O. de Trigance par la D 90 et la D 71 ❶ *allée des Tilleuls* ☎ *04 94 70 21 64 ; www.aiguines.com*
Adossé au Grand Margès (1 577 m) sur un versant ensoleillé, le village au charme paisible, environné de forêts, surplombe le lac de Sainte-Croix. Le tournage du bois fut, jusqu'en 1930, son activité principale. Un peu isolé du village, le **château** quadrangulaire (XVIIᵉ s.) est encadré de quatre tourelles rondes en poivrières aux élégantes tuiles vernissées polychromes *(privé)*. À ses côtés, une église romane, au clocher percé de baies. De la place du village, grimper jusqu'à la chapelle Saint-Pierre, d'où le panorama sur le lac est superbe (table d'orientation).

• À la sortie du village, on peut observer la fabrication de santons à l'atelier de M. Gassies (☎ *04 94 70 22 23*).

D'Aiguines, on suivra la D 19 et la D 957 pour rejoindre Moustiers (17 km → p. 479).

Manifestations
À Aiguines
• Marché : mar.
• Marché des potiers : 3ᵉ jeu. de juil.
• 2ᵉ semaine d'août, journées du Bois tourné : démonstration des tourneurs sur bois, expositions...

Un sentier thématique jalonné de panneaux historiques et botaniques serpente dans le village et ses environs (1 h 30).

Randonnée
Balade vers Baudeun *(12 km ; durée, 3 h 45 • balisage rouge et blanc)* : du château d'Aiguines, prendre le sentier vers la D 19 puis la route sur 300 m. À g., poursuivre une petite route vers le château de Chanteraine à 2 km. Le GR 99 tourne à g. et descend vers la D 957. Prendre la route à g. sur 250 m, puis la piste incendie de «Garuby». Gagner, après le lac, la branche g. du GR qui monte vers la colline du Défens. Un chemin redescend au village de Baudeun *(→ p. 483)*.

Le bois tourné d'Aiguines
Le chêne, le hêtre et surtout le buis, bois très fin et résistant, étaient autrefois transformés en manches d'outils, en barreaux de chaises, en toupies, en fuseaux. Les souches de buis servaient également à fabriquer des boules cloutées, à l'origine des boules de pétanque en bronze coulé. Les sphères une fois tournées, arrondies et polies, étaient plantées de clous serrés par des femmes, les «ferreuses». À Aiguines, l'école de Tournage Escoulen propose des stages débutants ou confirmés. Réservations à l'office de tourisme d'Aiguines ☎ 04 94 70 21 64 ; http://escoulen.com

Castellane*

Dominée par une falaise haute de 190 m, cette bourgade offre un joli décor de ruelles piétonnes et commerçantes bordées de maisons mi-provençales, mi-montagnardes. Grâce à la proximité des gorges du Verdon et du lac de Castillon, elle est aujourd'hui un centre de tourisme sportif très apprécié à la belle saison.

À 157 km N.-E. d'Aix-en-Provence par la D 96, la A51, la D 4 et la D 4085.

🛈 rue Nationale ☎ 04 92 83 61 14 ; www.castellane-verdontourisme.com
Visites de Castellane de mi-juin à mi-sept. jeu. après-midi et ven. matin sur réservation avec l'office de tourisme.

■ L'église Saint-Victor

Édifiée au XIIIᵉ s., elle est devenue asymétrique à la suite de plusieurs remaniements. Face à l'accroissement de la population, on lui ajouta un 1ᵉʳ bas-côté au XVᵉ s., puis un 2ᵉ au XVIIIᵉ s. À l'intérieur, voir le décor du chœur en noyer, des toiles du XVIIᵉ s. et des bustes reliquaires en bois peint.

■ La maison Nature et Patrimoines*

Pl. Marcel Sauvaire ☎ 04 92 83 19 23 • ouv. de mai à mi-juin et de mi-sept. à mi-oct. les mer., sam., dim. et jours fériés 10 h-13 h et 15 h-18 h 30 ; en avr., de mi-juin à mi-sept. et de mi-oct. à début nov. t.l.j. aux mêmes heures • www.maison-nature-patrimoines.com

Au cœur du village, la maison regroupe le relais du Parc naturel régional du Verdon, le musée du Moyen Verdon et le musée Sirènes et Fossiles.

• Le **musée du Moyen Verdon★** est la mémoire vivante du pays et de ses habitants. Il est animé par une exposition temporaire annuelle, illustrée de façon vivante par des objets, des photos, des témoignages.

• Le **musée Sirènes et Fossiles★** retrace l'histoire passionnante des siréniens, famille d'animaux aquatiques à laquelle appartiennent les dugongs et les lamantins. Appelés aussi « vaches marines », ces mammifères marins herbivores pouvaient ingurgiter au quotidien jusqu'à 45 kg de végétation sous-marine. Ils seraient à l'origine du mythe de la sirène. Maquettes animalières grandeur nature, vidéos, reconstitution de paysages… Le musée est le fruit de la découverte d'un groupe de siréniens fossilisés aux environs du col des Lèques *(8 km N.-E. sur la route de Digne).*

• Un sentier balisé *(à dr. • durée 1 h 30 aller-retour)* permet d'atteindre la **vallée des**

De *Ducelia* à Castellane

Castellane est l'exemple type de ces villes frontières dont le site s'est déplacé à plusieurs reprises, changeant de nom au gré des installations : *Ducelia*, l'oppidum ; *Salinae*, la ville romaine. Aux alentours du Xᵉ s., face aux invasions sarrasines, la population se réfugie sur le roc, dressé au-dessus de la vallée. Un château et une enceinte en font un site imprenable : *Petra Castellana*, « la roche du château ». Au siècle suivant, une fois la paix revenue, les habitants redescendent peu à peu du roc et constituent un bourg marchand. Au XIVᵉ s., la cité s'enferme à l'intérieur de remparts et repousse, au XVIᵉ s., les barons protestants venus assiéger la ville. Avec la Révolution, Castellane devient chef-lieu de district, puis sous-préfecture.

▶ *Le lac de Castillon
et le village de Saint-Julien-
du-Verdon.*

La pratique du rafting, du
canoë-kayak, de l'hydrospeed
ou de la randonnée aquatique
sur le Moyen Verdon est très
règlementée car elle se fait
en fonction des lâchers de
barrage, soit deux fois par
semaine en été. Réserver
obligatoirement à l'office de
tourisme.

Manifestations

À Castellane
• Marché : mer. et sam. matin.
• Fin janv. ou début fév., fête
du Pétardier : elle commémore
la libération de la ville assiégée
par les chefs protestants
en 1586 (le pétard servait à
défoncer les portes).

Siréniens fossiles* *(ouv. en permanence • bornes d'information, plan du site et identification des fossiles)*, un gisement
paléontologique exceptionnel par le nombre de fossiles
découverts.

■ **La chapelle Notre-Dame-du-Roc***
*Accessible en 45 mn à pied • en sortant de l'office de tourisme,
prendre le bd Saint-Michel à dr. et la 1ʳᵉ à dr. (fléché) • ouv. t.l.j.
toute l'année.*

Perchée sur le rocher, à 190 m au-dessus de la vallée,
elle fut plusieurs fois détruite et reconstruite. Lieu de
pèlerinage fréquenté, elle est surmontée d'une grande
statue en pierre de la Vierge (XIXᵉ s.), et ses murs sont
tapissés d'ex-voto.

■ **Le musée des Citroën**
À 1 km sur la route de Digne ☎ *04 92 83 76 09 • ouv. t.l.j., de
mi-avr. à mi-oct. 14 h-18 h ; en juil.-août 10 h-18 h.*
Il rassemble une collection privée d'une cinquantaine de
véhicules d'après-guerre, tous dans un état exceptionnel.
On y voit notamment la plus ancienne DS au monde
(1955).

Environs de Castellane

■ **Le barrage de Castillon**
Au N. de Castellane par la D 955.
Première retenue artificielle imposée au Verdon, le barrage
de Castillon fut mis en service en 1948. Depuis Castellane, la route suit la rive dr. du lac après avoir traversé
l'ouvrage d'art. Du belvédère aménagé un peu plus loin,
la vue embrasse une partie du lac et les installations. À
remarquer aussi, tout près du barrage, de déconcertantes
plates-formes qui appartiennent à un Centre de recherche
acoustique de la Marine nationale.

• On gagne ensuite **Saint-Julien-du-Verdon***, joli village
en bord de lac qui était autrefois perché sur une hauteur.

Aups★

Située au pied de la montagne des Espiguières, aux portes du Verdon, Aups a longtemps vécu de ses tanneries, de ses fabriques de poteries et de ses moulins. Aujourd'hui, l'huile d'olive, le vin, les truffes et le tourisme constituent ses principales ressources. Capitale de la truffe noire, Aups est un bourg animé où il fait bon flâner l'été à l'ombre des platanes centenaires de la vaste place Frédéric-Mistral, ou déambuler les jeudis d'hiver ensoleillés parmi les étals du célèbre marché aux truffes.

Voir carte régionale p. 472

À 85 km E. d'Aix-en-Provence
par la D 7n, la D 560 et la D 22.

🛈 pl. Martin-Bidouré
☎ 04 94 84 00 69 ;
www.aups-tourisme.com

À ne pas manquer

Le musée d'Art contemporain
Simon-Segal★★   494

■ La collégiale Saint-Pancrace★

Pl. Frédéric-Mistral • ouv. t.l.j.

Elle fut édifiée à la fin du XVᵉ s. dans un style gothique provençal. Au fronton de sa façade Renaissance s'inscrit la devise républicaine « Liberté, Égalité et Fraternité », ajoutée lors de la séparation des biens de l'Église et de l'État en 1905. Le tympan du XVᵉ s. a disparu, mutilé par les protestants lors des guerres de Religion. La nef se termine par un chevet plat. Les chapelles abritent six retables des XVIIᵉ et XVIIIᵉ s. Dans la chapelle Saint-Éloi, remarquer le triptyque (XVᵉ-XVIᵉ s.), avec l'évêque saint Éloi au centre, encadré de sainte Marthe et de l'évêque saint Pons.

• La **salle du trésor** recèle : le **reliquaire en argent★** (XVᵉ s.) en forme de main de saint Pancrace, jeune chrétien romain martyrisé en 302 sous Dioclétien ; une très ancienne croix processionnaire (XIVᵉ s.) ; des pièces d'orfèvrerie ; des ornements sacerdotaux.

▲ *Aups est l'un des principaux centres truffiers de Provence.*

• De la collégiale, emprunter la rue Gabriel-Péri jusqu'à la pl. du Marché où s'élève la **tour de l'Horloge** (XVIᵉ s.), haute de 25 m et coiffée d'un campanile classé. Poursuivre jusqu'en haut de la rue des Aires pour découvrir, à g., une façade pourvue d'un **balcon★** en tuf ouvragé remarquable. Plus haut, rejoindre la porte des Aires, vestige des remparts des XIIᵉ et XVIᵉ s. Retrouver la place du Marché et tourner à dr. par la rue Rosette-Ciofi au bout de laquelle s'élève la porte Sarrasine, entrée principale du village d'antan. Elle donne sur la pl. Maréchal-Joffre.

Manifestations

• Marché : mer. et sam.
• Le jeu. matin, de fin nov. à fin fév., marché aux truffes.
• 4ᵉ dim. de mars, fête de l'Olive.
• Le 4ᵉ dim. de janv., fête de la Truffe.

▶ *Vue d'ensemble d'Aups.*

Les ruelles qui quadrillent le centre-ville sont ponctuées de passages couverts, de fontaines (14) et de lavoirs. Certaines maisons anciennes arborent des baies géminées et des linteaux en chêne.

■ Le musée d'Art contemporain Simon-Segal★★

Av. Albert-Ier, dans le prolongement de la pl. Maréchal-Joffre ☎ *04 94 70 01 95 • ouv. de juin. à mi-sept. t.l.j. sf mar. 11 h-13 h et 16 h-19 h ; le reste de l'année sur réservation pour les groupes.*

Installé dans l'ancienne chapelle du couvent des Ursulines, il abrite plus de 250 peintures, dessins, gravures, aquarelles, gouaches d'artistes du XXe s. des écoles de Toulon, de Bourges et de Paris (Dufy, Van Dongen, Mange, Deval…). Toutes ces œuvres ont été offertes à la ville par Bruno Bassano, mécène et critique d'art, qui, ayant fui le régime mussolinien, vécut à Aups à la fin de sa vie. 58 de ces œuvres appartiennent à Simon Segal, peintre d'origine russe.

• Au fond du musée, un petit **musée de la Résistance** (*mêmes horaires*) retrace les grands actes de résistance dans la région lors de Seconde Guerre mondiale.

■ La chapelle Notre-Dame-de-la-Délivrance

Au N. de la vieille ville • ouv. lors de la fête du 15 août.

Elle fut bâtie en 1853 sur les ruines du château des ducs de Blacas, seigneurs d'Aups, en guise d'ex-voto à la Vierge. Les habitants la remerciaient ainsi d'avoir épargné le village en 1851, lors du coup d'État de Napoléon III qui opposa partisans et républicains aupsois : chaque année, le 15 août, la Vierge de Notre-Dame-de-la-Délivrance est portée en procession dans les rues du village.

■ Le musée de Faykod

À 4 km S.-E. d'Aups sur la route de Tourtour ☎ *04 94 70 03 94 • ouv. en juil.-août t.l.j. sf mar. 10 h-12 h et 15 h-19 h ; en mai, juin et sept. t.l.j. sf mar. 14 h-18 h ; d'oct. à avr. mer., sam., dim. et jours fériés 14 h-18 h, les autres jours sur r.-v. • www.musee-de-faykod.com*

Il s'agit d'un parc à ciel ouvert jalonné d'une cinquantaine de sculptures en marbre de Carrare, œuvres monumentales de Maria de Faykod, artiste d'origine hongroise. Un hymne à la grâce et à la beauté.

Bonne adresse

 Le Moulin Gervasoni, 91, montée des Moulins, route de Tourtour ☎ 04 94 70 04 66 ; www.moulingervasoni.com Le moulin produit et vend une huile d'olive réputée. Vente de tapenades, anchoïades et autres produits du terroir, ainsi que des poteries, des tissus provençaux, des savons et des objets en bois d'olivier.

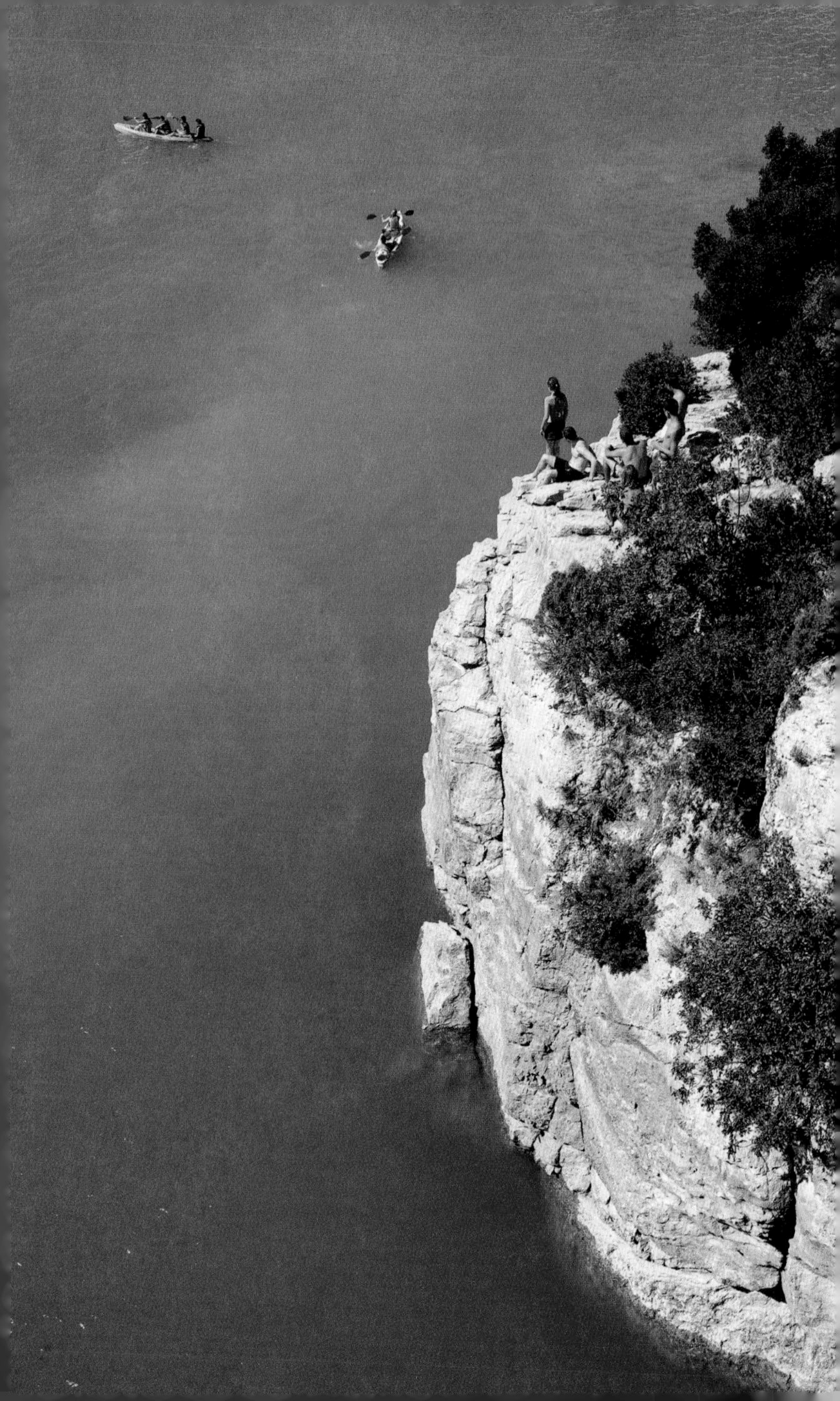

En savoir plus

QUELQUES PAGES POUR ALLER PLUS LOIN

◄ *Dans une confiserie à Apt.*

Glossaire

Abrivado. Lâcher de taureaux dans les rues, où les bêtes sont enserrées par les gardians à cheval.

Abside. Terminaison arrondie ou polygonale de la nef principale. L'**absidiole** est une petite abside correspondant aux collatéraux.

Adret. Versant d'une montagne exposé au soleil.

Aiguier. Dans le Vaucluse, citerne taillée dans la roche calcaire, parfois couverte, alimentée en eau de pluie par des rigoles creusées dans la pierre.

Appareil. Nom donné aux différentes façons de tailler et d'assembler les pierres dans le domaine de la construction.

Appareillage. Manière de disposer les pierres taillées.

Arc. Élément de construction qui soutient un mur au-dessus d'une baie. Il est formé d'une ou plusieurs portions de cercles diversement raccordées. L'**arc en plein cintre** présente une courbure en demi-cercle; l'**arc brisé** est formé de deux portions de cercle se rejoignant à la clé; l'**arc doubleau** est placé en doublure sous une voûte. Dans une église, on appelle « travée » une portion de voûte comprise entre deux arcs doubleaux.

Arcature. Motif architectural composé d'une ou plusieurs petites arcades servant d'ornement. Employé couramment au Moyen Âge.

Archère. Ouverture étroite percée dans un rempart ou un mur pour permettre aux archers de défendre la position en restant à l'abri du feu ennemi.

Assommoir. Dispositif de défense ménagé dans la voûte d'un couloir d'entrée qui permettait de pilonner l'assaillant.

Atlante. Statue masculine soutenant un élément d'architecture en surplomb (voir caryatide, l'équivalent féminin).

Atrium. Cour; dans la villa romaine antique, pièce principale partiellement couverte autour de laquelle étaient distribuées les autres pièces.

Attique. Ornement d'architecture qui couronne un édifice ou la partie supérieure d'une façade pour masquer la naissance du toit. Petit étage supérieur qui couronne une façade.

Aven. Puits naturel creusé dans la roche par l'action de pluies acides. Nombreux sur le plateau d'Albion, ils se rejoignent bien souvent par des galeries souterraines.

Baie. Ouverture de fonction quelconque ménagée dans un mur.

Balustre. Colonnette de forme renflée.

Basilique. De plan rectangulaire, la basilique romaine comprenait trois ou cinq nefs séparées par des colonnes et se terminait souvent par une abside semi-circulaire. Dès le IVᵉ s., les chrétiens donnèrent l'aspect de basilique à certains de leurs lieux de culte avec une abside (généralement orientée à l'E) réservée au clergé et trois nefs (le plus souvent) accessibles aux fidèles. Ces édifices adoptèrent un plan en forme de croix latine par l'adjonction d'un transept entre l'abside et les nefs. Plus tard, église dotée par le pape de certains privilèges, ayant préséance sur les autres églises du diocèse à l'exclusion de la cathédrale.

Bas-relief. Sculpture faisant corps avec un fond duquel elle se détache en légère saillie.

Bastide. Propriété rurale avec maison de maître et dépendances, le plus souvent sur deux étages. Aux XVIIIᵉ-XIXᵉ s., l'aristocratie provençale les a transformées en résidences secondaires luxueuses, entourées de jardins à la française.

Bastion. Ouvrage de fortification bas et de forme polygonale faisant avant-corps sur une enceinte.

Bénédictins. Religieux qui suivent la règle édictée par saint Benoît de Nursie (vers 480-vers 547), lequel fonda vers 529 le couvent du mont Cassin, berceau de l'ordre. Au IXᵉ s., cette règle fut reprise et rénovée par Benoît d'Aniane. L'ordre bénédictin connut un grand rayonnement à partir de la fondation de l'abbaye de Cluny, en 910. Il se divisa très vite en plusieurs courants : clunisiens, cisterciens, chartreux… La vie communautaire est centrée sur la liturgie, les travaux manuels et intellectuels.

Borie. Construction de pierres sèches sans aucun liant, habitée autrefois par les bergers.

Bossage. Saillie, relief taillé sur la surface extérieure des pierre d'une façade. Un bossage est dit «vermiculé» lorsque la pierre est gravée de motifs courbes et irréguliers, comme si des vers y avaient creusé des galeries.

Bretèche. Construction rectangulaire défensive en saillie, percée de mâchicoulis, placée au-dessus d'une porte.

Caisson. Compartiment creux de forme variable et souvent décoré, aménagé dans un plafond, un arc, une voûte.

Calade. Rue pavée de galets. Si elle est en pente ou en escalier, elle est dite «en pas d'âne».

Calanque. Crique du littoral méditerranéen bordée de falaises.

Capitulaire. Salle attenante à l'église ou au cloître, réservée aux réunions du chapitre (assemblée délibérative d'une communauté religieuse).

Caryatide. Statue féminine soutenant un élément d'architecture en surplomb (voir atlante, l'équivalent masculin).

Chartreux. Ordre religieux fondé par saint Bruno en 1084 dans un ermitage des Alpes grenobloises qui allie l'érémitisme et la vie communautaire. Voués à la contemplation, les chartreux vivent dans des «celles» (maisonnettes avec jardin) dont ils ne sortent que pour se rendre aux offices. Certains frères ont la charge des travaux matériels.

Chœur. Le **chœur architectural** est la partie de l'église comprise entre la nef et le chevet; le **chœur liturgique** est celle contenant le maître-autel, réservée au clergé, où se déroule la liturgie.

Ciborium. Édicule en pierre ou en métal (parfois un dais en tissu) surmontant un autel ou la cuve baptismale. Synonyme de baldaquin.

Cintre. Courbure d'un arc ou d'une voûte.

Cippe. Petite colonne sans chapiteau ou colonne tronquée, servant de borne ou de monument funéraire, et portant une inscription.

Cisterciens. Ordre religieux fondé en 1098 à Cîteaux (au SE de Dijon) par Robert de Molesmes. C'est sous l'abbatiat de son ami et successeur Aubry qu'est élaboré le 1ᵉʳ texte réglementaire de cet ordre contemplatif qui prône pauvreté et

simplicité du cadre de vie et de la liturgie. L'ordre admet des frères convers, chargés des travaux matériels. Le charisme de saint Bernard, devenu abbé de Clairvaux en 1115, a contribué grandement à son rayonnement.

Clue. Terme provençal désignant une cluse, un défilé.

Collatéral. Dans le langage courant, nef latérale flanquant la nef centrale. Synonyme de bas-côté.

Combe. Vallon.

Console. Élément en surplomb portant une charge.

Corniche. Couronnement en saillie d'un élément (un retable par exemple) ou d'une construction.

Courtine. Dans une fortification, mur dressé entre deux tours.

Coussouls. Steppes caillouteuses de la Crau.

Crochet. Ornement saillant représentant une feuille stylisée s'enroulant sur elle-même. Se rencontre sur les chapiteaux.

Cul-de-four. Voûte formée d'une demi-coupole.

Culot. Support d'une retombée d'ogive lorsque celle-ci ne repose pas sur une colonne.

Déambulatoire. Dans le chœur d'une église, vaisseau tournant autour du sanctuaire.

Demi-lune. Ouvrage de fortification, à l'origine circulaire, destiné à couvrir la courtine et les bastions.

Dominicains (ou Frères prêcheurs). Ordre religieux fondé en 1215 par saint Dominique, puis officialisé en 1216. L'autorisation de prêcher, confirmée par une bulle du pape Honorius III, introduisit une nouveauté car ce privilège était jusque-là le quasi-monopole des évêques. La constitution de l'ordre contraint les frères à s'adonner à l'étude, afin de se préparer au mieux à l'exercice de la prédication et à la vie en communauté.

Éléments d'architecture.▼ La **voussure** (1), en forme d'arc, couvre l'embrasure d'une baie. Le **tympan** (2) constitue la partie pleine, souvent couverte de motifs sculptés, située sous la voussure ; le terme désigne également l'espace triangulaire d'un **fronton** (3). Le **trumeau** (4) est un élément de maçonnerie pleine situé entre deux baies. Le **piédroit** (5) forme la partie verticale sur laquelle repose la voussure. Un **gâble** (6), élément triangulaire, coiffe une baie ou un portail. Un **pinacle** (7) est une petite pyramide ou un cône qui surmonte un contrefort :

ornemental à première vue, il est en fait destiné à assurer la stabilité du contrefort par son poids.

Encorbellement. Construction en surplomb sur un mur soutenue par des pierres elles-mêmes mises en saillie.

Enfeu. Niche dans un mur abritant une tombe.

Ex-voto. Tableau ou maquette de navire offert en remerciement à la Vierge ou à un saint par les marins sauvés d'un naufrage ou d'une tempête. Plus généralement, inscription rendant grâce à un saint ayant exaucé un vœu.

Fronton. Élément généralement triangulaire ou en forme de segment de cercle couronnant une partie d'architecture (portail, fenêtre, partie centrale d'une façade).

Garance. Plante dont les racines fournissent un colorant textile rouge. Sa culture fut florissante en Provence aux XVIIIe-XIXe s.

Gardian. Coiffé d'un chapeau noir, armé d'un trident et monté sur un cheval blanc, le *gardian* est, en Camargue, celui qui élève les chevaux et les taureaux. Pendant les

fêtes taurines, les gardians regroupés démontrent leur savoir-faire lors de l'*abrivado*, traversant la ville au galop autour d'un troupeau de taureaux.

Garrigue. Ce paysage de calcaire et de végétation sèche recouvre les collines pauvres en eau et soumises à des températures élevées en été. On distingue en fait trois types de garrigue : la forêt clairsemée de chênes et de pins ; une végétation buissonnante de chênes kermès, romarin, lavande, thym et genévrier ; enfin, des pelouses « en peau de léopard » où la végétation apparaît par plaques au milieu de terrains pierreux.

Gypserie. Revêtement décoratif intérieur. Mouluré et moulé, il est réalisé en plâtre ou en stuc.

Imposte. Tablette saillante couronnant un piédroit ou un pilier.

Indiennes. Cotonnades imprimées rapportées d'Orient au XVIIe s., dont la Provence s'est fait une spécialité.

Jas. Bergerie isolée en pierre, souvent transformée en exploitation agricole.

Linteau. Partie supérieure horizontale de l'encadrement d'une ouverture rectangulaire : poutre de bois, de pierre ou de métal.

Mâchicoulis. Encorbellement au sommet d'une tour ou d'une muraille. Des trous percés dans le sol permettaient de repousser les assaillants à l'aide d'armes diverses.

Magnanerie. Pièce où l'on élevait les *magnans* (les vers à soie). On choisissait pour cela la pièce de la maison la plus facile à chauffer. Par extension, la maison elle-même.

Maître-autel. Autel majeur de l'église.

Manade. Ferme d'élevage de taureaux en Camargue.

Mas. Au Moyen Âge, les *manses* étaient de vastes domaines agricoles exploités par des cultivateurs tenus de payer une redevance au seigneur, qu'il soit laïc ou religieux. C'est dans la langue latine qu'il faut chercher l'origine de ce nom, *mansio* signifiant « maison ». Le mot a survécu dans la sphère anglo-saxonne en *mansion* et dans les régions méridionales sous la forme abrégée « mas ».

Mascaron. Motif ornemental constitué d'une figure grotesque en bas-relief décorant les clés d'arcs, les chapiteaux, les orifices de fontaine, etc.

Meneau. Montant de pierre divisant une fenêtre.

Modillons. Éléments de pierre soutenant une corniche.

Molasse. Roche calcaire sédimentaire formée de débris d'animaux marins, très utilisée en Provence.

Moulure. Ornement en relief ou en creux, taillé à même le matériau de base ou dans un matériau rapporté, se développant en longueur selon un profil constant. Une **mouluration** est une composition de plusieurs moulures.

Nef. Partie d'une église de plan allongé comprise entre le portail occidental (ou la façade principale) et le chœur ou la croisée du transept, souvent divisée en plusieurs vaisseaux par des rangées de piliers.

Oculus (œil-de-bœuf). Petite ouverture de forme circulaire, munie ou nom d'un panneau vitré.

Oppidum. Agglomération fortifiée de l'Antiquité, généralement implantée en hauteur. Par extension, village perché.

Ordre d'architecture. ▼ Dans l'architecture antique et classique, la structure et la décoration des colonnes et **pilastres (A)** se réfèrent à des modèles appelés « ordres ». Les quatre ordres principaux sont le dorique, l'ionique, le corinthien et le composite ; ils se différencient surtout par le **chapiteau (B)**.

L'**ordre dorique (1)** se caractérise par sa sobriété : le chapiteau est dénué de toute fioriture. L'**ordre ionique (2)** est plus gracieux, plus orné : le chapiteau présente des volutes horizontales. La principale ornementation de l'**ordre corinthien (3)** est la feuille d'acanthe, qui se mêle aux volutes ioniques dans l'**ordre composite (4)**.

Ove. Motif ornemental en relief en forme d'œuf. Figure de forme elliptique non symétrique de part et d'autre de son petit axe.

Péristyle. Galerie à colonnes entourant un édifice ou une cour. Par extension, colonnade qui décore un frontispice ou l'une des façades d'un édifice et souvent précédée de marches de pierre.

Piédroit. Partie verticale d'une baie ou montant vertical sur lequel retombent les voussures d'un portail.

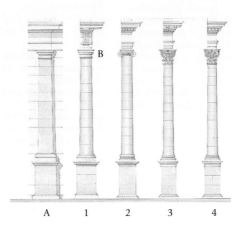

A 1 2 3 4

Pilastre. Pilier engagé dans l'épaisseur d'un mur.

Pinacle. Couronnement ouvragé, en forme de cône ou de pyramide, décorant le sommet d'un contrefort, d'un toit, d'un fronton…

Plan d'une église. ▶ Le **porche (1)** est l'espace couvert placé devant l'édifice. La **nef (2)** constitue la partie centrale du bâtiment, de l'entrée à la croisée du **transept (3)**, vaisseau transversal à la nef qui dessine les bras de la croix; on appelle «bras N» et «bras S» **(3a, 3b)** les éléments du transept situés de part et d'autre de la croisée. Une **travée (4)** est une portion de la nef comprise entre quatre piliers. Le **bas-côté** ou **collatéral (5)** forme un vaisseau parallèle à la nef. Le **chœur (6)** désigne la partie de l'église située entre le transept et l'**abside (7)**. Réservé au clergé, c'est dans le chœur que se déroule la liturgie. Le **déambulatoire (8)**, sur lequel s'ouvrent des **chapelles rayonnantes** ou **absidioles (9)**, tourne autour de l'abside. L'ensemble constitué par le chœur, l'abside, le déambulatoire et les chapelles rayonnantes s'appelle, à l'extérieur, le **chevet (10)**. Le **contrefort (11)** est un massif de maçonnerie appliqué contre un mur afin de le renforcer. Les voûtes exerçant une très forte poussée sur les murs, les architectes ont

mis au point, pour la neutraliser, un système d'**arcs-boutants (12)**. La **gargouille (13)** sert à l'écoulement des eaux de pluie.

Pointu. Grande barque de pêcheur, typique du littoral marseillais.

Porche. Espace couvert et ouvert commandant l'entrée d'un bâtiment.

Portique. Galerie à colonnade en rez-de-chaussée.

Refend. On appelle **murs de refend** les murs porteurs intérieurs.

Ressaut. Élément faisant saillie sur une maçonnerie. Se dit aussi de la saillie d'un avant-corps peu important dans un bâtiment.

Retable. Panneau richement sculpté ou peint, qui surmonte l'autel.

Rinceau. Motif ornemental composé d'une tige végétale stylisée décrivant des boucles, parfois peuplé de figures diverses (animaux, têtes, etc.).

Roubine. Canal artificiel creusé pour permettre l'écoulement des eaux.

Sanctuaire. Espace situé dans le chœur et contenant le maître-autel.

Soustet. Passage couvert au-dessus d'une rue ou dans une cour.

Stuc. Enduit composé de chaux éteinte et de poudre de marbre, utilisé pour réaliser des décors en aplat ou en relief imitant le marbre. Motif décoratif fait de cette matière.

Templiers et Hospitaliers (ordres des). Quelques années après la conquête

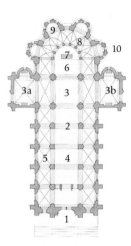

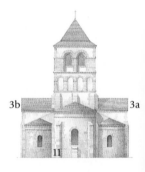

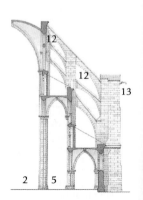

de Jérusalem par Godefroi de Bouillon (1099), des chevaliers décidèrent, en 1119, à l'initiative du Champenois Hugues de Payns, de consacrer leur vie à la défense des pèlerins en Terre sainte. L'ordre s'installa dans l'ancien temple de Salomon à Jérusalem (site de l'actuelle mosquée El-Aqsa). En 1128, lors du concile de Troyes, il reçut une règle ; cette officialisation lui conféra une notoriété certaine auprès de la noblesse d'Occident ainsi que l'octroi de nombreux dons. À la fin du royaume latin de Jérusalem en 1221, les Templiers rentrèrent en France. Leur réussite économique fut telle que l'ordre devint rapidement le trésorier du roi de France et du pape. En 1307, Philippe le Bel, jaloux de leur influence, ordonna l'arrestation de ses membres dans tout le royaume après une campagne de calomnie ; et sur la foi de faux témoignages, le pape Clément V dissout l'ordre en 1312. À l'issue d'un long procès, les Templiers furent jugés, condamnés, exécutés, et leurs biens transférés à l'ordre des Hospitaliers de Saint-Jean-de-Jérusalem, futurs chevaliers de Malte. Ce dernier ordre avait été fondé en 1113 en Palestine par Gérard Tenque pour recevoir les pèlerins qui venaient visiter les Lieux saints et soigner les malades.

Transept. Vaisseau transversal à la nef dessinant les bras d'une croix. La rencontre entre le transept et la nef s'appelle la **croisée du transept.**

Travée. Pour un édifice voûté, portion de voûte s'étendant entre ses points d'appui. Pour une élévation extérieure, la façade d'une demeure par exemple, ensemble d'ouvertures placées dans le même axe et disposées à un rythme régulier.

Tympan. Partie pleine le plus souvent décorée comprise entre le linteau et la voussure d'une baie (portail, fenêtre, arcade…).

Ubac. Versant d'une montagne exposé à l'ombre.

Vantaux. Panneaux sur gonds et pivotant destinés à ouvrir ou fermer une porte.

Vis de Saint-Gilles. Un escalier en vis de Saint-Gilles se caractérise par son plan curviligne et sa voûte annulaire dont l'appareillage cache la complexité derrière une apparente simplicité. Son nom provient du plus ancien exemple connu, celui de l'abbaye Saint-Gilles, dans le Gard.

Voussure. Cordon en forme d'arc constituant l'ornementation d'un portail. Les portails romans ou gothiques les plus développés comportent plusieurs cordons concentriques en retrait les uns des autres. Ces voussures sont parfois sculptées.

Voûte. Ouvrage de maçonnerie cintré couvrant un espace d'édifice. La **voûte en berceau** est une portion de cylindre engendré par la translation d'un arc suivant un axe rectiligne. Ce type de voûte impose une charge continue sur toute la longueur des murs latéraux. Les poussées s'exercent vers l'extérieur et posent des problèmes de stabilité, d'où l'épaisseur des murs. La **voûte d'arêtes** est constituée de deux voûtes en berceau qui se coupent à angle droit, les arêtes marquant cette intersection. Elles seront ensuite remplacées par des ogives, nervures saillantes convergeant vers un point commun appelé « clé » (**voûte d'ogives**). Les poussées générées par le poids du voûtement, au lieu d'être absorbées par les murs latéraux, sont réparties sur les quatre points des retombées, ce qui permet de diminuer l'épaisseur des murs et d'y ouvrir de plus vastes baies. C'est ce qui caractérise, entre autres points, le passage du roman au gothique. La **voûte en cul-de-four** est égale à un quart de sphère. Elle couvre surtout les absides des églises romanes.

Index

Les folios en **gras** renvoient aux développements les plus détaillés.

Dans les

GUIDES BLEUS

les lieux se racontent !

Les guides pays, régions et villes

Amsterdam • Andalousie • Bretagne Nord •
Bretagne Sud • Bruxelles, Bruges, Anvers • Châteaux de la Loire •
Corse • Côte d'Azur • États-Unis : côte Est et Sud • États-Unis :
Ouest américain • Grèce continentale • Inde du Sud • Italie du Sud •
Japon • Jordanie • Lacs italiens, Lombardie, Parme et Vérone •
Languedoc • Londres • Madrid • Maroc • New York • Normandie •
Norvège • Paris • Pays basque (France et Espagne) • Portugal •
Provence • Rajasthan, Gujarat et les capitales mogholes • Rome • Sicile •
Toscane • Tunisie • Turquie • Venise, avec Padoue, Vérone et Vicence

Les petits guides
des usages et coutumes

Chine • Corée • Émirats arabes unis •
Inde • Iran • Japon • Thaïlande •
Vietnam

Les carnets de visite

Angkor • Le château de Fontainebleau •
Le Louvre • Le Mont-Saint-Michel •
Le musée d'Orsay • Pompéi et
Herculanum • Le Vatican

Édité par Hachette Livre (58, rue Jean-Bleuzen, 92178 Vanves Cedex).
Achevé d'imprimer le 12/3/2018 par Stige
(via Pescarito, 110 - 10099 San Mauro Torinese - TO - Italie)
Dépôt légal : mars 2018 • Collection 03 • Édition 01
ISBN : 978-2-01-395995-7 • 63-1734-5

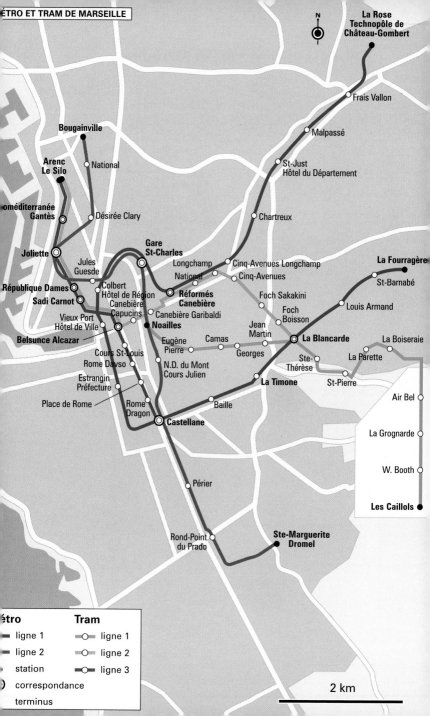

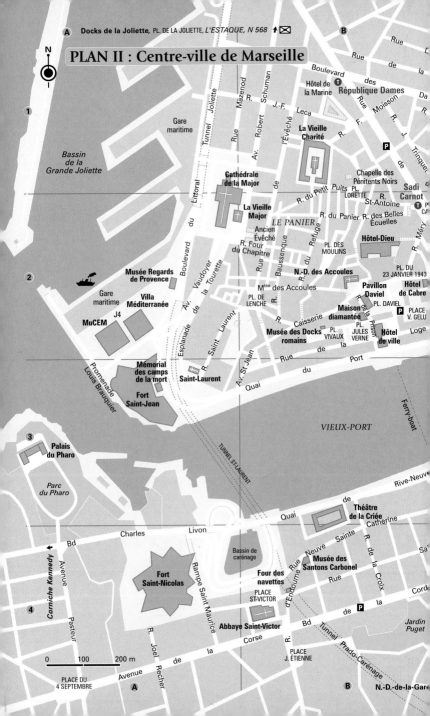